Siegfried Wiedenhofe

Formalstrukturen humanistischer
und reformatorischer Theologie
bei Philipp Melanchthon

Regensburger Studien zur Theologie

herausgegeben von den Professoren
Dr. Franz Mußner, Dr. Wolfgang Nastainczyk,
Dr. Norbert Schiffers, Dr. Joseph Staber

Bd. 2
Teil II
Anmerkungen und Literaturverzeichnis

Siegfried Wiedenhofer

Formalstrukturen humanistischer
und reformatorischer Theologie
bei Philipp Melanchthon

Herbert Lang Bern
Peter Lang Frankfurt/M. und München
1976

Siegfried Wiedenhofer

Formalstrukturen humanistischer und reformatorischer Theologie bei Philipp Melanchthon

Herbert Lang Bern
Peter Lang Frankfurt/M. und München
1976

ISBN 3 261 01736 8

©

Peter Lang GmbH, Frankfurt/M. und München (BRD)
Herbert Lang & Cie AG, Bern (Schweiz)
1976. Alle Rechte vorbehalten.

Druck: fotokop wilhelm weihert KG, Darmstadt

INHALTSVERZEICHNIS

Einleitung

1) Vgl. etwa Deutsches Wörterbuch, hrsg.von G.Wahrig, Gütersloh 1971 (1968), 3469; Wehrle-Eggers, Deutscher Wortschatz1.
   Ein Wegweiser zum treffenden Ausdruck. Systematischer Teil
   (Fischer Handbücher,953), Frankfurt am Main - Hamburg 1968,
   Nr.329. Zu einigen bisherigen Anwendungen des Strukturbe-
   griffs in der Theologie vgl. H.Schröer, Struktur und Ordnung als theologische Leitbegriffe, in: Dogma und Denkstrukturen. Festschrift E.Schlink, Göttingen 1963, 29-55; W.J.
   Boney, On Order and Structure in Theology, in: JESt 8
   (1971) 605-619.

2) R.Kösters, Zur Theorie der Kontroverstheologie. Wissen-
   schaftstheoretische Reflexionen über Begriff, Gegenstand
   und Methode der Kontroverstheologie, in: ZKTh 88 (1966) 121-
   162, 155ff.

3) Auf die Notwendigkeit einer Einbeziehung des Mittelalters
   hat W.Maurer im Rahmen einer Untersuchung über die Naturwissenschaft zur Zeit Melanchthons bereits hingewiesen:
   "So sehr wir auch humanistische Motive bei Melanchthon als
   entscheidend anerkennen müssen, so wenig dürfen wir ihn uns
   deshalb vom Mittelalter grundsätzlich getrennt denken. Was
   von seiner Naturlehre gilt, trifft mutatis mutandis im
   Blick auf seine ganze Philosophie zu." "Es bedeutet..eine
   unzulässige Vereinfachung, Melanchthons Lehre schlechthin
   als eine Synthese von Humanismus und Reformation zu verstehen. Man muß das mittelalterliche Erbe als einen dritten
   konstitutiven Faktor mit in Rechnung stellen. Das trifft
   zu für den Theologen und Philosophen Melanchthon; an seiner
   Naturphilosophie läßt sich das besonders leicht veranschau-
   lichen"(W.Maurer 1962, 40). Dieser Hinweis W.Maurers hat
   in der Melanchthonforschung jedoch kaum ein Echo gefunden.
   Die einzige Ausnahme bildet praktisch die Arbeit von V.
   Pfnür 1970 über die Rechtfertigungslehre, in der sehr schön
   die Fruchtbarkeit einer solchen auf die mittelalterliche
   Vorgeschichte ausgedehnten Fragestellung demonstriert ist.
   Vgl. aber auch P.Fraenkel (in P.Fraenkel-M.Greschat 1967,
   S.XI), der eine neue Tendenz in der Melanchthonforschung
   (und z.T. auch in der allgemeinen reformationsgeschichtli-
   chen Forschung) zu erkennen glaubt, insofern nun nicht
   mehr das Besondere und Trennende im Mittelpunkt des Interesses stünden, sondern das Gleichbleibende, die Verbindungslinien und die Vor-und Nachgeschichte stärker hervorgehoben
   würden. Auf der anderen Seite bedeutet diese Einbeziehung
   der Vorgeschichte in dieser Arbeit hier nicht, daß die
   Formalstrukturen der spätmittelalterlichen oder gar der
   mittelalterlichen Theologie selbst schon als Gegenstand der
   Arbeit verstanden worden wären. Im Rahmen dieser Arbeit
   war die Vorgeschichte nur als mehr oder minderdeutlicher
   Horizont in Rechnung zu stellen. Aber dies sollte wenigstens
   konsequent durchgehalten werden.

4) Zum Ganzen vgl. die ausgezeichnete Skizze von W.Kasper 1967,
   16ff, 24ff; ferner auch Th.Tshibangu 1965, 169-186 (über
   den Beginn der Herrschaft des "Positiven" in der Renaissance).

5) Vgl. etwa M.Gritz, Die Stellungnahme der katholischen Kirchen-
historiker Deutschlands im neunzehnten Jahrhundert zu Renaissance und Humanismus, Kath.-theol.Diss.Tübingen 1955
(Masch.); A.Weiler, Humanismus und Scholastik. Die Erneuerung des christlichen Denkens in der Renaissance, in: Conc
3 (1967) 530-538; Wandlungen des Lutherbildes (Studien und
Berichte der Katholischen Akademie in Bayern, 36), Würzburg
1966 (hier bes. den Beitrag von H.Jedin); R.Stauffer, Die
Entdeckung Luthers im Katholizismus. Die Entwicklung der
katholischen Lutherforschung seit 1904 bis zu Vatikan.II
(ThStB, 96), Zürich 1968; H.Chirat, Quelques contributions
catholiques à l'histoire des origines de la Reformation,
in: RevSR 42 (1968) 123-156, 193-230. W.Beyna, Das moderne
katholische Lutherbild (Koinonia, 7), Essen 1969.

6) Eine Übersicht über die ältere und jüngere Diskussion bringt
E.Walder, Zur Geschichte und Problematik des Epochenbegriffes
"Neuzeit" und zum Problem der Periodisierung der europäischen
Geschichte, in: Festgabe Hans von Greyerz zum 60.Geburtstag,
Bern 1967, 21-47; vgl. auch H.Lutz 1972, 68f.

7) K.Sell 1897, S.IV; vgl. auch R.Stupperich 1961, 128ff, der
hier (128) die Frage stellt, "ob die Reformation die Weite
und den Umfang erreicht hätte, wenn nicht Melanchthon neben
Luther gestanden und entscheidenden Anteil an dem großen
Werk genommen hätte."

8) W.Dilthey 1957, 164.

9) Vgl. A.Sperl 1959, 9 (auch 9f Anm.1, 99f Anm.1); M.Greschat,
in: P.Fraenkel-M.Greschat 1967, 167; zur Forschungsgeschichte auch F.Hübner 1936, 26-34; W.H.Neuser 1957, 1-16; P.
Fraenkel-M.Greschat 1967, passim; inzwischen ist auch noch
W.Maurer 1967 und 1969 zu nennen.

10) Vgl. die Belege S.492f.Eine ganz kurze Übersicht auch bei
E.Mühlenberg 1968, 431ff.

11) Neben den verschiedenen Übersichten über den Gang der Lutherforschung, die hier nicht angeführt zu werden brauchen, vgl.
dazu M.Greschat 1969, 645ff.

12) Hier ist M.Greschat (1969, bes.650ff) zu nennen, dessen
Münsteraner Antrittsvorlesung jedoch über eine Problemanzeige noch kaum hinausgeht. Eine positive Wertung des Verhältnisses zwischen Erasmus und der Reformation vertreten
bes. E.-W.Kohls 1966; ders. 1969; ders. 1969a; ders. 1970,
645; dann auch noch G.G.Krodel, Fragen an ein katholisches
Erasmusverständnis, in: ThLZ 87 (1962) 733-740, bes.735ff;
und R.Stupperich 1971, 158. Außerdem wären zu nennen:
L.C.Green 1974 und W.J. Bouwsma 1974; unbefangener stellt
sich die Frage in der Profanhistorie, wie sich bei H.Lutz
1972 zeigt.Ein schönes Beispiel dafür, wie stark die traditionelle Erasmuskritik bis in die Gegenwart hereinwirkt,
bietet E.Wolf 1969; in diesem Aufsatz findet man die wichtigsten Topoi und Klischees an einer Stelle beisammen

(bes.104f, 105-111, 114-119), vom "unüberbrückbaren Gegensatz" zwischen Erasmus und Luther (ebd.104) angefangen, über die "idealistisch-ethische Bildungsreligion" des Erasmus, die zuletzt eine 'Religion des Menschen' sei (ebd.107) bis hin zu Erasmus als "Skeptiker"(ebd.115). Erstaunlich daran ist, mit welcher Selbstverständlichkeit hier der Lutherische Polarisierungsversuch repetiert wird. Ohne jede Andeutung der hermeneutischen Problematik werden in einer fast dogmatisch zu nennenden Sicherheit historische Aussagen ("Luther beurteilt Erasmus folgendermaßen") unter der Hand in systematische und dogmatische Aussagen ("Die Theologie des Erasmus ist so und so") umgewandelt. In die gleiche Richtung geht, wenn auch stärker differenzierend H. Dörries, Erasmus oder Luther. Eine kirchengeschichtliche Einführung, in:Kerygma und Melos. Christhard Mahrenholz 70 Jahre, Kassel u.a. 1970, 533-570 (die Differenzierung bes.566 ff). Seit der Arbeit von H.J.McSorley 1967 (257-272 Erasmus: De libero arbitrio; 273-337 Luther: De servo arbitrio) sollte zumindest feststehen, daß die Sache so einfach nicht ist. Zu Melanchthon und dem Verhältnis Humanismus - Reformation vgl. die Übersichten bei P.Fraenkel-M.Greschat 1967 (bes. 14ff, 25ff, 72ff, 110ff).

13) Die wichtigsten Erasmusabschnitte im Rahmen der Melanchthonforschung finden sich bei P.Joachimsen 1926, 54-61 (loci communes bei Erasmus); R.Stupperich 1936, bes.20ff (der erasmische Einschlag der Theologie Melanchthons und deren Unterschiedlichkeit); W.Maurer 1955, 103-127 (der Gesetzesbegriff bei Erasmus und Melanchthons Abkehr davon); W. Maurer 1958a (Melanchthon zwischen Erasmus und Luther); W. Maurer 1959, 90ff (der Bruch mit Erasmus in der Wertung der Väter); H.Sick 1959, 16,24f, 42ff, 50ff, 136ff (Schriftauslegung bei Erasmus); W.Maurer 1960, 32-37 (die Loci-Methode); W.Maurer 1961a, 25ff (der Einfluß des Erasmus im Sprachlich-Ethischen, aber Bruch durch die Begegnung mit Luther), 28ff (die Umgestaltung des Melanchthonischen Humanismus durch den Einfluß Luthers); H.-G.Geyer 1965, 99-122 (der anthropologische Grundriß des Erasmus); W.Maurer 1967, 171-214 (Erasmus und die Anfänge von Melanchthons Rhetorik); A. Schirmer 1967, 23-26 (Erasmus und Melanchthon), 27-36 (die Schriftauslegung des Erasmus), 91f (der Unterschied im Gesetzesverständnis).

14) Natürlich wird besonders in jüngster Zeit mit Recht darauf hingewiesen, daß eine bloß geistesgeschichtliche Hintergrundaufhellung der Phänomene Humanismus und Reformation in die Gefahr einer idealistischen Geschichtsauffassung gerate und daß auf Grund der Totalität und Komplexität des historischen Geschehens sowohl die existentiellen Möglichkeiten wie auch die politischen und gesellschaftlichen Komponenten berücksichtigt werden müßten; vgl. M.Greschat 1969, 648f; E.Wolf 1969, 97f; H.Lutz 1972, 68; A.Brüls 1975, 21f; K.-V.Selge 1975, 26f Anm. Im Rahmen dieser Arbeit hier ist allerdings ein solcher Versuch bereits arbeitstechnisch unrealisierbar.

15) Was unter "katholischer" Melanchthonforschung zu verstehen ist, ist nicht ganz eindeutig. Genügt es, daß der Autor katholisch ist? Oder muß er auch katholischer Theologe sein? Oder muß sogar eine kontroverstheologische Fragestellung vorhanden sein? Nimmt man die weite Bedeutung, so sind m.W. in diesem Jahrhundert insgesamt folgende selbständige "katholische" Melanchthonarbeiten zu nennen: eine Münsteraner Dissertation von J.Noryśkiewicz 1903 über die ethische Prinzipienlehre Melanchthons und ihr Verhältnis zur Moral der Scholastik, dann verschiedene Aufsätze des Freiburger Historikers C.Bauer über die Naturrechtslehre Melanchthons, die allgemeine Beachtung fanden (C.Bauer 1950, 1951, 1951/52); 1960 folgte der Versuch einer (mehr biographisch ausgerichteten) Gesamtdarstellung durch N.Caserta (N.Caserta 1960); dann ist noch eine bei C.Bauer angefertigte Dissertation von H.Pfister über die Entwicklung der Theologie Melanchthons unter dem Einfluß der Auseinandersetzung mit Schwarmgeistern und Wiedertäufern zu nennen (H.Pfister 1968),und 1970 erschien schließlich die eindringliche Untersuchung der Rechtfertigungslehre der CA 1530 mit der Stellungnahme der katholischen Kontroverstheologen zwischen 1530 und 1535 durch V.Pfnür (V.Pfnür 1970). Dazu kommt jetzt A.Brüls 1975.

16) Die wichtigste Literatur wird jeweils zu Beginn der betreffenden Abschnitte aufgeführt werden. Für die Melanchthonforschung gibt es inzwischen eine Reihe recht brauchbarer bibliographischer Hilfsmittel und Übersichten: an erster Stelle W.Hammer, Die Melanchthonforschung im Wandel der Jahrhunderte. Ein beschreibendes Verzeichnis, 2 Bde (QFRG, 35.36), Gütersloh Bd.I (1519-1799) 1967, Bd.II (1800-1965) 1968; daneben noch die Übersichten von P.Fraenkel-M.Greschat 1967; R.Stupperich 1952 (über das Melanchthonverständnis in der Theologie der letzten hundert Jahre); ders. 1960a, 128-135 (Zur Melanchthonforschung); ders. 1962 (über das Melanchthon-Gedenkjahr und seinen wissenschaftlichen Ertrag); G.Buttler 1960 (über das Melanchthonbild der neueren Forschung); ders. 1964 (über das neue Interesse an Melanchthon); weitere bibliographische Hinweise bei P.Fraenkel-M.Greschat 1967, 1-4, 56f, 92-94, 139-142.

17) Zur abgekürzten Zitationsweise und zu den übrigen Abkürzungen vgl. S. 397, 423-431.

18) Zu Quellenlage und Textsituation vgl. die Überblicke bei P.Fraenkel-M.Greschat 1967, 4-8, 44, 58, 94-100, 142-146, 169-172.

19) Bei den nichttheologischen Schriften wurden vor allem jene herangezogen, die formaltheologisch relevant sind. Praktisch gesehen bedeutet dies, daß nur die in CR XVII-XIX gesammelten Klassikerinterpretationen und die in SM I/1 abgedruckten Übersetzungen lateinischer Melanchthonschriften (von ganz wenigen Ausnahmen abgesehen) unberücksichtigt blieben.

20) Zitiert wird mit Angabe des Schrifttitels (meist abgekürzt)

mit Datierung, mit Angabe der Edition (abgekürzt), Angabe
des Bandes, der Seite (bzw. Spalte) und (wo vorhanden)
auch der Zeile (z.B. De anima 1553, SA III, 312,30ff).
Nur bei der Ausgabe der Erasmusbriefe von Allen werden neben dem Band die Briefnummer mit den Zeilen angegeben
(z.B. Allen III, Nr.453,48ff). Bei alten Drucken werden
wie üblich   Bogen (mit lateinischen Großbuchstaben) und
Blatt (der Einfachheit halber mit arabischen Ziffern) mit
Vorder- oder Rückseite (a/b) zitiert (z.B. Bl. A 3b). In
der Formalanalyse und bei Zusatzbelegen wird nur der Fund-
ort (mit Rohdatum) angeführt. In der Regel wurden Orthogra-
phie und Interpunktion der jeweiligen Quellen einfach übernommen. Von daher stammt auch die formale Uneinheitlich-
keit der zitierten Texte. Modernisiert wurde die Schreibweise nur in der Verwendung von u und v, et und & und in der
Großschreibung nach einem Punkt. Im Text der Arbeit erscheinen die Quellen teilweise in eigener Übersetzung, teilweise im Original, je nachdem, ob sie mehr eine illustrative
oder mehr eine demonstrative bzw. argumentative Funktion
haben. Normalerweise sind Quellenwiedergaben oder -paraphra-
sen in indirekte Rede gesetzt, um sie von den eigenen Zusammenfassungen, Interpretationen, Vermutungen usw. zu
unterscheiden.

1. Teil: Formalstrukturen humanistischer Theologie

I. Formalstrukturen humanistischer Theologie nach Erasmus von Rotterdam

1) Auf die schwierige Frage nach dem Verhältnis zwischen italienischem und nördlichem Humanismus kann hier nicht eingegangen werden. Zur Theologie des italienischen Humanismus vgl. etwa P.Mestwerdt 1917, 2o-78 (die religiösen und theologischen Tendenzen im italienischen Humanismus); E.Garin 1947, 112-119 (die platonische Theologie); M.Seidlmayer, Religiös-ethische Probleme des italienischen Humanismus (1958), in: ders. 1965, 273-294; E.Monnerjahn, Giovanni Pico della Mirandola. Ein Beitrag zur philosophischen Theologie des italiensichen Humanismus (VEG, 2o), Wiesbaden 196o; H.de Lubac 1964, 391-427 (Humanistes mystiques); A.Buck 1968a (über das Verhältnis des Renaissance-Humanismus zur Patristik); E.Mühlenberg, Laurentius Valla als Renaissancetheologe, in: ZThK 66 (1969) 466-48o; P.O.Kristeller 1969, 21ff (eine ganz kurze Übersicht); J.Nolte, Pauli Mysteria. Zur theologischen Erkenntnislehre des Marsilio Ficino anhand von dessen Proöm einer Pauluskommentierung, in: Wort Gottes in der Zeit. Festschrift Karl Hermann Schelkle, Düsseldorf 1973, 274-287; Ch.Trinkaus, In Our Image and Likeness. Humanity and Divinity in Italian Humanist Thought, 2 Bde, London 197o; ders. 1974; H.de Lubac, Pic de la Mirandole, Paris 1974; den italienischen Bereich überschreitend auch den Sammelband Courants religieux et humanisme 1959. Zur Humanismusforschung und -interpretation vgl. Bibliographie internationale de l'Humanisme et de la Renaissance, Genf 1966ff (fortlaufende Bibliographie); A.Buck, Italienischer Humanismus. Forschungsbericht, in: AKG 37 (1955) 1o5-122; 41 (1959) 1o7-132; 52 (197o) 121-14c D.Weinstein, In Whose Image and Likeness? Interpretations of Renaissance Humanism, in: JHI 33 (1972) 165-176.

2) Zum deutschen Humanismus in der zweiten Hälfte des 15. Jahrhunderts vgl. J.H.Overfield 1969, 45-146; zur Wende um 15oo ebd. 175-219 (=Kap.5: Humanism and Theology in the early sixteenth Century), wo paradigmatisch Konrad Mutian, Willibald Pirckheimer, Johannes Reuchlin und Heinrich Bebel behandelt werden. Vgl. auch L.W.Spitz 1963, der das Problem der religiösen und kirchlichen Reform bei den Humanisten Agricola, Wimpfeling, Reuchlin, Celtis, Hutten, Mutian, Pirckheimer, Erasmus und Luther untersucht. Diese beiden Arbeiten ve folgen ein mehr allgemeines historisches Interesse, weshalb sie auch weniger auf die Charakteristika der humanistischen *Theologie* eingehen. Zur älteren Literatur vgl. bes. H.Baron, Zur Frac des Ursprungs des deutschen Humanismus und seiner religiösen Reformbestrebungen. Ein kritischer Bericht über die neuere Literatur, in: HZ 132 (1925) 413-446. Natürlich hat es auch noc nach 15oo eine intensive Beschäftigung mit Grammatik, Rhetorik und Dialektik gegeben (vgl. T.Heath 1971).

3) Zur näheren Begründung S. 94f, 112f.

4) Vgl. die kurze Übersicht bei F.De Maeseneer 1963, 9-12.

5) Vgl. G.Chantraine, Érasme théologien? A propos d'une discussion récente, in: RHE 64 (1969) 811-82o; ferner auch J.Coppens 1968, 198ff; R.Padberg, Reformatio Catholica - Die theologische Konzeption der Erasmischen Erneuerung, in: Volk Gottes 1967, 293-3o5.

6) Vgl. die Berichte und Übersichten von J.Coppens 1968; A.J.Gail, Erasmiana - Rund um die Saecularfeiern, in: ThRv 65 (1969) 439-448; E.-W. Kohls 197o; J.Coppens, Scrinium Erasmianum. Une introduction nouvelle aux études érasmiennes, in: EThL 46 (197o) 136-145; C.Reedijk, Erasmus in 197o, in: BHR 32 (197o) 449-466.

7) Zur Geschichte der Erasmusinterpretation vgl. R.Padberg 1956, 5-22; H.de Lubac 1964, 454-487 (zum französischen Bereich); E.-W.Kohls 1966, I, 1-17; M.Hoffmann 1972, 1o-27 (ebd. 13 Anm. 24 weitere Übersichten). Bibliographien: J.-C.Margolin, Quatorze années de bibliographie érasmienne (1936-1949) (De Pétrarque à Descartes, 21), Paris 1969; ders., Douze années de bibliographie érasmienne (195o-1961) (De Pétrarque à Descartes, 6), Paris 1963; Bibliographia erasmiana, in: Scrinium Erasmianum 1969,II, 621-678; Bibliographie zur Erasmusliteratur, in: M.Hoffmann 1972, 228-283.

8) G.Chantraine 1971, 1-15. Durch die systematische Engführung auf den Mysteriumbegriff werden natürlich automatisch eine Reihe von Fragen abgeblendet.

9) M.Hoffmann 1972, 27-39. Aufschlußreich für diese Arbeitsweise ist der Übersichtsabschnitt ebd. 59-72 mit dem Titel "Das Erasmische System". Die Bedenken gelten hier vor allem der vorschnellen Systematisierung der Erasmischen Aussagen sowie der Selbstverständlichkeit ihrer philosophischen Interpretation, die meint, auf die Frage des sprachhumanistischen Denkens überhaupt nicht eingehen zu müssen. Vgl. dazu S. 41o-429.

1o) G.B.Winkler 1974, S.VII-IX. Hier wieder scheint der Verzicht auf eine inhaltliche Systematisierung und eine ausführlichere historische Hintergrundaufhellung nicht ganz ohne Folgen geblieben zu sein. Zwar sind verschiedene Ansätze dazu da (z.B. kirchengeschichtlicher Hintergrund der Einleitungsschriften 7-11, 18-21, Hinweise auf die Devotio moderne 51,84,87, 1o4,199, Hinweise auf patristische Bezugspunkte 57ff, 88ff. 119f, 121, 15off, mittelalterliche Bildungsgeschichte 126, usw.) aber der "theologische Sinn" der Einleitungsschriften bleibt m.E. doch etwas blaß.

11) Die wichtigsten Interpretationen der Ratio (bzw. der Einleitungsschriften) sind, wie gesagt, die von G.Chantraine 1971, G.B.Winkler 1974 und M.Hoffmann 1972. Nimmt man diese Arbeiten aus, so ist durchaus richtig, was M.Hoffmann (1972, 35) sagt, daß die Einleitungsschriften zum Neuen Testament bisher immer noch nicht einer eingehenden Untersuchung unterzogen worden seien. Wohl aber wurden sie sehr häufig besprochen. Eine Reihe von Arbeiten, die sich mit der Ratio beschäftigt haben (Ch.Goerung, J.Lindeboom, P.Imbart de la Tour,

Renaudet, J.Etienne, L.Bouyer, H.de Lubac, F.De Maeseneer, J.W.Aldridge) bespricht G.Chantraine 1971, 15-28. Dazu wären noch zu nennen Ch.Dolfen, der (1936, 51-64) die Reformvorschläge des Erasmus hauptsächlich an Hand der "Ratio" darstellt, P.Mesnard, La Paraclesis d'Erasme, in: BHR 13 (1951) 26-42, der eine kurze Einleitung, eine Analyse und eine französische Übersetzung der Paraclesis bietet; auch Th.Tshibangu gibt (1965, 174-181) eine zusammenfassende Inhaltsangabe der "Ratio", ebenso auch G.B.Winkler in seiner Einleitung zu Welzig III (1967)VII-XL,und R.Stupperich 1971. Bei J.Beumer (1972, 98) wird der Inhalt der Ratio in vier Zeilen zusammenzufassen versucht (sie ist im übrigen weder der ersten Auflage des NT 1516 vorausgeschickt noch auch erst 1522 selbständig veröffentlicht worden; so ebd. 97f). Die richtige Reihenfolge der Quellen für die Erarbeitung der theologischen Methode des Erasmus führt F.De Maeseneer (1963, 27) auf: 1. die Einleitungsschriften, 2. der Brief an P.Volz, 3. die Vorreden zu den Annotationes, Paraphrasen und patristischen Textausgaben, 4. die praktisch-theologischen Schriften, 5. die Briefe, 6. die übrigen Werke.

12) Vgl. S.112f.

13) Vgl. dazu etwa P.Polman 1936, 276; J.Coppens 1961, 352f, 364-371; G.B.Winkler 1974, 7-11.

14) Vgl. H.Holborn in Holborn,S.XIVf. Diese Holbornsche Ausgabe der Einleitungsschriften (zusammen mit dem Enchiridion und dem Brief an P.Volz) ist die bisher einzig brauchbare (Paraclesis ebd. 139-149, Methodus 150-162, Apologia 163-174, Ratio 177-305). In der Leidener Ausgabe von J.Clericus sind zwar Paraclesis und Apologia enthalten (LB VI), es fehlen aber die Methodus 1516 und die verschiedenen Ausgaben der Ratio; diese ist nur nach der Frobenschen Ausgabe der Opera, Basel 1540, in der Fassung von 1522 abgedruckt (LB V). Holborn entnimmt seinen Text der Ratio der ersten selbständigen Baseler Ausgabe vom Januar 1519 und dem damit textgleichen Abdruck im Novum Testamentum vom März 1519. Er ist jedoch mit dem Hinweis auf den B. des Erasmus an Faber, Mai 1519 (Allen III, Nr.976,12ff) der Meinung, daß diese Baseler Ausgabe mit dem allerersten Druck in Löwen, Nov.1518, textlich identisch ist (Holborn, S.XV). Die Erweiterungen der Ratio in den Ausgaben von 1520, 1522 und 1523 sind bei Holborn ebenfalls verzeichnet. Inzwischen sind die Einleitungsschriften auch zusammen mit einer (freilich bisweilen auch diskutierbaren)deutschen Übersetzung erschienen: Welzig III: In Novum Testamentum Praefationes/Vorreden zum Neuen Testament. Übersetzt, eingeleitet und mit Anmerkungen versehen von G.B.Winkler, Darmstadt 1967.Winkler bringt den Text von Holborn einschließlich aller Erweiterungen bis 1523, ohne aber diese als solche zu kennzeichnen (von ganz wenigen Ausnahmen abgesehen). Die Bibliographie der Ratio findet sich bei Holborn, S.XV-XVII; die der Paraclesis in: Bibliotheca Erasmiana. Répertoire des oeuvres d'Érasme,

Gand 1893 (Nachdruck Nieuwkoop 1961), 1re série, 140ff.
Zur Entstehung und Verbreitung der Einleitungschriften vgl.
auch G.B.Winkler 1974, 1-7 ; eine gute inhaltliche Übersicht
im Zusammenhang mit der Herausgabe des Neuen Testamentes
findet sich bei J.Hadot, Le Nouveau Testament d'Érasme, in:
Colloquium Erasmianum 1968, 59-65.

15) G.B.Winkler, in: Welzig III, S.XX; ders. 1974, 51f (jeweils
mit Verweis auf K.A.Meissinger).

16) So G.Chantraine in der Masch.-Fassung seiner Diss. 1968, 27.

17) Auf das Verhältnis von Humanismus und Rhetorik wird später
ausführlicher eingegangen. Vgl. S.368-376,410-429,430-450,
472-483.

18) Es ist das Verdienst von G.B.Winkler, in seiner formalen
Analyse der Einleitungsschriften als erster ausdrücklich
diesen Weg beschritten zu haben. Vgl. G.B.Winkler 1974,
bes.28-36, 65-70 , 91-95 , 112-121. Allerdings bedürfen
seine Ergebnisse an einigen Punkten der Korrektur.

19) Vgl. dazu H.Lausberg 1960,I, §§ 59-65.

20) Von Erasmus selbst existiert keine systematische Rhetorik im
eigentlichen Sinn (zu den Rhetorikhandbüchern im 16.Jahr-
hundert vgl. L.A.Sonnino 1968, 233-241); wohl aber gibt es
verschiedene Applikationen der Rhetorik aus seiner Hand.
Dazu sind zu zählen De duplici copia verborum ac rerum 1513
(LB I, 3-110), De ratione conscribendi epistolas 1521
(A I/2, 205-579) und Ecclesiastes 1535 (LB V, 849-952). Zur
Generalehre vgl. bes. De ratione conscribendi epist las:
"Rhetorum plerisque tria causarum genera placuerunt, suasori-
um, encomiasticon et iudiciale. Ad haec tanquam ad fontes
pleraeque literarum formae referuntur, ut suasorio has fere
partes subiicias: conciliationem, reconciliationem; exhortationem, dehortationem; suasionem, dissuasionem; consolationem, petitionem, commendationem, mo nitionem, amatoriam.
In demonstrativo genere versantur descriptiones personarum,
regionum, praediorum, arcium, fontium, hortorum, montium,
monstrorum, tempestatum, itinerum, conviviorum, aedificiorum,
pomparum. Ad iudiciale genus, haec fere referuntur: Accusatio,
querela, defensio, expostulatio, expurgatio, exprobratio,
comminatio, invectiva, deprecatio. His tribus quartum genus
accersere licebit, quod si placet, familiare nominemus.
Eius eiusmodi ferme species esse possunt: Narratoria, qua
rem apud nos gestam, longe positis exponimus. Nunciatoria...
Gratulatoria... Lamentatoria... Mandatoria... Collaudatoria...
Officiosa... Iocosa..." "Quid enim iis praecipias, quibus
ea demum epistola optima est, quae quaestuosissima? His
disputatoriam, sciscitoriam, doctrinalemque adiicias licebit.
In quibus et theologicae, et ethicae contineri possunt"
(A I/2, 310,14-312,14).

21) Vgl. dazu G.B.Winkler 1974, 28-36, wo dies in Einzelheiten
gezeigt wird.

22) Zu den Einzelheiten wieder G.B.Winkler 1974, 91-95 , ferner auch 33f.

23) Vgl. Ratio: "..caelestis studii viam ac methodum tradere.." (Holborn 177,17); vgl. auch Methodus (ebd. 150,2ff).

24) Auch G.B.Winkler weist (1974, 112-121) zu Recht die Ratio der vierten Gattung (genus familiare oder doctrinale) zu. Die Methodus weist er jedoch seltsamerweise der demonstrativen Gattung zu und interpretiert sie als eine Art theologische Poetik (ebd. 65-70, 34f, 117f). Das hängt offensichtlich mit seiner These zusammen, daß Erasmus in den Einleitungsschriften und in der Ratio Schulbeispiele der vier rhetorischen Gattungen verwirklichen habe wollen (ebd. 113ff, 34f). Die Zuweisung der Methodus und die dazugehörige Gesamtthese sind jedoch nicht überzeugend. Zunächst ist die demonstrative Gattung mißverstanden. Ihr eignet speziell bei Erasmus kein lehrhafter Charakter. Vgl. dazu De ratione conscribendi epistolas 1521 (De Demonstrativi Generis Epistolis): "Genus demonstrativum raro quidem per se adhibetur, frequenter autem in aliis generibus incidit. Exempli causa, si quem commendare nitimur, in personae demonstranda laude versari necesse est.." "Quoties autem per se adhibetur, totum est ad delectationem accomodatum"(A I/2, 513,11ff.17). Vgl. auch H.Lausberg 1960,I, § 61. Auch der Zusammenhang zwischen demonstrativer Gattung und Dichtung, sofern einer besteht, ist ein völlig anderer als bei Winkler (1974, 66ff) postuliert ist. Vgl. dazu H.Lausberg 1966, bes.§ 49). Falsch ist auch die Trennung von Methodus und Ratio in zwei verschiedenartige Schriften. Der Selbsteinwand Winklers (1974, 116) ist in dieser Hinsicht m.E. zwingend. Winkler weist hier darauf hin, daß in der Aufstellung der Werke, die Erasmus 1523 zum Zweck einer Gesamtausgabe vornahm, die Methodus völlig fehlte und von der Ratio verdrängt worden war. Die Ratio ist in der Sicht des Erasmus folglich nichts anderes als eine überarbeitete Form der Methodus.

25) So auch G.B.Winkler 1974, 124f, auch 113. Einheit besteht auch hinsichtlich der Zielsetzung (ebd. 117).

26) Die Ratio von 1518/19 enthält ungefähr das *Dreifache* des Stoffes der Methodus von 1516. Wenn G.B.Winkler (1974,113) sagt, die Ratio sei etwa *zehnmal* so lang wie die Methodus, so gilt dies erst von der Ratio 1523. Vgl. dazu S.28f.

27) Vom heranzubildenden "theologus" (Methodus, Holborn 155,27; 161,19), vom "ad theologiam destinatus" (ebd. 154,10; 155,29), vom "theologus futurus" (ebd. 159,32), vom "tirunculus" (ebd. 156,14) ist schon in der Methodus die Rede. Solche Ausdrücke häufen sich in der Ratio: candidatus theologiae (ebd. 177,20; 181,33; 197,6f; 284,28), destinatus ad theologiam (ebd. 187,1; 192,7); theologus (futurus) (ebd. 294,17; 297,8), tiro theologiae (ebd. 192,6; 215,1; 293,13f); adulescens (ebd. 189,28), tirunculus (ebd. 193,24f), studiosus (ebd. 177,26). Die hier seit 1516 zu beobachtende stärkere Hinwendung zur Kirche paßt gut zum Ergebnis der Arbeit

von G.Gebhardt 1966, der die dritte Phase der theologischen
Entwicklung des Erasmus (seit ca. 1516) beschreibt als
"die Schaffung einer umfassenden, auch die Kirche einbe-
ziehenden Theologie mit der krönenden Vollendung im Ecclesiastes (1535)"(ebd. 404).

28) Den fast 100 *Seiten* der Ratio 1523 (Holborn 194,19-284,2)
entsprechen nur gut 20 *Zeilen* der Methodus (ebd. 157,1-24).
Das Wichtigste von den Erweiterungen ist bereits 1518 vor-
handen. Die späteren Hinzufügungen, die etwas mehr als ein
Drittel ausmachen, enthalten hauptsächlich Beispiele.
Vgl. S. 29 Anm.197; auch S.21 Anm.117

29) Ein schönes Beispiel für eine solche persuasive Partie bildet
die zentrale 5.Regel (im 8.Kap.) des Enchiridion militis
Christiani; vgl. dazu J.C.Margolin, Interprétation d'un
passage de l'Enchiridion Militis Christiani, canon Quintus,
in: Actes du Congres Erasme 1971, 99-115, 1o2. Zur Lehre
vgl. Ecclesiastes 1535: "Attamen Ecclesiastes potissimum versatur in docendo, in suadendo, in exhortando, consolando,
consulendo et admonendo. Non me fallit, docere esse omnium
causarum et statuum commune, ad praesens tamen negotium, visum est separare. Docemus enim ut intelligat auditor: veluti
quum per Scripturas et rationes demonstramus, Deum esse
incorporeum, animam hominis esse immortalem. Sudemus ut
quod honestum et utile est, auditor velit amplecti.."(LB V,
858EF).Zu den Metaphern in der Methodus: Winkler 1974,77-83.

30) Vgl. dazu S.372f.

31) So auch schon E.-W.Kohls 1966a, 223ff, ohne allerdings das
Problem systematisch zu entfalten. Vgl. dazu S.453f,482.

32) Ebenso wie die Ratio wird ja auch die Paraclesis selbständig
weiterverbreitet. Genau das gleiche Thema wie in der Paraclesis behandelt Erasmus im übrigen auch in der Vorr. zu den
Paraphrasen des Matthäusevangeliums, die am 15.März 1522 zum
erstenmal gedruckt wurde; dazu J.Coppens 1961, 353.

33) Vgl. S.60f, 117ff, 148f , 378.

34) G.Chantraine 1971, 155-157.

35) Ebd. 156f, 364.

36) G.B.Winkler 1974, 121-123. Wenn Winkler (ebd.121f) von einer
annähernd gleichen Länge der sechs Teile spricht, geht er
automatisch von der Ratio 1523 aus und berücksichtigt die
Veränderungen zwischen 1518 und 1523 überhaupt nicht.

37) M.Hoffmann 1972, 42-47.

38) Die Parallelstellen der Methodus werden in der folgenden
Aufstellung jeweils an der betreffenden Stelle angeführt.
Die Erweiterungen werden in der Vertikalanalyse (S. 28f)
besprochen.

39) E.R.Curtius 1938, 451-460 (Disposition und Komposition); ders., 1965, 80; vgl. H.Lausberg 1960,I, §§ 261f und überhaupt 260-442; L.Arbusow 1963, 33-35; L.A.Sonnino 1968, 243-246. Die angegebenen sechs Redeteile stammen von Erasmus, De duplici copia verborum ac rerum II (LB I, 106A; ebd. 105 bis 109 auch Erläuterungen zu den einzelnen Teilen); vgl. auch die Predigtlehre Ecclesiastes (LB V, 862B). Wie variabel die rhetorischen Anweisungen in der Praxis gehandhabt wurden, zeigt eine Beispielsammlung Melanchthons (Disp.rhet.1553, SM II/1, 1-172).

40) Die Titel der Redeteile stammen von Erasmus (siehe Anm.39). Die die einzelnen Teile jeweils allgemein einleitenden Bemerkungen sind H.Lausberg 1960,I, §§ 260-442 entnommen.

41) "Nunc idem agemus aliquanto copiosius, et ita rem temperabimus, ut si libeat, praefationis vice possit addi, sin minus, separatim legi.."(Ratio, Holborn 177,10ff). Exordium der Ratio: Holborn 177,3-178,18; exordium der Methodus: ebd. 150,2-22.

42) Zur Bescheidenheitstopik, wie E.R.Curtius dieses literarische Klischee genannt hat, vgl. E.R.Curtius 1965, 93-95; ihm folgend spricht von Einleitungstopik auch L.Arbusow 1963, 97-103. Zum exordium allgemein auch H.Lausberg 1960,I, §§ 263-288.

43) Ratio (Holborn 177,3ff).

44) "Atque utinam praestare queam, quod flagitor. Magnum quidem est ad theologiae studium animos hominum inflammare, sed absolutioris artificis est huiusce caelestis studii viam ac methodum tradere, non dicam ut dignum est (quid enim potest humana industria, quod rebus divinis ulla ex parte respondeat?), sed sic, ut labor hic noster mediocrem afferat utilitatem sacrosanctae theologiae candidatis"(Ratio, Holborn 177,14ff). Gehören beide Dinge, Größe des Gegenstandes und mittelmäßiger Nutzen, als solche auch zur Bescheidenheitstopik, so klingt doch im ersten Glied, in der Differenz zwischen menschlichem Bemühen und der Transzendenz der göttlichen Dinge, vielleicht auch schon der Grundakkord an, von dem her Erasmus seine Konzeption von Theologie entwickeln wird. Zur Bedeutung der Methode auch Chantraine 1971, 61.

45) "Sed subvereor, ne cui mea tenuitas nota sit, protinus hic reclamet: 'Tun viam indicabis, quam ipse nunquam ingressus es aut certe infeliciter ingressus es, non minus ridicule facturus, quam si caecus caeco dux esse postulet iuxta proverbium euangelicum?'"(Ratio, ebd. 177,28ff).

46) "fungi vice cotis, acutum reddere quae ferrum valet, exsors ipsa secandi?"(ebd. 178,5f); vgl. den dazugehörigen vorausgehenden Text ebd. 177,32ff/178,1ff. Bei Horaz (Ars poetica, 304-305) heißt es: "..ergo fungar vice cotis, acutum reddere quae ferrum valet, exsors ipsa

secandi:" und Horaz fährt dann fort:
"munus et officium, nil scribens ipse, docebo,
unde parentur opes, quid alat formetque poetam,
quid deceat, quid non, quo virtus, quo ferat error"(306-308).
Wichtig sind auch noch die vorausgehenden Verse, in denen
sich Horaz gerade von denen ironisch absetzt, die meinen,
ein wahrer Dichter bedürfe der methodischen Arbeit und des
technischen Rüstzeugs nicht, wichtiger als die ars sei das
ingenium. Vgl. Quintus Horatius Flaccus, De arte poetica
liber/Die Dichtkunst. Lateinisch und deutsch. Einführung,
Übersetzung und Erklärung von Horst Rüdiger (Lebendige Antike), Zürich 1961, 32.

47) Während der letzten zehn Jahre ist Erasmus gerade als Theologe immer stärker in den Mittelpunkt des Interesses ge-
rückt. Deutungen, die einfach das scholastische oder das
lutherische Verdikt repetieren und Erasmus den Charakter
eines "Theologen" abstreiten, sind seltener geworden. Ein
Paradebeispiel bildet noch die Arbeit von J.W.Aldridge 1966
(bes. im 3.Kap.: Erudition as the means to interpretation,
ebd. 57-97); vgl. auch die weiteren Hinweise bei J.B.Payne
1969, 15 Anm.10.

48) Vgl. dazu u.a. etwa P.Mestwerdt 1917, 283-336; J.Huizinga
1958, 22-30.

49) J.Huizinga 1958, 57f.

50) Allen I, Nr. 207,16ff.

51) Allen I, Nr. 211,24ff.

52) Allen II, Nr. 393,65ff.

53) Allen VI, Nr. 1581,20ff.

54) So nennt sie etwa Maarten van Dorp in einem B.an Erasmus,
27.Aug.1515 (Allen II, Nr. 347,34ff.80f.155ff.165ff.282ff).
So nennen sich ausdrücklich die italienischen Humanisten,
die in der Wissenschaft von der Rede die ganze menschliche
Weisheit erblicken (vgl.E.Garin 1947, 75; G.Toffanin 1941,
209). Gegen den in seiner Sicht zum bloßen grammaticus ent-
arteten Literaten polemisiert bereits Pico della Mirandola
als Verteidiger der scholastischen Philosophie (E.Garin
1947, 121).

55) Allen II, Nr. 456,130ff.

56) Allen IV, Nr. 1173,77ff.

57) Vgl. Apol.ad Jac.Fabrum 1517 (LB IX, 66B); Resp.ad Alb.Pium
1529 (LB IX, 1101DE).

58) Purgatio ad Expostulationem Ulrici Hutteni (LB X, 1638).

59) Heumann, epist., 157. Eine ausgezeichnete und minutiöse
Darstellung des Selbstverständnisses des Erasmus bezüglich
seiner "vocation theologique" findet sich inzwischen bei
G.Chantraine 1971, 41-98.

60) Vgl. S. 12f Anm.46. Auf der anderen Seite darf man die Bedeutung dieses Horazzitates auch wieder nicht überziehen.
Dies ist wohl bei G.B.Winkler (1974, 68f) der Fall
Denn die ars-ingenium-Problematik, die der Horazstelle
zugrundeliegt, spielt bei Erasmus nur eine sehr unterge-
ordnete Rolle. Die Scholastikkritik zielt ja nicht darauf
ab, daß dort die ars abgelehnt würde, sondern darauf, daß
eine bestimmte ars (Dialektik) die Theologie völlig einseitig
beherrsche. Vgl. dazu S.61ff.

61) Ratio (Holborn 178,7-18). Der Hinweis auf die gleichsam
popularisierende Behandlung des Stoffes seiner Vorgänger
(ebd. 178,14ff) dürfte wiederum Bestandteil des Bescheiden-
heitsmotivs im Rahmen der Einleitungstopik sein.

62) Ratio (Holborn 178,7ff). In der Methodus gab es nur einen
Hinweis auf Augustinus (ebd. 150,16ff). Die Stellung zu
Pseudo-Dionysios ist nicht ganz klar. Gewiß hat Erasmus
Schriften von ihm gekannt. In der Wv. zu den Paraphrasen
der Korintherbriefe, 5.Febr.1519,schreibt er: "Nam Dionysius,
qui in Hierarchia secunda priscos Ecclesiae ritus satis
copiose describit, eruditis recentior quispiam fuisse videtur quam fuerit Areopagites ille Pauli discipulus" (Allen III,
Nr. 916,50ff). Da diese Feststellung (die Erasmus bereits
im Neuen Testament von 1516 im Anschluß an Valla ausgesprochen hatte; vgl. Allen XI, Nr. 3006,5Anm.) von der
theologischen Fakultät in Paris zensuriert worden war,
beruft er sich nun auch auf Grocin, den Lehrer von Thomas
Morus, der während einer Vorlesung über die "Kirchliche
Hierarchie" 1501 zur Erkenntnis der Unechtheit der Dionysi-
schen Schriften gekommen war (Declarationes ad censuras
Lutetiae vulgatas, LB IX, 916E-917C; vgl. Allen III,
Nr. 916,51Anm.). Woher genau Erasmus seine pseudodionysi-
schen Motive bezogen hat, ist schwer zu erkennen. Vgl. vorerst
die punktuellen Hinweise bei P.Mestwerdt 1917, 245;
E.-W.Kohls 1966,I, 59f; II,75ff; G.B.Winkler 1974,121;
G.Chantraine 1971, 123f.

63) Ratio (Holborn 283,29ff).

64) Kenntnis der Sprachen (Ratio, ebd. 181,19ff), die Künste
als Vorbildung für die Theologie (ebd. 180,9ff; 184,23ff;
185,19ff.34ff; 186,17ff; 190,27ff), Hierarchie der einzelnen
Bücher der Heiligen Schrift (ebd. 211,10ff), Interpretation
der dunklen durch die klaren Stellen der Schrift (ebd.292,1ff)
Auswendiglernen der Heiligen Schrift (ebd. 293,19ff).

65) So bricht Erasmus etwa die Besprechung der Auslegung alttestamentlicher Stellen ab, weil u.a. Augustinus diese bereits
"satis copiose" erörtert habe (ebd. 199,9ff). Auch eine
nähere Behandlung der figurae erübrige sich, weil u.a.
Augustinus diese ebenfalls "multis verbis" besprochen habe

(ebd. 272,3ff). Vives wirft in einer Kampfschrift gegen die
"Dialektiker" diesen interessanterweise vor, daß sie u.a.
gerade auch diese Schrift Augustins nicht kennten: 'Niemand
von diesen Leuten gibt sich mit Werken Augustins oder
Aristoteles' ab, die eine gründliche Bildung und eifriges
Studium erfordern. Wer von ihnen hätte Augustins de civitate
Dei, wer de doctrina Christiana studiert?'(zit. nach
Ch.Dolfen 1936, 19). Dabei stellte dieses Augustinuswerk
bis zu Hugo von St.Viktor und noch über ihn hinaus das
Standardwerk der theologischen (=exegetischen) Theorie
dar (vgl. G.Paré-A.Brunet-P.Tremblay 1933, 213-218). Zur
fundamentalen Bedeutung von Augustins De doctrina Christiana
für die humanistische Theologie des Erasmus vgl. die umfassende Darstellung von Ch.Béné 1969. Ebd. 215-280, 428,
434ff auch eine vollständige Übersicht über die zahlreichen
direkten und indirekten Zitate in Methodus und Ratio. Vgl.
ferner auch Ch.Béné, Saint Augustin dans la controverse sur
les Trois Langues à Louvain en 1518 et 1519, in: Colloquium
Erasmianum 1968, 19-31. Der dem Titel nach ebenfalls einschlägige Aufsatz von J.D.P.Warners, Erasmus, Augustinus
en de retorika, in: NAKG 51(1971) 125-148, war leider nicht
mehr einsehbar. Vgl. auch noch M.Grünwald 1969, 21ff, 195ff.

66) Ratio (Holborn 178,19-297,5); Methodus (ebd. 150,23-161,16).

67) Ratio (ebd. 178,19-193,23); Methodus (ebd. 150,23-156,13).

68) Ratio (ebd. 178,19-181,14); Methodus (ebd. 150,23-151,24).

69) Ratio (ebd. 181,15-193,23); Methodus (ebd. 151,25-156,13).

70) "Ceteras disciplinas cautim ac sobrie vult Augustinus attingi,
libros humanos vult cum iudicio delectuque legi"(Ratio,
Holborn 180,9ff).

71) Ratio (ebd. 180,22ff).

72) Die ganze Besprechung der Profanwissenschaften läuft praktisch auf eine Vorbereitung zur Schriftauslegung hinaus.

73) Ratio (ebd. 185,29ff; 193,10ff).

74) Ratio (ebd. 193,18ff). Diese propositio fehlt in der Methodus
noch.

75) Man kann hier von "Hermeneutik" sprechen, wenn man darunter
die Reflexion auf die Probleme von Auslegung und Verstehen,
Überlieferung und Vergegenwärtigung usw. versteht. Unverständlich ist E.-W.Kohls teilweise grundsätzliche Polemik
gegen die Anwendung des Begriffes "Hermeneutik" auf die
Theologiekonzeption des Erasmus, zumal er diesen Begriff
in bezug auf die Unterscheidung von Geist und Fleisch,
spiritus und littera und in bezug auf die Schriftsinne
selbst verwendet (E.-W.Kohls 1966,I, 73, 117, 132, 136f).
Den Grundintentionen seiner eigenen Arbeit dürfte es wider-
sprechen, wenn er mit Berufung auf R.Pfeiffer behauptet,
man dürfe nicht von einer Hermeneutik, sondern müsse von

einer "biblischen Philologie" bei Erasmus sprechen (ebd. II,
50 Anm.107, 81 Anm.203, 115 Anm.486, 131 Anm.798, 136 Anm.29).
Die Polemik gegen die Arbeit von J.W.Aldridge (die von
Hermeneutik spricht) ist dabei natürlich berechtigt.
Allerdings darf das Wort "Hermeneutik" in der Tat nicht dazu
verleiten, eine moderne Fragestellung an die Erasmischen
Texte heranzutragen. Die Hermeneutik des Erasmus ist offensichtlich weder transzendentalphilosophischer, noch positivi-
stischer, noch marxistischer oder strukturalistischer Art,
wenn man so will. Etwas richtiger ist es schon, wenn man
sagt, bei Erasmus gebe es ein "hermeneutisches System",
"wenn man sieht, daß das ontologische System des Erasmus
auch die Prinzipien der Schriftauslegung beherrscht,und wenn
man den Begriff System nicht im mittelalterlich logischen und
dialektischen, sondern im Sinne des Erasmus selbst verwendet"(M.Hoffmann 1972, 87, vgl.88). Doch bleibt das system-
bildende Motiv bei Hoffmann trotz aller Systematisierungsver-
suche seltsam dunkel (vgl.bes. ebd. 27ff). Hier wirkt sich
sicher negativ aus, daß zu wenig auf die geistes- und theologiegeschichtlichen Überlieferungsströme geachtet wurde, in
denen Erasmus steht. Wenn Erasmus nämlich in der nun folgenden Hermeneutik zuerst über den Inhalt und dann über die
sprachliche Form der Theologie spricht, so folgt er augen-
scheinlich wieder der rhetorischen Theorie, die ebenfalls
zuerst vom Redegegenstand (res) und seiner Bearbeitung
(inventio und dispositio) und dann von seiner sprachlichen
Einkleidung (verba) handelt (elocutio). Vgl. dazu S.430-443
Von dieser Rhetorik-Konzeption her hat die theologische Hermeneutik des Erasmus also durchaus auch so etwas wie einen
systematischen Charakter (dies gegen G.B.Winkler 1974, 199,
der mit R.Pfeiffer meint, daß man bei Erasmus lieber nicht
von einer systematischen Hermeneutik sprechen sollte. Die
beste zusammenfassende Darstellung der Erasmischen Hermeneutik stammt von J.B.Payne 1969, der freilich auf die
"inhaltliche" Hermeneutik (bzw. Topik) nicht eingeht.

76) Ratio (Holborn 193,24-297,5); Methodus (ebd. 156,14-161,16).

77) Ratio (ebd. 193,24-259,31); Methodus (ebd. 156,14-157,24).

78) Vgl. dazu S. 373-376

79) "Illud mea sententia magis ad rem pertinuerit, ut tirunculo
nostro dogmata tradantur in summam ac compendium redacta,
idque potissimum ex euangelicis fontibus, mox apostolorum
litteris, ut ubique certos scopos, ad quos ea quae legit
conferat"(Ratio, Holborn 193,24ff).

80) Das Beispiel: Ratio (ebd. 193,28-194,24).

81) Ratio (ebd. 194,27ff). Auch hier ist die Grunddifferenz
Himmel-Welt deutlich erkennbar.

82) Ratio (ebd. 195,1f). Der Abschnitt ebd. 195,1-208,37.

83) Ratio (ebd. 195,3-201,33; bes. 196,29ff).

84) Ratio (ebd. 202,1-205,23).

85) Ratio (ebd. 198,33-201,33). Die hier verwendete Einteilung
    der Geschichte ist ziemlich eigenwillig. Die traditionellen
    Periodisierungen spielen bei Erasmus überhaupt nur eine
    sehr nebensächliche Rolle (vgl. P.G.Bietenholz 1966, 28-31).

86) Wie eng dieser Abschnitt mit dem letzten zusammenhängt, zeigt
    die Überleitung: "Sed ne tanta temporum, personarum ac rerum
    varietas involvat lectorem, non abs re fuerit universum
    Christi populum in tres circulos dividere, quorum omnium
    tamen unicum sit centrum, Christus Iesus, ad cuius simpli-
    cissimam puritatem pro sua cuique virili enitendum est omni-
    bus. Neque enim oportet scopum suo movere loco, quin potius
    omnes mortalium actiones ad scopum dirigendae"(Ratio,
    Holborn 202,1ff). Der "Differenzierung" der Geschichte folgt
    nun sozusagen die "Differenzierung" der Gemeinschaft.

87) Der Abschnitt: Ratio (ebd. 209,1-236,36). "Super haec non
    mediocrem afferet utilitatem, si diligenter evolventes libros
    utriusque testamenti attente consideremus mirabilem illum
    orbem et consensum totius Christi fabulae, ut ita loquar,
    quam nostra causa peregit factus homo. Sic enim futurum est,
    ut non solum rectius intelligamus quod legimus, verum etiam
    ut certiore cum fide legamus"(ebd. 209,1ff).

88) "Neque vero confundit hanc harmoniam Christi varietas; immo
    sicut e diversis vocibus apte compositis concentus suavissi-
    mus redditur, ita Christi varietas pleniorem efficit concentum"
    (ebd. 211,28ff). Dies wird dann breit und ausführlich dar-
    gestellt (ebd. 211,28-223,31). Hier scheint Erasmus übrigens
    auf ein fundamentales patristisches Motiv zurückzugreifen.
    Vgl. dazu etwa Y.Congar(1965, 51 Anm.36): "Das Thema der
    consonantia (Übereinstimmung) hatte für einen geistig in-
    teressierten Menschen, der im religiösen Klima des Altertums
    aufgewachsen und mit der Philosophie vertraut war, eine
    ebenso starke Anziehungskraft, wie sie der Evolutionsgedanke
    für uns hat. Es war ein hermeneutisches Prinzip, ein Wert-
    maßstab und Kriterium der Wahrheit. Dem patristischen Schrift-
    verständnis liegt die Überzeugung zugrunde, daß Gott alles
    nach Ordnung, Zahl und Maß geschaffen hat, daß es eine
    Harmonie, einen Zusammenhang zwischen den einzelnen Teilen
    seines Schöpfungswerkes gibt." Dazu auch H.de Lubac 1970,
    154 und die Belege ebd. Anm.29.

89) Ratio (Holborn 221,16ff); vgl. ebd. 221,16-223,31; bes. 222,
    11f; 223,20ff.

90) "Iam paucis, si libet, conferamus, quemadmodum ad magistri
    formam apostolorum vita doctrinaque respondeat"(ebd. 232,32f).
    Dies wird dann am Beispiel des Paulus näher ausgeführt
    (ebd. 232,33-226,35) und noch kurz durch Petrusworte ergänzt
    (ebd. 226,35-227,27).

91) "Illud item animadvertendum, quibus rationibus et quam
diligenter praemunit suos ad euangelii negotium ituros,
ut intelligant, qui hodie praedicandi Christum munus suscipi-
unt, quibus rebus oporteat instructos esse"(ebd. 227,28ff).
Der ganze Abschnitt ebd. 227,28-236,35.

92) "Regnum caelorum vocatur, a quo convenit procul abesse
cupiditates terrenas, quae regnum obtinent in iis, qui mundum
diligunt"(ebd. 227,31ff). Das wird am Schnluß des Abschnittes
noch einmal aufgenommen, nachdem zuerst die "negativen" und
dann die "positiven" Affekte genannt worden sind: "Hos
animos si praestiterint ii, qui in apostolorum vices succe-
dunt, tum vere mereatur dici regnum caelorum ecclesia
Christi"(ebd. 236,32ff).

93) "Quoniam autem huc tendit universa Christi doctrina, ut ipsi
pie sancteque vitam traducamus, conveniet ad omnes vitae
actiones exemplum ac formam e divinis libris venari, praecipue vero ex euangeliis, e quibus potissimum nostra ducuntur
officia"(ebd. 236,36f/237,1f). Der ganze Abschnitt: ebd.
236,36-259,31.

94) "Duo quaedam peculiariter et perpetuo inculcat Christus, fidem
et caritatem. Fides praestat, ut nobis diffisi fiduciam
omnem collocemus in deo. Caritas hortatur, ut de omnibus
bene mereamur"(ebd. 237,17ff).

95) Glaube und Liebe nach Lehre und Leben Christi: ebd. 237,20 bis
238,28; 238,29-241,10; dann Glaube und Liebe nach Leben und
Lehre der Apostel: "Reliqua carptim, ut quidquid ocurrerit,
attingemus, si prius indicaverimus, quam ad hanc formam
apostolorum doctrina moresque respondeant, cum primis autem
Pauli, quo non alius praeceptorem Christum expressius
rettulit"(ebd. 241,11ff). Paulus: ebd. 241,14-248,35;
Johannes: "Ex Ioannis epistola supervacuum arbitror adducere
testimonia, cum ille nihil aliud sonet quam caritatem et
concordiam"(ebd. 249,1f); Petrus: "Petrum audiamus, professionis nostrae principem secundum Christum"(ebd. 249,3f).
Petrus: ebd. 249,3-15.

96) Ratio (ebd. 249,15-252,15; und bereits 239,14-241,10).

97) Ratio (ebd. 249,26ff).

98) "Annotandum interim et illud, quod Christus ubique fere
miseretur turbae simplicis, in solos Pharisaeos, scribas et
divites vae formidabile intonat, videlicet indicans in episcopis, theologis ac principibus esse situm, ut populi vigeat
aut frigeat pietas"(ebd. 252,16ff). Der Abschnitt: ebd.
252,16-259,27.

99) "Episcopis et iis, qui legitimis funguntur honoribus, etiam
parum probis tamen obtemperandum esse, modo recta doceant.."
(ebd. 253,16f). "Audiendus est aliquoties, qui docet euangelium, etsiamsi non vivat euangelice"(ebd. 253,19ff). "Non ad-

mittendum cuiusquam hominis consilium, quod avocet a pietate"
(ebd. 252,33f; vgl. 257,13ff).

100) "Ad hunc modum conveniet in singulis mysticorum voluminum
locis philosophari, praesertim in euangeliis, nam haec exempli gratia dumtaxat in medium adduximus, quo viam indicare-
mus aliis forsitan his meliora reperturis"(ebd. 259,28ff).
Die Unterscheidung inhaltlich-formal ist hier insofern nicht
ganz glücklich als auch im inhaltlichen Teil formale Ge-
sichtspunkte eine bedeutende Rolle spielen (wie z.B. differentia, consensus usw.). Sie ist jedoch berechtigt als Wiedergabe des rhetorischen res-verba-Schemas. Zu diesem vgl.
S. 430f.

101) Ratio (ebd. 259,32-297,5); Methodus (ebd. 158,6-161,16).

102) "Sed bona difficultatis pars sita est in ipso sermonis habitu,
quo traditae sunt nobis sacrae litterae. Nam tropis et
allegoriis ac similibus seu parabolis fere opertus est et
obliquus, nonnumquam usque ad aenigmatis obscuritatem.."
(ebd. 259,32ff). Der Abschnitt: ebd. 259,32-284,27; Methodus
(ebd. 157,25-158,5).

103) Ratio (ebd. 259,33-266,4).

104) Ratio (ebd. 266,5-274,23).

105) Ratio (ebd. 274,24-284,2).

106) Ratio (ebd. 284,2-27).

107) Ratio (ebd. 284,28-291,12); Methodus (ebd. 158,6-32).

108) Ratio (ebd. 291,13-294,35); Methodus (ebd. 158,33-160,10).
Zur Locimethode vgl. S. 373-376.

109) Ratio (ebd. 295,1-297,5); Methodus (ebd. 160,11-161,16).

110) Ratio (ebd. 297,6-304,28); Methodus (ebd. 161,17-162,17).
Die Einleitung: "At dices, si nihil accesserit, parum instructus fuero ad palaestram scholasticam. Neque vero nos pugilem
instituimus, sed theologum, et eum theologum, qui quod profitetur malit exprimere vita quam syllogismus"(ebd. 297,6ff).
Der Schluß: "Verum missam faciamus studiorum collationem"
(ebd. 304,28).

111) Ratio (ebd. 304,28-305,30); Methodus (ebd. 162,17-27).

112) Zu den Erweiterungen zwischen Methodus und Ratio siehe
S. 15. Die Erweiterungen zwischen 1518/19 und 1523 sind bei
Holborn jeweils als solche gekennzeichnet.

113) Z.B. Ratio: ebd. 178,11-14(1520); 179,2-16(1520); 180,7-9
(1520); 239,33f(1522); 240,3-17(1522); 296,6-9(1523) usw.
Damit soll natürlich nicht gesagt sein, daß sich nicht auch

in diesen kleineren Einschüben situationsbezogene Anspielungen finden ließen. Aber ins Gewicht fallende Neuakzentuierun-
gen lassen sich nicht feststellen.

114) So besteht die Darstellung der Harmonie von Leben und Lehre
der Apostel mit der forma Christi fast ausschließlich aus
Paulusstellen (vgl. S.25). Von der ganzen Erweiterung von
1520 (Holborn 223,33-227,27) betrifft 223,33-226,35 die
Paulinische Theologie und nur 226,35-227,19 bezieht sich auf
Petrus. Noch eindrücklicher ist dies bei der nächsten Einfügung. Im gleich anschließenden Abschnitt geht es um die
Beschaffenheit des Amtsträgers nach dem Willen Christi
(ebd. 227,28-236,35). Erasmus zählt hier die verschiedenen
Affekte auf (vgl. S.47). In der Ausgabe von 1520 benützt er
dabei die Gelegenheit, um im Anschluß an die "fiducia nostri",
dem zentralen negativen Affekt, die Paulinische Gnadentheologie darzustellen (ebd. 232,28-235,7). Ebenso wird auch in
der Darstellung von Glaube und Liebe als den Hauptmomenten
des christlichen Lebens die Entsprechung zwischen Lehre
Christi und Lehre der Apostel (ebd. 241,12-252,15) fast
ausschließlich von Paulus her aufgewiesen (ebd. 241,12 bis
248,35 = 1520). Schließlich wird Paulus auch als Beispiel
dafür angeführt, daß und wie die Apostel die prophetische
Redeweise Christi nachgeahmt haben. Auch sie haben in
Gleichnissen (ebd. 262,12-263,28) oder in Allegorien (264,30
bis 265,35) gelehrt. Auch diese beiden Stücke, in denen
Paulus als Beispiel für die Apostel steht, sind Erweiterungen
aus dem Jahr 1520. Damit soll jedoch nicht gesagt werden,
daß Erasmus erst durch die reformatorische Theologie auf
Paulus hingewiesen worden wäre. Beschäftigt hat er sich
von Anfang an mit ihm, wenn es vielleicht auch etwas zu weit
gehen dürfte, zu sagen, der "Paulinismus" sei "von vornherein
ein konstitutives Element der erasmischen Theologie gewesen"
(E.-W.Kohls 1969, 211). Immerhin beginnt Erasmus seine
Paraphrasen im Herbst 1517 mit einer Paraphrase über den
Römerbrief (vgl.Kohls ebd.; ders. 1969a, 32); zu dieser
Paraphrase vgl. R.Padberg 1958. Zur Paulusauslegung auch
G.Chantraine, Le mustèrion paulinien selon les Annotations
d'Érasme, in: RSR 58 (1970) 351-382. Ein direkter Einfluß
Luthers auf Erasmus dürfte wohl erst ab 1522 in Betracht
zu ziehen sein, weil Erasmus erst ab diesem Jahr von den
Schriften Luthers intensiver Kenntnis genommen zu haben
scheint; vgl. dazu die Belege bei R.G.Kleinhans 1970, 465ff.
Kleinhans versucht hier einen solchen Einfluß Luthers auf
Erasmus nach 1522 in der Rechtfertigungs- und Tauflehre
nachzuweisen.Zur Römerbriefauslegung auch J.B.Payne 1971.

115) So in dem bereits genannten Einschub von 1520: Holborn
241,12-252,15.

116) Der Abschnitt über die Scholastik: ebd. 297,6-304,28; davon
sind Erweiterungen aus den Jahren 1520-1523: 297,30-303,30,
also der überwiegende Teil.

117) Wie z.B. ebd. 204,34-208,37 (Erweiterungen von 1520-1523). Es soll hier gezeigt werden, daß scholastische Schulmeinungen noch keine Dogmen sind. Erasmus diskutiert paradigmatisch einige Probleme beim Sündenbekenntnis, bei der Jungfrauengeburt, beim Papsttum und am ausführlichsten bei der Ehe. Vgl. dazu auch die Besprechung bei G.B.Winkler 1974, 154-159. Auch die Erweiterungen bei den Ausführungen über die Allegorie kann man hierher zählen (Holborn 274,28 bis 278,10; 280,23-282,32).

118) Dort, wo dies nicht berücksichtigt wurde, wo etwa Erasmus "scholastisch" interpretiert wurde, wo z.B. die rhetorischen Alternativen (pietas statt ceremoniae, pietas statt disputatio usw.) als logische Alternativen verstanden wurden, mußten notwendig Mißverständnisse und Fehldeutungen entstehen.

119) Wie man die von der Rhetorik geprägte literarische Form der Ratio (und auch der anderen Einleitungsschriften) bezeichnen soll, muß hier offen bleiben. Handelt es sich um Essays? So G.B.Winkler (1974, 29,67, 92, 93f, 141), freilich ohne dies näher zu begründen. Oder ist dies literarhistorisch und literaturtheoretisch unzutreffend? Nicht viel weiter helfen in bezug auf unser Problem die Arbeiten von P.M.Schon, Vorformen des Essays in Antike und Humanismus. Ein Beitrag zur Entstehungsgeschichte der Essais von Montaigne (Mainzer Romanistische Arbeiten, 1), Wiesbaden 1954, und E.V.Telle, "Essai" chez Erasme, Essay chez Montaigne, in: BHR 32 (1970) 333-350, weil sich diese beiden Arbeiten nicht mit der Form der größeren Schriften des Erasmus abgeben, sondern sich mit den literarischen Kleinformen beschäftigen, aus denen z.B. die Adagia oder die Paraphrasen zum Neuen Testament zusammengesetzt sind und in denen ausgehend von einem Sprichwort, einem locus communis, einer Schriftstelle oder einem Wort in einer Schriftstelle ein Gegenstand oder ein Problem in einer dialogisch-praktischen Weise kurz behandelt wird (vgl. die Zusammenfassung bei E.V.Telle, a.a.O. 339). Von da aus wird man höchstens sagen können, daß die literarische Form der Einleitungsschriften "essayhafte" Züge trägt, nicht aber, daß die Einleitungsschriften Essays seien. Von einer "essayistisch und assoziativ verfahrenden Schreibweise" des Erasmus spricht auch D.Harth (1970, 62 Anm.95) mit Verweis auf P.M.Schon, a.a.O. 53ff, 83ff und W.Rüegg 1946, 86f. Historisch unnachgewiesen ist m.E. auch die Gattungsbestimmung der Ratio bei M.Hoffmann, der (1972, 42) meint, daß Erasmus hier "wie in den meisten seiner systematischen Schriften die Loci-Methode mit dem Gestaltungsprinzip des antiken Dramas verbindet". Was auf der historischen Ebene an Begründung fehlt, wird umso rascher systematisiert: Die literarische Form der Ratio sei eine Verbindung von "Topik" und "dramatischer Erzählung". "In dieser Zuordnung der Formen, des Statischen und Dynamischen, der Prinzipien und des Weges, der Lehre und des Lebens kommt wieder, hier gattungsmäßig, das Erasmusproblem zum Vorschein"(ebd.). Zunächst hängt die von der Rhetorik geprägte literarische Form sicher

mit dem ebenfalls von der Rhetorik geprägten humanistischen Sprachverhältnis zusammen, in dem die Pragmatik, die Kommunikativität zwischen Subjekten, die Emotionalität, die Effektivität, die Persuasivität und die Ethik eine bedeutende Rolle spielen. Zur Erasmischen Sprachauffassung vgl. bes. D.Harth 1970, bes. 39-93; P.A.Verburg 1952, 124-146.

120) Ratio (Holborn 204,23f).

121) Ratio (ebd. 204,2ff).

122) Ratio (ebd. 204,10ff). Zu Christus und seiner doctrina als dem einzigen Skopus der Theologie vgl. auch die Texte bei M.Hoffmann 1972, 60 Anm.138.

123) Siehe S. 23f.

124) Die darin eingeschlossene Idee, daß sich das Evangelium gerade dem Kleinen und Unklugen eröffnet, weil dieser dem Geist Raum gibt, ist thematisch in der Paraclesis ausgeführt (vgl. Holborn 141,21ff; 143,21f).

125) "Maneat solidum illud et nullis opinionum flatibus aut persecutionum procellis cessurum fundamentum, cui tuto bonus architectus superstruat aurum, argentum et lapides pretiosos, quod exustis humanarum commentationum stipulis fenoque nihilo secius perduret structura meliori"(Ratio, Holborn 204,18ff).

126) Paraclesis (ebd. 140,8ff); vgl. die Zeitschilderung in Wv. an P.Volz (ebd. 7,19ff).

127) Paraclesis (ebd. 140,36/141,1ff). Weitere Belege bei G.Chantraine 1971, 283-294.

128) "Novum et admirabile philosophiae genus sit oportet, quod ut traderet mortalibus, is qui deus erat, factus est homo, qui immortalis, factus est mortalis, qui in corde patris erat, sese demisit in terras"(Paraclesis, ebd. 141,13ff). Zur Idee des Hervorgangs aus dem Herzen des Vaters vgl. auch Enchiridion (ebd. 75,22ff); Wv. zur griech.Ausg. des Neuen Testaments, 1.Febr.1516 (Allen II, Nr. 384,46ff).

129) "Haec sunt auctoris nostri dogmata nova, quae nulla philosophorum familia tradidit. Hoc erat vinum novum non commitendum nisi novis utribus. Haec sunt, per quae renascimur e supernis, unde et Paulus novam creaturam appellat, quisquis in Christo est"(Ratio, Holborn 194,27ff).

130) "Christum caelestem doctorem novum quendam populum in terris instituisse, qui totus e caelo penderet et omnibus huius mundi praesidiis diffisus alio quodam modo dives esset, alio sapiens, alio nobilis, alio potens.."(ebd. 193,28ff). Vgl. auch die Paraphrasen zu Mt 1: "nova natio"(LB VII, 3E) und zu Röm 5,12: "novum genus"(ebd. 793B). Vgl. auch J.Domański 1974, 524ff.

131) Vgl. bes. die Paraphrasen zu Joh 1,18(LB VII, 505F/506A),
zu Joh 5,36 (ebd. 539C), zu Joh 8,18 (ebd. 566EF) und
F.De Maeseneer 1963, 95.

132) Paraclesis (Holborn 147,21ff). Zur Bedeutung dieses Schriftwortes bei Melanchthon vgl. S. 125, 169.

133) A.Auer 1954, 96-119 (=6.Kap. Die Vollendung des Grundgesetzes
in der Christozentrik).

134) Vgl. u.a. R.Padberg 1956, 51-53; F.De Maeseneer 1963, 51-75;
E.-W.Kohls 1966,I, 101, 98-115. Bereits in den Antibarbari
möchte Kohls eine "christozentrische Ausrichtung des außer-
christlichen Geisteserbes" feststellen (ebd. 83); vgl. auch
die Zusammenfassung des "universalen christozentrischen
Systems" bei Erasmus ebd. 175-177. Zum anderslautenden Urteil
der älteren Forschung (Erasmus als Moralist und Rationalist)
vgl. bes. A.Auer 1954, 114-119.Vgl. auch G.B.Winkler 1974,
180, 240; G.Chantraine 1971, 386.

135) Vgl. die zahlreichen Belege bei den eben genannten Autoren,
bes. bei A.Auer 1954, 96-101 (ebd. 96f auch zum Begriff
"scopus") und F.De Maeseneer 1963, 60-64.

136) Die Belege wiederum bei A.Auer 1954, 103-108; F.De Maeseneer
1963, 54-60; W.Hentze 1974, 36-39.

137) A.Auer 1954, 105.

138) A.Auer 1954, 108-114; F.De Maeseneer 1963, 51-54, 64-96;
J.B.Payne 1969, 29f Anm.87.

139) "Proinde summus ille Ecclesiastes Dei Filius, qui est imago
Patris absolutissima, qui virtus et sapientia genitoris est
aeterna, per quem Patri visum est humanae genti largiri,
quidquid bonorum mortalium generi dare decreverat, nullo alio
cognomine magnificentius significantiusve denotatur in Sacris
Litteris, quam quum dicitur verbum, sive sermo Dei. Hic enim
titulus nulli creaturae communicabilis, propria competit in
Divinam illius naturam, quum Christi Jesuque vocabulum magis
congruat humanae naturae quam adsumsit"(Ecclesiastes I,
LB V, 771D).

140) "Verbum Dei nemo dictus est praeter Christum, qui solus natura est Deus, juxta quam naturam hoc titulo designatur verbum
Dei, cujus praecones sunt Ecclesiastae. Sermo hominis verax
imago est mentis, sic oratione quasi speculo reddita. Ex
corde enim procedunt cogitationes, ait Dominus. Christus
autem est sermo Dei omnipotens, qui sine initio, sine fine
sempiternus, a sempiterno corde Patris promanat: per hunc
Pater condidit universa, per hunc gubernat omnia condita,
per hunc restituit prolapsum hominum genus, per hunc sibi
conglutinavit Ecclesiam... Filius enim sapiens gaudium et
gloria est Patris" (ebd. 772BD).

141) "Hic est ille incomprehensibilis Sermo, divinae mentis cer-

tissimus enarrator, et ab archetypo summae veritatis nusquam
discrepans: per hunc aeterna illa mens locuta est mirabiliter
condito mundo, per hunc evidentissime nobis locutus est,
missum in terras, hominem ex homine natum, ut jam non aures
velleret tantum, sed omnibus etiam sensibus percipi posset,
manibus etiam ipsis contrectabilis" (ebd. 772D).

142) Siehe S.23 Anm.139. "Sed praecipue competit Ecclesiastae,
cui non aliud exemplar absolutius liceat proponere, quam
illius summi Concionatoris, qui dictus est Sermo, hoc est,
imago et vox Dei" (LB V, 773D).

143) Siehe dazu S. 482.

144) Paraclesis (Holborn 140,24; 141,2.18; vgl. überhaupt 140ff);
Ratio (ebd. 194,27-195,1).

145) Paraclesis (ebd. 144,15ff); vgl. Ratio (ebd. 191,16-30).

146) Paraclesis (ebd. 147,21ff).

147) Paraclesis (ebd. 146,12-28); vgl.auch S.24.

148) F.De Maeseneer 1963, 92.

149) Decreta Christi: Paraclesis (Holborn 144,24); Ratio (ebd.
201,18f; 204,3; 210,33; 304,13f). Dogmata Christi: Paraclesis
(ebd. 140,3o; 148,15); Ratio (ebd. 194,28; 195,1; 204,3o;
205,23). Caelestia dogmata: Paraclesis (ebd. 144,28f).
Doctrina Christi: Paraclesis (ebd. 142,8; 145,9; vgl. 140,36/
141,1ff); Ratio (ebd. 180,12; 209,12; 247,11 u.ö.); auch
in Verbindungen wie doctrina Christiana, sacra doctrina,
doctrina euangelica usw. (vgl. Holborn 318f: Register
s.v. doctrina). Vita Christi: Ratio (ebd. 204,28; vgl.
230,5f und den dortigen Kontext). Daneben gibt es noch weitere Begriffe,wie z.B. (aeterna, evangelica) veritas, religio
Christi, (divina, divinae sapientiae, veritatis aeternae)
oracula, evangelium; vgl. die Belege bei M.Hoffmann 1972,
75 Anm.9-11; zu evangelium auch R.G.Kleinhans 1970, 461ff.
Zu mysterium G.Chantraine 1971.

150) Wv.an P.Volz (Holborn 5,1o; 7,7); Paraclesis (ebd. 140,12.17f;
141,31; 144,2.11; 145,5; 146,6ff; 148,21); Ratio (ebd. 283,8f)

151) Wv.an P.Volz (ebd. 9,6); Paraclesis (ebd. 141,13f); Ratio
(ebd. 178,23f; 203,19f; 204,10).

152) Ratio (ebd. 204,32).

153) Wv.an P.Volz (ebd. 6,36f/7,1ff); Paraclesis (ebd. 139,8f;
142,3o; 144,32.35); Ratio (ebd. 204,4).

154) A.Renaudet, Études érasmiennes (1521-1529), Paris 1939, 146f;
noch radikaler H.Denifle-A.M.Weiß, Luther und Luthertum in
der ersten Entwicklung, Bd.II, Mainz 1909, 468 Anm.1: Die
Philosophia Christi "ist nicht bloß ein auf dem Wege subjek-

tiver Spekulation willkürlich hergestelltes Destillat aus
der christlichen Lehre, sondern, was das schlimmste ist,
eine *alles Übernatürlichen* entkleidete und vollständig
und ausschließlich *ins Natürliche herabgezogene* Ethik mit
einigen Anklängen an christliche Worte und christliche
Lehren." Zustimmend zit. ist dies auch bei A.Lang 1925,
40 Anm.3.

155) J.Lortz, Erasmus - kirchengeschichtlich, in: Aus Theologie
und Philosophie. Festschrift Fritz Tillmann, Düsseldorf
1950, 271-326, 279.

156) M.Seidlmayer, Nikolaus von Cues und der Humanismus (1953),
in: ders. 1965, 95; ähnlich wohl auch Holborn, in: Holborn
S.X und J.Niedermann, Kultur. Werden und Wandlungen des
Begriffs und seiner Ersatzbegriffe von Cicero bis Herder
(Biblioteca dell'"Archivum Romanicum", I,28), Florenz 1941,
99f. Auch J.W.Aldridge scheint man hier einordnen zu können:
"He (sc.Erasmus) saw in the philosophia Christi a return to
the simple rational classical Christianity, for which he
longed"(Aldridge 1966, 38); die genauere inhaltliche Bestimmung folgt ebd. 40ff.

157) W.Dilthey 1957, 44; vgl. 53.

158) E.Seeberg 1923, 283. Auch für R.Pfeiffer (1936, 628) steht
dieser Begriff nicht "ohne Zusammenhang"mit der erasmischen
Philologie.

159) M.Mann-Phillips, La "Philosophia Christi" reflétée dans
les "Adages" d'Erasme, in: Courants religieux et humanisme
1959, 53-71, 66. Mit dieser Deutung erklärt sich auch
F.De Maeseneer (1963, 119) einverstanden.

160) W.Maurer 1955, 106; ähnlich auch J.W.Aldridge (1966,42) zur
gleichen Stelle: "The crux of this Humanistic statement
points out that Erasmus has a natural theology based on
natural revelation."

161) E.-W.Kohls 1966,I, 198; II, 136 Anm.32.

162) R.Landfester 1972, 72. Vgl. auch M.Rogness 1969, 5.

163) L.Bouyer (1955, 127) gegen A.Renaudet, R.Padberg (1964, 115ff)
gegen J.Lortz. Früher hatte dies schon E.R.Curtius hervorgehoben: "...erinnere nur daran, daß Erasmus von Rotterdam
das Christentum als philosophia Christi bezeichnet. Man kann
mitunter lesen, das sei so ein richtiges humanistisches
Mißverständnis gewesen, wogegen denn Luther... Wer so etwas
sagt, verkennt die Kontinuität einer Denkweise, die auf die
alte Kirche zurückgeht"(Curtius 1943, 298).Chantraine 1971,
107; Winkler 1974, 57-65; J.Domański 1974, 527 Anm.42.

164) Vgl. bes. Paraclesis (Holborn 140,8-142,9) und S.39ff.

165) Wv.an P.Volz (ebd. 6,36f/7,1ff); Paraclesis (ebd. 146,6ff).

166) Vgl. Paraclesis (ebd. 141,27ff; 144,11f.35f/145,1ff.5ff).

167) Zur Begriffsgeschichte von "philosophia" vgl. vor allem
E.R.Curtius 1943 und J.Leclercq, Études sur le vocabulaire
monastique du Moyen Age (StAns, 48), Rom 1961, 39-67
(=Kap.II: Philosophia) und 156f (Addenda); hier ist auch
die wichtigste Literatur angegeben.

168) Begriffe wie "Christiana philosophia", "evangelica philosophia", "caelestis philosophia" finden sich z.B. auch häufig
in den Paraphrasen zum Neuen Testament; vgl. J.Coppens
1961, 353.

169) Vielleicht hat Erasmus auch die speziell monastische Verwendung des Begriffes "philosophia" gekannt. Der Begriff
"philosophia Christi" findet sich übrigens auch bei Faber
Stapulensis und Johannes Agricola (so R.Pfeiffer 1936, 628).
P.Mesnard, Un texte important d'Erasme touchant sa "Philo-
sophie chrétienne", in: RThom 47 (1947) 524-533, 534-549,
weist (ebd. 524) darauf hin, daß auch der Katechismus des
Konzils von Trient den Ausdruck "christliche Philosophie"
verwende: "In hoc enim multum inter se differunt Christiana
Philosophia et hujus saeculi sapientia.."(p.I, c.2, q.6,1,
Der Römische Katechismus nach dem Beschlusse des Konzils von
Trient, lateinisch/deutsch, Bd.I, Regensburg u.a. 4.Aufl.
1905, 14). Auch Geert Groote verwendet diesen Begriff; vgl.
R.R.Post, The Modern Devotion. Confrontation with Reformation
and Humanism (SMRT, 3), Leiden 1968, 169.

170) Wenn E.-W.Kohls in den Antibarbari einen Offenbarungsgedan-
ken findet, der das Eigentliche der Offenbarungsinhalte
dem theologischen Verstehen entzieht und der das Spiegel-
bild der Ablehnung einer affirmativen Theologie ist
(E.-W.Kohls 1966,I, 58-60), so trifft dies auch auf die
Einleitungsschriften zu. Auch F.De Maeseneer geht (1963, 92
bis 97) kurz auf den Offenbarungsbegriff ein. Er findet ihn
bei Erasmus in zweifacher Form for: als Offenbarung des
Vaters durch den Sohn und als Offenbarung Christi durch die
Heilige Schrift. Dabei stehe die affektive Begegnung des
Menschen mit Christus in seinem Wort über dem intellektuellen
Kennen der Wahrheiten über Christus.

171) Ratio (Holborn 294,20f).

172) Ebd. 191,16ff.22ff. Der Kontext dreht sich speziell um Form
und Methode der Theologie.

173) Ebd. 194,32ff; Paraclesis (ebd. 140,19ff; 146,33ff).

174) "..is saltem adoret hasce litteras ceu thecam illius divini
pectoris"(Paraclesis, ebd. 148,33f). Zur Vorstellung von
"theca" und "bibliotheca" vgl.S. 51f Anm.409.

175) Paraclesis (ebd. 146,21ff).

176) Statuen und Bilder sind im Sprachhumanismus im Verhältnis
zum Wort eigentlich stumm. Erst die Beredsamkeit ermöglicht
geistige Kommunikation (N.S.Struever 1970, 62). Zu Erasmus
vgl. D.Harth (1970, 85), der hier allerdings darauf hinweist,
daß umgekehrt die Sprache gerade erst durch ihre Bildhaftigkeit die Affektionen hervorruft. Zur Bildhaftigkeit der
Sprache vgl. auch S.436ff.Ein schönes Beispiel einer solchen
sprachlichen Kommunikationsvorstellung stammt auch von
Bernhardin von Siena, der in einer Predigt aus dem Jahr 1425
sagte: 'Hättest Du nicht große Freude, wenn Du Jesus Christus
predigen hören und sehen könntest, den hl.Paulus, den hl.Augu-
stin, Gregor, Hieronymus, Ambrosius. Dann geh, lies ihre
Bücher, so oft es Dir gefällt, und sprich mit ihnen, und sie
werden mit Dir sprechen. Sie werden Dich hören und Du wirst
sie hören'(L'educazione umanistica in Italia. Testi scelti
da E.Garin, Bari 1949, 42; zit. nach W.Rüegg 1959, 28).
Die Vorstellung von der Priorität der Literatur vor der Kunst
vertritt mit ähnlichem Nachdruck auch E.R.Curtius 1965,
24-26 Anm.1.

177) Paraclesis (Holborn 148,34ff/149,1ff). Zum Gedanken, daß
Gott durch die Heilige Schrift wirksam zu uns spricht vgl.
auch Ratio (ebd. 179,14ff; 274,25f). Auch die Vorstellung
von der Inkarnation des Geistes Christi in das Wort der
Heiligen Schrift findet sich bei Erasmus öfter. Mit Betonung bereits im Enchiridion (ebd. 75,3-76,24): Hier zuerst
mit Blick auf Paulus: "Si veneraris cinerem mutum et mortuum
et vivam illius imaginem adhuc loquentem ac tamquam spirantem,
quae in illius litteris superest, negligis, nonne praepostera
est tua religio? Adoras ossa Pauli in loculis condita, non
adoras mentem Pauli in scriptis latentem?"(ebd. 75,4ff).
Dies gilt in noch viel größerem Maß für Christus: "Honoras
imaginem vultus Christi saxo lignove deformatam aut fucatam
coloribus, multo religiosius honoranda mentis illius imago,
quae spiritus sancti artificio expressa est litteris euangelicis. Nullus Apelles sic effingit penicillo liniamenta
figuramque corporis, ut in oratione cuiusque relucet imago
mentis, praesertim in Christo, qui cum esset summa simplicitas veritasque, nihil omnino poterat esse dissimilitudinis
inter archetypum divini pectoris et inde ductam imaginem
sermonis. Ut nihil patri similius quam filius patris verbum
ex intimo illius corde promanans, ita Christo nihil similius
quam Christi verbum de pectoris illius sanctissimi adytis
redditum"(ebd. 75,14ff). Diese Vorstellung wird dann im
Folgenden noch durch die Unterscheidung zwischen Christus
dem Fleische und Christus dem Geist nach (2 Kor 5,16) präzi-
siert, und zwar in Verbindung mit der Geistverheißung (Joh
16,7): Die worthafte Anwesenheit Christi in der Heiligen
Schrift ist zugleich seine Anwesenheit im Heiligen Geist
(ebd. 75,31ff; 76,1-16). Ähnliche Gedanken finden sich auch
in der Wv. an Leo X zur griech.Ausg. des Neuen Testaments,
Febr.1516: "Etenim cum illud haberem perspectissimum, praecipuam spem planeque sacram, ut aiunt, ancoram restituendae
sarciendaeque Christianae religionis in hoc esse sitam, si
quotquot ubique terrarum Christianam philosophiam profitentur,

in primis autoris sui decreta ex Euangelicis Apostolicisque
literis imbibant, in quibus verbum illud coeleste, quondam
e corde Patris ad nos profectum, adhuc nobis vivit, adhuc
spirat, adhuc agit et loquitur, sic et mea quidem sententia
nusquam adlias efficacius aut praesentius.."(Allen II,
Nr. 384,42ff). Es ist interessant, daß Erasmus in der zweiten Ausgabe des Neuen Testaments, Basel März 1519, in dieser
Vorr. in Zeile 46f das "verbum illud coeleste...profectum"
umändert in "sermo ille coelestis...profectus" und im gleichen Sinn die Übersetzung von Joh 1,1 ändert. Der feindseli-
gen Kritik dieser neuen Übersetzung antwortet Erasmus mit
seiner Apol.de 'In principio erat sermo', Basel Aug.1520
(vgl. Allen II, Nr. 384,46 Anm.; Allen IV, Nr. 1072 S.194f,
Vorbemerkung). Mit dieser neuen Übersetzung versucht Erasmus
die im Logosbegriff intendierte Einheit von Sprechen und
Denken wiederzugewinnen (vgl. dazu D.Harth 1970, 41ff): Wie
die Sprache der Spiegel des Inneren ist, so ist Christus,
das Wort Gottes, das Abbild des Vaters (vgl. auch S.70f
so ist auch das Evangelium in der Heiligen Schrift nichts
anderes als das vergegenständlichte Abbild des göttlichen
Logos. Zu Melanchthon, der in seiner Frühzeit ähnliche Vorstellungen vertreten hat siehe S. 129f. Später scheint dieser
allerdings stärker das bes. durch Augustinus forcierte Verständnis des verbum-Begriffes aufgegriffen zu haben (vgl.
S.168f). Zum Schriftverständnis des Erasmus vgl. ferner auch
noch J.Étienne, La médiation des Écritures selon Érasme,
in: Scrinium Erasmianum 1969,II, 3-11, der einige Aspekte
recht gut getroffen hat.

178) Zur Inspirationsauffassung vgl. F.De Maeseneer 1963, 89-92;
E.-W.Kohls 1966,I 117.

179) Ratio (Holborn 179,35-180,3).

180) Wv.an P.Volz (ebd. 7,28ff); vgl. Paraclesis (ebd. 148,9f).

181) Wv.an P.Volz (ebd. 8f).

182) Ebd. 8,33; Ratio (ebd. 305,11).

183) Vgl. dazu die ausführlichere Diskussion S. 453-456

184) Ratio (Holborn 178,23f).

185) Vgl. auch den B.an den Bischof Joannes Dantiscus, 30.April
1532: "..non quod Philosophia per se sit impia, sed quod
ad huius regulam coelestis illa philosophia quae venit e
sinu Patris per Filium, nic velit nec debeat exigi"(Allen X,
Nr. 2643,124ff).

186) Ratio (Holborn 192,17ff).

187) Ebd. 192,21ff.29f. Damit wird natürlich nicht bestritten,
daß es auch in der antiken Philosophie Teilinhalte gibt, die
mit dem christlichen Glauben übereinstimmen (ebd. 191,26ff;
210,33ff).

188) Ratio (ebd. 180,9ff).

189) Ebd. 221,16ff.

190) Vgl. Wv. zur Hilariusausg. 1523 (Allen V, Nr. 1334,213ff.
     457ff).

191) Ganz sicher gibt es keine spannungslose Einheit zwischen
     Christentum und Antike, wie z.T. immer noch behauptet wird.
     Vgl. etwa J.W.Aldridge (1966, 16): "There was never any
     tension for Erasmus between the Christian religion and
     classical philosophy. Erasmus envisioned a classical world
     illuminated with the Christian faith." Zur angeblichen
     Synthese von Kultur und Christentum ebd. 21.

192) Vgl. dazu bes. J.B.Payne 1969, 17-23; M.Hoffmann 1972, 108ff,
     114ff. Sowohl,was das Offenbarung-Vernunft-Verhältnis wie
     auch, was die Funktion der Philosophie in einer sprach-
     humanistischen Denkweise betrifft, dürften Erasmus und
     Melanchthon im wesentlichen die gleiche Position vertreten.
     Zum Gesetzesbegriff als Verbindungsglied zwischen Offenbarung
     und Vernunft vgl. J.B.Payne 1969, 30f; und vor allem
     O.Schottenloher, Lex naturae und Lex Christi bei Erasmus,
     in: Scrinium Erasmianum 1969,II, 253-299 (wenn hier auch
     umgekehrt nun die Differenz zu kurz kommt); ders. Zur legum
     humanitas bei Erasmus, in: Festschrift Hermann Heimpel zum
     70.Geburtstag, Bd.I (Veröffentlichungen des Max-Planck-
     Instituts für Geschichte, 36/I), Göttingen 1971, 667-683.
     Zu Melanchthon vgl. S. 132-135, 186-194.

193) Dazu vgl. vor allem C.Mattheeussen, "Religion" und "Litterae"
     im Menschenideal des Erasmus, in: Scrinium Erasmianum 1969,
     351-374.

194) Siehe S. 23f.

195) Ratio (Holborn 202,1-208,37).

196) Ebd. 202,2. Der Abschnitt ebd. 202,1-204,33. Die Einschübe
     ebd. 202,25f(1522), 204,14-24(1520) bringen keine wesentliche
     Verschiebung des Gedankengangs. Eine ähnliche Behandlung
     dieses Themas mit oft gleichlautenden Formulierungen findet
     sich auch einige Monate früher in der Wv.an P.Volz (ebd.
     9,29-12,27; zur Dat. Allen III, Nr. 858 S.361f, Vorbemerkung).

197) Ratio (Holborn 204,34-208,37). Der erste Teil davon, der
     Patristik und Scholastik allgemein behandelt, ist relativ
     kurz (ebd. 204,34-205,23). Hier ist zur Verdeutlichung 1522
     ein Augustinuszitat eingefügt (ebd. 205,5-9). Der zweite
     Teil (ebd. 205,24-208,37) bringt Beispiele theologischer
     Kritik an den sogenannten "Dogmen" der Theologen: bei
     Beichte (205,27-206,6), Jungfrauengeburt (206,6-17), Primat
     des Papstes (206,17-207,7; davon 206,37-207,7 eine Erweite-
     rung von 1522) und schließlich Ehe (207,8-208,27: eine
     Erweiterung von 1523). Darauf wird am Schluß die Problematik
     noch kurz zusammengefaßt (208,28-38).

198) Ratio (ebd. 202,1ff; Text S.17 Anm.86).

198) Ratio (ebd. 202,1ff; Text siehe S.17 Anm.86).

199) Vgl. auch S.23 zur Gestalt des eschatologischen Gottesvolkes,
die Christus als scopus für die Kirche entworfen habe.

200) Ratio (Holborn 202,7-22).

201) In seinen Bemerkungen über das Kirchenrecht bei Erasmus hat
W.Maurer (1965, 199-213) auch unseren Text kurz gestreift
(ebd. 204-206). Er meint hier: "Wir befinden uns im Raume
der areopagitischen Metaphysik und ihrer neuplatonischen
Kosmologie.."(ebd. 204). E.-W.Kohls verweist (1966,II, 126
Anm.695) bereits auf diese Bemerkung Maurers. Sie ist jedoch
in ihrem ersten Teil mindestens mißverständlich. Denn sieht
man genauer zu, so zeigt sich, daß die Ähnlichkeiten zwischen
Pseudo-Dionysios und Erasmus so gering sind, daß man eine
direkte Abhängigkeit wohl nicht annehmen kann. Triadenein-
teilungen gibt es natürlich auch beim Areopagiten (z.B. De
ecclesiastica hierarchia V), aber sie haben dort völlig
andere Inhalte. Auch die Idee der hierarchischen Weitergabe
der Erleuchtung von oben nach unten findet sich bei ihm
(De caelesti hierarchia XIII,3.4; De ecclesiastica hierarchia
V,4); aber auch hier ist wegen der sehr stark differierenden
Einzelheiten eine Übernahme unwahrscheinlich. Ähnlich verhält es sich mit dem Bild des Feuers (vgl. De caelesti
hierarchia XIII,3; XV,2), das bei Erasmus in viel genauerer
Anlehnung an die neuplatonische Kosmologie beschrieben wird
und auch ganz andere Schwerpunkte aufweist. Daraus ist wohl
zu folgern, daß Erasmus entweder neuplatonische Quellen
direkt benützt oder zumindest eine spätere neuplatonische,
vom Areopagiten bereits stark abweichende Überlieferung aufgenommen hat. Ohne auf die historische Vermittlung näher
einzugehen, betont auch G.Chantraine den Unterschied zwischen
Erasmus und dem Areopagiten: "Quelle qu'en soit du reste
l'origine, l'image érasmienne des trois cercles modifie
profondément l'image dionysienne des trois hiérarchies"
(Chantraine 1971, 124; vgl. 123-126). Eine Umdeutung des
Dionysios sieht auch O.Schottenloher (1970, 299; vgl.auch
318), und zwar darin, daß Erasmus nun ein Bild von drei
konzentrischen Kreisen entwerfe, die sich alle, wenn auch in
verschiedenem Abstand, um den gleichen Mittelpunkt = Christus
drehten und die unter Wahrung ihrer eigenen Funktion doch auch
zugleich unmittelbar zum Einheitsprinzip seien. Auf
Schottenloher beruft sich auch G.B.Winkler 1974,149ff(mit
Anm.179).

202) Ratio (Holborn 202,32-203,6); vgl. ebd. 202,22-32.

203) "Proinde scopus omnibus est ingerendus, ad quem enitantur.
Scopus autem unicus est, videlicet Christus et huius doctrina
purissima. Quod si pro caelesti scopo terrenum proponas, non
erit, ad quod recte enitatur qui contendit proficere. Quod
summum est, id omnibus est destinandum, ut saltem assequamur
mediocria"(Wv.an P.Volz, ebd. 12,22ff).

204) Ratio (ebd. 203,6ff).

205) Ebd. 203,10-29.

206) Ebd. 203,10-20.

207) Ebd. 203,20-29.

208) Ebd. 206,17-207,7. Dazu auch G.B.Winkler 1974, 156-158, und
G.Gebhardt 1966, 269ff.

209) Ratio (Holborn 203,29-204,9). Der dann folgende allgemeine
Abschnitt ebd. 204,10-33 stellt zusammenfassend noch einmal
Christus und die Menschen bzw. caelestis philosophia Christi
und leges vel disciplinae hominum gegenüber. Der Fixpunkt
muß in jedem Fall die philosophia Christi sein. Dieser
Abschnitt bezieht sich wohl zugleich auf den ersten und den
zweiten Kreis.

210) Ebd. 203,29-35.

211) Ebd. 203,35-204,9. Vgl. auch D.Harth 1970, 31-38 (=II.Erasmus'
Bild des Zusammenlebens).

212) Ratio (Holborn 204,10-23).

213) Ebd. 204,23f. Vgl. auch S.31f.

214) Ratio (Holborn 204,24-33).

215) W.Maurer verabsolutiert dann (1965, 217) doch wieder die
Anwendung der neuplatonischen Kosmologie, indem er
Melanchthon und Erasmus gegenüberstellt: "So erscheint für
Melanchthon wie für Erasmus die Geschichte des kirchlichen
Rechts als ein zwangsläufig sich vollziehender Verfall.
Aber der Lutherschüler versteht das Gesetz der Geschichte
anders als sein humanistischer Lehrmeister. Die Verdunkelung
der Wahrheit erscheint ihm nicht als metaphysische Notwendigkeit, wie sie sich für das neuplatonische Weltbild aus dem
Übergang des Lichtes in die Finsternis ergab... Der Bruch
mit der Wahrheit ist die Schuld derer, die den Fluß der
Tradition nicht durch den Damm der Hl.Schrift regulierten,
seine Wasser nicht durch den Quell des Wortes Gottes reinig-
ten." Hier ist die Bedeutung des philosophischen Motivs
bei Erasmus eindeutig überzogen. Denn, daß die Überlieferung
grundsätzlich eine Frage sittlicher Verantwortung, d.h. eben,
eine Frage von Gehorsam und Ungehorsam, von jeweiliger
Offenbarungs-, Christus- und Schriftgemäßheit und jeweiliger
Verfälschung und Trübung der reinen Quelle durch die eigenen
menschlichen Affekte ist, ist für Erasmus genau so selbstverständlich wie für Melanchthon. Vgl. z.B. Wv.an P.Volz
(Holborn 8,10-9,9); Wv.zur Epheserparaphrase, 5.Febr.1520
(Allen IV, Nr. 1062,35ff). Daß es die Möglichkeit und die
Verpflichtung gibt, von Christus und der Heiligen Schrift
her die Überlieferung zu reinigen, ist ja die Grundvoraus-

setzung der ganzen Erasmischen Reformtheologie. Vgl. auch
G.B.Winkler 1974, 152f.

216) Siehe S. 25.

217) Siehe S. 25f.

218) Siehe S. 25.

219) Ratio (Holborn 223,33ff).

220) Ebd. 224,10ff; 226,35/227,1ff; vgl. 273,30ff.

221) Ebd. 225,27-226,35; 227,3ff.

222) Ebd. 227,28ff.

223) Ebd. 227,31ff; 236,32ff (Text siehe S.18 Anm.92).

224) Ebd. 227,34-228,20.

225) Ebd. 228,21-229,2.

226) Ebd. 229,3-230,24.

227) Ebd. 230,25-231,3.

228) Ebd. 231,4-232,27. Im Jahr 1520 wird hier noch die paulinische Rechtfertigungstheologie angefügt, um den Gedankengang,
der vorher von den Evangelien her entwickelt worden war,
nun noch von Paulus her zu vertiefen (ebd. 232,28-235,7).
Im Schlußstück wird diese Gnadentheologie ausdrücklich auf
das Amtsverständnis ausgedehnt: Paulus nenne sich "servus
Iesu Christi", sein Amt "dispensatio" und "ministerium",
die Berufung dazu "gratia" und "misericordia" (ebd. 234,10
bis 235,7).

229) Ebd. 235,8-24.

230) Ebd. 235,25-36.

231) Siehe S.18 Anm.92.

232) Ratio (Holborn 252,18ff).

233) Hinwendung zu den Kleinen und Schwachen; Akkomodation;
Milde und Sanftheit; Strenge aber gegenüber den Pharisäern;
alles auf Gott ausrichten und alles ihm anheimstellen; Reinheit von den Affekten des Fleisches; nur "caelestia sapere".

234) Ratio (Holborn 252,33f/253,1ff).

235) Ebd. 253,16ff; 256,18ff. Die Amtsträger sind durch Christus
eingesetzt und nicht auf Grund menschlicher auctoritas berufen (Wv.an P.Volz, ebd. 19,23ff). Aber das Amt verfehlt
dort sein Ziel, wo es das Wollen der Welt für das Wollen

Christi ausgibt; es hat dort seine unverrückbare Grenze,
wo es auf die impietas zielt (ebd. 20,15-25).

236) Ratio (ebd. 258,7ff). Die einzige Aufgabe des Bischofs ist
das Heil der Herde und die Ehre Christi (ebd. 259,19ff).

237) Ebd. 257,13ff.

238) Ebd. 259,7ff.

239) Es erscheint problematisch, wenn P.Polman das entscheidende
Manko des Erasmus gerade in der Autoritätsfrage sehen will:
Es sei Erasmus vollkommen entgangen, daß Wahrheit und deshalb auch die Autorität, die sie deckt, auch intolerant
sein könne: "Hij kon zich geen konkrete vorm van gezag
indenken. Dat maakt de tragiek van zijn leven uit"(P.Polman
1936, 292). Worauf es Erasmus ankommt, ist ja gerade die
Autorität Christi, unter der auch der Amtsträger steht. Ein
positivistisches Amtsverständnis, das Amt primär als Macht
versteht, ist für ihn allerdings ausgeschlossen. Amt ist
zuerst einmal Dienst der Verkündigung; als solcher dann
selbstverständlich auch Dienst in Vollmacht. Aber diese
Vollmacht darf nie sich selbst verabsolutierend die Dienst-
struktur verdecken. Es kommt auch hier wesentlich auf den
Vollzug an. Zum Amtsverständnis auch W.Hentze 1974, 58-64.

240) "Quod dictum es de legibus ab hominibus institutis, idem
arbitror esse sentiendum de scriptis veterum ac recentium
doctorum, quorum nulli sic addictos esse oportet, ut nefas
esse ducamus alicubi dissentire"(Ratio, Holborn 204,34f/205,
1f).

241) Ebd. 205,2ff.

242) Ebd. 205,5ff.

243) Ebd. 205,15-23.

244) Ebd. 205,9-15. Von dem von ihm so hochgeschätzten Hieronymus
kann Erasmus sagen: "quamlibet vir pius, quamlibet eruditus,
homo erat et falli potuit et fallere"(ebd. 183,3f). Selbst
auctores primi nominis, wie Hilarius, Ambrosius, Augustinus
und Thomas von Aquin haben geirrt (Apologia, ebd. 171,18ff).
Das gilt besonders auch von Hilarius, den er sehr achtet:
"Sed tamen quum viveret, homo erat, non carebat humanis
affectibus; falli poterat, corrumpi poterat"(Wv. zur
Hilariusausg. 1523, Allen V, Nr. 1334,461ff). Vgl. auch
den B.an Henry Bullock, Aug.1516 (Allen II, Nr. 456,117ff),
wo er sich in ähnlicher Weise auf Hilarius, Augustinus und
Thomas bezieht; Ratio (Holborn 295,20ff); weitere Belege
auch bei J.B.Payne 1969, 33.

245) Ratio (Holborn 205,17f). Der restliche Teil besteht, wie
gesagt, in der exemplarischen Behandlung solcher menschlichen
"Dogmen" (ebd. 205,24-208,37).

246) Paraclesis (ebd. 146,35f/147,1ff).

247) "Cur illi plus tribuunt regulae ab homine scriptae quam
universi Christiani suae regulae, quam omnibus tradidit
Christus, quam omnes ex aequo professi sunt in baptismo?"
(ebd. 147,4ff).

248) Ebd. 147,8ff; vgl. Wv.an P.Volz (ebd. 17,31ff).

249) Vgl. dazu W.Andreas, Deutschland vor der Reformation. Eine
Zeitenwende, Stuttgart 6.Aufl.1959 (1932), bes. 13-201
(= Weltbild, Kirche und Volksreligiosität am Vorabend der
Reformation); J.Leclercq-F.Vandenbroucke-L.Bouyer, La
spiritualité du Moyen Age (Histoire de la spiritualité
chrétienne, 2), Paris 1961, bes. 273-644 (= 12.-16.Jahrhun-
dert; von F.Vandenbroucke); B.Moeller, Frömmigkeit in Deutschland um 1500, in: ARG 56 (1965) 5-31; als umfangreiche
Einzeluntersuchung etwa J.Toussaert, Le sentiment religieux
en Flandre à la fin du Moyen-Age, Paris 1963 (dazu den Über-
blick von J.Sudbrack, in: GuL 37,1964, 476f).

250) Das betont B.Moeller, a.a.O.6.

251) Die beiden Begriffe tauchen häufig zusammen auf: "Non probo
vero, quod humanis constitutionibus tota paene Christianorum
vita caerimoniis oneratur; quod his nimium tribuitur, pietati
minimum; quod his freti simplices studium verae religionis
negligunt.."(Ratio, Holborn 252,8ff); vgl. ebd. 256,34f;
Wv.an P.Volz (ebd. 13,26ff; 16,4ff; 20,13ff); Enchiridion
(ebd. 34,26ff).

252) Ratio (ebd. 236,36f/237,1f). Mit diesem Satz wird der große
Abschnitt eingeleitet, der die Formel für das religiöse Leben
des Christen als Glaube und Liebe bestimmen wird (ebd. 236,36
bis 259,31). Siehe dazu S. 25f.

253) "Et tamen nullis non refert bene vivere, ad quod Christus
omnibus aditum facilem esse voluit, non inexplicabilibus
disputationum labyrinthis, sed fide sincera, caritate non
ficta, quam comitatur spe, quae non pudefit"(Wv.an P.Volz,
ebd. 4,32ff). In diesem Sinn bildet das Enchiridion nichts
anderes als "recte vivendi praeceptiones"(ebd. 20,32) oder
eine "compendiaria quaedam vivendi ratio"(ebd. 22,6).

254) Ratio (ebd. 299,26ff).

255) Wv.an P.Volz (ebd. 5,34).

256) Paraclesis (ebd. 146,13ff).

257) Siehe S.42.

258) Siehe S.25.

259) Aberglaube, Gesetzesfrömmigkeit und Vorherrschaft der Zere-

monien sind die kirchlichen Gefahren, denen Erasmus die
biblische Botschaft vom Wesen des Christseins entgegenstellt.
Diese Thematik nimmt in der Ratio in dem Abschnitt
Holborn 236,36-259,31 den größten Raum ein. Vgl. auch
Paraclesis (ebd. 144,8ff; 145,34f/146,1ff).

260) Wv.an P.Volz (ebd. 6,20ff).

261) Enchiridion (ebd. 67,22).

262) Ebd. 67,25ff.

263) Vgl. Enchiridion (ebd. 47,26ff). Zur Anthropologie und zum
Grundgesetz der christlichen Frömmigkeit vgl. A.Auer 1954,
63-79 (= 4.Kap.: Anthropologische Grundlegung) und 80-95
(= 5.Kap.: Das Grundgesetz der christlichen Frömmigkeit).
Auer geht hier ausführlich auf den platonisch-neuplatonischen
HIntergrund ein. Vgl. aber auch E.-W.Kohls 1966,I, 87-93,
der scharfe Kritik an Auer übt. Auer übersehe die "heils-
theologische Fundierung" der anthropologischen Aussagen und
der Lehre über die Frömmigkeit und ihren Zusammenhang mit
dem "Mittelpunkt des Evangeliums: der Sapientia Christi als
der Sapientia crucis", indem er die Frömmigkeitslehre des
Erasmus in dessen Anthropologie grundgelegt sein lasse und
diese wiederum aus der platonisch-neuplatonischen Metaphysik
ableite (ebd. II, 94 Anm.98; vgl. 96f Anm.131 und 133).
Unabhängig davon, ob diese Kritik an Auer zurecht besteht
oder nicht, wird man sagen müssen, daß die platonischen
Motive, die Erasmus vielleicht von seinen englischen Freunden
(so R.Padberg 1964, 58ff) oder durch sein Väterstudium
aufgenommen hat, in seiner Theologie eher illustrierenden
als fundierenden Charakter tragen. Besonders gilt dies in
bezug auf die Ratio (eine ähnliche Andeutung auch bei
G.B.Winkler 1974, 186 Anm.364). Vgl. auch J.B.Payne (1969,
18): "Unfortunately, Erasmus does not elaborate here or
elsewhere upon what precisely he means by the division of
the world into these two distinct spheres, nor does he tell
us how they are related. Erasmus was no speculative thinker.
His interest was less in cosmology than in anthropology, and
the latter was not so much a metaphysical as a practical,
ethical understanding of man. However, this primarly practical outlook has a metaphysical and cosmological basis, one
which is derived fundamentally from the Platonic tradition."

264) Ein Ideal ist dazu da, daß man sich danach ausrichtet, selbst
wenn man es faktisch nie erreicht. Das ist ein Grundzug des
Erasmischen Denkens: Wiederherstellung des ursprünglichen
Ideals, richtiger des scopus, den Christus gesetzt hat - mit
gleichzeitigem Wissen, daß es beim Menschen in dieser irdischen Zeit keine Vollkommenheit geben kann. Daraus geht
dann die ständig notwendige eschatologische Ausrichtung des
Lebens auf diesen himmlischen scopus, der im letzten Christus
selbst ist, hervor (vgl. Ratio, Holborn 195,27f). Erasmus
verweist in diesem Zusammenhang ausdrücklich auf den Ideal-
staat bei Platon und den Idealredner bei Quintilian (Wv.an

P.Volz, ebd. 12,28-13,7). Bereits Cicero hatte im Entwurf
seines rednerischen Bildungsideals (bes. in De oratore)
den Idealredner, den perfectus orator (ein Begriff, den es
schon vor Cicero gab) ins Auge gefaßt (vgl. K.Barwick 1963,
7f). Zum "Ideal" im humanistischen Denken vgl. auch S. 420.

265) "Monachatus non est pietas, sed vitae genus, pro suo cuique
corporis ingeniique habitu vel utile vel inutile"(Enchiridion,
Holborn 135,8f); wortwörtlich auch in einem B.von 1501
(Allen I, Nr. 164,28f); zit. auch in einem B.an Robert
Aldridge, 23.Aug.1527 (Allen VII, Nr. 1858,459f). Zum Folgenden vgl. auch G.Chantraine 1971, 126-144 (= La critique de
la vie chrétienne et monastique).

266) "At quo sermo magis pateret calumniae, monachatum verterunt
in religionem. Tam enim sunt imperiti, ut religionis vocabulum existiment idem declarare quod monachismi: ut quoties
in literis sacris praedicatur religio et religiosi probantur,
videantur ipsi celebrari. Si dixissem 'Matrimonium non est
pietas, virginitas non est pietas, sacerdotium non est pietas;
sed est vitae genus quod huic convenit, huic non convenit',
pie fuissem loquutus; sed impium est idem de monachismo
dicere. Imo si dixissem Christianismum non esse pietatem,
aequis animis tulissent, et faterentur plurimos esse Christianos impios, quum tamen nulli liceat non esse Christianum:
solum monachi nomen non patiuntur attingi. Si Christianismus
est professio vitae Christianae, Christianismus non est
pietas: alioqui quisquis baptizatus esset, idem esset pius.
Sin Christianismus est ea praestare quae profitemur in
baptismo, summa pietas est Christianismus. Ita si monachismus
est observatio trium votorum supra Christianismum communem,
magna pietas est monachismus. Sin est professio tantum eorun-
dem votorum cum his quae adhaerent voto obedientiae, cuius-
modi sunt lana, linum, color, cingulum coriaceum aut
canabeum...monachismus nec est pietas nic a Christo institu-
tus"(B.an Robert Aldridge, 23.Aug.1527, Allen VII, Nr. 1858,
464-485). Vgl. auch A.Auer 1954, 187-189, 197-199.

267) Ratio (Holborn 265,29ff).

268) Wv.an P.Volz (ebd. 13,8ff).

269) Ebd. 13,10-26.

270) Ebd. 13,26ff.

271) Ebd. 16,16ff.

272) Ebd. 16,19ff.

273) Ebd. 17,3ff; 20,15ff.

274) Ebd. 19,35f/20,1.

275) Ebd. 19,29ff; Paraclesis (ebd.142,29ff; vgl.147,6f; 148,13ff).

276) Wv.an P.Volz (ebd. 20,1ff).

277) Ebd. 20,12ff.

278) Diese ist, wie das Folgende zeigt, identisch mit dem "Deo
obedire oportet potius quam hominibus"(ebd. 20,15-25).

279) Ebd. 17,35-18,9. Vgl auch die Epist.de contemptu mundi XII
(LB V, 1261D/F; eine wohl beim Druck 1521 erfolgte Hinzu-
fügung:vgl. Allen IV, Nr. 1194 S.457 Vorbemerkung; E.-W.Kohls
1966,II, 28 Anm.7); vgl. auch LB V, 1262C.

280) Wv.an P.Volz (Holborn 18,10ff).

281) Ebd. 18,23-19,9.

282) Ebd. 19,10ff.

283) Paraclesis (ebd. 143,19f); vgl. Epist.de contemptu mundi XII
(LB V, 1261D). Auch das neue Volk, das Christus auf Erden
errichtet hat, ist in seiner Totalbezogenheit auf das Himml-
lische charakterisiert als "angelorum vitam in carne meditans"
(Ratio, Holborn 193,35/194,1).

284) Vgl. das reiche Material bei S.Frank, ΑΓΓΕΛΙΚΟΣ ΒΙΟΣ.Begriffs-
analytische und begriffsgeschichtliche Untersuchung zum
"engelgleichen Leben" im frühen Mönchtum (Beiträge zur Geschichte des alten Mönchtums und des Benediktinerordens, 26),
Münster 1964.

285) Vgl. J.Leclercq, La vie parfaite. Points de vue sur l'essence
de la vie religieuse, Paris-Tournhout 1948, 19-56 (= 1.Kap.
La vie angélique). Auch dieser eschatologische Bezug ist
wiederum sehr affektiv geformt, wie die verbreiteten Topoi
von den "Tränen des Verlangens" und den "suspiria" zeugen
(vgl.J.Leclercq 1963, 70ff). Findet sich nicht ähnliches
auch bei Erasmus, wenn er etwa als Hauptskopus der Theologie
u.a. auch das "lacrimas excutere" nennt (Ratio, Holborn
193,18ff)? Oder später: "Iam apud Ioannem totum hoc, quod
loquitur, quod agit apud discipulos imminente mortis tempore,
quid aliud sonat, quid aliud spirat quam igneam ac flagrantis-
simam caritatem? Quis tam saxeus est, ut illa legat absque
lacrimis? Haec est caritas illa morte fortior, quae amantem
ad mortis usque contemptum inflammat, quae efficit, quod
nulla possunt humana praesidia"(ebd. 239,3ff).

286) Wie Paralleltexte zeigen, hat dies auch bei Erasmus nichts mit
Moralisierung zu tun, sondern mit Eschatologie. Denn es geht
um die puritas, wie sie dem "Himmlischen" zu eigen ist, oder
christologisch: um die simplicissima puritas Christi. Diese
puritas muß sich auch im Verkündiger widerspiegeln (vgl.
S. 60f). Von daher dürfte auch E.-W.Kohls im Recht sein,
wenn er (1966,I, 30f; II, 39ff Anm.59; 43 Anm.70) gegen
P.Mestwerdt betont, daß die eschatologische Gestimmtheit, wie
sie sich im Gedanken der meditatio mortis und meditatio

futurae vitae in der frühen Epist.de contemptu mundi vor-
findet, primär nichts mit der Aneignung des stoisch-morali-
schen Raisonnements über die Hohlheit der irdischen Güter zu
tun hat, sondern christlicher Abkunft ist. Vgl. auch die
neuplatonische Zwei-Welten-Lehre, deren obere Welt auch als
Engelwelt bezeichnet wird: "Duos igitur quosdam mundos
imaginemur, alterum intelligibilem tantum, alterum visibilem.
Intelligibilem, quem et angelicum licebit appellare, in quo
deus cum beatis mentibus, visibilem caelestes sphaeras et
quod in his includitur"(Enchiridion, Holborn 67,28ff; vgl.
67,34ff; 68,1ff); und dazu A.Auer 1954, 64ff.

287) Siehe S. 63f.

288) Epist.de contemptu mundi XII (LB V, 1261F).Zum Mönchtum als
persönlichem Problem des Erasmus vgl. Chantraine 1971,45-88.

289) Siehe S. 42-46.

290) Siehe S. 25.

291) Ratio (Holborn 239,9ff).

292) Ebd. 239,26f; vgl. 239,23-241,10.

293) Ebd. 243,8-248,35.

294) Ebd. 249,19ff.

295) Ebd. 246,3-17; vgl. 247,24f.

296) Ebd. 249,24ff.

297) Ebd. 249,27-251,35.

298) Ebd. 249,27ff.

299) Ebd. 250,7ff.

300) Ebd. 251,10f.

301) Ebd. 240,14ff.

302) Ebd. 252,5ff. In der Wv.an P.Volz verwehrt sich Erasmus
ausdrücklich dagegen, daß er z.B. mit seiner Kritik an
Ablässen und Wallfahrten die Sache selbst bzw. einen möglichen pius affectus darin verdamme; er wolle vielmehr nur
die wahren Proportionen wiederherstellen - "quod propius
est verae pietati"(ebd. 15,2-11).

303) Vgl. auch D.Harth, der das humanistische Sprach- und Traditionsverständnis des Erasmus untersucht und z.B. (1970,44)
sagt: "Sein Interesse gilt vielmehr der korrekten Überlieferung des konkreten Wortes und seiner erzieherischen Wirkung.
Kritik, Lesen und Auslegen treten daher als neue Weisen

praktischer Religiosität an die Stelle der bisher geübten spekulativen Theologie." Einige ähnliche Hinweise auch schon bei E.-W.Kohls 1966a. Die humanistischen Voraussetzungen dieses Überlieferungsbegriffes werden im Zusammenhang mit der Wissenschafts- , der Sprach- und Geschichtsauffassung Melanchthons etwas näher erörtert werden. Vgl. S. 347-49o.

3o4) Zur Theologie des Kreuzes nach dem Enchiridion vgl. E.-W.Kohls 1966,I, 84-87. Vgl. auch Paraclesis (Holborn 141,21ff); Ratio (ebd. 223,7ff).

3o5) Vgl. auch die Tafel, die sich bei A.Auer (1954,94) findet und in der Auer die entsprechenden Qualifikationen von "invisibile" und "visibile" gesammelt hat. Auer hat ebd. auch auf das Grundgefälle aufmerksam gemacht: "Wo Göttliches und Irdisches, Absolutes und Relatives, Geisthaftes und Leibhaftes sich zusammenfinden, da mag zwar eine innige Verbindung entstehen, aber nie werden die beiden Elemente gleichwertig nebeneinanderstehen." Vgl. auch W.Hentze 1974, 25-28, wo aber der Befund unzulässig generalisiert wird.

3o6) Dies zeigt sich schön in der Wv. zur Hilariusausg. 1523: Rechte Überlieferung beschränkt sich nicht auf den Buchstaben der Schrift (vgl. Allen V, Nr. 1334,36off.424ff.439ff), andererseits ist es dem Theologen nicht gestattet, eine Sache zu definieren, die in der Heiligen Schrift offenkundig nicht vorhanden ist (ebd. 142ff.229ff). Der Buchstabe der Heiligen Schrift hat darüber hinaus aber auch eine positive und konstitutive Bedeutung für die Theologie (ebd. 355ff. 427ff). Dies betont Erasmus gegenüber der scholastischen Theologie, die seiner Meinung nach die Aussagen der Heiligen Schrift so stark in fremde Begriffe zwängt, daß diese selbst nur noch in einer inhaltlichen Verfremdung laut wird. Im Jahr 1523 heißt es von den "veteres" noch: "de re divina nefas esse ducebant aliis verbis loqui quam sacrae literae loquerentur", in der Neuauflage 1535 fügt Erasmus hinzu: "et publica Ecclesiae traderet autoritas" (ebd. 424ff). Wenn man bedenkt , daß dies vielleicht die einzige wesentliche Änderung im Text von 1535 ist, könnte vielleicht P.Polman (1936, 279) recht haben, wenn er dazu bemerkt: Dieser Einschub "heeft in die jaren de betekenis van een geloofsbelijdenis op zich". Zur Autorität von Kirche und Lehramt vgl. W.Hentze 1974, 1o8-127,143ff. Zur Heiligen Schrift als Littera und Spiritus bei Erasmus vgl. F.De Maeseneer 1963, 97-1o7; E.-W.Kohls 1966,I, 129-132; M.Hoffmann 1972, 83ff, 133ff. Zur Einheit von Litteral- und Spiritualsinn vgl. bes. G.Chantraine 1971, 335-348. Vgl. auch S. 59.

3o7) "Quid enim ad hanc refert, utrum ipse Christus instituerit aliquid an ecclesia Christi spiritu afflata..."(Ratio, Holborn 2o6,1ff). Vgl. ebd. 291,9f: "Mihi quidem modis omnibus probatur, quod definivit ecclesia." Zur consensus-Idee (in Zusammenhang mit pax und concordia als den beiden ekklesiologischen Zentralmotiven) vgl. die ausführliche Darstellung bei J.K.McConica 1969. Zur Ekklesiologie des Erasmus, die gewisse Ähnlichkeiten mit der Ekklesiologie Melanchthons aufweist (vgl. S. 259ff) vgl. (mit einer gewissen

Vorsicht) G.Gebhardt 1966; dann J.-P.Massaut 1968 (Nach
Texten von 1524 und 1532); (und ebenfalls mit einer gewissen
Vorsicht) C.Augustijn, The Ecclesiology of Erasmus, in:
Scrinium Erasmianum 1969,II, 135-155; ferner auch R.Padberg,
Erasmus als Symbol eines kirchenfreien Christentums? Bemer-
kungen zur Erasmus-Interpretation des ponischen Philosophen
Leszek Kolakowski, in: Cath 26 (1972) 63-68.

308) Vgl. Ratio (Holborn 198,33-201,33). Z.B. "Paulus vult uxorem
fidelem manere cum infideli marito, Augustinus et Ambrosius
diversum sentiunt, et hodie secus iudicat ecclesia. Paulus
non vult servum Christianum ab hero ethnico discedere nisi
manumissum, secus hodie decretum est. Sunt id genus alia
permulta, quae pro temporum illorum usu instituta post
oblitterata sunt aut mutata, veluti de caerimoniis sacramentorum pleraque"(ebd. 201,3ff); vgl. dazu die Ausführungen
von W.Maurer 1965, 199-213 (Erasmus und das Kanonische Recht).

309) Ratio (Holborn 211,17ff). Zur ganzen Frage C.J.de Vogel,
Erasmus and his Attitude towards Church Dogma, in: Scrinium
Erasmianum 1969,II, 101-132;Chantraine 1971,377-381; Hentze
1974, 146-159, 184-188.

310) Ratio (Holborn 208,29ff); vgl. ebd. 221,24ff.

311) Ein schönes Beispiel bietet das Selbstverständnis seiner
Arbeiten zum Neuen Testament. Diese sollen die Vulgata
keineswegs ersetzen. Sie soll nach wie vor in der publica
lectio, d.h. in Liturgie und Schule verwendet werden. Seine
eigenen Arbeiten möchte er auf den privaten Bereich beschränkt wissen. Dadurch aber, daß man durch sie vielleicht
die Heilige Schrift besser verstehen lerne, würde man dann
auch die Vulgata besser verstehen (Apologia, ebd. 168,1ff.
34ff). Nicht völlige Abschaffung, sondern Reformierung und
Ergänzung ist allgemein sein Ziel (Ratio, ebd. 191,31ff;
303,23ff). Vgl.auch Hentze 1974, 194ff.

312) Vgl. S. 347-490.

313) Vgl. S. 37-39.

314) Ratio (Holborn 193,18f).

315) "Errat itaque vehementer, qui credit se consequi posse veram
canonicae Scripturae intelligentiam, nisi adflatus eo Spiritu,
quo proditae sunt"(Ecclesiastes I, LB V, 774E). Vgl.auch
S. 70f.

316) Wv.an P.Volz (Holborn 7,1ff); Ratio (ebd. 259,32/260,1ff).

317) Ratio (ebd. 182,14ff); Apologia (ebd. 164,18ff).

318) "Optarim, ut omnes mulierculae legant euangelium, legant
Paulinas epistolas.. Ex his sint omnia Christianorum omnium
colloquia. Tales enim ferme sumus, quales sunt cotidianae
nostrae confabulationes"(Paraclesis, ebd. 142,15ff).

319) Vgl. S. 26.

32o) Ratio (Holborn 299,25ff); vgl. Paraclesis (ebd. 142ff).

321) Vgl. den nächsten Abschnitt (S. 6of).

322) Wv. an P.Volz (Holborn 7,3ff). Zu den katechetischen Arbeiten
     des Erasmus und seinen Erklärungen des Glaubensbekenntnisses
     vgl. R.Padberg 1956.

323) Ratio (Holborn 177,24ff).

324) Ebd. 193,24ff; vgl. auch S. 22f, und G.Chantraine 1971,26o-268.

325) Vgl. S. 27 und S. 373-376.

326) So ganz deutlich S. 6of, 31.

327) Vgl. dazu J.B.Payne 1969, bes. 17-25; G.Chantraine 1971, 316-
     362; ferner auch J.K.McConica 1969, 91ff. Vgl. auch S. 39
     Anm. 3o6.

328) Zur Philologie des Erasmus vgl. D.Harth 197o, bes. 111-166
     (=V: Philologia); J.B.Payne 1969, 26-34; zur theologischen
     Fruchtbarkeit der philologischen Schriftauslegung C.A.L.Jarrot,
     Erasmus' Biblical Humanism, in: StR 17 (197o) 119-152. Zur
     Schriftauslegung im engeren Sinn: J.B.Payne 1969; H.de Lubac
     1964, 438-453; M.Anderson, Erasmus the Exeget, in: CThM 4o (1969)
     722-733; C.S.Meyer, Erasmus on the Study of Scriptures, ebd.
     734-746; ferner auch noch die entsprechenden Ausführungen
     von Ch.Béné 1969, 254-28o, G.B. Winkler 1974, 198-219, und M.
     Hoffmann 1972, 73-88, über die Ratio, und M.Grünwald 1969, 165-
     22o, über den Ekklesiastes.

329) Wenn G.B.Winkler (1974,154) in unserem Zusammenhang sagt, "daß
     es Erasmus in erster Linie nicht um eine *regula fidei* zum
     Dogmatisieren und Definieren geht, sondern um jenen undefinier-
     baren christlichen *sensus* für Christus und seine Lehre, der
     zur Unterscheidung der Geister befähigt.." und dann fortfährt:
     "Die Frage nach der rechten Glaubensregel ist für Erasmus dem-
     nach weniger ein dogmatisches als ein Problem der christlichen
     Lebensführung", so ist daran zwar richtig, daß Glaube und
     Glaubensregel bei Erasmus nie einen bloß theoretischen Charakter
     haben, daran aber schief, daß die Glaubensregel weniger dog-
     matischen als praktischen Charakter habe. Denn die rhetorische
     Alternative lautet nicht: mehr Leben als Dogma, sondern: mehr
     Praxis als Theorie *und* mehr Christentum als Philosophie!
     Gerade weil sich die humanistische Reformtheologie im Horizont
     der Offenbarung-Vernunft-Differenz entfaltet und Erasmus die
     Schriftauslegung auch als methodischen Vorgang versteht, der eine
     konkrete (inhaltlich präzisierte) Summe des Glaubens voraus-
     setzt (was in der Ratio, im Teil über die inhaltliche Hermeneu-
     tik, wie gesagt, zu entwickeln versucht ist), hat die Glaubens-
     regel einen eminent dogmatischen Charakter. Vgl. auch das aus-
     gewogenere Urteil Winklers (1974,24off) in seiner Zusammenfas-
     sung.

41

330) Ratio (Holborn 178,19-193,24).

331) Ebd. 178,19-181,14 und 181,15-193,24. In den Grundzügen bereit
in der Methodus (ebd. 15o,23-151,24 und 151,25-156,13). Vgl.
auch S. 21.

332) Der philosophia plane caelestis (Ratio, Holborn 178,23f),
der schola seu templum verius divinae sapientiae (ebd.
179,1f), den caelestia (ebd. 179,21), dem sacrum limen (ebd.
179,24), dem spiritus doctor (ebd. 179,33f), den adyta divini
spiritus (ebd. 18o,3). Mit diesen Begriffen steht auf gleicher
Stufe arcani libri und arcana scriptura (ebd. 179,15ff).

333) Die disciplinae humanae, die libri humani müssen vom Theologen sozusagen kritisch in den Dienst genommen werden (ebd. 18o
9ff).

334) "nimirum ut ad hanc philosophiam non Platonicam aut Stoicam
aut Peripateticam, sed plane caelestem animum afferamus ea
dignum, non tantum purum ab omnibus, quoad fieri potest,
vitiorum inquinamentis, verumetiam ab omni cupiditatum
tumultu tranquillum ac requietum, quo expressius in nobis,
velut in amne placido aut speculo levi et exterso, reluceat
aeternae illius veritatis imago" (ebd. 178,23ff). Vgl.
Ecclesiastes I (LB V, 774AB). Zur puritas Christi vgl.
Ratio (Holborn 2o2,4.13f; 2o3,23f); Wv. an P.Volz (ebd. 12,23f)
Wv. zur Epheserparaphrase, 5.Febr. 152o (Allen IV, Nr. 1o62,
35ff).

335) Ratio (Holborn 178,29ff; 179,1f; 179,32ff). Im Jahr 152o fügt
Erasmus noch einen ähnlichen Beweis aus dem Alten Testament
an: Wenn schon dort Reinheit und Reinigung als Vorbereitung
auf das Zwiegespräch mit Gott gefordert wurden (Ex 19,1o;
2o,21; 3,2-5), um wieviel reiner müßte man dann nicht an die
Lektüre der Heiligen Schrift herantreten, in der Gott "verius
et efficacius" zu uns gesprochen hat als zu Moses aus dem
Dornbusch (ebd. 179,2-16).

336) Ebd. 179,16ff,19ff.

337) Ebd. 257,13-25. Vgl. S. 7of.

338) Ratio (Holborn 179,24-35); vgl. Paraclesis (ebd. 141,27ff).

339) Ratio (ebd. 3o5,8ff); vgl. Wv. an P.Volz (ebd. 9,5ff).

34o) "Ergo, qui cupit juxta Paulum esse διδακτικὸς, hoc est, ad
tradendam Dei doctrinam idoneus, det operam ut prius sit
Θεοδίδακτος, id est, divinitus doctus. Dominus Jesus non
egebat nova unctione Spiritus, nec innovatore cordis, quem
Pater unxerat omni plenitudine Spiritus ab ipso statim exortu:
sed tamen a baptismo designatus imagine columbae vertici
insidentis ac manentis, in se ipso nobis formam exhibuit,
ne quis ad docendi munus prosiliat, nisi coelesti adflatus
Spiritu " (Ecclesiastes, I, LB V,775B).

341) Zur Tradition vgl. ausführlich G.Chantraine 1971, 192-199,
     der dieser Idee bei Erasmus eine geradezu erschöpfende
     Analyse gewidmet hat (ebd. 157-235); zum augustinischen
     Hintergrund Ch. Béné 1969, 223-228.

342) Ratio (Holborn 181, 15-184,22). Ausführlich zur Bedeutung
     der Profanwissenschaften G.Chantraine 1971, 236-257; Ch.
     Béné 1969, 229-253.

343) Ebd. 181,23ff; 182,14ff.

344) Ebd. 182,1off; 184,4ff.

345) Ebd. 182,18-183,9.

346) Ebd. 184,23-193,23. Hier wird immer wieder auf Augustins
     De doctrina Christiana verwiesen. Seine Autorität wird
     gegen die Scholastik ins Treffen geführt.

347) Ebd. 184,27ff.

348) Ebd. 184,3off; 185,18f.

349) Ebd. bes. 185,29ff; 188,1ff; 191,2ff; 192,6ff; 193,1off.

35o) Ebd. 185,29ff; 186,1ff. Eine Kenntnis der antiken Natur-
     beschreibungen, zu denen auch die Dichter herangezogen
     werden können, ist daher unerläßlich.

351) Ebd. 187. Ohne die literarischen Wissenschaften kann die
     Heilige Schrift nicht voll verstanden und nicht officiose
     behandelt werden (Apologia, ebd. 164,2of).

352) Ratio (ebd. 19o,12ff). Der Gedanke, daß die literarische
     Form der Heiligen Schrift nicht dem diskursiven, sondern
     eher dem metaphorischen Denken entspricht, taucht auch in
     der Hochscholastik in den Diskussionen um den Theologie-
     begriff immer wieder auf; vgl. Th.Tshibangu 1965,41.

353) Diese Alternative ist bei Erasmus genau genommen allerdings
     im Sinne eines Trends zu interpretieren: Ist er ursprünglich
     noch sehr stark vom platonischen Geist-Fleisch-Schema be-
     eindruckt und vom Gedanken der "geistlichen" Auslegung be-
     herrscht (sehr deutlich im Enchiridion 15o3), so tritt mit
     zunehmender philologischer Praxis der buchstäbliche Sinn
     und seine Notwendigkeit immer stärker in den Vordergrund.
     In seinen reifen Jahren (ab 1516) scheint er eine Art Mittel-
     weg zwischen buchstäblicher und geistlicher Auslegung zu
     suchen (vgl. dazu bes. J.B.Payne 1969,49). Zur philologischen
     Praxis des Erasmus vgl. z.B. W.Trillitzsch, Erasmus und
     Senece, in: Philologus 1o9 (1965) 27o-293.

354) Ratio (Holborn 187, 17f).

355) Ebd. 188,1ff.

356) Ebd. 192,6-193,18.

357) Ebd. 189,28-190,11; 193,1ff.

358) Ebd. 191,31ff.

359) Aus seiner eigenen Erfahrung heraus betont Erasmus in der
Wv.an P.Volz, daß man fast keine Mahnung oder Kritik aus-
sprechen könne, ohne daß sie nicht von boshaften Menschen
verdreht werden könnten. Das gelte für seine Kritik am
Mönchtum wie auch an den Türkenkriegen und den Ausschweifun-
gen der Zeit(ebd. 14,3-26); das gelte auch für seine Kritik
an der scholastischen Ausbildung (ebd. 14,26ff) und für seine
Kritik an Ablässen und Wallfahrten (ebd. 14,33-15,11). Nicht
die Sache selbst habe er verurteilt, sondern nur deren
depravierte Gestalt. Nicht um Abschaffung sei es ihm gegangen,
sondern um die Wiederherstellung der eigentlichen Schwerpunkte, um das Aufzeigen dessen, was wesentlich ist.

360) "Atque hisce iam rebus instructus theologiae tiro iugi
meditatione versetur in divinis litteris, has nocturna curet
versare manu, versare diurna; has semper in manibus, semper
habeat in sinu; ex his semper aliquid aut auribus instrepat
aut oculis occurrat aut animo obversetur. In naturam ibit,
quod usu perpetuo fuerit infixum"(Ratio, ebd. 293,13ff). Der
ganze Mensch liest hier. Mit seinen Augen und mit seinen
Ohren nimmt er das Geschriebene auf. Sehen, Hören und Verstehen bilden eine Einheit. Die Gewohnheit des lauten Lesens
hängt mit der rhetorischen Sprachauffassung zusammen. Für
den antiken Menschen hat nämlich das Blatt eines Buches,
ja sogar der Buchstabe in erster Linie eine Stimme. Das Blatt
oder der Buchstabe "sprechen" oder "schweigen", "ertönen"
oder "verstummen" (loqui, silere, sonare). Durch den Wohl-
klang der stilvoll geformten Rede wird dann der menschliche
Geist affiziert. Diese Gewohnheit des lauten Lesens, die der
Antike selbstverständlich war, bestimmte auch die monastische
Denkmethode (vgl. J.Leclercq 1963, 23ff, 85f); sie wurde
schließlich im Humanismus im Zusammenhang mit der Sprach-
und Bildungsidee wieder aufgenommen; vgl. dazu etwa den
schönen Petrarca-Text bei H.Gmelin 1932, 103f, und J.Balogh,
a.a.O. 234f. Zur ganzen Frage J.Balogh, "Voces Paginarum".
Beiträge zur Geschichte des lauten Lesens und Schreibens,
in: Philologus 82 (1927) 84-109, 202-240.

361) Vgl. bes. die Wv.zur Hilariusausg. 1523 (Allen V, Nr. 1334,
170ff.199ff.213ff.219ff.457ff). Zur Kritik des Erasmus an
der spekulativen Theologie vgl. auch R.Gagnebet 1938, 645 bis
674; F.De Maeseneer 1963, 37-41.

362) Paraclesis (Holborn 144,24; 146,7f; 147,20f); vgl. auch ebd.
148,29-149,12; Ratio (ebd. 211,9f).

363) Ratio (ebd. 180,32ff).

364) Ebd. 298,24ff.

365) Ebd. 211,9; vgl. auch S.39ff.

366) Vgl. Paraclesis (Holborn 148,31f); Ratio (ebd. 296,33f/297,
1ff; 293,13ff). Zu Gebet und Meditation bei Erasmus vgl.
auch die Texte bei E.-W.Kohls 1966,I, 141-143; A.Auer 1954,
146-150.

367) Pia curiositas (Paraclesis, Holborn 141,20; Ratio, ebd. 213,
26ff); pii scrutatores (ebd. 260,3ff); scrutari sripturas
(in einem Chrysostomus-Zitat: ebd. 300,23ff); investigare
(ebd. 215,2; vgl. Enchiridion, ebd. 31,25: vestigatio
mysticae scripturae).

368) Das "scire" ist die Voraussetzung des "praestare" (Paraclesis, ebd. 145,33f; Ratio, ebd. 293,24ff).

369) Vgl. dazu R.Padberg 1964, bes. 95-128; M.Grünwald 1969, 61ff.

370) Zu lectio-meditatio-oratio in der monastischen Theologie vgl.
etwa J.Leclercq 1963, bes. 22ff, 83-94 (und die hier angegebene Literatur); M.-D.Chenu 1957, 343-350 (= Un âge nouveau.
Théologie monastique, théologie scolastique). J.Ehlers 1974.

371) Zur scholastischen Entwicklung vgl. etwa G.Paré-A.Brunet-
P.Tremblay 1933, 109-137 (= Les méthodes d'enseignement),
211-312 (= 2.Teil: L'enseignement de la théologie);
M.-D.Chenu 1960, 83-107; A.Lang 1964, bes. 21-26 (= § 2
Mittel und Wege der scholastischen Methode), 26-35 (= § 3
Die Formen der scholastischen Didaktik). U.Köpf 1974, 155 bis
225; außerdem J.Ehlers 1974.

372) Vgl. die collatio studiorum in der Ratio (Holborn 297,6 bis
304,27). Aber selbst in diesem Frontalangriff wird die
scholastische Methode nicht total abgelehnt. Auf die tractatio kommt es an: "In culpa est non ipsa theologia, quae non
sic nata est, sedquorundam tractatio, qui totam illam ad
dialecticorum argutias et Aristotelicam philosophiam detra-
xerunt, ut illic non paulo plus sit philosophiae quam
theologiae"(ebd. 297,12ff). Eingeordnet in den Rahmen der
humanistischen Theologie hat auch die Dialektik ihren Sinn
(vgl. ebd. 304,28-305,30).

373) Zur monastischen Kritik vgl. etwa J.Leclercq 1963, 228ff;
zur Früh- und Hochscholastik M.Grabmann 1909, 215-257; ders.
1911, 111-127; L.J.Paetow 1910, 30-32; J.A.Endres, Die
Dialektiker und ihre Gegner im 11.Jahrhundert, in: PhJ 19
(1906) 20-33; ders., Studien zur Geschichte der Frühscholastik, in: PhJ 25 (1912) 364-371; 26 (1913) 85-93, 160-169,
349-359; zur Kritik bis in die Spätscholastik Ch.Dolfen
1936, 10-21; J.Beumer 1966.

374) "Il ne fait pour nous aucun doute que la devotio moderna,
dont le sens nouveau est d'être une réaction contre la
scolastique du XIIIe siècle, continue simplement un courant
plus ancien opposé d'avance à des méthodes théologiques
dont, même vers la fin du XIIe siècle, le developpement
futur n'etait pas encore prévisible" (E.Gilson im Vorwort
zu M.-D.Chenu 1957, 9); vgl. auch M.Dietsche 1960, 138.

375) "Inter humanas disciplinas aliae alium habent scopum. Apud
rhetorem hoc spectas, ut copiose splendideque dicas; apud
dialecticum, ut argute colligas et adversarium illaquees"
(Ratio, Holborn 180,19ff). Zum Begriff "scopus" vgl.
A.Auer 1954, 96f.

376) Ratio (Holborn 180,22ff; vgl. ebd. 187,17f).Vgl.auch S. 21f.

377) "Animi cibus est ita demum utilis, non si in memoria ceu
stomacho subsidat, sed si in ipsos affectus et in ipsa
mentis viscera traiciatur. Ita demum tibi videare profecisse,
non si disputes acrius, sed si te senseris paulatim alterum
fieri, minus elatum, minus iracundum, minus pecuniarum aut
voluptatum aut vitae cupidum, si cotidie vitiis decedat aliquid, aliquid accrescat pietati"(ebd. 180,24ff); vgl. auch
unten Anm. 379. Zum Bild der Verdauung (imitatio) im
Ciceronianus vgl. H.Gmelin 1932, 246f. Zum existentiellen
und spirituellen Charakter der Erasmischen Theologiekonzeption
vgl. auch die schöne Übersicht von G.Chantraine, Théologie
et vie spirituelle. Un aspect de la méthode théologique
selon Érasme, in: NRTh 91 (1969) 809-833.

378) Paraclesis (Holborn 144,35-145,3).

379) "Aliud est enim scire, aliud sapere. Multa sciunt et Daemones,
hinc nimirum, et nomen sortiti, si Grammaticis credimus,
dicti Daemones quasi δαήμονες, hoc est, scientes; nemo tamen
illos dicit sapere. Sapiens est qui didicit non omnia, sed
ea quae ad veram felicitatem pertinent, et iis quae didicit,
adficitur, ac transfiguratus est. Hoc fit, quoties cibus
Euangelicae doctrinae cum plena fide sumtus, trajectus est
in animi viscera, et in habitum ac robur spiritus transiit.
Hoc igitur sicut est praecipuum, ita par est ut prima sit
ipsius cura"(Ecclesiastes I, LB V, 777AB). Vgl auch die Gegenüberstellung von theologia als "ars" und theologia als
"sapientia" in der Wv.zur Epheserbriefparaphrase, 5.Febr.1520
(Allen IV, Nr. 1062,31) und die Illustration dazu in der
Wv.zur Hilariusausg. 1523 (Allen V, Nr. 1334,199ff).

380) Ratio (Holborn 253,12ff). Diese Gegenüberstellung geschieht
auf dem Hintergrund des Gleichnisses von den zwei Söhnen
(Mt 21,28-31)!

381) Wv.an P.Volz (ebd. 12,29f).

382) Wv.an P.Volz (ebd. 7,19; 8,18f); Ratio (ebd. 179,12ff). Wo die
cupiditates terrenae nicht sind, dort ist das regnum caelorum
(ebd. 227,31ff); vgl. dazu S. 47. Ratio (ebd. 203,27ff; 257,
13ff).

383) Ratio (ebd. 231,4-235,7). Dieser Affekt scheint in einem gewissen Zwielicht zu stehen. Einerseits scheint ihn Erasmus
ganz selbstverständlich in die Linie der anderen Affekte ein-
zureihen. Der Abschnitt beginnt so: "Est et alius affectus,
qui inter ipsa benefacta bonis etiam viris insidiatur, ni
caverint: fiducia nostri"(ebd. 231,4f). Erasmus sagt hier

nicht ausdrücklich, daß dieser Affekt, der Grundaffekt sei,
aus dem die anderen schlechten Affekte wie aus einer Quelle
hervorgingen. Auf der anderen Seite aber ist dieser Abschnitt
weitaus der längste. Seine Behandlung nimmt fast den gleichen
Raum ein, wie die aller anderen Affekte zusammen. Dazu ist
die Darlegung der Gnadentheologie der Lehre Christi (= der
Evangelien: ebd. 231,5-232,27) und der 1520 angefügten
paulinischen Gnadentheologie (ebd. 232,28-235,7) ziemlich
deutlich. Zweimal verwendet Erasmus hier das Zitat aus
Is 64,6, das auch in der reformatorischen Rechtfertigungslehre wiederholt herangezogen wurde. Auf die Antwort
Christi in Mt 19,17: "Unus est bonus, deus" fährt Erasmus
fort: "Sensit morbum hominis sibi bonitatis laudem arrogantis,
cum omnes nostrae iustitiae coram oculis dei nihil aliud
sunt quam pannus mulieris menstruo profluvio pollutae"
(ebd. 231,21ff). Ähnlich auch die Stelle im paulinischen
Abschnitt: "Nostrae iustitiae nihil aliud sunt quam pannus
menstruo profluvio contaminatus; nostra sapientia stultitia
est; nostra puritas impura est. At haec omnia nobis est
Christus, et iustitia et pax et sapientia, idque ex largita-
te patris, qui prior et gratis dilexit nos et hoc ipsum
gratis praestitit, ut illum redamemus" (ebd. 234,6ff).
Das Zwielicht, von dem zu Beginn die Rede war, hellt sich
etwas auf, wenn man bedenkt, daß hier eigentlich nicht die
Rechtfertigungslehre thematisiert wird, sondern die Frage
des Amtsträgers. Das betreffende Is-Zitat bei Melanchthon
z.B. Schol.Col.3,1 1527 (SA IV, 277,25f). Prinzipiell ist
G.B.Winkler(1974, 180-187) mit Sicherheit recht zu geben,
wenn er die neun angeführten Affekte als Ausdruck der fiducia
nostri versteht. Ähnliche Formulierungen finden sich auch
in der Paraphrase zum Römerbrief 1517 (vgl. dazu R.Padberg
1958). Interessant ist in diesem Zusammenhang auch die These
von R.G.Kleinhans, der nach einer Untersuchung der Paraphrasen einen Lutherischen Einfluß auf Erasmus (um 1522/23)
in der Rechtfertigungslehre erkennen will (R.G.Kleinhans
1970). Zur Rechtfertigungslehre auch L.C.Green 1974,184-188.

384) Siehe S. 47.

385) Ratio (Holborn 236,26ff).

386) Ebd. 237,17ff. Der große Abschnitt ebd. 237,17-259,31 (vgl.
S. 25). Auch G.B.Winkler hebt (1974, 188) fides und caritas
"als Ausdruck der fiducia dei und Kriterium der wahren
Christenheit" hervor.

387) Ratio (Holborn 259,33-266,4). Vgl. S. 26.

388) Ebd. 261,9ff.

389) Enchiridion (ebd. 41ff).

390) Zur Analyse dieses Abschnittes vgl. A.Auer 1954, 71ff;
E.-W.Kohls 1966,I, 52f, 87ff. Die umfassendste Darstellung
der Affektenlehre des Erasmus findet sich bisher bei

M.Hoffmann 1972, 196-211, auch noch 183ff. Hoffmann sieht
zwar die ganze Breite des Begriffs und seiner Wertung, weil
er aber Erasmus zu wenig geschichtlich betrachtet, kann er
die Bedeutung des positiven Affektverständnisses nicht
richtig ermessen. Dadurch daß sich Auer und Kohls im Abschnitt
über die Erasmische Anthropologie auf die Interpretation
der oben genannten Enchiridion-Stelle beschränken, ist ihre
Darstellung der Erasmischen Affekt-Auffassung auf den ganzen
Erasmus hin gesehen falsch. So kann sich z.B. A.Auer (1954,
147) nur wundern: "Schließlich ist ein letztes festzustellen:
eine starke Betonung des Affektiven, was zumal bei dem
'Rationalisten' Erasmus überraschen muß." Diesem Mißverständnis ist man dann in der Melanchthonforschung wiederholt zum
Opfer gefallen. Eine der Hauptthesen A.Sperls 1959 lautet
z.B., Melanchthons reformatorische Entdeckung sei primär
eine psychologische Erkenntnis gewesen, nämlich die Entdek-
kung des Primats des Affekts vor dem Intellekt: "Das humanistische System der Rhetorik war auf der Hochschätzung der
Ratio aufgebaut. Im Grunde war Melanchthon davon überzeugt:
Das Gute ist lehrbar." "Diese Überzeugung wird durch die
Begegnung mit Luther vollständig zerbrochen. 'Vincitur
affectu ratio', das ist das für Melanchthon radikal Neue"
(ebd. 100f). "Der Affekt wird nicht durch den Intellekt,
sondern nur durch einen anderen (stärkeren) Affekt überwunden"(ebd. 101 Anm.4). Die erstere, rationalistischere Auffassung sei vom Geist des Erasmus geprägt: "Seine psychologischen Ansichten hat Melanchthon nicht im einzelnen dargelegt.
Es kann aber kein Zweifel sein, daß er im wesentlichen die
Psychologie des Erasmus teilt, die wir etwas besser kennen.
Erasmus hat sie im Enchiridion besonders schön zusammengefaßt: 'In homine vero ratio regis vice fungitur. Optimates
accipias licet affectus quosdam...' Holborn 42,31ff. Die
Überzeugung Melanchthons von der Wirksamkeit einleuchtender
naturrechtlicher Grundsätze ist nur auf dem Hintergrund der
gleichen Überordnung des Intellekts über die Affekte möglich"(ebd. 38 Anm.66). Abgesehen vom Mißverständnis der
Rhetorik ist diese Interpretation falsch, weil sie eine Linie
der Erasmischen Konzeption bereits für das Ganze nimmt.
Genau in den gleichen Fehler verfällt auch H┐G.Geyer (1965,
102-122), der zwar hier eine genaue, ja sogar übergenaue
Interpretation des Enchiridion-Abschnittes liefert (eine
solche philosophische Systematik, wie sie hier hinter den
Aussagen gefunden wird, gibt es bei Erasmus wohl nicht),
dann aber das Ergebnis noch einmal systematisiert, indem er
es für die Sehweise des ganzen Erasmus ausgibt: "Diese Art
von Rationalismus, der kräftige fast naiv noch zu nennende
Vernunftglaube bildet einen, wenn nicht gar den entscheidenden Faktor im erasmischen Humanismus; unerschüttert lebt
darin die Überzeugung von der unverdorbenen und unverderb-
lichen Reinheit der Vernunft und unangefochten ihre Schätzung
als oberstes Wertprinzip des menschlichen Lebens, sofern sie
der eingeborenen 'lex aeterna' zufolge untrüglich das Rechte
weiß und gebietet"(ebd. 106). Ähnlich auch W.Maurer 1969, 258;
M.Rogness 1969, 9f; vgl.auch A.Brüls 1975, 25f.

48

391) Daß die Auffassung der Ratio der des Enchiridion überzuordnen ist, ergibt sich m.E. auch aus der Differenz der Intentionen: Das theologische Grundprogramm ist nicht im Enchiridion, sondern in der Ratio entwickelt. Das Enchiridion, das Erasmus entweder für den Waffenmeister Johann Poppenruyter oder für Jean de Trazegnies geschrieben hat (vgl. dazu E.-W.Kohls 1969a, 13f Anm.12), will nur eine Anleitung zu echter Frömmigkeit sein, mehr eine christliche Ethik als eine Glaubenslehre. Dagegen hat die Ratio wirklich programmatischen Charakter; sie versteht sich als Anleitung für den zukünftigen (Berufs-) Theologen; so auch R.Stupperich 1971, 148ff, 154; H.de Lubac 1964, 442. Am besten beschrieben ist das Verhältnis bei G.Chantraine 1971, 367-370.

392) "Sermo hominis verax imago est mentis, sic oratione quasi speculo reddita. Ex corde enim procedunt cogitationes, ait Dominus. Christus autem est sermo Dei omnipotens, qui sine initio, sine fine sempiternus, a sempiterno corde Patris promanat: per hunc Pater condidit universa, per hunc restituit.."(Ecclesiastes I, LB V, 772BC). "At verbum hominis non profertur absque spiritu. Caeterum, qualis est sermo noster, talis est spiritus noster. At in Divinis quemadmodum proferens verbum est omnipotens, et verbum prolatum aeque omnipotens, ita et Spiritus est omnipotens, pariter ab utroque procedens. Ut autem supra mentis illius Divinae sublimitatem nihil cogitari potest, si tamen illam ullo modo consequi potest humana cogitatio: ita nihil est in homine praestantius mente, qua parte longissime absumus a natura pecudum, referimusque quamdam Divinae mentis imaginem"(ebd. 772E).
".. sed tamen illud recte perspexerunt, hominem non alia re propius accedere ad naturam aeterni Numinis, quam mente et oratione, quam Graeci νοῦν καὶ λόγον appellabant. Mens fons est, sermo imago a fonte promanans. Quemadmodum autem unicum illud Dei verbum imago est Patris, adeo nulla ex parte promenti dissimilis, ut ejusdem sit cum illo individuaeque naturae, ita humanae mentis imago quaedam est oratio: qua nihil habet homo mirabilius aut potentius.."(ebd. 772F/773A); vgl. dazu M.Grünwald 1969, 72-85. Zur gleichen Sache mit anderen Belegen D.Harth 1970, 41ff. Wenn hier und anderswo (vgl. bes. S.34f) auch der späte Ecclesiastes (1535) herangezogen wird, so geschieht dies, um Dinge, die sich im Prinzip auch in den Einleitungsschriften finden, etwas deutlicher hervorheben zu können. Dieses Verfahren ist außerdem insofern nicht ganz unberechtigt, als der Plan zu diesem Werk bereits vor 1520 entstand und Erasmus Anfang der zwanziger Jahre auch zeitweise daran arbeitete (vgl. M.Grünwald 1969, 4ff).

393) "Quemadmodum autem ventus spirans a loco pestilenti aut salubri, vim ejus loci secum defert: ita sermo promanans e corde, qui fons est orationis, mirabili vigore refert vim et affectum illius, ut homo homini non alia sui parte sit vel utilior vel perniciosior. Porro, quibus duplex est cor, cujusmodi notat Scriptura: In corde, inquiens, et corde locuti sunt. Item Ecclesiasticus: Vae duplici corde: iis omnino nullum est cor, nec loquuntur, etiam quum loquuntur maxime. Sermonis enim usus est, proferre verbis, quod animo conceperis" (ebd. 773AB). "..ita nihil salubrius oratione, quae a mente

sana piaque proficiscitur, e diverso nihil perniciosius
sermone, quem exhalat cor, impiis opinionibus, pravis
cupiditatibus ac vitiis corruptum infectumque"(ebd. 773B).

394) "Qualecumque est cor hominis, talis est oratio. Qui cor ha
terrenum, terrena loquitur, qui cor habet carneum, carnali
loquitur, qui Diabolum habet in corde, Diabolum loquitur,
et eum aliis adflat: qui Christi spiritum habet in corde,
coelestia, pia, sancta, casta dignaque Deo loquitur"
(ebd. 773CD).

395) "Nec aliter efficax esse potest lingua Concionatoris, quam
si Christi spiritus inhabitans cor ejus, moveat oris plect
et vim arcanam verbis promanantibus addat. Vox concionanti
aures audientium ferire potest: solus autem Deus est, qui
secreto afflatu mentes transformat"(ebd. 773DE).

396) "Spiritus autem ille coelestis ac vere igneus non solum
scrutator est cordium, verum etiam creator et innovator, i
habens vocis quoque scientiam. Errat itaque vehementer, qu
credit se consequi posse veram canonicae Scripturae intell
gentiam, nisi adflatus eo Spiritu, quo proditae sunt. Nec
minus errat, qui se credit verum Ecclesiasten agere posse,
nisi hausto coelesti spiritu, sine quo nemo potest dicere
Dominum Jesum. Ille largitur cor igneum, ille linguas
igneas"(ebd. 774 DE; vgl. 775A).

397) Die negative Wertung der Affekte durch die griechisch-römi
sche Philosophie hat bei den Kirchenvätern sehr stark nach
gewirkt; vgl. A.Vögtle, Affekt, in: RAC I(1950) 160-173.
Doch ergibt sich von den spezifisch christlichen Voraussetzungen her sofort eine Gegenbewegung, indem bestimmte
Affekte wie z.B. die Barmherzigkeit (dazu W.Schwer, Barmhe
zigkeit, in: RAC I, 1950, 1200-1207) ungefragt positiv
bewertet werden. Unbefangener noch, weil mit größerer Dist
zum antiken Denken, weist dann z.B. Melanchthon vom Innere
des christlichen Glaubens her die stoische Negation der
Affekte zurück. Als wichtigstes Argument gegen die Stoiker
nennt er hier folgendes: Lex divina praecipit res optimas.
In lege divina praecipiuntur multi affectus, dilectio Dei,
coniugum, natorum, parentum, et aliorum hominum"(De anima
1553, SA III, 321,30ff). "Nec difficile esset hanc sentent
splendide illustrari recitatis testimoniis de aeterno patre
sonante de caelo: Hic est filius meus dilectus, quo delect
Item commemoratione de filio Dei, qui laetatur, dolet,
irascitur. Et de Spiritu sancto, qui est tamquam flamma
divinorum motuum, et accendit motus similes in sanctis.."
(ebd. 322,6ff).

398) Vgl. S.53fAnm.423.

399) Vgl. E.von Ivánka 1964, 309-385; ferner auch noch P.Pourra
Affective (Spiritualité), in: DSAM I(1937) 240-246.

400) Vgl. S. 372f.

401) K.Dockhorn 1964, 32f.

402) Ratio (Holborn 259,33-266,4).

403) Ebd. 260,5ff.

404) "Neque vero tantum ad docendum ac persuadendum efficax est parabola, verum etiam ad commovendos affectus, ad delectandum, ad perspicuitatem, ad eandem sententiam, ne possit elabi, penitus infigendam animo"(ebd. 260,10ff). Diese Redeweise "affiziert" den Sinn (animus) des Menschen (ebd. 260,13f; 261,14; 262,19; vgl. 260,27f.31). Weitere Belege bei G.Chantraine 1971, 319-328.

405) Ebd. 261,4f. Von der Rhetorik leitet auch E.Mühlenberg (1968,434ff) die Hochschätzung des Affekts bei Erasmus ab. Dadurch, daß Mühlenberg die Tradition der affektiven Mystik vollständig übersieht, deutet er die humanistische Theologie fälschlich auch nur von den anthropologischen Voraussetzungen des humanistischen Bildungsprogrammes aus (durch Nachahmung zur Tugend: vgl. ebd. 440ff).

406) "Porro, ut Christus velut ignis aeterni fons sacerdotum ordinem proxime ad se trahit ac velut igneos reddit, puros ab omni terrenae faecis contagio, ita sacerdotum est, et praesertim summorum, principes quoad licet ad sese vocare" (Wv.an P.Volz, Holborn 10,8ff). "..sed ignis, qui summam tenet sedem, omnia paulatim ad se rapit et, quoad licet, in suam transformat naturam. Aquam eliquatam vertit in aerem, aerem extenuatum in se transformat"(ebd. 12,2ff).

407) Ebd. 12,22ff. Diese Ideen sind erweitert ausgeführt in der Ratio (ebd. 202,1-204,33). Vgl. S.42ff.

408) Wv.an P.Volz (ebd. 7,37-8,15); vgl.auch den darauffolgenden Abschnitt ebd. 8,16-9,9 über die Philistäer, die nie fehlen, und die immer wieder versuchen, das Himmlische zu Irdischem zu verdrehen. Zu den "Funken" der Heiligen Schrift siehe Paraclesis (ebd. 146,17ff). Vgl. auch die Belege bei G.Chantraine 1971, 114-126 (= Christus Petra).

409) "Quin igitur omissis confusis istis formulariis et impuris summulariorum lacunis tuum ipsius pectus bibliothecam facito Christi, ex eo velut e penuario depromito providus paterfamilias seu nova seu vetera, utcumque postulabit res. Longe vividius penetrant in animos auditorum, quae e tuo pectore ceu viva prodeunt, quam quae ex aliorum farragine sublegun-tur"(Ratio, Holborn 294,30ff). Erasmus nimmt hier offensichtlich eine Formel des Hieronymus auf. Dieser schreibt an Heliodor über den verstorbenen Nepotian: "lectione quoque adsidua et meditatione diuturna pectus summ bibliothecam fecerat Christi"(Hieronymus, Epist. 60,10, CSEL 54, 561,18f). Zur Begriffsgeschichte von "bibliotheca" vgl. A.Mundó, "Bibliotheca". Bible et lecture du Carême d'après saint Benoît, in: RBén 60 (1950) 65-92. Danach findet sich schon in der lateinischen Antike die zweifache Bedeutung: einmal

Bücherdepot, Schränke und Regale, wo die Bücher aufgestellt
werden; und zum anderen ein Corpus von Büchern, die einen
gemeinsamen Inhalt oder gemeinsame Eigenschaften haben.
Beide Bedeutungen werden in der christlichen Literatur übernommen, wobei die letztere auch auf die Heilige Schrift
angewandt wird. "Bibliotheca" für Heilige Schrift findet
sich dann angefangen von Hieronymus in der Patristik, dann
besonders in der monastischen Literatur des Mittelalters,
schließlich bis ins 15.Jahrhundert (Belege ebd. 71-78).
Daneben gibt es noch die übertragene Bedeutung für die
"Magazinierung" in das Gedächtnis oder für die geistliche
Weisheit selbst (Belege aus Hieronymus, Rufin, Bachiarius,
Petrus Chrysologus, Gildas Sapiens, Cassiodor, Anonymus,
Petrus Damiani ebd. 77 Anm.2). Dazu gehört auch das von
Erasmus übernommene Hieronymus-Zitat (vgl.auch S. 38)
Ein andersgearteter bibliotheca-Begriff findet sich beim
späten Melanchthon: bibliotheca Dei ist hier die politia,
die das Wort Gottes bewahrt (vgl. S. 329). In diesem Unterschied wird man wahrscheinlich einen Fingerzeig für den
Weg sehen dürfen, den die humanistische Theologie inzwischen
zurückgelegt hat: von der individuell ausgerichteten, betont
existentiellen Reformtheologie des Anfangs zur kirchlich
ausgerichteten, nun auch viel stärker die objektive Seite
betonenden Lehrtheologie.

410) Ratio (Holborn 238,33-239,9 und die vorausgehenden Sätze
238,29ff).

411) Ebd. 243,3ff; 249,1ff.

412) "Praecipuam autem Christianae pietatis portionem docuit,
quisquis ad huius inflammavit amorem"(Wv.an P.Volz, ebd.
5,2f); "..ad caelestia inflammare animos"(Ratio, ebd. 193,
21f); das "animos inflammare" als Hauptziel der Predigt
(ebd. 188,7f).

413) "Sed qualibus epistolis? Non minacibus, non tyrannicis, sed
quae spirent vere paternam caritatem, quae Petri Paulique
pectus referant, quae non titulum modo praeferant apostolicum, sed ἐνεργείαν resipiant apostolicam"(Wv.an P.Volz,
ebd. 6,32ff). Denn die Apostel haben den spiritus Christi
weitergegeben (Paraclesis, ebd. 147,31ff/148,1ff).

414) Ratio (ebd. 257,13-25). Zur Erasmischen Pneumatologie vgl.
auch E.-W.Kohls 1966,I, 115-126; R.Padberg 1956, 53f, 96-98.

415) Paraclesis (ebd. 140,1ff). Vorher hat Erasmus die Leistung
der großen antiken Redner beschrieben als rapere, transformare, inflammare; jetzt wünscht er eine noch weitaus wirk-
samere Beredsamkeit sich selbst, um zum allerheiligsten
und heilsamsten studium Christianae philosophiae mahnen und
überreden zu können (Paraclesis, ebd. 139,3ff). Vgl. auch
ebd. 143,13ff; Ratio (ebd. 305,14ff), und dazu auch den
B.an John Fisher, 2.April 1519 (Allen III, Nr. 936,48ff).

416) Vgl. S.50 Anm.396. Unverständlich sind also Urteile wie etwa

das von M.Hoffmann, der (1972, 61 Anm.140) Erasmus und
Luther folgendermaßen unterscheidet: "Auch für Erasmus gilt
also Luthers exegetischer Grundsatz: 'Was Christum treibet',
nur wird hier der himmelweite Unterschied zwischen den beiden
dann deutlich, wenn man weiter fragt, was 'Christus' hier
und dort bedeutet. Für Erasmus ist 'Christus' die im affectus
des Wortes und des Menschen greifbare Harmonie über der
Varietät, die der der Natur letztlich zugrunde liegenden har-
monischen Ordnung entspricht. Für Luther die viva vox evangelii, das befreiende, rechtfertigende Wort Gottes in der
Verkündigung, das den Menschen von außen her trifft und ihm
eine neue Existenz schenkt." Ähnlich ebd. 86 Anm.63. Offensichtlich verfehlt ist auch die Argumentation von O.Schotten-
loher, wenn er (1972, 317) sagt: "Der intellektualistische
Standort des Erasmus wird dadurch charakterisiert, daß er
Thomas höher als Scotus oder gar als Occam schätzte." Zur
mystischen Theologie des Erasmus auch Chantraine 1971,388-392.

417) Vgl. S.44 Anm.359.

418) Vgl. M.R.Gagnebet 1938; R.McKeon 1942, 19-25; M.-J.Congar,
Théologie, in: DThC XV/1 (1946) 341-502, bes. 374-410;
J.Finkenzeller 1961, 239-266 (= Die Bestimmung des Wesens
der Theologie); Th.Tshibangu 1965, 35-169; U.Köpf 1974,198
bis 210.

419) M.-J.Congar, a.a.O. 400.

420) Vgl. J.Finkenzeller 1961, 248-263.

421) Vgl. M.R.Gagnebet 1938, 3-39 (= I.La théologie augustinienne
typ de théologie affective); M.-J.Congar, a.a.O. 393, 400;
Th.Tshibangu 1965, 45 (Alexander von Hales), 53 (Bonaventura).

422) M.-J.Congar, a.a.O. 400; M.R.Gagnebet 1938, 213-255;
Th.Tshibangu 1965, 68-96. Der ganze Vorgang wird sich dann
z.T. mit ausdrücklicher Bezugnahme auf bestimmte scholastische Gewährsleute in der protestantischen Orthodoxie wieder-
holen. Auch hier wird im Zug der erneuten Aristotelesrezeption
diskutiert, ob die Theologie eine praktische (bzw. auch
affektive) oder theoretische oder gemischte Wissenschaft sei.
Wenn auch die erste Ansicht überwiegen dürfte (auch die beiden
anderen finden Vertreter), so ist doch damit auch hier der
Rahmen des aristotelischen Intellektualismus nicht verlassen
(vgl. bes. P.Althaus 1914, 26-40).

423) Vgl. etwa E.Gössmann, Die Metaphysierungstendenz des Heils-
geschichtlichen in der Summa Halensis, in: Die Metaphysik im
Mittelalter 1963, 514-521. Der Begriff "affectus"(affectio)
wird weitgehend durch den philosophischen Begriff der passio
ersetzt und kommt damit in einem neuen Zusammenhang zu stehen
(M.-D.Chenu 1957, 331). Der spezifisch christliche Inhalt des
Begriffes "passio", wie er sich zuerst bei Ambrosius und
dann bes. in der Zisterzienser- und Franziskanermystik (bes.
Bernhard und Bonaventura) findet und der in der Dialektik von
Leiden und Leidenschaft besteht (die Liebe Gottes, die

Christus bewog, das Leiden der Menschen auf sich zu nehmen,
ist selbst ein motus animi ohne Maß und Grenze!) hat im
streng aristotelischen System keinen Platz mehr. Zur Begriffsgeschichte von "passio" vgl. E.Auerbach 1958, 54-63
(= Gloria Passionis). Im Hintergrund dieses Ringens steht
die metaphysische Fragestellung um Sein und Werden und die
spannungsreiche Wechselwirkung zwischen dem starren Seinsbegriff der griech.Philosophie und dem Begriff des lebendigen Gottes im christlichen Glauben; vgl. dazu etwa
H.Heimsoeth 1965, 131-171 (= IV. Sein und Lebendigkeit), zu
unserem Zusammenhang bes. 138.

424) Vgl. J.Leclercq 1963, 13,241ff (und die zahlreichen Stellen
im Sachregister s.v. "Verlangen").

425) Vgl. M.-J.Congar, a.a.O. 406; Ch.Dolfen 1936, 22-34. Zu
Gerson vgl. W.Dreß, Die Theologie Gersons. Eine Untersuchung
zur Verbindung von Nominalismus und Mystik im Spätmittelalter, Gütersloh 1931, 70-141 (=V. Die Bedeutung des Affekts
für die religiöse Erfahrung). Wie eng der Affekt und seine
Bedeutung auch mit der Rhetorik zusammenhängen, zeigt sich
darin, daß in dieser spätmittelalterlichen Reformtheologie
der Redner als Urbild des Theologen erscheint und nicht der
Philosoph (vgl. S.56fAnm.452), der Theologe also nicht als
derjenige gesehen wird, der das Wesen der Dinge zu erkennen
sucht, sondern als derjenige, der andere zu überreden versucht, in den Weg des Glaubens einzutreten. Vgl. auch
Ch.Trinkaus 1974, 364ff.

426) Zur Entwicklung vgl. vor allem P.Vandenbroucke, Le divorce
entre théologie et mystique. Ses origines, in: NRTh 82(1950)
372-389. Zu den Quellen der Devotio moderna vgl. man bes.
deren Autoritätenlisten, - etwa die, die von Geert Groote
selbst stammen und von Thomas von Kempen überliefert worden
sind: Thomas Hemerken a Kempis, Opera omnia, hrsg. von
J.Pohl, Bd.VII, Freiburg 1922, 97f, vgl.auch 86f; weitere
Listen bei P.Debognie, Dévotion moderne, in: DSAM III (1957)
727-747, 741ff. Danach dienen als Quellen neben den Vätern,
bes. Augustinus (wobei aber hier die affektive Frömmigkeit
seiner Apokryphen überwiegt), vor allem die Viktorinermystik,
der Bernhardsche Strom und Bonaventura. Vgl. dazu auch
H.Gleumes, Der hl.Bonaventura und die Imitatio Christi, in:
FStud 15 (1928) 294-315; A.Rayez, Gérard Zerbolt de Zutphen
et saint Bonaventure. Dépendances littéraires, in: Dr.L.Rey-
pens-Album. Opstellen aangeboden aan Prof.Dr.L.Reypens s.j.
ter gelegenheid van zijn tachtigste verjaardag (Studien en
tekstuitgaven van ons geestelijk erf, 16), Antwerpen 1964,
323-356; H.Gleumes, Gerhard Groot und die Windesheimer als
Verehrer des hl.Bernhard von Clairvaux, in: ZAM 10 (1935)
90-112; ders., Der geistige Einfluß des hl.Bernhard auf
Thomas von Kempen, in: ZAM 13 (1938) 109-120; E.Arens, Zitate
und Anspielungen in der Imitatio Christi des Thomas von
Kempen, in: ThQ 112 (1931) 135-207. Vgl. auch H.M.Klinken-
berg 1974, und H.-J.Klauck 1970.

427) M.Dietsche 1960, 138.

428) Vgl. P.Mestwerdt 1917, bes. 175-237; A.Hyma, The Youth of
Erasmus, New York 2. erweiterte Aufl. 1968. Vgl. aber auch
Ch.Béné 1969,11f,19f,23-27,142,166.

429) Zu den Funktionen der Vernunft in der Theologie nach der
Auffassung der Scholastik vgl. M.-D.Chenu 1957a, 85-92
(= La raison théologique); M.-J.Congar, Théologie, in:
DThC XV/1 (1946) 379-383 (Thomas von Aquin); A.Lang 1962;
ders., 1964, 138-155 (= "Dignitates" als Grundlage der
rationalen Funktionen der Theologie).

430) Ratio (Holborn 192,19ff). Erasmus stützt sich hier auf
Tertullian, den er auch sogleich zitiert (ebd. 192,26ff:
Tertullian, De resurrectione carnis 3, PL 2, 845A). Gegen
die Alleinherrschaft der Dialektik in der Theologie, als
ob durch diese allein der christliche Glaube geschützt
würde: Holborn 185,29ff; vgl. 299,9ff.

431) Vgl. Ratio (ebd. 297,6-304,27). Diese philosophisch-dialek-
tische Bewältigung des Glaubens artet für Erasmus nur in
einer schrecklichen Kompliziertheit aus, die der Simplizität
der Lehre Christi widerspricht. Glaube ist darin eher
Theorie als Praxis.

432) Wv.an P.Volz (ebd. 5,14-6,26).

433) Ebd. 6,3ff. Dazu auch G.Chantraine 1971, 107-111.

434) Zur Situation, in der die scholastische Philosophie und
Theologie entstand vgl. etwa G.Paré-A.Brunet-P.Tremblay
1933, 17-55 (= Foyers scolaires et centres intellectuels);
M.-D.Chenu 1960, 3-82 (= Das Werk in seiner Welt); hier
auch weitere Linteratur.

435) Vgl. Th.Tshibangu 1965, 75 (zu Thomas von Aquin, S.th.I,q.1).

436) M.-D.Chenu 1957a, 92.

437) Es geht auch in der theologischen Arbeit um die "vita
theologica" (Wv.an P.Volz, Holborn 4,6). Paulus zeigt,
welchen scopus die cognitio theologiae hat, wenn er sagt:
"Finis...praecepti est caritas de corde puro et conscientia
bona et fide non ficta"(Ratio, ebd. 300,32ff). Die wahre
Theologie ist das christusgemäße Leben (Wv.an P.Volz, ebd.
6,3ff). Zugleich wird sichtbar, daß die Theologie von ihrer
Verkündigungsfunktion nicht ablösbar ist. Damit kommt auch
der zweite Zug zum Vorschein: die Betonung der Einheit von
Leben und Lehre.

438) Wv.an P.Volz (ebd. 7,5); pius adque eruditus (ebd. 3,10);
weitere Belege bei F.De Maeseneer 1963, 77-83, und G.Chan-
traine 1971, 102-113, der hier das Begriffspaar "pius-doctus"
unter dem Titel "La définition de la 'Philosophia Christiana'"
behandelt.

439) Wv.an P.Volz (Holborn 3,9).

440) Dieses Gefälle gilt primär für die scholastische Bildung ("acutus", "quaestio", "disputatio"): Wv.an P.Volz (Holborn 4,2ff). Es gilt aber grundsätzlich auch für die humanistische Bildung: "Neque illud sit nobis studio, ut ipsi litterati videamur, sed ut quamplurimos ad Christianam vitam pelliciamus"(ebd. 5,11ff). Besonders in seinem Ciceronianus wird Erasmus jede Eigenständigkeit und Selbstgenügsamkeit der humanistischen Bildung und Kultur mit Hinweis auf die Absolutheit der philosophia Christiana zurückweisen (vgl. H.Gmelin 1932, 242ff).

441) Ratio (Holborn 222,34ff).

442) Ebd. 223,32f.

443) Vgl. die Abschnitte über das kirchliche Amt, die jeweils an die Darstellung von Leben und Lehre Christi und der Apostel angeschlossen sind (S.46ff).

444) Zu den Sakramenten vgl. etwa A.Auer 1954, 166-170; J.B.Payne, Erasmus. His Theology of the Sacraments (Research in Theology), o.O. 1970; Chantraine 1971,384f; Hentze 1974,51-57.

445) "Is mihi vere theologus est, qui non syllogismis arte contortis, sed affectu, sed ipso vultu atque oculis, sed ipsa vita doceat aspernandas opes, Christiano non esse fidendum huius mundi praesidiis, sed totum oportere pendere de caelo.."(Paraclesis, Holborn 143,3ff); vgl. ebd. 143,16ff. Vgl. auch die Mahnung, sich an die Tradition der lebendigen, glühenden und frommen Lehre zu halten, weil man durch die Tradition, die man aufnehme, selbst geprägt werde (Ratio, ebd. 296,34/297,1ff; vgl. 297,7ff).

446) Ratio (ebd. 297,7ff); vgl. Wv.an P.Volz (ebd. 3,34ff: über die Absicht des Enchiridion).

447) Im Blick auf Christus: Ratio (ebd. 230,5f); im Blick auf den vere theologus: Paraclesis (ebd. 143,3ff).

448) Vgl. dazu etwa E.R.Curtius 1965, 75f; K.O.Apel 1963, 146ff. Die Forderung, daß der Redner ein vir bonus sein müsse, findet sich auch schon bei Cicero (vgl. K.Barwick 1963, 35 Anm.1).

449) Vgl. Wv.zur Hilariusausg. 1523 (Allen V, Nr. 1334,293ff); M.Grünwald 1969, 35; P.A.Verburg 1952, 142.

450) Vgl. H.Gmelin 1932, 244; M.Grünwald 1969, 35-42.

451) Sehr deutlich ist dies im Ecclesiastes 1535 zu verfolgen (vgl. S.49f Anm.392ff); dazu M.Grünwald 1969, 72-85.

452) Das Modell des Redners anstatt das des Philosophen will schon Valla für den Theologen vorgezogen wissen: "Fratres sunt, qui vere labans templum dei, ut pingere soletis,

fulciunt, fratres, qui ad populum habentes orationem, quod erat munus episcoporum sacerdotumque et esse debet, mares feminasque a vitiis revocant, a pravis opinionibus liberant, ad pietatem scientiamque perducunt, in quo eos ego maxime apostolorum imitatores existimo, fratres, qui mirificis caerimoniis, hymnis, canticis religionem pectoribus nostris infundunt, fratres, qui quotidie ad mores, ad virtutes ad sanctitatem pertinentia multa componunt, mallem tamen eruditius magisque ad oratorum quam ad philosophorum consuetudinem, quod prisci factitaverunt, fratres qui scientissime peccata confessos vel absolvunt vel negata absolutione perterrent, fratres, qui consultores de bene vivendo edoctos confirmatosque dimittunt, fratres denique, quibus plurimum debeat orbis terrarum, plus tamen debiturus, si melius essent et reor inter initia fuerunt";L.Valla, De professione religiosorum, in: J.Vahlen, Laurentii Vallae Opuscula Tria (Sitzungsberichte der phil.-hist.Cl. der kaiserlichen Akademie der Wissenschaften, Bd.61, Jg.1869), Wien 1869, 189f. Diese Idee ist auch in der spätmittelalter-lichen Reformtheologie verbreitet. Gerson überträgt das Ciceronische Bild vom Redner auf den Theologen. Von ihm ent-lehnt es der Karthäuser Nikolaus Kempf. Ebenso ist es auch beim Gerson-Freund Nikolaus von Clemanges zu finden. Es dient hier als Motto für ihre theologia practica; vgl. dazu Ch.Dolfen 1936, 31, vgl.25. Vgl. ferner auch noch Q.Breen 1959, 4f (der Redner als Ideal im Humanismus und die Bedeu-tung dieser Vorstellung für die Theologie).

453) Allen V, Nr. 1334, 362-381.

454) Allen IV, Nr. 1062,19-44. "Ars" meint hier bei Erasmus zweifellos "Wissenschaft" allgemein; die "scientia" der Scholastik ist also darin eingeschlossen. Bis zum 12.Jahr-hundert bestand ja noch eine Äquivalenz zwischen ars und scientia (vgl. G.Paré-A.Brunet-P.Tremblay 1933, 103ff; M.-D.Chenu 1957, 329).

455) So W.Glawe, der in der hier zitierten Hilariusvorr. eine deutliche Illustration des Hellenisierungsbegriffes sehen will, indem er von ihr sagt: "Sie offenbart nicht nur des Erasmus Wunsch nach einem undogmatischen Christentum, sondern sie läßt auch seine Ansicht über die Entstehung gewisser Glaubensartikel erkennen und verrät vor allem seine Über-zeugung von dem Anteil der Philosophie an der Entartung der 'Lehre Christi'"; W.Glawe, Die Hellenisierung des Christen-tums in der Geschichte der Theologie von Luther bis auf die Gegenwart (Neue Studien zur Geschichte der Theologie und der Kirche, 15), Berlin 1912, 18. Schief ist dann auch der Ver-gleich mit Melanchthon ebd. 18f: "Über die Grenzen, welche Erasmus dem Hellenisierungsbegriffe steckte, kommt dieser bei *Melanchthon* nur in geringem Maße hinaus. Daß dieser in den Dogmen der Kirche keinen Einschlag griechischer Philoso-phie erblicken konnte, leuchtet von vornehrein schon des-wegen ein, weil er in weit stärkerem Maß als Erasmus mit seinen humanistischen Idealen eine wirkliche, kirchliche Frömmigkeit verband, die nicht ihr Sehnen nach einem undog-matischen Christentum richtete, sondern die in den Dogmen

der Kirche die Ruheplätze des Glaubens erblickte."

456) Auf eine allgemeine Affinität zwischen Patristik und Human
mus weist P.G.Bietenholz 1966, 35-39, hin. Es sei die Gesa
signatur der Zeit, die für Erasmus die Parallelität schaff
'The era of Christian humanism, in achievement, crisis, and
hope, finds its true historical precedent in the age of th
Christian fathers.."(ebd. 35).Vgl.auch Chantraine 1971,37C

457) Zu den Vätern als Auslegern der Schrift vgl. z.B. Ratio
(Holborn 295,1-297,5). Erasmus möchte lieber mit den
Vätern ein "rhetorculus" und "grammaticus" sein, als ein
scholastischer Theologe, der sich sein Leben lang mit
Dialektik und Philosophie abgibt (ebd. 193,1ff; B.an Henry
Bullock, Aug.1516, Allen II, Nr. 456,137ff). Diese veteris
ac vera theologia, die in ihrer literarisch-rhetorischen
Form majestätisch, lebendig und fruchtbar gewesen sei, sei
durch die dialektische Theologie zum Verstummen gebracht
worden (B.an John Colet, Okt.1499, Allen I, Nr. 108,20-62)
Daß der gesamte Humanismus in seinem Verhältnis zur Patris
vor allem durch die Gemeinsamkeit der rhetorischen Kultur
bestimmt ist, versucht A.Buck 1968a, bes. 160ff, zu zeigen.
In der Tat ist die Patristik eng mit der Rhetorik verbunde
Das Christentum wuchs ja in der Umgebung einer Kultur auf,
die vorwiegend durch die Rhetorik geprägt war. Viele der
frühen christlichen Schriftsteller waren vorher profession
le Rhetoren gewesen, wie etwa Cyprian, Arnobius, Lactantiu
und Augustinus. Die meisten anderen waren zumindest rhetorisch gebildet; vgl. dazu R.McKeon 1942, 11f; zu Augustinu
bes. H.-I.Marrou, Saint Augustin et la fin de la culture
antique, Paris 4.Aufl. 1958, darin bes. den 1.Teil: 1-157
(=Vir eloquentissimus ac doctissimus) und den Abschnitt
505-540 (= L'éloquence chrétienne). Unter dem anspruchs-
vollen Titel "Die Bibelrhetorik der Patristik" bringt auch
J.Dyck, Ticht-Kunst. Deutsche Barockpoetik und rhetorische
Tradition (Ars Poetica. Texte und Beiträge zur Dichtungs-
lehre und Dichtkunst, 1), Bad Homburg v.d.H.-Berlin-Zürich
2.verb.Aufl.1969 (1966), 136-141, eine kurze fragmentarisc
Übersicht über die lateinische Patristik.

458) Ratio (Holborn 189,31-190,11).

459) Vgl. S.48.

460) Vgl. S.31f.

461) Zu den Einzelheiten der patristischen Arbeit des Erasmus
und zur Beurteilung der einzelnen Väter vgl. D.Gorce,
La patristique dans la réforme d'Erasme, in: Reformation,
Schicksal und Auftrag. Festgabe Joseph Lortz Bd.I, Baden-
Baden 1958, 233-276; F.De Maeseneer 1963, 107-115; A.Buck
1968a, 169-174; R.Stupperich 1969, 80-86 (nur eine ganz
grobe Übersicht); die ausführlichste und interessanteste
Darstellung ist Ch.Béné 1969 (konzentriert auf Augustinus)
ferner auch noch H.de Lubac 1964, 430f, 446;
M.Grünwald 1969, passim, bes. 221, 224, 229.

462) J.Leclercq 1963, 213, 124.

463) Daß Erasmus auch auf dem Hintergrund dieser in der Devotio
moderna neu aufgelebten monastischen Theologie des Mittelalters gewürdigt werden müßte, hat m.W. als erster
E.-W.Kohls 1966,II 53f Anm.121, aufmerksam gemacht.
Inzwischen ausführlicher auch G.Chantraine 1971, 372-374.

464) Vgl. S.63ff.

465) Vgl. J.Leclercq 1963, 83-168.

466) Ebd. 146ff, 166ff. Zur Sprache Bernhards ebd. 225f. Bernhard
ist fast der einzige lateinische mittelalterliche Autor,
den Petrarca geschätzt hat (vgl. H.Gmelin 1932, 102 Anm.4).
Auch Alexander Hegius nennt in der Aufzählung derjenigen,
die ein gutes Latein schreiben neben den Kirchenvätern nur
Bernhard ausdrücklich (vgl. P.Mestwerdt 1917, 153). Ähnlich
lautet auch das Urteil eines modernen Philologen über
Bernhard: "einer der größten Meister der christlichen Rhetorik; seine Kunst geht über Augustin auf Cicero zurück, innerhalb des mittelalterlich-theologischen sermo humilis ist er
derjenige, der der klassischen Tradition am nächsten steht"
E.Auerbach 1958, 207).

467) J.Leclercq 1963, 173; vgl. überhaupt 171-217 (= Die literarischen Gattungen).

468) Ebd. 166.

469) Ebd. 213-259. Auf auffallende Parallelen zwischen der Schule
Bernhards und den von Erasmus namentlich in der Ratio ge-
äußerten Ideen macht G.B.Winkler (in: Welzig III, S.XXIII)
mit Hinweis auf P.Norber, Lectio vere divina: St.Bernard
and the Bible, in: Monastic Studies 3 (1965) 165-181, aufmerksam.

470) Vgl. S.54 Anm.426.

471) Sehr wahrscheinlich muß man dies von den Schriften Bernhards
annehmen. Bereits in der Epist.de contemptu mundi, die er
als etwa Zwanzigjähriger verfaßte, nennt er zweimal ausdrücklich Bernhard (vgl. E.-W.Kohls 1966,II, 26 Anm.5);
vgl. auch Antibarbari (LB X, 1743B). Aber im ganzen erwähnt
Erasmus Bernhard nicht sehr häufig; vgl. Allen IV, Nr. 1142,
45 Anm., und die Stellen bei Allen XII, S.53, Register III,
s.v. Bernhard. Seine Haltung ihm gegenüber scheint eher
neutral zu sein, manchmal sogar mit einem gewissen kritischen
Unterton: "Sunt, qui ludant verbis scripturae divinae, ac
veluti fit in centonibus poetarum, ad alienum sensum ceu per
iocum abutuntur. Quod aliquoties facit divus Bernardus,
venuste magis quam graviter, meo quidem iudicio. Sic enim
imbiberat vir ille praeclarus sacras litteras, ut nusquam
non occursarent"(Ratio, Holborn 287,19ff).

472) Aber selbst dies wird man nicht pressen dürfen, wenn man
etwa an die eigentümliche Gestalt Bernhards denkt, dessen
zugleich eminent politischer Wille der Historiographie nicht

59

geringes Kopfzerbrechen bereitet hat. Vgl. A.H.Bredero,
Bernhard von Clairvaux im Widerstreit der Historie (Institut
für Europäische Geschichte Mainz, Vorträge, 44), Wiesbaden
1966.

473) Vgl. S. 461.

474) Vgl. S.61ff.Umfassender hat F.De Maeseneer(1963, 33-50) die
Texte zur Kritik der scholastischen Theologie zusammenge-
stellt, und zwar unter den Stichworten: unbiblischer,
rationalistischer, unfrommer Charakter, Mangel an pastoraler
Ausrichtung, schulhafter Charakter. Zur Kritik an der
(Spät-) Scholastik auch H.de Lubac 1964, 429-435.

475) B.an John Colet, Okt.1499 (Allen I, Nr. 108,20-55); Paraclesis
(Holborn 146,3ff); Ratio (ebd. 191,31ff; 304,28ff); B.an
Natalis Beda, 15.Juni 1525 (Allen VI, Nr. 1581,542ff);
Wv.zur Hilariusausg. 1523 (Allen V, Nr. 1334,915ff);
J.Coppens 1961, 355, 364; Ch.Dolfen 1936, 51f.

476) Vgl. F.De Maeseneer 1963, 48-50, der auch eine Anzahl von
weiteren Autoren zitiert.

477) F.De Maeseneer 1963, 50.

478) Früher meinte man fast allgemein, Erasmus habe keine Kenntnis
der Hochscholastik besessen. Zuletzt hat F.De Maeseneer
(1963, 59f, 149-152) diese Meinung vertreten. Man wird jedoch
kaum bestreiten können, daß Erasmus auch die großen Scholastiker gelesen und in einem gewissen Rahmen gekannt hat. Vgl.
dazu Allen XII, Register III (die Stellen unter den verschiedenen Namen); Ch.Dolfen 1936, 82-94 (=Erasmus' Kenntnis
der scholastischen Autoren); R.Padberg 1964, 47; W.Hentze
1974, 181-184.

479) Die Auseinandersetzung mit der Methode der scholastischen
Theologie ist mit der Ratio noch nicht abgeschlossen. Anfang
1519 veröffentlichte der Löwener Theologe Jacobus Latomus
(Jacques Masson) seinen Dialog De trium linguarum et studii
theologici ratione (in: Bibliotheca Reformatoria Neerlandica.
Geschriften uit den tijd der Hervorming in de Nederlanden,
hrsg. von S.Cramer und F.Pijper, Bd.III, hrsg. von F.Pijper,
s'Gravenhage 1905, 41-84; dazu vgl. die Einleitung von
F.Pijper ebd. 9-39; R.Guelluy 1941, 52-68; J.Étienne 1956,
161,183), der sich kritisch mit der Theologieauffassung der
Ratio des Erasmus auseinandersetzte. Im gleichen Jahr 1519
veröffentlicht Erasmus seine Antwort: Apologia refellens
suspiciones quorundam dictitantium dialogum D.Iacobi Latomi
de tribus linguis et ratione studii theologici conscriptum
fuisse adversus ipsum (unter einem leicht veränderten Titel
in LB IX, 79-106). Darauf wieder antwortet Latomus um 1525
mit seiner allerdings erst 1550 veröffentlichten Pro dialogo
de tribus linguis apologia (vgl. R.Guelluy 1941, 66; Allen
III, Nr. 934,3 Anm.). Was Erasmus in seiner Apologie sagt, ist
nichts anderes als eine Präzisierung und Vertiefung seines
Entwurfes in der Ratio, eine Präzisierung, weil hier die

Kritik an der scholastischen Konzeption (des Latomus)
konkreter und methodisch treffender ist. Dieses Werk müßte
also mit der Ratio mitgelesen werden. Eine gute Analyse der
Auseinandersetzung zwischen Latomus und Erasmus bieten
jetzt auch G.Chantraine, L'Apologia ad Latomum. Deux
conceptions de la théologie, in: Scrinium Erasmianum 1969,
I, 51-75, und Ch.Béné 1969, 281-332.

II. Formalstrukturen humanistischer Theologie nach Willibald Pirckheimer

1) Luciani Piscator seu reviviscentes. Bilibaldo Pirckheymero, Caesareo Consiliario, Patricio ac Senatore, Nurenbergensi interprete, Eiusdem Epistola Apologetica. Impressum per Fridericum Peypus Nurenbergae sexto Nonas Octobris. Anno salutis MDXVII. (Ich benütze das Ex. der UB Tübingen.) Der Widmungsbrief: Clarissimo ac excellenti iuris Doctori Laurentio Beheym Divi Stephani Babenbergae Canonico Bilibaldus Pirckheymer.S.D. (Bl.Ab-C 4a). Genaue bibliographische Beschreibung des ganzen Druckes bei E.Böcking, in: Böcking, Suppl.II/1, 99, Nr.27/1. Dieser Widmungsbrief fehlt bei Goldast. Der Briefwechsel, von dem erst zwei der angekündigten vier Bände erschienen sind, reicht erst bis Ende 1515: Reicke I und II. Der m.W. einzige vollständige und (soweit ich sehen konnte) auch gute Abdruck findet sich bei Hardt, pars II, 130-138. Zwei längere Stellen auch bei Böcking I, 151-153 (= Bl. A 5b - A 6a; Cab). Eine vollständige deutsche Übersetzung mit einer ausführlichen Einleitung bringen jetzt auch W.P.Eckert-Ch.von Imhoff 1971, 239-244(Einleitung), 244-262(Übersetzung). Ausführliche Wiedergaben auch bei K.Hagen 1868,I, 457-467; R.Hagen 1882, 97-103; P.Drews 1887, 23-34; kürzere Übersichten noch bei L.Geiger 1871, 395-397; H.Rupprich 1957, 90-91; J.H.Overfield 1969, 196-199. Ich zitiere nach dem Nürnberger Druck und füge die Stelle bei Hardt bei. Bibliographien zu Willibald Pirckheimer: Willibald-Pirkheimer-Bibliographie. Redaktion: Karl Borromäus Glock, o.O.o.J. (1970) (ungenau und unvollständig); W.P.Eckert-Ch.von Imhoff 1971, 369-377 (Auswahlbibliographie).

2) Zum Folgenden vgl. H.Rupprich 1957, 66-74; ferner auch L.W.Spitz 1963, 155-196 (= Kap.VIII: Pirckheimer. Speculative Patrician); J.H.Overfield 1969, 189-200.

3) Wenn R.Hagen (1882, 104) mit Blick auf die Apologie für Reuchlin von Pirckheimer sagt: "Nach den Gedanken, die er in der Apologie des Reuchlin zum Ausdruck bringt, erscheint er als Repräsentant einer eigenen Richtung im Humanismus. Repräsentieren Reuchlin und Erasmus die rein wissenschaftliche, philologische, Hutten die nationale, so vertritt Pirckheimer die humanistisch-theologische Richtung", so ist das natürlich falsch. Mit der Erasmischen Theologie kann sich die Pirckheimerische nicht messen. H.Rupprich hebt 1957 wohl die Bedeutung religiöser und theologischer Ideen bei Pirckheimer hervor, aber aufs Ganze gesehen sei die religiöse Seite im Wesen Pirckheimers "lange nicht der die Persönlichkeit beherrschende Faktor" gewesen (ebd. 78, vgl. 97). Immerhin nahm aber die Theologie den wichtigsten Platz in seiner berühmten Bibliothek ein; vgl. E.Offenbacher, La bibliothèque de Wilibald Pirckheimer, in: Bibliofilia 40 (1938) 241-263, 248f. Es sind vor allem patristische Werke, alte Ausgaben der Heiligen Schrift und liturgische Werke; daneben besitzt er aber auch scholastische Schriften (Petrus Lombardus, Thomas von Aquin u.a.); gut vertreten ist auch die neue reformatorische Theologie (vgl. ebd. 259-262 die Auswahlliste der theologischen Werke).

4) Reicke I, 62-66.

5) Ebd. 61.

6) "Eos dico, qui se philosophos apellant et vulgus esse putat, quos tamen rectius philopompos aut, si mavis, φηλώσοφος quasi sapientes iuvenum deceptores vocabis, expertes non solum verae philosophiae, quam sibi inter indoctos temerario nimis ausu vendicant, sed omnium bonarum artium ignaros. Quos, si prudenter interroges, inperitos deprehendes, si loqui audies, plane barbaros cognosces, qua lingua etiam Aristotelem eloquentissimum uti coegere. Si vero vitam ac mores eorum inspicies, vituperes ac detesteris necesse est. Vere παιδὲς γέροντες et nihil nisi tenebras et inutilem fumum sectantes puerili futilique argutiarum meditatione consenescunt et, quid sibi ipsis velint, penitus ignorant.."(Reicke I, 172,19ff/173,1ff; vgl. 178,19ff).

7) "Sacras enim litteras cultum ullum aut verborum ornatum decere negant. Quibus evangelica, Paulina et reliqua elegantiori neglecta doctrina, logicen, dialecticen, universam denique naturalem et moralem gentilium inculcant ac commiscent philosophiam. Itaque omnia, anilibus quoque admixtis deliramentis, confundunt ac perturbant.." "Quid quod ingeniiperda haec lues, invidencia et avaricia, quibus extreme laborat, ducta et obcaecata, lympidissimum ac purissimum philosophiae gurgitem perennique dulcedine fluentem coeno ac illuvie impudentissime defoedavit!"(Reicke II, 246,8ff.18ff).

8) Goldast 220-222; vgl.dazu H.Rupprich 1957, 89f.

9) H.Rupprich 1957, 92f. So auch schon P.Drews 1887, 46f. Zur Diskussion der bis heute noch nicht geklärten Verfasserfrage H.Rupprich 1957, 92 Anm.63.

10) H.Rupprich 1957, 96-109; daneben auch noch die ältere Literatur zu diesem Thema: R.Hagen 1882; F.Roth, Wilibald Pirkheimer, ein Lebensbild aus dem Zeitalter der Reformation (SVRG, 21), Halle 1887; P.Drews 1887 (zweifellos die beste unter den älteren Arbeiten). Zum allgemeinen Verhältnis der Humanisten zur Reformation vgl. B.Moeller 1959; E.-W.Kohls 1969; ders. 1969a.

11) Vgl. L.Geiger 1871, 203-454; N.Paulus, Die deutschen Dominikaner im Kampfe gegen Luther (1518-1563) (Erläuterungen und Ergänzungen zu Janssens Geschichte des deutschen Volkes, IV,1.2), Freiburg 1903, bes. 94-102. Zum Verhalten der deutschen Theologen gegenüber den Humanisten auch noch Ch.Goerung 1913, 3-52. Eine chronologische Aufzählung und eine bibliographische Beschreibung der Schriften beider Parteien bietet E.Böcking, in: Böcking, Suppl.II/1, 53-115; 117-156 auch ein chronologisches Verzeichnis der Schriften und der Ereignisse im Reuchlinstreit. Nachdem man früher ziemlich einheitlich der Meinung war, der Kern des Reuchlinstreites bestünde im Konflikt zwischen Humanismus und Scholastik,

scheint heute das Pendel weithin umgeschlagen zu sein, wie
bes. J.H.Overfield 1969, 312-363 (= Kap.8: The Reuchlin
Affair),zeigt: Zwar spiele dieser Konflikt eine Rolle,
aber sicher nicht die Hauptrolle. Wichtiger seien persönliche
Querelen, der Antisemitismus und eine Reihe anderer Faktoren.
So berechtigt diese Korrektur in bezug auf eine historische
Gesamtdeutung sein mag (das steht hier jedoch nicht zur
Debatte), so weit der Reuchlinstreit in unserem Zusammenhang
zur Sprache kommt, tut er dies als Konflikt zwischen Humanis-
mus und Scholastik.

12) Zu den Dunkelmännerbriefen vgl. Böcking, Suppl.I: Epistolae
obscurorum virorum cum inlustrantibus adversariisque scriptis, Suppl.II: Indices dazu. Als Ergänzung: Bömer I (Einführung), Bömer II (Text). Zur Verfasserfrage vgl. vor allem
A.Bömer, in: Bömer I, 74-102, der hier noch einige Korrekturen
am grundlegenden Werk von W.Brecht, Die Verfasser der Epistolae Obscurorum Virorum (Quellen und Forschungen zur Sprach-
und Culturgeschichte der germanischen Völker, 93), Straßburg
1904, anbringt.

13) Seit welcher Zeit die Freundschaft Pirckheimers mit Reuchlin
besteht, läßt sich nicht mehr klar ausmachen. E.Reicke
vermutet, daß sie 1506 in Ulm oder Donauwörth oder 1507 in
Augsburg auf einer der Versammlungen des Schwäbischen Bundes
angeknüpft worden sei (Reicke II, 113 Anm.1). Der Briefwechsel zwischen ihnen ist aber schon älter. In zwei B.an
Konrad Celtis kurz vor März 1503 und am 10.März 1503 erwähnt
Pirckheimer, daß er einen griechischen B.von Reuchlin erhalten habe (Reicke I, 191,10ff; 195,10f). Dieser B.Reuchlins
ist nicht mehr vorhanden (ebd. 193 Anm.4). Am 1.Okt.1511
entschuldigt sich Pirckheimer bei Reuchlin, daß er ihn vergessen zu haben scheine und tröstet ihn wegen der Anfeindun-
gen, die dieser (wohl im Judenbücherstreit) erleiden müsse
(Reicke II, 112f). Ein gutes Jahr darauf, am 1.Dez.1512
bittet er ihn freundschaftlich um Mäßigung in seinem Streit
mit dem getauften Juden Pfefferkorn, dem er viel zu viel
Ehre antue (ebd. 211,14ff). Beide B.erscheinen in den
Clarorum virorum epistolae, weswegen Pirckheimer etwas ver-
ärgert zu sein scheint (ebd. 560,18ff = ein Briefkonzept an
Beatus Rhenanus, nach Juli 1515); vgl. auch E.Reicke ebd.
562 Anm.7, und L.Geiger, in: Geiger 184f Anm.6.

14) Schon im Frühjahr 1517 weiß man von der Absicht, den "Fischer"
herausgeben zu wollen. Denn am 25.Mai schreibt Hutten aus
Bologna:"Mitte Piscatorem ubi editus est. Pulchre in praefatione poteras theologistas notare; hi sunt illi iaculatores
a quibus periculum est omnibus qui verum dicunt.."(Böcking
I, 134,25ff), und am 26.Juni schreibt ihm Pirckheimer aus
Nürnberg zurück "Salve Reuchlinista optime: cur enim non
optimus, cum Reuchlinista? Arguis me timiditatis, et recte
quidem.." "Piscatorem impressoribus tradidi, cum impressus
fuerit, ad vos ibit. Ridebis, in praefatione Sophistas haud
penitus esse neglectos (ebd. 136,15f; 137,26ff). Die Vorr.
muß also schon im Juni verfaßt worden sein, nicht erst
am 30.Aug., wie E.Böcking (in: Böcking, Suppl.II/1, 143, und
Böcking I, 151) ohne Angabe von Gründen meint. Auch im zwei-

ten Teil der Dunkelmännerbriefe, der spätestens Frühjahr
1517 erschien (Bömer I, 109), werden in diese Richtung gehende Andeutungen gemacht. Im Carmen rithmicale des Magister
Schlauraff (II,9) heißt es nämlich: "Tunc timens eius furiam
transivi ad Nurmbergam,/ Ubi quidam Pirckheymer, qui non est
magister/ Fecit mihi instantiam; sed audivi ibi clam,/
Quod cum multis sociis, in partibus diversis,/ Magna in con-
iuratione vellet stare pro Capnione,/ Et contra nos theologos facere multos libros"(Bömer II, 105,35ff/106,1). Ähnlich
heißt es in der zweiten Humanistenstatistik, im B.des
Ioannes Cocleariligneus (II,59): "Item Bilibaldus nescio
quis, qui debet esse in Nurmberga; ipse fecit multas minas
dicens, quod realiter vult expedire theologos scriptis suis"
(Bömer II, 187,4ff). Beide Stücke stammen wahrscheinlich
von Hutten (so Bömer, in: Bömer I, 101, 102 Anm.1). Entweder hat also Hutten im Frühjahr 1517 von Pirckheimers Absicht gewußt, gegen die Kölner Theologen zu schreiben, oder
er wollte ihn - ähnlich wie in seinem Brief - dazu ermuntern.

15) Vgl. H.Rupprich 1957, 84-87.

16) Das geht aus dem Inhalt der Wv. eindeutig hervor; das sagt
Pirckheimer auch ausdrücklich in seinem B.an Erasmus vom
31.Dez.1517: "siquidem demonstrare volebam Reuchlinomastiges
non solum improbos sed et penitus indoctos et barbaros esse,
ac, Luciani instar, quasi per transennam ostendere quantum
eis ad perfectam deesset eruditionem" (Allen III, Nr. 747,
53ff). H.Rupprich hat (1957, 84-86) darauf aufmerksam gemacht, daß Pirckheimer bereits in den Wv. zu seinen Plutarch-
übersetzungen 1513 und 1515 den Texten "eine bestimmte tag-
fällige Sinndeutung" gab und "die Publikation in den Dienst
einer konkreten polemischen Idee" stellte (ebd.86). K.Schot-
tenloher, Die Widmungsvorrede im Buch des 16.Jahrhunderts
(RStT, 76/77), Münster 1953, geht auf diese Eigentümlichkeit
noch nicht ein (so H.Rupprich 1957, 86 Anm.50), auch nicht
dort, wo er von den "Beweggründen zu den Widmungsvorreden"
spricht (a.a.O. 175-177). Auf jeden Fall gehören die Wv.
zu den wichtigsten literarischen Quellen des Humanismus. Denn
dort sind zugleich grundsätzliche und aktuelle Dinge behandelt. Man kann dies auch bei Melanchthon sehr gut verfolgen, etwa in der gezielten Edition der "Wolken" des Aristo-
phanes, die Melanchthon im April 1520 so ankündigt:"Nos dabi-
mus Nubes Aristophanis, argumentum splendidum, quo Philoso-
phastros insectemur"(B.an J.Lang, CR I, 163; zur Dat. SM VI/1,
97f). Ende 1520 erfolgt dann die Edition, der eine Wv.voraus-
geschickt ist, in der das Problem der alten und neuen Philosophie und deren Verhältnis zur Theologie besprochen wird
(vgl. CR I, 273-275). Ein ausgezeichnetes Beispiel bietet
auch Erasmus in seiner Wv.zur Hilariusausg.1523 (Allen V,
Nr. 1334, S.172-192): Hinter seinen Ausführungen über Hilarius und den Streit um die Arianismus steht das aktuelle
Problem der Gegenwart - die Auseinandersetzung der Theologen
mit Luther und seine eigene Stellung. Die Vergangenheit wird
so in die Gegenwart hinein aktualisiert; vgl. dazu die Analyse von P.Polman 1936.

17) Nach H.Rupprich (1957,82) steht Pirckheimer hier in einer
humanistischen Tradition, die in Italien von Johannes Aurispa
und Franciscus Philelphus zu Guarini, Rinucci, Poggio, Lapo
und anderen führte und im sonstigen Europa durch Rudolf
Agricola, Erasmus, Thomas Morus, Petrus Moselanus, Othmar
Luscinius und Melanchthon getragen wird. Diese Linie läßt
sich sicher noch ergänzen. So nennt z.B. auch Cochlaeus
Hutten einen "alterum Lucianum" und läßt in seinem Unterricht Übersetzungen aus Lukian durchführen, wie er an
Pirckheimer berichtet (Heumann, epist. 1).

18) Zu Lukians Leben, Schriften und Charakteristik vgl. etwa
Wilhelm von Christ's Geschichte der griechischen Literatur.
Umgearbeitet von Wilhelm Schmid und Otto Stählin, 2.Teil,
2.Hälfte (Handbuch der Altertumswissenschaft, 7.Abt., 2.Teil,
2.Bd.), München 6.Aufl. 1961 (=Nachdruck der 6.Aufl.1924),
710-745.

19) In der Sprache Wielands, der Lukians Werke ins Deutsche über-
setzte: "Es ist, meinem Urtheil nach, die sinnreichste, be-
redteste, eleganteste, mit dem meisten Verstand erfundene und
mit dem meisten Fleiße ausgearbeitete, kurz, die gefeilteste
und musterhafteste, so wie die reichste und gelehrteste,
von allen Lucianischen Compositionen. Sie giebt an Witz und
Laune, und selbst an Aristophanischer Schalkheit, keiner
etwas nach.."(Lucians von Samosata Sämtliche Werke, Aus
dem Griechischen übersetzt und mit Anmerkungen und Erläuterungen versehen von C.M.Wieland, Theil I, Leipzig 1788,
400 Anm.1); die Übersetzung des "Fischers" ebd. 399-450.

20) Vgl. Wilhelm von Christ's Geschichte der griechischen Literatur, a.a.O. 726 und 716f Anm.8.

21) Es gebe keine schlimmere Art von Menschen, als die "qui virtutem ac sapientiam, tanquam proprias sibi desumpsere ac
vendicavere. Non quod per se virtus ipsa, vel sapientia,
vituperatione aliqua esset digna, sed quia illarum praetextu,
semper perditissime quidam delitescentes, ea perpetrare sunt
ausi, quae apud sceleratos quoque nebulones reprehensione non
carerent. Nemo siquidem manifeste malos, tam infenso odio
persequi consuevit, quemadmodum eos, qui Curios simulant, et
bachanalia vivunt. Quapropter apud Platonem, perquam acriter
Callicles in desides istos et ignavos invehitur, qui Philosophiae obtentu, inutile ocium et linguae vitaeque tenebras
sequuntur, ostendens eos in angulis commurmurantes, ingenuum,
magnum, aud dignum quid loqui nunquam, publica et privata
omnia ignorare, nilque nisi arguta sive deliramenta, sive
nugalia exercere. Verum de Philosophia illa non sentit, quae
virtutum omnium disciplina est, quaeque in publicis simul,
et privatis officiis excellit, Civitatesque et respublicas,
si nihil prohibeat, constanter, fortiter, et perite admini-
strat. Sed de ista futili, atque puerili meditatione arguciarum, nihil ad vitam, neque tuendam, neque ordinandam, promo-
vente. Qua id genus homines consenescunt, male feriati, quos

Philosophos et vulgus esse putat, et miseri illi sibiipsis
applaudentes, non solum esse, sed et cuncta se scire arbitrantur, cum tamen omnia ignorent, et totius vitae spacio
nihil aliud, summis etiam laboribus quam nihil scire didi-
cere" (Bl. A b; Hardt 130f). Oder der gleiche Gegensatz
Worte - Taten in spezifisch christlicher Form: "at qui
cuncta aiunt evangelia aegregius discipulus noster memoriae
commendavit, verum an nulli quod apostolus praecipiat sci-
tis? Non auditores inquit, legis iusti sunt apud deum, sed
qui legem opere servant iustificabuntur, et divus Iacobus
quae utilitas fratres mei, si fidem dicat aliquis habere se,
facta vero non habeat, num potest fides salvum facere illum?"
"Non licet christianam pietatem verbo et lingua simulare,
re vero et opere etiam iudeis perniciosiora committere"
(Bl. A 6b; Hardt 133). Genau darum geht es auch Lukian im
"Fischer". Als die Philosophia ihn fragt, welche Kunst (ars)
er denn verstehe, antwortet er: "arrogantiae sum osor, et
mendacii osor, et insolentiae osor, omnesque eiusmodi coin-
quinatorum hominum odi species, sunt enim ut nosti perquam
multae"(Bl. D 4b).

22) Bl. A 2a; Hardt 131. "quapropter Anaxippi Comici iambica.
Haec, olim in omnium ore fuisse refert: Hei mihi philospha-
ris? philosophos attamen,/ Compertum habeo, verbis sapere
tantummodo,/ At esse stultos in factis plane video"(ebd.).

23) "Proinde ut gentiles obmittamus, quis ignorat quale nam
certamen, Christus deus, et salvator noster, adversum Hypo-
crotas, scribas ac phariseos inierit, cum illorum quoque
fraude, dolo et machinatione mortem acerbissimam, et indig-
nissimam pertulerit"(Bl. A 2a; Hardt 131: liest hier fälschlich protulerit).

24) Bl. A 2b; Hardt 131.

25) Schon P.Drews weist (1887, 36) mit Bezug auf die berechnende
Polemik des Theologenkatalogs (vgl. auch S.72 Anm.60) auf
diese Diskrepanz hin: "Dieser Zug berechneter Polemik stimmt
freilich schlecht zu den Grundsätzen der Liebe, Friedfertig-
keit und Wahrhaftigkeit, die Pirckheimer soeben im Brustton
heiliger Überzeugung seinen Feinden vorgehalten hat."
Kurze biographische Angaben zu den angeführten Theologen
finden sich bei W.P.Eckert-Ch.von Imhoff 1971, 263-268.

26) "Verum absit ut fides sanctissima, spurcissimis protegatur
conviciis, petulantissimis defendatur cavillis, non docet
hoc deus noster christus, quoniam mitis est et humilis, non
permittit vas electionis Paulus, qui contentiones, emulatio-
nes, obloquutiones, concertationes, susurrationes, tumores,
seditiones, vociferationes, suspitiones, conflictationes,
amarulentiam, invidiam, maledicentiam, calumniam, et reliqua
id genus vicia longe a christiano homine abesse, et vult,
et precipit. Modestia inquit, vestra nota sit omnibus hominibus, quoniam non confusionis deus, sed pacis." "Quam vellem

serii viri modestius ac verecundius egissent, ne astutulis
suis commentis insigni Theologico nomini, tam turpes notas
inussissent, verae philosophiae maiestatem adeo temere pro-
fanassent"(B. A 5a-6a; Hardt 133).

27) "..respondeo, nec mihi Sillos, neque aliquando placuisse
Sillographos." Die letzten Schriften Reuchlins seien ziemlich
heftig geraten - "quibus lectis, illico virum tantum, perquam
amice monui, ut animum moderaretur, ac potius ratione utere-
tur, quam suis affectibus indulgeret, nec quempiam dignum
duceret cui malum pro malo, seu pro conviciis convicia redde-
ret. Equidem Mopso tum certius, quo nam res emasura esset
conspiciebam. At ille contumeliarum insolens rescripsit, me
plane Heroica docere, sed Haereseos crimen atrocius esse,
quam ut ullius quamvis mansuetum ingenium id ferre posset,
sua cuique dolere in alienis facile quemquam temperatum esse.
Verum quamvis prudentis et verecundi animi esset, vel falsa
vituperatione gravari, me tamen monitore se post hac tempera-
turum promisit. Num igitur quod in amicissimo, optimo, ac
doctissimo viro displicuit, id mihi in longe disparibus
hominibus placebit?"(Bl. Bb-B 2a; Hardt 134). Vgl. Epist.
ad amicum de conviciatoribus et criminatoribus ferendis:
et de Io.Reuchlini adversariis iniquissimis, vom 1.Dez.1516
(Goldast 401).

28) Pirckheimer ist nicht der erste, der diese Ansicht vertreten
hat. Der Gegensatz zwischen humanistischer und scholastischer
Theologie hatte sich im Lauf des Reuchlinstreites bedeutend
verschärft. In diesem Zusammenhang betonten verschiedene
Humanisten, daß durch Reuchlin die alte Theologie wieder er-
weckt worden sei; so etwa Konrad Mutian (vgl. L.Geiger 1871,
331, vgl. auch 332, 354). Unter der Hülle der Satire findet
man diese Ansicht auch in den Dunkelmännerbriefen wieder,
bes. deutlich im B.des Magister Adolfus Clingesor (II,50;
Bömer II, 172-175). Die Frage der Theologie wird hier als
Auslegung von Soph 1,12 behandelt: Der Herr werde seine
Kirche heimsuchen, um sie zu "reformieren" und die Irrtümer
hinwegzunehmen (ebd. 173,4ff). Er werde die Theologen heimsuchen, die erstarrt seien "in quadam sordida et tenebricosa
et inepta theologia, quam ante pauca saecula usurpaverunt
sibi, relinquentes illos antiquos et literatos theologos,
qui in vera luce scripturarum ambulaverunt. Ipsi autem non
sciunt neque Latinas neque Graecas neque Hebraicas literas,
ut possint scripturas intelligere. Et ergo relicta vera et
originali theologia nihil amplius faciunt nisi, quod disputant et argumentantur et movent inutiles quaestiones" (ebd.
173,9ff). Damit meinten jene den katholischen Glauben zu ver-
teidigen, obgleich sie doch keinen einzigen Gegner vor sich
haben. Wenn diese Disputationen einen Nutzen hätten, dann
sollten sie ihn doch zum Wohle der Kirche wenden, indem sie
in die Welt hinausgingen und wie die Apostel das Wort Gottes
verkündigten und z.B. gegen die Griechen disputierten, damit
diese in die Einheit mit der römischen Kirche zurückkehrten;
óder wenn sie nicht so weit gehen wollten, so könnten sie
doch wenigstens nach Böhmen gehen und jenes Volk mit ihren

Argumenten und Syollogismen bezwingen. Das täten sie aber
nicht, sondern sie disputierten dort, wo es überhaupt nicht
notwendig sei (ebd. 173,17ff). Deshalb werde der Herr sie
auch heimsuchen, und er werde andere doctores schicken,
die Griechisch, Latein und Hebräisch verstünden, "qui
'eiectis illis faecibus', id est ablatis illis ineptis
cavillationibus et adulterinis theologiae et obscuris
commentationibus adducent lucernas suas et illustrabunt
scripturas, et restituent nobis antiquam et veram theologiam,
sicut nuper ille praenominatus Erasmus emendavit libros
sancti Hieronimi, et fecit eos imprimi; etiam emendavit
Novum testamentum, quod ego credo esse maiori utilitati,
quam si viginti milia Scotistae vel Thomistae centum annos
disputarent de ente et essentia"(ebd. 173,27ff). Vgl. auch
Epist. II,43 (Bömer II, 162,11ff).

29) Bl. B 2b - C 4a, bes. B 2b - C 2a (Hardt 135-138, bes. 135f).

30) Bl. B 2b (Hardt 135).

31) Ebd. Vgl. Kol 2,8: "Videte ne quis vos decipiat per philosophiam, et inanam fallaciam secundum traditionem hominum,
secundum elementa mundi, et non secundum Christum."

32) "Non quod artem vituperem, quae ut Cicero ait, sicut sobrie
percepta ingenium acuere, ita et pervertere poterit, si
multum temporis, ac de verbis magis, quam de rebus, deque
victoria magis quam de veritate sollicitum teneat"(Bl.A 2b;
Hardt 135). Zur humanistischen Kritik an der nominalistischen
Dialektik, die sich nur um die "Wörter" kümmert, siehe auch
S. 385.

33) "Proinde dialectices cognitionem, et Theologis non indignam,
et doctissimo ac optimo cuique ornamento esse existimo.
Dummodo sincera, et non depravata tradatur, dummodo tempore
et modo intra suos terminos coherceatur, et non cum litteris
confundatur sacris, quoniam nullum consortium Christi et
Belial, lucis et tenebrarum"(Bl.B 3a; Hardt 135). Vgl.
2 Kor 6,15: "Aut quae societas luci ad tenebras? Quae autem
conventio Christi ad Belial?"

34) "Verum non parum multos invenies, qui absque depravata illa
concertatione, ac arguciarum fuligine, sanctissimam Theologiam consistere minime posse existimant. Hinc est quod
vetus testamentum a similibus negligitur, novum quasi Idiotis
scriptum vilipenditur, Apostolorum doctrina vix lectione
digna putatur. Hinc, quod divus Hieronymus tanquam grammaticus
contemnitur, beatus Augustinus etiamnum ignorantiae damnatur,
quem dicaculi illi nec argumenta sua si in vitam reverteret,
intellectuarum somniant, non propter rudem illam et insignem
barbariem, sed quia instantiarum, relationum, ampliationum,
restrictionum, formalitatum, hecceitatum, quidditatum, et
reliqua id genus portentosa vocabula ignoraret. Quicquid
enim sylogismorum spinositate non intorquetur, id penitus a
Theologica eruditione alienum putant"(Bl.B 3a; Hardt 135).

35) "..quid igitur mirum, si tam inepte plerique vivant, cum tam
inepte philosophentur?"(Bl.B 3a; Hardt 135). Dem steht das
"verbis et operibus legitime philosophari" gegenüber, das
Pirckheimer für seine Gegner erbittet (Bl.C 3b; Hardt 137).

36) "Proinde Haebreos et Mahumetanos assidue legem suam manibus
versare, et in illa meditando operam quotidianam insummere
cernimus, apud christianos vero non desunt, qui Evangelicae
doctrinae bene multa, tanquam praestantiora, subtiliora
praeferre soleant. Omnemque Theologiae vim in sola speculatio-
ne positam esse arbitrantur"(Bl.B 3ab; Hardt 135).

37) "Verum haud ita sentio, quod sine litteratura Ethnica christi
doctrinam mancam esse putem. Absit hoc, nam sapientia divina,
humanis non indiget inventis. Ideo et absque Platone, ac
Aristotele, etiam ad summum Theologiae fastigium viam patere
certissime scio"(Bl.Cb; Hardt 136).

38) "Atqui Apostolo et divo Hieronymo teste, sanctissima Theologia, dialecticis non indiget involucris, quae solum ambitio-
nis sint commenta, et ideo sacris intermixta, ut scientia
cognitu difficilior putaretur... Quid denique mirum? si cum
in prophanis gentilium studiis consenescant, minus christianam Theologiam, et rectae vivendi normam, tenere videantur"
(Bl.B 3a; Hardt 135).

39) "Utinam minus quidam contemplarentur, plus vero bene agendo
proficerent, quandoquidem non verbis, sed operibus laus
debetur, et is maxime, ut Plato ait, audiendus, cuius dictis
facta conveniunt"(Bl.B 3b; Hardt 135).

40) "Proinde si Theologo Rhetorica defuerit, haud intelligo, quo
pacto populo christiano verba veritatis annunciare valeat,
si saltem ut vulgus intelligat docere, et ita affectus movere
velit, ut obiter aculeus in hominum mentibus relinquatur"
(Bl.B 4a; Hardt 135).

41) Bl. Cb - C 2a (Hardt 136f).

42) "Super omnia vero Theologus viciis omnibus careat, ac virtutibus cunctis abundet, ne facta doctrinae contraria esse
depraehendantur, quoniam non in verbo neque lingua, sed
opere et veritate laus omnis consistit"(Bl.Cb; Hardt 136).

43) Bl. B 4a (Hardt 135).

44) "Naturalis praeterea ac transnaturalis, ad unguem noscenda
est philosophia. Verum non solum ea, quam Aristoteles diligentissime prosequutus est, sed et divinior illa, in qua sine
controversia optimus Plato palmam obtinuit, quem et Tullius
philosophorum deum nominat, et divus Augustinus ideo elegisse
fatetur, quoniam de ultimo hominis fine, et de natura divina,
melius caeteris philosophis dixerit"(Bl.B 4a; Hardt 135).

70

45) "Ut interim de reliquis, tam nostris, quam graecis sileam
    Theologis, qui omnes uno ore fatentur, Christianae religioni,
    maxime Platonicam, convenire Theologiam"(Bl.B 4a; Hardt 136).

46) Ebd.

47) "Proinde historia quoque, Theologo haud negligenda videtur,
    quoniam illa et libri sacri sunt referti, et res gestae ac
    temporum omnium ratio illius serie recte explicantur. Prae-
    cipueque is sapiens habetur, qui ex praeteritis futurorum
    eventum prudenter colligere, et gnaviter praevidere novit"
    (Bl.B 4b-Ca; Hardt 136).

48) "Porro, si Theologus nec iure nostro tam divino quam humano
    peritus erit, non video quo pacto divina scite, ac sancte
    gubernare, vel humana solerter, et legitime administrare
    valebit.."(Bl.Ca; Hardt 136).

49) "..nil igitur qui Theologica laurea se dignum arbitratur
    ignoret, sed ita prudentia, eruditione, usu, experientia
    excelleat, ut plane quempiam exquisitae sapientiae et doctri-
    nae virum referre videatur"(Bl.Ca; Hardt 136).

50) Jakob Hochstraten nennt in seiner ersten Apologie vom Febr.
    1518 neben Reuchlin und Georg Benignus auch Pirckheimer unter
    den Gegnern. Zu Pirckheimer schreibt er: "Et deinde susti-
    nuimus...hominem pro dolor a moribus optimis spectatissimorum
    patriciorum Nurenbergensium...degenerantem Billibaldum
    pirckmerium qui usque adeo maledicendi avidus, quo morda-
    cissimas et eas quidem plurimas in theologos Colonienses
    (sibi nunquam iniurios) effutiret contumelias (haud animad-
    vertens stultum esse in principio effluere, in ipsa autem
    historia succingi) proemialem maledictis plenam congessit
    epistolam, quae tractatum prae verborum pluralitate ferme
    adaequat, cui tam impudens os est, ut causis se ingerat
    theologicis, immo legem theologis praefigat, cuius certe
    theologicam peritiam nemo institorum magno precio mercaretur,
    Et proinde nimis frivole (ut verum fateamur) gigantomachiam
    inermis pusillusque intravit"(Iacobi Hochstrati Apologia
    contra dialogum Georgio Benigno Archiepiscopo Nazareno in
    causa Ioannes Reuchlin ascriptum, Köln Febr.1518, Bl.Ab-A 2a;
    zit.nach Böcking, Suppl.I, 420,15-29).

51) Lorenz Beheim im Okt.1517 an Pirckheimer (Heumann, epist.
    258f); Bernhard Adelmann am 25.Okt.1517 an Pirckheimer
    (ebd. 162f): er wundert sich nur über die Einfügung Ecks in
    die Humanistenliste; Heinrich Stromer am 7.Nov.1517 an
    Pirckheimer (ebd. 211f); Johann Hess am 21.Dez.1517 an
    Pirckheimer (ebd.116f); Thomas Truchseß am 21.Jan.1518 an
    Reuchlin (Geiger, 281); Paulus Prachtbetius am 5.Aug.1518
    an Pirckheimer (Heumann, epist. 232). K.Hagen weist (1868,I,
    467f) auch noch auf das Lob von Stabius und Jakob Spiegel
    hin. Ende 1517(?) widmet Oekolampad Pirckheimer seine hand-
    schriftliche Dichtung "Nemesis Theophili" (Staehelin I, 39-41),
    in der sich auch eine Anspielung auf Pirckheimers Eingreifen
    in den Reuchlinstreit findet (ebd. 40).

52) Im Jan. 1518 schreibt Melanchthon aus Tübingen an Reuchlin:
"Excuditur Piscator Bilibaldi cum Nazareni libellis, mittam
eum ad te" (SA VII/1, 31,1f). Tatsächlich ist ein solcher
Druck noch erhalten (z.B. UB Tübingen): "Luciani piscator,
seu reviviscentes. Bilibaldo Pirckheymero, Caesareo Consiliario, Patricio ac Senatore Nurenbergensi interprete. Eiusdem
Epistola Apologetica." Am Schluß Anno Nativitatis Dei 1518
mense Ianuarii, o.O. Genaue Beschreibung des Druckes bei
E.Böcking (Böcking, Suppl.II/1, 99f. Nr. 27/2). Auf Grund
dieser beiden Angaben wird einerseits als Druckort Tübingen
erschlossen (so E.Böcking ebd.), andererseits der Melanchthon-
brief in den Jan. datiert (CR I, 21; vgl. SM VI/1, 27).

53) SA VII/1, 29, und ebd. 29f die Anm. 1 und 4 von H.Volz;
ferner auch K.Hartfelder 1889,132f, 31ff.

54) "Mitto ad te Luciani Piscatorem cum epistola Capnionis
defensiva; non quod rem aliquam dignam me effecisse sperem,
sed ut Erasmus meus videat quanti eum Bilibaldus faciat.."
(Allen III, Nr. 685,13ff).

55) "Accepi libellum una cum litteris tuis, vir clarissime;"
"Perplacuit tuus libellus, ut illa tam amica Reuchlini
Defensio, in qua mihi videre solito facundior: credo quod,
ut Fabius inquit, pectus quoque te reddiderit eloquentem,
non tantum ingenium aut eruditio" (Allen III, Nr. 694,1.21ff).

56) Vgl. Allen III, Nr. 694,24ff.95ff. Ähnlich schreibt Erasmus
am 3. Nov. an Jakob Banisius (Allen III, Nr. 7oo,12ff.4off).

57) "Ne nihil reprehendam, mi Bilibalde, in tuo libello alioquin
doctissimo, mihi non admodum catalogus ille Reuchlino
faventium probatur. Quis enim usquam illi non favet eruditus
ac pius? quis non istam execratur beluam, nisi qui aut causam
non intelligit aut publico malo suis consulit commodis?
Deinde dum in dialecticos ac philosophos expatiaris, maluis-
sem te ceteris intactis hoc solum agere quod agebas" (Allen
III, Nr. 694,1o8ff).

58) Allen III, Nr. 747, S. 179-181.

59) Allen III, Nr. 747,16ff.

6o) Allen III, Nr. 747,28ff.

61) Allen III, Nr. 747,47ff.

62) Ein weiteres Beispiel einer solchen humanistischen Theologie
stellt die stark von Erasmus beeinflußte Rede des Petrus
Mosellanus zur Eröffnung der Leipziger Disputation 1519 dar.
Dazu vgl. R.Weier, Die Rede des Petrus Mosellanus "Über die
rechte Weise, theologisch zu disputieren", in: TThZ 83(1974)
232-245.

III. Formalstrukturen humanistischer Theologie beim jungen Melanchthon

1) Zu den biographischen Einzelheiten der Frühzeit vgl.
   W.Maurer 1967 und die entsprechenden Abschnitte der verschiedenen Melanchthonbiographien: C.Schmidt, Philipp
   Melanchthon. Leben und ausgewählte Schriften, Elberfeld 1861;
   K.Hartfelder 1889; G.Ellinger 1902; R.Stupperich 1960a;
   P.Meinhold 1960. Weitere Literatur zu den biographischen
   Einzelfragen bei P.Fraenkel-M.Greschat 1967, 8ff,44,61ff,
   65ff,146ff,172ff.

2) Vgl. G.Ritter 1936, 411f, 449-465.

3) Ebd. 449f. Etwas später kam P.O.Kristeller für Italien zu
   einem ähnlichen Ergebnis: Auch hier habe es eher eine Koexistenz als eine grundsätzliche Auseinandersetzung gegeben
   (P.O.Kristeller 1944/45). Diese Sicht wurde inzwischen für
   die deutschen Verhältnisse zwischen 1450 und 1520 noch einmal bestätigt durch J.H.Overfield 1969.

4) G.Ritter 1936, 465-481; J.H.Overfield 1969, 70-86.

5) Vgl. G.Ritter 1936, 468f, 477, und bes. 481-491; W.Maurer
   1967, 23-29; und die oben Anm.1 genannten älteren Biographien. In einem B.an die Universität Heidelberg, am 1.Jan.
   1560,erinnert Melanchthon an ihre humanistische Blütezeit,
   da dort zugleich gelebt hätten: Dalburg, Rudolf Agricola,
   Reuchlin, der Kanzler Plenninger, Vigilius, Gallus u.a.,
   "quorum aliquos deinde adolescens vidi"(Paedag. 71).

6) Vgl. G.Ritter 1936, 483, 491. Wie viel bzw. wie wenig der
   Humanismus den Lehrbetrieb an den spätscholastischen deutschen Universitäten bis in das frühe 16.Jahrhundert hinein
   bestimmt hat, zeigt J.H.Overfield 1969, 45-174, 265-311
   (vgl. bes. 104, 146, 174, 310) in aller Deutlichkeit. Erst
   um 1517 tritt ein Wechsel ein: Nach und nach werden nun
   humanistisch inspirierte Universitätsreformen durchgeführt,
   die scholastische Universität gehört mehr und mehr der Vergangenheit an (vgl. ebd. 364-400). Ebd. 32-43 auch eine
   Übersicht über den Streit zwischen via antiqua und via moderna.

7) CR IV, 715. Tatsächlich legt die Artistenfakultät erst am
   2.Sept.1513 der Universität die Notwendigkeit dar, einen
   Professor anzustellen, der die "politiores litteras" ordinarie
   et publice lese, wie das anderen Akademien bereits zum Ruhm
   und Vorteil gereiche (Acta fac.art.III, 56; abgedruckt in:
   Urkundenbuch der Universität Heidelberg, hrsg. von Eduard
   Winkelmann, Heidelberg 1886, Bd.II, 70f, Nr. 653).

8) Der Lektionsplan des ganzen Jahres nach der Statutenredaktion
   von 1452/1502 für die via antiqua ist wiedergegeben bei
   G.Ritter 1936, 495f (Beilage I): physicorum libri 8 vom
   9.Okt. bis 23.April; zugleich die vetus ars vom 9.Okt. bis
   24.Febr.; daran schließen sich an:die analytica priora vom
   24.Febr. bis 25.Mai und die analytica posteriora vom 25.Mai
   bis 25.Juli; dann folgen die topica 1,2,6,8 vom 25.Juli bis
   24.Aug. und die disputatio quodlibetica vom 24.Aug. bis etwa
   7.Sept. und schließlich die sophistici elenchi von etwa

7.Sept. bis 9.Okt. Daneben gab es noch die entsprechenden Übungen und Disputationen. Die summulae logicales des Petrus Hispanus blieben seit der Neuordnung von 1452 ebenfalls den Übungen überlassen. De anima rückte in den Oberkurs auf (so G.Ritter ebd. 495). Zur Heidelberger Artistenfakultät vgl. G.Ritter ebd. 163-198; ders. 1922, 88ff; E.Staehelin, Das theologische Lebenswerk Johannes Oekolampads (QFRG, 21), Leipzig 1939, 15-25. Zum scholastischen Lehrbetrieb an den deutschen Universitäten im allgemeinen J.H.Overfield 1969, 13-32.

9) "Philippus swarczerdt brettanus defecit in duabus ordinariis responsionibus et una extraordinaria, pro quibus casu, quo promotus fuerit, bis disputabit"(Acta fac.artium III, 45a; abgedruckt bei K.Hartfelder 1889, 28 Anm.2). Wenn demgegenüber Veit Winsheim in seiner Grabrede auf Melanchthon am 21.April 1560 über die Heidelberger Zeit Melanchthons sagt: "Agitabantur eo tempore in scholis quaestiones, quae habebantur vel Gordio nodo difficilius explicabiles, de propositionibus modalibus, item de universalibus realibus, multum hae rixarum inter disputantes pariebant, de his enim inter se iugiter digladiabantur, hos nodos ipse dissolvit, et certamina haec cum magna omnium admiratione sustulit.." (CR X, 191), so scheint dies eher auf das Konto der "Hagiographie" und Eloquenz zu gehen. L.F.Heyd hat sich (1839, 38f) ohne weiteres noch auf diese Sätze als historische Nachricht berufen. Zu sonstigen Unzuverlässigkeiten der Gedächtnisschrift von Veit Winsheim vgl. W.Maurer 1967, 217 Anm.33.

10) Vom 9.Okt. bis 12.März zugleich metaphysica und ethica 1-6. In dieser Zeit (9.Okt. bis 23.April) konnte man dazu erlaubterweise auch physica 3-8 nachholen. Vom 12.März bis 23.April insolubilia et obligatoria. Vom 23.April bis 24.Aug. wurden de caelo et mundo 1,2,4, de generatione et corruptione, de anima und zugleich metheorologica und parva naturalia gelesen. Dann folgte die disputatio quodlibetica: 24.Aug. bis etwa 7.Sept. Daran schließen sich zugleich de anima und sphera mater. an: etwa 7.Sept. bis 9.Okt. Dazu kommen wieder die entsprechenden Übungen und Disputationen (G.Ritter 1936, 496). Der Lektionsplan für die via moderna unterscheidet sich inhaltlich kaum davon (wiedergegeben ebd. 496). Der Abschluß des artistischen Studiums leitet durch die in diesem zweiten Abschnitt behandelten Fragen nach dem letzten Beweger, dem höchsten Gut des Menschen, seiner Willensfreiheit usw. unmittelbar auf das theologische Studium über (so G.Ritter ebd. 199; ders. 1922, 88ff).

11) Zu den Gründen vgl. etwa W.Maurer 1967, 28f,W.A.Schulze,Melanchthons Heidelberger Promotionsversuch,in:LuJ 41(1974)114-119.
12) Die Matrikeln der Universität Tübingen, hrsg. von Heinrich Hermelink, Bd.I: Die Matrikeln von 1477-1600, Stuttgart 1906, 191, Nr.46 und ebd. die Anm. zu Nr.46. Nach einer anderen Angabe (Urkunden 172 Anm.1) erfolgte die Aufnahme am 3.Dez.1512.

13) Zu den Einzelheiten vgl. die Vorlesungs- und Übungspläne
    der Artistenfakultät (Urkunden 331-337, bes. 336 unter
    A, Nr.24); dazu J.Haller 1927, 111-114; ders. 1929, 38-40.
    Melanchthon dürfte also wahrscheinlich in Heidelberg vom
    9.Okt.1511 bis 12.März 1512 Metaphysik gehört haben und dann
    in Tübingen ebenfalls, wo Metaphysik zwischen dem 18.Okt.
    und dem 2.bzw.14.Febr. gelesen wurde. Die erste ausdrückliche
    Erwähnung einer Metaphysikvorlesung findet sich 1255 in
    den Statuten der Pariser Artistenfakultät. Dort wurde 1366
    eine solche Vorlesung als obligatorisch zur Erlangung des
    Magistergrades festgestellt. Diese Bestimmung wurde von den
    deutschen Universitäten übernommen. Die Vorlesungsdauer
    differiert an den einzelnen Universitäten ungefähr zwischen
    dreiviertel Jahr und vier Monaten; vgl. A.Gabriel, Meta-
    physics in the curriculum of studies of the Mediaeval
    Universities, in: Die Metyphysik im Mittelalter 1963, 92-102.
    G.Ritter weist (1922, 97ff) noch darauf hin, daß Ethik und
    Metaphysik nicht zu den beliebten Vorlesungen auf seiten
    der Dozenten gehört hätten.

14) Vgl. die Korrektur W.Maurers (1967, 28f) an der verbreiteten
    Überschätzung von Melanchthons Jugend hinsichtlich seiner
    Universitätslaufbahn. Maurer kann auf z.T. noch viel er-
    staunlichere Fälle hinweisen. Nicht so sehr die Begabung
    habe nach Maurer dabei den Ausschlag gegeben, wichtiger seien
    vielmehr die soziale Stellung und die Vorbildung gewesen.

15) An seine scholastisch-dialektische Ausbildung erinnert
    Melanchthon später noch öfter. In seiner Def.c.Eckium 1519
    schreibt er zu Ecks Unterscheidung von toto und totaliter:
    "Iam quod docet, inter illa quid intersit, non est ingratum
    amici studium, quamquam iam olim Porphyrium didicimus et
    nunc ad id genus nugalia theoremata revocari molestum est"
    (SA I, 17,13ff). Bereits in De corr.stud.1518 weist er auf
    sein sechsjähriges scholastisches Dialektikstudium hin, durch
    das er fast "abgeschliffen" worden sei, und nennt zugleich
    einige gängige Lehrbücher (SA III, 34,19ff; vgl. SA I, 123,
    25ff; 143,33ff).

16) Zu den Einzelheiten seiner Tübinger Zeit vgl. neben den
    entsprechenden Abschnitten der S.73 Anm.1 genannten Bio-
    graphien bes. L.F.Heyd 1839; J.Haller 1927, 277ff; und
    W.Maurer 1967, 28-44, 45-83 (= Kap.2: Literarische Anfänge,
    Freunde und Schüler in Tübingen).

17) Berücksichtigt man den allgemeinen Studienbetrieb, dann wird
    man dies jedoch auch wieder nicht überschätzen dürfen. Ein
    magister artium, der sich für die Theologie entschied,
    brauchte in der Regel fünf Jahre bis zum Erwerb des ersten
    theologischen Grades, des baccalaureus biblicus. In dieser
    Zeit war er als Lehrer der Artistenfakultät tätig; daneben
    hatte er in der theologischen Fakultät die öffentlichen Vor-
    lesungen der Doktoren, sowie mindestens einen Cursor und
    einen Sententiarius vollständig zu hören; vgl. H.Hermelink
    1906, 31ff.

18) Nach Camerarius (Strobel 15f) habe Melanchthon, obzwar ihn Begabung und Wille zur Beschäftigung mit den bonae literae angetrieben hätten, aus seiner brennenden Wißbegierde heraus in Tübingen auch Theologen, Juristen und Mediziner gehört und auch deren Bücher gelesen. "Ad Theologiae tamen studium maxime propensa esse cupiditas illius, quod religiosae pietatis amore flagraret, sententia hac confirmata in puero paterna maternaque educatione atque disciplina." In der Grabrede des Veit Winsheim 1560 heißt es in bezug auf Tübingen: "Audivit ibi et Iureconsultos... Audivit item Theologos, de quorum ineptis et inutilibus disputationibus in rebus gravissimis dicere, et multa ridicula ipsorum deliramenta commemorare solebat"(CR X, 192). Nach dem Kurtzen Bericht, ebenfalls 1560,habe Melanchthon in Tübingen eifrig in der Heiligen Schrift gelesen, große Lust zur Theologie gehabt und auch theologische Vorlesungen gehört(CR X, 260). Jakob Heerbrand sagt in seiner Leichenrede 1560 schließlich: "Audivit hic in Theologia scholastica Doctorem Lempum, qui tum praecipuus habebatur, et alios Professores"(CR X, 298).

19) Neben den exegetischen Arbeiten (vgl. S.87 Anm.67) sind hier vor allem die Schriften, die im Zusammenhang mit der Leipziger Disputation stehen (vgl. S.116)zu erwähnen. Ein weiteres Zeugnis scheint die Wittenberger Antrittsrede De corr. stud. vom 29.Aug.1518 zu bieten. Melanchthon behandelt hier das Problem der Studienreform, und zwar vor allem die Reform des Studiums an der Artistenfakultät (siehe S.116). Auffallend ist dabei, daß Melanchthon das Reformprogramm nicht auf alle drei höheren Fächer (Theologie, Jurisprudenz und Medizin) ausdehnt, sondern nur noch auf die Theologie eingeht (SA III, 40,1-41,20). Das könnte eventuell auch ein Indiz dafür sein, daß Melanchthon in Tübingen der theologischen Fakultät angehört hat. Vielleicht darf man hier auch eine Notiz aus seinem B.an Joh.Heß, Febr.1520, anführen. Dieser B.stellt eine ausführliche nota explicativa zu seinen Bakkalaureatsthesen dar. Melanchthon sagt da, daß er darin seinen Geist etwas aus den traditiones humanae herausgewickelt habe, damit er einmal sich selbst die divinae literae wirksamer empfehle; von ihnen sei er ja einstmals abgeschreckt worden, weil er gesehen habe, daß nicht so sehr das gebilligt werde, was jene lehrten, als vielmehr das, was der vulgus scholarum oder die fasciculi rezipiert hätten, die jedoch offensichtlich an vielen Stellen von der Schrift abgewichen seien (SA I, 47,20ff). Ein weiteres Zeugnis könnte von Bonifacius Amerbach stammen. Dieser schreibt am 22.Aug.1519 aus Basel an Ulrich Zasius mit Bezugnahme auf Melanchthons Bericht über die Leipziger Disputation: "Philippus enim etsi iuvenis, tamen preter litterarum humaniorum cognitionem nedum theologiae sed et sophistice doctissimus, tractabit hominem (sc.Eckium), ut meritus est"(Hartmann II, 183,48ff).

20) Vgl. Förstemann, Lib.dec.fac.theol., 23; zit. bei W.Friedensburg 1917, 120 Anm.1. Die Thesen sind abgedruckt in SA I, 24f und SM VI/1, 78f. Ein Teil der Thesen, weist, was ihre Form betrifft, noch ganz in die scholastische Tradition hinein -

im übrigen ein Zeichen mehr, wie stark sich die Scholastik
trotz aller humanistischen Angriffe im Universitätsbetrieb
gehalten hat. Vgl. z.B. These 14: "Voluntas per charitatem
rapta ad obiectum credibile imperat intellectui, ut assenti-
atur"(SA I, 24,26f); These 22: "Leges naturae habitus sunt
concreati animae"(ebd. 25,7); These 23: "Natura magis affec-
tat bene esse quam esse simpliciter"(ebd. 25,8). Weitere
Zeugnisse dafür, daß Melanchthon das scholastisch-dialektische Verfahren zu handhaben wußte, finden sich in den Loci
1521 (vgl. dazu W.Maurer 1960,10).

21) Vgl. H.Hermelink 1906, 32; W.Friedensburg 1917, 39. Obwohl
Luther bereits seit 1518 die Frage der Umgestaltung der
Prüfungen für die Bakkalaren und Magister beschäftigte, ver-
schob sich die endgültige Vereinbarung über die Neuordnung
der Universität aus verschiedenen Gründen bis in die Mitte
des Jahres 1521 hinein (W.Friedensburg 1917, 127, 131). Man
muß also annehmen, daß die alte Prüfungsordnung im Jahr 1519
noch in Geltung war. Das bestätigt übrigens Melanchthon
selbst, wenn er kurz vor dem 12.März 1523 an Spalatin schreibt:
"Nam cum primum ex more Baccalaurei biblici officium facien-
dem esset, tum enim valebant gradus adhuc.."(SA VII/1, 185,
3ff); vgl. auch den B.an Spalatin im letzten Septemberdrittel
1522 (ebd. 179,44f). Auf der anderen Seite sind freilich die
fünf Jahre Zwischenraum zwischen magister artium und biblicus
nicht sehr streng zu nehmen: Nikolaus von Amsdorf z.B. er-
langte in Wittenberg schon nach drei Jahren das Bakkalaureat
in Theologie (1504 Magister, 1507 Bakkalaureus; W.Friedens-
burg 1917, 100). E.G.Schwiebert, New Groups and Ideas at the
University of Wittenberg, in: ARG 49 (1958) 60-79, gibt
(ebd. 66) als Minimum sogar nur ein Jahr an. Aber,daß
Melanchthon im Jahr 1519 bereits ohne Absolvierung der ge-
forderten theologischen Vorlesungen das biblische Bakkalaureat erlangt habe, erscheint doch als ganz unwahrscheinlich.

22) Zu Wendelin Steinbach vgl. bes. J.Haller 1927, 187-193, 258f;
H.Hermelink 1906, 78ff, 87ff; H.Feld, Martin Luthers und
Wendelin Steinbachs Vorlesungen über den Hebräerbrief. Eine
Studie zur Geschichte der neutestamentlichen Exegese und
Theologie (VEG, 62), Wiesbaden 1971, 4-18 (=Biographisches),
145-152 (=Hermeneutik), 230-236 (=Ergebnis).

23) In seiner Or.de Eberardo, Duce Wirtebergensi vom 31.Mai 1552
(CR XI, 1021-1030; zur Dat. N.Müller 1896, 141) nennt
Melanchthon als theologi clari: "Gabriel Biel, Summenhart, et
Wendelinus qui Duci Eberardo familiarissimus fuit. Erant
autem horum omnium mores casti et sancti. Et Wendelinus, cum
adsiduus lector esset sacrorum librorum, et Augustini, agnos-
cebat multa errata esse in scriptis Thomae et Scoti, et
similium, et satis libere in scholis doctrinam de gratia
sinceriorem tradebat. Hic Principem audiebat petentem abso-
lutionem, hic eum de beneficiis filii Dei erudiebat, collecta
etiam germanico scripto summa doctrinae"(CR XI, 1026). Zum
zweifelhaften historischen Wert dieser Aussagen vgl. J.Haller
1927, 191f. Von einer Scholastikkritik und einer reformato-

rischen Gnadenlehre kann man bei Steinbach wohl nicht sprechen; richtig ist jedoch sicher der Hinweis auf seine guten
Augustinuskenntnisse (vgl. H.Feld a.a.O. bes. 230-236).
Eine bloße Vermutung ist es, wenn es in der Anm. zu einem
Satz am Schluß des ersten Teiles der Apol.1531 ("Ipsi
audivimus excellentes theologos desiderare modum in scholastica doctrina, quae multo plus habet rixarum philosophica-
rum, quam pietatis": BS 326,24ff) heißt: "Wohl bes.Wendelin
Steinbach, den Melanchthon noch in Tübingen gehört hat"
(ebd. 326 Anm.1).

24) Zu Jakob Lemp vgl. wieder J.Haller 1927, 195f, 258f; W.Maurer
    1967, 40f; ferner H.Hermelink 1906, 83f, 166ff. Auch das
    bereits S.76 Anm.18 genannte Zitat aus der Leichenrede des
    Jakob Heerbrand gehört hierher.

25) CR IV, 718.

26) J.Hallers Vermutung (1929, 99), daß sich Melanchthon viel-
    leicht geirrt habe und eventuell an Wendelin Steinbach
    denke, in dessen Hebräerbriefvorlesung sich der Grundriß
    des Altars des Moses aufgezeichnet finde, scheint mir eben-
    sowenig zwingend - graphische Darstellungen sind wohl ziem-
    lich allgemein verbreitet gewesen -, wie die Konstruktion
    Hermelinks (1906, 167f), daß mit "insulsitas" der Charakter
    Lemps (und damit auch seiner Theologie) gemeint sei, nämlich
    das Bestreben, nirgends anzustoßen.

27) SA VII/1, 138,12ff/139,1.

28) O.Clemen, Die Luterisch Strebkatz, in: ARG 2 (1904/05) 78-93;
    Exkurs über Lemp ebd. 90-93.

29) Auch Erasmus verwendet den Ausdruck "mathaeologus" als be-
    leidigende Verdrehung von "theologus" für scholastische
    Theologen; vgl. seinen B.an Godschalk Rosemondt, 17.Dez.1520
    (Allen IV, Nr. 1172,11, und dazu die Anm. von Allen ebd.);
    Ratio (Holborn 301,6.30). Am ausführlichsten geht Erasmus
    auf diese Frage ein in der Anmerkung 13 zu 1 Tim 1,6
    (Annotationes 1516, LB VI, 926D-928E), in der er am Beispiel
    zahlreicher theologischer Fragen matheologia (d.h. die sophi-
    stisch-scholastische Theologie) und theologia (d.h. die
    wahre humanistische Theologie) gegenüberstellt. Das Stich-
    wort bildet hier εἰς ματαιολογίαν (in vaniloquium): "Quantum
    ad pronunciationem attinet, mataeologia non multum abest a
    Theologia, cum res inter se plurimum discrepent. Proinde
    nobis quoque cavendum est, ne sic sectemur Theologiam, ut in
    mataeologiam incidamus de frivolis nugis sine fine digladian-
    tes. Ea potius tractemus, quae non transforment in Christum,
    et coelo dignos reddant"(ebd. 926D). Dann folgt die lange
    Reihe der Gegenüberstellungen. Ähnlich spricht auch Bernhard
    Adelmann von Adelmannsfelden in einem B.an Pirckheimer, am
    7.Aug.1516, von Eck als dem "mataeologus iste"(Heumann,
    epist. 145). Ähnlich auch Bonifacius Amerbach in einem
    B.an Ulrich Hutten am 7.Okt.1519: "..ille (inquam) Eckius

78

in Melanchtona apologiam scripsit, nunc gramatellum subinde
vocitans; sed cornutam, ut opinor, bestiam petiit. Calcaria
tu addes Philippo, ut ματαιολόγον graphice suis depingat
coloribus"(Hartmann II, 202,31ff). Melanchthon selbst hat
diese humanistische Anspielung bereits im Dez.1518 in einer
Wv. verwendet, in der es (nach Tit 1,10) heißt: "ita fit,
ut pro Theologis hodie fere ματαιολόγους καὶ φρεναπάτας
αντιχρίστους habeamus.."(SM VI/1, 53). Auch nach W.Maurer
(1967, 41) treffe das Urteil Melanchthons Lemp "nicht so
sehr als Person, sondern als Repräsentanten der Tübinger
Universität". Aber daß hinter dieser Bemerkung "Melanchthons
Ärger über die Tübinger, die unter der österreichischen
Herrschaft sich von Lemp in das gegenreformatorische Fahr-
wasser abdrängen ließen" stehe (ebd.), ist m.E. aus dem
Duktus des Briefes nicht ableitbar. Die Geläufigkeit der
Verballhornung (die zugleich einen Rückgriff auf 1 Tim 1,6
und Tit 1,10 darstellt) weist an unserer Stelle - zumal sich
sonst im Brief keine speziellen Anhaltspunkte ergeben - mit
größter Wahrscheinlichkeit auf die Scholastik-Humanismus-
Differenz hin.

30) SM VI/1, 166; vgl.dazu ebd.167 Anm.3 und 4 von O.Clemen.

31) Zur historischen Spekulation dürfte zählen, wenn R.Stupperich
(1960, 152) sagt: "In Tübingen beschränkte er sich nicht
darauf, klassische Autoren zu lesen. Seine Neigung hatte ihn
auch dort in die Hörsäle geführt. Er hatte occamistische
Theologie gehört und sich ganz darein vertieft. Damals hatte
er an der philosophisch strengen Arbeit, die den Hörern
zugemutet wurde, viel Freude. Von der Theologie Ockhams
sagte er, daß sie einst seine ganze Wonne war. Die scharf
ausgeprägte Dialektik behagte damals durchaus seinem for-
schenden Geist. Aber diese Auffassung hielt nicht vor, bald
nennt er die Tübinger Philosophie nur Herzenstrug." Die
Stelle in Did.Fav.or. 1521, auf die sich hier Stupperich
u.a. bezieht, in der Melanchthon Thomas, Scotus und Ockham
angreift und bei Ockham hinzufügt: "Tu vero, Occhame,
deliciae quondam nostrae.."(SA I, 96,26f) dürfte das Gewicht
der Aussage doch nicht ganz tragen. Was dieser Hinweis
Melanchthons bedeutet, ist schwer zu sagen, da es m.W. dazu
keine Parallelen gibt. Auch W.Maurer ist (1967, 36) (ohne
nähere Angabe von Gründen) der Ansicht, daß Steinbach unter
den Tübinger Theologen "offenbar" den "stärksten Eindruck"
auf Melanchthon gemacht habe. K.Heim wiederum hatte (1911,
261) z.B. Melanchthons Berührung mit der via moderna für ganz
oberflächlich gehalten.

32) Zur Situation in Tübingen vgl. J.Haller 1927, 81ff, 162ff;
mit Vorsicht auch H.Hermelink 1906, 77, 189.

33) Strobel 22f. Auf diesen Bericht gestützt vertreten L.F.Heyd
1839, 29; K.Hartfelder 1889, 42; G.Ellinger 1902, 76, 80, 86;
und Plitt-Kolde 10, die Auffassung, Melanchthon habe in
Tübingen zu den Modernen gehört, wobei die letzteren drei
Autoren allerdings seine vermittelnde Haltung betonen.

34) So in den verschiedenen Fassungen seiner Dialektik:
Comp.dial.ratio 1520 (CR XX, 714); Dial.1528 (Opera Basil.
V, 174); Erot.dial.1547 (CR XIII, 520, 529). Hauptsächlich
auf Grund dieser Stellen hat man in der Forschung wiederholt
angenommen, daß Melanchthon Aristoteles im Grunde nomina-
listisch gedeutet habe: W.Dilthey 1957, 168, 174, 187f;
K.Hartfelder 1889, 42f, 157; H.Maier 1909, 29f, 75f, 91, 127f;
P.Petersen 1921, 69; B.S.von Waltershausen 1927, 648f, 651,
659, 661, 664; W.H.Neuser 1957, 23 Anm.18; H.-G.Geyer 1959,
11; W.Risse 1964, 84, 91ff; W.Maurer 1967, 44. Dementsprechend wird dann auch bisweilen seine Theologie als vom
Ockhamismus bzw. Nominalismus beeinflußt gedacht: so z.B.
W.Maurer 1959, 97; L.Haikola 1961, 89; ders. 1961a, 96;
W.Maurer 1967, 29f, 36f, 45f, 53ff.

35) H.Hermelink 1906, 168; Zur Grundthese bes. ebd. 133-170.
Vgl. dazu die Kritik von G.Ritter 1922, 8ff, 115ff; J.Haller
1929, 75. Hermelink, der den Bericht des Camerarius als
falsch betrachtet, führt außerdem (ebd. 168) folgende weitere
Gründe für die Zugehörigkeit Melanchthons zu den Realisten
an: Er sei von Franz Kircher (=Stadianus), einem Schüler
der via antiqua, in die Dialektik eingeführt worden; er
habe in Tübingen für einen Wechsel viel zu rasch das Magi-
sterexamen abgelegt und er habe schließlich als Konventor
der Realistenburse die offizielle Rede De artibus liberalibus
zum Lob des skotistischen Realismus gehalten.

36) Vgl. SM VI/1, 19 Anm.1. Der B.fehlt noch im CR; er ist abge-
druckt in SM VI/1, 18-20. O.Clemen, der Herausgeber von
SM VI/1 scheint sich Hermelink und Müller angeschlossen
zu haben (vgl. SM VI/1 19 Anm.1; ferner ebd. 167 Anm.4).
Auch J.Haller weist (1929, 109) Melanchthon auf Grund des
Autographs den Realisten zu.

37) H.Maier 1909, 30 Anm.15.

38) W.Maurer 1967, 29f, 36f, 45f, 53ff. Maurer hält (ebd. 219
Anm.1) den Bericht des Camerarius für richtig und weist noch
auf angebliche spätere Zeugnisse für Melanchthons Nominalismus hin (CR IX, 678ff: aber wo ist hier nominalistisches
Gut?). Das Autograph deutet Maurer (ebd. 219 Anm.1) folgendermaßen: "Sicher hat M. diesen kunstvoll stilisierten
Brief für seinen Freund Ambrosius Blarer geschrieben und
wohl auch verfaßt. Kann er diesen Freundschaftsdienst nicht
auch geleistet haben, ohne dieser Burse anzugehören?"

39) Die erste Druckausgabe erschien im Jahr 1566: De Philippi
Melanthonis ortu, totius vitae curriculo et morte...narratio
diligens et accurata Ioachimi Camerarii, Lipsiae: Ernestus
Voegelin 1566 (Ex.der UB Tübingen). Am häufigsten verwendet
wird die Ausgabe von Strobel. In dieser Ausgabe wird unsere
Frage im § VI (Strobel 22f) behandelt. Die §§ III-VI betreffen die Heidelberger und bes. die Tübinger Zeit, § VII
berichtet dann von seiner Berufung nach Wittenberg und der
Reise dorthin.

40) "Erant tum studia Philosophiae, qua Theologia involvebatur,
    scissa in duas praecipue partes. Quarum una veluti Platonicam
    de Ideis seu formis abstractis separatisque ab iis, quorum
    moles corporum sensibus subiiceretur, sententiam tuebatur.
    Haec de eo quod generalis cogitatio comprehendit, ut Hominem,
    Animantem, pulcritudinem, etiam spondam atque mensulam,
    quia natura et res singularis constituitur, Reales isti sunt
    nominati"(Strobel 22).

41) "Altera pars Aristotelem magis sequens, speciem istam de iis,
    quae suam naturam ipsa haberent, universis colligi docens,
    et concipi intelligendo notionem hanc ex singulis quibusdam
    existentem atque contractam, neque naturas esse has per
    se ipsas priores singulis, neque re, sed nomine tantum
    consistere: Nominales appellati fuere et moderni"(ebd.).

42) "Habuitque utrumque quasi agmen suos et autores, quorum sec-
    tam sequi placuerat. Atque non solum contentiones et iurgia
    inter dissentientes, sed dimicationes etiam ac pugnae com-
    missae fuerunt, interdum concertationibus non tantum per-
    tinacibus verborum, sed manuum quoque violentis. Haec
    dissidia et Tubingensem Academiam invaserant, contubernio
    bonarum artium et Philosophiae studiis destinatio in duo
    quasi Castella diviso, ex quibus de opinione sua factiones
    illae acerrrime praeliantes, inimicitias graves exercebant"
    (ebd.).

43) "Philippus, qui certam docendi disserendique rationem proba-
    ret, et Aristotelica in hoc genere primas tenere intellige-
    ret, magnificas et splendidas et amplas alteras disputatio-
    nes non amabat. Quamvis autem in verborum contentionibus suam
    sententiam ita assereret, ut adversantes facile refelleret:
    id tamen eximia humanitate et parata omnibus, qui uti vellent,
    opera perfecit, ut sua autoritate inter sectas illas odia
    restinguerentur, et quamvis studia discreparent, voluntatum
    tamen maneret coniunctio. Aliis etiam officiis plurimis
    contubernium interdum rebus difficilibus fulcivit, et susten-
    tavit consilio opeque sua. Nam curatio in eo, consuetudine
    Academiae eius quoque fuit, qui et optimarum artium discipli-
    narumque esset Magister, et publicae doctrinae munus gere-
    ret"(ebd. 22f).

44) Man wird in bezug auf die Geschichtsschreibung des Camerarius
    vorsichtig sein müssen. Kritische Geschichtsschreibung ist
    nicht das einzige Ziel des Humanisten. Das Bestreben, seinen
    Gegenstand zu verherrlichen und zu preisen, ist mindestens
    ebenso wichtig. Darauf dürften wohl auch seine Harmonisie-
    rungsversuche zurückzuführen sein. von Druffel, Die
    Melanchthon-Handschriften der Chigi-Bibliothek, in: Sitzungs-
    berichte der philosophisch-philologischen und historischen
    Classe der k.b.Akademie der Wissenschaften zu München, Jg.
    1876, München 1876, 491-527, und W.Meyer, Ueber die Originale
    von Melanchthons Briefen an Camerarius und Melanchthons
    Brief über Luthers Heirath, ebd. 596-606, weisen auf eine
    ganze Reihe eigenhändiger Interpolationen des Camerarius

in den von ihm 1569 in Druck gegebenen Melanchthonbriefen
hin. Zur Historiographie des Camerarius im allgemeinen
vgl. F.Stählin, Humanismus und Reformation im bürgerlichen
Raum. Eine Untersuchung der biographischen Schriften des
Joachim Camerarius (SVRG, 159), Leipzig 1936. Auch W.Maurer,
der an einigen Stellen Camerarius ebenfalls kritisiert
(1967, 28f, 64),meint: "Die historische Kritik an der Biographie des Joach.Camerarius ist trotz Friedrich Stählin...
noch in den Anfängen begriffen"(ebd. 217f Anm.33). Auch
unser Abschnitt ist mindestens an einer Stelle historisch
bezweifelbar, dort nämlich, wo er vom heftigen Streit zwischen Realisten und Nominalisten berichtet, der auch auf
Tübingen übergegriffen und zur Zeit Melanchthons noch ge-
tobt haben soll (siehe S.81 Anm.42). Das sonst bekannte
Bild vom Anfang des 16.Jahrhunderts widerspricht dem sowohl
im allgemeinen, wie auch speziell hinsichtlich der Tübinger
Verhältnisse. Was es in dieser Zeit noch gegeben hat, ist
höchstens ein Konkurrenzkampf um die Schüler. Vgl. G.Ritter
1922, 74ff, 145; ders. 1936, 488; zu Tübingen J.Haller 1927,
81ff, 164f; ders. 1929, 75.

45) Die Überschrift von § VI, die dies sagt: "Philosophi scissi
in duas factiones Reales et Nominales: posteriori adhaerens
Melanchthon amicitiam inter ambas partes conciliare studet",
stammt wie alle anderen Überschriften auch von G.Th.Strobel,
dem Herausgeber. In der ersten Ausgabe 1566 (siehe S.80
Anm.39) gibt es noch keine Überschriften. Daraus geht zuerst
einmal lediglich hervor, daß Strobel im 18.Jahrhundert den
Bericht des Camerarius so gedeutet hat, als ob er sagen
wolle, Melanchthon habe in Tübingen den Nominalisten zugehört. Wenn man dagegen z.B. sagt: "Camerarius sagt in seiner
Vita Melanchthonis.., Mel.habe auf seiten der Nominalisten
gestanden.."(W.H.Neuser 1957, 24 Anm.18), oder: "Schon
Camerarius..hat hier richtig gesehen: Er rechnet Mel. der
Burse der Modernen zu (die er für die besseren Interpreten
des Aristoteles hält), betont aber seine friedliche Haltung"
(W.Maurer 1967, 219 Anm.1), so entspricht dies nicht dem
Text selbst, sondern nur der Überschrift von Strobel.

46) Über diese Schulstreitigkeiten mokiert sich Melanchthon auch
anderenorts (vgl. z.B. De corr.stud.1518, SA III, 34,19ff;
35,17ff).

47) "Dialectica est artificium apposite ac proprie de quocumque
themate disserendi." "Fructus dialecticae, est proprie et
exacte, de quocumque themate, idque ordine ad docendum acco-
modato posse dicere. Inprimis dialecticum artificium ordo
commendat, qui cum et in discendo, et in docendo plurimum
habeat momenti, facilius certiusque cum discunt, tum docent,
qui Dialecticae periti sunt"(Comp.dial.ratio 1520, CR XX,
711f). Seine Auffassung von Dialektik und Rhetorik setzt
Melanchthon ausdrücklich der scholastischen entgegen (vgl.
Wv.zur Rhet., Jan.1519, CR I, 62-66; dazu O.Clemen, in:
SM VI/1 56f); vgl. auch S. 305f Anm. 269 . Speziell in diesem
genus betrachtet sich Melanchthon als Aristoteliker, gerade
darin unterscheidet sich für ihn Aristoteles positiv von
Platon; vgl. De philosophia or.1536 (SA III, 93,17ff); De

vita Aristotelis 1537 (ebd. 98,6ff; 103,10ff); De Platone 1538 (CR XI, 422f); De vera philosophia et erroribus sectarum 1539 (Komp. 124); Or.de Aristotele 1544 (SA III, 126,35ff; 13o); vgl. auch S.305 Anm. 268. Zur Methodenlehre siehe S. 368-376.

48) Am 14.Juli schreibt Melanchthon an Camerarius: "Vides autem in scholis aliud quoddam doctrinae genus, videlicet μεϑοδικὸν requiri, et nonnihil hanc nostram philosophiam, hoc est, Peripateticam redolens, quam docenti aptam esse magnopere statuo"(CR III, 389). "Ego veram, incorruptam, nativam Dialecticen, qualem et ab Aristotele, et aliquot eius non insulsis interpretibus, ut ab Alexandro Aphrodisiensi et Boetio accepimus, praedico"(Wv. an Camerarius zu Erot.dial., 1.Sept.1547, CR VI, 655). Im Verständnis der aristotelischen Philosophie als Methodik greift Melanchthon also ausdrücklich auf vorscholastische Interpreten zurück.

49) Man könnte sich auch fragen, warum Camerarius - falls er dies berichten wollte - nicht einfach gesagt hat, Melanchthon habe der via moderna angehört. Wie dem auch sei, auf keinen Fall kann man den Camerariusbericht ohne weiteres als Beleg dafür in Anspruch nehmen, daß Melanchthon in Tübingen der via moderna zugehört habe.

50) Vgl. S. 416-421.

51) Vgl. dazu P.Joachimsen 1926, 67f; W.Maurer 1967, 45-83 (=Kap.2: Literarische Anfänge, Freunde und Schüler in Tübingen).

52) Vgl. W.Maurer 1969, 9-27.

53) In der ersten Septemberhälfte 1518 schreibt er an Spalatin: "Homo philosophus sum, an me putas magni facere, quam amoeno loco agam? Hoc magni pendo, ut honesto loco queam"(SA VII/1, 38,55ff). Am 24.Sept.1518 schreibt er an Ch.Scheurl in Nürnberg:"Graeca profiteri coepi in Saxonibus; iungentur eis hebraea, quod spero non infoeliciter et singulari Deum favore." "De me velim, sic existimes, quandoquidem humana studia profiteor, me plane tuum esse.."(ebd. 44,7ff; 45,20ff). Am 2.Okt.1518 schreibt er wieder an Spalatin: "At vero in literis versor"(ebd. 48,15f).

54) Kurz vor dem 24.Sept.1518 berichtet er an Spalatin über sein Arbeitsprogramm, darunter über den Erwerb zweier hebräischer Bibeln und über seine Lektüre der Proverbia Salomonis: "Ipse ego coepi proverbia Salomonis mihi meditate reddere; in eis assiduus versor. Itaque, cum Boschenstain venerit, laborem ei delegabo, ut annotet interdum aliquid, et edemus Scholia in proverbia adiunctis simul tribus lectionibus, Hebraica, graeca et latina. Cura tu per Noricos id quod et ego ago, ut habeamus graeca biblia"(SA VII/1, 43,22ff). Diese Bitte wiederholt er am 24.Sept. im B.an Ch.Scheurl (ebd. 44f). Am 12.Okt.1518 berichtet er dann wieder an Spalatin: "Iam ex-

cuditur ἡ ἐπιστολὴ πρὸς Τίτον. Scis, quam elegans et moribus apta purgandis"(ebd. 50,21ff).

55) Vgl. die Rede De artibus liberalibus 1517 (SA III, 17-28), die Wv. zur ersten Ausg. seiner Institutiones Grammaticae, vor Mai 1518 (CR I, 24-27; vgl. SM VI/1, 30f).

56) De corr.stud.1518 (SA III, 30-42). Zum Bemühen um die Studienreform vgl. auch S. 348-353.

57) Vgl. die Wv.zu De corr.stud., Okt.1518 (CR I, 52-54); die Wv.an P.Burkhard, Dez.1518 (SM VI/1, 52-54); die Wv.zur Rhet., Jan.1519 (CR I, 62-66; vgl. SM VI/1, 56f).

58) Sehr schön kommt dies in der Wv.zur Rhet., Jan.1519 (CR I, 63f) zum Ausdruck.

59) B.an Spalatin, 15.Okt.1518 (SA VII/1, 50,30ff).

60) Zuerst wären einmal die Adreßformeln der Briefe zu nennen. Die Adresse des B.an Spalatin am 2.Okt.1518 lautet: "Eximia pietate ac doctrina viro D.Georgio Spalatino.."(SA VII/1, 48,2f). Während solche und ähnliche Formeln in der Folgezeit die Regel sind (z.B. "Pietate ac literis egregie colendo D.Georgio Spalatino.." am 15.Okt.1518, ebd. 49,2f; "Eximia pietate ac doctrina viro, Domino Othoni Beckman.." im Okt.1518, CR I,52 usw.) finden sie sich vorher noch nicht. Deutlicher noch sind die Indizien in den Briefen selbst: Am 5.Jan.1519 bedauert er in einem B.an Erasmus, daß er durch einen Denunzianten bei ihm verdächtigt worden sei, ihn kritisiert zu haben. In diesem B.kommt das religiöse Moment deutlich zum Vorschein: "Salutem in Christo Ihesu." "Quaeso te per pietatem.." "ignosce, si quid hac parte peccavi, per Ihesu Χριστόν. Nec enim tam oscitans Erasmi lector sum, ut ex illo ipso nondum didicerim, quid praeceptori, quid fratri in Χριστῷ debeam"(SA VII/1, 55,3; 56,12.23ff). B.an Ch.Scheurl 21.Febr.1519: "..te per Χριστόν quaeso.."(ebd. 62,32f). B.an Spalatin, um den 15.Aug.1519: "Quaeso te per Christum.." (CR I, 108; vgl. SM VI/1, 76). In den Schlußgrüßen an Reuchlin und Caspar Glaser im B.an Joh.Schwebel, 11.Dez.1519, heißt es: "δόξα γὰρ χριστιανῶν ὁ σταυρός τοιγαροῦν καὶ αὐτὸς σταυρὸν ἀράτω"(SA VII/1, 79,25f). Derartige Aussagen häufen sich in der Folgezeit in der Korrespondenz Melanchthons (vgl. CR I, 132, 135, 151 usw.), während dementsprechendes in der Tübinger Zeit vollständig fehlt. Einige Briefe zeugen nun sogar von einer tiefgehenden religiösen Begeisterung (so z.B. der B.an Bartholomäus Schaller, 1.Febr.1520, CR I, 132f).

61) Vgl. W.Friedensburg 1917, 90-179 (= 3.Kap.: Luthers Anfänge und die Umwandlung der Universität); K.Bauer 1928.

62) Melanchthons Äußerungen über Luther zeigen eine schnell wachsende Annäherung. Im B.an Ch.Scheurl, 24.Sept.1518 führt er den "honoratum Optimum ac doctissimum et omnino verae

Christianaeque pietatis κορυφαῖον Martinum" als Zeugen und
Beistand seiner Bitte um eine griech.Bibel an (SA VII/1, 45,
18ff). In der Wv. zur Rhet., Jan 1519, stellt er der
scholastischen Sophistik die Vertreter des neuen Geistes
gegenüber: Erasmus, Reuchlin und Luther, und sagt von letzterem: "Martinum Lutherum ferre non potest, quod recta moneat"
(CR I, 63; vgl. SM VI/1, 56f). Am 13.März schreibt er an
Spalatin, daß in der eben erhaltenen Ratio verae theologiae
des Erasmus vieles mit Luther übereinzustimmen scheine
(SA VII/1, 63,8ff). Im gleichen Monat verfaßt Melanchthon
eine Wv. für Luther Operationes in Psalmos (CR I, 70-73;
vgl. SM VI/1, 61f); ungefähr zur gleichen Zeit wahrscheinlich
auch Vorr. und Nachwort zu Luthers kleinem Galaterkommentar
(CR I, 120-125; vgl. SM VI/1, 59f; vgl.auch S.92fAnm.115).
Durch die Leipziger Disputation (27.Juni bis 16.Juli 1519),
an der Melanchthon als Zuhörer teilgenommen hatte, ist er
endgültig für die Seite Luthers gewonnen worden (vgl. seinen
Bericht über die Disputation an Oekolampad vom 21.Juli 1519,
SA I, 3-11). Ein erster persönlicher Nachhall findet sich
im B. an Joh.Lang, 11.Aug.1519: "Ego enim et Martini studia
et pias literas et Martinum, si omnino in rebus humanis
quidquam, vehementissime diligo et animo integerrimo complector"(SA VII/1, 76,35ff). Und zum Gerücht vom Bann Luthers
schreibt er am 27.April 1520 an Joh.Heß: "Nos omnia ingenti
animo expectamus. Tu pro nobis ora. Emori malim, quam ab hoc
viro avelli.."(CR I, 160; zur Dat. SM VI/1, 98ff). Luther
komme dem Geist des Paulus von allen Griechen und Lateinern
am nächsten (B.an Joh.Heß, 8.Juni 1520, CR I, 202; vgl.
SM VI/1, 108), ja er sei allen christlichen Schriftstellern,
selbst Augustinus, Hieronymus und Gregor von Naziang vorzuziehen (B.an Spalatin, 4.Nov.1520, SA VII/1, 94,30ff).
Denn er habe "die Leuchte in Israel" angezündet (B.an Spalatin, 6.Juli 1521, ebd. 118,17f). Zum Einfluß der theologischen
Werke Luthers auf Melanchthon bis 1521 vgl. W.Maurer 1958,
159-180.

63) Vgl. aber auch jüngstens R.Stupperich (1971, 158): "Wer von
den Reformatoren zu Erasmus kommt, ist nicht wenig über-
rascht, wie viele der Grundsätze, die oft als reformatorisch
bezeichnet werden, bei Erasmus vorgebildet sind. In seiner
Ratio ist die Keimzelle vieler Erkenntnisse zu sehen, die
dieses Zeitalter bewegten. Am stärksten tritt in ihr die
Schriftorientierung hervor, und damit die Aufdeckung der
Quellen, zu denen der Humanismus rief. Aber auch das Material-
prinzip, die Erkenntnis von Christus her, tritt hier ebenso
hervor, wenn auch nicht so klar wie in der lutherischen
Rechtfertigungslehre. Die ethische Richtung, der sich Erasmus
verpflichtet wußte, hielt ihn davon zurück, die theologischen
Anliegen der Zeit deutlicher auszuprägen. Trotzdem blieb er
Bahnbrecher und Wegbereiter einer neuen Zeit." Zum positiven
Einfluß des Erasmus auf die werdende evangelische Bewegung
allgemein vgl. E.-W.Kohls 1969 (Melanchthon wird hier seltsamerweise überhaupt nicht erwähnt). Nach einer kurzen
Übersicht über die Reformtheologie des Erasmus kommt Kohls
zum Urteil: "So *konnte die erasmische Reformbewegung gerade-*

zu nahtlos in die evangelische Bewegung Luthers einmünden" (ebd. 206); vgl. auch S.2f Anm.12.

64) Dies legt jedenfalls eine Äußerung aus dem B.an Joh.Heß 1520 nahe, wo es heißt: "Te appello, Hesse, qui Oceanum infelicium quaestionum navigasti, nunc autem, velut e naufragio receptus, divinarum literarum delictis securus frueris, de humanis traditionibus et ficticiis scholis quid sentis? Nonne in alio nunc tibi mundo esse videris? nonne aliter nunc te format Christi spiritus, atque illae quondam scholae?"(SA I, 47,3ff). Auch die Festrede auf Paulus im Jan.1520 (Decl.Pauli doctr.), die mit Überschwang den Unterschied zwischen paulinischer und scholastischer Theologie betont, zielt in diese Richtung (SA I, 28-43). Vgl. darin bes. den quasi autobiographischen Hinweis, in dem er von der Wirkung seiner Pauluslektüre berichtet. Zuerst ist hier die Rede von der rhetorischen ἐνέργεια der großen antiken Redner die Rede, die jedoch Paulus bei weitem übertreffe (ebd. 33,38/34,1ff), dann wird aber die das menschliche Herz erregende Wirksamkeit der Schrift gerade auf die Tatsache zurückgeführt, daß Christus hinter ihr stehe (ebd. 34,16ff). Inzwischen berichtet er von seiner eigenen Erfahrung: "Apud me sane, posteaquam animum ei (sc.Paulo) formandum tradidi, satis scio, quid fecerit. Atque utinam malint, re ipsa experiri omnes,quam verbis meis fidem habere. Nonnullam animi iacturam in Philosophorum literis puer feci, quam,ut spero, feliciter olim doctrina Pauli sarciet"(ebd. 34,8ff). Am 11.Dez.1519 berichtet er an Joh.Schwebel von seiner Römerbriefvorlesung im vorausgehenden Sommer und von der zur Zeit des Briefes stattfindenden Matthäusvorlesung und fährt dann fort: "Toti in sacris literis sumus, et huc te, volo, totum quoque accomodes. Mirabilis in iis voluptas, immo Ambrosia quaedam coelestis animum his occupatum lactat" (SA VII/1, 79,15ff). Die Vorstellung, die Melanchthons früheste exegetische Beschäftigung lediglich als Ausdruck des literarisch und ethisch interessierten Humanismus betrachtet, der erst durch die Begegnung mit Luther langsam einen religiösen Anstrich erhalten habe, geht am Quellenbefund vorbei. Als Beispiel vgl. etwa Herrlinger (1879, 349): "Es ist zuerst nicht ein theoretisches, dogmatisches, sondern ein praktisches und zwar vorwiegend ein ethisches und ästhetisches Interesse, das Melanchthon an die Schrift fesselt."

65) "In Saxonas delatus sum, ubi defungar munere meo, donec alio vocarit coelestis spiritus, cui me plane commisurus sum."

"Magis enim per omnia spectandum est mihi, quo Χριστὸς trahat quam quo vocet libido mea"(SA VII/1, 82, 48ff.52f).

66) Vgl. den B.an Joh.Schwebel vom 11.Dez.1519 (SA VII/1, 77-80; siehe oben Anm.64). Am 4.Dez.1520 berichtet Ambrosius Blarer seinem Bruder Thomas: "Philippus, qui relictis humanis literis totus se dedidit Christianis et sacris literis, ad quas et nos exhortatur, ut nullus prope sit Vittenberge, qui non

Biblia secum in manum circumferat. Luterus Psalmos prae-
legit, Philippus Paulum, alii alia. Sed omnes coniurarunt
in Lutherum atque adeo in Philippum ipsum"(Paedag. 111;
vgl. auch den B.Melanchthons an Ambrosius Blarer, am 1.Jan.
1521, Bindseil 11).

67) Zur Chronologie der frühen exegetischen Vorlesungen vgl.
K.Hartfelder 1889, 553ff; L.C.Green 1957; A.Sperl, Nochmals
zur Chronologie der frühen exegetischen Vorlesungen
Melanchthons, in: KuD 4 (1958) 59-60; P.F.Barton 1963 (eine
kurze Zusammenfassung davon gibt Barton in SA IV, 9-12);
L.C.Green 1973.

68) So berichtet Luther im B.an G.Listrius, am 28.Juli 1520, von
der großen Hörerzahl bei Melanchthons Römerbriefvorlesung:
"Philippus vero felicissime theologizat professus pro
tyrocinio suo Paulum ad Romanos quingentis fere auditoribus
iisque omnibus avidissimis, vero et incredibili successu"
(WAB 2, 149,6ff).

69) So bereits im Spätsommer oder Herbst 1519 in einem (vielleicht von Oekolampad verfaßten) Vorwort zu einer Sammel-
ausgabe von Melanchthons und Ecks Schriften über die Leipziger Disputation (StaehelinI,100); dann von Konrad Pellikan
in einem B.an Melanchthon vom 30.Nov.1521 (SM VI/1, 171);
ähnlich von Nikolaus Gerbel, ebenfalls in einem B.an
Melanchthon, vom 27.Dez.1521 (ebd. 176). Hierher gehört auch
ein Münzerbrief an Melanchthon vom 27.März 1522, in dem
dieser als "sanctarum scripturarum professor" angeredet
wird (ebd. 182).

70) Vgl. K.Hartfelder 1889, 553ff.

71) "Excusatio Eckii ad ea, quae falso sibi Phil.Melanchthon
Grammaticus Wittenb. super Theologica Disputatione Lipsica
adscipsit.1519" (CR I, 97-103). In seiner Antwort (Def.c.
Eckium, SA I, 12-22) vom gleichen Jahr geht Melanchthon
zwar auf diesen Vorwurf noch nicht ein, wohl aber tut er
dies später in den Loci 1521 (siehe unten Anm.79).

72) Siehe S.13 Anm.54.

73) Siehe S.99f.

74) Siehe S. 151-154.

75) Es sei denn, man sieht in der Absicht, kritische Bemerkungen
(obelisci) zu den Sentenzenbüchern des Lombarden zu ver-
öffentlichen (siehe dazu S.313f Anm.342), die nächste Stufe
durchschimmern, nämlich den "sententiarius". Aber dafür,
daß Melanchthon diesen Grad noch anstreben wollte, fehlt
ansonsten jeder Beweis. Vgl. auch L.C.Green 1973.

76) So in der Wv. zur lat.Textausg.des 2.Korintherbriefes, Okt.(?)
1521 (CR I, 454; vgl. SM VI/1, 167), wohl in Anspielung an
1 Tim 3,6; vgl. auch den B.an Heß, Anfang Nov.1522 (CR I,
585; zur Dat. SM VI/1, 198f). Hierher gehört vielleicht auch,

was Melanchthon, Anfang Sept.1521, seinem von Spalatin ge-
wünschten Rat über die Affekte hinzufügt: "Sed quid scribam,
cum ipse non admodum peritus sim tam sublimium motuum
animi?"(SA VII/1, 131,13f).

77) Das versucht W.Maurer (1969, 419-428) mit großem Aufwand
nachzuweisen: "Aber der Wunsch, von ihnen (sc.den theologischen Vorlesungen) befreit zu werden, ist tiefer begründet.
Melanchthon fühlt sich dem Gegenstand nicht gewachsen und
besser zum einfachen Sprachunterricht geeignet. Seine Berufskrise ist eigentlich eine religiöse Krise"(ebd. 419).
"Hinter Melanchthons Berufskrise steckt eine Rückwendung zu
den alten Idalen des christlichen Humanismus"(ebd. 421).
Völlig abwegig ist m.E. schließlich folgende Interpretation:
"Melanchthons Flucht aus der Theologie - nur indirekt als
Sprachgelehrter oder als diplomatisch vermittelnder oder
pädagogische Absichten verfolgender Interpret hat er sich
ihr künftig zur Verfügung gestellt - ist ein Rückzug in die
'Weltlichkeit', den zwar die Reformation erst ermöglicht
hatte, der aber den Typus eines an der Theologie interessierten und sie zugleich kritisierenden Wissenschaftlers her-
vorgebracht hat. Melanchthon war nach Erasmus einer ihrer
ersten Vertreter"(ebd. 424).

78) So u.a. die vier Briefe an Spalatin, Sept. und Nov.1522,
Febr. und März 1523 (CR I, 575, 575f, 604, 606f; zur Dat.
SM VI/1, 195f, 202f, 211f, 214). Der erste, zweite und vierte
B. findet sich auch SA VII/1, 179, 42ff; 182,4ff; 185,2ff.

79) Loci 1521 (SA II/1, 12,23ff). Die Idee, daß das Christsein
die Hauptvoraussetzung für die Theologie und zugleich eine
Verpflichtung zur Theologie sei, hat Melanchthon bereits im
B.an Joh.Heß, Febr.1520, herausgestrichen (SA I, 48,11ff).
Vgl. auch die Wv.zur lat.Textausg. des 2.Korintherbriefes,
Okt.(?) 1521 (CR I, 454; vgl. SM VI/1, 167).

80) CR I, 547; vgl. SM VI/1, 180. Aber die theologische Tätigkeit
setzt er fort: im März (und April) überarbeitet er die
Loci, die im Mai in 2.Aufl.gedruckt werden (vgl. die B.an
Spalatin vom 30.März, 6.und 10.Mai 1522, CR I, 567, 570,
572; dazu SM VI/1, 185, 187f). Am 25.Juli findet die Disp.
über die beiden Regimente statt (SA I, 168-170).

81) SA VII/1, 179,42ff.

82) B.an Spalatin, zwischen 20.und 29.Nov.1522 (SA VII/1, 182,2ff)

83) B.an Spalatin, 23.Febr.1523 (CR I, 604; vgl. SM VI/1, 211f);
B.an Spalatin, kurz vor dem 12.März 1523 (SA VII/1, 185,2ff);
B.an Eobanus Hessus, Ende März 1523 (CR I, 613; zur Dat.
SM VI/1, 216f); Wv.zu Luthers "De constituendis scholis",
Mitte Juni 1524(?) (CR I, 666; zur Dat. SM VI/1, 245).
Um den 13.Sept.1524 betont Melanchthon an Spalatin noch einmal
die Objektivität seiner Entscheidung: "Feci hoc publica
causa, cum et mihi fortasse facilius esset, si carnaliter

expendas rem, theologica a pulpitis dictare, quam revocare languescentem iuventutem ad necessarias has literas" (CR I, 677; zur Dat. SM VI/1, 256). Für ihn selbst ist die humanistische Verbindung mit den Alten nicht geschwächt: jene veterum literae bereiteten ihm große Freude (B.an Spalatin, 20.Dez.1524 (SA VII/1, 222,15ff).

84) B.an Camerarius (CR I, 722; vgl. SM VI/1, 276f).

85) Neben dem eben genannten B. vgl. auch den B.an Camerarius vom 3.Jan.1525 (CR I, 648; zur Dat. SM VI/1, 274f). In allen diesen Schwierigkeiten ist es der persönliche Glaube, auf den Melanchthon sich stützt; vgl. dazu die B.an Camerarius vom 1.und 4.Jan.1523 (CR I, 597, 599; zur Dat. SM VI/1, 208), vom 23.März 1525, wo er über Schlaflosigkeit und Einsamkeit klagt: "Erigunt me nonnumquam sacra, ad quae video in his malis tanquam ad ancoram vere sacram confugiendum esse" (SA VII/1, 231,1ff), und vom 16.April 1525(?), wo Ähnliches zum Ausdruck gebracht wird (CR I, 737f; vgl. SM VI/1, 290).

86) B.an Joh.Agricola, 20.Dez.1525 (SA VII/1, 248,2ff); dazu H.Volz ebd.248 Anm.3, und O.Clemen, in: SM VI/1, 304.

87) Zur kontroverstheologischen und polemischen Tätigkeit Melanchthons vgl. etwa die Übersicht bei R.Stupperich 1961, 85-138.

88) Vgl. hier nur als Beispiel die Schilderung dieser frühen Entwicklung bei P.Joachimsen (1927, 61-74, bes.70ff), der diesen Bruch (ebd. 71f) so beschreibt: "Setzen wir insbesondere die bisherige Bewußtseinsstellung Melanchthons als erasmisch voraus, so ist sie in allen wesentlichen Punkten aus den Angeln gehoben." Obwohl in einer viel stärkeren Differenzierung, so ist diese Schematik doch auch noch bei W.Maurer 1969 leitend. Zur Frage siehe auch S. 492f.

89) Siehe S. 207-218, auch 491-501.

90) Vgl. etwa das Tableau des principales publications d'Erasme von J.Coppens,in seinem Aufsatz: Où en est le portrait d'Érasme théologien, in: Scrinium Erasmianum 1969,II, 569 bis 598, 594ff; ferner auch W.Maurer 1967, 184ff.

91) "Neque vero de poetae artificio aliud, quam quod Erasmus Roterodamus, Opt.Max.literarum praeses, ait, esse optimum artificem Terentium"(CR I, 12; vgl. SM VI/1, 17). In De ratione studii hatte Erasmus unter den Lateinern Terenz an die Spitze gestellt (vgl. A I/2, 115,11f/116,1f); vgl. auch W.Maurer 1967, 185. In seiner eigenen Ratio discendi (CR XX, 701-704) von 1521 heißt es in bezug auf die Studienmethode: "Indicarunt illam (sc.viam) docti homines quidam et in primis Erasmus in eo commentariolo, quem de ratione discendi inscriptum edidit, quem volo ut iterum atque iterum relegatis"(ebd. 703; zur Dat. K.Hartfelder 1891a, 566).

92) "Παράφρασιν Erasmus in epistolam Pauli edidit, quam si vis, mittam quoque; ὧ Ζεῦ, exclames, ὧ βρονταί"(SA VII/1, 31,11ff). Die Widmung der ersten Ausg.der Römerbriefparaphrase datiert vom 13.Nov.1517; im Jan.1518 erschien eine neue Ausg. bei Froben in Basel (vgl. J.Coppens 1961, 344 Anm.3). Auch in der Rhet.1519 weist Melanchthon beispielsweise auf eine Paulusparaphrase des Erasmus hin (Bl.B 4b).

93) "Interim e manibus tuis ut excidant Erasmi de Copia, Chiliades adagiorum, ne committe. Dici non potest, quam iis operam si locaturus utilem"(CR I, 66; vgl. SM VI/1, 56f). In der Rhet.1519 verweist Melanchthon dann in bezug auf die loci communes und andere Fragen wieder auf De duplici copia hin (Bl.E 3b=CR XX, 696; Bl.B 3b; E 3a; H 4b; in CR XX, 695-698 ist der Abschnitt De locis communibus ratio nach Nachdrucken aus den dreißiger Jahren wiedergegeben) und bringt (ebd. Bl.E 3b) auch einen fast wörtlichen Auszug daraus (vgl. auch A.Sperl 1959, 35 Anm.51). In der Rhet.1519 gibt es auch noch einen Hinweis auf die Adagia (Bl.C 3b).

94) "Pridie accepimus ex Basilea literas et libros.., misit Frobennius libellum Erasmi, Methodum Theologicam, in qua ille vir praeclarus multa, cum Martino convenientia videtur ideo attigisse, quia convenirent, eoque liberior est, quia comitem habet Sacrae veraeque disciplinae"(SA VII/1, 63,6ff). Im Jahr 1520 verweist er im Zusammenhang von Auslegungsregeln ausdrücklich auf die Ratio (SA I, 39,31ff). Es ist jedoch sehr wahrscheinlich, daß Melanchthon die Einleitungsschriften zum Neuen Testament (Paraclesis, Methodus und Apologia) schon früher kennengelernt hat. Denn die Erasmische Ausgabe des griech.Neuen Testaments, der sie vorangestellt waren, wurde sofort nach Erscheinen 1516 von allen ernsthaften Theologen bei ihrer theologischen Arbeit benutzt (vgl. E.-W.Kohls 1969a, 25).

95) Rhet.1519 (Bl.E 2b; H 3b).

96) Gleich zu Beginn in einer Marginalnote (SA IV, 139,3o Anm.) und dann einige Male im Text selbst (ebd. 181,30; 192,2.26f).

97) SA IV, 152,24 Anm. Ganz sicher ist es allerdings nicht, ob dieser Hinweis von Melanchthon selbst stammt, da es sich hier nur um eine Marginalnote handelt und die Ann.Matth. 1519/20 nicht von ihm selbst für den Druck hergerichtet worden sind, sondern sogar gegen seinen Willen nach einer Studentennachschrift in Basel im Mai 1523 gedruckt wurden.

98) So muß z.B. nach W.Maurer (1969, 562 Anm.145) auch die Kenntnis der Institutio principis Christiani und der Querela pacis vorausgesetzt werden.

99) Vgl. den schwer datierbaren, vielleicht aus dem Jahr 1514 stammende B.an Ambrosius Blarer (SM VI/1, 10).

100) B.an Erasmus, 5.Jan.1519 (SA VII/1, 57,25).

101) Vielleicht aus dem Jahr 1515 stammt ein griech.Distichon
auf Erasmus (SM VI/1, 16); ein weiteres griech.Lobgedicht
auf Erasmus datiert vom 20.Aug.1516 (ebd. 20f). Am 27.März
1517 berichtet Oekolampad an Erasmus: "Crebras ad me dat
literas Philippus Melanchthon. Semper tui meminit, semper
admiratur, semper commendari tibi rogitat"(Staehelin I, 33);
vgl. dazu die Antwort des Erasmus (ebd. 39). Zur ganzen
Frage vgl. O.Clemen, in: SM VI/1, 11f Anm.4; W.Maurer 1967,
178ff; und W.Schenk, Erasmus and Melanchthon, in: The
Heythrop Journal 8 (1967) 249-259 (der jedoch auch nur be-
kanntes Material bringt); L.C.Green 1974, 188-193 (Einfluß
auf Melanchthons Rechtfertigungslehre).

102) "Ex quo grege (sc.Sophisticorum) sunt, quibus nondum satis
Erasmus probatur, qui primus, etiam doctorum iudicio, Theologiam ad fontes revocavit. Capnionem factio ista non est
passa, a flammis, ab incendio pulcherrimas bibliothecas
asserentem. Martinum Lutherum ferre non potest, quod recta
moneat"(Wv.zur Rhet., CR I 63; vgl. SM VI/1, 56f).

103) So in einem Nachwort an den Leser zu Luthers kleinem Galaterkommentar im Frühjahr 1519 (zur Dat. vgl. S.92 Anm.115):
"Porro, id unum Martinus semper spectavit, ut deliriis
quorundam reiectis sacras literas pure tractaret, atque id,
post Erasmum, unus omnium maxime contendit"(CR I, 124).

104) "Verum ab iis benignitate Opt.Max.Dei asserunt nos, qui
sinceram ac nativam Theologiam in mediam lucem revocant.
Erasmo Roterodamo debemus cum Graecae tum Latinae linguae
studium: debemus item, ut pleraque omittam, illustratam
Novi Testamenti lectionem: debemus et Hieronymum." Als
weitere Vertreter werden angeführt:Reuchlin, Wolfgang Fabri-
cius, Oekolampad, Karlstadt (CR I, 71; vgl. SM VI/1, 61f).

105) SA I, 6,17ff. Zur Disputation selbst vgl. K.-V.Selge 1975.

106) Ebd. 16,37f; 17,4ff.

107) Siehe S.85 Anm.62.

108) Dazu die Belege bei W.Maurer 1958, 159-170.

109) Siehe S. 414f.

110) Siehe S. 414f.

111) Zur frühen Theologie vgl. die folgenden Abschnitte, zur
philosophischen Entwicklung siehe S. 410ff. Die These Maurers
lautet umgekehrt: "Alles, was ihm (sc.Melanchthon) auf seinem
Bildungsgang zugekommen war, ging direkt auf den Großoheim
zurück und war ihm indirekt - auch auf dem Weg über Stöffler -
aus dem italienischen Neuplatonismus übermittelt worden"
(W.Maurer 1967, 171; ähnlich ders. 1969, 28f, 34, 50, 238,
256ff, 389, 391f). "Und die selbständige Bildungtradition,
die er von Reuchlin und Stöffler übernommen hatte, war doch
zu stark, als daß er sich ungeteilt den wissenschaftlichen
und religiösen Anregungen hätte hingeben können, die von

Erasmus ausgingen"(W.Maurer 1967, 178); zum sekundären
Charakter des Erasmischen Einflusses auch ders. 1969, 28f,
34, 47f. Doch vermögen weder die Bestimmung des Unterschieds
zwischen Erasmus und Melanchthon in Fragen der Philosophie,
Geschichte und Natur (W.Maurer 1967, 171-178) noch auch
die Gesamtthese von einer durch Reuchlin vermittelten
Abhängigkeit vom Florentiner Neuplatonismus zu überzeugen.
Siehe dazu S.414f.

112) Sehr hoch schätzt ihn P.Joachimsen ein; von Agricolas
wichtigem Werk De inventione dialectica behauptet er (1926,
54): "Es traf ihn gerade im rechten Moment. Er hatte schon
seit der Heidelberger Zeit zwischen der alten theologisch-
philosophischen Unterweisung und den neuen humanistischen
Disziplinen geschwankt. Jetzt sucht er etwas, das ihn von
der lebensfernen Syllogistik, den 'philosophumena' der Schule auf den Markt des Lebens, in die Kämpfe des Staates und
der Kirche führen könnte. Agricolas Werk hat ihm diesen
Dienst geleistet. Man darf sagen: Es spielt eine entscheidende Rolle in dem Bruch Melanchthons mit der Scholastik, und
Melanchthon hat Agricola seine Dankbarkeit dafür über Jahre
hinaus bewahrt." Nach W.Maurer (1960, 2) wieder würde
Joachimsen die Bedeutung Agricolas für Melanchthon über-
schätzen.

113) Das Globalkriterium für "humanistische Theologie" ist hier
nichts anderes als die Entsprechung zu den oben dargestellten
formaltheologischen Aufrissen der Humanisten Erasmus und
Pirckheimer.

114) SA III, 30-42; speziell 40f. Vgl. auch die Einleitung von
R.Nürnberger ebd. 29.

115) CR I, 120-125; vgl. SM VI/1, 59f. Sowohl Verfasserschaft wie
Dat. sind fraglich. Die Verfasserangaben scheinen verschlüs-
selt zu sein. Die Vorr. ist überschrieben: "Otho Germanus
pio lectori s."(CR I, 121), das Nachwort: "Paulus Commodus
Brettanus, lectori s."(ebd. 124). Beide wurden seit
Seckendorf vielfach Melanchthon zugeschrieben, nach J.K.F.
Knaake aber "ohne den mindesten Grund"(WA 2, 437). Nun paßt
aber das "Brettanus" eindeutig auf Melanchthon, der, weil
er aus Bretten stammt, sich selbst häufig so genannt hat und
auch von anderen so genannt worden ist. Beide Stücke fallen
inhaltlich auch keineswegs aus den übrigen Melanchthontexten
dieser Zeit heraus. So darf man wohl mit W.Maurer (1969, 50,
516f Anm.79) der Meinung sein, daß man es hier in der Tat mit
Melanchthontexten zu tun hat. Nicht mindere Schwierigkeiten
bereitet die Dat. Bereits um Neujahr 1519 erwartet man den
kleinen Galaterkommentar Luthers im Druck, aber erst am
3.Sept.1519 scheint er abgeschlossen (vgl. J.K.F.Knaake, in:
WA 2, 436f). C.G.Bretschneider datiert daher beide Stücke
auf Sept.1519 (CR I, 120). O.Clemen dagegen korrigiert auf
Febr.1519 (SM VI/1, 59) bzw. auf den 4./5.Febr.1519 (WAB 1,
324). Zwischen beiden Angaben wird man die Entstehung wohl
zu denken haben. W.Maurer plädiert (1969, 517 Anm.79) wahrscheinlich mit Recht für den März 1519. Die beiden Stücke

sind übrigens am stärksten "erasmisch", d.h. sie enthalten die relativ meisten (z.T.wörtlichen) Anspielungen auf Paraclesis und Methodus (so schon W.Maurer 1959, 71f; ders. 1969, 517 Anm.81). Vielleicht hat sich Melanchthon gerade im Umkreis der Mitarbeit an Luthers kleinem Galaterkommentar und der damit einhergehenden vergleichsweisen Heranziehung der Erasmischen Annotationes zum Neuen Testament (vgl. dazu W.Maurer 1969, 53f) noch einmal mit den Einleitungsschriften zum Neuen Testament beschäftigt. Vielleicht hat er gerade nach der Lektüre der Ratio verae theologiae, die er am 12.März 1519 in die Hand bekommen hatte (siehe S.90 Anm.94), auch die übrigen Einleitungsschriften (noch einmal) durchgelesen. Auf jeden Fall hat man den Eindruck, daß Vorr.und Nachwort unter dem frischen Eindruck der Lektüre der Paraclesis und der Methodus verfaßt sind.

116) CR I, 70-73; vgl. SM VI/1, 61f. Die Widmung der Operationes trägt das Datum des 27.März 1519 (vgl. P.Pietsch, in: WA 5,4), Melanchthons Vorr. ist datiert März 1519. Vielleicht ist diese Vorr. kurz vor Vorr.und Nachwort zum Galaterkommentar anzusetzen (vgl. W.Maurer 1969, 517 Anm.79).

117) Bizer-Texte 90-99; zur Entstehung vgl. W.Maurer 1969, 104, 524f Anm.67.

118) SA I, 28-43; vgl. dazu die Einleitungen von R.Stupperich ebd. 26f, O.Clemen, in: SM VI/1 87f, und Plitt-Kolde 252f Anm.4 (ebd. 252-267 ist die Rede ebenfalls abgedruckt).

119) SA I, 43-53; vgl. SM VI/1,88ff.

120) SA IV, 134-208; vgl. dazu die Einleitungen von P.F.Barton ebd. 133f, und ders. 1963, 67ff.

121) Bizer-Texte 102-131; zur Entstehung W.Maurer 1969, 113ff.

122) CR XI, 34-41; die Wv.dazu (CR I, 133f) datiert O.Clemen auf Mai 1520 (SM VI/1, 102f) gegen C.G.Bretschneider, der Febr. 1520 angibt (CR I, 133).

123) Abgedruckt bei O.Clemen 1913, 4-8. Eine genaue Dat.ist unmöglich. Der dem Druck vorangestellte B.(ebd. 3f = SM VI/1, 137-139) stammt vom April 1521. O.Clemen vermutet (1913, 2f, und SM VI/1, 136f), daß diese Rede bald nach 1518 gehalten worden sei. Der Inhalt der Rede paßt in der Tat genau zum Typus der humanistischen Theologie, wie er im Folgenden darzustellen versucht wird. Deshalb wird man als Entstehungszeit die Zeit zwischen Ende 1518 und Anfang 1520 annehmen müssen.

124) Zu den Reden Melanchthons im allgemeinen vgl. K.Hartfelder, in: Declam. I, S.XIV-XVII; N.Müller 1896, 116-123; O.Clemen 1913. Zu den Widmungsvorreden im allgemeinen und ihrer Bedeutung siehe S.68 Anm.16.

125) Siehe S.94f, 112f. Es wurde ferner (S.106) bereits darauf hingewiesen, daß aus der Tübinger Zeit auffallenderweise keine Äußerungen zur Theologie vorliegen, weder in den Briefen,noch auch in der Rede De artibus liberalibus. Man könnte höchstens auf die Wv.zur ersten Ausgabe seiner Grammatik (Institutiones Grammaticae) verweisen, die noch in Tübingen (und zwar vor Mai 1518) verfaßt sein wird (CR I, 24-27; vgl. SM VI/1, 30f). Hier fällt Melanchthon ein hartes Urteil über den Wissenschaftsbetrieb seiner Zeit: die bonae artes seien vernachlässigt, die Philosophie:nichts anderes als wertlose, nichtssagende Erfindungen und Streitereien, und die vera sapientia lebe in der Verbannung: "Quae vera est sapientia et ad componendos hominum affectus coele demissa exulat"(CR I, 25). Aber um vielmehr als um einen Hinweis, daß auch die wahre Theologie darniederliegt, handelt es sich hier nicht.

126) So in der Wv.zur Ausg.der Nubes Aristophanis (CR I, 273-275), die in CR I, 273 auf Ende 1520 datiert ist; im B.an Laurentius Corvinus vom 19.Febr.1521 (CR I, 283; vgl. SM VI/1, 128); in der Wv.zur griech.Textausg.des Römerbriefes aus dem Jahr 1521 (CR I, 521f; vgl. SM VI/1, 178); in Did.Fav.or.1521 und Loci 1521 passim.

127) SA I, 4-11; dazu die Einleitung von R.Stupperich ebd. 3.

128) SA I, 13-22; dazu wieder R.Stupperich ebd. 12f.

129) SA I, 24f; dazu wieder R.Stupperich ebd. 23.

130) SA III, 31,1ff. Die Antrittsrede De corr.stud. vom 29.Aug. 1518: ebd. 30-42.

131) Ebd. 31,18-33,31.

132) Ebd. 33,32-39,37.

133) Siehe S. 351-353.

134) SA III, 40,1-41,20.

135) Siehe S.76 Anm.19.

136) "Verum quod ad sacra attinet, plurimum refert quomodo animum compares. Nam si quod studiorum genus, sacra profecto potissimum ingenio, usu et cura opus habent. Est enim odor unguentorum domini super humanarum disciplinarum aromata: Duce Spiritu, comite artium nostrarum cultu, ad sacra venire licet" (SA III, 40,1ff). Vom Kontext her ist m.E. die Übersetzung W.Maurers ganz unmöglich, der (1969, 29) diese Stelle folgendermaßen paraphrasiert: "Und wo er (sc.Melanchthon) sich speziell mit der Theologie beschäftigt, macht er deutlich, wie kühl sein Verhältnis zu ihr ist. Seinen literarischen Studien erkennt er an sich schon religiöse Würde zu; der Geist des Herrn, der noch hinzukommen kann und soll, legt sich wie der Duft kostbarer Salbe auf diese menschlichen Bemühungen."

137) "Itaque cum theologia partim Hebraica, partim Graeca sit,
nam Latini rivos illorum bibimus, linguae externae discendae
sunt, ne veluti κωφὰ πρόσωπα, cum Theologis agamus. Ibi se
splendor verborum ac proprietas aperiet et patescet velut
intra meridiana cubilia verus ille ac genuinus litterae
sensus. Proxime cum litteram percepimus, sequemur elenchum
rerum. Facessent iam tot frigidae glossulae, concordantiae,
discordantiae, et si quae sunt aliae ingenii remorae"
(ebd. 40,11ff). Vgl. auch Raps.Rom.1521: "Essemus magni
profecto theologi, si proprium scripturarum sermonem intelligeremus"(Bizer-Texte 51).

138) "Atque cum animos ad fontes contulerimus, Christum sapere
incipiemus, mandatum eius lucidum nobis fiet, et nectare illo
beato divinae sapientiae perfundemur"(ebd. 40,19ff).

139) "At cum in vineis Engaddi cyperum legerimus, occurret sponsus
saliens super montes, et transsiliens super colles, ductos
in Palatia Eden בְּשֶׂמֶן הַרָק succo liquido, flagrante, in pios
animos difluente inunget, ac morte osculi dignabitur. Illius
membris inserti vivemus, spirabimus, vegetabimur, Sion con-
templantes, et silentio κρυφιωμύστῳ Salem adorantes. Hic
caelestis sapientiae fructus est"(ebd. 40,22ff).

140) Zu Erasmus siehe S.37ff, 58f, 60f. Zu Melanchthon S. 148f und
S. 378.

141) Dieser Zirkel ist als solcher wohl kaum spezifisch reformatorisch, wie H.Engelland (1931, 4) gerade mit Blick auf die
frühe Theologie Melanchthons meint: "Logisch betrachtet dreht
Melanchthon sich hier im Kreise: der Mensch versteht die
Heilige Schrift nur durch den Geist selbst, aber den Geist
wiederum nur durch die Schrift. Sie bedingen und fordern
sich gegenseitig. Das ist Melanchthon das Geheimnis der Offenbarung Gottes: durch den Geist zur Schrift und durch die
Schrift zum Geist, eine Kreisbewegung, zu deren Strom wiederum
kein Mensch, sondern nur der Geist selbst den Anschluß schen-
ken kann. Das ist der schmerzliche Zirkel der reformatorischen Botschaft." Damit soll nun natürlich nicht gesagt werden, daß diese Kreisbewegung nicht auch reformatorisch sein
kann. Melanchthon behält sie ja in seinem Hauptwerk mit
Selbstverständlichkeit bei (vgl. auch H.Engelland ebd. 70,208).

142) "Eam (sc.caelestem sapientiam) igitur quam purissime non inter-
pollatam nostris argutiis colamus. Id quod cum aliquoties
inculcat Paulus, tum in epistola ad Titum sedulo a christiani
hominis doctrina exigit, ἀδιαφθορίαν integritatem, hoc est,
ne lubrica sit fides. Deinde σεμνότητα mundiciem, hoc est,
ne alienis litteris improbe sacra contaminemus. Opinor quod
futurum sciebat, si sacris prophana miscerentur, fore, ut
simul prophani affectus, odia, studia factionum, schismata,
iurgia, confertim succederent. Proinde qui divinis initiari
volet, Adam illum veterem exuat oportet, ut incorruptibilem
Adam induat, hoc est, humanos affectus, ipsumque callidi
serpentis iugum supera virtute frangat, excutiat, ut in gloria

Domini transformetur in abyssum abyssus"(SA III, 40,28ff/
41,1ff).

143) "Hoc sane in causa erat cur dicerem usu litterarum destitu-
tam ecclesiam, veram ac germanam pietatem traditionibus
humanis alicubi mutasse. Postquam hominum commenta placere
coeperunt, et amore operum nostrorum victi, pro manna
Beelphegor gustavimus, homines non χριστοί esse coepimus"
(ebd. 41,4ff).

144) SA I, 44,34f; CR I, 274. In beiden Fällen geht es um die
Überlieferung, von der gesagt wird, daß in ihr das "Menschliche" nicht dem "Göttlichen" vorgezogen werden darf.

145) CR I, 73; SA IV, 196,13ff; vgl. SA IV, 136,11 (ad caelestia
rapere).

146) CR XI, 35.

147) SA IV, 196,15.

148) Ebd. 179,12.

149) SA I, 35,22; ähnlich CR I, 128 (mirabilis voluptas).

150) SA I, 31,13f; 34,26; 139,33f; CR XI, 36; vgl. ebd. (coelestis
legumlator).

151) CR I, 274 (e coelo demissa).

152) SA I, 19,18; 35,3; 39,11; 69,16; 138,30; CR I, 133; SM VI/1,
96; SA IV, 150,10.

153) Z.B. Loci 1521 (SA II/1, 37,9).

154) SA III, 40,21; CR I, 122.

155) SA III, 40,28; SA I, 7,28; 37,6; vgl. CR I, 25 (vera sapientia "coelo demissa").

156) SA IV, 142,23f; 188,21.

157) Ebd. 163,9; SA I, 59,23f.

158) SA I, 28,9.

159) Ebd. 38,37; 47,14.

160) CR I, 73.

161) Ebd. 128.

162) SA I, 35,23.

163) Divina sapientia (siehe oben Anm.154); caelestis sapientia
(siehe oben Anm.155).

164) Doctrina caelestis (siehe oben Anm.157); doctrina sacrorum divinitus ipsoque dei filio autore prodita (CR XI, 37); doctrina Christi (CR I, 122, 71; SA I, 48,18.22; 34,16ff).

165) Sacra philosophia (CR I, 121, 122); sacrosancta philosophia (CR XI, 36); Christiana philosophia (CR I, 122); philosophia Christi (SA I, 34,18f).

166) Sancti spiritus oracula (CR I, 122); secreta oracula (SA I, 32,23); obscura oracula (ebd. 33,27f); oracula vatum (ebd. 30,38); Apostoli (sc.Pauli) oraculum (CR I, 274f).

167) Siehe S.123ff.

168) SA IV, 143,26; "Mysterium incarnationis verbi est alio tempore et aliis clarius revelatum.."(ebd. 187,9f); mysteria divinitatis (Loci 1521, SA II/1, 6,16f).

169) SA IV, 166,6ff; 167,13; 172,33ff; 173,14ff; 177,26; 179,14ff; 180,22ff; 183,21ff; verbum Christi (CR I, 123).

170) "Bonitatem suam cum alias varie declaravit deus, ut et vulgo dicitur, Iovis omnia plena esse, tam in Christo absolutissime expressit, per quem stupendis modis hominem e mediis Orci faucibus eripuit"(SA I, 31,20ff).

171) "Dimisit igitur in terras opt.max.deus filium carne nostra, quo et coniunctior et amabilior esset, indutum, per quem semel peccati mortisque regnum excinderetur et in idem lex seu ratio et cupiditas consentirent. Denique, per quem pax et vita in animos omnium insereretur, quotquot sese illi per fidem accomodaturi essent"(ebd. 31,34ff/32,1f).

172) Beneficium, "quod per ipsum coelestis pater in universum terrarum orbem effudit"(ebd. 31,13f).

173) Ebd. 37,23ff.

174) Ebd. 37,25ff.

175) Ebd. 37,31ff.

176) Ebd. 38,1ff; vgl. Bizer-Texte 91f.

177) Der Sohn Gottes ist der "aeternus sermo" (CR XI, 36; SA I, 30,20), der "aeternus Dei sermo"(CR XI, 37), der "sermo maximi Patris"(ebd.). Demgegenüber spielt der Ausdruck: Christus = verbum Dei in dieser Frühzeit eine geringe Rolle; z.B. SA IV, 137,17ff: "Christus verbum Dei est, verbo ut creata sunt omnia, ita recreari solent."

178) "Nos impiam et nugacem (sc.philosophiam) amplectimur, quibus e coelo demissa est peculiaris sapiendi ratio, velut ἔκτυπος mentis divinae. Nam si propria animorum effigies est oratio, non dubium est divino sermone divinam mentem expressam esse" (CR I, 274).

179) Entsprechend dem biblischen Gedanken von der Fleischwerdung
des Wortes ist hier die Rede von der incarnatio sermonis
aetherni, die identisch ist mit dem Christus "in terram
delapsus" (SA I, 30,19f); "cur carne Filius Dei, adeoque
aeternus sermo, vestiretur?"(CR XI, 36); "Carnem aeternus
Dei sermo induit" (ebd. 37). Umgekehrt kann natürlich die
Idee der Menschwerdung auch mit der Erlösung verbunden
werden (SA I, 31,34ff; 35,15ff; CR XI, 36; vgl. SA IV, 136,
25ff; 137,19ff - hier Erlösung jeweils verstanden als Ver-
leihung des Geistes); oder in mehr reformatorischer Begrifflichkeit: "Christum venisse, ut peccatores salvos faceret"(SA IV, 144,11f); Christum vernisse in terras iustifican-
di nostri gratia" (ebd. 144,2of); oder speziell verbunden
mit der Gottes- und Christuserkenntnis: "Delapsus est in
carnem dei filius, ne ignoraretur.."(SA I, 48,2f); "..Chri-
stus, qui in hoc carnem induit omnibus sese gentibus mani-
festaturus, quod venerat omnes servaturus audientes verbo
suo per fidem"(SA IV, 135,1f); "..Christum natum esse in Bethlehem, hoc est: perveniri ad Deum non nisi per Christum
natum in Bethlehem"(ebd. 143,9ff).

180) CR XI, 36; vgl. SA IV, 188,25ff. Zur späteren Zeit vgl.S.130f
Anm. 45.

181) "Tantum agnosce Christum et habes deum faventem"(Bizer-Texte
122); "At nisi Christum noris, nec patrem cognosces. Huc
igitur omnes spiritus tui cogitationes affer, huc incumbe,
ut ex promissionibus cognoscas, quae tibi in Christo sunt
donata"(Loci 1521, SA II/1, 106,25ff; vgl. ebd. 123,29ff).

182) "Satis enim constat gentes ignorasse Christum, id est: eum
à quo petendum esset remedium sui peccati. Christum novisse
nihil aliud est quam scire: Christum esse auctorem et pignus
iustitiae, pacis, et vitae"(SA IV, 178,32/179,1ff). "Iam
ut nihil prius est in Christianismo quam cognoscere Christum."
(ebd. 200,3f).

183) "Duplex est de Christo opinione: humana altera, altera divinitus inspirata. Humana facit ex Christo prophetam aliquem,
non Deum, hoc est: non eum, qui nos salvos faciat. Divinitus
inspirata ostendit nobis, 'Christum filium Dei vivi', qui
salvet, liberet, servet, vivificet"(SA IV, 184,29ff).
"Iam hic observa Christum agnosci aut credi non posse ex
viribus carnis aut sanguinis, sed tantum revelante patre"
(ebd. 185,19ff).

184) W.H.Neuser vertritt (1957, 42) m.E. zu Unrecht die Ansicht,
daß die Christuserkenntnis von Anfang an "rationalisiert"
sei, weil sie nur Erkenntnis bestimmter Heilstatsachen sei,
die zeitlosen Charakter trügen, weil jegliche "Christusmystik"
fehle und Christuserkenntnis nie "Christusgemeinschaft" bedeute. Dies sei sein humanistisches Erbe. Erst recht nicht
fehlt bei Erasmus die Christusmystik gänzlich, wie Neuser
(ebd. Anm.6) mit Berufung auf J.Huizinga feststellen will.
Zu Erasmus vgl. S.38, 70f, 72ff.

185) Die Identität von beneficium Christi und Spiritus ist vor
allem in der Decl.Pauli doctr. in den Vordergrund gestellt;
z.B. "..Christi beneficium, hoc est spiritum virtutum.."
(SA I, 40,17f); vgl. auch SA IV, 196,13f: "Nam Christum venire non est aliud quam spiritum conferre.." Zum beneficium-
Begriff, der sich auch bei Erasmus häufig findet, vgl. das
Material bei W.Maurer 1969, 233-244, 346ff.

186) CR I, 73; CR XI, 35; bzw. coelestis Spiritus und divinus
spiritus (siehe S.96 Anm.152, 153).

187) CR XI, 35; Loci 1521 (SA II/1, 38,17); SA I, 36,19.22.

188) SA I, 30ff, bes. 32,23ff; 33,25ff; vgl. SA IV, 178,31f/179,1ff

189) "Ante Christum incarnatum maiestas Dei et severum iudicium
cognoscebatur, sed incarnato verbo iam bonitas Dei ineffabilis spectatur, qui se in sinus mulierculae effudit, carnem
nostram induit, peccata nostra sustulit"(SA IV, 141,32ff/
142,1); wobei diese endgültige Offenbarkeit der bonitas
Dei als im Alten Testament angesagt betrachtet wird, wie
die folgenden Schriftzitate (Jer 31,33f; Is 59,21) zeigen
(ebd. 142,1ff); vgl. ebd. 143,25f.

190) SA I, 34,28ff.

191) SA I, 35,2ff; vgl. auch CR I, 73, wo die Wirkung der Psalmen
und des hinter ihnen stehenden Spiritus Dei beschrieben
wird als ein "rapere ad coelestia", "sociare coelo","transformare in divina".

192) Christus, "qui spiritum impertit, quo humani animi accensi,
nihil non coeleste, sua ipsi sponte adfectent.."(CR XI, 35).
Auch hier wird wieder der Zusammenhang mit der virtus sichtbar, denn Melanchthon fährt fort: "Lex enim recti viam
monstrat. Sed honestum animis humanis ille Christi spiritus
absolvit"(ebd.); vgl. SA I, 35,15ff: Christus sei nach Paulus
Mensch geworden, damit er dem, der sich auf ihn werfe, den
spiritus vivax und autor virtutis schenke. Dieser erfülle
(absolvit), was das Gesetz befehle, und er tränke die Sterblichen derart mit einer coelestis voluptas und erfülle sie
derart mit einem divinum nectar, daß ihnen das, was dem
Gesetz fremd sei, bitter, häßlich und abscheulich werde.
Vgl. auch ebd. 36,12ff.

193) SA IV, 135,27ff. "Itaque nihil aliud est gratia quam novi illi
affectus, quibus ad caelestia rapimur"(ebd. 136,10f). Durch
Christus werde der spiritus geschenkt, durch den das Gesetz
erfüllt werde und unsere Sünden vergeben würden (ebd. 139,
18ff). Durch die boni affectus würden die affectus peccati
ausgerissen und ausgerottet (ebd. 137,15f). Auch der Anfang
dieses Vorgangs geht auf die Wirkung des Geistes zurück:
Durch den Kampf des Geistes mit der Natur werde das Fleisch-
liche an uns zerbrochen, bis das Herz (mens hominis) rein
werde und nichts in ihm zurückbleibe außer dem "anxium Dei

desiderium"(SA IV, 142,34/143,1ff). Es gebe keinen Weg zu
Gott außer den dieser "anxia suspiria" (ebd. 143,7f). Diese
Identifikation von gratia-spiritus-affectus findet sich auch
in der Inst.1519 (Bizer-Texte 94). Wenn W.Maurer (1958, 157
Anm.10) dazu feststellt:"Sicherlich geht der Vitalismus von
Melanchthons Geistanschauung und seine Entgegensetzung
vom göttlichen Liebesaffekt und menschlichen Sündenaffekt
auf Luther zurück" und ferner (ebd.) auch noch auf die
vom Lombarden vollzogene Identifikation von Geist und Gnade
hinweist, so scheinen mir diese beiden Linien zumindest
durch eine dritte ergänzt werden zu müssen, nämlich durch
die Erasmische Affekttheologie (siehe S.66ff), der vielleicht
sogar der Primärimpuls zuzuschreiben sein dürfte.

194) SA IV, 150,2ff; vgl. ebd. 154,21: iustitia spiritus = affectus; ebd. 154,24ff: "Iustitia vero spiritus est liber impe-
tus ac raptus ad bona, sive novi affectus, quos in nobis
Deus contra naturae affectus creat, quae iustitia contingit
nobis per Christum, ut quisquis affectus in suo genere acer
ac vehemens est, ita cum eo dimicandum est per nomen Christi;"
vgl. ebd. 196,13ff.

195) SA IV, 179,11ff; vgl. ebd. 179,27ff.

196) SA I, 32,3; 33,26f; 35,17; 36,36f; 38,3; CR XI, 38.

197) SA I, 37,19; 40,18.

198) "Itaque debemus Christo spiritum absolutae virtutis ac pacis
seu, ut graece dicam, εὐθυμίας autorem atque adeo absolutam
felicitatem"(SA I, 32,3ff); "spiritus absolutae virtutis ac
pacis auctor" und dementsprechend "pax conscientiae et
absoluta virtus"(ebd. 33,26f.32; vgl. ebd. 36,36f).

199) "Spiritus gaudii est et pacis: Gaudium et pacem animo inseret,
nisi ipse reiicias"(CR I, 133).

200) SA I, 32,3ff.

201) "Primum enim ratione quadam et doctrina opus esse, ad instituendam vitam, vel hoc argumento est, quod nulla privatim
domus, nulla civitas publice, citra legum usum administrari
posse videtur, ut literas in hoc repertas verisimile sit,
quo praescriptis, adeoque duraturis legibus, paulatim glis-
centi hominum cupiditati frenum iniiceretur. Extant vivendi
formulae, aliae divinitus proditae, aliae ab ingeniosis
hominibus conscriptae, quale et Hesiodi, item Homeri poema,
quales Philosophorum commentarii, quales pleraeque nobilium
civitatum leges sunt, quarum memoria, historiarum beneficio,
ad nostra tempora propagata est"(CR XI, 35). "Iam et hoc
humanae leges divinis scripturis vincuntur, quod legibus
Evangelicae literae additae sunt, quae Christum generi mortalium exhibent, qui spiritum impertit.."(ebd.). "Divinitus
prodita est scriptura.."(SA I, 51,19; vgl. CR XI, 37).

202) Z.B. SA I, 37,10ff; 45,3; 46,14f; 47,5.21f.27; 48,1; 49,5;
CR XI, 36.

203) Z.B. SA I, 40,15; 44,30.33; 45,26f; 46,5; 47,10.19; 48,13.26;
CR I, 121, 122, 124, 158.

204) Z.B. CR I, 72; CR XI, 35.

205) Z.B. SA I, 46,17.19; CR I, 72, 274.

206) Fontes (=scriptura) - lacunae (=commentarii)(Loci 1521, SA
II/1, 41,8ff). Die sacrae literae sind "per se purae"
(SA I, 40,15). Wie weit seien aber die commentarii von dieser
puritas der Heiligen Schrift entfernt (Loci 1521, SA II/1,
4,32f). Auch hier fehlt der Zusammenhang mit Christus nicht.
Denn wenn man sich den fontes zuwendet, dann kommt man tatsächlich mit Christus in Kontakt und nicht nur mit einer
divina sapientia im allgemeinen (vgl. z.B. SA III, 40,19ff).

207) SA I, 38,1ff. Diese Gegenwärtigkeit Christi für den Christen
wird häufig hervorgehoben (vgl. z.B. CR I,133).

208) CR XI, 35 (siehe oben Anm.201). "Quod de lege constitutum
erat, ut pro omnium aedium vestibulis scripta, fimbriis item
vestium insculpta, nunquam non ob oculos posita, spectaretur,
Idem in Evangelio tanto adcuratius praestandum erat, quanto
ad fingendas inflammandasque mentes efficacius est, quam
lex. Nam cum illa mortuas quasdam virtutum umbras tantum
obscure delineet, hoc vivacissimum nobis exemplar vitae,
Christum exhibet, nullos non animorum motus adspectu adeoque
gratiosissimi vultus sui splendore serenantem"(CR I, 521f).
Mit Christus als dem Zentrum der Schrift hängt auch der Begriff "Evangelicae literae" zusammen (vgl. CR XI, 36; CR I,
71; SA I, 45,4f.23.28; 48,20f).

209) SA I, 36,34ff; 37,16ff; CR XI, 40; CR I, 522.

210) "Delapsus est in carnem dei filius, ne ignoraretur, quanto
magis per literas cognosci voluit, quas ceu effigiem sui
perpetuo duraturas nobis reliquit"(SA I, 48,2ff); sacra
doctrina, "in qua illius (sc.Christi) velut in speculo relucet imago"(CR XI, 37). Melanchthon hat nach seinen Worten
den griech.Text des Römerbriefes herausgegeben, damit dieser
immer in Händen gehalten werden könne, "ne qua unquam ab illa
vitae imagine illoque salutari vultu Christianae iuventutis
oculi deflecterent. O vere foelices, quos hanc εἰκόνα Christi
iuvabit intueri, complecti, exosculari nocturna versare manu,
versare diurna"(CR I, 522). "Nam cum in illis (sc.divinis
literis) absolutissimam sui imaginem expresserit divinitas,
non poterit aliunde neque certius neque propius cognosci"
(Loci 1521, SA II/1, 4,28ff). Auf diese Weise kann die Heilige
Schrift auch einfach"Christi literae" oder "Christianae
literae" genannt werden (CR I, 73 und SA I, 34,21ff; 43,16ff).
Selbst die göttlichen Gesetze sind Abbild ihres Urhebers:
"Verum in his divinae leges tanto sanctiores sunt humanis,
quanto propius effingunt tum autorem, tum archetypum omnium

bonarum rerum.."(CR XI, 35). Vgl. auch noch Did.Fav.or.1521 (SA I, 75,6ff).

211) Siehe S.97f Anm.177ff.

212) Daneben findet sich ansatzhaft auch eine andere Linie, die vielleicht mehr auf Luther zurückweisen dürfte: Mt 8,8 (Immo tantum dic verbum) legt Melanchthon z.B. so aus: "Venit enim per verbum"(SA IV, 167,13). Noch deutlicher ist die Auslegung von Mt 15,32 (Miseret me turbae): "Nos sumus turba illa, qui ne pereamus, ita Christo curae sumus, ut: 'miseret me'exclamet. Pascit autem nos, ne in deserto deficiamus, pane vitae, puta verbo, quod panis appellatione in scripturis intelligitur"(ebd. 183,19ff). Vgl. auch die Auslegung von Mt 1,1: "Est autem titulus ipsius evangelii totius argumentum, quo Christi incarnatio praedicatur, quomodo carnem Deus, et nos Deum induamus. Nam ea demum est absoluta incarnatio, si nos ipsi verbo incarnemur"(ebd. 136,25ff).

213) CR I, 122, 71; SA I, 48,18ff. Durchgehend findet sich diese Gegenüberstellung Christus - homines im B.an Joh.Heß (SA I, 43,14ff; 45,15ff.22ff; 46,32ff; 47,26ff). Die doctrina Christi ist ja identisch mit dem verbum divinum (SA IV, 180,22ff) und mit der Heiligen Schrift. Wenn daher auch die Heilige Schrift oder die christliche Lehre als fundamentum bezeichnet werden (vgl. die Belege bei K.Haendler 1968, 66f Anm.70), so ist damit noch nicht ein Schwinden der christologischen Dimension und eine beginnende Doktrinalisierung des Glaubens notwendig signalisiert (so mit Recht K.Haendler ebd. gegen R.Schäfer 1961, 97ff).

214) Vgl. Loci 1521 (SA II/1, 163,19f).

215) Ebd. 37,7ff; vgl. 4,28ff.

216) SA I, 39,34ff; vgl. 47,34ff; CR I, 464; CR XI, 35: selbst die paulinische Theologie sollte allen Menschen vertraut sein.

217) SA I, 39,12ff.

218) SA I, 37,10ff; vgl. Loci 1521: "Immo nihil perinde optarim, atque si fieri possit, christianos omnes in solis divinis literis liberrime versari et in illarum indolem plane transformari"(SA II/1, 4,25ff).

219) CR I, 521 (siehe oben Anm.208). Zur vis Evangelii auch SA IV, 196,12; vgl. ebd.180,24f. In dieser Hinsicht ist die Evangelica doctrina geradezu der Mutterleib (alvus) der christlichen mentes (CR XI, 37).

220) Vgl. SA IV, 166,6ff.

221) Loci 1521 (SA II/1, 38,13ff). Zum affektiven Rahmen der lux caelestis vgl. SA IV, 142,23ff.

222) SA I, 49,20ff.

223) Ebd. 49,10ff.17ff.

224) Ebd. 50,24ff (als Referat eines Augustinuswortes).

225) CR I, 72f; vgl. CR I, 128, 521f. Was dies konkret bedeutet,
wird auch an Hand der Stellung der Psalmen deutlich. Diese
besäßen nicht nur wegen der öffentlichen und offiziellen Verwendung in der Kirche eine Vorzugsstellung, sondern auch
deshalb, weil sie erstens allenthalben fast die gesamte
sacra historia berührten, und weil sie zweitens die Prophe-
zeiungen über den Retter Jesus, über die Berufung der Heiden
und über die Kirche Christi mit so klaren Gesängen priesen,
daß dadurch David die übrigen Propheten um vieles überrage,
und weil drittens aus den Psalmen nicht nur wie aus den
literae historicae die scientia rerum gestarum und die
scientia legis entnommen werde, sondern auch die vis et
energia historiae, die die Herzen (animi) eben durch ihre
harmonia erwecke und die dann so Erregten mit einem Schwung
zum Himmlischen fortreiße. Das sei gleichsam das den Psalmen
Eigentümliche, daß sie den zu beruhigenden Affekten die
exempla sacrae historiae bereitstellten (CR I, 73).

226) SA I, 29,24ff.

227) Ebd. 30,8.22.25.31.35; leges vivendi (ebd. 30,13f); leges
per Mosen promulgatae (ebd. 30,38); vgl. CR I, 274.

228) SA I, 30,9; exempla (ebd. 30,22.25.31.36); exempla vitae
(ebd. 30,15).

229) Ebd. 30,9f; vatum oracula (ebd. 30,38).

230) Ebd. 30,1o.17; historiae (ebd. 30,39).

231) Siehe S.123ff und S.99 Anm.185.

232) SA I, 30,1off; 31,2ff. Während die einen Schriftsteller Gesetze einschärften, andere wieder Geschichtstaten erzählten,
erkläre Paulus in einer methodica disputatio jene loci
(nämlich natura hominis, peccatum, lex, absoluta virtus, sacramenta), ohne die weder leges, noch vaticinia, noch historiae
verständlich seien. Er erhelle dadurch wie eine methodus
die gesamte Schrift (CR XI, 37f).

233) SA I, 31,5ff; 33,25ff; 40,16ff. Vgl. auch Raps.Rom.1521: "Qui
hanc Epistolam (sc.ad Romanos) tenet, abunde satis intelligit
rerum Christianorum. Rursus qui eam non tenet, nihil habet
harum"(Bizer-Texte 46).

234) SA I, 33,35ff.

235) Ebd. 33,38/34,1ff; vgl. ebd. 42,12ff.23ff; CR XI, 39.

236) SA I, 38,3ff. Zugleich wendet sich Melanchthon gegen gewisse Gegner: Es sei hier unnötig die nichtige Meinung jener
Leute zurückzuweisen, die Paulus nach der Zeit beurteilten
und schwätzten, daß seine Schriften für noch ungebildete
Christen verfaßt seien, während nun für die Erwachsenen eine
sublimior Theologia notwendig sei (SA I, 39,3ff; 41,24ff).

237) CR I, 122.

238) CR XI, 39 (siehe S.106 Anm.256). Zu dieser Offenbarung-Ver-
nunft-Differenz und Göttlich-menschlich-Gegenüberstellung
siehe auch SA IV, 165,19ff; 166,6ff; 184,29ff; 185,1ff; 187,
28f; Ann.Rom.1,1, 1521 (Bl.A 4a).

239) Sacrae literae, "quibus nihil salutarius, nihil verius,
nihil elegantius, nihil sublimius fingi potest. Neque enim
in eorum sum sententia, qui crassulas et idioticas putant
sacras literas. Crede, Hesse, maius aliquid et sublimius
esse, quam sit hominum philosophia"(CR I, 158). Oder im
Vergleich David (=Psalmen) und Orpheus: "Nihil est quod
vetustas gentilium epodas mihi suas, aut Orphei hymnos
iactet: longe sunt huius cithara voces aliae, quae hominum
animos ita coelo sociant, ut plane in divina transforment"
(CR I, 73).

240) Sie kann aber auch, wie etwa in der Auslegung der Bergpredigt
(SA IV, 149ff) als Unterschied zwischen Lehre Christi und
philosophica ratio (=philosophia, ratio hominum) dargestellt
werden, wobei allerdings auch hier teilweise die paulinische
Begrifflichkeit verwendet wird.

241) SA I, 32,7ff. Daß Melanchthon hier an Plato anknüpft,zeigt
sich ebd. 33,15ff, wo die Unterscheidung weitergeführt wird.
Nach Plato müsse die felicitas notwendig iucundissima sein,
was bedeute, daß die naturae voluptas mit der virtus übereinstimmen müsse. Erst dann sei sie eine absoluta virtus. Diese
Übereinstimmung könne aber allein durch Christus geschehen,
dem der spiritus als absolutae virtutis ac pacis autor und
daher auch als absoluta felicitas verdankt werde (ebd. 32,
3ff; 33,25ff). Dies sei den Philosophen unbekannt geblieben.
Zwar hätten auch die Platoniker gesehen, daß zum Erwerb einer
solida virtus eine innere Reinigung vonnöten sei, aber
woher diese Reinigung erfolge, das zeige Paulus, wenn er
Christus vor Augen stelle, der seinen lebendigen Geist
schenke.

242) SA I, 34,25ff; 36,24ff.

243) Ebd. 35,37f/36,1.

244) Ebd. 35,29ff; 36,5f. Wenn der Mensch durch die Gesetze allein
zur Tugend gelangen könnte, so wären weder Menschwerdung
noch Evangelium notwendig gewesen (CR XI, 36).

245) SA I, 36,1ff.

246) SA I, 36,28ff (der himmlische Geist schafft eine neue Natur).
Auch hier knüpft Melanchthon wieder an die Philosophie an.
Er berichtet, daß unter den alten Philosophen viel darüber
diskutiert worden sei, ob zum Erreichen der virtus das
ingenium mehr Bedeutung habe oder ob disciplina, usus und
exercitatio wichtiger seien. Alle stimmten darin überein,
daß die natura ohne disciplina viel, die disciplina ohne
natura aber nur sehr wenig erreiche. Deshalb - und das ist
nun seine Folgerung - sei auch ein anderer magister animorum
notwendig, nämlich der himmlische Geist, der die Menschen-
herzen mit sich fortreiße (SA I, 34,33ff/35,1ff). Denjenigen,
die einen solchen (neuen) animus hätten, sei nach Paulus kein
Gesetz mehr vorgesetzt, da sie ja freiwillig die virtus so
umfaßten, daß ein äußerer Zwang nicht mehr notwendig sei
(ebd. 35,25ff).

247) Ebd. 36,37ff. Das beneficium Christi allein sei das Unter-
scheidungszeichen zwischen den impiae gentes und den Christiani animi (ebd. 31,14ff). Die heidnische Philosophie steht
für Melanchthon natürlicherweise auf der Ebene des Heidentums.

248) Loci 1521 (SA II/1, 37,13ff; 38,16ff).

249) "Primum, natura habet inconstantem opinionem de Christo, id
est: non confidit Christo, quod sit auctor iustitiae, pacis
et vitae. Deus autem inspirat constantem fiduciam, qua
apprehendimus Christum iustitiae pacis vitaeque auctorem et
pignus"(SA IV, 184,34f/185,1ff).

250) SA I, 34,21ff; vgl. 30,5f.

251) "Quantillum enim interest inter illam gentium Idolatriam et
hunc Ecclesiae statum, gentilis doctrina, philosophia admissa est et ad hanc omnia sacra dogmata referri solent"
(Did.Fav.or.1521, SA I, 138,9ff).

252) SA I, 37,10ff; vgl. CR I, 73 (siehe oben Anm.239). "Ob id
vult Paulus esse didacticon (sc.1 Tim 3,2), hoc es appositum
promptumque ad docendum, non fabulas, non philosophiam, non
superstitionem, non traditiones humanos, non ceremonias,
quae nos Ethnicos et Iudaeos, sed ea, quae nos vere pios
vereque reddant Christianos, qui possit sana doctrina imperi-
tos docere, exhortari cessantes, revincere contradicentes.."
(in: O.Clemen 1913, 6).

253) SA I, 34,16ff; vgl. SA IV, 166,6ff; ferner Bizer-Texte 121:
"Et nulla est hominum doctrina qua vincuntur affectus et
medetur conscientia nisi verbo vitae."

254) So schreibt Melanchthon am 1.Febr.1520 in einem Trostbrief an
B.Schaller: "Quod ad te attinet, si quid sinistri acciderit,
animum concipe Christianum, h.est, qui et rebus adversis
gaudeat, et occasionem sibi oblatam rei melius gerendae
sciat. Omitto enim nunc frigidas consolationes hominum Philosophorum, ut cogites animo, res humanae omnes quam incertae,
quam fluxae, quam caducae sint. Una nobis eademque efficacis-
sima consolatio ex Christo est, quem meditari te putabo...

Passus est Telemachus Homericus mederi sibi τὸ νηπενθὲς,
quanto magis nos, qui praesentem Christum habemus, patiamur
coelestem Spiritum medicantem, cui si te permiseris, πάντα
καλῶς ἔσται. Spiritus gaudii est et pacis: Gaudium et pacem
animo inseret, nisi ipse reiicias"(CR I, 132f).

255) "Naturae opinio est fides acquisita, divinitus inspirata est
fides infusa. Humana opinio de Christo contemplatur et argu-
tatur de illius natura et maiestate, divinitus inspirata
utitur Christo, vivitque Christum, hunc amabilem complectitur.."(SA IV, 185,4ff).

256) "Verum, hoc velim omnibus Christianis mentibus persuasum,
prorsus aliud esse Christianismum, quam vel Philosophiam,
vel nostrorum hominum Theologiam. Alia ad virtutem via est,
alius bonorum finis, alia hominis εὐθυμία, quam praescribit
Paulus, quam quae Philosophorum scholis docetur"(CR XI, 39).

257) Vgl den B.an Spalatin vom 6.Febr.1522: "Sed aut fallor ego,
aut novis tenebris ulturus est Christus Evangelii contemptum,
qui passim eorum animos cepit, qui praetextu nominis Christi
nunc divina humanaque omnia, sacra et prophana miscent.
Brevi vereor, nun rursum eximatur e conspectu nostro haec
lux, quae se terris paulo ante ostendit"(CR I, 547).

258) Die Philosophie sei schon im Altertum einer vielfachen Kritik
unterzogen worden: "Quo magis nostrorum hominum vecordiam
demiror, qui rem prophanam ad sacram philosophiam admisere,
atque ita, ut ad eam divina etiam ausi sint exigere. Sacris
libris certae instituendae vitae leges, exactae vitiorum ac
virtutum formae, ratio certa cognoscendarum divinarum rerum
et iudicandi humana omnia prodita est. Hanc semel admissa
philosophia ita conspurcavit, ut nusquam germana sacrorum
facies adpareat." "Iam olim divus Paulus praevidit, rem
Christianam philosophicis traditionibus labefactandam esse.
Quare cum alias hominum doctrinas acer insectatur, tum ad
Colossenses scribens pleno ore ac palam cavendum praecipit,
ne quis vos per philosophiam depraedetur"(CR I, 274). In
ähnlicher Weise wird Kol 2,8 auch in Did.Fav.or.1521 eingesetzt (SA I, 78,32ff). Auch Pirckheimer hat diese Stelle in
ähnlicher Weise verwendet (siehe S.91). Ebenso hat auch
Heinrich Bebel den Topos von der Philosophie als Quelle der
Häresien mit dieser Stelle belegt (Commentaria Epistolarum
conficiendarum Henrici Bebelij Iustingensis Poetae Laureati,
poeticam et oratoriam publice profitentis in studio Tubingen-
si, Pforzheim: Thomas Anselm, Jan.1508, Bl.L 3b/4a). Dieses
Pauluswort nimmt also in der humanistischen Reformtheologie
offensichtlich eine wichtige Stelle ein.

259) Loci 1521 (SA II/1, 41,8ff); vgl. ebd. 163,17ff; SA I, 45,
27ff: das iudicium rerum sacrarum sei aus den Evangelicae
literae und nicht aus irgendwelchen lacunae zu holen;
CR XI, 35: es gebe kein certius compendium ad foelicitatem
als die sacra philosophia; SA IV, 166,6ff: "Iam vero et hic
convenit observare, quam efficax res sit verbum Dei, et multum adeo inter verbum Dei et verbum hominum interesse.

106

Proinde ecclesiis potens istud verbum Dei praedicandum,
non fractum et elumbe hominum verbum." Ferner auch noch
SA III, 37,33ff: "Solent enim, ut ex veteribus theologis
quidam primi nominis dixit, in omni humano dogmate falsis
vera, veris falso misceri, καὶ τἀληθὲς πολλοῖς ψεύδεσιν
εγκρύπτεσται, ut Dionysii verbis utar." Soviel kann jetzt
schon gesagt werden: Der Versuch A.Sperls u.a. auch hier das
reformatorisch Neue zu sehen, das sich von den humanistisch-
erasmischen Anfängen wesentlich unterscheide, ist als verfehlt zu betrachten. Sperl faßt (1959, 89) zusammen: "Bei
Melanchthon tritt dieser Gedanke aber seit seiner Begegnung
mit Luther immer mehr in den Vordergrund. Von da ab betont
er immer häufiger: Der Heilige Geist ist der Autor der
Schrift. Das eigentlich Neue gegenüber humanistischen Gedanken liegt aber hauptsächlich darinnen, wie er aus dieser
positiven Überzeugung sofort die negativen Konsequenzen zieht:
Was nicht in der Schrift geschrieben steht, ist nicht vom
Geist Gottes eingegeben, ist also menschlich und darum der
Gefahr des Irrtums ausgesetzt und nicht wirklich gewiß. Die
ganze außerbiblische Überlieferung steht deshalb notwendig
unter dem Vorzeichen möglichen Irrtums. Mit dieser scharfen
Entgegensetzung von irrtumsfreier Tradition (=Schrift) und
solcher Überlieferung, die immer irgendwie vom Irrtum ge-
zeichnet ist, ist aber endgültig die Auffassung des Erasmus
preisgegeben, der die Antike als eine große Einheit zu verstehen suchte." Was Sperl hier als neu bezeichnet, gehört,
wie auch die Ausführungen über Erasmus und Pirckheimer gezeigt haben (vgl. S.39-49, 91ff), zu den Grundvoraussetzungen
der humanistischen Theologie.

260) SA I, 43,10ff.

261) "..ne quid receptum sit, sed recipi debeat, observent"(SA I,
46,20f).

262) Ebd. 46,32ff.

263) "At conciliorum autoritas ita pendet e divinis literis, ut
contra eas non liceat quidquam decernere"(ebd. 49,4ff).

264) "Deinde, nisi quod decretum est, ad scripturam exigi potest,
in certis et de quibus ambigi non debeat, non recipio. Error
est, quod contra scripturam decretum est: Ambiguum est,
quod scriptura non communiit, ut Peccatum est, quod contra
legem fit, medium, quod praeter legem fit"(ebd. 49,8ff).
Ähnlich wie hier, nur noch ausführlicher wird die kirchliche
Überlieferung (leges pontificiae, fides, mores, ceremoniae)
mit ihren hervorragenden Subjekten(Papst, Konzil, Bischöfe)
in den Loci 1521 (SA II/1, 56,18-63-33; bzw. mit den Beispielen bis 65,39) der Schrift untergeordnet.

265) Melanchthon geht hier von einer paraphrasierten Wiedergabe von
1 Kor 3,11ff aus: 'Fundamentum aliud poni non posse, praeter
id quod positum est, Caeterum superstrui posse aurum, argentum, lapides preciosos, ligna, foenum, stipulam, quae dies

domini declaraturus sit'(SA I, 49,28ff), und deutet dies
dann so: "Qua sententia significat, inter ambigua et, quod
aiunt, in medio relinquendum esse, si quid canonicae doctrinae, quae fundamentum est Christianismi, addatur, nempe
quod dies domini aliquando declaraturus sit. Non contemnendi
sunt spiritus aut prophetiae, ut ad Thessalonicenses scriptum est, sed probandi. Index vero seu Lydius lapis, ad quem
exigi prophetiae possint, nonne scriptura est?"(ebd. 49,31ff/
50,1f); vgl. auch in O.Clemen 1913, 7f.

266) Dies muß hier in dieser globalen Form stehen bleiben, obgleich
es natürlich einen entscheidenden Unterschied ausmacht, ob
damit der Wortlaut der Schrift oder ihre zentralen Inhalte gemeint sind.

267) "..cur articulos fidei dicam hominum placita?"(SA I, 51,16f).
"Divinitus prodita est scriptura, quae sit, ut Pauli verbo
utar, hypotyposis ac exemplar fidei, contra quam conciliis
nihil statuere fas est"(ebd. 51,19ff). Der Glaubensartikel
ist auf die Necessität des Glaubens bezogen (ebd. 24,29f).
"Nec est inter articulos fidei numerandum, quod ab hominibus
discernitur. Nam quod homines discernunt, non scimus profectum a spiritu sancto, Si a scriptura exigi non potest"
(Bizer-Texte 119); ähnlich Loci 1521 (SA II/1, 56,34ff; 57,
10ff).

268) Aus seinem Schriftprinzip leitet Melanchthon die These ab:
"Ergo citra haeresis crimen est non credere caracterem,
transsubstantiationem et similia"(SA I, 25,1f). Unter die
similia rechnet er auch den Primat des Papstes. Diese Dinge
seien nicht Glaubensartikel, sondern opiniones probabiles
(ebd. 51,27ff). Er seinerseits möchte den Satz von der
Transsubstantiation nicht ungern anerkennen, zu den Glaubensartikeln möchte er ihn aber nicht zählen (ebd. 51,34ff). Der
Unterschied besteht hier also eindeutig zwischen dem Inhalt
der Schrift und dem menschlichen und philosophischen Erklä-
rungsversuch. Über dieses Konzept gehen auch die Loci 1521
nicht hinaus: Was über die Schrift hinausgeht, kann nicht
Glaubensartikel sein: "De fide non habent ius neque pontifices neque concilia neque universa ecclesia quidquam mutandi
aut statuendi, sed simpliciter ad praescriptum sacrarum
literarum exigendi sunt articuli fidei. Nec habendum est
pro articulo fidei, quod citra scripturam proditum est.
Primum, ne quid mutetur, Paulus iubet ad Galatas (sc.Gal
1,9).."(SA II/1, 56,34ff/57,1f; vgl. 57,10ff.16ff; 60, 159f).

269) "Qui plurimum tribuunt conciliis, aiunt, errari non posse in
fidei causa ab iis, quos spiritus sanctus convocarit"(SA I,
49,14ff).

270) "Iam hos, unde certum erit, autore spiritu sancto convocatos
esse, nisi ea cernant, quae certum est a spiritu sancto prodita esse, atque adeo, quae scriptura probat: nisi frustra
Paulus Timotheum ea tueri iubet, quae sciat, unde didicerit"
(ebd. 49,16ff). "Si errari vel per concilia vel per concilia-
bula, quae vocant, potest, Certe iudice scriptura opus est,

quae quod decretum est, aut confirmet, aut refellat"(ebd. 50,9ff).

271) "..si quidem ex fructibus arborem aestimandam Christus monet, maxime cum non constet, quatenus se conciliis impertiat divinus spiritus, cum compertum sit ea toties errasse"(ebd. 49,23ff). Vgl. aber auch die Einschränkungen bzw. Spezifizierungen: "In morum disputationibus, in componendis litibus quoties erratum est a memorabilibus synodis, a quibusdam et in fidei causis?"(ebd. 51,12ff). "Memorabilibus veterum synodis citra scripturae suffragium nihil, quod sciam, decretum est"(ebd. 51,25ff). Immerhin bleibt bestehen, daß von einigen Konzilien auch in Glaubensangelegenheiten geirrt worden sei. Allerdings bleibt hier offen, was damit genauer gemeint ist.

272) "Quod volgo receptum est, concilia in fidei causa errare non posse, non paulo liberius dici puto, nempe praeter scripturae autoritatem, quamquam hoc ipsum frivolo per Charites commento nunc ita temperant quidam, ut dicant, concilia errare non posse, verum si erret, non esse concilium, sed conciliabulum, quod quale sit, quis est, qui non intelligat?" (ebd. 50,2ff).

273) Melanchthon versucht dies auch durch Augustinus zu belegen: "Divus Augustinus contra Donatistas ait, Scripturam Canonicam veteris ac novi testamenti omnibus posterioribus Episcoporum literis ita praeponi, ut de ea dubitari ac disceptari non possit, utrum verum vel utrum rectum sit, quidquid in ea scriptum esse constiterit. Et paulo post: Concilia, quae per singulas regiones vel provincias fiunt, plenariorum conciliorum autoritati, quae fiunt ex universo orbi Christiano, sine ullis ambagibus cedere ipsaque plenaria saepe priora posterioribus emendari"(ebd. 50,14ff). In der Tat scheinen der Wesensunterschied zwischen Heiliger Schrift und Konzilstexten und die Emendierbarkeit aller Konzilien zu den Hauptmomenten des Augustinischen Konzilsverständnisses zu gehören; vgl. dazu H.-J.Sieben, Zur Entwicklung der Konzilsidee, IV.Teil: Konzilien in Leben und Lehre des Augustinus von Hippo, in: ThPh 46 (1971) 496-528, bes. 516-524 (hier ausführlich zu dem von Melanchthon angeführten Augustinustext). Nach Sieben (ebd. 524) sind für Augustins Konzilslehre folgende Elemente wesentlich: "die Unterscheidung zwischen Schrift und Konzil; die grundsätzliche Emendierbarkeit aller Konzilien (in einem näher zu bestimmenden Sinn); die gestufte Verbindlichkeit der verschiedenen Konzilsformen und -veranstaltungen; die Idee, daß es sich bei Konzilien um Wahrheitssuche handelt..; das Universal- und Plenarkonzil als Manifestation der 'catholica', der gegenüber selbstverständlich Unterwerfung und Gehorsam geschuldet ist; die 'catholica' ihrerseits als der feste und sichere Grund von Wahrheit überhaupt."

274) SA I, 52,1ff. Nicht erreichbar war G.D.Crofts, Philipp Melanchton's View on Church Councils, Diss. University of Colorado 1971.

275) Die gleiche Einordnung wie die Konzilien erfährt auch das
Papsttum, auf das Melanchthon hier nur kurz eingeht. Jüngst,
so sagt er, sei die Verwegenheit so weit fortgeschritten,
daß man leugne, daß der Papst irren könne. Obwohl es schon
in den Zeiten des Sergius Leute gegeben haben solle, nach
denen der Papst weder irren noch verurteilt werden könne.
Dieser Irrtum schlage sich nun auch darin nieder, daß in
den leges pontificiae nicht nur die constitutiones conciliorum, sondern auch die Canones pontificum mit der Evangelica
doctrina gleichgestellt würden. Aber wenn schon die rechten
Staaten ihre Gesetze nach der aequitas naturae beurteilten,
um wieviel mehr sollte da nicht die Kirche ihre placita nach
der Schrift beurteilen (SA I, 50,26-51,7).

276) Sehr schön sichtbar ist dies bei G.Gloege 1954, der hier hinsichtlich der Frage Offenbarung und Überlieferung neukatho-
lische Dogmatik (ebd. 13-16: vor allem an Hand von Scheeben
und Dieckmann) und altprotestantische Dogmatik (ebd. 16-19)
einander gegenüberstellt und dann (ebd. 19) feststellt:
"Denn das ist in der Tat rückblickend von Luthers neuem Ansatz zu sagen: er enthält eine Grund-*Kategorie* des theologischen Denkens schlechthin, die Kategorie des *personalen
Gegenüber*. Die katholische Konzeption 'Offenbarung und Überlieferung' und die Luthers 'Gottestat und Menschenwerk' stehen nicht *neben*einander, wie ein reicherer Entwurf und ein
verkürzter, wesentlich kümmerlicher geratener Ausschnitt
desselben. Sie stehen vielmehr kontradiktorisch *gegen*einander
als Ergebnisse eines *toto coelo*, d.h. qualitativ verschiedenen Denkens. Sie beruhen auf *Denkstrukturen*, die von der
Wurzel her kategorial so verschieden sind, daß ihre beider-
seitigen Vertreter im wesentlichen nur aneinander vorbei-
reden können.." Vgl. dazu auch S. 306-313.

277) Um nur ein Beispiel zu nennen, das m.E. aber für die polari-
sierte Situation bis heute charakteristisch zu sein scheint:
In bezug auf die Position des Tridentinums in der Frage eines
Verdienstes in der Disposition wird z.B. einmal von einer
"Korrektur" gesprochen; so H.A.Oberman, Das tridentinische
Rechtfertigungsdekret im Lichte spätmittelalterlicher Theologie, in: ZThK 61(1964) 251-282, 282; zum anderen wird von
einer "Ergänzung"und Vervollständigung gesprochen; so
E.Schillebeeckx, Das tridentinische Rechtfertigungsdekret
in neuer Sicht, in: Conc 1(1965) 452-454, 453: "Ökumenisch
gesehen bedarf das Tridentinum deshalb keiner 'Korrektur'
(Oberman, S.282), aber doch einer dringenden Ergänzung, weil
im tridentinischen Dogma die Kirche die *Möglichkeit* offen-
läßt, daß der Mensch sich ohne Gnade, durch Selbstwirksamkeit,
zumindest in etwa und uneigentlich auf die Gnade vorbereiten
kann." "Dieses Dogma ist nicht die *ganze* Antwort, welche die
katholische Spiritualität und Theologie der Reformation zu
geben haben. Die Antwort des Tridentinums ist nicht falsch,
sondern unvollständig; die katholische Kirche hat mehr über
die absolute Priorität der Gnade zu sagen, als sie in Wirklichkeit in ihrem tridentinischen Dogma zum Ausdruck gebracht
hat, das zugleich im Licht der Gegensätze interpretiert

110

werden muß, die damals noch unter den spätmittelalterlichen
Theologen herrschten."

278) Sachlich ganz ähnlich ist im übrigen die Argumentation
Luthers in der Leipziger Disputation; vgl. dazu E.Kähler,
Beobachtungen zum Problem von Schrift und Tradition in der
Leipziger Disputation von 1519, in: Hören und Handeln. Festschrift Ernst Wolf, München 1962, 214-229, bes. 228f. Hat
Melanchthon in dieser Hinsicht die konkrete Argumentation
einfach von Luther übernommen? Die humanistische Offenbarung-
Überlieferung-Differenz hätte an sich wahrscheinlich noch
nicht unbedingt zu dieser Polarität führen müssen (darauf
weist zumindest das Beispiel des Erasmus hin). Die Polarität
scheint faktisch auch erst dort zu entstehen, wo jene humanistische Grundüberzeugung unmittelbar mit den Ergebnissen
der mittelalterlichen Entwicklung konfrontiert wurde und
wo sie zugleich deren Ausgangsbasis übernimmt. Vgl. dazu
ausführlicher S.309ff.

279) So kann sich Melanchthon wohl auf Augustinus berufen (siehe
oben Anm.273), kann aber durch die Brille des Kampfes gegen
ein rein formales Autoritätsprinzip die patristische Hochschätzung der Konzilien nicht mehr unbefangen zu Gesicht
bekommen; zu dieser vgl. bes. H.-J.Sieben, Zur Entwicklung
der Konzilsidee, in: ThPh 45 (1970) 353-389; 46(1971) 40-70,
364-386, 496-528; 47 (1972) 358-401; 48 (1973) 28-64, mit
Fortsetzung. Zu Melanchthons späterem Versuch einer Wieder-
gewinnung der Konzilsautorität innerhalb der Offenbarung-
Vernunft-Differenz und Offenbarung-Überlieferung-Differenz
vgl. S. 272f und auch 289-294.

280) Zum Rezeptionsbegriff in der Theologie vgl. bes. W.Küppers,
Rezeption. Prolegomena zu einer systematischen Überlegung,
in: Konzile und die ökumenische Bewegung (Studien des Ökumenischen Rates, 5), Genf 1968, 81-104; A.Grillmeier, Konzil
und Rezeption. Methodische Bemerkungen zu einem Thema der
ökumenischen Diskussion der Gegenwart, in: ThPh 45 (1970)
321-352; Y.Congar, La "reception" comme réalité ecclésiologique, in: RSPhTh 56 (1972) 369-403 (eine deutsche Fassung
auch in Conc 8,1972, 500-514).

281) SA I, 29,30ff.35ff/30,1ff.

282) CR XI, 35(Text siehe S.100 Anm.201).

283) So in der Wv.zu den Ende 1520 herausgegebenen "Nubes Aristophanis": "Quoties veterum studia animo reputo, nullo non
seculo video apud sapientissimos et ingeniossisimos quosque
sapiendi genus, quod philosophiam vocant, male audisse, tum
quod id ad civilium rerum administrationem inutile putarint -
Quis enim fuerit in republica disputationum usus de ideis,
de vacuo, de nubibus deque aliis hoc genus nugalibus theo-
rematis? - tum quod perpetuis contentionibus et plus satis
anxia curiosaque minutiarum quarundam inquisitione primum
generosos alioqui animos enervari viderint, deinde et veri

rationem adeo non expediri, ut philosophando magis etiam
obscurata sit" usw.(CR I, 273f).

284) SA I, 30,5f; vgl. 42,1ff. Oder die Differenz in bezug auf
die leges: "Vivendi leges praescibit Philosophia, sed multo
sanctiores Pater coelestis.."(ebd. 34,25f). Vgl. auch die
Redeweise vom Apostolicum vivendi genus und den saluberrima
praecepta ac vere Christianae pacis symbola (CR I, 71), von
Christus, "qui simul exemplum et auctor est vivendi"(SA IV,
147,7f), von Christus als archetypus (CR I, 156) und "vivacissimum..exemplar vitae"(ebd. 521), als autor und archetypus omnium bonarum rerum (CR XI, 35) und von der Heiligen
Schrift als dem Ort, "unde vitae universae ratio peteretur"
(ebd.).

285) Das beweist m.E. eindeutig die Entwicklung der Melanchthonischen Theologie, denn Melanchthon hat ja später die humanistische Theologie - zumindest, was die formale Seite betrifft - nicht einfach aufgegeben. Das beweisen jedoch auch
die Beispiele anderer Humanisten, wie z.B. das des Basler
Juristen Claudius Cantiuncula, der zum Erasmuskreis gehört
hat (vgl. dazu G.Kisch 1967, 134, 153f), wie auch das des
Erasmus selbst (siehe S.44, 49ff).

286) Diese These vertraten W.H.Neuser 1957, 125f; A.Sperl 1959,
bes. 91-99, 138f; ähnlich u.a. auch E.Wolf 1961, 14; ders.
1962, 331f; G.Weber 1962, 24f; G.Kisch 1967, 102-115 (=Ab-
kehr vom mosaischen Recht).

287) Die beiden Stellen in den Loci 1521, die(neben solchen wie
sie in Anm.284 aufgeführt sind) an erster Stelle als Beleg
für den strengen Biblizismus um 1520/21 (Ersetzung der heidnischen Gesetze durch das mosaische Gesetz) ins Treffen geführt werden, lauten: "Ceterum optarim etiam uti christianos
ea forma iudiciorum, quam Moses prodidit, item plerisque
ceremoniis. Praestaret enim, quandoquidem iudiciis carere
necessitas huius vitae non potest nec, ut opinor, ceremoniis,
uti Mosaicis illis quam tum gentilibus legibus tum papisticis
ceremoniis"(SA II/1, 132,19ff). "..esseque penes christianos
uti vel non uti formis iudicandi Mosaicis, quamquam optarim,
pro gentilibus et saepe stultis legibus Mosaicas recipi.
Sumus enim oleae illi inserti. Et verbum dei decebat praeferre humanis constitutionibus. Nec hodie alius fere Romani
illius iuris usus est quam in litigando, ut habeant, unde
se alant rabulae forenses"(ebd. 135,33ff/136,1ff). Beide
Stellen stehen im Abschnitt De abrogatione legis. Hier heißt
es: Das ganze Gesetz ist aufgehoben, es hat nun keinen geistlichen, sondern nur noch einen historisch-politischen Charakter: "Sed Mosaicane lege sola uti debeat iudex christianus?
Hic respondeo penes iudicem esse uti vel non uti Mosi lege.
Est enim rerum externarum dispositio quaedam, quae ad christianismum nihil pertinet, non aliter atque edere ac bibere"
(ebd. 135,7ff). Die Verwendung des mosaischen (Judizial-)
Gesetzes ist also eine Frage juristischer Zweckmäßigkeit.
Prinzipiell kann man heidnisches und mosaisches Recht verwenden (so der Kontext). Damit läuft aber ein Grundgedanke

humanistischer Theologie zusammen, der in den beiden ersten
Texten durchscheint - er weist seltsamerweise in die umge-
kehrte Richtung: das Göttliche sei dem Menschlichen vorzuziehen, die Offenbarung der heidnischen Philosophie und
Jurisprudenz, das mosaische Gesetz also dem römischen Recht.
Ob man dies Biblizismus nennen will, hängt mit der Weite
zusammen, die man diesem Begriff gibt. Immerhin ist damit
eine vorübergehende Schwierigkeit humanistischer Reformtheologie sichtbar geworden. Bereits im darauffolgenden Jahr
1522 entwickelt Melanchthon die Lehre vom duplex regimen
(dazu etwa A.Sperl 1959, 142-170) und in den Loci 1522 ist
von der persönlichen Bevorzugung ("optarim" des mosaischen
Gesetzes keine Rede mehr (vgl. CR XXI, 204); seit 1523 steht
dann das römische Recht im Vordergrund (vgl. den B.im April
1524, CR I 655; ferner G.Kisch 1967, 107ff, 116-126).

288) SA I, 31,11ff. Dabei bleibt natürlich bestehen, daß das göttliche Gesetz die via recti anzeigt; aber es kann das honestum
nicht selbst vollbringen; dies verrichtet den menschlichen
Herzen der Geist Christi (CR XI, 35). Es ist daher "ad
componendam vitam" sowohl Kenntnis der Gesetze wie auch
Kenntnis des Evangeliums notwendig (ebd. 36).

289) SA I, 30,30ff. Es genüge ja auch dem Soldaten für den Sieg
nicht, wenn er zwar wisse, mit welchen Künsten er den Feind
zu bekämpfen habe, wenn ihm aber ein tapferes Herz und die
entsprechenden Körperkräfte fehlten (ebd. 30,27ff); vgl.
ebd. 37,16ff.

290) CR XI, 35f.

291) SA I, 32,7ff.

292) Christus schenke den Geist, der das, was das Gesetz befehle,
erfülle und die Sterblichen mit einer himmlischen Begierde
tränke und gleichsam mit einem göttlichen Nektar übergieße,
so daß das, was dem Gesetz fremd sei, nun bitter, häßlich
und abscheulich werde. Denjenigen, die einen solchen Geist
(animus) hätten, sei nach Paulus kein Gesetz mehr aufgestellt,
das sie ja freiwillig die Tugend so umfaßten, daß Zwang nun
nicht mehr notwendig sei. So wie es ja auch nicht notwendig
sei, einem willigen Pferd die Sporen zu geben (SA I, 35,20ff).
"Gratia, quam et spiritum vocat Paulus est spiritus quo
illustramur, purgamur, impellimur ad bona. Gratiam cum lege
comparabis ut cum cogitatione affectum. Proinde ut omnium
animantium vita affectus est, omnia animantia sua quadam
sponte, pro suo affectu ad quiddam rapiuntur; sic homo secundum naturam rapitur ad mala, quia nemo venit ad me etc. Et
hic raptus, ut vita hominis est, ita omni cogitatione multo
potentior. Nam et ad multa citra ipsorum cogitationum rapimur.
Sic oportet contrarium quendam affectum in pectoribus nostris
creari, quo nostra sponte, etsiamsi nulla esset lex, ad bona
rapiamur. Hic affectus meritus est per Christum et Gratia
dicitur"(Bizer-Texte 94). Zur Gegenüberstellung von lex als
inefficax cogitatio und affectus vgl. ebd. 93.

293) CR I, 73.

294) Vgl. etwa Thomas von Aquin, S.th. I/II q.106 a.1 c.: "Id
autem quod est potissimum in lege novi testamenti, et in quo
tota virtus eius consistit, est gratia Spiritus Sancti,
quae datur per fidem Christi. Et ideo principaliter lex
nova est ipsa gratia Spiritus Sancti, quae datur Christi
fidelibus." Dazu werden Röm 3,27 (lex fidei) und Röm 8,2
(lex spiritus) angeführt, und dann auch Augustinus: "Unde
et Augustinus dicit, in libro De Spiritu et Littera, quod
sicut lex factorum scripta fuit in tabulis lapideis, ita
lex fidei scripta est in cordibus fidelium. Et alibi dicit
in eodem libro: quae sunt leges Dei ab ipso Deo scriptae
in cordibus, nisi ipsa praesentia Spiritus Sancti?" vgl.
auch S.th.I/II q.106 a.2c.; dazu etwa U.Kühn 1965, 192ff;
G.Söhngen 1957, 51ff.

295) CR I, 121.

296) Transformare in divina, rapere ad coelestia (CR I, 73);
affectare coeleste (CR XI, 35); amor als gustus divinae
bonitatis (SA I, 36,6ff). "Nam Christus venire non est aliud
quam spiritum conferre, quo rapiuntur et transformantur animi
nostri ad complectanda caelestia, et quo sedantur ac pacantur
conscientiae atque adeo dare certae salutis certum signum
et pignus"(SA IV, 196,13ff).

297) "Atque haec est ad beatitudinem compendiaria via, non per
Philosophiam, non per sacras leges, sed per Christum"(SA I,
36,37ff).

298) CR XI, 35.

299) Ebd. 36. Man müsse vornehmlich diejenigen artes betreiben,
die die via salutis und die ratio absolutae felicitatis
sichtbar machten (SA I, 29,33ff).

300) So auch in bezug auf die Paulinische Theologie: Ich möchte,
daß die Paulinische Lehre auch dem gewöhnlichen Christen vertraut sei; ich glaube nämlich, daß "ad formandam vitam"
keine ratio sapiendi geeigneter sei und daß es keinen kürze-
ren Weg zur felicitas gebe (CR XI, 35). Odern in der Gegenüberstellung von vita und verba: "..vita potius Christum,
a quo nomen habes, quam verbis exprime"(CR I, 125).

301) Siehe S.133f.

302) Durch Christus würden pax et vita in die Herzen (animi) derjenigen Menschen eingepflanzt, die sich ihm durch den Glauben
vereinigt hätten. Ihm verdankten wir den spiritus virtutis
ac pacis bzw. den εὐθυμίας autor und überhaupt die absoluta
felicitas (SA I, 31,34ff/32,1ff); vgl. ebd. 38,16ff.27ff.
Der animus Christianus sei durch den Geist ein (neuer) animus,
in dem nun gaudium und pax seien (CR I, 32f, 156). "Adeo,
quod doctrinae genus divinitus ad corrigendas, confirmandas,

consolandasque hominum mentes proditum est.."(CR XI, 37).

303) Schön zeigt sich dies bereits in der Wittenberger Antrittsrede De corr.stud., die S.116ff analysiert worden ist und
daher hier nur kurz zusammengefaßt zu werden braucht.

304) "Fundamentum quippe mutari non potest nec aliud poni praeter,
quod rectum, Christus Jesus. Magnopere autem curandum nobis,
ne structuram superinducamus tali indignam fundamento. Spiri-
tali fundamento non conveniet carnalis ac terrena doctrina.
Imitemur Apostolos, qui non lignum neque faenum, non stipu-
las, sed argentum, aurum et lapides preciosos atque adeo
vivos addiderunt summo illi lapidi angulari, cuius vi atque
complexu structura credentium coagmentata indies augescit
atque surgit in templum spiritale ac domum sanctam, quae est
Ecclesia dei, columna et firmamentum veritatis"(in: O.Clemen
1913, 7f).

305) "Sunt plures, qui sacerdotium et Episcopatum dignitatis atque
excellentiae vocabula existimant, nimirum magnificis titulis
magnopere gloriantes, dominos se ac principes haberi volunt,
qui si rem accuratius perpenderent, invenirent profecto se
non dominos, non principes, sed ministros ac dispensatores
Christi. Nam Episcopus, sacerdos nomina sunt non dignitatis,
sed functionis, officij, laboris, sollicitudinis, operis.
Episcopus, graeca vox, latine inspectorem significat, aliorum
commodis usibusque prospicientem"(in: O.Clemen 1913, 5);
vgl. Did.Fav.or.1521 (SA I, 138,15ff).

306) "Maxima igitur cura nobis habenda est, ut fideles inveniamur,
ut populo non paleas, non quisquilias, sed purum ac syncerum
semen divini verbi proponamus"(in: O.Clemen 1913, 6).

307) CR I, 71. Da es nichts Heiligeres und Heilsameres gebe als
die Heilige Schrift, vermisse man umso mehr die Klugheit bei
denen, die sich bei den Büchern der heidnischen Philosophen
verzehrten und dort alt würden, während die dem Christen
notwendigste Philosophie entweder ganz vernachlässigt oder
nur leichtsinnig überliefert werde. Wie wenige gebe es doch
in diesem Jahrhundert, die der Meinung seien, daß man sich
auf die divina sapientia verlegen solle, bevor man die Schriften des Aristoteles mit soviel Mühe und Sorgfalt untersuche.
Als ob die peripatetische Philosophie die doctrina Christi
nicht mehr behindere als sie der via nütze (CR I, 121f).

308) "Quid memorem, quantum operae Philosophie dogmatis suae
quisque factionis ediscendis impendant? Pudeat Christianos,
quibus solis et Dei et Patris, et Servatoris sui salutaria
placita fere ignorantur"(CR XI, 37). Die interpretes seien
so schlecht, daß man sich fast der verbreiteten Trägheit
schämen müsse. Nachdem man alle anderen artes ausgebildet und
erforscht habe, sei man gerade in denjenigen literae untätig
geblieben, denen gegenüber man sich nichts Heilsameres,
Wahreres, Schöneres und Höheres vorstellen könne(CR I, 158).

309) SA I, 38,38f/39,1ff.

310) Siehe S.120f, 147ff.

311) "..ac eo eniti, ut ad lectionem horum puras mentes afferatis, humanis affectibus imperatis: in summa, ut Christi literas Christo duce legatis"(CR I, 73).

312) SA I, 39,34-40,16; vgl. ebd. 39,7ff; 47,37f/48,1ff; Loci 1521 (SA II/1, 4,25ff; 5,8ff); CR I, 464f: "Intelligi sacrarum rerum tantum, quantum cuique ostenderet spiritus."

313) Loci 1521 (SA II/1, 37,7ff); vgl. SA IV, 142,29ff; 152,12ff.

314) SA IV, 171,12ff.

315) Siehe S.129f, 139ff.

316) Vgl. S.117ff.

317) Im Rahmen des an der aristotelischen Philosophie orientierten Wissenschaftsbegriffs ist diese Frage nicht drängend. So taucht denn die Frage nach dem Theologen als dem Subjekt der Theologie erst am Ende des 17.Jahrhunderts wieder auf, und zwar bezeichnenderweise unter dem Einfluß des Pietismus (vgl. C.H.Ratschow 1964, 37).

318) CR I, 122, 124.

319) Ebd. 70f.

320) Ebd. 72. Aber ebenso wie bei Erasmus ist dieser Wunsch nicht auf die Theologen beschränkt, sondern betrifft grundsätzlich alle Menschen (Loci 1521, SA II/1, 4,25ff).

321) Vgl. CR I, 158.

322) SA I, 39,17ff; 48,5ff.

323) Ebd. 24,29ff/25,1f. Luthers theoretische Proklamation des sogenannten Schriftprinzips erfolgte erst 1520 in der Assertio omnium articulorum M.Lutheri per bullam Leonis X. novissimam damnatorum (WA 7,95ff); vgl. G.Ebeling, Hermeneutik, in: RGG III(3.Aufl.1959) 251. Nach A.Schirmer (1967, 37), der sich dabei auf H.Barge (Andreas Bodenstein von Karlstadt, Bd.I, Leipzig 1905, 118f) beruft, sei Melanchthon allerdings nicht der erste in Wittenberg gewesen, der das Schriftprinzip in dieser ausschließlichen Weise vertreten hätte. Karlstadt habe bereits 1518 in einer Thesenreihe die These aufgestellt, daß die Heilige Schrift nicht nur den einzelnen Lehrern, sondern der gesamten kirchlichen Autorität vorzuziehen sei.

324) SA I, 43-53.

325) Ebd. 53,5ff.19ff.

326) SA I, 43,26-44,13.

327) "Sed excutiamus rem ipsam paulo accuratius"(ebd. 44,13f).

328) Ebd. 44,15-31.

329) Ebd. 44, 32-45,6.

330) Ebd. 45,22ff. "Factioni quisque suae studuit. Huic pontificia maiestas, illi ius conciliorum curae fuit. Sacrarum literarum, perinde ut megarensium, nulla habita est usquam ratio"(ebd. 46,3ff).

331) Ebd. 45,26ff. Die beiden Hauptthesen sind nichts anderes als der reflexe Ausdruck dieses Reformwillens (vgl. ebd. 45,32ff).

332) "Humanarum traditionum autoritatem minuo, sed ut divinarum literarum autoritas ea ratione commendatior fiat"(ebd. 46, 13ff). Beide Dinge stehen in einer Polarität, die durch Erfahrungen aus der Lage der Theologie bedeutend verschärft erscheint: Wenn die humana commenta so hoch eingeschätzt würden, sei die autoritas sacrarum literarum offensichtlich ausgelöscht. Das Programm kann daher nur lauten: redire ad Evangelica studia (ebd. 47,12f.16ff).

333) "Sunt qui compendiariam viam ad Theologica existimant non sacros libros, sed summas quasdam, ut vocant: e quibus cum didicerint, de quavis re vulgo quid sentiatur, ad eas ceu ad regulam sacros libros exigunt. Hos nonne retulerit in viam revocari? ne quid receptum sit, sed quid recipi debeat, observent"(ebd. 46,16ff).

334) Vgl. etwa die Belege bei J.Beumer 1941; ders.1966.

335) SA I, 47,20-34.

336) Ebd. 48,25ff. Auch die Autorität der Konzilien erfährt von daher ihre Einordnung. Sie darf ebenfalls nicht als vollständig selbstmächtige Überlieferung verstanden werden, sondern hat ihre Grenze an der Autorität der Heiligen Schrift (vgl. S.137ff).

337) Dies gegen A.Schirmer (1967, 37-40; vgl. auch 42), der hier einerseits zwar eine Veränderung gegenüber Erasmus (Schriftprinzip), andererseits aber noch immer einen Unterschied zu Luther wahrnehmen will, insofern es bei diesem nie ein sola scriptura als bloßes Formalprinzip' oder als 'konstruktives Erkenntnisprinzip' gegeben, sondern das sola scriptura immer nur in Verbindung mit Christus Geltung gehabt habe (bes. ebd. 40). Nichts anderes als diese globale Überordnung ist auch gemeint, wenn von der Heiligen Schrift als fundamentum Christianismi (SA I, 49,34) und als Probierstein der Überlieferung (ebd. 49,36f/50,1ff) gesprochen wird; dazu ausführlich (unter Heranziehung des Gesamtwerkes) P.Fraenkel 1961, 338-362.

338) Siehe S. 309ff.

339) Dies ist so selbstverständlich, daß es nie ausdrücklich thematisiert wurde.

340) Vgl. CR I, 44; SA I, 40,12f.19ff; SA II/1, 37,2ff(Loci 1521).

341) Vgl. SA III, 40,26ff; CR I, 73; Loci 1521 (SA II/1, 6,16ff).

342) Vgl. S.144ff.

343) SA IV, 135,27ff; 136,6ff; 137,15ff; 179,9ff.

344) Dieses Verständnis der Affekte ist im wesentlichen mit dem des Erasmus (Einleitungsschriften zum Neuen Testament) identisch, ohne daß man deswegen die Melanchthonische Affektenlehre auch schon ausschließlich auf Erasmus zurückführen müßte. Ausführlicher auf die Überlieferungsströme in der Affektenlehre ist W.Maurer 1969, 244-261, 385-392, eingegangen. Es kann allerdings nicht allem dort Gesagten zugestimmt werden. Abgesehen von einer Verzeichnung der Affektenlehre des Erasmus und abgesehen von der These von der Nachträglichkeit seines Einflusses (ebd. 259ff) ist auch hier wieder der Hinweis auf Ficino (ebd. 257ff, 260f, 391f) wenig überzeugend. Von einer neuplatonischen Stufenmystik ist bei Melanchthon keine Rede. Ein Hauptfehler Maurers dürfte auch darin liegen, daß er die verschiedenen Brechungen der neuplatonischen Überlieferung in der Tradition der christlichen Mystik (vgl. dazu etwa E.von Ivánka 1964, 307-385) nicht zur Kenntnis nimmt, wodurch dann auch die Differenz zum Florentiner Neuplatonismus nur noch periphere Dinge betreffen kann. Richtig dürften dagegen die Verweise auf Gerson (ebd. 245, 251, 255f,258f, 389ff) und die Tradition der Rhetorik (ebd. 258) sein, wenn letztere auch zu kurz kommt (dazu etwa die Bemerkungen von K.Dockhorn 1966, 180f).

345) "Quid enim prodest scire, mundum a Deo conditum esse, ut Genesis indicat, nisi conditoris misericordiam et sapientiam adores? Deinde, quid profuerit scire misericordem et sapientem Deum, nisi in animum inducas tuum, tibi misercordem, tibi iustum, tibi sapientem esse? Atque id est vere novisse Deum: neque vero extremam hanc cognoscendi Dei rationem assecuta est Philosophia: Christianorum propria est"(CR I, 73).

346) SA III, 40,20.

347) CR XI, 38.

348) "Sed haec omnia sunt alienissima a studio philosophico et magis usu et vita, imo tribulationibus pessimis et angustijs spiritus haec discuntur et nullis verbis"(Bizer-Texte 121); vgl ebd. 123, 126; SA IV, 35,6-20; Loci 1521 (SA II/1, 46,2ff)

349) SA IV, 142,23ff/143,1ff.

350) Loci 1521: "Neque enim sciri potest, quid sit diligere deum, nisi spiritu docente, hoc est nisi re ipsa spiritu inflammatus experiare"(SA II/1, 47,6ff).

351) Das Stichwort ist hier frigida disputatio (opinio u.ä.) (z.B. Loci 1521, SA II/1, 7,32f/8,1).

352) Did.Fav.or.1521: "Audistis severam clarissimi regis legem, cuius si in Christianismo exemplum aliquod habuissemus, non dubium est, quin et sacra doctrina sincerior hoc tempore esset, et cum doctrinam mores imitentur, adhuc esset reliqua Ecclesiae nonnulla disciplina.."(SA I, 73,20ff).

353) "Neque tamen munus illud (sc.sacerdotium et Episcopatum) cuiquam temere commiti debet, nisi sit et caeteris...dotibus insigniter ornatus. Debet enim vita sacerdotis, qui caeteris magister est et exactor, ea innocentia, puritate, ea integritate nitere, ut non solum scrimine, sed omni vitae careat suspicione. Nam qua fronte arguet in alijs quae ipse commitit? Quis imitabitur doctorem, cuius cum oratione (vita) pugnat? Etenim sic natura comparatum est, ut regentium mores vulgus imitetur et , quasi in typo, ita in vitam praesidentium intendens studeat illorum fieri quam simillimus. Proinde cum acrius ore pendeat populus, non tam lingua quam moribus clamare, non tam crimine vacare, quam omni virtute praeditum esse oportebit"(in: O.Clemen 1913, 5); docti et boni viri (SA I, 6,11); Luther als vir pius atque eruditus (ebd. 28,2f).

2. Teil: Formalstrukturen der humanistisch-reformatorischen Theologie Melanchthons

I. Der Offenbarungsbegriff

1) Dazu vgl. vor allem R.Latourelle 1969; A.Dulles 1970; Offenbarung 1971.

2) A.Dulles 1970, 35.

3) R.Latourelle 1969, 277-320; A.Dulles 1970, 80-89.

4) Vgl. dazu etwa W.H.van der Pol, Das reformatorische Christentum in phänomenologischer Betrachtung, Einsiedeln-Zürich-Köln 1956, 132-192; R.Latourelle 1969, 233ff; A.Dulles 1970, 105-157.

5) Vgl. H.Fries, Offenbarung III. Systematisch, in: LThK VII (2.Aufl.1962) 1109f; ders. 1965, 159ff.

6) Vgl. R.Latourelle 1969, 224-262; A.Dulles 1970, 105-198; und den theologiegeschichtlichen Durchblick bei H.Waldenfels, Offenbarung. Das Zweite Vatikanische Konzil auf dem Hintergrund der neueren Theologie (BÖTh, 3), München 1969, 26-126; zu R.Bultmann, F.Buri, W.Pannenberg und P.Althaus auch F.Konrad, Das Offenbarungsverständnis in der evangelischen Theologie (BÖTh, 6), München 1971.

7) G.Gloege, Offenbarung VI. Christlichen Offenbarung, dogmatisch, in: RGG IV (3.Aufl.1960) 1609; P.Meinhold drückt es (1960, 77) so aus: "Melanchthons Theologie unterscheidet sich von der Luthers wesentlich dadurch, daß er Philosophie und Theologie, Vernunft und Offenbarung, Gesetz und Evangelium in einen festen Zusammenhang gebracht hat." Wenn jedoch H.Steubing (1927, 915) feststellt: "Die transzendentale *Kategorie* des reformatorisch-christlichen *Glaubensurteils ist die Offenbarung*, genauer gesagt, die *in der Geschichte wirksam* gewordene Offenbarung", so scheint das gerade im Blick auf die Loci 1521, die Steubing vor Augen hat, nur sehr indirekt zu stimmen. Richtig wäre die Aussage für die Loci 1535 und noch mehr für die Loci 1543, was bereits von G.A.Herrlinger (1879, 357) beobachtet wurde. Vgl. auch S. 320f, 323f.

8) Es gilt für Melanchthon sicher noch nicht, was G.Gloege (1954, 16) pauschal von der altprotestantischen Lehre behauptet: "Unsere Fragestellung 'Offenbarung und Überlieferung' scheint ins Leere zu stoßen. Sie gleicht einem Netz, dessen Maschen zu weit sind. Was man damit fängt, ist sozusagen unser Thema in Kleinformat. Es lautet 'Schrift und Überlieferung'."

9) Die Literatur wird jeweils an den betreffenden Stellen angegeben.

10) Neben verstreuten, beiläufigen Hinweisen finden sich längere
Abschnitte bei E.Troeltsch 1891, passim; bei H.Engelland
im Zusammenhang mit der Frage der Gotteserkenntnis: H.Engel-
land, Die Frage der Gotteserkenntnis bei Melanchthon,
München 1930. Der Inhalt dieser kurzen Dissertation (49 S.)
ist dann vollständig in das ein Jahr später erschienene
materialreiche Werk H.Engelland 1931 übernommen worden;
über Gotteserkenntnis hier: 1-13, 68-79, 179-237, 470-483;
die gleiche Position vertritt H.Engelland in seinem Aufsatz
1961. Dann sind zu nennen F.Hübner 1936, 56-63, 84-90;
A.Sperl 1959, 130-140; P.Fraenkel 1959; K.Haendler 1965 (jedoch nur kurz im Zusammenhang mit dem Glaubensbegriff);
ders. 1968, 140-147; U.Schnell 1968, 88-95 (=Exkurs: Zu
Melanchthons Glaubens- und Offenbarungsverständnis).
A.Brüls 1975,46-58,80-92,113-124 (Gotteserkenntnis).

11) Vgl. dazu etwa U.Stiehl, Einführung in die allgemeine Semantik (Dalp Taschenbücher, 396D), Bern-München 1970. Prinzipiell
könnte man den Offenbarungsbegriff auch gut thomistisch mit
Hilfe der aristotelischen Vierzahl der Ursachen analysieren:
vgl. etwa J.Brinktrine, Offenbarung und Kirche. Fundamental-
Theologie, Bd.I: Theorie der Offenbarung, Paderborn 2.Aufl.
1947, 35-40; R.Garrigou-Lagrange, De Revelatione per Ecclesiam catholicam proposita (Theologia fundamentalis secundum
S.Thomae doctrinam. Pars apologetica), Bd.I, Rom-Paris 2.Aufl.
1921, 139-145; G.Söhngen 1957, 65-70. Man könnte den Offenbarungsbegriff aber auch an Hand einer religionsphänomeno-
logisch gewonnenen Schematik, wie etwa der von van Baaren
untersuchen; vgl. dazu C.-M.Edsman, Offenbarung I.Religions-
geschichtlich, in: RGG IV (3.Aufl.1960) 1597f; oder aber
verschiedene Aspekte unterscheiden, wie z.B. einen ontologi-
schen (Offenbarungswirklichkeit), einen gnoseologischen
(Offenbarungserkenntnis) und einen soteriologischen (Heilsoffenbarung): so F.Konrad (siehe oben Anm.6), 31f. Aber diese
Möglichkeiten scheinen in unserem Fall weniger geeignet, weil
sie zu schnell in die Sachfrage selbst hineinführen. Im
Rahmen einer Textinterpretation dürfte eine sprachliche
Analyse ein differenzierteres Ergebnis erwarten lassen.

12) Hier taucht natürlich sofort eine Schwierigkeit auf: Welche
Grammatik soll man benützen, die traditionelle oder eine
moderne? Und wenn eine moderne, welche wäre dann auszuwählen?
Diese Schwierigkeit ist jedoch nicht so groß, wenn man bedenkt, daß es sich hier erstens um keine rein sprachliche
Untersuchung, sondern um eine auf die Sachfrage hinzielende
sprachliche Analyse handelt, und daß zweitens nur die wichtigsten syntaktischen Beziehungen in einem Aussagesatz ins
Auge gefaßt werden sollen; hier hat sich aber das traditionelle System der Satzglieder im wesentlichen behauptet (vgl.
dazu W.Schmidt, Grundfragen der deutschen Grammatik. Eine
Einführung in die funktionale Sprachlehre, Berlin 3.Aufl.
1967, 245ff). Der folgenden syntaktischen Analyse liegt
zugrunde: J.Erben, Deutsche Grammatik. Ein Leitfaden (Fischer
Handbücher, 904), Frankfurt/Main-Hamburg 1968; ferner
W.Ludewig, Lexikon der deutschen Sprachlehre, in: Deutsches
Wörterbuch, hrsg.von G.Wahrig, Gütersloh 1971(1968), 50-250.

Eine ähnliche Grammatik für die lateinische Sprache ist nicht
vorhanden. Nach freundlicher Mitteilung von Prof.H.Rix/
Regensburg sind jedoch die Grundbestandteile eines Aussage-
satzes im Lateinischen und im Deutschen im wesentlichen die
gleichen. Aus diesem Grund können sowohl die deutschen wie
auch die lateinischen "Offenbarungssätze" bei Melanchthon
nach dieser Schematik analysiert werden. Einen gewissen
Anhaltspunkt findet diese Frageweise im übrigen bei Melanchthon selbst, insofern dieser bisweilen ähnltch verfährt:
"Cogitandum est enim, ad quem Deum dirigas invocationem,
ubi et cur se patefecerit"(Loci 1543, SA II/2, 653,13ff);
vgl.Loci 1559 (SA II/1, 174,14ff). "Cumque se patefeceret,
sententiam suam de nostra salute proposuit, et mandari literis voluit inde usque ab initio generis humani, quando, ubi,
quibus testimoniis se patefecerit, quae dicta, quas leges,
quas promisiones tradiderit"(Lv., 27.Sept.1544, CR V, 485).
"At Ecclesia, discipula Dei, audit ex ipso Deo, qui sit vere
Deus, et qualis sit.."(Disp.De Invocatione 1549, CR XII,560).
Die circumstantiae (quis, quid, ubi, quibus auxiliis, cur,
quomodo, quando) dienten ja bereits in der Tradition der
Rhetorik und Dialektik als topisches Klassifikationsschema
(vgl. bei Melanchthon: El.rhet.1531, CR XIII, 434, 491;
Erot.dial.1547, CR XIII, 690f; De rat.conc.1552, SM V/2,
62,19ff; zu Melanchthon auch U.Schnell 1968, 139f); vgl.
allgemein E.Mertner 1956, 188; H.Lausberg 1960,I, §§ 139,
328, 399; H.Wolter 1959, 78 (die circumstantiae als heuristi-
sche Prinzipien in der mittelalterlichen Geschichtsschreibung). Melanchthon hat in seher theologischen Arbeit dann
natürlich auch die übrigen Klassifikationsschemata seiner
dialektisch-rhetorischen Methode und Topik verwendet; siehe
S. 368-376.

13) Auf die Diskrepanz zwischen Offenbarungsterminologie und
theologischem Offenbarungsbegriff wurde in Untersuchungen
zum Offenbarungsbegriff bereits mehrfach hingewiesen. Vgl.
z.B. R.Schnackenburg, Offenbarung II. In der Schrift, in:
LThK VII (2.Aufl.1962) 1106f; U.Wilckens, Das Offenbarungsverständnis in der Geschichte des Urchristentums, in: Offenbarung als Geschichte, hrsg. von W.Pannenberg (KuD, Beiheft
1), Göttingen 3.Aufl.1965, 42-90, 42f; A.Sand 1971, 15f;
P.Stockmeier, "Offenbarung" in der frühchristlichen Kirche,
in: Offenbarung 1971, 27-87, 28.

14) Einen allgemeinen Begriff von Offenbarung umschreibt etwa der
Duden. Vergleichendes Synonymenwörterbuch (Der Große Duden,
8), Mannheim 1964, 483, folgendermaßen: Offenbarung = "Kunde,
die den Menschen über Gott, sein Dasein, Willen und Wirken
und in einem ganz bestimmten Ausmaß über sein geheimes Wesen
von eigens dazu Auserwählten in Mitteilungen, Weisungen
und Belehrungen gegeben wird, welche die Grundlage jeder
Religion bildet." Ein schönes Beispiel für ein definitorisches
Vorverständnis bietet H.H.Huber, Der Begriff der Offenbarung
im Johannes-Evangelium, Göttingen 1934, 7: "Unter Offenbarung
verstehe ich die Anrede, das Wort Gottes an die Menschen.."
(zit. nach A.Sand 1971, 24).

15) Vgl. die entsprechenden Wortfelder im Deutschen bei Wehrle-
Eggers, Deutscher Wortschatz 1. Ein Wegweiser zum treffenden
Ausdruck. Systematischer Teil (Fischer Handbücher, 953),
Frankfurt/Main-Hamburg 1968(1961), Nr. 270, 467, 529, 531,
537, 551, 625, 768, 783, 755. Auf Belege zu den einzelnen
Wörtern kann hier verzichtet werden, da diese im Verlauf
der Formalanalyse immer wieder vorkommen. Vollständigkeit
in den einzelnen Wortfeldern wurde begreiflicherweise nicht
angestrebt.

16) "Gott hat gnädiglich Offenbarung geben.."(CR VI,932:1548);
vgl. CR VII,717(1551).

17) "..darin Gott von seinem Wesen und Willen Zeugniß gegeben.."
(CR VII,699:1550); "..testimonia de se..dedit(sc.Deus).."
(CR XV,1235:1559); "..patefactiones divinas et testimonia,
quae..Deus de se ostendit.."(CR IX,794:1559); "..saepe ac
multa perspicua testimonia suae vocis edidit"(CR V,536:1544);
"und hat dabei Zeichen gethan.."(CR VII,614:1550); "Addidit
signa non vulgaria.."(CR V,260:1543); "et addidit ingentia
miracula.."(SA II/1, 174,8f:1543); addidit testimonia (CR
VII,348:1549); addiditis testimoniis (CR XV,1233:1559); usw.

18) "..revelavit deus verbum suum.."(CR XXI,276:1533); Man solle
Gott danken, "das er uns sein wort geoffenbart und reichlich
geben hat.."(SM V/1, 78,16f:1528); vgl. CR VIII,285(1554);
"..quod nobis verbum suum tam copiose dederit.."(SA IV, 302,
29f:1527); vgl. SM V/1, 78,4f(1528); SA VI, 228,30f(1552);
Deus "tradidit nobis verbum suum"(SA II/2, 634,12:1543);
vgl. ebd. 719,13f(1543); ebd. 478,33(1559); "Deus semper
proposuit aliquod verbum et aliquod signum.."(CR XXI,351:
1535); der Sohn, "der den Vetern und Propheten sein wort
geoffenbaret hat.."(SA VI, 240,20ff:1552); "quod certum
librum Ecclesiae tradidit.."(SA II/2, 440,21:1543); und
passivische Ausdrücke wie verbum patefactum, revelatum,
propositum usw. (vgl. CR XIV,11, 18:1551; SA V, 58,30f, 271,
29ff:1532; SM II/1, 31,19ff:1553; usw.).

19) Lutherus "Prophetarum ac Apostolorum conciones nobis patefecit"(CR V,764:1545); "Quae igitur res magnae et verae a
Luthero patefactae sunt.." "Lutherus veram et necessariam
doctrinam patefecit"(CR XI,728:1546); Lutherus "patefecit
iusticiam fidei"(CR VII,398:1549); weitere Belege zu patefacere mit Luther als Subjekt bei R.Seeberg 1897, 152; "..quod
doctrina de poenitentia diligentissime a nostris tractata
et patefacta sit"(BS 98,17ff:1530); "Patefactis igitur abusi-
bus privatae Missae.."(SA VI, 43,19:1540); "..ea, quae pie
et utiliter patefacta et emendata sunt a bonis et doctis
viris.."(SA VI, 64,20ff:1540); articulus de poenitentia,
"quem quidem ita patefecerunt, atque illustrarunt (sc.nostri)
.."(SA VI, 48,8ff:1540); "..quare hanc definitionem patefaci-
endam et illustrandam suscepit (sc.Paulus)"(CR XV,445:1529);
Bitte um den Beistand des Heiligen Geistes, "ut id illustrare
ac patefacere possimus"(BS 204,17ff:1531); "Nam hanc revelationem ideo patefecit (sc.Johannes Baptista) aliis, ut eos

de natura Dei..doceret.." (CR XIV,475:1549); "Verum hoc defendo, Eloquentiam ad res magnas patefaciendas necessariam esse" (CR IX,698: vor 1542?); "sed haec parva res (sc.grammatica) aditum patefacit ad agnitionem Dei"(CR XX,229f:1544); "..cum constet multarum rerum veritatem utilissime a philosophis patefactam et traditam esse"(Komp. 117:1540); "..patefactio errorum ostendit.."(SA VI, 289,30f:1558); "Nam si satis patefieri natura animae posset.."(CR III,913:1540); "Nunc igitur cum Philosophiae dignitas per Evangelium patefacta atque illustrata sit.."(CR X,690:1532/33?); "Et id demum recte docere est, causas rei colligere et patefacere.." (CR XVI,828:1533).

20) Im B.an F.Myconius, 6.Jan.1529, schreibt Melanchthon über einen Greis, der sich anscheinend auf Grund einer Privatoffenbarung zum Predigen gedrängt fühlte: "Diximus satisfecisse eum suae vocationi, quia nobis revelavit suas ἀποκαλύψεις. Idem tu dicas homini, satis esse, si magistratibus patefaciat sua nupteria; vulgo patefacere nec opus est.." (CR I,1021). Der profane Gebrauch von "revelare" (wissen lassen, zu verstehen geben, enthüllen) ist in der Tradition recht verbreitet (vgl. etwa Y.M÷J.Congar 1965, 155, 157).

21) Siehe S. 251f.

22) Zur passiven oder objektiven Bedeutung sind die Belege über den Gegenstand der Offenbarung zu vergleichen (S.132ff Anm. 57ff), zur aktiven oder subjektiven Bedeutung die Belege über die Vermittlung der Offenbarung (S.138ff Anm.82ff).

23) Daß dies von Bedeutung ist, zeigt der unterschiedliche Befund bei den "Überlieferungssätzen" bzw. "-wörtern" (siehe S.249f).

24) Darauf hat K.Brinker (1970, bes. 178-184) aufmerksam gemacht, und zwar an Hand einer linguistischen Analyse des deutschen Textes der CA, deren Befund m.E. auch auf die "Offenbarungssätze" übertragen werden kann. Einige Beispiele aus diesen "Offenbarungssätzen": "..diser Trost, welcher auß dem schoß des himlischen Vaters uns eröffnet ist.."(SA I, 427,36f:1546); "Ideo divinitus promulgata est haec consolatio"(CR VI,486: 1547); "..ea, quae divinitus tradita sunt de religione" (CR II,627:1533); "..qui scimus divinitus traditam esse doctrinam Evangelii.."(CR III,897:1540); "..inter promissionem prolatam ex sinu aeterni patris.."(CR V,536:1544); usw.

25) Das "procedere" bzw. "prodire" "ex arcana sede" gehört wesentlich in den Offenbarungsvorgang hinein: z.B. Loci 1559: "Ita semper Deus ab initio procedens ex sua arcana sede propter salutem nostram et sese patefaciens ac familiariter nobiscum colloquens tradidit aliquod verbum ac testimonium.."(SA II/1, 175,3ff); "rursus Deus ex illa sua arcana sede prodiit, ac se clara voce et novis testimoniis statim patefecit.." (CR V, 259:1543); ähnlich CR V,535(1544); CR VI,505(1547);

ebd.693(1547); CR XI,651, 752(1547); CR VII,345, 497(1549); CR XIII,198(1549); CR VII,669(1550); CR XI,896(1550); CR XIV, 89(1550); SA III, 342,11f(1553); "Sed prodiit Deus ex aeternis latebris suis"(CR V,705:1545); usw.

26) Auch die Sohnsendung kann Teil des Offenbarungsvorganges sein: "Hat sich darumb mit klaren, gewissen zeugnissen und mirakeln geoffenbaret, Hat seinen Son gesand und ein gewisse Lere geben.."(SA VI, 174,10ff:1552); "..und ist gesand von anfang die verheißung der Gnaden zu verkündigen und diesen wunderbarlichen, allerheimlichsten, göttlichen Rat uns zu offenbaren"(SA VI, 247f Anm.11:1558); ähnlich SA VI, 269,9ff (1553); "Ideo autem misit Deus Filium, ut hanc arcanam voluntatem de remissione peccatorum ex sinu Patris prolatam patefaceret.."(SA II/2, 573,31ff:1543); vgl. SM V/1, 365,3ff (1549); SA III, 137,25ff/138,1ff(1549).

27) "Diserte discernitur verus Deus, qui se patefecit..acommentitiis numinibus.."(SA II/2, 754,16ff:1543); zu (verus Deus), qui se patefecit vgl. SA II/1, 179,6.10.14; 180,35ff; 186,9ff (1559); SA II/2, 568,1; 634,11ff; 651,30ff; 653,35ff; 674,19f; 676,6f; 681,16f; 719,12ff; 754,16ff(1543). Zum häufigen Vorkommen in den vierziger und fünfziger Jahren nur einige Beispiele: CR V,86,454,762; CR VI,174; CR VII,497,707; CR XII, 104,560; CR XIII,1061; CR XIV,81,425; CR XV,825,1235; CR XXIII 7f,210; SA VI, 89,32ff; 94,22ff; 158,34ff; 159,20ff; 290,34f; 348,24; 396,31ff usw.; "qui se revelavit": SA II/2, 430,20ff (1543); "der sich..geoffenbaret hat": SA VI, 180,5f.15f(1552); ebd. 249 Anm.19(1558); SM V/1, 365,4ff(1549); CR VIII,7(1553); "qui se..manifestavit": SM V/1, 352,1ff(1548); seltener werden ausdrücklich die drei Personen zusammen mit der Offenbarung in Verbindung gebracht; z.B. "Tu non tantum intuearis hunc mundi ordinem, sed patefactiones divinas, in quibus alloquere aeternum Patrem..filium Iesum Christum..et Spiritum sanctum: scias etiam.."(CR VII,585:1550); "At promissio reconciliationis et vitae aeternae non nascitur nobiscum: sed est mirandum decretum, factum in consilio aeterni patris, filii et spiritus sancti, et postea promulgatum.."(CR VI,693: 1547).

28) Es legt sich die Vermutung nahe, daß Melanchthon seine Formel den formal und funktional ähnlichen alt- und neutestamentlichen Gottesprädikationen: "Gott, der dich aus Ägypten geführt hat", "Gott, der Jesus von den Toten auferweckt hat" u.ä. nachgebildet hat; zu diesen vgl. etwa P.Brunner, Wesen und Funktion von Glaubensbekenntnissen, in: P.Brunner u.a., Veraltetes Glaubensbekenntnis?, Regensburg 1968, 7-64, bes. 16f, 31f.

29) Deo gratias agamus, quod se patefecit: SA III, 122,10ff(1544); CR XIII,651(1547); SA VI, 160,25ff(1551); ebd.340,14.31(1558); SA II/2, 593,19ff; 683,7ff(1543); "et Deo gratias agamus, quod lucem suam monstravit"(CR XIV,410:1551); "Erstlich aber danck ich dir, das du dich...geoffenbaret hast.."(SA VI, 226, 22f:1552); vgl. SA II/2, 685,34ff(1543); "darümb sollen wir

billich von hertzen Gott dancken, das er uns sein wort geoffenbart und reichlich geben hat.."(SM V/1, 78,15ff:1528);
vgl. SA IV, 302,29ff(1527); usw.

30) Deus, "qui se sic agnosci et invocari vult, sicut se patefecit"(CR XIII,651:1547; SA III, 343,4f:1553); "Gott wil
erkant, angeruffen und geehret sein, wie er sich selb..
geoffenbaret hat"(SA VI, 229,11ff: 1552); vgl. SM V/1, 347,
4ff(1548); SA VI, 396,28ff(1543); SA II/2, 475,1ff; 478,33f
(1543); 653,14ff(1559); häufig kommen auch beide Glieder
getrennt vor: vult agnosci, sicut se patefecit (ut se
patefecit): CR VI,694 (1547); CR XIV, 415(1549); SA II/1,
183,17ff (1543); CR XXIII, 7(1554); vult se agnosci ex
patefactionibus suis: CR XIV, 94(1550); so erkennen, wie er
sich geoffenbart hat: SA VI, 177,27ff; 178,29f (1552);
SM V/1, 362,4ff (1549); "Denn darümb hat uns Gott sein
heiliges wort geben, das wir ihn dadurch sollen erkennen und
hülff bei ihm süchen.."(SM V/1, 78,4ff:1528); invocare
(vult invocari), sicut se patefecit (ut se patefecit):
CR IX,733(1559); SA VI, 396,3(1543); SA II/2, 509,21 (1543);
vgl. ferner auch CR VIII,33(1553); ebd. 737 (1556); CR IX,
650(1558); SM V/1, 351,24ff(1548) usw. In dieser Formel sieht
E.Troeltsch (1891, 72 Anm.4) den technischen Ausdruck für
den Prinzipiencharakter der Offenbarung und den Keim der
späteren Inspirationslehre.

31) Siehe S. 175f.

32) Vgl. z.B. folgende Sätze: "..Jhesus Christus, der sich er
nach in menschlicher Natur uns geoffenbart hat.."(SM V/1,
352,15ff:1548); "Filius Dei certis testimoniis sese patefecit.."(CR VI,906:1548); Christus, "qui se patefecit et
nobiscum versatus est.."(CR XIV, 418:1549).

33) "Est enim summus Sacerdos novi Testamenti persona immediate
missa a Deo ad patefactionem Evangelii, ad placandam iram Dei
suo sacrificio et ad precandum pro nobis.."(SA VI, 268,34ff:
1553); "..quod filium misit, ut esset redemtor et Salvator,
quod per eum patefecit decretum de reconciliatione.."
(CR VIII, 9:1553); "Sed ideo venit Christus, ut hostia fieret
pro nobis et doceret remitti nobis peccata et reconciliari
Deum.."(SA V, 282,4ff:1532); "Recte autem intelliguntur hac
laudationes sapientiae (sc.Prov.Salom.cap.3) de sapientia
revelata, id est, de verbo Dei patefacto in Ecclesia, de
Decalogo et Evangelio. Nec tamen alienum est quod vetustas
accomodavit has laudes sapientiae ad personam, quae est
Filius Dei, qui est patefactor verbi sonantis in Ecclesia,
et est efficax per id verbum, et in eo ostendit, qualis
sit Deus, et quae sit eius voluntas" (CR XIV, 11:1551);
vgl. auch SA III, 263,35ff: 1553; SA II/2, 783,24ff: 1552/53.
Sowohl was die Offenbarung als auch was die Erlösung betrifft, laufen zwei Linien nebeneinander her, eine aufsteigen-

de: Christus offenbart und versöhnt den Vater, und eine
absteigende: der Vater sendet den Sohn zu Offenbarung und
Erlösung (vgl. dazu die Belege bei H.Engelland 1931, 108ff,
197ff).

34) Wie wichtig diese Kennzeichnung wird, zeigt die Passage,
mit der der Abschnitt "De tribus personis divinitatis" in
der En.Symb.Nic. 1550 beginnt: "Sequitur altera pars Articuli
de divinitate, quod videlicet tres sint personae ὁμοούσιαι,
aeternus Pater, Filius λόγος, qui est εἰκὼν aeterni Patris,
et Spiritus sanctus" (CR XXIII, 216); ähnlich Loci 1543
(SA II/1, 183,6ff); hier auch im Rahmen eines Gebetes: "Te
invoco, Iesu Christe, Fili Dei vivi, crucifixe pro nobis
et resuscitate, λόγε καὶ εἰκὼν ἀϊδίου πατρός, qui dixisti.."
(SA II/2, 681,36/682,1f). Die wichtigsten Texte in chrono-
logischer Reihenfolge: Ann.Gen.1,3, 1522 (CR XIII, 766);
Ann.Io. 1522/23 (CR XIV, 1050); Schol.Col.1,15, 1527 (SA IV,
221,11ff), zu 3,9 (ebd. 258,9ff); Loci 1533: "De tribus
personis divinitatis" (CR XXI, 258-267); Loci 1535: "De
tribus personis divinitatis" (CR XXI, 353-364); Cat.1548:
14.Frage: "Warumb ist Gottes son genennet des ewigen Vaters
wort und Ebenbild?" (SM V/1, 348f); Ann.Ev.1549: "Die natali
Christi", Joh.1 (CR XIV, 175-183); "De trinitate", Matth.3
(ebd. 417f); En.Symb.Nic.1550 (CR XXIII, 217f); B.an V.Stri-
gelius, 31.Aug.1552 (CR VII, 1057); B.an A.Hardenberg, 11.Dez.
1552 (CR VII, 1149); De anima 1553 (CR XIII,7f; SA III, 362ff)
Resp.Stanc.1553 (SA VI, 267ff); Buchinschrift 1553 (CR VIII,
197); Ex.ord.lat.1554 (CR XXIII, 3f); B.an M.Meienburg,
24.Juni 1555 (CR VIII, 506); Or.de fermento mixto tribus
farinae satis, 1.Aug.1555 (CR XII, 108; zur Dat. N.Müller
1896, 147); B.an J.Praetorius, 20.Jan.1556 (CR VIII, 667f);
Expl.Symb.Nic.1557 (CR XXIII, 359-376, 515-521); Ex.ord.dt.
1558(!): "Warumb ist der Son Gottes genant 'Wort'?" (SA VI,
248f Anm.17); En.Col.1,15, 1559 (CR XV, 1238); Ref.err.Serv.
1559 (SA VI, 365-377); Loci 1559: "De Filio" (SA II/1, 183f);
vgl. auch die entsprechenden Qu.academicae 1556, 1557, 1559
(CR X, 854-858, 865-867, 881-886) und die ausführliche
Auslegung von Joh 1 in dem auf eine Vorlage Melanchthons(1536)
zurückgehenden, von Kaspar Cruciger vorgetragenen und später
auch unter seinem Namen herausgegebenen Kommentar zum Johan-
nesevangelium (CR XV, 9-59, bes.9ff).

35) Einerseits heißt es allgemein: "Vetustas graeca et latina
scipsit, Filium Dei dici λόγος, quia cogitatione nascitur, cum aeternus Pater sese intuens gignit imaginem suam"
(De anima 1553, CR XIII, 7), andererseits erwähnt aber Melanchthon, daß es verschiedene Erklärungen dafür gebe, warum
der Sohn λόγος genannt werde und führt als Vertreter der
bereits erwähnten Vorstellung "Basilius et alii" (Ann.Ev.
1549, CR XIV, 177) bzw. Basilius, Gregor von Nazianz, Augustinus et alii multi (Ref.err.Serv. 1559, SA VI, 372, 31ff)
bzw. Basilius et Augustinus (Expl.Symb.Nic. 1557,
CR XXIII, 360) an, als Vertreter für die Begründung durch

die Offenbarungsfunktion (λόγος, quia est persona loquens
cum patribus") aber Irenäus, Ambrosius, Hilarius (Ann.Ev.
1549, CR XIV, 176; vgl. 179) bzw. Gregor von Nazianz ("..filium
dici λόγον, quia sit persona immediate proferens. Evangelium
ex sinu aeterni patris, alloquens patres..."Ref.err.Serv.
1559, SA VI, 372,33ff) oder überhaupt die vetustas (Expl.
Prov.1551, CR XIV,11,19) an. Es scheint, daß sich Melanchthon
sowohl im Verständnis des verbum-Begriffes wie auch im Verständnis des imago-Begriffes von den Ann.Io. 1522/23 an
prinzipiell an die spezifisch augustinische Sehweise anschließt, weil er wie Augustinus die Zeugung des Sohnes als
göttlichen Denkakt versteht und zugleich mit verbum das innere geistige Wort und nicht das gesprochene Wort meint (vgl.
auch das kurze Referat in De anima 1553, SA III, 362,28ff).
An einer Stelle stuft er sogar das offenbarungstheologische
Verständnis des Logosbegriffes ausdrücklich als minder zutreffend ein: "Sunt qui aliquanto minus subtiliter λόγον
dici existimant, quia sit persona loquens cum patribus:
sicut in scriptura constat filium dei collocutum esse cum
Iacob, Moyse, Daniele" (Loci 1541!, CR XXI, 354).Auf der anderen Seite aber vereinigt er die Traditionen ohne weiteres miteinander: Nicht nur identifiziert er die augustinische Betrachtung mit der griechischer Väter (Basilius, Gregor von Nazianz),
er stellt auch den offenbarungstheologischen Aspekt des Logosbegriffes gleichrangig neben den innertrinitarischen Aspekt
(siehe das Folgende). In seiner Frühzeit scheint Melanchthon
dagegen (in der Nachfolge des Erasmus) hinsichtlich der Vorstellung "Sohn als Wort des Vaters" eher der voraugustinischen Tradition gefolgt zu sein (vgl. oben S. 125) und zu Erasmus oben S. 34f). Zur patristischen Sachlage vgl. M.Schmaus
1969, 31-73 (verbum und imago vor Augustinus), 331-361, 361-
369 (verbum und imago bei Augustinus); ferner M.Mühl, Der
λόγος ενδιάθετος und προφορικός von der älteren Stoa bis zur
Synode von Sirmium 351, in: ABG 7(1962) 7-56; Zur Begriffsgeschichte überhaupt A.Michel, Verbe, in: DThC XV,2(195o) 2639-
2672; ferner auch H.-G.Gadamer 1965, 383-415.

36) Dieser creatorisch-kosmologische Aspekt (durch das Wort ist
alles geschaffen) sei hier nur nebenbei erwähnt, weil er in
unserem Zusammenhang keine große Rolle spielt. Melanchthon
verweist auf diesen Aspekt meist in einer Verbindung von Joh
1,3 (omnia per ipsum facta sunt) und Gen 1,3 (Deus dixit):
CR XIII,766; CR XIV,1o5o; CR XXI,259,355; vgl. auch CR VII,
1149.Alle drei Aspekte nebeneinander finden sich in der Expl.
Symb.Nic.1557, wo Melanchthon nach der Darstellung des trinitarischen Aspektes folgendermaßen fortfährt: "Sed haec nominis interpretatio tantum hoc dicit, quod nominetur λόγος
respectu Patris, in illa aeterna generatione. Significat autem Iohannes eum dici λόγον et respectu Patris, in illa aeterna generatione, et respectu creaturarum, quia sumit narrationem ex Genesi: Dixit Deus, fiat lux, et addit: omnia per
hunc λόγον facta sunt, Item respectu prolati Evangelii:
Filius qui est in sinu Patris, ipse enarravit nobis" (CR XXIII,
36o; Hervorhebung von mir). Die drei Aspekte des Logosbegriffes im Johannesprolog (dem Melanchthon hier folgen will) wären

also ausgedrückt in den Stellen Joh 1,1f; 1,3 und 1,18;
ähnlich Ex.ord.dt.1558 (SA VI, 248f Anm. 17).

37) "Sunt igitur duae propriae appellationes naturae divinae
filii, λόγος et imago aeterni patris, quarum altera declarat
alteram" (SA VI, 369,13ff); vgl. CR XXIII,36o, SA II/1,
184,1).

38) CR XIV,1o5o; SA IV, 221,2off; 285,13ff; CR XXI,258,354;
SM V/1, 348; CR XIV,177,417; CR XXIII,217f; CR XIII,7f;
CR XXIII,36of; SA VI, 372,13ff; SA II/1, 184,1ff. Die Abbild-
theorie ausdrücklich: SA IV, 221,2off.

39) Zusammen genannt sind alle drei Stadien wieder in der Expl.
Symb.Nic.1557: "Quamquam enim verum est Filium esse integram
et substantialem imaginem Patris, et esse λόγον, quia cogitatione nascitur, tamen et ideo sciamus λόγονdici, *quia per
eum Pater dixit decretum de toto ordine creationis et re-
parationis hominum*, et haec persona immediate mittitur, et
ad conservationem ministerii, quia Pater non cognoscetur,
nisi edito et promulgato verbo. *Loquitur ergo et haec persona ad patres*, conservat ministerium, *et voce Evangelii dicit consolationem in singulorum credentium cordibus et monstrat eis Patrem*" (CR XXIII,36of; Hervorhebung von mir).
Ähnlich auch Ref. err.Serv.1559 im Anschluß an Gregor von
Nazianz: "..filius dici λόγον , quia sit persona immediate
proferens Evangelium ex sinu aeterni patris, alloquens patres,
conservans ministerium Evangelii, et immediate in eo efficax
est, ostendens patrem.." (SA VI, 372,33ff).

4o) BS 381,17ff; CRXI,425; SA VI, 421,32ff; CR XII,1o5; CR VI,5,
127,377; CR XIV,427f; SA VI, 138,18ff; 267,21; 269,9ff; 319,
33ff; 467,13ff; CR XXIII,25; CR VIII, 641; CR XV,1o38f; SA
II/2, 385,8ff; 441,17ff; 494,4ff; 573,31ff. Auf das Schrift-
wort Joh 1,18 greift Melanchthon im Zusammenhang mit der Offenbarung auch sonst noch recht häufig zurück: programmatisch
bereits Loci 1533 (CR XXI,255); ferner CR XIV,1o5o; SA IV,
28,25ff; 221,15ff; SA III, 157,24ff; CR XIV,177,179,183;
SA VI, 248 Anm.17; 269,9ff; CR XXIII, 25,36o; CR XV,1238;
CR XII, 445; SA V, 155,1off.

41) Hier nimmt Melanchthon, wie bereits erwähnt, eine Linie des
voraugustinischen Logosverständnisses auf (vgl. oben Anm. 35)

42) "Est enim summus Sacerdos novi Testamenti persona immediate
missa a Deo ad patefactionem Evangelii.." (Resp.Stanc.1553,
SA VI, 268,34ff) vgl. CR VIII,91(1553). "Et quidem dicitur
λόγος, quia per eum Pater se nobis patefacit" (ebd. SA VI,
269,13f). Der Sohn, "der den Vetern und Propheten sein wort
geoffenbaret hat.." (Ex.ord.dt.1552, SA VI, 24o,2off); vgl.
auch CR VII,1149(1552); CR XIV,1199 (1522/23); CR XXIII,359ff
(1557). Selbst der imago-Begriff kann in diese Richtung gedeutet werden: "Cum autem dicitur Filius imago aeterni patris,
cogitemus non solum de arcana patris et filii collatione, sed

de patefactione erga nos. Talis est pater, qualem esse filius annunciat, et sermo est imago mentis" (En.Col.1559,CR XV, 1238).

43) Es geht hier um die opera Trinitatis ad extra und ihre Unterscheidung, vor allem aber um das Verhältnis von Sohn und Geist. Melanchthon löst diese Frage im Anschluß an Athanasius und Augustinus, und zwar mit Hilfe der Unterscheidung von verbum vocale (foris) und λόγος (intus): "Recte igitur hic ordo cogitatur: cum verbo vocali simul persona, λόγος mentem illuminat et effundit spiritum sanctum, qui addidit motus et laetitiam. Ut, cum loqueretur in Paradiso filius, foris audiebatur verbum vocale, intus autem mens movebatur τῷ λόγῳ et cogitabat, Deum patrem dicere hanc consolationem per illum loquentem, et deinde sentiebant laetitiam et motus novos." "Cum igitur describimus τόν λόγον, etsi rectissimum est, eum esse εἰκόνα totius patris, tamen addendum est, esse imaginem nobis patefactam, quo ad hoc beneficium de reconciliatione, monstrantem hanc voluntatem patris de reconciliatione et dicentem in nobis quoque hanc reconciliationis notitiam" (Brief an Aurifaber und Chytraeus, 1o.Sept.1552, CR VII,1o68); ähnlich schon im Brief an V.Strigelius, 31.Aug.1552 (ebd.1o57), wo es am Schluß heißt: "Nominatur igitur λόγος, et quia est imago aeterni Patris, et quia est Verbum in cordibus nostris ostendens voluntatem Patris" (ebd.); Conc.Matth.11,25,1558: "Filius revelat patrem dupliciter, scilicet et voce Evangelii, et illuminans corda tunc, quando per Evangelium est efficax, quia simul est cum Evangelio. Quando in vera consolatione credis, tunc filius vere adest, et tibi ostendit misericordiam patris, et est efficax, et simul effundit Spiritum sanctum in cor tuum" (CR XIV,844); vgl. SA IV, 11o,31/III,1f (1521/22; CR XIV,179(1549); ebd.11,19(1551); CR VII,1o81,1149 (1552); CR XIII,1228(1553/55); SA III, 363,35ff/364,1ff (1553); CR VIII,5o6(1555); ebd. 667f(1556); CR XII,1o8f,112(1555), CR XV,1o37(1556); SA VI,249 Anm. 17; 251 Anm. 29 (1558); ebd. 455,31ff(1552); vgl. auch unten Anm. 5o.

44) Vgl. dazu ferner auch: etwa im Anschluß an Joh 1o,1 ("..qui non intrat per ostium in ovile ovium.."): "ita hic se vocat ostium et ostiarium, quod ipse sit, qui revelet seu ostendat patrem credentibus. Sicut et supra Christus lux vocatur, quia illuminat homines, ita hic ostium revelat patrem." "Est ergo haec sententia: Ego sum ostium, i.e. revelo patrem" (Ann.Io. 1o,1, CR XIV,1132; ähnlich zu Joh 1o,16, ebd. 1135); oder von der Wortidee her: "..Sondern für und für gleichformiger werden dem Wort, das dem ewigen Vater gleich ist und jn offenbart" (Ex.ord.dt.1558, SA VI, 253, Anm. 4o); ferner: "..ostendit nobis patrem placatum.." (SA III,363,4o/364,1:1553); der Sohn hat "den Vater jnen offenbaret.." (SA VI, 455,34f:1552); usw.

45) Hier soll nur ein Eindruck von der Häufigkeit der Zitation vermittelt werden: 1528: SM V/1, 87,19ff; 153o: CR IV,1oo7; 1539: SA I, 374,34ff; 154o: CR IV,1o7o; 1541: CR IV,532; 1542: CR IV,936,837; 1543: SA VI, 388,34f; 396,32f; CR V,26o; 1545: CR V,657,8o9,92o; 1546: SA III,219,13ff; SA I, 413,31f; 425ff; CR XI,752,754; CR VI,23,164; 1549: SA III, 138,9; CR VII,347; CR XIV,183,415,418,425; 155o: CR VII,615,7oo; 1551:

SA VI, 1o5,17; CR XIV,81; 1552: SA VI, 17o,26f; 1556:
CR VIII,863; 1558: SA VI,288,5; 322,3.19; 467,13ff; 469,2ff;
1559: SA II/2, 385,13f; 652,34.

46) Dazu siehe unten S. 182f. Wie sehr Vater und Sohn als Sub-
jekte der Offenbarung nebeneinanderstehen, zeigen die Belege unten S. 176.

47) Man könnte höchstens an solche Fomulierungen danken wie etwa "..hanc doctrinam..vere traditam a Spiritu sancto per Prophetas et Apostolos" (SA ii/1, 258,23ff:1559).

48) ".. ut evangelium suum cordibus nostris revelet spiritus dei"
SA II/1, 86,7f:1521); mit Hinweis auf Jes 54,13 (θεοδίδακτος):
"..nec innotescit nobis Christus, nisi doceat spiritus sanctus" (SA III, 59,34f:1523); vgl. SA VI, 454,38(1552) "..da-
bitur Spiritus sanctus, qui Evangelium revelat.." (CR XIV,12o2:
1523); "Sunt autem haec opera Spiritus sancti, in mentibus
piorum, per verbum Dei accendere lucem, id est, agnitionem
irae Dei adversus peccatum, et rursus agnitionem misericordiae
promissae propter Filium, excitare fiduciam.."(CR XIV,41:
1549); vgl. z.B. auch Ann.I.Cor.2,6; 2,12.13.15; 12,3; 13,1o,
1521 (SA IV, 25,27ff; 26,4ff.12ff; 27,1ff; 68,2off; 72,23ff),
wo Bezug genommen wird auf folgenden Schriftstellen: Joh 14,26;
Joh 6,45; 1Kor 2,1o; und unten Anm. 5o.

49) Vgl. dazu K.Haendler 1968, 1o1f, 165f, 489-494; und zum Geist-
verständnis bei Melanchthon allgemein: R.M.Grützmacher 19o2,
47-57; W.Maurer 1959, 82ff, 95ff; ders. 1955; ders. 196o/61,
158ff, 173ff; H.G.Geyer 1965, 137ff, 283ff, 292ff, 377-381.

5o) Siehe die Belege in Anm. 43; dazu De anima , 1553: "Itaque sicut
Sol lucem et calorem in hoc aere spargit, ita Deus in mentes
nostras sparsisset λόγοvet Spiritum sanctum. Ac λόγος monstras-
set patrem, et multiplici sapientia mentes illustrasset,
voluntates autem et corda copulasset Spiritus sanctus aeterno
patri, mutuo amore, laetitia et motibus congruentibus cum
natura Dei. Talis fuisset sapientia et vita hominis, congruens
cum sapientia et vita Dei. Et haec bona amissa in lapsu,
per evangelium restituuntur, ut postea dicam" (SA III, 345,
26ff). "Hanc Evangelii vocem cum audimus et fide amplectimur,
ipse filius Dei, λόγος aeterni patris accendit lucem in mentibus nostris, et Spiritus suo sancto corda inflammat, ut in
Deo acquiescant et laetentur, diligant eum, et oboedire ei
incipiant, petant, se ab ipso regi, et rursus fiant templum
Dei" (ebd. 348,11ff); Prol.Off.Cic.1562 (CR XVI,541); zum augustinischen Hintergrund vgl. etwa M.Schmaus 1969, bes. §§27
und 28 (331-399). Nicht zutreffend ist es, wenn R.M.Grützmacher
19o2, 49 schreibt: "Der Geist ist für Melanchthon immer in
erster Linie als Bringer der Erkenntnis auf den Verstand gerichtet, für ihn geht die göttliche Gnadenwirkung auf in der
Erzeugung richtiger Gedanken. "Wenn es um das heilsökonomische
Proprium des Geistes geht, dann ist der Geist nach Melanchthon
auf Herz und Wille gerichtet.

51) "Patribus, Prophetis, Christo, Apostolis" (CR XIV, 425:1549);
"Patribus nostris, Abrahae, Isaac, Iacob" (SA II/2, 673,
35ff:1543); "patribus et prophetis" (CR VI, 694:1547; CR XI,778:
1547); "patribus et nobis " (CR XIV,179:1549); "patribus" (CR
XXI,454; CR XV,5oo); "Prophetis et Apostolis" (SA II/2, 782,
6:1552/53); "den Vetern und Propheten" (SA VI, 24o,2off:
1552); "ipsi (sc.Paulo)" (CR XV,547:154o); "den ersten Menschen"
(CR V,126:1543); "Adae" (SA II/1, 348,22ff:1543); "Abrahae"
(SA II/2, 519,21ff:1543); "primis parentibus" (SA II/2, 596,
9ff:1543); "populo Israel" (SA II/2, 43o,2off:1543); "Israelitis" (SA II/2, 719,12ff:1543); ferner: "..patefactiones
illae Dei loquentis cum Adam, cum Noah, cum Abraham, cum
Moyse, cum Samuele, cum Davide, cum Daniele.." (CR XI,753:1546);
usw.

52) "Ecclesiae (suae)": SA II/2, 44o,21(1543); ebd., 593,15f
(1543); 653,36(1543); SA VI, 421,32ff(1543); CR V,8o9(1545);
CR XIV,9(1551); CR XIII,1o18(1553/55); CR IX,79(1557); SA II/1,
2o5,3f(1559); "seiner kirchen": SA I, 415,12ff; 425,9ff(1546);
SA VI, 172,1off(1552); usw. Zur Sache vgl. unten S. 295-299.

53) Siehe unten Anm. 64.

54) "Nobis": CR VII,1124(1552); CR XII,23(1553), 1o4,1o7(1554?);
CR XIII,651(1547); CR XIV,66(1551); SA III, 342,1off(1553);
SA VI, 16o,27(1551); 247, Anm. 11 (1558); SA II/2, 385,8ff
(1543); 519,16(1543); 521,19(1543); 557,13ff(1543); 634,11ff
(1543); 651,33(1543); 685,34ff(1543); SA IV, 444,3ff(1529);
3o2,29ff(1527); CR XXIII,24o(155o); "uns": CR VII,718(1551);
SA I, 425,33; 427,36ff(1546); SM V/1, 78,14ff(1528); CR IX,
454(1558); bzw. mit alloqui: Deus nos alloquens (CR VI, 693:
1547; CR XI,752,753:1546); mit docere: nos docet (CR VIII,9:
1553); oder: "..audiant nobiscum loquentem Deum.." (CR XI,
753:1546); "nobiscum colloquens" (SA II/1, 175,6:1559).

55) "Generi humano": CR V,196(1543); 259(1543); 485(1544); 535
(1544); 695(1545); 7o5(1545); CR VI,175(1546); 6o1(1547); CR
XI,752(1546); CR XII,1o1(1554?); 399(?); CR XIII,1o17(1553/55);
CR XIV,258(1549); SA III,122,11f(1544); SA II/2, 593,
19ff(1543); 519,13ff(1543); SA II/1, 22o,2ff(1559); dem
"menschlichen Geschlecht": CR VII,49(1548); SA I, 415,18ff
(1546); "hominibus": CR XII,96(1554); CR XIV,32(1551); "den
Menschen": SA VI, 169,9ff(1552); 226,22ff(1552); "mundo":
BS 381,17ff(1531); "der Welt": BS 135,2o (153o); bzw. mit
alloqui: "..allocutus est universum genus humanum.." (CR VII,
669:155o; "Nec semel tantum allocutus est homines.." (CR V,
535f:1544; vgl. CR VII,345:1549); usw.

56) Siehe unten S. 179.

57) Se patefecit u.ä.: 1543: SA II/1, 22o2ff; 295,11ff; SA
II/2, 44o,6f; 519,12ff; 557,13ff; 675,11ff; CR V,196,259f;
StA VI, 421,2off; 1544: CR V,454,485,535,56o; SA III, 132,
12ff; 1545: CR V,695,761,92o; CR XII,1o1 (zur Dat. N.Müller
1896, 126f); 1546: CR VI,174f; CR XI,752; 1547: CR VI,5o5,

6o1; CR XI,78o; CR XIII,65o; 1549: CR VII,345,477; CR XIV, 187,415,424f; SA VI, 423,2ff; 155o: CR VII,561,576; 1551: CR XIV,64,81; 1552: CR VII,1o79; 1553: SA III, 342,1off; 1556: CR VIII, 863; 1558: Scheible 36; 1559: CR IX,745; SA II/1, 224,1f; ? : CR XII,399,539; hat sich offenbaret/ hat sich selb offenbaret: 1542: CR IV,936; 1543: CR V,277; 1546: SA I, 415,18ff; 1548: CR VII,48f; 155o: CR VII,615; 1552: SA VI, 169,9ff; 174,1off; 228,28ff; se revelavit: 155o: CR XXIII,211. Hinzukommen noch die häufigen Ausdrücke: "qui se patefecit", "sicut se patefecit" und "quod se patefecit" (siehe oben die Anm. 27, 29 und 3o).

58) Vgl. auch die Belege oben Anm. 16ff und die nun folgenden Anmerkungen. Diese Unterscheidung wird auch noch dadurch bestärkt, daß es sich bei den sogenannten allgemeinen Gegenständen zugleich um die Offenbarungsmedien handelt (siehe Anm. 82ff).

59) Gott hat Offenbarung gegeben von seinem Wesen und Willen (CR VI,932:1548), sein Wesen und seinen Willen geoffenbart (CR VII, 49:1548; CR VIII,686:1556), Zeugnis gegeben von seinem Wesen und Willen (CR VII,699:155o), seine Lehre von seinem Wesen und Willen geoffenbart (CR VII,718:155o; SA VI, 175,1ff; vgl. 178,29ff:1552); se et voluntatem suam patefecit (CR V,454: 1544); "darin Gott sein Wesen und Willen..erkläret hat.." (CR VII,614; vgl. 615:155o); voluntatem suam patefecit (SA II/2, 5o6,21f:1543; CR V,81o:1545; vgl. SA V,155,1of:1532); hat seinen Willen offenbart (CR VII,55:1548); suam voluntatem revelavit (SA II/2, 557,13ff:1543); voluntatem suam expressit (SA II/2, 471,29f:1543); der Sohn "hat klar seines ewigen Vatters Willen uns fürgetragen etc.." (CR IX,454:1558); "Dieweyl nu das die vernunfft nicht khan oder begreyfft, so hat Gott seyn son yns fleisch geworffen, das er uns des vatters willen fur hiellt" (SA I, 172,3off); vgl. auch revelatio voluntatis divinae (CR XIV,331:1549); revelata voluntas (SA IV, 4o8,1off:1529; CR XXI,255:1533; CR XXIII,25:1554); Offenbar wird aber auch das Wesen Gottes, eine Gottheit ("sicut patefacta est divinitas.." SA II/1, 177,21ff.26ff:1543: SA II/2, 781,7; vgl. 782,4ff:1552/53; die drei Personen: "Deus aeternus Pater.., qui in baptismo filii vere patefecit se, et filium et Spiritum sanctum.." (CR VI,174:1546; vgl. CR XI, 937:155o; SA VI, 249f, Anm.19:1558; SM V/1, 343,21ff:1548); "Tandem in novo Testamento clarissime patefactae sunt tres personae.." (SA II/1, 178,21f; vgl. 8f:1559); wie auch der Sohn (vgl. z.B. SA II/1, 67,27f:1521; SA II/2,674,18: 1543); und der Heilige Geist: Spiritus sanctus "cuius illustrem patefactionem vidit (sc.Johannes) cum Christus baptizaretur" (CR V,64:1543; vgl. SA II/1, 2o4,25ff:1559); zu "pater" als Objekt siehe oben Anm. 44.

6o) voluntas de nostra salute (SA II/2, 519,15f:1543); voluntas de remissione peccatorum (ebd.574,31ff:1543); voluntas de remissione peccatorum et reconciliatione (CR XXIII,25:1554); voluntas de remissione peccatorum gratuita, de admirabili salvatione hominis per Filium (CR XIV, 182:1549); voluntas, "quod

Deus velit remittere peccata" (CR XXI,351:1533) usw.

61) Ausdrücklich z.B.SA VI, 138,21(1551): "Huic voluntati et
    decreto.."

62) "..patefecit sese et mirandum decretum de reconciliatione.."
    (CR VI,693:1547); "..decretum Dei arcanum, quod Deus sua voce
    patefecit.." (ecd. 695:1547); "..patefecit decretum de reconci-
    liatione et salute nostra.." (CR VIII,9:1553); "revelavit ar-
    canum decretum suum de remissione peccatorum propter filium.."
    (CR XII,539:?); "..mirandum decretum..promulgavit.." (CR XI,
    752f:1546); "..ein besonder Rath Gottes, den Gott..geoffen-
    baret hat" (CR VI,925:1548); "..decretum Dei arcanum..,quod
    patefactum Deus tradidit Patribus et Prophetis.." (CR XI,778:
    1547); vgl. CR XV,826(1556); CR VI,693f(1547).

63) "..hoc decretum ex sinu aeterni patris prolatum est per Fi-
    lium.." (SA VI, 138,19f:1551); "..arcanum Dei decretum..pro-
    latum ex sinu aeterni Patris a Filio Domino nostro.." (CR VI,
    377:1547); vgl. CR VII,393(1549); CR XXIII,291(155o); "..de
    cretum de reconciliatione, quod filius Dei ex sinu aeterni
    patris protulit.." (CR XII,1o5:1545; zur Dat. N.Müller 1896,
    126f); vgl. CR VI,5,127(1546).

64) Decretum de reconciliatione" CR VI,693(1547); CR XII,1o5
    (1545;; zur Dat. N.Müller 1896,126f); decretum de reconciliatio-
    ne et salute nostra: CR VIII, 9(1553); decretum de remissione
    peccatorum propter filium: CR XII,539(?); decretum de remis-
    sione peccatorum et de restitutione iustitiae et vitae aeter-
    nae: CR XXIII,291(155o); decretum, "quod videlicet velit
    (sc.Deus) genus humanum immensa misericordia propter filium
    deprecatorem gratis recipere, ac mittere filium, ut fiat vic-
    tima, et tollere peccatum et mortem, ac reddere iusticiam et
    vitam aeternam" (CR XV,826:1556); vgl. CR VI,5(1546); 925(1548).

65) Decretum = promissio Evangelii (CR VI,695:1547; CR XI,778:
    1547); = Evangelium seu promissio gratiae et reconciliationis
    (CR XXIII,291:155o); = Evangelium (CR XII,1o5:1545; zur Dat.
    N.Müller 1896,126f); = propria vox Evangelii (SA VI, 138,
    18ff:1551); = promissio reconciliationis (CR VI,693f:1547);
    = Evangelium = promissio divina de reconciliatione propter
    filium (CR VII,393:1549); = tota Evangelii doctrina (CR VI,
    377:1547); = vox doctrinae, "quam adhuc sonant hae Ecclesiae"
    (CR VI,466:1549); = conciones (sc.Dei) de salute hominum et
    de venturo iudicio (CR VII,669:155o); vgl. SA I, 425,9ff
    (1546).

66) "..revelavit deus evangelium.." (SA II/1, 68,28ff:1521); "Evan-
    gelium, quod patefecit.." (CR VIII,641:1555; CR XII,14o:1556);
    "..die einige, ewige, warhafftige Lere des Euangelij.., die
    Gott gnediglich..geoffenbart hat.." (SA VI,171,7ff:1552; vgl.
    ebd. 172,1off); "dedit Evangelii vocem" (CR XI,78o:1547; vgl.
    CR XIII,1o61:1553/55); "..das er..das heilig Evangelion geben
    hat.." (SA I, 425,9f:1546); vgl. CR V,693(1545).

67) Evangelium, "quod filius Dei ex sinu aeterni patris protulit"
(SA VI,319,33f:1558); vgl. SA VI, 294,9f; 3o7,28ff(1558);
ebd. 267,19ff; 268f(1553); ebd. 421,32ff(1543); SA II/2, 494,
4ff(1543); CR VIII,641(1555); CR XV,1o38f(1556); "..Evange-
lii vox, quam Filius Dei ex sinu patris revelavit.." (CR XIV,
258:1549); vgl. CR XIV,427f(1549); SA II/2,558,36/559,1
(1543); BS 381,17ff(1531); CR VIII,683(1556); CR XI,425(1538);
CR XII,1o5(1545; zur Dat. N.Müller 1896,126f); "Diese Schäf-
lin sammlet und weidet der Sohn Gottes durch sein Evangelium,
das er aus dem heimlichen göttlichen Rath den Menschen fürgetragen hat, und hat es selb gepredigt.." (CR VII,699:1550).

68) Evangelium (divinitus) revelatum u.ä.: SA I/1, 72,33; 1o5,12
(1521); CR I,576f(1522); BS 13o,14f(153o); BS 356,1of(1531);
SA IV,444,3ff(1529); CR XXI,416f(1535) = SA II/1, 347,15ff;
348,12ff.22ff(1543); CR XII,445,473(?); revelatio Evangelii:
SA II/1, 148,3f(1521); BS 356,11(1531); SM V/2, 26,17f(ca.
1537-39); SA V, 328,2o(1532); CR VIII,91(1553); CR XXIII,25
(1554); patefactio Evangelii: SA VI, 268,34ff(1553); "Offenbarung des Evangelii": CR IX,639(1558).

69) Gott hat uns "seine Lehre.., Gesetz, Dräuung der Strafe und
Verheißung der Gnaden geoffenbaret.." (CR VII,718:1551); "Tradidit (sc.Deus) igitur promissionem.." (SA II/2, 596,9f; vgl.
ebd. 673,35ff:1543; CR XV,825:1556); dicta, leges, promissiones
tradidit (CR V,485:1544; vgl. CR VII,345:1549); "..perspicuas
promissiones proposuit.." (SM V/1, 352,5f:1548); "..dedit
promissiones suas.." (CR XXIII,211:1550); "dedit legem et promissiones" (CR XXI,276f:1533); comminationes tradidit - promissio
nes edidit (CR V,761:1545); Gott hat "seine Lehre, Gesetz und
Verheißung gegeben.." (CR VII,49:1548); Gott hat "seine gnädi-
ge Verheißung nehmlich das Evangelium vom Sohn Gottes gegeben.."
(CR VII,52:1548); "Protulit Filius Dei promissionem gratiae ex
sinu aeterni Patris.." (SA VI, 467,13ff:1558); vgl. SA II/2,
441,17ff(1543); ferner SA VI, 249 Anm. 17(1558) und die passivi-
schen Ausdrücke wie promissio - revelata, tradita, propagata,
edita, prolata usw.: CR XII,445(?); SA III, 157,24(1546); CR XV,
5o7(154o); CR XXI,349,453f(1535); SA II/2, 557,14f(1543); CR V,
818(1545); SA VI,187,17f(1552); SA II/2, 44o,4(1543); CR XIV,
358(1549) usw. Ähnlich auch bei Lex - revelata, tradita: SA II/1,
278,27(1559); CR XII,4o2(?); "Legem quamquam naturae notam,
tamen sua voce instauravit.." (CR V,26o:1543); "..cum lex revelatur.." (SA II/1, 3o,7:1521); "..nam alias lex, alias evangelium, et subinde aliter revelata est.." (SA II/1, 66,36f:1521);
"Der halben hat GOT fur und fur das gesetz durch seine beruffen
diener mit newer offenbarung erkleret und bestetiget.." (R.Stup-
perich 1961, 193:1543).

7o) "Haec igitur sententia..patefacta est voce Dei..", nämlich
"..Deum velle gratis nos recipere in gratiam, remittere peccata
propter Filium et propter eum exaudire nos, et certo verbo
nobis reddere vitam aeternam" (CR XIV,258:1549); vgl. SA II/2,
557,16f(1543); "..sententiam suam de nostra salute proposuit.."
(CR V,485:1544); "Haec enim sententia, haec voluntas tantum
divina voce revelata est.." (CR XXI,351:1535); "Si haec non est
ipsa evengelii vox, si non est sententia patris aeterni, quam

tu, qui es in sinu patris, revelasti mundo.." (BS 381,17ff: 1531). Daneben kommt "sententiae" im Sinne von Einzeloffenbarungen vor: sententiae a Deo patefactae, sententiae divinitus revelatae, sententiae ex arcano sinu aeterni Patris prolatae: CR XIII,651(1547); SA III, 341,38; 342,9(1553); CR XXI,352 (1535); CR VI,655(1547).

71) "Hanc arcanam et mirandam sapientiam..Deus..patefecit" (CR V, 536:1544); vgl. CR XII,23(1553); "..cui Deus suam sapientiam et bonitatem..communicaret" (CR VII,525,576:1550); sapientia patefacta bzw. revelata: CR XII,23,96(1554); CR XIV,11,18(1551).

72) "..deus harum maximarum rerum doctrinam..patefecit.." (CR VII, 1078:1552); vgl. SA III, 122,17f(1544); doctrina a Deo patefacta (CR VI,693:1547); vgl. SA III, 366,5(1553); CR V,267 (1543); SA VI, 293,6(1558); "Fuit igitur necessarium et patefacere doctrinam de fide.." (SA VI, 390,3f:1543); vgl. CR VI, 58f(1546); "..quae doctrina primum revelata sit.. " (CR V, 818: 1545); die Lehre, "die Gott von seinem Wesen und Willen geoffenbaret hat.." (SA VI, 175,1f:1552); vgl. CR VI,122(1546); "diese lere ist die einige warhafftige lere, durch den Son Gottes geoffenbaret.." (SA VI, 454,4f:1552); "..dise leer, welche Got.. geben hat.." (SA I, 415,12f:1546); vgl. CR VII,615(1550); doctrina, "quam nobis tradidit (sc.Deus).." (CR VII,1124:1552); vgl. CR IX,79(1557); doctrina voce Dei tradita (CR V,536:1544); "certam doctrinam..tradidit (sc.Filius)" (SA VI,421,33f:1543); Dank, "quod doctrinam nobis tradidit" (SA VI, 160,25ff:1551); vgl. SA II/2, 683,7ff(1543); CR XXIII,240(1550); doctrina (a Deo/divinitus) tradita: CR III,897(1540); SA II/2, 734,17 (1543); CR V, 535f(1544); CR VI,593(1547); CR XIII,656(1547); CR VIII,197(1553); CR XIV,81(1551); ebd.187(1549); Deus "proposiut doctrinam suam.." (SA III, 132,13f:1544); "..Deus.. edidit arcanam doctrinam de filio, et de redemptione, et tota restitutione generis humani.." (CR XV,1367:1550); "..doctrina sacrorum divinitus..prodita.."(SA I, 46,32ff:1520).

73) CR XIV,1066(1522/23); "..donec tandem revelavit se Deus in Christo. Ibi verbum fit caro, id est, propositum illud de se revelando in illo Christo, seu promissio de Christo iam perficitur, fit caro, in qua se Deus voluit revelare" (CR XXI, 358: 1535).

74) Sehr deutlich in SA I/1, 174,4ff(1543): "..agnoscamus ingens beneficium esse, quod Deus sese patefecit ipse clara voce et certis testimoniis.., quod tradidit sua voce legem et promissionem reconciliationis et addidit ingentia miracula.."; oder ebd. 175,3ff(1559): "Ita semper Deus ab initio procedens ex sua arcana sede.. et sese patefaciens ac familiariter nobiscum colloquens tradidit aliquod verbum ac testimonium, ad quod alligavit mentes hominum ita, ut hunc vere esse Deum aeternum conditorem statuerent, qui se patefecerat hac voce et hoc testimonio." "..Deus se generi humano certis et illustribus testimoniis petefecit, et quasi prodiens ex sua arcana sede se ostendit, tradita et commendata certa quadam doctrina. Nec semel allocutus est homines.." (CR V, 535f:1544); vgl. auch SA II/2, 584,13ff; 673,35ff; 719,13ff(1543); SA VI, 421,20ff (1543); CR V,485,695(1544); SA II/2, 634,11f(1559).

75) "Si non esset Iustitia Euangelii revelata.." (Bizer-Texte 71:
1521); vgl. SA II/1, 88,23ff(1521); oder mit Röm 3,21: SA V,
1o3,3f.2of(1532); vgl. BS 2o4,11ff(1531); CR XV,5oo,6o6(154o);
ferner SA V,262,29/263,1(1532); "..et iram adversus peccata
et misericordiam erga conversos declaravit (sc.Deus)" (SA II/2,
44o,7f:1543); vgl. SA IV, 82,3of(1521); SM V/1, 78,14ff(1528);
"Es hat aber Gott nicht allein seinen Zorn offenbaret.." (CR
VII, 52:1548); oder mit Röm 1,18: Bizer-Texte 97(1519); bonitas
et misericordia, quas patefecit (CR VII,346:1549); "Neque
enim cognosci potest divina potentia, iudicium et misericordia,
nisi revelavit pater.." (CR XIV,1156:1522/23).

76) "..primum hoc opus dei est revelare peccatum nostrum" (SA II/1,
8o,26f:1521); "Proprium legis opus est peccati revelatio.."
(SA II/1, 8o,8f:1521); vgl. SA II/1, 323,23ff(1559); CR XXI,
4o5(1535); SM V/2, 35,23; 37,31ff; 38,9ff(c.1537-39); "ostenso
revelatoque peccato" (SA II/1, 78,28f:1521); vgl. Bizer-Texte
69(1521); Lex = "perpetuum Dei iudicium damnantis peccatum,
patefactum hominibus.." (SA II/1, 323,26ff:1559).

77) "Haec enim (sc.remissio peccatorum) revelatur in evangelio"
(BS 26o,12f:1531); vgl. SA VI, 2o5,16ff(1552); "..promisit
remissionem peccatorum.." (SA II/2, 43o,22f:1543); "cum in novo
testamento revelata et data sit vita aeterna.." (SA V, 294,2:
1532); vgl. ebd. 263,28/264,1f(1532); "Salus nunc revelata
est.." (SA V, 328,13ff:1532); "..quod nondum libertas revelata
erat..(SA II/1, 136,2o:1521); "cum satis patefacta est veritas"
(SA III, 238,7f:1546); vgl. BS 135,19ff(153o); SA VI, 292,25f
(1558); "..diser Trost, welcher auß dem schoß des himlischen
Vaters uns eröffnet ist.." (SA I, 427,36ff:1546); "Dieses ist
der gnedige Trost, der..geoffenbart ist" (SA VI, 189,2f; vgl.
187,16ff; 19o,8f:1552); "Darnach gibt er jnen Trost.." (SA VI,
2o6,16:552); vgl. CR XIV,11(1551); "Ideo divinitus promulgata
est haec consolatio" (CR VI,486,1547).

78) "Sed hanc arcanam rem Deus ipse patefecit.."(CR VII,348:1549);
vgl. SA II/1, 185,1off(1559); SA IV, 4o8,16(1529); "Mysterium
incarnationis verbi est alio tempore et aliis clarius revelatum.."
(SA IV, 187,9f:1519/2o); articuli, "quos Deus patefecit" (CR
XIII,656:1547); loci proprii Ecclesiae Dei "patefacti ac prolati ex sinu aeterni patris per filium" (CR VI,486:1547); "monstravit (sc.Deus) cultus veros" (CR V,26o:1543); doctrina, "qua
nobis dulcissimam consuetudinem suam promittit"(CR V,329:1544);
filius patefecit noticiam (sc.remissionem peccatorum) (CR XI,
425:1538); Deus "qui ideo de Ecclesia, de imperiis, de vita
aeterna, suam sententiam patefecit.." (CR XI,758:1546); restitutio
corporum "quam vox divina planissime patefecit" (SA III, 368,2of:
1553); "..ac Ecclesiae patefacta est origo hominum et causa
mortis et restitutio humani generis" (SA II/2, 593,15f:1543);
"..tamen aliae principales (sc.causae) in Ecclesia Dei patefactae
sunt.." (SA II/2, 647,22f:1559); vgl. ferner auch Ausdrücke
wie "ac de salute hominum et de venturo iudicio concionatus
est (sc.Deus).." (CR VII,669/155o); vgl. CR VII,1125(1552);
CR V, 26o,29o(1543).

79) "Ideo Deus per misericordiam revelavit se velle nobis ignoscere ac restituere vitam aeternam" (CR XXI,416:1535 = SA II:1, 347, 11ff:1559); "..ostendit.., placatorem constitutum esse filium, et affirmat, se recipere omnes ad filium confugientes" (CR VII, 497:1549); "..statuit, nos propter filium recipi" (CR XII,1o4: 1545; zur Dat. N.Müller 1896,126f).

80) Deus "docet hunc esse verum Deum, qui se in ea Ecclesia illustri- bus testimoniis patefecit.." (CR VII,497:1549); vgl. SA VI, 249f Anm. 19(1558); "Und ist uns also geoffenbart, das dieser Son sey das wort des ewigen Vaters.." (SA VI, 247 Anm.11:1558); "..testatus est, se Ecclesiae suae affuturum et opitulaturum esse" (CR V,7o5:1545); "..ostendit, quomodo agnosci et invocari velit" (CR V,761:1545); vgl. CR XI,578(1542); "..qualis sit, quomodo agnosci et invocari velit, ostendit.." (CR VII,345:1549); "Testatur, se irasci peccato.." (CR V,761:1545); "..ea patefac- tione testatus est, sibi vere genus humanum curae esse" (CR XIII,651/1547); "..manifeste ostendit Deus, vere sibi curae esse Ecclesiam, se adesse in Ecclesia, et velle nobis opem ferre" (CR XXIII, 212:155o); "..et testificatus est Spiritum sanctum esse personam" (SA II/1, 2o5,4f:1559); "Testificatur Deus de sese, quis et qualis sit.." "Testificatur et de doctrina sua et de voluntate erga nos et affirmat tres esse in coelo, qui testimonia ediderunt" (SA II/1, 2o8,26ff:1559).

81) "..dieweil Gott dieses geoffenbaret und bezeuget hat, das rechte Gesetz seine Weisheit sind und das Gericht und straff seine Werck sind" (SA VI, 241,34ff:1552); mit Hinweis auf Gen 2,15ff: "Erstlich darumb, das Gott mit dieser öffentlichen Rede und vertrawung hat wollen offenbaren und bezeugen, das er den Ehestand einsetzt und ordnet.." (SA VI, 256,29ff; vgl. 35ff.39f: 1558); vgl. ferner auch Fügungen wie "..sua voce docuit, cur haec fragilis natura tantis aerumnis subiecta sit.." (CR V,7o5: 1545).

82) "..betrachten, daß Gott..sich selbst mit klarem gewissen Zeugniß, Mirakeln und Wort geoffenbaret hat..durch die Väter, Propheten, seinen Sohn und durch die Apostel" (CR IV,936:1542); vgl. CR V, 277(1543); "..et Deum se patefecisse certis testimoniis in hoc uno doctrinae genere, quod per prophetas, Christum et apostolos.. traditum est Ecclesiae.." (CR V,2oo:1543); Deus "qui se pate- fecit edito verbo per prophetas, Christum et Apostolos.." (CR V,454:1544); vgl. CR XXIII,21o(155o); "..cum sapientia..revelata sit voce legis et Evangelii, et sit revelata per ipsum Filium.." (CR XIV,18:1551); "..quod per eum (sc.filium) patefecit decretum. quod sua voce per filium, per prophetas et Apostolos nos docet.." (CR VIII,9:1553); "..ut sese suo verbo et per Filium pate- fecit" (SA II/2, 656,1f:1543).
Bisweilen sind die Offenbarungstradenten auch allein genannt: Offenbarung durch Christus (per Christum) bzw. durch den Sohn (per Filium): SA VI, 18o,15f; vgl. ebd. 222,4ff(1552); CR XXI,255 (1533); SM V/1, 352,8f(1548); CR XIV,18f(1551); ebd. 182(1549); SA VI, 171,8ff; 18o,15f(1552); CR VIII,9(1553); SA VI,269,13f (1553); CR XXIII,25(1554); CR XV,1233(1559); durch die Propheten und Apostel (per prophetas et Apostolos): SA II/2, 651,33f; vgl.

ebd. 683,7f(1543); ferner auch seltenere Konstruktionen wie:
die Offenbarungen und Lehre, "darin Gott sein Wesen und Willen..in seiner Kirchen, Adam, Heva, Noah, Abraham, Mose, David, Elia und in der Sendung seines Sohnes und in den Aposteln
erkläret hat.." (CR VII,614:155o).

83) "quod tam illustribus et certis testimoniis, verbo suo et misso Filio..se patefecit" (SA II/2,653,16ff:1543); "..quod
ipse sese certa voce, certis testimoniis ac miraculis, denique et Filio misso, patefecit" (CR V,56o:1544); "..qui se patefecit misso hoc Filio et dato Evangelio et editis testimoniis
ingentibus.."(SA II/1, 176,7ff:1559). Oder nur mit zwei Glie-
dern: *Wort und Sohn:* "..zu einer einichen christlichen Wahrheit, die Gott selber und durch nichts dann sein einiges Wort
und Christum der Welt kund worden.." (BS 135,19ff: 153o); "..se
patefecit sua voce et misso Filio" (CR XIV,415:1549); vgl. CR
XIV,81(1551); SA II/2, 675,11(1543); "..qui se patefecit
promulgato verbo suo et misso Filio.." (CR XIV,425:1549); vgl.
SA II/2, 568,1; 651,3of; 652,6f; 653,35f; 654,1f(1543); SA
II/1, 179,14(1559); Deus patefactus "misso Filio et dato
Evangelio" (SA VI,337,12f; 339,19f:1558); vgl. SA II/1,175,
1f(1559); SA II/2, 674,19f; 676,6f(1543); *Zeugnis und Sohn:*
"..qui se patefecit misso filio, et editis testimoniis illustribus" (CR VII,497:1549); vgl. SA II/2, 681,16f(1543).
Wort und Zeugnis: "..se clara voce et novis testiminiis statim patefecit.." (CR V,259; vgl. ebd. 259f:1543); SA II/1, 174,
4ff(1543); ebd. 175,9f(1559); "..cum patefecerit se voce et
miraculis.." (CR XII,1o3:1545; zur Dat.N.Müller 1896,126f);
"..ubi se Deus edita promissione et illustribus testimoniis..
patefecit.." (CR XIV,64:1551); "..welcher sich uns durch sein
wort und gewisse zeügknuß habe geoffenbart.." (SA I,425,33ff:
1546); vgl. CR V,277(1543); "..sicut patefacta est divinitas
certo verbo et testimoniis divinis.." (SA II/2,781,7f; vgl.
ebd. 782,4f:1552/53); Lex = perpetuum Dei iudicium "subinde
variis modis revelatum est voce et exemplis.." (SA II/1,323,
26ff:1559); "..quia doctrinam habet..traditam voce Dei certis
et illustribus testimoniis.."(CR XI,754:1546); ".. die klaren
Offenbarungen Gottes und Mirakel.., darin Gott von seinem
Wesen und Willen Zeugniß gegeben.." (CR VII,699:155o); vgl.
CR VIII,686(1556).

84) Deus, "qui se patefecit misso hoc filio crucifixo, resuscita-
to.." (CR V,86:1543); vgl. CR XII,1o4(1545; zur Dat.N.Müller
1896,126f); SA VI, 158,34f(1551); ebd. 29o,34f(1558); "..qui
se patefecit misso filio.." (SA II/2, 634,11f:1543); vgl.
CR XXIII,7,8(1554); SA VI, 348,24(1558); CR XV,825(1556);
CR XV,1235(1559); CR XII,56o(?); "..qui se patefecit exhibito
filio.." (SA VI, 396,31f:1543); Filius, "in quo maxime Deus
(se) patefecit.." (CR V,26o:1543); der wahrhaftige Gott, "der
sich in Christo geoffenbaret hat.." (CR VIII,7:1553); "..sed
deus..doctrinam voce filii sui patefecit.." (CR VII,1o81:1552).

85) *Wort (verbum):* "..qui se patefecit tradito verbo.." (CR XIII,
1o61:1553/55); "..das er..durch solch sein wort..sich geoffenbaret.."(SA I, 415,18ff:1546); vgl. SA VI, 229,11ff(1552);
"Et sicut per verbum se patefecit.." (SA II/1, 295,11:1543);
vgl. SA IV, 4o8,17f(1529); verbum, "in quo se Deus ipse patefecit" (CR V, 454:1544); vgl. CR V,92o(1545); CR XIV,187,424
(1549); CR XV,1o37(1556); "..qui se revelavit in verbo.."
(SA II/2, 43o,21:1543); "..verbum Dei, in quo voluntatem suam
expressit Deus.." (SA II/2, 471,29f:1543); Gott, "der dies
Wort gegeben hat und sich darin geoffenbaret"(CR VIII,285:
1554); *Stimme (vox):* "..Deus se patefecit sua voce.." (CR VIII,
197:1553); vgl. CR XIV,81(1551); SA VI, 396,3of(1543); CR
VIII,738(1556); CR XIII,1o17f(1553/55); "Addidit et voce sua
doctrinam.." (CR XI,578:1542); "Deus autem sua voce edidit arcanam doctrinam.." (CR XV,1367:155o/51); decretum, "quod Deus
sua voce patefecit.." (CR VI,695:1547); vgl. CR XIV,258(1549);
"Haec enim sententia, haec voluntas tantum divina voce revelata est in promissionibus et Evangelio" (CR XXI,351:1535);
"..quod tradidit sua voce legem et promissionem reconciliationis.." (SA II/1, 174,7f:1543); "..doctrinam certa voce Dei
traditam.." (CR V,536:1544); "..das da der ewig Vater sich
offenbart mit dieser stimme, da er spricht, Dieser ist mein
geliebter Son.." (SM V/1,347,29ff:1548); "et sua voce docuit
(sc.Deus)" (CR V,7o5:1545); *Lehre (doctrina):* doctrina "qua
sese Deus patefecit.." (CR V, 329:1544); CR VII,561(155o);
"..patefecit se..edita voce doctrinae.." (CR VII,576:155o);
vgl. CR XXIII,291(155o); doctrina seu verbum, "in quo se postea
Deus patefecit.." (CR XXIII,29o:155o); "..der sich also in seiner Lere geoffenbart hat.." (SA VI, 18o,5f:1552); "..daß Gott
in derselbigen Lehre sein Wesen und seinen Willen..geoffen-
baret habe.." (CR VII,49:1548); "..sicut se..Deus in ea doctrina,
quae in Propheticis et Apostolicis libris comprehensa est, et
in Symbolis repetita, patefecit" (CR VII,737:1556); vgl. SA VI,
421,2off(1543); vgl. auch H.Engelland 1931,192,194,197.
Heilige Schrift und Symbola: Prophetici et Apostolici libri,
"in quibus Deus patefecit voluntatem suam " (CR V,81o:1559);
"..sicut se patefecit in scriptis propheticis et apostilicis
et in Symbolis" (CR IX,733:1559); vgl. auch S. 2o3f Anm. 388.
Evangelium und Gesetz: "..qui se voce Evangelii patefecit
.."(CR XII,1o4:1545; zur Dat.N.Müller 1896,126f); "..qui se..
edita voce legis et promissionum de Messia patefecit" (CR VII,
7o7:155o); "..qui se editis tot promissionibus patefecit"
(CR V,762:1545); vgl. CR VI,6o1(1547); sapientia "patefacta
in promissionibus et voce Evangelii.." (CR XV,797:1556);
"..der gnedige Trost, der in den ersten Verheißungen und im
Euangelio geoffenbart ist" (SA VI, 189,2f; vgl. ebd. 198,8f:1552);
loci proprii Ecclesiae "in Evangelio patefacti.." (CR VI, 486:
1547); "..qui se patefecerat edita promissione de Mediatore"
(SA VI, 94,22:1551); "..Deum..patefecisse voluntatem suam in
Evangelio.." (SA II/1, 5o6,21:1559); "vox Evangelii, qua se
Deus patefecit.." (SA II/1, 174,28:1559); "..et voluntatem
suam..traditis claris promissionibus nobis declaravit.." (SA
II/2, 519,15ff:1543); *Rede:* ".. wie sich Gott durch diese Reden
geoffenbart hat.." (CR VIII,33:1553); *Offenbarung:* patefactiones
Dei, "in quibus se Deus..ostendit.." (CR VI,175:1546); vgl.

CR VII,585(1550).

86) "Denn Gott wird durch sein ewiges Wort und den heiligen Geist
geoffenbart" (SA VI, 454,38f:1552); "..qui se ibi patefecit
misso Filio suo..et ostenso spiritu sancto.." (SA II/1, 178,
28f:1559); vgl. auch CR VI, 175(1546; siehe Anm. 89); Schöpfung: "hic vero..non solum in hoc opificio se patefecit.."
(CR VII,345:1549); Heilige: Gott danken, "daß er sich in den
Heiligen geoffenbaret hat" (CR VI, 938:1548).

87) Siehe dazu unten S. 195.

88) Deus "se..certis et illustribus testimoniis patefecit.."
(CR V,535:1544); vgl. SA II/2, 519,13ff; 593,19ff; 685,34f;
673,14f.35(1543); CR V,761,92o(1545); CR XII,1o1(1545; zur
Dat.N.Müller 189o,126f); CR VI, 169,175(1546); CR VII, 497(1549);
CR XXIII,211(1550); CR XI,752(1546); CR IX,745(1559); CR XII,
399,539(?); CR V,485 (1544); CR V,26o(1543); CR VI,9o6(1548);
SA III, 366,5(1553); miracula "quibus se vere Deus nobis patefecit" (SA II/2, 521,18f:1543); "..quise..per resuscitationem mortuorum et per multa alia certa miracula manifestavit.."
(SM V/1, 352,1ff:1548); Deus, "qui se in his suis testimoniis
patefecit" (CR V, 26o:1543); vgl. SA II/2, 44o,6f(1543); testimonia, "in quibus se Deus..patefecit, ut in eductione populi
ex Aegypto, in resuscitatione mortuorum et aliis mirandis
factis Prophetarum, Christi et Apostolorum.." (SA II/1, 22o,2ff:
1543); vgl. ebd. 224,1ff(1543); ebd. 175,18f(1559); historiae
(=miracula, testimonia), "in quibus se patefecit Deus.."
(CR XV,832:1556); "..dise leer, welche Got..durch offentliche
gewisse zeugnuß geben hat.." (SA I, 415,12:1546); "der sich
mit gewissen klaren zeugnissen, als auferweckung der todten
und andern wunderwercken geoffenbart hat.." (SM V/1, 365,4f:
1549); vgl. CR VII,48f(1548); SA VI, 169,9ff; 174,1off(1552);
SA I, 425,9ff(1546); "Und hat zeugnis von sich geben durch
seine wunderthaten, ufferweckung der Todten und andere" (SA
VI, 222,6f:1552).

89) "Ideo se patefecit Deus homini dupliciter: insita naturali
noticia et promulgato certo verbo, quod certis testimoniis
confirmavit" (CR XIV,424:1549); Evangelium "est divinitus revelatum initio per ipsum filium Dei, additis illustribus
testimoniis et miraculis divinis" (CR XV,1233:1559); vgl. SA
VI, 89,33f(1551); "..quam haec ipsa cogitatio de patefactione
et miraculis, quae omnia fuerunt principaliter testimonia
patefactionis" (CR XIV,418:1549); Beide Funktionen ausdrücklich
in einem: "..quod factis inusitatis extra ordinem naturae,
quae miracula nominantur deus se patefecit et voluit his signis testificari, hanc legem et has promissiones, quas tradidit, vere esse dei vocem et decreta" (CR VII,1o79:1552);
"..und hat dabei Zeichen gethan.., damit wir gewiß sind, wer
diese Lehre geben hat" (CR VII,614:1550); vgl. CR VII,669
(1550). Bei bestimmten Fügungen scheinen der revelatorische
und der testierende Charakter ineinander überzugehen: "..der
sich also mit gewissen zeugnissen in seiner Lere und in seiner

Kirchen geoffenbart hat.." (SA VI, 249, Anm. 19:1558); vgl. ebd. 172,11ff(1552); "..et revelationem certis testimoniis in verbo suo proposuit.." (SA II/1, 183,22f:1543); "..et verbum suum Israelitis tradidit certis testimoniis" (SA II/2, 719,13:1543); "..qui se hoc verbo certis testimoniis..patefecit.." (SA II/1, 186,11f:1559); "..proposuit doctrinam suam editis illustribus testimoniis.." (SA III, 132,13ff:1544); doctrina a Deo illustribus testimoniis tradita (CR XIII, 656: 1547); "..quia doctrinam habet..traditam voce Dei certis et illustribus testimoniis" (CR XI,754:1546); patefactio divina certis testimoniis facta (CR XIII, 650:1547); vgl. CR XIV,5 (1551); SA III,341,33f(1553); patefactiones Dei, "in quibus se Deus illustri testimonio ostendit generi humano..lege promulgata et postea misso Spiritu sancto" (CR VI,175:1545); ferner CR XXI,256(1533); ebd. 351(1535); SA II/1, 175,1off(1559).

9o) Vgl. CR XIV,115(1549), wo "natura" und "testimonia" einander gegenübergestellt und unter "testimonia" sowohl testimonia und opera (als geschichtliche Ereignisse und Wunderwerke) als auch verba und conciones subsumiert werden.

91) Siehe die Anm. 67, 82 und 84.

92) "..daß Gott..sich selbst mit klarem gewissen Zeugniß, Mirakeln und Wort geoffenbaret hat vom Anfang der Schöpfung an für und für durch die Väter, Propheten, seinen Sohn und durch die Apostel" (CR VI,936:1542); vgl. CR XIV,425(1549) durch Patriarchen, Richter, Könige, Propheten (CR XIII,1o17:1553/55); "Ecclesiam Christi profitetur doctrinam traditam per primos patres, prophetas, filium Dei et apostolos " (CR V,11:1543); "..verbum per prophetas, Christum et apostolos traditum.." (ebd.); vgl. Komp., 71(1542); CR V,8o9(1545); CR XI,761(1546); ferner auch: "Etsi Christus habet quaedam propria munera, quae non sunt communia Apostolis, tamen ministerium docendi est commune" (CR XIV,256:1549).

93) CR XI,753(1546); oder Adam, Eva, Noe, Abraham, Moses, David, Elias (CR VII,614:155o). Man muß "bei der ersten Offenbarung ..bleiben, die der ewig Gott den ersten Vätern, Ade, Nohe, Abrahe, Isaac, Iacob, Moisi, Elie, Esaie und hernach Johanne Baptiste, Christo, und den Aposteln..gegeben hat.." (CR IV, 837:1542).

94) F.Hübner 1936,85f, befürchtet zu Unrecht, daß durch die Offenbarungsgeschichte die Christozentrik der Heilsgeschichte nivelliert zu werden droht. Bei Melanchthon stehen beide Linien nebeneinander: Einmal steht Christus hinter der Offenbarungsgeschichte (vgl. auch den Ausdruck ".. in qua filius Dei per patres, prophetas et apostolos veram Dei notitiam tradidit.." SA III, 113,24f:154o) und einmal steht er in der Offenbarungsgeschichte; einmal erfüllt er die Funktion des göttlichen Offenbarungsmittlers, einmal die Funktion des menschlichen Offenbarungstradenten; vgl. auch oben S. 168f.

95) Siehe oben S. 164f.

96) "..certis temporibus et certis locis" (SA III, 132,12ff:1544).

97) "In Ecclesia": CR VII,477,497(1549); SA VI, 423,3(1549);
CR XXIII,21o(155o); CR XIV,11,18,64(1551); CR VII,1o78(1552);
SA VI, 339,2o(1558); CR XV,1235(1559); SA II/1, 179,7(1559);
"in Ecclesia sua" : SM V/1 352,2(1548); SA VI, 89,33(1551);
CR VIII,737(1556); "in seiner Kirchen" : CR VII,614(155o); "in
Ecclesia Dei": SA II/2, 647,22(1559); "in unsern Kirchen":
CR VI,122(1546); "in Ecclesia visibili": SA II/2, 475,3
(1559).

98) "In hoc ipso populo Israel" (CR VII,7o7:155o); vgl. SA II/2,
754,17(1543); CR XIII,1o61(1553/55); SA II/1, 18o,35.38f
(1559); das Land Israel, "darin sich Gott vielfältig geoffenbaret hat" (CR VII,1o25:1552).

99) "Inde usque ab initio": CR V,2oo,259f(1543); SA II/1, 174,5f
(1543); SA II/2, 653,35f(1543); CR VIII,737,738(1556); CR
XV,797(1556); "statim ab initio": CR IX,794(1559); "statim
initio et deinceps saepe": CR XI,752(1546); "ab initio": SA
II/2, 44o,7(1543); SA II/1, 175,4(1559); "statim post Adae
lapsum": SA II/1, 68,28f(1521); "vom Anfang der Schöpfung
an für und für" CR IV,936(1542); CR V,277(1543); vgl. SA VI,
172,12(1552); "von Anfang": CR V,126f(1543); CR VII,614(155o);
"von anfang her ": SA VI, 169,1o(1552); usw.

1oo) Vgl. unten S. 237-241.

1o1) "..ad dulcissimam coelestis Ecclesiae consuetudinem, in qua
se Deus sese nobis palam ostendet, et suam lucem, sapientiam,
laetitiam in tota aeternitate communicabit.." (CR XII,1o7:
1555; zur Dat.N.Müller 1896,147); vgl. auch unten S. 183f.

1o2) "Itaque ut mentes humanae possent aliquo modo Deum apprehendere, at voluntatem cernere, Deus semper proposuit aliquod
verbum et aliquod signum, ad quae referrent se mentes humanae,
et per verbum ad signum apprehenderent Deum" (CR XXI,351:1535);
"..Deus se patefecit, ut recte agnosci et invocari possit"
(CR VIII,863:1556); vgl. CR VII,576(155o). Nach dem ersten
Sündenfall "se..statim patefecit, ne genus humanum frustra
et tantum ad interim conditum esset " (CR V,259:1543); bonitas
et misericordia: "quas hanc ipsam ob causam patefecit, ne totum genus humanum periret.." (CR VII,346:1549). Beide Dinge
gehören ja zusammen: Gotteserkenntnis und Heil: "Denn darümb
hat uns Gott sein heiliges wort geben, das wir ihn dadurch
sollen erkennen und hülff bei ihm süchen, und uns..trösten.."
(SM V/1, 78,4ff:1528); "Dieses sollen alle Menschen vor allen
Dingen betrachten, daß Gott nicht allein uns erschaffen, sondern über das sich selb mit klarem gewissen Zeugniß, Mirakeln,
und Wort geoffenbart hat, von der Schöpfung an für und für,
durch die Väter, Propheten, seinen Sohn, und durch die Apostel.
Denn er will nit, daß das menschlich Geschlecht ganz verloren
werd, sondern will ein ewiges Volk haben, das ihn erkenne,
preise und ehre mit Gehorsam und Anrufung" (CR V, 277f:1543);
"Patefecit igitur se Deus, dedit Evangelii vocem, misit filium,
non ad hoc unum opus, ut arguat peccata, sed praecipue ad

hunc finem, ut voce Evangelii et Spiritu suo sancto consoletur et erigat pectora nostra, et in nobis lucem et iusticiam
accendat, nosque abolito peccato et morte, haeredes vitae et
salutis aeternae efficiat" (CR XI,78o:1546); vgl. auch unten
S. 19o.

1o3) "Immensa bonitate": SA II/2, 685,34f(1543); SA III, 132,12
(1544); CR XIII,651(1547); CR XIV,415,435(1549); CR VII,345
(1549); CR XIV,81(1551); CR VIII,6o(1553); CR XXIII,25(1554);
CR VIII,737,863(1556); Scheible 36(1558); CR IX,745(1559);
SA II/2, 5o6,21(1559); "per misericordiam": SA II/1, 347,
11(1543); "auß grosser barmhertzigkeit": SA I, 415,18(1546);
vgl. SA VI, 229,12(1552); CR VI,925(1548); CR VII,49(1548);
"aus großer unermeßlicher Gütigkeit und Barmherzigkeit":
CR VII,615(155o); "gnädiglich": CR VI,122(1546); CR VI,932
(1548).

1o4) Siehe unten S. 183f.

1o5) Siehe die Belege S. 15o Anm. 125.

1o6) Die promissio seminis in Gen 3,15 ist die "prima evangelii
revelatio" (SM V/2, 36,17f: ca. 1537-39); revelatio divinitus
facta in baptismo Christo (SM V/1, 347,14ff; 348,11ff:1548;
CR XIV,288:1549; CR XXIII,212:155o; SA II/1, 178,25ff; 2o4
25ff:1559); ferner CR XXI,558(1535); CR XI,6o3; CR XIII,831,
9o2(1543); CR XIV,475(1549). Ähnlich auch bei "patefactio":
z.B. historia harum patefactionum (CR V,536:1544); series
patefactionum (Scheible 3o:1558); vgl. auch CR V,64(1543);
CR VII,175(1546); CR VII,348(1549); CR VII,585(155o);
CR VIII,863(1556); CR IX,745(1559); CR XXIII,212,231f(155o).
Ähnlich auch bei "Offenbarung": z.B. "die klaren Offenbarungen Gottes und Mirakel" (CR VII,699:155o); vgl. auch CR VII,
614(155o); CR VIII,686(1556); SA VI, 178,29ff(1552); SA VI,
248 Anm. 12(1558). Am Schluß eines Briefes vom 6. Jan. 1548
heißt es: "Datum Torga am tage der wunderbarlichen und gne-
digen offenbarung Gottes in der tauf Christi. Anno 1548"
(von Druffel 1876,518). Das ist im wesentlichen auch die
Ebene der Scholastik, auf der sie von Offenbarung spricht;
vgl. z.B. J.Ratzinger 1959,59: "Bonaventura weiß und handelt
zwar von den *vielen* einzelnen Offenbarungen, die im Lauf der
Heilsgeschichte ergingen, aber er fragt nie nach der *einen*
Offenbarung, die in diesen vielen Offenbarungen geschah..",
und ebd. 59 Anm. 1, wo auf die Arbeiten von J.de Ghellinck
1916, und B.Decker 194o, hingewiesen wird; ferner U.Horst
1971,122.

1o7) "Nulla creatura suo iudicio sine revelatione divina intelligit,
se placere Deo in magnis miseriis" (CR VI,486:1547); vgl. CR
XV,6o6(154o); SA II/1, 174,21ff(1543). "Deus autem sua voce
edidit arcanam doctrinam de filio, et de redemtione, et tota
restitutione generis humani, iuxta hanc suam revelationem vult
agnosci, et hanc scribi voluit per Prophetas et Apostolos"
(CR XV,1367:155o); "..ideo nos de Deo cogitantes referamus
mentem et oculos ad patefactionem Dei, ut eum sic agnoscamus,

sicut se patefecit.." (SA II/1, 236,12ff:1559); "Et haec
revelatio de reconciliatione et restitutione humanae naturae
per Filium discernit Ecclesiam ab omnibus gentibus. Ideo
sciendum est, hanc revelationem opponendem esse naturali et
Academicae dubitationi" (CR XXIII,25:1554); "In hac brevi re-
sponsione fontes considerentur, patefactio et discrimen Legis et Evangelii, discrimen voluntatis revelatae, et non revelatae, etc." (ebd.); Die ungläubigen Humanisten würden fragen: "Quid igitur..opus est patefactione Dei?" (CR XI,752/1546);
Aufzählung der beneficia Dei: "Creatio, Patefactio Dei,
Missio Filii, Donatio verbi et Evangelii" usw. (SA II/2, 555,
23ff:1543).

1o8) Dies wird unten S. 315ff im einzelnen dargestellt. Hier genügt
eine knappe Zusammenfassung unter dem Gesichtspunkt der Gotteserkenntnis.

1o9) Die Ann. Io. 1522/23 führen sofort die frühen Ansätze (siehe
oben S. 125) weiter: "Filius sententia patris est, quare sciri
voluntas eius nisi in filio non potest. Item quia veritas est
iustificatio nostri, veritas autem cognitio Dei est, et omnis
scientia patris filius est: ideo patrem nemo cognoscit nisi per
verbum et in verbo, quod filius est." "Quia cum iust_ificatio
non sit aliud nisi Dei cognitio.." (Ann.Io. 1,18,1522/23,
CR XIV,1o66); vgl. ebd. Legis et Evangelii differentia (ebd.
1o49); zu 4,1o (ebd.1o86); zu 11,1 (ebd.114o); zu 14,6 (ebd.1172);
zu 14,18 (ebd.1179); Zu dieser Frage in den Ann.Io. 1522/23
vgl. bes. auch H.-G.Geyer 1965,267,281; Epit.renov.eccl.doctr.
1524(SA I, 182,1ff.17ff). Ähnlich deutet Melanchthon 1527
auch Kol 2,3, nämlich: "Quod Deus seu Dei voluntas non possit
cognosci nisi per Christum seu Christo cognito.." (Schol.Col.
2,3,1527; SA IV, 229,4f. vgl. 12ff). Als zentrale Schriftbe-
lege werden hier angeführt Joh 1,18 und Mt. 11,27. Die gleichen
Belege im gleichen Sinn auch En.Col.1,15,1559 (CR XV,1238);
Joh 1,18 auch Comm.Rom.4,23f, 1532: "Quomodo enim possit voluntas Dei erga nos cognosci, nisi ipse patefaciat eam? Sicut
Iohannes ait.." (SA V, 155,1off). Die christologische Fundierung der Gotteserkenntnis ist dann auch in dem Abschnitt
der Loci zu finden, der überschrieben ist mit "De Deo" , und
zwar vor allem mit folgenden Schriftbelegen: Joh 14,6ff; Mt 11,
27,; 1 Kor 1,21 (Loci 1533, CR XXI,256; Loci 1535, ebd. 351f;
Loci 1543/59, SA II/1, 172ff; vgl. ferner auch Phil. mor.
1546 (SA III, 164f).

11o) Im Anschluß an 1 Kor 1,21 in den Loci 1535: "Iubet enim non
scrutari naturam, sed agnoscere voluntatem in Christo propo-
sitam, qua agnita, tum vero et praesentia Dei, bonitas ac efficacia in nobis cernitur. Atque haec notitia non debet esse
otiosa speculatio, sed cum perterrefactae mentes agnoscunt
peccata, ac eriguntur iterum voce Evangelii, et reiiciunt se
in Christum, et misericordiam apprehendunt, ibi, cum consolationem concipiunt, cernitur Dei praesentia ac bonitas. Haec
methodus non progreditur a priore, hoc est, ab arcana Dei natura, ad cognitionem voluntatis, sed a cognitione Christi et

misericordiae revelatae in Evangelio ad cognitionem praesentiae Dei" (Loci 1535, CR XXI, 352). Fast gleich Loci 1533
(ebd. 256). "Sicut autem scriptura docet nos de Filii divinitate, non tantum speculative, sed practice, hoc est, iubet,
ut Christum invocemus, ut confidamus Christo: sic enim vere
tribuetur ei honos divinitatis: ita vult nos Spiritus sancti
divinitatem in ipsa consolatione et vivificatione cognoscere."
"In hac invocatione, in his exercitiis fidei melius agnosce-
mus Trinitatem quam in otiosis speculationibus, quae disputant, quid personae inter se agant, non quid nobiscum agant"
(Loci 1535, CR XXI,366,367); ähnlich Loci 1533 (ebd. 268f).
Insofern ist hier die gleiche Position vorhanden wie von Anfang an (vgl. Loci 1521, SA II/1, 6,14ff); weitere Belege bei
H.Engelland 1931,1of,73; K.Haendler 1968,125ff.

111) Dazu vor allem K.Haendler 1968,5o1ff; ders. 1965 (hier ist
die Frage ausführlich erörtert).

112) Z.B.Schol.Col.1,9,1527: "Amittunt hanc cognitionem et fidem
simpliciter, qui nesciunt sola fide nos iustificari, qui suis
satisfactionibus volunt iram Dei placare" (SA IV, 218,13ff).
Wenn W.H.Neuser 1957,61ff, über Gotteserkenntnis und Christuserkenntnis z.B. sagt: "Die Christusoffenbarung darf im Gegensatz zu dem verborgenen Wesen und den Eigenschaften Gottes
dialektisch erforscht werden" und: "Mit der Erkenntnis seiner
Wohltaten ist Christus erkannt. Dadurch ist einer logischen
Christuserkenntnis der Weg geöffnet. Wie schon zu Anfang bemerkt, wird die Christuserkenntnis dadurch weitgehend zu einem
intellektuellen Verstehen von Sachverhalten. Die Gotteserkenntnis in Christus ist trotz ihres betonten Offenbarungs-
charakters rationalisiert. Die von Melanchthon zur Vordertür
hinausgeworfene scholastische Methode wird von ihm selbst zur
Hintertür wieder hereingelassen" (ebd.64), so ist das aufs Ganze gesehen ein offensichtliches Mißverständnis. Natürlich spielt
das intellektuelle Moment (Wissen) eine große Rolle, aber mehr
noch ist Christuserkenntnis und Glaube affektiv verstanden;
vgl. dazu unten S. 4o4-4o7.

113) "Exercebis spiritum meditatione promissionum accurate, quod
nisi e promissionibus cognosci neutiquam poterit Christus.
At nisi Christum noris, nec patrem cognosces. Huc igitur omnes
spiritus tui cogitationes affer, huc incumbe, ut ex promissionibus cognoscas, quae tibi in Christo sint donata" (Loci 1521,
SA II/1, 1o6,22ff); Apol.IV,1531: "Quid est autem notitia Christi
nisi nosse beneficia Christi, promissiones, quas per evangelium sparsit in mundum?" (BS 181,14ff); "Christi beneficium
illustravi, quantum potui, quod,nisi recte cognoscatur, verus
Dei cultus exsistere nullus potest" (Wv. zu Comm.Rom.1532, StA
V, 27,24ff); "Primum igitur a nostris repurgata est doctrina
de poenitentia, reiectae humanae satisfactiones, quas sic vocant, ut beneficium Christi clarius conspici posset, ac extaret
doctrina de ea fide, qua remissio peccatorum accipienda est"
(Ad Senatum Venetum, Juli 1539, CR III,747); ferner Lv. zu
Prop. subinde a M.Luthero disputatae, Nov.153o (CR II,455);

Brief an B.Rothmann, 24.Dez.1532 (CR II,65o; Wv. zu Expl.Prov.
155 (CR VII,7o6); Conf. Sax.1551 (SA VI,149,17f; Vom Römerbrief sagt Melanchthon 15o4: "monstrantur beneficia, quae filius Dei nobis e sinu aeterni patris attulit" (Wv. zu Comm.Rom.,
1.Jan.154o; CR V, 898); vgl. En.Rom., Arg., 1556 (CR XV,797f);
"Ut autem consequamur haec beneficia Christi, scilicet remissionem peccatorum, iustificationem et vitam aeternam, dedit
Christus Evangelium, in quo haec beneficia proponuntur.."
(CAvar.154o, SA VI, 14,33ff; vgl. 16,3ff); ähnlich Conf.Sax.
1551 (SA VI, 93,35ff; 97,37ff); ferner Loci 1543 (SA II/2,
579,15ff; ebd.6o4,13f=Loci 1535, CR XXI,53o); Ann.Ev.1549
(CR XIV,256); "Necesse est igitur, in Ecclesia recte conspici
beneficia filii Dei propria, id est, remissionem peccatorum,
reconciliationem, donationem Spiritus sancti, iusticiae, et
vitae aeternae. Et ut filius Dei recte agnoscatur, necesse
est econtra intelligi, quale malum sit Peccatum.." (En.Rom.,Arg.,
1556, CR XV,797); "Neque enim potest intelligi magnistudo
gratiae Christi, nisi morbis nostris cognitis" (Apol.II,1531,
BS 153,33ff; vgl. 157,18f); ähnlich: Colloquium Wormatiae,
Jan.1541 (CR IV,53); Loci 1533 (CR XXI,275); Loci 1559 (SA
II/1, 271,1ff; 284,2off). Vgl. auch noch Epit.renov.eccl.doctr.
1524: "Porro vita aeterna est illa ipsa iustitia, quam praedicat
Evangelium, quam ponit Christus simpliciter in cognitione
patris et sui" (SA I, 182,17ff); Ann.I.Cor.1o,2,1521: "Duo enim
officia evangelii: Illuminare..Est autem illuminatio cognitio
nostri et cognitio misericordiae Dei seu voluntatis Dei"
(SA IV, 52,22ff).

114) "Cum autem hic Dominus, filius Dei, non aliter agnosci possit,
nisi cogitata voce Evangelii, necesse est, libros propheticos
et apostolicos legere et audire" (Wv. zum 7. Bd. von Luthers
lat. Werken, 1.Okt.1556; CR VIII,863); "Apte orditur lex ab agnitione Dei." "Ac simul tradit modum, quo Deus vult apprehendi
et cultum, quo vult coli. Docet enim Deum esse verbo et aliquo ipsius testimonio apprehendendum. " "Ita et nos debemus
apprehendere Deum verbo, quod nobis datum est, et testimonio,
scilicet quia exhibitus est nobis Christus " (Cat.Puer. 1543,
SM V/1, 92,14f; 92,2off; 93,7ff); ähnlich schon in Schol.Ex.
2o,1523 (SM V/1, 3,4ff; 4,16ff); Schol.Prov.3o,2ff, 1529
(SA IV, 459,2ff); Ann. Io. 1,4,1522/23 (CR XIV,1o53); vgl.
auch H.Engelland 1931,68,179ff. Das ist auch für konkrete
theologische Fragen von Bedeutung, insofern z.B. das Prädesti-
nationsproblem nicht spekulativ zu ergründen, sondern dem
Wort Gottes entsprechend zu verstehen ist (Conf.Sax.1551, SA
VI, 1o5,11ff). Das gleiche gilt auch für die Frage nach der
Ursache der Menschwerdung (Resp. de controversiis Troianis,
13.Nov.1559; CR IX,97o).

115) Vgl. etwa die Belege bei Engelland 1931,68ff,2o6ff.

116) Neben den Belegen in Anm. 11o vgl. folgende Texte: cognitio
Dei und fides sind identisch (Ann. Io. 1o,16; 1522:23; CR XIV,
1135); "Nam fides est cognitio voluntatis Dei, cum sit fiducia misericordiae ac benevolentiae Dei" (Comm.Rom.15,4,1532;

SA V, 359,7f); "Solche erkentnus Gottis und solcher glaub
ist gottliche Fromkeyt in uns.." (Fromkeyt 1521?; SA I, 173,
15f);vgl. ferner Ann.Io. 5,24,1523 (CR XIV, 1o95); Schol.
Col.1,9 und 3,9,1527 (SA IV,217,9ff und 284,33/285,1ff);
Schol.Prov.2,1529 (SA IV, 318,32ff); Loci 1543 (SA II/1,
183,14ff); Bibelinschrift 5.Jan.1546 (CR VI,5); Ann.Ev.1549
(CR XIV,424f); Loci 1559 (SA II/1, 174ff); Loci 1521:
"..sed ipse Christus cognitione sui iustificabat multos.
Ecce cognitio Christi iustificatio est, cognitio autem sola
fides est" (SA II/1, 1o9,24ff); "cum sola misericordia dei
iustificemur fidesque plane sit misericordiae cognitio, quali
cumque promissione eam prehenderis, soli fide tribuitur
iustificatio (ebd. 1o7,23ff); "Primum, quod ad divinam voluntatem attinet, fidem non aliud esse nisi certam et constan-
tam fiduciam benevolentiae divinae erga nos. Voluntas dei
cognoscitur, sed fide ex promissione seu evangelio (ebd.117,
18ff); Ann.Io. 17,3,1522/23; "At ubi cor conceperit verbum
Christi, quo peccata remittuntur, et in verbo Christi misericordiam Dei sentiscit, ibi cognoscit Deum, expectat ab eo omnia, fidit eo, timet eum solum, gaudet in omnibus eius operibus, et permittit eius voluntati per omnia. Talis cognitio
ipsa fides est, et verus Dei cultus" (CR XIV,1205); zu 17,22:
"Porro, primus gradus unitatis hic est: Ego in eis, et tu in
me, quae unitas eadem fides est. Nam Christum esse in sanctis,
est sanctos fidere Christo. Et patrem esse in Christo, est
itidem sanctos agnoscere Christum esse potentiam patris. Hanc
unitatem fidei, hanc cognitionem sui et patris Christus pre-
catur Ecclesiae, quae cognitio ipsa fides est" (CR XIV,1209);
zu 1,14: "Haec Christi cognitio iusticia est.." (CR XIV,1o62);
Apol.IV,1531: "..quae fides est vera cognitio Christi, et utitur beneficiis Christi, et regenerat corda, et praecedit legis impletionem" (BS 169,11ff); Loci 1535: "..tamen nos tantum
iuxta verbum nunc promulgatum, hoc est, iuxta Evangelium iudicare debemus, neminem sine Christi cognitione et misericordia
propter Christum promissa salvum fieri" (CR XXI,385).

117) "Duplex regnun. est: alterum gratiae, alterum gloriae. Regnum
gratiae est Christi regnum. Est enim propositus Christus pro
propitiatorio et signo gratiae, cui credentes certi sunt per
fidem se coram Deo iustificatos esse et habere gratiam." "Regnum autem gloriae nihil est nisi revelatio gloriae filiorum
Dei. Id regnum Dei dicitur.." "Idem est regnum Dei et in peregrinantibus et in beatis, nempe iustitia, pax, vita etc. Sed
hoc discrimine regnum Dei in peregrinantibus dicitur regnum
Christi, quia in peregrinantibus regnat Deus per Christum.
Non enim cognosci voluntas patris potest nisi in Christo, qui
signum et pignus misericordiae patris propositus est.."
(Ann.I.Cor.15,24,1521; SA IV, 8o,12ff.2of.26ff; vgl. ebd.
81,2ff); Vgl. Ann.Io. 1,14,1522/23: "Christi regnum est
regnum misericordiae seu gratiae et veritatis; gratiae, quia
nobis reconciliat patrem, veritatis, quia veraces et sanctos
facit credentes" (CR XIV,1o63); ferner Comm.Rom.5,16,1532 (SA
V, 187,16).

148

118) "Et quia Christi pastura et regnum non est visibile vel corporale regnum, sed regnum fidei (hoc est illuminans et renovans corda cognitione Dei, quae fides est), quae cognitio seu fides, quia e promissione seu verbo de Christo oritur, ideo regnum fidei proprie regnum Christi dicitur.." (Ann.Io. 1o, 16,1522/23; CR XIV,1135); "Regnum Christi est spirituale regnum, quod consistit in timore, fide, castitate et caritate" (Schol.Col.1,23,1527; SA IV, 269,3off).

119) "In hac vita dicitur proprie regnum Christi: quia per ministerium Evangelii Deus efficax est immediate per hanc secundum personam, quae est λóγος .." "Apprehenditur ergo Deus verbo, et nondum conspicitur palam essentia divinitatis" (En.Rom.15, 12,1556; CR XV,1o38f).

12o) Vgl. ferner auch den Abschnitt "De regno Christi" in den Loci 1535 (CR XXI,519-523), der fast wörtlich in die Loci 1543/59 übernommen ist (SA II/2, 6o3-6o9) und Def.1552/53 (SA II/2, 795,22ff); vgl. ferner auch W.Trillhaas, Regnum Christi - Zur Geschichte der Idee im Protestantismus, in: LR 17(1967)51-73, bes. 57ff.

121) "Atque id regnum aeternum in hac vita, in spiritu et fide inchoatur, et postea durat perpetuo post hanc vitam" (Loci 1535 und 1543, CR XXI,523 = SA II/2, 6o8,21ff); "..quod regnum Christi sit spirituale, hoc est, in corde notitiam Dei, timorem Dei et fidem, iustitiam aeternam et vitam aeternam inchoans.." (Apol.XVI, 1531; BS 3o7,48/3o8,1ff); ferner Ex.ord. dt.1552 (SA VI, 246,17ff); Wv. zu De anima, 1.Nov.1552 (CR VII, 1124f).

122) "Sed in beatis regnat Deus non per Christum, sed per se, id est: beati cognoscunt gloriam Dei non in signo tantum in Christo, sed in ipso patre" (Ann.I.Cor.15,24,1521; SA IV, 81, 12ff); vgl. Ann.Io. 1o,16,1522/23 (CR XIV,1135); "At Ecclesia agnoscit Deum sicut se patefecit; et quamquam haec arcana non penitus perspicimus, tamen in hac vita Deus inchoari vult hanc agnitionem et invocationem nostram a falsa discerni, et revelationem certis testimoniis in verbo suo proposuit, in quo, ceu foetus in alvo materno nuntrimentum attrahens umbilico et cotyredonibus, nos quoque sedemus inclusi et attrahimus agnitionem Dei et vitam ex verbo Dei.." (Loci 1532, SA II/1, 183,17ff); vgl. Loci 1543 (SA II/2, 557,19ff); Loci 1559 (SA II/1, 211,13ff); ferner Or.de consideratione fideli salutaris partus in terris filii Dei, 1545 (CR XII,1o3; zur Dat. N.Müller 1896,126f); "Postea fruentur luce, sapientia, bonitate et laeticia divina in omni aeternitate, cum erit Deus omnia in omnibus, id est, cum erit efficax in nobis, sine ministerio verbi, sed sua ipsius luce, quam palam cernemus" (En. Eccl.Arg., 155o, CR XIV,93); vgl. Or.de fermento mixto tribus farinae satis, 1. Aug.1555 (CR XII,1o7; zur Dat.N.Müller 1896, 147); "Sed post hanc vitam conspicitur essentia divinitatis immediate.." (En.Rom.15,12,1556; CR XV,1o39); ähnlich auch in der Rede von den duae academiae (Wv. zu De anima, 1.Nov.1552, CR VII,1124f; De anima 1553 (SA III, 365,16ff; der Unterschied

zwischen regnum Christi und regnum Dei ist hier zugleich der zwischen haec ecclesia und ecclesia caelestis); ferner Ann.I. Cor.13,12,1521 (SA IV, 73f).

123) Z.B. Ex.ord.dt.1552 (SA VI, 177,27ff; vgl. 178,29ff); vgl. auch bes. oben S. 167.

124) Diese Begriffe sind in der Spätzeit nämlich meist miteinander verbunden, wie schon die Formalanalyse (oben S. 173) gezeigt hat. Vgl. auch folgende Beispiele: "Singularis sapientia est Ecclesiae Dei, intelligere, quod Deus non possit recte agnosci, invocari et coli, nisi cognito verbo, in quo se Deus ipse patefecit" (Bibelinschrift, 2.Aug.1544, CR V,454). "Hunc verum Deum, qui se patefecit misso Filio, et edita voce sua per Filium agnoscas et invoces.." (Expl.Prov.1551; CR XIV,81); "Sic igitur agnoscamus Deum, sicut per hunc filium patefactus est.." (En.Col.1,15,1559; CR XV,1238); ferner Eine kurze Auslegung der zehn Gebote, des Vaterunsers und Glaubens, 1528 (SM V/1, 81,3off; 82,1ff); Cat.1548 (SM V/1, 349,9ff); Loci 1543 (SA II/1, 183,14ff); Loci 1559 (ebd. 174ff).

125) "Cum philosophia moralis sit pars legis Dei.., prorsus idem finis est hominis secundum legem divinam, et secundum veram philosophiam, videlicet agnoscere Deum, eique oboedire, et eius gloriam patefacere et illustrare, et tueri societatem humanam propter Deum." "Sed iuxta Evangelium finis est, agnoscere Christum filium Dei, et accipere oblatam misericordiam, et glorificare Deum, eique oboedire." "..ergo Evangelium etsi concionatur de agnitione Christi, tamen complectitur etiam finem in lege propositum." "Atque ita videmus in Evangelio vere restitui illum finem, ad quem proprie conditus est homo, videlicet ut homines clara luce agnoscant et celebrent Deum, et ei oboedient.." (Phil.mor.1546; SA III, 163,35/164,1ff; 164,3off; 164,35ff; 17o,35ff); ähnlich auch Comm.Rom.1,19, 154o(CR XV,565); Resp. clerum Col.1543 (SA VI, 396,28ff); Vorr. zur lat. Grammatik 1544 (CR XX,227f); Ann.Ev.1549 (CR XIV,424); En.Symb.Nic.155o (CR XXIII,239); De anima 1553 (SA III, 312, 3off; vgl. 326,24ff.33ff); Das Schöpfungsziel: "..quia scit homines ad agnoscendum et celebrandum Dei conditos esse.." (Test.,1o.April 1547, CR VI,495); vgl. auch CR XV,565(154o); CR XX,227f(1544); SM II/1, 1o,21ff(1553); "Ideo condidit deus intelligentes naturas ut esset creatura cui suam sapientiam et bonitatem communicaret, et a qua vicissim agnosceretur ac celebretur in omni aeternitate" (Brief an Albert v.Preussen, 1.Jan.155o, CR VII,525); vgl. auch CR VII,575f(155o); CR VII, 1o79(1552); SA VI, 181,25ff(1552); En.Symb.Nic.155o: "Ideo Deus condidit naturas intelligentes, quae sunt praecipuum opus, ut se in eis patefaceret, et eis suam sapientiem et bonitatem communicaret. Nam essentia optima voluit habere opera, in quae rivulos suae sapientiae et bonitatis spargeret, et a quibus vicissim agnosceretur et celebraretur" (CR XXIII,239); ferner auch Cat.puer.1543 (SM V/1, 154f); Lv. zu De poen.1549 (SA VI, 423,1ff); Zum Zusammenhang mit dem Begriff der Gottebenbildlichkeit vgl. Apol.II,1531(BS 151ff) und V.Pfnür 197o,163f.

126) Der Beginn der Aufzählung der beneficia Dei in den Loci 1543
sieht so aus: "Creatio, Patefactio Dei, Missio Filii, Donatio
verbi et Evangelii, Donatio Spiritus sancti, Promissio vitae
aeternae, Nutritio, defensio corporis et animae,Depulsio
Diaboli, Literarum et verae doctrinae ostensio.." usw.
(SA II/2, 555,23ff); vgl. Loci 1543 (SA II/1, 174,3ff; SA II/2
440,5ff; 519,12ff; 653,15ff); Wv. zum 1.Teil von Luthers
Genesiskommentar, 25.Dez.1543 (CR V,259f); Bibelinschrift
1545 (ebd. 920); Auslegung von 1 Tim 4,13, 1547 (CR VI,693);
Ann.Ev.1549 (CR XIV, 424); aber auch schon Schol.Col.2,23
und 3,15, 1527 (SA IV, 262,24ff und 295,12ff); Schol.Prov.
1529 (ebd. 321,30ff; vgl. 322,7ff); ferner auch CR XI,753
(1546); CR VIII,9 (1553).

127) Das verbindende Glied dürfte das "Deus per Christum" sein;
vgl. z.B. den B.an J.Silberborner, Okt.1530: "..ut recte intelligant Ecclesiae, quae beneficia Deus per Christum nobis
donaverit"(CR II, 433).

128) Vgl. dazu etwa H.Fries 1965, 159ff.

129) Siehe S. 39ff, 132ff, 158ff.

130) Von einem "Dualismus zwischen Vernunft und Offenbarung"
spricht G.A.Herrlinger 1879, 402; von einer "scharfen Trennung" zwischen Theologie und Philosophie K.Hartfelder 1889,
181. Nach E.Troeltsch (1891, 73f) tritt die Offenbarung "als
ein abgeschlossener Kreis göttlicher Lehren" der natürlichen
Vernunft gegenüber; demzufolge seien Offenbarung und
disciplina literarum et artium "getrennte, aber gleichberech-
tigte und beiderseits von Gott gegebene Wissenssphären"(ebd.
70). "So treten die beiden Sphären der Vernunft und der
Offenbarung bequem und reinlich geschieden nebeneinander"(ebd.
189). Auch für K.Sell (1897, 20 Anm.) hat Melanchthon immer
an der "Grenzlinie zwischen Philosophie..und göttlicher Offenbarung" festgehalten. Für K.Heim (1911, 264) liegen Philosophie und Offenbarung bei Melanchthon nebeneinander wie zwei
Elemente, "die man wie zwei 'Brühen' nicht ineinander rühren
soll". Von einem "schroffen Dualismus" wiederum spricht
B.S.von Waltershausen 1927, 649. Ein unbezogenes "Nebeneinander" sieht Th.Hoppe 1928/29, 607, einen Unterschied und eine
Grenze H.Gerhards 1955, 88f; eine Grenze, die die Offenbarung
der menschlichen Vernunft setzt, H.-G.Geyer 1959, 45 (vgl.
62). Auf die Bedeutung der Erbsünde macht P.Meinhold (1960,
78) aufmerksam: "Diese macht die Ergänzung und Vervollkommnung der natürlichen Ausstattung des Menschen durch die
Offenbarung notwendig." Er weist auch darauf hin, "daß die
Sünde auch die Grenze bezeichnet, die Melanchthon zwischen
Vernunft und Offenbarung eingeschoben hat. Das Vorhandensein
einer solchen Trennungslinie ist deshalb so wichtig, weil bei
ihrem Fortfall einer Gleichsetzung der natürlichen Gotteserkenntnis mit dem Inhalt der Offenbarung...nichts im Wege
stehen würde."

131) Nach G.A.Herrlinger (1879, 402) versucht Melanchthon für Theologie und Philosophie "ein innerliches Verhältniß" zu gewinnen.

Nach K.Hartfelder (1889,181) findet die Theologie "ihre notwendige Ergänzung in der Theologie, d.h. in der geoffenbarten
Lehre". Kritischer H.Maier (1909, 128): "Melanchthon lebt der
naiven Zuversicht, daß die beiden miteinander in Einklang
stehen." So sehr er sich gegen eine Vermischung von Vernunft
und Offenbarung wehre, so sehr wehre er sich gegen ein völli-
ges Auseinanderreißen. Beide würden aus der selben Quelle
fließen, nämlich aus Gott; beide reichten sich auf dem gemeinsamen Gebiet friedlich die Hände: das natürliche Erkennen
erhalte durch die Offenbarung eine wertvolle Bestätigung, die
Offenbarung wiederum knüpfe gern an das natürliche Wissen an.
Ein Widerspruch zwischen beiden sei unmöglich, weil die Offenbarung über die Vernunft hinausgehe. Der Ausgleich zwischen
beiden ruhe so zuletzt auf dieser unbedingten Überordnung
der Offenbarung über die Vernunft (ebd. 128f). Für K.Heim
(1911,264) verwandelt sich die Spannung, die bei Luther noch
als unversöhnliche Antinomie empfunden sei, bei Melanchthon
"in eine Grenzregulierung zwischen zwei Gebieten, dem der Vernunft und dem der Offenbarung, bei der der latente Widerspruch,
wo er einmal aufbrechen will, immer von Fall zu Fall schnell
beschwichtigt wird, indem man ihn als Übergriff der durch den
Fall korrumpierten Vernunft in ein heterogenes Gebiet bezeichnet". Für R.Seeberg (1920,440) ist die "rationale Gesetzesord-
nung...eine konstante Größe, zu der das Evangelium nur *ergänzend* hinzutritt". Den Ergänzungsakzent hebt auch B.S.von Waltershausen (1927, 665) hervor: "Durch die Offenbarung wird der
Gottesbegriff des natürlichen Erkennens nicht modifiziert, sondern nur vervollständigt; es kommen die Bestimmungen des Trinitätsdogmas und des göttlichen Heilsplanes hinzu." Die endgültige Position Melanchthons charakterisiert H.Engelland
(1931, 237) folgendermaßen: "Nach dem Römerbriefkommentar 1532
und den folgenden Dokumenten weiß jeder Mensch durch Gottesbeweise und Naturgesetz um Gottes Dasein und Willen. Es ist aber
nur eine *gesetzliche* Erkenntnis, die durch die persönliche Be-
zogenheit zum gnädigen Gott, also die Vergebung ergänzt wird,
so daß ein Additionsverhältnis zwischen den notitiae naturales
und dem Evangelium entsteht. Daraus folgt die Verhältnisbestimmung zwischen den drei philosophischen Gewißheitsnormen
und der Gewißheit aus der Offenbarung Christi in der Schrift:
die Offenbarung wird den aus dem natürlichen Vermögen geschöpf-
ten Normen koordiniert. Aus dem exklusiven Gegeneinander wird
ein ausgesöhntes Nebeneinander, das ausgedrückt wird durch die
Präposition praeter; es ist die Beziehung des non solum - sed
etiam." Engelland beruft sich hier auf K.Heim und E.Troeltsch
(vgl. auch ebd. 221, 474f). Trotz der addierenden, koordinie-
renden und komparativen Verhältnisbestimmungen meint F.Hübner
(1936, 88ff; vgl.72ff), kein natürliches Fundament der Theologie Melanchthon sehen zu können; wohl aber bestehe die Gefahr
einer falschen Ausweitung des reformatorischen Offenbarungsbegriffes auf Apologetik hin. Anders wieder A.Köberle; er unterscheidet drei Möglichkeiten des Verhältnisses: Identität
(Offenbarung=secundum rationem; z.B. Plato, Lessing), harmoni-
sche Synthese (Offenbarung=supra rationem; z.B. Thomas von
Aquin) und Diastase (Offenbarung=contra rationem; z.B.Luther).
Durch Melanchthon sei die Synthese auch in den protestantischen Raum eingedrungen; schuld daran seien seine humanistisch

philosophischen Neigungen; A.Köberle, Vernunft und Offenbarung, in: ZSTh 15 (1938) 29-45, bes.29-39. Auch C.Bauer sieht (1951/ 52, 320) die Kluft zwischen Natur und Übernatur umgewandelt in eine Synthese. Nach P.Schwarzenau (1956, 113) habe Melanchthon den deus absconditus zurückzudrängen versucht, "indem er den Widerstreit von Vernunft und Offenbarung in eine Verhältnisbestimmung innerhalb der Offenbarung selbst reduzierte, nämlich in die von Gesetz und Evangelium". Von einem "stufenweisen Aufstieg von der Vernunft zur Offenbarung" spricht W.H.Neuser 1957, 39; von einer "Gefahr, den Widerspruch der Offenbarung zur natürlichen Vernunft des Menschen und d.i. zu seinem Seins- und Selbstverständnis zu verharmlosen", von einer "gefährlichen Vermischung von Vernunft und Offenbarung" H.Sick 1959, 65; von einer "Komplementarität" unter gewissen Bedingungen H.-G. Geyer 1959, 52; von einer "Ergänzung bzw.Vollendung", einer Anknüpfung, "Vervollkommnung", "Kombination" P.Meinhold 1960, 77f; von einem "Ergänzungsverhältnis", einer Koordinierung, einer Koexistenz ("wie etwa zwei Staaten in ihren Grenzen friedlich nebeneinander leben") H.Engelland 1961, 67f; von einer Vervollständigung und Addition H.Bornkamm 1961a, 82f; von einem "Ergänzungsverhältnis", einem "Verhältnis der Komplementarität"(von dem bei Luther nichts zu spüren sei) W.Gericke 1962, 457f; von einer "systematischen Einheit" M.Greschat 1965, 155; von einem reinen "Additionsverhältnis" U.Schnell 1968, 93. Hierher gehörte eigentlich auch die Diskussion um das Natur-Gnade-Problem (Glaube, Freiheit, Synergismus usw.); dazu vgl. aber Material und Literatur bei K.Haendler 1968, 494-562.

132) Siehe S. 39ff, 132ff.

133) Einige wenige, willkürlich ausgewählte Beispiele mögen hier genügen: "scis enim oportet nos de coelo doceri"(SM VI/1,278: 1525); ;..quod haec iusticia..revelata sit de coelo, non sit nota rationi aut ex lege"(CR XV,606:1540); sermo coelestis (CR VII,345:1549); res coelestes (SM II/1, 75,13ff:1553); coelestis doctrina: SA I, 379,30(1539); CR III,911(1540); SA III, 118,29; 119,3f(1543) usw. Dementsprechend häufig sind auch die Verbindungen mit "divinus" (bei sermo, vox, decretum, patefactio u.ä.).

134) Die Vernunft (ratio) kennt den Willen Gottes nicht und kann ihn nicht erkennen: SA I, 172,6-35(1521); SA IV, 312,15f(1529); CR XXI, 351(1535); CR XI, 826(1556). Nicht die Vernunft, sondern der Sohn offenbart den Vater: CR XIV,1135(1522/23). Die Philosophie kennt aus sich heraus Gott nicht; wenn sie ihn sucht, verfällt sie immer wieder dem Irrtum: CR V,454(1544).

135) Kein Geschöpf weiß aus sich heraus, ob es Gott wohlgefällig ist (CR VI,486:1547); vgl. SA II/2, 652,8ff(1543). Die Vernunft weiß nicht, wie wir vor Gott gerechtfertigt werden (CR XV,500:1540). Der Mensch kann mit seiner natürlichen Vernunft nicht feststellen, daß Gott die Sünden verzeiht (SA V, 70,27ff: 1532); vgl. SA III, 157,26ff(1546).

136) Die Vernunft kennt das Evangelium nicht: SA V, 282,25f(1532);
CR V,126(1543); SA III, 157,24f; 255,29f(1546); SA II/2,
785,11ff(1556); CR XII,445(?); Die Vernunft kennt die doctrina Evangelii de peccato item de iustitia fidei nicht: SA I,
36o,2off(1539); vgl. SA IV, 318,25f; 432,13ff(1529); SA VI,
246,17f(1552). Weder Mensch noch Engel kennen die vox Evangelii de remissione peccatorum et omnibus beneficiis Mediatoris: CR VII,7o6(155o). Die Philosophie kennt das Eigentliche des Evangeliums (remissio peccatorum gratis donanda
propter filium Dei) nicht: CR XI,425(1538). Der menschliche
Geist weiß über die reconciliatio nichts: SA II/1, 173,22f
(1543). Hier drängt sich die Erinnerung an das "..apud philosophos non est scientia ad dandam remissionem peccatorum"
Bonaventuras (Collationes in Hexaemeron XIX, 7; Opera omnia,
ed. Quaracchi, V,421a) auf; dazu Näheres bei W.Dettloff, Heilswahrheit und Weltweisheit. Zur Stellung der Philosophie bei
den Franziskanertheologen der Hochscholastik, in: Wahrheit
und Verkündigung, Festschrift M.Schmaus, Bd.I, München-Paderborn-Wien 1967,619-634; bes. 628.

137) "Et ista (sc.fides iustificans) non est historica, sed supra
captum nostrum et divinitus confertur.." (Bizer-Texte 123:152o)
"..doctrina evangelii supra rationis iudicium posita est.."
(SA IV, 371,29:1529); Die notitia der Sündenvergebung ist
nicht aus dem menschlichen Geist erstanden - "imo procul extra
conspectum rationis humanae posita est" (CR XI,425:1538); vgl.
SA III, 157,28f(1546). Die vox Evangelii "est sententia
supra rationem posita.." (SA II/2, 494,4ff:1543). Die sententiae ex arcano sinu aeternis Patris prolatae = "supra et extra
conspectum humanae mentis" (CR VI,655:1547); decretum Dei ar-
canum = "procul supra et extra conspectum omnium Angelorum
et hominum positum" (CR XI,778:1547); "Cum igitur Ecclesia
proprium genus doctrinae teneat, procul supra et extra humanae mentis iudicia, Philosophiam et leges positum.." (CR XI,
754:1546);cognitio Dei "supra et extra omnem captum naturae"
(SA IV, 73,5f:1521); vgl. auch den Abschnitt "De patefactione
divina extra artes" (Erot.dial.1547, CR XIII,65o-652).Von der
Menschwerdung und den zwei Naturen Christi heißt es: "Mira
sunt haec et longe supra omnem creaturarum captum posita"
(SA II/1, 185,9ff:1559). Das Verhältnis kann jedoch auch kom-
parativisch bestimmt sein: die Offenbarung spricht "de rebus
multo maioribus" als z.B. die humanistische Bildung (CR XI,
776:1547) oder die Moralphilosophie (CR XXI,255:1533); vgl.
S. 156 Anm.145.

138) Loci 1533 (CR XXI,255).

139) Lv. zur griechischen Ausgabe der Heiligen Schrift, 25. Nov.1544
(CR V,536). Es scheint nur sehr schlecht zu passen, wenn etwa H.Engelland (1931,474) kritisch zum Ganzen bemerkt: "Die Offenbarung Gottes durch Christus bringt nicht etwas schlechthin Neues, sondern erweitert nur den vorhandenen natürlichen
religiösen Besitz, das gesetzliche Verhältnis zu Gott um die
persönliche Beziehung, fügt also nur etwas Neues *hinzu*. Die
Offenbarungsgeschichte von Abraham bis Christus sagt uns dann

zwar manches Wissenswerte über Gottes Verhältnis zu uns.., aber wir können auch ohne diese neuen Aufschlüsse *leben*."

14o) "Quia enim ratio humana, cum sine verbo et testimonio Dei quaerit Deum.., non potest reddi certa, sed dubitat, utrum apprehenderit Deum, utrum Deus curet humana..; ideo hic propositum est certum verbum et testimonium.." (CR XXI,392:1535; ähnlich SA II/1, 285ff:1543); vgl. ferner SA IV, 24o,19f (1527). Im menschlichen Geist herrscht Dunkelheit über die grundlegenden Inhalte des Glaubens. Aus dieser Dunkelheit sind die Irrtümer der Philosophie entstanden (CR V,259:1543). Die patefactio divina ist cause certitudinis in der Kirche (CR XIII,65o:1547); vgl. Komp.,128 (um 1535); SA III, 341, 32ff(1553); vgl. auch schon Raps.Rom.1,21,Herbst 1521?: "Omnes opiniones de deo preterquam que revelate sunt de seipso, preter ea iusta et inconstantia sunt. Verbo firmavit omnia. Ideo nihil est in Creaturis firmum nisi quod verbo roboratum est." (Bizer-Texte 56); zu 4,16: "Si non esset Iustita Euangelii revelata, Nunquam esset Conscientia nostra certa coram deo de voluntate, gratia et spiritu dei misericordia" (Bizer-Texte 71).

141) "Nostra vox non tantum sonat praecepta de moribus, ut Socratica, aut Platonica, quae non inchoat vitam aeternam, sed est organum quo Deus vere et sine ulla dubitatione in mentibus credentium est efficax propter filium, et largitur bona aeterna.." (De officio ministrorum Evangelii 1545, CR XI,7o5); "Porro vita aeterna est illa ipsa iustitia, quam praedicat Evangelium quam ponit Christus simpliciter in cognitione patris et sui. Neque vero id est nosse Deum, quod hypocrisis et humana ratio simulat, cum nominat Deum" (Epit.renov.eccl. doctr.1524, SA I, 182,17ff).

142) "Secundo nullo verbo, nisi verbo Dei cor vivificari potest, Atque hoc est, cur proponatur contentiones illae de autoritate verbi. Propterea non est accipienda doctrina ulla, nisi sciatur certo ex Deo esse" (Ann.Io. 8,14,1522/23, CR XIV,1118); "Quam efficax sit Euangelium, docet locus Attentionis: Non enim erubesco, q.d. ut maxime stulta doctrina videatur sententiae Carnis, Tamen efficax est ad salutem. Cum philosophia, lex sint inefficaces doctrinae" (Raps.Rom.1,16,Herbst 1521?, Bizer-Texte 52).

143) Schol.Col.2,8,1527(SA IV, 238,3ff; 239,9ff; 24o,7ff); Auf den Unterschied zwischen Philosophie und christlicher Lehre und den Irrtum der Philosophie in bezug auf einzelne Artikel weist Melanchthon häufig hin: z.B. bei liberum arbitrium (SA II/1, 8ff:1521), bei iustitia (SA IV, 3o,25ff:1521; vgl. SA IV, 221,1f; 244,8ff:1527),bei peccatum (SA I, 286,27ff; 287,1off:1528; SA II/1, 253,11; 256,3ff:1559), bei afflictio (SA IV, 219,16ff:1527; ebd. 365,32ff:1529), bei patientia (SA IV, 293,1f:1527; ebd. 437,3ff.16ff:1529; SA II/2, 644 ff:1559) usw.

144) Z.B. in der Auslegung von 1 Kor 1,17: "Est autem haec sententia: Se praedicasse simpliciter evangelium, non philosophiam,
quae sic inter se pugnent, ut admissa philosophia statim
obscuratum est evangelium et obscuratus est Christus"
(Ann.I.Cor.1,17, 1521, SA IV, 20,16ff).

145) Siehe die Belege bei H.Engelland 1931, 222ff; F.Hübner 1936,88.

146) Man kann im Grunde C.Bauer (1951/52, 316) zustimmen, wenn er
meint: "Dem Aufweis der Schöpfungsordnung gilt das ganze Bemühen des späteren Melanchthon." Diese erscheine nahezu als
der "beherrschende theologische Systemgedanke", und sie stelle die "rationale Komponente seiner Glaubenslehre" dar. Vgl.
auch ders. 1951, 67f; K.Haendler 1968, 560ff; ferner auch
P.Schwarzenau 1956, 113-120 (=Die Lehre von der imago Dei als
Hintergrund der Loci 1535). Während die Schöpfungstheologie
als solche relativ wenig untersucht ist, wurde die Naturrechts-
frage ausführlicher diskutiert. Vgl. dazu H.Maier 1909, 123ff;
H.Engelland 1931, bes. 208ff, 217ff, 224ff; F.Hübner 1936, 11
bis 25; J.T.McNeill, Natural Law in the Teaching of the Re-
formers, in: JR 26 (1946) 168-182 (Melanchthon 172-175);
H.Liermann, Zur Geschichte des Naturrechts in der evangelischen Kirche. Eine rechts- und geistesgeschichtliche Studie,
in: Festschrift Alfred Bertholet, Tübingen 1950, 294-324
(Melanchthon 299-303); C.Bauer 1950; ders.1951; ders.1951/52;
H.Gerhards 1955, 38-51; P.Schwarzenau 1956, 23-30; W.H.Neuser
1956, 76-83, 130-133; A.Sperl 1959, 35ff, 78ff; Ph.Delhaye
1967, 98-102; K.Haendler 1968, 128ff; H.Pfister 1968, 11ff,
24ff, 39ff, 69ff, 81, 98ff, 140ff, 174ff, 224ff, 295ff;
W.Maurer 1969, 287-296; vgl. auch P.Fraenkel-M.Greschat 1967,
20f, 47f, 114f. Auf die Bedeutsamkeit der Idee der actio Dei
generalis hat bes. P.Schwarzenau 1956, 37-51, hingewiesen; zur
Lehre vom duplex regimen u.a. A.Sperl 1959, 141-170. Bereits
E.Troeltsch sah (1891, 73) bei Melanchthon eine "Coincidenz
der Unterscheidung von Vernunft und Offenbarung mit der von
weltlicher und geistlicher Lebenssphäre".

147) G.Ebeling, Theologie und Philosophie II. Historisch, in: RGG
VI (3.Aufl.1962) 805f; III.Dogmatisch, ebd. 827; vgl. ders.,
Luther. Einführung in sein Denken, Tübingen 1965, 126ff.

148) Vgl. z.B. H.Maier (1909, 123): "Hiermit ist der Kreis des
Wissens geschlossen. Der natürlichen Erkenntnis hat sich die
Offenbarungswahrheit zur Seite gestellt. Noch fehlt das innere
Band, das die gesonderten Teile zu einem System vereinigt. Dazu dient nun der Begriff des Gesetzes." In ähnlichem Sinn auch
L.Haikola (1961a, 91): "Philipp Melanchthons gesamtes Christen-
tumsverständnis ist von seiner Auffassung des Gesetzes bestimmt". Vgl. ders. 1961, 89ff. Ähnlich auch H.Engelland 1961,
64. Analoges hätte nach U.Kühn (1965, 14) für die Theologie
des Thomas von Aquin zu gelten: "Im System des Thomas nimmt
die 'Theologie des Gesetzes' eine bemerkenswert zentrale, ja
geradezu eine Schlüsselstellung ein, so daß eine Beschäftigung

mit dieser Frage uns auf einem bisher noch kaum beschrittenen
Wege einen Zugang zum Gesamtdenken und Gesamtsystem des Thomas
verschafft.."; vgl. ebd. 122, 224 zu Stellung des Gesetzes-
traktats in der Summa theologiae.

149) E.Troeltsch 1891, bes. 146ff, 152ff, 160ff, 174ff, 189f;
K.Heim 1911, 264f; Th.Hoppe 1928/29, 605ff; F.Hübner 1936,
116ff; G.Hoffmann 1938, 121; P.Meinhold 1960, 77ff; H.Engel-
land 1931, 237; ders. 1961, 67; W.Maurer 1967, 108ff; ferner
E.L.Lueker 1960, 478; H.Bornkamm 1961a, 82.

150) "Von hier aus (sc. Gesetzeserkenntnis = natürliche Gottes erkenntnis) fasst sich die ganze natürliche Erkenntnis, der ganze Kreis der Disziplinen, die ganze Fülle der natürlichen, auf
das Höchste und Letzte gerichteten Reflexionen zusammen als
Erkenntnis des göttlichen Wesens im Gesetz und tritt in dieser
Geschlossenheit der Offenbarung gegenüber, um ihr den Punkt
im natürlichen Bewusstsein darzubieten, bei dem die Offenbarung in der Busse ansetzen kann"(E.Troeltsch 1891, 178f).
H.Engelland (1931, 475): "Der heilige Geist hebt das Alte
nicht auf, zerstört es nicht, sondern knüpft daran an, baut
darauf weiter." P.Meinhold (1960, 77): "An diese natürliche
Ausstattung des Menschen knüpft nun nach Melanchthon die Offenbarung an"; ebd. 78: "Deshalb darf man sagen, daß für Melanchthon die Offenbarung an die natürlichen und psychologischen
Gegebenheiten anknüpft, nicht mit dem Ziele ihrer inhaltlichen
und qualitativen Veränderung, sondern zu ihrer Ergänzung und
Vervollkommnung."

151) Th.Hoppe (1928/29, 607): "Die *geschichtliche Offenbarung des
Evangeliums* ist damit *hineingebaut in das natürliche rationale
System*, dessen Kern das *Gesetz* - als lex naturalis - ist";
ebd. 609:"Die ratio ist damit zum allgemeingültigen, bleibenden Unterbau der in der Geschichte erfolgten Offenbarung
gemacht." Die Offenbarung besitze "lediglich ein Plus gegenüber
der natürlichen Erkenntnis."

152) P.Meinhold (1960, 77): "Melanchthon hat deshalb den propädeu-
tischen Wert der Philosophie für die Theologie betont." "Die
dem Menschen eingestifteten Prinzipien sollen ja mit ihren
Wahrheiten auf die übernatürlichen Wahrheiten der Bibel, die
auf Offenbarung beruhen, vorbereiten."

153) Nach E.Troeltsch (1891, 163ff) stammt die Gleichung von Vernunft und Gesetz nicht aus der Scholastik, nicht von Aristoteles, auch nicht von Plato oder Cicero allein, oder dem Jus
allein, sondern aus allen. Anders H.Maier (1909, 122): "Scholastisch ist nicht bloß die Art, wie die beiden Sphären des
natürlichen und des religiös-spiritualen Lebens gegen einander
abgegrenzt sind. Noch bedenklicher ist, daß die Religion selbst
zuletzt auf eine Summe von metaphysischen Sätzen reduziert
scheint, die sich von der philosophischen Metaphysik nur durch
ihren reicheren Inhalt und ihre Erkenntnisquelle unterscheiden."
Dem Standpunkt des Thomas stehe er praktisch am nächsten;vgl.
ebd. 125: Scholastisch sei auch die Lex-aeterna-Lehre, und es
scheint Maier sicher, "daß *Melanchthons ganze Gesetzeslehre aus
der thomistischen Theologie stammt.*" Nach K.Heim (1911,

261) befindet sich bei Melanchthon "die Reflexion über das
theologische Erkenntnisproblem ungefähr in dem Stadium, das
sie vor Thomas erreicht hatte" (dem stimmt zu K.Haendler 1968,
516 Anm.125); "Die Änderungen..erscheinen unter diesen Um-
ständen nur als sekundäre Modifikationen des mittelalterlichen Gesamtaufrisses" (K.Heim 1911,268f). "Die friedliche Ko-
ordination von Vernunftgebiet und Offenbarungsgebiet bei Melanchthon entspricht dem primitiven Stadium der Überlegung,
das wir etwa bei Petrus Lombardus haben, in welchem der logische Konflikt noch gar nicht zum Bewußtsein gekommen ist,
der zum Nachdenken treibt" (ebd.279). R.Seeberg (1920,439)
wieder findet bei Melanchthon neben dem "biblizistischen
Standpunkt" eine zweite Auffassung, "die an Thomas erinnert".
B.S.von Waltershausen (1927,665): "So reicht in einem merkwür-
digen Widerspruch zur reformatorischen Grundhaltung das Ver-
nunfterkennen bei Melanchthon weiter als selbst bei dem Aqui-
naten. Es sind doch in dem, was wir von Gott durch das natürliche Licht wissen, nach Melanchthon schon die wesentlichen
religiösen Begriffsbestimmungen enthalten, zu denen die Offenbarung nur ergänzend hinzutritt. Von hier aus führt denn auch
der Weg zum Deismus des 18.Jahrhunderts, nicht von der aristo-
telisch-scholastischen Ontologie." Allgemeiner bei F.Hübner
(1936,24): "Diese Grundlegung für die Aussagen über das Naturgesetz führt folgerichtig zum Anschluß an scholastische Lehre."
Differenzierter C.Bauer (1951/52,322): "Melanchthons Naturrechts-
Lehre trägt also alle wesentlichen Züge eines christlichen
Naturrechts. Sie ruht auf der breiten Grundlage einer natürlichen Theologie und hat als zentralen Gedanken die objektive
göttliche Schöpfungsordnung...Ohne jede Kenntnis der klassischen christlichen Naturrechts-Lehre des dreizehnten Jahrhunderts hat Melanchthon aus einer Synthese von biblischer Theologie mit aristotelischer Ethik und Sozialphilosophie eine
neue vollständige Naturrechts-Lehre geschaffen, die der klassischen des hohen Mittelalters überaus ähnlich ist, die indes
auch bereits sämtliche Elemente für eine Entwicklung des Auf-
klärungs-Naturrechts in sich birgt." Auch nach H.Gerhards
(1955,44) stimmt Melanchthon in einigen wichtigen Punkten
mit Thomas überein. E.Wolf, Naturrecht II. Christliches Naturrecht, in: RGG IV (3.Aufl.1960) 1363: "Melanchthon kehrt mit einer
humanistischen Anthropologie in die Nähe zu einem objektiven,
aristotelisch-thomistischen Naturrecht zurück.." P.Meinhold
(1960,78): "So hat Melanchthon die letztlich wieder auf die
Scholastik zurückweisende Kombination von Philosophie und Theologie, von Vernunft und Offenbarung, von Gesetz und Evangelium
vorgenommen", ebd. 79: "Es ist klar, daß die Ansatzpunkte für
die sog. 'natürlichen Systeme' der Aufklärung in der Theologie
Melanchthons liegen und daß diese in der Gefahr steht, in eine
natürliche Theologie umzuschlagen, sobald die mit der Sünde
gegebene Scheidung von Natur und Übernatur nicht mehr in aller
Strenge aufrecht erhalten wird." "Nicht von der Theologie
Luthers, sondern von der Melanchthons führt die Linie über
die altprotestantische Orthodoxie zu der natürlichen Theologie
und Religion der Aufklärung." An Meinhold schließt sich an
W.Gericke (1962,457), der ebd. auch ein Wort von K.Barth (Kirch-

liche Dogmatik I/2, 877) zitiert: 'Es ist klar, daß er (sc.
Melanchthon) sich bei diesem Versuch nicht auf der Linie der
Reformation, sondern noch auf der der Scholastik oder schon
auf der der späteren Aufklärungstheologie befindet'. Auch nach
H.Engelland (1961, bes. 62-69) ist Melanchthon in der späteren
Zeit (d.h. ab 1532) in der Frage der Gotteserkenntnis zum
(katholischen) Analogieverhältnis zurückgekehrt. L.Haikola
sieht (1961, 89) Melanchthons Gesetzesauffassung in gewisser
Hinsicht als eine Erinnerung an die mittelalterlich thomisti-
sche Auffassung an. W.Maurer wiederum sieht (1967, 145) das
Bindeglied speziell im christlichen Platonismus: "Die Wieder-
erweckung der natürlichen Theologie durch den christlichen
Platonismus führt bei Melanchthon zu der zweistufigen Theologie zurück, die er bei seinen scholastischen Lehrern in Tübingen gelernt hatte." Ph.Delhaye sagt (1967, 98) in bezug auf
die Loci 1559: "Le chapitre consacré à la Loi Naturelle est
nettement augustinien mais, c'est bien clair, les éléments
doctrinaux repris à l'évêque d'Hippone n'ont pas les mêmes
indices d'importance que dans les oeuvres de celui-ci." Allgemeiner ist hier W.Maurer (1969, 287f): "Melanchthon hat
also seine Lehre vom Gesetz an die ihm durch Cicero - aber
nicht nur durch diesen - repräsentierte antike Naturrechts-
tradition angeknüpft, hat diese aber in der verchristlichten
Form übernommen, in der sie das Mittelalter weitergebildet
hatte." Ohne sich auf eine zwingende Abhängigkeit festzulegen,
verweist Maurer (ebd. 551f Anm.3) besonders auf Gerson. Zur
Verschiedenartigkeit der scholastischen Naturrechtsvorstellungen vgl. J.Fellermeier, Das Naturrecht in der Scholastik,
in: ThGl 58(1968) 333-369. Allen hier aufgeführten Urteilen
eignet natürlich insofern ein allgemeines Wahrheitsmoment als
die Beziehung des Gesetzes zur Vernunft der philosophischen
(Aristoteles, Stoa, Neuplatonismus) und theologischen Tradition
(Kirchenväter, Scholastik) gemeinsam ist; so auch H.Meyer,
Thomas von Aquin. Sein System und seine geistesgeschichtliche
Stellung, Paderborn 2.Aufl.1961, 588ff, 598ff.

154) Vgl. R.Seeberg 1920, 439; H.Engelland 1931, 208.
155) F.Hübner (1936, 69f): "Der Ansatz würde in dem Augenblick ge-
fährdet sein, in dem aus dem spannungsvollen Widereinander von
Natur und Offenbarung ein spannungsloses Nebeneinander geworden wäre"; ebd. 74:"Aber eben, daß der Kern des Ansatzes so
lebendig fortwirkt, ist der sicherste Beweis dafür, daß von
einer natürlichen Theologie rationaler Art, von einer apologetischen Verkürzung der Heilsbotschaft des Evangeliums bei
Melanchthon nicht geredet werden kann"; ebd.97: "Solange der
usus elenchticus im echten Sinne aufrecht erhalten wird, so
lange ist eine Gleichsetzung von Gesetz und Vernunft unmöglich!"
In dieser Richtung auch H.Sick (1959, 37): "Die Gleichung von
Gesetz und Vernunft ist vollzogen, so urteilt Troeltsch. Doch
hat Melanchthon diese Gleichung niemals vollzogen. Die Ansätze dazu sind da, und doch werden sie immer wieder durchge-
strichen durch die Aussagen, die Melanchthon vom Evangelium
her über das Gesetz machen kann."

156) K.Haendler (1968, bes. 129f): "Die Einordnung des Sachverhaltes
der 'natürlichen' Gotteserkenntnis in den Kontext von Gesetz
und Evangelium erlaubt es nicht, zwischen der 'natürlichen'

und der auf der Offenbarung Gottes in Christus aufruhenden, 'christlichen' Gotteserkenntnis ein additiv-komparatives Verhältnis anzunehmen analog dem zwischen Natur und Übernatur, Natur und Gnade, Vernunft und Offenbarung usw. im Sinn der katholischen Theologie." Vgl. auch H.-G.Geyer (1959, 47-66), nach dem Melanchthon alles daran gelegen ist, "die Grenze der natürlichen Gotteserkenntnis zu bestimmen"(ebd. 62).

157) Vgl. etwa U.Kühn 1965, 144f.

158) "Magnum beneficium Dei est rerum creatio, sed multo maius est, quod se generi humano certis testimoniis inde usque ab initio patefecit.."(Wv.zum 1.Teil von Luthers Genesiskommentar, 25. Dez.1543, CR V, 259f); ähnlich Loci 1543 (SA II/2, 519,12ff; 593,17ff); Lv.zur griech.Ausg.der Heiligen Schrift, 25.Nov. 1544 (CR V, 535f); Wv.zu Ann.Ev.1544 (ebd. 560); Ann.Ev.1549 (CR XIV, 424).

159) "Ideo enim condidit Deus humanum genus, ut esset aliqua Ecclesia, in qua vera ipsius noticia luceret, eoque se patefecit non uno modo, impressit omnium mentibus nascentes nobiscum noticias, de aeterna mente opifice rerum et gubernatrice humani generis, de discrimine honestorum et turpium, et alias multas. Addidit et voce sua doctrinam, qua ostendit quomodo invocari velit"(De Ambrosio Or.1542, CR XI, 578; zur Dat. O.Clemen 1913, 40f); ähnlich Loci 1559 (SA II/1, 172,20ff/173,1ff). "Ideoque se patefecit Deus homini dupliciter. Insita naturali noticia, et promulgato certo verbo, quod certis testimoniis confirmavit" (Ann.Ev.1549, CR XIV, 424; vgl. 415); vgl. auch CR XV,565(1540) CR VII, 576, 614, 669(1550); CR XXIII, 240(1550).

160) "Quaedam voce Dei tradita sunt, quae etiam natura nota sunt, ut praecepta Decalogi. Sed voluit accedere vocem suam,ut ostenderet illas ipsas noticias naturales a sese mentibus nostris inditas esse, et legem novo testamento sanciret, ac bonae menti grata est confirmatio veritatis, ubi intelligit ad naturalem noticiam accessisse coelestem vocem. Ratio deprehendit terram stare immotam, et Solem moveri. Sed cum idem divinitus traditum esse audimus, firmius assentimur. Sunt autem aliae quaedam sententiae divinitus traditae, quae antea prorsus ignotae fuerant omnibus creaturis, ut vox Evangelii de Filio Dei.., de reconciliatione, de praemiis et poenis aeternis" (Erot.dial.1547, CR XIII, 651); vgl. auch die Belege bei H.Engelland 1931, 220f.

161) "Posteaque autem mens confirmata est vera et recta sententia de Deo, de creatione, ex ipso verbo Dei; tunc et utile et iucundum est, etiam quaerere vestigia Dei in natura, et rationes colligere, quae testantur esse Deum"(Loci 1535, CR XXI, 369); vgl. Loci 1543 (SA II/1, 219,24/220,1ff); Expl.Symb.Nic.1557 (CR XXIII, 530); und F.Hübner 1936, 59f.

162) Loci 1521: "Porro esse in nobis legem naturae Paulus mire eleganti et arguto enthymemate in secundo capite ad Romanos docet, cum sic colligit: Est in gentibus conscientia factum

defendens vel accusans; est igitur lex. Quid enim aliud est conscientia quam facti nostri iudicium, quod a lege aliqua aut communi formula petitur? Est itaque lex naturae sententia communis, cui omnes homines pariter adsentimus atque adeo quam deus insculpsit cuiusque animo, ad formandos mores accomodata." "Primam legem de colendo deo accepimus ex primo cap.ad Romanos, ubi non dubium est, quin inter naturales leges eam recenseat apostolus, cum inquit deum declarasse omnibus hominibus maiestatem suam conditione et administratione universitatis mundi" (SA II/1, 41,28ff; 42,35ff); vgl. auch Bakkalaureatsthesen Nr.3 und 22, 1519 (SA I, 24,7f; 25,7); Inst.1519 (Bizer-Texte 91); Capita 1520 (ebd. 112); Artif.Rom.1520 (ebd. 21; vgl. auch ebd.Anm.9); Raps.Rom.1,18ff, '1521 (ebd. 55, 66); Ann.Rom. 1,18ff, 1521 (Bl.B 2b); Loci 1522 (CR XXI, 118 Anm.26).

163) Ausführlich in Comm.Rom.1,18-32, 1532 (SA V, 68-81); Loci 1535 (CR XXI, 398ff); Loci 1559 (SA II/1, 313ff). Richtig ist im Prinzip die Deutung bei K.Haendler 1968, 129f: Die natürliche Gotteserkenntnis sei kein "theoretisches Wissen von Gott", sondern ein "praktisch-existentielles Erfahren" in negativer Hinsicht (Anklage und Verurteilung). Allerdings ist dies noch nicht alles. Man muß hier nämlich hinzufügen: Dies gilt in bezug auf den Ungläubigen, auf den Heiden! Denn in bezug auf den Gläubigen gilt ja das "et utile et iucundum est", "quaerere vestigia Dei in natura"(siehe oben Anm.161). Natürlich besteht hier ein erheblicher Unterschied zwischen Früh- und Spätzeit: In der Frühzeit steht die Naturrechtslehre noch ganz am Rand (vgl. etwa II.Gerhards 1955, 38ff; C.Bauer 1950). Da die Schöpfungslehre noch nicht in das Blickfeld getreten ist, können ihre positiven Funktionen hier noch nicht in Aktion treten. Die Wendung bahnt sich (wie schon P.Schwarzenau 1956, 23ff gezeigt hat) seit 1525 an, die Formel natura=divinitus ist bereits 1526 vollzogen und die Schol.Col.1527 bringen dann die endgültige Gleichung natura=ratio=philosophia=divinitus (P.Schwarzenau 1956, 28). H.Engelland sah (1931, 237; vgl. 473) diese Wende erst in den Comm.Rom.1532 sich vollziehen, und nach H.Maier (1909, 46) und C.Bauer (1951, 93) sei sie erst 1536 bzw. 1538 als abgeschlossen zu betrachten.

164) Loci 1535 (CR XXI, 405); Loci 1543/59 (SA II/1, 322,29/323,1ff) Prol.Off.Cic.1562 (CR XVI, 533f, 538f); ausführliche Belege bei H.Engelland 1931, 241-258.

165) Das Material zu den Gottesbeweisen ist im wesentlichen zusammengestellt bei H.Engelland 1931, 209-216; vgl. auch F.Hübner 1936, 15-18, 60-63. Von hier aus ist auch verständlich, warum Melanchthon ohne weiteres ein Bündnis mit bestimmten heidnischen Philosophen eingehen kann, wenn diese sich gegen den Atheismus z.B. wenden: vgl. etwa Loci 1543: "Iam huc referantur verae disputationes Xenophontis, Ciceronis et similium, qui secuti naturale iudicium hanc legem (sc.naturae) contra Atheos saepe inculcant et defendunt"(SA II/1, 316,15ff); vgl. Loci1535 (CR XXI, 401). Diese heidnischen Philosophen hätten recht, weil sie der Natur gefolgt seien. Dieses Urteil selbst erfolgt jedoch vom Glauben her. Wenn H.Engelland (1931, 475ff)

die Gottesbeweise Melanchthons kritisiert, indem er ihre
Schwächen angesichts einer kritischen Vernunft aufzeigt, so
verfehlt er ihre Ebene, weil er von vornherein rationalisiert,
was nach Melanchthon zuerst einmal ein Datum des Glaubens ist
und erst als solches dann auch eine rationale Seite hat. Deshalb hat F.Hübner prinzipiell recht, wenn er (1936, 62) feststellt, "daß jedenfalls *eine* Wurzel des 'Gottesbeweises' dem
Offenbarungsverständnis Melanchthons entspringt." Auf der
anderen Seite leidet natürlich seine Apologetik, seine Auseinandersetzung mit den großen philosophischen Systemen dadurch, daß sie relativ unvermittelt vom Glauben aus geführt
wird, unter erheblichen philosophischen Mängeln (vgl. H.-G.
Geyer 1959, 79). Wenn K.Haendler (1968, 130f Anm.38) dem Naturrecht nur die Funktion der Anklage und Verurteilung zuspricht,
während die Frage des Atheismus keine Rolle gespielt habe,
so ist dies offensichtlich unzutreffend. Vgl. auch S.243f.

166) Das Material dazu wieder bei H.Engelland 1931, 217, 224; und
F.Hübner 1936, 19f. Zur Bedeutung dieser platonischen Tradit?on
bei Melanchthon vgl. W.Maurer 1967, 93ff, 142ff.

167) Das Material wieder bei H.Engelland 1931, 197-206; F.Hübner
1936, 11-15.

168) Siehe S.353.

169) Z.B. "Philosophi eam (sc.disciplinam) merito summis laudibus
vehunt, quia verissimum est nullum bonum in humana natura
praestantius esse quam hanc rationem et curam honesti vivendi.
Et ut sine cibo, potu et similibus naturae beneficiis tueri
vitam non possumus, ita sine legibus et disciplina defendi
et conservari vita hominum non potest"(Comm.Rom.5,20, 1532,
SA V, 191,30/192,1f); vgl. auch Schol.Col.2,8, 1527(SA IV,
234f). Selbst die Physik dient im wesentlichen der Explikation
anthropologischer (und natürlich auch theologischer) Probleme,
wie H.-G.Geyer (1959, 29-91) schön gezeigt hat. "Mit der
doppelten Blickrichtung auf den Menschen in der Welt und auf
den Schöpfer der Welt sind die entscheidenden und maßgeblichen
Grenzpunkte anvisiert, in denen die Physik Melanchthons sich
bewegt.."(ebd. 36).

170) "Et ut artes sunt naturae explicatio, ita demonstrationes in
philosophia morali sunt explicatio naturae hominis.." "Manifestum est philosophiam moralem esse explicationem legis
naturae"(Phil.mor.1546, SA III, 158,39f; 159,8f); vgl. auch
die Belege bei G.Weber 1962, 9ff. Daneben kennt Melanchthon
allerdings auch noch eine mehr revelatorisch-inspiratorische
Begründung der artes: "Artes vitae utiles generi humano divinitus monstratas esse et conservari a deo, cum alia signa non
obscure ostendunt, tum vero haec res perspicue testatur, quod
singulae habent autores..heroicis naturis praeditos.." "Nec
vero dubium est, heroicas naturas divino adflatu et quodam,
ut Graeci vocant enthusiasmo moveri"(Wv.zur Galenausg., 13.
Febr.1538, CR III, 490); vgl. Wv.zu Commentarius de anima,
Jan.1540 (CR III, 907f); "..quamquam ille etiam naturae sensus
divinus quidam afflatus et quaedam quasi Dei vox est.." -

162

naturae sensus und divina oracula stehen sich hier ansonsten
gegenüber (Vorr. Aug.1531, CR II, 532). Daneben kennt Melanchthon noch eine dritte Art der Begründung: Auch das natürliche
Wissen ist ein Rest des Paradieseswissens, das durch Überlieferung weitergereicht wurde; vgl. Chron.Car.I, 1558: "Est
autem magna pars scientiae de motibus astrorum, scire motus
Solis et Lunae. Quare fatendum est, et huius doctrinae initia
a primis parentibus tradita esse. Et cum Adam ante lapsum
aspiciens totum coeli et terrae opificium, multa intellexerit,
quae postea homines acie mentis penetrare non poterant, non
dubium est, eum semina doctrinarum de Deo, de coeli motibus,
et de rebus nascentibus tradidisse posteris"(CR XII, 726);
dazu P.Fraenkel 1961, 63, und vor allem W.Maurer, der den
Traditionsbegriff Melanchthons in erster Linie aus dem Universalismus des Florentiner Neuplatonismus ableiten will
(bes. W.Maurer 1965a); vgl. dazu S.474.

171) "Lex moralis est aeterna et immota sapientia, et norma iustitiae in Deo, quae est patefacta rationali creaturae in creatione, et postea saepe repetita.."(Prol.Off.Cic. 1562, CR XVI,
537). "Cumque Philosophi causas legum in natura quaerunt,
quid agunt aliud, quam ut vestigia Dei impressa humanae naturae monstrent..?"(Or.de Aristotele 1544, SA III, 132,39ff;
vgl. 133,39f/134,1ff). "Magna item dignitas est philosophiae,
et earum sententiarum, quae hoc ius (sc.naturae) explicant;
et cum causas in natura positas quaerunt, monstrant voluntatem Dei in natura scriptam. Quare reverentur sentiendum est de
huiusmodi philosophia, quae habet veras demonstrationes, et
de sententiis doctorum, quae cum illis demonstrationibus consentiunt"(Loci 1535, CR XXI, 405).

172) "Habemus autem legem naturae, id est: quasdam sententias divinitus inscriptas animis, ex quibus etiam gentes iudicare
possunt de civilibus negotiis, quae recta sint, quae sint
iniusta"(Schol.Col.2,23, 1527, SA IV, 271,12ff); vgl.auch
das Vorwort zum Koran, Jan.1543, wo Gesetz und Vernunft als
gemeinsamer Faktor in Heidentum, Islam und Christentum bezeichnet werden (CR V,11), und die weiteren Belege S.198 Anm.
372.

173) Vgl. S.190ff.Gut sichtbar ist dieses Ineinander von Theologie
und Naturrecht bei gleichzeitiger Dominanz der Offenbarung
über die Vernunft (d.h. also bei gleichzeitiger Eingeordnet-
heit des Rationalen in den Glauben) in der Frage der politischen Ethik. Vgl. dazu G.Weber 1962, bes. 33ff; R.B.Huschke
1968, 140ff; auch G.Kisch 1967, 100f.

174) Die Diskussion der formaltheologischen Implikationen und
Konsequenzen dieser Verhältnisbestimmung erfolgt später im
Zusammenhang mit der Frage nach dem Verhältnis von Philosophie
und Theologie. Siehe S.423-429.

175) Siehe S. 175ff. Im Folgenden werden nur Auswahlbelege gegeben,
und zwar aus solchen Stellen, die mindestens zwei Offenbarungs-
mittel nennen.

176) Z.B. CR XXI, 392 (1535); SM V/1, 92,24ff/93,1ff(1543); CR V, 277(1543); SA I, 425,32ff(1546).

177) Z.B. CR V, 259f(1543); ebd. 560(1544).

178) Z.B. CR V, 485(1544); ebd. 761(1545); CR VI, 694(1547); CR IX, 745, 794(1559).

179) Z.B. CR V, 535f(1544); CR VII, 614f(1550).

180) Z.B. CR V, 485(1544).

181) Z.B. CR V, 535f(1544); CR XI, 752f(1546).

182) Z.B. CR VII, 614f(1550); CR IX, 794(1559).

183) Z.B. SM V/1, 92,24ff/93,1ff(1543); CR V, 259f(1543); ebd.485, 535f, 560(1544); CR V, 761(1545); CR IX, 745, 794(1559); CR XI, 752f(1546); und CR XXI, 392(1535); CR V, 277(1543); SA I, 425,32ff(1546). Aber auch das Evangelium kann u.U. "testimonium Dei" genannt werden (SA IV, 24,4ff:1521).

184) Z.B. CR V, 259f(1543); und CR VII, 614f(1550).

185) Z.B. CR V, 535f(1544).

186) Z.B. CR V, 560(1544); Und CR V, 277(1543); CR VII,614f(1550).

187) Z.B. CR V, 761(1545); CR VI, 694(1547); CR IX, 794(1559).

188) Z.B. CR XXI, 392f(1535); SM V/1, 92,24ff/93,1ff(1543); SA II/1, 286,8ff.27ff(1559). Diese geschichtlichen Ereignisse haben sowohl Offenbarungscharakter wie auch Bestätigungscharakter. Die genannten Stellen haben insofern eine besondere Bedeutung, als sie in einer Auslegung des ersten Gebotes stehen und dieses auf den modus cognoscendi Dei und den verus cultus bezogen wird. Vgl. auch Loci 1521: "Itaque sicut legis populus potentiam ac bonitatem dei cognovit, in eo quod vindicatus est a servitute Aegyptiaca." So nach Ex 20,2. "..et ante legem promulgatum cognoscebant patres in iis, quae cum Abraham, Isaac, Iacob gesserat, quare deum Abraham etc.vocant, ita ante hos creatio rerum erat signum certum et forma, e qua cognoscebatur deus. Sic Abel, sic alii sancti credidere, quamquam horum fidem quoque excitavit promissio de capite serpentis conterendo per semen Hevae"(SA II/1, 100,23ff).

189) "..de verbo revelato in Ecclesia, de lege Dei, et de Evangelio.."(Expl.Prov.8, 1551, CR XIV,18); "..cum sapientia aeterna et immota..revelata sit voce legis et Evangelii.."(ebd.); vgl. die weiteren Belege S. 134f Anm. 65-69, S. 140 Anm. 85.

190) Vgl. auch die Belege S. 198ff.

191) Am ausführlichsten in Loci 1521 (SA II/1, 66,15ff; 69,32ff;
70,9ff); dann aber auch Capita 1520 (Bizer-Texte 124);
Artif.Rom.1520 (ebd. 20); Raps.Rom.1521 (ebd. 45f); Ann.I.Cor.
15,34, 1521 (SA IV, 82,30f); Ann.Gen.Praef.1522 (CR XIII,761);
Apol.IV, 1531 (BS 159,30); vgl. 181,22ff; 197,7ff); Apol.XII,
1531 (ebd. 261,43ff; 262,11ff); Comm.Rom.Arg.1532 (SA V, 34,
13ff); Loci 1535 (CR XXI, 419).

192) G.Söhngen 1957, 1; vgl. ebd.10: "'Gesetz und Evangelium' ist
die biblische, christliche Gestalt des Menschheitsthemas
'Recht und Gnade' oder 'Vom göttlichen Ursprung und von den
menschlichen Grenzen des Rechts auf Erden'. Insofern ist die
Fassung 'Gesetz und Evangelium' doch eine eigentümlich christliche Fassung der Sache gegenüber den auch allgemein menschlich geläufigen Fassungen 'Gesetz und Gnade' und 'Gesetz und
Freiheit'." Zur allgemeinen Problematik um Gesetz und Evangelium vgl. vor allem den Sammelband Gesetz und Evangelium 1968
und die dortige ausführliche Auswahlbibliographie von
K.Haendler (ebd. 357-423); auch G.Söhngen, Gesetz und Evangelium, in: LThK IV (2.Aufl.1960) 834.

193) Phil.mor.1546: "Sed doctrina de timore Dei, de fide, invocatione et reliquis virtutibus, quae proprie sunt Christianorum,
non satis tradi potest, nisi tota doctrina exposita de discrimine legis et Evangelii"(SA III, 200,17ff); vgl. ebd. 157f;
ähnlich auch in anderen naturphilosophischen und moralphilo-
sophischen Schriften (vgl. H.-G.Geyer 1959, 102f).

194) Ex.ord.dt.1552: "Diese unterschied (sc.zwischen dem Gesetz und
dem Evangelium) ist der Heubtlere eine in der Kirchen. Und
wo man sie verleschen lest (wie sie denn bey den Papisten
ausgetilget ist), Folget grausame blindheit, Das man tichtet,
der Mensch sey gerecht durch seine werck und verdiene vergebung der Sünden mit eigenen wercken etc."(SA VI, 186,3ff);
Vorr., 29.Sept.1555: "Origenes, Chrysostomus, und hernach Thomas und viel andere sind von der rechten Straßen wegkommen,
darum daß sie den Grund Christlicher Lehr nicht eigentlich verstanden haben, und haben Gesetz und Evangelium nicht klar
unterschieden, Ambrosius und Augustinus haben den Grund besser
verstanden, haben aber ihren Verstand nicht deutlich aus-
sprechen können"(CR VIII, 544); vgl. auch Vorr.zum 2.Bd. der
lat.Werke Luthers, 1.Juni 1546 (CR VI, 166); Loci 1543 (SA
II/2, 416,28ff; 428,10ff); zur Bedeutung der Unterscheidung
auch H.-G.Geyer 1965, 123.

195) Was das Verhältnis von Gesetz und Evangelium bzw. von Gesetzes-
und Evangeliumsbegriff betrifft, so sind für die Frühzeit am
wichtigsten: P.Joachimsen 1926, 76ff; H.Engelland 1931, 30ff,
38ff, 57ff, 63ff; W.Maurer 1955; ders. 1959, bes. 93ff; ders.
1969, 287-414; W.H.Neuser 1957, 76ff, 86ff, 103ff, 120ff;
E.Bizer 1964, 40ff, 50ff, 56ff, 76f, 94f, 119ff, 220ff, 263ff,
287f u.ö.; H.-G.Geyer 1965, 123-215; K.Haendler 1968, 39ff,
50ff, 68ff, 106ff; ferner auch F.Hübner 1936, 34ff, 94ff;
L.C.Green 1955, 109ff, 130ff; 136ff; H.Sick 1959, 7ff; A.Sperl
1959, 78ff, 134f; R.Schäfer 1961, 8ff, 70ff, 91ff, 116ff.

Zur späteren Zeit: H.Engelland 1931, 95ff, 107ff, 155ff, 237ff, 276ff, 293ff, 425ff; K.Haendler 1968, 129f, 136f, 140ff, 189f, 556ff; ferner die weiteren Literaturangaben in Gesetz und Evangelium 1968, 389, und bei O.H.Pesch 1967, 67 Anm.9 und 73f Anm.35.

196) Loci 1521 (SA II/1, 41,20f; 46,3ff); Loci 1535 (CR XXI,390).

197) So z.B. im Abschnitt "De vi legis" in den Loci 1521 (SA II/1, 74-82); dazu bes. H.-G.Geyer 1965, 140ff, 146ff.

198) So Themata ad sextam feriam discutienda 1522 (SA I, 168-170); dazu bes. A.Sperl 1959, 141-170 (wenn auch mit Vorsicht, was die Interpretation selbst betrifft).

199) Comm.Rom.3,20 und 5,20, 1532 (SA V, 97f; 190ff).

200) Loci 1535 (CR XXI, 405f); Loci 1559 (SA II/1, 321-326).

201) SA II/1, 67,18f.

202) Ann.Matth.Praef.1519/20: "Lex quaedam insculpta est animis nostris, quam naturalem vocant, estque consilium rationis nostrae, quo recta monentur. Est et quam Deus dedit per Mosen" (SA IV, 135,9ff); Inst.1519: "Lex est sententia vel divinitus promulgata, vel ostensa ratione naturali qua iubentur recta" (Bizer-Texte 93); Capita 1520: "Lex est sententia qua et bona praecipiuntur et mala vetantur"(ebd. 111); vgl. Raps.Rom.Arg. und zu 1,18, 1521 (ebd. 46,55); Loci 1535: "Lex Dei est doctrina praecipiens, quales nos esse, quae facere, quae omittere oportet, et requirens perfectam obedientiam erga Deum.." (CR XXI, 388); ähnlich Loci 1533 (ebd. 294f); Phil.mor.1546 (SA III, 157,29f/158,1f); dann Ex.ord.dt.1552: "Das Gesetz ist diese ewige Göttliche weisheit, wie gesagt ist.."(SA VI, 186,18); ähnlich De anima 1553 (SA III, 321,14f).

203) Loci 1521: Die Paulinischen Gesetzesaussagen beträfen diejenigen Menschen, "quibus legem deus revelat ostenditque corda, et quos sensu peccati sui terret deus et confundit. Hi demum sunt, in quibus per legem deus operatur." "In his vere ac proprie lex agit, quibus ostenditur peccatum. Quod quia vere fit, a deo fit, et vocat hoc opus scriptura iudicium, iram dei, furorem dei, aspectum, vultum irae etc."(SA II/1, 76,5ff.; 10ff); Ann.Matth.1519/20: Solet itaque lex peccatum declarare, coercere, terrere, ac metum incutere nobis, impellere, ut odio sit legislator Deus, denique ut fugiamus Deum"(SA IV, 135,23ff) Capita 1520:"Proinde lex est nuntium irae, mandans, exigens et terrens.."(Bizer-Texte 117); vgl. dann Loci 1521 (SA II/1, 35,17ff; 78,28ff; 79,27f; 81,8ff); "In summa: proprium legis opus est peccati revelatio aut, ut clarius dicam, peccati conscientia.." "Quid enim aliud est conscientia peccati quam legis sententia, in corde ostendens peccatum nostrum?"(ebd. 80,8ff.15ff). "Habes legis opus esse revelationem peccati." "Et in iustificandis quidem peccatoribus primum hoc opus dei est revelare peccatum nostrum: confundere conscientiam nostram, pavefacere, terrere, breviter damnare.."(ebd. 80,21.26ff);

vgl. auch Apol.IV, 1531 (BS 176,7ff; 199,26); Comm.Rom.3,20,
1532 (SA V, 97,18ff); zu Röm 7,7ff (ebd. 218,18ff.30ff; 220,
1ff); zu Röm 4,15 (ebd. 152,21ff); zu Röm 7,13 (ebd. 222,22ff);
Loci 1535 (CR XXI,388); Loci 1559 (SA II/1, 323,26ff); vgl.
auch die Belege bei H.Engelland 1931,96f,99ff,279ff,296f.

204) Wenn A.Forster (1963, 24) bemerkt: "Eines erscheint uns jedenfalls wichtig: Nie behauptet Seripando, das Gesetz sei die
Offenbarung des Zornes Gottes. Dieses Schweigen ist bedeutsam
gerade gegenüber den immer wiederkehrenden Auslegungen in der
reformatorischen Lehre"(zum Gesetzesbegriff Seripandos ebd.
11-56), so ist immerhin auch bei Melanchthon das Gesetz nie
primär, direkt und absolut Offenbarung des Zornes Gottes;
es ist dies vielmehr nur indirekt, sekundär und relativ, bzw.
wenn man so will, konditional (d.h. unter der Bedingung der
Sünde) oder konsekutiv (d.h. als Folge der Sündenerkenntnis).

205) Ann.Matth.Praef.1519/20: "Iam vero et naturalis et divina lex
imperant homini, quae assequi humanae naturae vires nequeunt.
Semper enim alio nos rapit morbus gentilicius ex peccato
Adae contractus, quae gemina quaedam propensio est in membris
nostris ad peccandum.."(SA IV, 135,9ff); Loci 1521: "Prodita
quidem lex est, ut viveremus; sed cum facere non possimus, mortis organum est: Et quae causa est tandem, cur lex occiderit?
Lex spiritualis est, id est, exigit spiritualia.."(SA II/1,
77,32ff); Comm.Rom.7,7, 1532: "Quaerit itaque Paulus, si lex
tantum occidit, utrum sit res mala et causa peccati, an tradita sit ad hoc, ut magis peccemus. - Respondet per translatio-
nem, sc. quod imputandum sit peccato, h.e. vitio naturae, non
legi, quod lex occidit, quia in tali natura non potest meliorem effectum habere. Transfert ergo rem a lege ad naturae
vitium. Primum igitur ponit proprium finem legis, videlicet
ostendere peccatum, quem deinde sequitur alius finis, sc.
occidere (sed id non fit legis vitio, sed propter peccatum)"
(SA V, 218,13ff); ähnlich Ann.Rom.7,7, 1521 (Bl.F 2a). Zur
Unerfüllbarkeit des Gesetzes wegen der Sünde vgl.auch die
Belege bei H.Engelland 1931, 98f.

206) Die entsprechende Unterscheidung bei Thomas von Aquin lautet:
non effective - sed occasionaliter; vgl. S.th.I/II q.98 a.1
ad 2.: "..lex dicitur occidisse, non quidem effective sed
occasionaliter, ex sua imperfectione: inquantum scilicet
gratiam non conferebat, per quam homines implere possent quod
mandabat, vel vitare quod vetabat"; dazu O.H.Pesch 1967, 431f;
ebd. 432 Anm.60 auch weitere Belege.

207) Loci 1521: "Saepe quidem legem etiam Christus praedicat, quod
sine lege peccatum cognosci non possit, quod nisi sentiamus,
vim gratiae et amplitudinem non intelligemus. Proinde simul
et lex et evangelium praedicari debet, ostendi debent et peccatum et gratia"(SA II/1, 73,21ff); Schol.Exod.20, 1523: "Legis
cognitio adeo est necessaria, ut neque experiemur Evangelium
in cordibus nostris, nisi legis vim utcumque cognoscamus,
legis opus est terrere conscientias"(SM V/1, 16,13ff); Ann.Io.
1,37, 1522/23: "Ante praedicatam poenitentiam Christus non

cognoscitur, quia iusticia et vita non cognoscitur nisi prius cognito peccato seu cognita morte"(CR XIV, 1075); Unterr.Visit. 1528: "So doch on busse keyn vergebung der sunden ist, Es kan auch vergebung der sunden nicht verstandenwerden on busse" (SA I, 221,17ff); Comm.Rom.1,18, 1532: "..quia non potest praedicari misericordia, nisi prius ostendatur ira Dei adversus peccata nostra"(SA V, 69,5ff); Comm.Rom.Arg.1540: "Nec potest existere fides sine poenitentia: quia fide accipienda est remissio peccatorum. Non autem petit remissionem is, qui delectatur scelere contra conscientiam"(CR XV, 522); weitere Belege bei H.Engelland 1931, 105ff, 283ff.

208) Ann.Io.5,46, 1522/23: "Non solum eo pertinet, quod Moses de Christo testificatus sit, sed etiam, quia tantum lata est lex, ut peccatum cognosceretur, et sciremus, operibus nos iustificari non posse, et habere opus gratiae, ut Paulus inquit: Finis legis Christus est; item: Lex paedagogus noster est in Christum"(CR XIV, 1099); Ann.Matth.Praef.1519/20: "Hoc vero iugum legis imposuit umeris nostris Deus declaraturus nosmetipsos nobis. Et quia redempturus erat hominum genus, oportuit declarari peccatum nostrum, a quo nos liberaturus esset Christus"(SA IV, 135,19ff); weitere Belege wieder bei H.Engelland 1931, 103.

209) Siehe oben Anm.205.

210) Siehe dazu S. 189-194.

211) H.-G.Geyer 1965, 178.

212) Zur allmählichen Entwicklung V.Pfnür (1970, 200ff),der bereits im Kinderkatechismus von 1524 (SM V/1, 20-56) die Sache des tertius usus sich abzeichnen sieht(Pfnür 1970, 203). Zu den frühen Spuren des tertius usus legis auch R.Schäfer 1961, 116-157.

213) Vgl. dazu die Übersicht bei O.H.Pesch 1967, 66-76, 109-122.

214) Vgl. etwa U.Kühn 1965, 192-202; G.Söhngen 1957, 51-63.

215) Man könnte höchstens aus der Gestalt der augustinisch-thomanischen Unterscheidung so viel lernen, daß eventuell auch bei Melanchthon "lex" in den verschiedenen usus nicht ein univoker, sondern ein analoger Begriff ist, obwohl auch das schlecht zu passen scheint und Melanchthon selbst nie darauf rekurriert. Faktisch ist es natürlich auch bei Melanchthon so, daß "Gesetz" im tertius usus legis nicht mehr das "gesetzliche" Gesetz bzw. das die Sünde offenbarende Gesetz ist, sondern das Gebot, das nichts anderes ist als Ausdruck des Willens Gottes innerhalb eines christlichen Lebens.

216) Schön kommt dies zum Ausdruck in einem Text aus dem Kolosserkommentar 1529(!), wo es heißt: "Cum fides vicit malam conscientiam, tum demum illa veluti scripta contra nos accusatio deleta est. Manet tamen notitia,quae recte facere docet. Et

illi qui sanctificati sunt Spiritu sancto ultro obtemperant illi notitiae, tamquam voluntati Dei. Adhaec Christus dedit mandatum dilectionis, quare Decalogus repetitus in Euangelio, retinetur"(S.Pauli ad Colossenses Epistola cum commentariis Phil.Melanchthonis, Hagenau, Joh.Secer, 1529, Bl.L 2a; zit. nach V.Pfnür 1970, 202 Anm.398).

217) H.-G.Geyer 1965, 126. Geyer weist hier vor allem auf den Aufbau der Loci 1521 hin, wo Melanchthon im Abschnitt "De peccato"(SA II/1, 17-40) den Abschnitten "Quid peccatum"(ebd. 17t) und "Unde peccatum originale"(ebd. 18-20) den Abschnitt "Vis peccati et fructus"(ebd. 21-40) folgen läßt, wobei aus der Länge der Stücke zugleich auch die Bedeutung der rhetorischen Fragestellung erhellen dürfte. Diese ausdrückliche Unterscheidung der Fragestellungen findet sich auch noch im folgenden Teil: "De lege"(ebd. 40-65), "De evangelio"(ebd. 66-85), weil der letzte Abschnitt eingeteilt wird in "Quid evangelium" (ebd. 67-73), "De vi legis"(ebd. 74-82) und "De vi evangelii" (ebd. 82-85).

218) H.-G.Geyer 1965, 125.

219) Was auch bei H.-G.Geyer 1965, 126f, leicht angedeutet zu sein scheint.

220) SA II/1, 67,18ff.

221) Ebd. 83,20ff.

222) Ann.Rom.7,7, 1521: "Itaque lex ostendit peccatum, Tum theoricae ut extra conscientiam, Scio enim peccatum esse, deum non summe diligere.., Tum practice ut in conscientia, cum peccati conscientia terreor"(Bl.F 2a); Comm.Rom.3,20, 1532: "Alter usus legis est non politicus, sed pertinens ad conscientiam cum Deo agentem. Hic lex tantum accusat conscientiam; numquam enim legi satisfacit." "Ita hic, cum ait: 'Per legem cognitio peccati', intelligatur 'cognitio' non de otiosa cogitatione, sed de terroribus illis conscientiae. Tunc enim vere lex intelligitur, cum accusat, et peccatum tunc cognoscimus, cum perterrefacti agnoscimus Deum offensum esse, quia peccatum est, quo Deus offendit"(SA V, 98,6ff.11ff); zu Röm 7,7ff: "Ita 'cognitio peccati' intelligenda est non speculative, sed de cognitione, in qua cernitur et sentitur ira Dei adversus peccatum"(ebd. 218,34/219,1f).

223) "Est itaque evangelium sermo, quo annuntiatur Christus salvator, hoc est: quo delicta nostra abolita et deleta per Christum nuntiantur credentibus et spiritus iustificans nos praedicatur"(Ann.Matth.Praef.1519/20, SA IV, 136,3ff); "Euangelium est praeconium quo condonatur delictum et monstratur Christus, qui spiritum conferat qui ad recta nos animet et inspiret." "Euangelium est sermo de Christo.."(Capita 1520, Bizer-Texte 116, 117); "Poterit diligens lector omnes promissiones de Christo in hunc locum congerere, quae plane non aliud sunt nisi evangelium"(Loci 1521, SA II/1, 68,9ff); "Nec aliud est

Evangelium, quam sermo de Christo, e quo cognosci Christus possit.."(Ann.Io.4,20, 1522/23, CR XIV, 1086); "Aber das Euangelium ist eigentlich die gnedige fröliche Predigt vom Son Gottes Jhesu Christo.."(Ex.ord.dt.1552, SA VI, 186,31ff); zu Christus als verbum Dei vgl. S. 168f.

224) "Evangelium est praeconium quo condonatur delictum et monstratur Christus.."(Capita 1520, Bizer-Texte 116); "Promissiones vocamus Euangelium, hoc est gratiam et quod dat nobis gratiam et spiritum faciende legis"(Raps.Rom.Arg.1521, Bizer-Texte 46); "..ita Evangelium est promissio gratiae seu misericordiae dei adeoque condonatio peccati et testimonium benevolentiae dei erga nos.."(Loci 1521, SA II/1, 67,18ff); vgl. ebd. 85,18f; 68,36f/69,1; "Non aliud enim est gratia, si exactissime describenda sit, nisi dei benevolentia erga nos seu voluntas dei miserta nostri"(ebd. 86,23ff); "In summa, non aliud est gratia nisi condonatio seu remissio peccati"(ebd. 87,24f); "..Evangelium esse remissionem peccatorum et donationem Spiritus sancti per Christum"(Ann.Io.Praef.1522/23, CR XIV, 1047); vgl. ebd. 1055, 1083, 1167; "Est itaque Evangelium praedicatio poenitentiae et remissionis peccatorum"(Epit. renov.eccl.doctr.1524, SA I, 181,5f); weitere Belege bei H.Engelland 1931, 114ff.

225) Dies wird von E.Bizer (1964, 60f) kritisiert: "Hier wird in der Tat Unvereinbares in einem Begriff vereint. Melanchthon hat den lutherischen Begriff der promissio, der aus den verba testamenti des Abendmahls genommen ist, verwischt, indem er ihn durch die heilsgeschichtliche Vorstellung der Weissagung ergänzt hat. Die Abendmahlsworte sind keine Weissagung,sondern eine Zusage, durch die mir ein Vermächtnis zugeeignet wird. Indem Melanchthon zwei Tatbestände miteinander verquickt, wird mit der lutherischen Theologie eine heilsgeschichtliche Konstruktion verbunden, bei der offenbleibt, wie die Weissagung auf Christus und die persönliche Gnadenverkündigung zusammengehören." "Aber damit wird doch die ganze Konstruktion ad absurdum geführt. Denn wenn promissio gleich Sündenvergebung sein soll, so hat ein Unterschied der Klarheit gar keinen Sinn; eine undeutliche Vergebung wäre ein Widerspruch in sich selbst. Die Einführung dieses Unterschieds macht daher doch wohl deutlich, daß es sich schlicht um ein theologisches Versagen Melanchthons handelt, der hier sein Programm, Theologie der Verheißung zu schreiben, nicht sachgemäß durchzuführen vermochte." Systematisch gesehen ist diese Kritik nicht recht verständlich: Denn ähnlich wie bei Melanchthon wurde die Frage der fides patrum ja bereits im 12.Jahrhundert gelöst. Man lernte hier zwischen Akt und Objekt des Glaubens (zwischen fides qua creditur und fides quae creditur) zu unterscheiden und konnte dann dadurch eine gleichbleibende Glaubenshaltung mit einem Glaubensfortschritt (hinsichtlich des Gegenstandsbereiches) verbinden (vgl. dazu etwa L.Hödl 1963, 362f). Genau dies ist ja auch die Lösung Melanchthons.

226) "Delapsus ergo in terras Christus hanc gratiam meruit humano generi et in omnes gentes palam praedicari mandavit, quae

gratiae annuntiatio evangelium est, faustum certe felixque nuntium"(Ann.Matth.Praef.1519/20, SA IV, 135,33f/136,1f); "Est
autem evangelium sermò, quo beneficia, quae per Christum donata sunt, recitantur"(Schol.Col.1,12, 1527, SA IV, 22o,11ff);
"Haec (sc.remissio peccatorum propter Christum donata) enim
revelatur in evangelio"(Apol.XII, 1531, BS 260,11ff); "Nam
proprius Evangelii locus est promissio, qua Deus propter
Christum pollicetur nobis gratis remissionem peccatorum et
reconciliationem et donationem Spiritus sancti et vita aeterna. Et haec promissio divinitus revelata est, non est depre-
hensa ratione.."(Phil.mor.1546, SA III, 157,20ff).

227) "Ut autem consequamur haec beneficia Christi, scilicet remis-
sionem peccatorum, iustificationem et vitam aeternam, dedit
Christus Evangelium, in quo haec beneficia nobis proponuntur.."
(CAvarIV, 1540, SA VI, 14,33ff).

228) "Evangelium tria tradit: doctrinam fidei, doctrinam operum
et signa promissionum seu verbi fidei"(Prop.de missa, 1521,
SA I, 163,1f); "Nec aliud est Evangelium, quam sermo de
Christo, e quo cognosci Christus possit.." "Est autem cognitio
Christi fides, qua creditur Christum esse salvatorem"(Ann.Io.
4,1o, 1522/23, CR XIV, 1086); "..Evangelium est sermo, in
quo docemus homines propter illum filium Dei gratis liberari
a peccatis, ab ira Dei et a morte aeterna"(Comm.Rom.1,2,
1532, SA V, 58,20tf); vgl. ebd. 302,20ff; Loci 1535 (CR XXI,
421); Ursach 1546 (SA I, 432,1ff); Ann.Ev.1549 (CR XIV,331);
Conf.Sax.1551 (SA VI, 97,37f); En.Rom.1,17, 1556 (CR XV,826);
und auch K.Haendler 1968, 62f Anm.40.

229) H.-G.Geyer 1965, 174.

230) "Et in hunc modum Evangelii duo sunt offitia, primum arguere
peccati omnes homines, Adeoque legem exponere, Deinde ex-
hibere Christum, Consolari et iustificare"(Raps.Rom.1,18,
1521, Bizer-Texte 53); vgl. Loci 1535 (CR XXI, 421); Loci 1543
(SA II/2, 357,29ff); Ex.ord.dt.1552 (SA VI, 187,4ff); En.Rom.
1,18, 1556 (CR XV, 829); "Est hoc plane Evangelii officium,
arguere ea peccata, quae mundus nec arguit, nec potest iudicare, id est hypocrisin"(B.an Spalatin, Aug.1523, CR I, 624);
vgl.Epit.renov.eccl.doctr.1524 (SA I, 181,1ff); weitere Belege
bei K.Haendler 1968, 53f Anm.28. Auf die darin zum Vorschein
kommenden anthropologischen Probleme (bes. auf das Verhältnis
von Buße und Glaube) einzugehen, ist hier nicht der Ort;
vgl. dazu H.-G.Geyer 1965, 341ff, 370ff.

231) "Hic si credat afflicta conscientia promissioni gratiae in
Christo, fide resuscitatur et vivificatur.."(Loci 1521, SA II/1
82,13ff); "Lex terret, evangelium consolatur. Lex irae vox est
et mortis, evangelium pacis et vitae.." (ebd. 83,22ff); "Summa
legis gloria haec est: potentia occidendi. Summa evangelii
gloria haec est: potentia vivificandi." "Fulgor legis iudicium
est et ira, ideo facit, ut fugiamus conspectum Dei.."
"Fulgor evangelii est gratia et misericordia, ideo facit, ut
consistamus coram Deo"(Ann.II.Cor.3,7, 1521/22 SA IV, 104,18ff
23ff); "Semper accusat lex et parit iram." "At fides ostendit

praesentiam Dei, postquam constituit, quod Deus gratis
ignoscat et exaudiat"(Apol.IV, 1531, BS 199,26.30ff).

232) "Evangelium res minime pudenda, nempe efficax ad iustificationem, quia Evangelium est virtus Dei, id est quo Deus
iustificat"(Inst.1519, Bizer-Texte 97); vgl. Raps.Rom.1,16,
1521 (ebd. 52); Ann.I.Cor.13,12, 1521 (SA IV, 73,28f);
"'Non pudet me evangelii', quia non est inanis tabula, ut
iudicant homines impii, sed est vera, divina et efficax
doctrina." "'Evangelium est potentia Dei ad salutem', id est
instrumentum, per quod Deus potenter agit seu efficax
etc."(Comm.Rom.1,16, 1532, SA V, 62,32ff; 64,5ff); "Und ist
diese Predigt (sc.Gen 3,15) nicht eine faule vergebliche
stimme gewesen, Sondern der Son Gottes ist zugleich in jren
hertzen krefftig gewesen." "Denn der Son Gottes ist selb
krefftig durch das Evangelium"(Ex.ord.dt.1552, SA VI, 206,
2off; 211,9f).

233) "Iustitia Dei et ira cognoscitur, cum terret lex. Misericordia et divitiae bonitatis cognoscuntur, cum tangitur cor
verbo gratiae evangelico.."(Ann.I.Cor.13,12, 1521, SA IV,
73,29ff); Cognitio sensus est tum irae tum misericordiae Dei.
Ideo affert secum fidem et timorem. Porro nec ira Dei nec
misericordia cognoscitur a captu humano.."(Ann.I.Cor.2,6,
1521, SA IV, 25,9ff); ähnlich zu 1 Kor 3,1 und 15,34 (ebd.
29,5ff und 82,26ff); Epit.renov.eccl.doctr.1524 (SA I, 181,
33ff; 182,1ff).

234) "Cumque de totis libris primum dixit (sc.Paulus), postea
dividit partes materiarum, quas continent. Partim enim continent doctrinam, id est, dogmata seu articulos, qui ostendunt
qualis sit Deus, et quomodo se patefecit, unde sit haec
rerum natura, unde peccatum et mors; quomodo et quo tempore
filius Dei missus, crucifixus et resuscitatus sit, quae
beneficia nobis donet; partim vero conciones divinae sunt
adhortationes, traducentes animos ad adfectum aliquem ad
timorem, fidem, spem, dilectionem, laeticiam, et ad bona
opera." "Admonere tantum vos volui, ut cogitetis, prudentissi-
me significari Pauli verbis, ad quos fines dirigenda sint
studia, videlicet ad agnitionem veram Dei, deinde ad accendendos pios adfectus"(Or.de dicto Pauli 1.Timoth.4,13, 1546,
CR XI, 757); vgl. die Auslegung von 1 Tim 4,13, 1547 (CR VI,
694, 695); Ref.err.Serv.1559 (SA VI, 367,30ff; 368,24ff).
Siehe auch S. 327.

235) Siehe S. 176, 197.

236) Siehe S. 169 Anm.188.

237) Siehe S.141 Anm.88.

238) Ausdrücklich z.B. Ann.Io.1,37, 1522/23: "Verba et facta
Christi sunt promissiones gratiae, propterea etiam praeter
verba facta Christi sic describit Evangelium, ut in illis
cernas exhibentem gratiam"(CR XIV, 1075).

239) "Darumb sol man nu die schreklichen historien von anfang der
welt predigen, das wir lernen, das GOT sein gesetz, bedrewung
und seinen zorn von anfang also geoffenbart hat, als mit Cain,
mit der Sindflut, mit Sodoma, mit Pharao etc. und sollen dabey wissen, das hernach alle straffen uff erden auch solche
werck sind, darinn GOT seinen zorn wider die sundt erzeiget,
als die grossen krieg und zerstörung der gewaltigen reich...
Auß allen solchen historien sol man GOTTES zorn wider die
sundt betrachten und yhn forchten und sich durch büß zu GOT
bekeren" (Underscheid 1543, in: R.Stupperich 1961, 194);
ähnlich die oben S.170 Anm.191 angegebenen Texte.

240) "Quia 'mentem Christi tenemus', ideo iudicamus, id est: quia
Christum cognoscimus, cognoscimus voluntatem patris in Christo, cognoscentes voluntatem patris spiritualiter de operibus
Dei, tum in nobis, tum extra nos, iudicare possumus. Est enim
Christus propositus ceu exemplar quoddam vel speculum, in
quo contemplemur tum peccati tum vitae imaginem. In moriente
videmus iram Dei adversus peccatum. In vivificato videmus
misericordiam. Rursus in moriente videmus per mortem iter
esse ad vitam, adeoque hanc esse bonam voluntatem Dei, ut
mortificemur, videmus filium glorificatum esse per mortem.
Est igitur mors opus misericordiae seu gratiae Dei" (Ann.I.Cor.
2,16, 1521, SA IV, 28,8ff); zahlreiche weitere Belege bei
H.Engelland 1931, 296ff.

241) "Duplex est ergo gratiae opus: Primum humiliare, proximum
tranquillare, erigere, gubernare. Primum opus facit gratia
per verbum legis, secundum per verbum Christum, Horror et
agnitio peccati ex lege est. Absolutio peccatorum per evangelium" (Ann.Matth.3, 1519/20, SA IV, 145,22ff); vgl. Loci 1521
(SA II/1, 36,5f); "Haec enim sunt duo praecipua opera Dei
in hominibus, perterrefacere, et iustificare ac vivificare
perterrefactos. In haec duo opera distributa est universa
scriptura. Altera pars lex est, quae ostendit, arguit et
condemnat peccata. Altera pars evangelium, hoc est, promissio
gratiae in Christo donatae.." (Apol.XII, 1531, BS 261,43ff);
vgl.Comm.Rom.6,2, 1532 (SA V, 202,28ff).

242) Nur um ein Beispiel zu nennen: "Vix est alia magis miranda
revelatio, quam quae Mosi facta scribitur, Exod.XXXIII. ubi
vocatur Moses in colloquium cum Deo, et eo loco dicitur:
Loquebatur Deus cum Mose facie ad faciem (hoc est, coram et
clara voce) sicut solet loqui homo ad amicum suum" (De Ecclesia Or., 26.April 1543, CR XI, 603; zur Dat. O.Clemen 1913,
41).

243) Der Ort, an dem in der Scholastik noch am unmittelbarsten von
der Offenbarung die Rede ist, ist die Lehre von der prophe-
tischen Inspiration. Vgl. dazu etwa B.Decker 1940; H.U.von
Balthasar, Kommentar, in: Die deutsche Thomasausgabe, Bd.23:
Besondere Gnadengaben und die zwei Wege menschlichen Lebens,
Heidelberg u.a. 1954, bes. 280ff.

244) Siehe S. 176.

245) Vgl. P.Fraenkel 1959, 100 Anm.2, wo auf H.E.Weber, Caemmerer, Pelikan und J.K.S.Reid hingewiesen wird. Neben den Genannten findet sich diese Kritik auch bei L.Haikola 1961, 103; ders. 1961a, 96; ähnlich auch A.Schirmer 1967, 70. Vgl. ferner S. 409f.

246) So A.Sperl 1959, 130-140. Vgl. auch H.Maier (1909, 130): "Die Offenbarung selbst erscheint in erster Linie als Mitteilung einer Lehre."

247) P.Fraenkel 1959, 100: "It will bi our contention here that for Melanchthon the propositional form of the Gospel is the manifestation of those very things that modern historians have not been able to find there: the Gospel's more than rational, active character, its mediation of grace and power of conversion, the self-revelation and saving presence of God." Vgl. ders. 1961, 142ff.

248) P.Fraenkel 1959, 100-113 (=Res et verba). Ähnlich, nur noch viel ausführlicher K.Haendler 1968, 161-186, unter dem Titel "Das verkündigte Wort Gottes".

249) Siehe S.368-410.

250) Wie groß dabei der direkte Einfluß Augustins auf Melanchthons frühe theologische Entwicklung gewesen ist, ist freilich schwer zu entscheiden. Nach G.A.Herrlinger (1879, 5) finde man bei Melanchthon bis einschließlich der Loci 1521 die traditionelle augustinisch-thomistische Rechtfertigungslehre wieder, während die Entwürfe zu den Loci hauptsächlich die augustinische Anthropologie wiedergäben (ebd. 68). Gegen Herrlinger hat dann O.Ritschl (1912, 239) hervorgehoben, daß Melanchthon die augustinischen Elemente nur über Luthers Vermittlung gewonnen habe, und daß beide von thomistischen Einflüssen unberührt gewesen seien. L.C.Green nimmt dagegen 1955 die These Herrlingers wieder auf, modifiziert sie aber gleichzeitig: Bis zum Jahr 1519 (bes. in der Inst. und in den Ann.Matth.) sei die Theologie Melanchthons "augustinisch-thomistisch" (ebd.11 und 13); augustinisch-thomistisch sei speziell auch der Gnadenbegriff (ebd. 13 Anm.24). Im Jahr 1519 (Bakkalaureatsthesen) erfolge der Durchbruch der reformatorischen Rechtfertigungslehre (ebd. 19ff); die Loci 1521 enthielten also keine augustinisch-thomistische Rechtfertigungslehre mehr (gegen Herrlinger) (ebd. 116). Vgl. auch L.C.Green 1957, 143, 146. Noch stärker betont W.Maurer 1955 den augustinischen Einfluß. Ihm zufolge gehe Melanchthon von einer Erasmus nahestehenden Gesetzesauffassung aus (ebd. 109f), ändere diese dann aber seit 1519 (Bakkalaureatsthesen, Inst.) unter dem Einfluß Augustins in den entscheidenden Punkten, indem er in die Augustinusrenaissance eingetreten sei, die die Wittenberger Universitätstheologie mindestens seit 1516 kennzeichne (ebd. 111f). Die inhaltlichen Knotenpunkte dieser Wandlung seien dabei folgende: Disjunktion zwischen Gesetz und Sünde, Sünde als

amor sui, Affektenlehre, Erbsündenlehre (ebd. 111ff, 115) lex
caritatis (ebd. 125). Gegen Maurer (auch gegen Herrlinger und
Green) wendet A.Sperl (1959, 1o5f Anm.33) ein, daß zwar nicht
bestritten werden könne, daß Melanchthon Augustinus studiert
und vielleicht auch manches von ihm übernommen habe, daß
aber kein Zweifel daran sein könne, daß Melanchthon den entscheidenden Einfluß dem Apostel Paulus und der Vermittlung
Luthers, nicht aber dem Studium Augustins verdanke. Im übrigen
gingen die Versuche, eine unmittelbare Abhängigkeit Melanchthons von Augustinus zu sehen, darauf zurück, daß beide eine
Gemeinsamkeit besäßen, nämlich eine "idealistische Psychologie",
von der her sie zu einer intensiven Begegnung mit der paulinischen Theologie gekommen seien. Auch P.F.Barton (1963, 63)
betont gegen Green, daß man die Theologie des Matthäuskommentars nicht mit dem Gummibegriff 'augustinisch-thomistisch'
abtun könne; außerdem sei die Position Melanchthons vor der
Begegnung mit Luther erasmianisch und nicht augustinisch-thomistisch gewesen. W.Maurer wieder wendet umgekehrt gegen Sperl
ein, daß es sich in seiner Darstellung nur um die Wende im
Gesetzesbegriff, nicht um die allgemeine Wende in der Rechtfertigungslehre oder Anthropologie gehandelt habe (1955 im
Neudruck 1964, 112 Anm. 53). In seinem Aufsatz 1959 scheint W.
Maurer in einer Hinsicht fast zu einer ähnlichen These zu
kommen wie Sperl. Im einzelnen sieht sie so aus: Bis Ende 1519
wisse sich Melanchthon noch ganz an Erasmus gebunden; ein Einfluß Augustins sei hier noch nicht sichtbar (1959, 71). Für
die darauffolgende Entwicklung gelte dann: "Der Erasmianer
Melanchthon aber wird auf dem gleichen Weg und in gleichem
Tempo Augustin entgegengeführt, in dem er sich zu Luther und
dessen reformatorischer Theologie hinbewegt. Augustin ist
ihm nicht ein Führer hin zu Luther, sondern dieser ein Wegweiser hin zu Augustin" (eb. 73). "Eine durch Luther bestärkte
Kritik und eine dankbare Aufnahme und Verwertung einzelner
Gedanken - beides bleibt auch weiterhin kennzeichnend für
Melanchthons Stellung zu Augustin. Dabei aber tritt die Kritik
ein wenig zurück, die Anwendung augustinischer Gedanken steht
im Vordergrund" (ebd.77). Im Grunde identifiziere Melanchthon
Luther und Augustin völlig (ebd. 88). "Melanchthon hat seine
entscheidenden Erkenntnisse, aber auch die ihn vorwärtstrei-
benden Fragen nicht von Augustin, sondern von Luther empfan-
gen. Die Auseinandersetzung mit dem Kirchenvater hat er geführt, um die Wahrheit der Theologie Luthers geschichtlich zu
erweisen. Er hat dabei in manchen Einzelfragen Luther durch
Augustin, in anderen Augustin durch Luther gedeutet und so
durch falsche Synthesen das geschichtliche Bild verzeichnet
und die geschichtlichen Auswirkungen der Reformation verdun-
delt" (ebd. 1oo) vgl. auch ders. 1958, 155ff. Zu Melanchthons
früher Stellung zu Augustin vgl. auch P.Fraenkel (1961,17ff,
3off; zur späteren Zeit 93ff, 299ff), der ebenfalls die Bedeutung Augustins hervorhebt: "Here we would only add that though
the Reformer's particular interpretations and judgments on
the Bishop of Hippo varied, his total allegiance to him did
not change. This is all the more significant in view of the
fact that the early battle around the Lutheran Reformation,
in which Melanchthon as the Wittenberger's ambassador abroad

played so important a rôle, was to a very considerable extent a battle about St.Augustine or between different Augustinianisms"(ebd. 31). H.-G.Geyer stellt (1965, 85 Anm.281) mit Hinweis auf Sperl, Maurer und Fraenkel zur Anfangskonzeption Melanchthons fest: "Diese Konzeption darf ihrem Typus nach (speziell im Blick auf den Gnadenbegriff) augustinisch genannt werden, ohne daß deshalb ein besonderes Augustinstudium Melanchthons veranschlagt werden müßte." Vgl. auch K.Haendler (1968, 28 Anm.5): "Mit dieser Bestreitung einer Fluktuation wird nicht auch die von Bizer...hinsichtlich der 'promissio' - und Rechtfertigungsthematik festgestellte und von Geyer... strukturell als Übergang von einer augustinisch beeinflußten 'synthetischen' Entsprechungs-Theologie (lex-spiritus) zu einer lutherisch beeinflußten 'diastatischen' Widersprechungs-Theologie (lex-evangelium) beschriebene Zäsur vom Frühjahr 1520...bestritten. Sie ist zu evident, als daß das möglich wäre."

251) Vgl. dazu K.Haendler (1968, 27ff), der ähnlich votiert. Man braucht hier z.B. nur daran zu denken, daß die paulinische Theologie bereits im Mittelpunkt der frühen humanistischen Theologie Melanchthons stand (vgl. S. 125ff, 131f).

252) E.Bizer 1964.

253) Ebd. 287. Die Rechtfertigungslehre des Matthäuskommentars 1519/20 sei dabei "noch durchaus katholisch"(ebd.122). Erst in der Auslegung von Mt 26, Frühjahr 1520, finde sich die neue Rechtfertigungslehre (ebd. 123-128); deren Ausarbeitung setze sich fort in den Capita, die bald darauf (ca. April bis Juni 1520) entstanden seien(ebd. 40ff).

254) E.Bizer 1964, 41ff, 44, 215.

255) Ebd. 50f, 96, 139, 169, 220f.

256) Ebd. 125, 146f, 169.

257) Ebd. 76f.

258) Ebd. 94ff, 101, 105, 122f, 136f.

259) Ebd. 164, 207, 232f, 263.

260) Ebd. 46f, 56ff, 66, 70, 121, 221f.

261) Ebd. 82, 263.

262) H.-G.Geyer 1965, 123-215.

263) Ebd. 138f; vgl. H.-G.Geyer 1969, 176.

264) E.Bizer 1964, 125; vgl. ebd. 216f.

265) Ebd. 286f, 216ff, 160f u.ö.

266) "Damit ist Melanchthon zu einer Theologie der promissio gekommen. Wenn es ihm nicht gelungen ist, diesen Ansatz sauber
durchzuführen, so werfe der den ersten Stein auf ihn, der es
besser kann. Die Aufgabe jedenfalls hat er klar gestellt und
zu ihrer Lösung mehr Bausteine zusammengetragen, als seine
Nachfolger bis heute zu verarbeiten vermochten"(ebd. 85).

267) H.-G.Geyer 1965, 123; vgl. 179f.

268) Ebd. 170; vgl. 173.

269) Ebd. 176.

270) Ebd. 178ff.

271) In der Inst.1519 folgen Lex und Gratia aufeinander (Bizer-
Texte 93f). In der Praef. der Ann.Matth.1519/20 ist die Unterscheidung lex-evangelium identifiziert mit der Unterscheidung
lex-gratia (SA IV, 135f). In den Capita 1520 lautet die Überschrift dann "De discrimine legis et Evangelij vel gratiae"
(Bizer-Texte 116) und mindestens noch 1521 findet sich die
Unterscheidung Gesetz und Gnade: "Veterum ac novorum (mihi
crede) pauci fuere, qui Legis et Gratiae discrimen proprie
intellexerint, et iuxta, Pauli sententiam tractarint" womit
zweifellos zuerst an Augustinus gedacht ist; es folgt dann
nämlich die Aufzählung der einschlägigen Augustinuswerke (Quo
iudicio legendi autores 1521?, CR XX, 705).

272) Vgl. bes. die Darstellung und die Belege bei P.Fraenkel
1961, 299-303.

273) B.an J.Brenz, Mai 1531: "Augustinus non satisfacit Pauli
sententiae, etsi propius accedit quam Scholastici. Et ego
cito Augustinum tanquam prorsus ὁμόψηφον propter publicam
de eo persuasionem, cum tamen non satis explicet fidei
iustitiam"(CR II, 502). Einen ähnlichen Streit um die Augusti-
nusauslegung gab es zwischen der humanistischen Theologie des
Erasmus und der von ihr angegriffenen scholastischen Theologie;
hier ging es vor allem um das Werk De doctrina Christiana,
auf das sich beide Parteien beriefen (vgl. dazu Ch.Béné 1969,
bes. 337-343).

274) Nachdem von den Unvollkommenheiten des sprachlichen Ausdrucks
der Augustinus-Zeit die Rede war, heißt es in der Or.de vita
Augustini 1539 von Augustinus: "Rebus vero haud dubie prorsus
congruit cum sententia, quae Dei beneficio rursus illuxit in
hac schola, et quidem ipso monstrante"(CR XI,454). Vorr.zum
2.Bd. der lat.Werke Luthers, 1.Juni 1546: "..nec dubito, si
hic iudex esset controversiarum huius aetatis, habituros nos
eum prorsus ὁμόψηφον"(CR VI, 167); Chron.Car.II, 1560: "..ta-
men certum est reipsa congruere eius sententiam cum nostris
Ecclesiis, sed accedat in iudicando dexteritas et candor"
(CR XII, 1017).

275) De eccl.1539 (SA I, 364,21ff); vgl. ebd. 359,17ff.
Vorr.zum 2.Band der lat.Werke Luthers, 1.Juni 1546:
"Certe de remissione gratuita, de iusticia

fidei, de usu sacramentorum, de adiaphoris expresse nobiscum sentit" (CR VI, 167). Lv. zu De Spiritu et litera, Juli
1545: Augustinus zeigt hier, was litera und spiritus meinen,
zeigt, "spiritum sanctum per vocem Evangelii et per ministerium efficacem esse. Recte et hoc adfirmat, disciplinam,
id est, honesta opera humanae rationis sine spiritu sancto
facta, nec mereri remissionem peccatorum, nec esse iustitiam,
quae faciat haeredes vitae aeternae. Ac praeclare dicit:
ex lege timemus deum" (CR V, 8o6). "Alibi igitur diserte et
perspicue adfirmat, fide accipi remissionem peccatorum, et
iustos pronunciari nos propter mediatorem. Et hac fide mentes
consolandas esse, quae expavescunt et fugiunt deum, agnita
eius ira" (ebd. 8o7).

276) Brief an J.Brenz, Mai 1531: "Tu adhuc haeres in Augustini
imaginatione, qui eo pervenit, ut neget rationis iustitiam
coram deo reputari pro iustitia; et recte sentit. Deinde
imaginatur, nos iustos reputari propter hanc impletionem
legis, quam efficit in nobis spiritus sanctus. Sic tu imagi-
naris, fide iustificari homines, quia fide accipiamus Spiritum Sanctum, ut postea iusti esse possimus impletione legis,
quam efficit spiritus sanctus. Haec imaginatio collocat
iustitiam in nostra impletione, in nostra munditie seu per-
fectione, etsi fidem sequi debet haec renovatio. Sed tu reiice
oculos ab ista renovatione et a lege in totum ad promissionem
et Christum, et sentias, quod propter Christum iusti, hoc
est, accepti coram Deo simus et pacem conscientiae inveniamus,
et non propter illam renovationem. Nam haec ipsa novitas non
sufficit. Ideo sola fide sumus iusti, non quia sit radix,
ut tu scribis, sed quia apprehendit Christum, propter quem
sumus accepti, qualis sit illa novitas, etsi necessario
sequi debet, sed non pacificat conscientiam. Ideo non dilectio,
quae est impletio legis, iustificat, sed sola fides, non quia
est perfectio quaedam in nobis, sed tantum, quia apprehendit
Christum, iusti sumus, non propter dilectionem, non propter
legis impletionem, non propter novitatem nostram, etsi sint
dona Spiritus Sancti, sed propter Christum, et hunc tantum
fide apprehendimus. Augustinus non satisfacit Pauli sententiae,
etsi propius accedit quam Scholastici" (CR II,5o1f); ähnlich
Disp.cum Luthero 1536 (Bindseil, 344); Lv. zu De spiritu et
litera, Juli 1545 (CR V,8o6).

277) Der leichteren Nachprüfbarkeit halber seien hier ausnahms-
weise die einzelnen Texte in ihrem Zusammenhang vorgeführt:
Quo iudicio legendi autores 1521?: "Ecce bonam sententiam
de fide. Sed quid multa? Augustinus tenuius loquitur de fide
in toto isto libello, et in plerisque aliis melius. Voluit
enim carere hoc apud vulgus periculum, quod si diceretur fide
iustificari sola, putare vulgus, credentibus quidvis licere,
quia fidem vulgo non pro fiducia in Deum, sed pro historica
tantum cognitione in Deo solemus usurpare, idque perniciose.
Ubi tamen ipse proprie quid sit fides, ex canonicis scripturis
deducens, poteris de doctorum scriptis iudicare sanius"
(CR XX,7o7f); Disp.cum Luthero 1536: "Augustinus, ut apparet,
extra disputationem commodius sensit, quam loquitur in

disputationibus. Sic enim loquitur, quasi iudicare debeamus,
nos iustos esse fide, hoc est, novitate nostra. Quod si est
verum, iusti sumus non sola fide, sed omnibus donis ac virtutibus, idque sane vult Augustinus. Et hinc orta est scholasticorum Gratia gratum faciens. Vos vero utrum sentitis hominem
iustum esse illa novitate, ut Augustinus, an vero imputatione
gratuita, quae est extra nos, et fide, id est, fiducia, quae
oritur ex verbo?" (Bindseil. 344); Or.de vita Augustini, 1539:
"Quod autem in tam difficilibus disputationibus interdum
improprie aut incommode loquitur, venia ei danda est: Temporum ista erant. Nam aetas illa magis ad declamatoriam rationem dicendi,quam ad accuratas disputationes assuefacta erat,
et difficile erat ex tantis tenebris materias illas evolvere.
Rebus vero haud dubie prorsus congruit, cum sententia, quae
Dei beneficio rursus illuxit in hac schola, et quidem ipso
monstrante" (CR XI,454); De ecclesia 1539: "Etsi autem interdum in eius scriptis figurae orationis occurrunt non satis
explicatae aut incommodae, hac temporibus condonandae sunt,
quia vulgi consuetudo quasdam figuras receperat, ut appella-
tionem meriti et alias quasdam, et has explodere docti non
poterant, Deinde nec ipsi Scriptores satis assuefacti fuerunt
ad accuratas disputationes, et quanta tunc fuerit caligo
in Ecclesia, inde aestimari potest, quod Pelagii impia opinio
tanto cum plausu excepta fuit, ut Augustinus et pauci quidam
alii non sine magnis certaminibus eam rursus ex Ecclesiis
explodere potuerint" (SA I, 364,27ff); Lv. zu De spiritu et
litera, Juli 1545: "Harum maximarum rerum explicationem multis
voluminibus complexus est, quae, si tempora et sententiae
prudenter conferantur, satis ostendunt lectori, dextre et
non caluminose iudicanti, recte eum sentire, et cum nostra
Ecclesia de his ipsis locis congruere. Sed tamen alias magis
alias minus sunt perspicua eius scripta, cuius rei hac
fortassis causae sunt, quia nec ipsi ex caligine sui temporis
prorsus eluctari facile fuit. Altera natura est consuetudo,
ut dicitur" (CR V,8o5); "Quanquam igitur vis ingenii magna fuit
in Augustino, et pietas, qua discrimen vidit Philosophiae
et Evangelii, tamen rationem explicandi et ipsi et multis
ea aetate defuisse, manifestum est." "Sed alibi saepe dicit,
iustificari homines per gratiam dato spiritu sancto accendente
dilectionem in cordibus. Haec explicatio non est integra. Necesse est enim prius dici, quod et ipse saepe significat, de
remissione peccatorum, quomodo acquiescant pertereffactae
mentes, quomodo accipiant remissionem peccatorum, unde mens
in agone sentiens iram dei consolationem petere debeat. Non
ad proprias virtutes deducenda est. Ne ipse quidem Augustinus
moriturus dixit: video puritatem meae dilectionis; hanc oppono
iudicio dei, propter hanc mea immudicies tegitur" (ebd. 8o6f).
Sondern er sagt, es schmerze ihn "quia nunc magis videat
suam immundiciem quam antea, ac deplorare se miseriam et suam
et aliorum, quia cum circumferamus multa ingentia et arcana
peccata, tamen securi nihil adficiamus cogitatione iustissimae
irae dei. Alibi igitur diserte et perspicue adfirmat, fide
accipi remissionem peccatorum, et iustos pronunciari nos propter mediatorem. Et hac fide mentes consolandas esse, quae
expavescunt et fugiunt deum, agnita eius ira. Multa enim extant

eius dicta, quae sine ambiguitate hanc sententiam inculcant.
Iudicium igitur adhibeatur, cum leguntur alicubi mutilae
disputationes, ne tantum philosophicam sententiam ex eo ex-
cerpamus, ut fecerunt scriptores secuti Longobardum, qui
prorsus ut philosophi de iusticia christiana loquuntur. Ut
Scipio fortis est impetu heroico, qui est motus divinus, sic
illi dicunt Baptistam iustum esse, quia habeat virtutes accen-
sas divinitus. De hac novitate cordis cum dixerunt, non dicunt,
unde Baptista remissionem peccatorum, non dicunt, cum Baptista
suam immundiciem intuetur, unde petere consolationem debeat,
et in qua re acquiescat. Non negamemus, oportere accendi
dilectionem in cordibus. Sed nisi corda statuant de remissione
peccatorum fugiunt deum, non diligunt"(ebd.807). Vorr. zum
2.Bd. der lat.Werke Luthers, 1.Juni 1546: "Etsi autem alibi
magis, alibi minus diserte seu proprie exponit quod vult,
tamen si Lector candorem et dexteritatem in iudicando ad eum
adfert, sentire eum nobiscum agnoscet." "Utinam vero omnes,
qui Augustinum sequi se iactitant, perpetuam sententiam, et
ut ita dicam, pectus Augustini referrent, non tantum mutila
dicta caluminose detorquerent ad suas opiniones"(CR VI, 167);
Chron.Car.II, 1560: "Sunt autem discernenda tempora librorum
Augustini, quia et ipsi accidit in hac causa, ut fuerint
δεύτεραι φροντίδες σοφοτέραι. Et ipse inquit, se scribendo
proficere. Quamquam autem in posterioribus libris alicubi sunt
ἀκυρολογίαι: tamen certum est reipsa congruere eius sententiam
cum nostris Ecclesiis, sed accedat in iudicando dexteritas
et candor"(CR XII, 1017).

278) Zum Vergleich Thomas und Luther (bzw. protestantische Theologie) in dieser Frage vgl. O.H.Pesch 1967, 452-467; U.Kühn
1965, 224-272; Y.M.-J.Congar, Variations sur la thème "Loi-
Grâce", in: RThom 71 (1971) 420-438. An Hand dieser Vergleiche
kann nun auch·Melanchthon zusammenfassend zu Thomas (-Augu-
stinus) und Luther in Beziehung gesetzt werden. Historisch
gesehen hat sich diese Position freilich nicht so ausge-
wirkt, daß hier eine Einigung mit den katholischen Kontroverstheologen seiner Zeit unmittelbar in Sicht gewesen wäre. In
der vortridentinischen Zeit bzw. während der Lebenszeit
Melanchthon spielte die Auseinandersetzung mit der reformatorischen Verhältnisbestimmung von Gesetz und Evangelium nur
eine geringe Rolle (vgl. dazu R.Bruch 1969, bes. 16f).

279) "Reformatorisch" ist hier ein historischer und kein systematischer oder dogmatischer Begriff. Er wird dabei nicht einfach
mit "Lutherisch" identifiziert, wiewohl er auch nicht unter
Absehung von Luther gefaßt werden kann. "Reformatorisch"
meint hier also das gegenüber der Tradition theologisch Neue
bei Melanchthon, das dieser z.T. unter dem Einfluß Luthers,
z.T. in Verbindung mit Luther, z.T. aber auch selbständig
erarbeitet hat.

280) Augustinus, De spiritu et litera 19,34 (CSEL 60, 187,22ff);
dazu etwa G.Söhngen 1957, 91-103.

281) Typisch für diese Position sind die Inst.1519 (Bizer-Texte

90-99) und die Praef. der Ann.Matth.1519/20(SA IV, 135f).
Auf den Zusammenhang mit Augustinus verweist Melanchthon z.B.
in den Loci 1521 selbst: "Voluntas dei lex est. Nec aliud
spiritus sanctus est nisi viva dei voluntas et agitatio, quare ubi spiritu dei, qui viva voluntas dei est, regenerati
sumus, iam id ipsum volumus sponte, quod exigebat lex"
(SA II/1, 128,28ff); "Et libertatem christianam Augustinus
ad eum modum copiose tractat in libro de spiritu et litera"
(ebd. 128,35ff).

282) Zur Verwendung dieses Begriffes in der neueren evangelischen
Theologie und zu seiner Ungeklärtheit vgl. L.Pinomaa, Dialektik V, in: HWPh II (1972) 224-226.

283) Bei Thomas von Aquin tötet das Gesetz "occasionaliter" oder
"per occasionem"; vgl. U.Kühn 1965, 171f, 267; O.H.Pesch
1967, 431, 460f.

284) Mit diesem Wort drückt H.-G.Geyer (1965, 178) seine systematische Kritik aus: "Daß in dieser Konstruktion das Gesetz
als Gottes Urteil prinzipiell episodischen Charakter trägt
gegenüber dem bleibenden Wesen als Lehre, ist nur eine notwendige Konsequenz der systematischen Konstellation.."

285) Mit dieser Unterscheidung versuchen U.Kühn (1965, 263-272) und
O.H.Pesch (1967, 459-467) den Unterschied zwischen Luther und
Thomas zu beschreiben.

286) Das traditionell-katholische Verhältnis von Gesetz und Evangelium suchte G.Söhngen vor allem mit Hilfe des Analogiebegrif-
fes zu fassen; vgl. G.Söhngen 1957, bes. 59-62; ders. 1960;
ders., Gesetz und Evangelium, in: LThK IV (2.Aufl.1960) 833f;
vgl. auch O.H.Pesch 1967, 457-459; U.Kühn 1965, 252-263.
Kritisch wird dieses Zusammen von Analogie und Dialektik bei
H.-G.Geyer (1965, 179f) gewertet: "In demselben Maße aber, in
dem der generische Unterschied zwischen Lehre und Urteil bei
der Bestimmung des Gesetzes ausfiel und der doktrinale Gesetzesbegriff durch den 'Satz des Gesetzes' und die dialek-
tisch-rhetorische Methode perpetuiert wurde, mußte auch der
*Übergang des theologischen Denkens vom Typus der Entsprechung
zum Typus der Unterscheidung* die Schärfe des Umbruchs, die
ihm der Sache nach eignet, einbüßen. Statt einer klaren Einsicht in die tiefe Diversität der beiden Typen entstand in-
folge der Konstanz und des Primates der 'lex' als 'doctrina'
eine *unscharfe Kontinuität und Mischform*, die darum begrifflich auch nicht ausgewiesen wurde und werden konnte, weil
Melanchthon des typischen Unterschiedes zwischen der Theologie
der Lex-spiritus-Korrespondenz und der Theologie der Lex-
Evangelium-Opposition niemals präzise ansichtig werden konnte,
sofern der konstant gehaltene Gesetzesbegriff das Verbindungs-
glied und den gemeinsamenDrehpol der beiden Konzeptionen
bildet undzu deren Überlagerung und Kontamination herausfor-
dern mußte."

287) Zum Begriff der "Realdialektik" siehe unten Anm.297.

288) K.Haendler 1968, 141 und ebd. Anm.4.

289) Ebd. 141f Anm.6. Besonders W.Elert hatte in einigen seiner
     späteren Werke (Zwischen Gnade und Ungnade, Das christliche
     Ethos) den Nachweis zu führen versucht, daß die von Melan-
     chthon im Gegensatz zu Luther eingeführte Rede vom 'tertius
     usus legis' den Versuch einer Überbrückung der 'Realdialektik'
     von Gesetz und Evangelium darstelle; vgl. E.Kinder in:
     W.Elert 1960, 130 Anm.3.

290) K.Haendler 1968, 141f Anm.6; das Material wieder ausführlich
     bei H.Engelland 1931, 241-258.

291) Dazu wieder U.Kühn 1965, 225-240; O.H.Pesch 1967, 454-456;
     H.Olsson, Schöpfung, Vernunft und Gesetz in Luthers Theologie
     (Acta Universitatis Upsaliensis. Studia Doctrinae Christianae
     Upsaliensia, 10), Uppsala 1971; ferner auch G.Söhngen 1957,
     103-118.

292) Siehe auch S.425ff.

293) Vgl. z.B. O.H.Pesch 1967, 458ff. Auch R.Bruch faßt (1969, 37)
     seine Analyse der Kontroverstheologie des 16.Jahrhunderts
     so zusammen: "Wenn man die skizzierten Kontroversen über das
     Verhältnis zwischen Gesetz und Evangelium überschaut, er-
     kennt man unschwer, daß die Katholiken sich immer wieder auf
     den materialen Gehalt des Evangeliums bezogen, also auf das,
     was in ihm enthalten ist, während die Protestanten in erster
     Linie seine funktionale oder kategoriale Bedeutung ins Auge
     faßten: es stellt im Gegensatz zum Gesetz als unerfüllbarer
     Leistungsforderung einen Modus gnädiger Heilsverheißung und
     -ermöglichung dar, der von jedem menschlichen Tun unabhängig
     ist."

294) H.Sick 1959, 9; vgl. 11.

295) K.Haendler 1968, 50-56, 140-147.

296) G.Söhngen 1957, 23.

297) W.Elert 1960, 138-143 (=4.Kap. § 23: Dialektik der Offenbarung)
     abgedruckt auch in Gesetz und Evangelium 1968, 159-165;
     darunter bes. die Sätze (Gesetz und Evangelium 1968, 162):
     "Das Verhältnis von Gesetz und Evangelium ist demnach in
     doppeltem Sinne dialektisch. Einmal, weil wir auf beide den
     Begriff der 'Offenbarung' Gottes anwenden können und müssen,
     obwohl diese Anwendung auf *beide* in sich widerspruchsvoll ist.
     Sodann, weil beide unzweifelhaft gelten, obwohl die Geltung
     des einen die des anderen aufhebt und umgekehrt." Kritisch
     dazu H.Gollwitzer, Zur Einheit von Gesetz und Evangelium,
     in: Antwort. Karl Barth zum 70.Geburtstag, Zollikon-Zürich
     1956, 287-309, bes. 302ff; E.Wolf 1959, 167f, 172f; W.Krötke,
     Das Problem "Gesetz und Evangelium" bei W.Elert und P.Althaus
     (ThStB, 83), Zürich 1965, 39ff; L.Langemeyer, Gesetz und
     Evangelium. Das Grundanliegen der Theologie Werner Elerts
     (KKSt, 24), Paderborn 1970, bes. 395ff.

298) F.Hübner 1936, 91; vgl. ebd. 40: "Das gibt dem evangelischen
Ansatz seine durchschlagende Kraft, daß in ihm der Gott des
Zorns mit dem Gott der Gnade in unlöslicher Spannung zusam-
mengeschaut ist, daß Gesetz und Evangelium trotz aller Gegensätzlichkeit Wirkungen und Gaben desselben Gottes sind."

299) E.Schlink 1946, 194-198. Diese Unterscheidung ist mißverständlich, obwohl sie etwas Richtiges zum Ausdruck bringen will:
nämlich die Überordnung des Evangeliums über das Gesetz.

300) K.Haendler 1968, 141; Haendler stellt sich hier (ebd. Anm.4)
die Frage, "ob hinter Melanchthons Reden von dem doppelten,
zwiespältigen Handeln Gottes das Wissen um eine zwiespältige,
nicht ohne weiteres zu 'harmonisierende' Wirklichkeit Gottes
im Sinne des deus absconditus und deus revelatus Luthers
steht." Haendler scheint diese Frage vorsichtig zu verneinen,
wenn er fortfährt: "Diese Frage kann auch so formuliert werden:
Bedeutet das Wissen um das realdialektische Handeln Gottes
für Melanchthon überhaupt noch eine Gefährdung des Glaubens?
Ist nicht vielmehr eine solche Gefährdung dadurch im Ansatz
unmöglich geworden, daß diese Realdialektik zu sehr 'von oben',
d.h. in ihrer inneren Finalität und Teleologie gesehen wird?"
Nach P.Schwarzenau (1956, 113) vermochte Melanchthon den
deus absconditus zurückzudrängen, "indem er den Widerstreit
von Vernunft und Offenbarung in eine Verhältnisbestimmung
innerhalb der Offenbarung selbst reduzierte, nämlich in die
von Gesetz und Evangelium."

301) Vgl. H.H.Wolf 1948; W.H.Neuser 1957, 120-124 (in Zusammenhang
mit dem Gesetzesbegriff in den Loci 1522); H.Sick 1959, 12-15,
56-59, 113-124, 152f (ist noch am ausführlichsten); P.Fraen-
kel 1961, 70f (in Zusammenhang mit der Kontinuitätsidee);
E.Bizer 1964, 56-76 (in Zusammenhang mit dem Begriff "promissio" in den Loci 1521); W.Maurer 1969, 357-361 (über die
Frage in den Loci 1521).

302) Capita 1520, "De legis abrogatione" (Bizer-Texte 114f). Bereits hier erfolgt die Begründung durch Hebr 8,13 (vgl.Loci
1521, SA II/1, 126,21ff); vgl. Did.Fav.or.1521, wo von der
Aufhebung des Alten Testamentes die Rede ist: "..breviter
volebat (sc.Christus) novum condere, abrogato veteri, testamentum"(SA I, 104,23ff). "Altes Testament" und "Gesetz" sind
in diesem Zusammenhang offensichtlich austauschbare Begriffe.

303) Ann.I.Cor.5,7, 1521 (SA IV, 37,31/38,1ff; 38,6ff); vgl.
Capita 1520: "Lex et vetus testamentum iubet. Euangelium et
novum testamentum promittit nobis spiritum quo compleamur"
(Bizer-Texte 125).

304) Ann.II.Cor.3,3, 1521/22 (SA IV, 102,34ff/103,1f); vgl.Loci
1535, "De Spiritu et Litera" (CR XXI, 456-458). In diesem
Zusammenhang interessiert nur die globale Gegenüberstellung
der beiden Testamente. Daß die hier dahinterstehende Unterscheidung von littera und spiritus nicht gänzlich identisch
ist mit der Unterscheidung von Gesetz und Evangelium, ist eine

andere Frage (vgl. dazu H.-G.Geyer 1965, 134-140).

305) Ann.II.Cor.3,3, 1521/22 (SA IV, 103,20ff).

306) Siehe S. 225.

307) CR XXI, 20f; und in der teilweisen Neufassung des Abschnittes "De legis abrogatione"(ebd. 202-205).

308) "Confusius paulo videtur hic locus tractatus esse superiore commentario. Quare hic retexendum duxi, ut digereretur. Vetus testamentum lex est, ut simplicissime et pinguissime loquamur." Angeführt werden dafür Ex 23,3; Jer 31,33 und 2 Kor 3,14. "Novum testamentum Evangelium est, id est, gratiae adnuntiatio, adeoque et spiritus sancti donatio"(CR XXI,201f). Als Beleg wird hier Mt 26,28 angeführt. Von einem "direkten Gegensatz" zwischen den diesbezüglichen Ausführungen von 1521 und denen von 1522 zu sprechen, wie dies W.H.Neuser (1957,121) tut, scheint jedoch nicht richtig zu sein. Ebenso ist es unrichtig, daß 1522 die Aufhebung des Gesetzes durch die Aufhebung des Alten Bundes ersetzt worden sei (ebd.). Gerade hierin besteht m.E. kein sachlicher Unterschied zwischen den Loci 1521 und 1522.

309) Ann.Io.7,39, 1522/23: "Vetus testamentum lex tantum fuit, et praedicatione legis nihil de remissione peccatorum aut Spiritu sancto praedicatum est. Rursus novum testamentum est remissio peccatorum et donatio Spiritus sancti, non lex. Verbum per quod datur Spiritus sanctus est Evangelium.."(CR XIV, 1114); vgl. auch zu Joh 13,3 und 14,26 (ebd. 1159 und 1180f). Das Lociverzeichnis "Loci doctrinae Christianae praecipui" von 1531 beginnt folgendermaßen: "De deo. De creatione. De lege, de veteri testamento. De evangelio, de novo testamento." usw. (Komp. 150). In De modo conc.1537/39 heißt es in einer Allegorese von Hebr 9: "Sunt impositi duo Cherubin, qui significant duo testamenta seu duplex verbum, legem et evangelium.." (SM V/2, 50,24ff); vgl. Unterscheid 1543 (in: R.Stupperich 1961, 206). Ganz weg fällt diese Gegenüberstellung im Bild der beiden Cherubin im entsprechenden Abschnitt der Loci 1543 (vgl. SA II/2, 459,36ff/460,1ff).

310) Gegenüberstellung von tempus nondum revelati evangelii und tempus revelati evangelii (Ann.Rom.3,25, 1521, Bl.C 4a; vgl. Cat.Puer.1543, SM V/1, 150,22ff) oder von tempus legis und Evangelium iam vulgatum bzw. incerta und certa (Ann.Rom.13,11, 1521, Bl.L 2b). "Tempus legis" ist auch scholastischer terminus technicus für Altes Testament (vgl. etwa V.Marcolino 1970, 84).Hierher gehört auch die Vorstellung vom Alten Testament als Zeit ante revelationem evangelii (Loci 1521, SA II/1, 148,3f; vgl. ebd. 103,31; 136,19ff; Comm.Rom.13,11, 1532, SA V, 328,20).

311) "Iustitia dei patefecit per Euangelium; q.d.Hactenus iustitia legis revelata est, quae est operum iustitia, et humanarum virium... Nunc velum Mosi detrahitur, et damnatur operum iustitia, et revelatur alia quaedam dei iusticia per Euangelium, Hoc est eam qua nos deus iustificat, quae non est operum

nostrorum, sed fidei"(Ann.Rom.1,17, 1521, Bl.Bb); vgl. Comm.
Rom.1,17, 1532 (SA V, 64,25ff/65,1ff). "Novum Testamentum
nihil est nisi iusticia spiritus"(De missa et utraque specie
1522, in: N.Müller 1911, 183).

312) Im Anschluß an Röm 3,21: "Prius enim lex per Mosen data est.
Christus venit non legislator, ut doceret, quid faciendum
sit, Sed in hoc, ut ipse impleret, quod nos non poteramus.
Iudicare et docere legis est, Salvare et promittere gratiam
Euangelii est"(Raps.Rom.3,21, 1521, Bizer-Texte 67); mit
Hinweis auf Joh 3,17: "Moses legum lator est et iudex,Christus
salvator.."(Loci 1521, SA II/1, 73,15f; Ann.Rom.4,15, 1521,
Bl.D 3a); oder in Anknüpfung an andere Stellen des Johannes-
evangeliums: Ann.Io.12,47 und 8,14, 1522/23 (CR XIV, 1158 und
1118f); wiederholt mit Berufung auf Joh 1,16f: Ann.Rom.4,15,
1521: "Io.1. De plenitudine eius omnes nos accepimus, et
gratiam pro gratia, quia lex per Mosen data est, gratia et
veritas per Iesum Christum facta est, quibus verbis mira
gratia discrimen legis et Euangelii prodidit"(Bl.D 3a); ähnlich auch Ann.Io.1,16f, 1522/23 (CR XIV, 1065); Comm.Rom.
10,15, 1532 (SA V, 274,17ff); Loci 1543 (SA II/1, 343,30ff).
In der gleichen Funktion spielt Joh 1,16f bereits in der
theologischen Tradition eine große Rolle. Vgl. etwa Thomas von
Aquin, S.th.I/II q.98 a.1c.:"Hanc autem gratiam lex vetus
conferre non potuit, reservebatur enim hoc Christo: quia,
ut dicitur Ioan.I. lex per Moysen data est; gratia et veritas
per Iesum Christum facta est." Zu Ambrosius vgl. die Belege
bei V.Hahn 1969, 212, 424, 444f, 438f; zu Alexander von Hales:
V.Marcolino 1970, 295f. Auch der große Augustiner-Theologe
Kardinal Girolamo Seripando hat in seinem Kampf gegen die
Parallelisierung Moses-Christus und gegen die undifferenzierte
Rede von Christus dem Erlöser und Gesetzgeber, die sich dann
auf dem Tridentinum doch durchgesetzt hat, vor allem von
Joh 1,17 aus argumentiert (vgl. A.Forster 1963, 76-91).

313) Das Evangelium ist eine "nova doctrina", ein "novum mandatum"
und "novum verbum" (Ann.Io.12,44 und 13,34, 1522/23, CR XIV,
1156 und 1168); das Evangelium ist nova quaedam doctrina et
dissimilis legis Mosaicae (Schol.Col.1,1, 1527, SA IV, 213,
12ff). "Hoc loco meminisse lectorem oportet aliud legem,
aliud evangelium esse... Testatur igitur se missum esse ad
novum quoddam doctrinae genus praedicandum, non ad philosophiam aut legem docendam. Subicit igitur quandam descriptionem
evangelii, ut exponat, quid novi doceat: 'Evangelium', inquit,
est sermo 'de filio' Dei Jesu Christo etc."(Comm.Rom.1,1,1532,
SA V, 58,7ff); vgl. auch zu Röm 1,17; 3,21; 8,15; 10,15 (ebd.
64,15ff; 103f; 236,19ff; 274,12ff.17ff); Loci 1535 (CR XXI,
413); Comm.Ps.113, 1553/55 (CR XIII, 1361, 1365) usw.
P.Fraenkel stellt (1961, 70f) zwar fest, daß die Predigt der
Apostel bisweilen als novum doctrinae genus bezeichnet würde,
aber er verdeckt dann dieses Differenzmerkmal fast völlig
durch die Hervorhebung der Kontinuität der Testamente. Völlig
falsch wird die Deutung, wenn er meint, die Neuheit des Neuen
Testamentes scheine bei Melanchthon weniger betont als z.B.
bei Herborn (nova lex!) oder Driedo (ebd. 70 Anm.96).

314) Im wesentlichen dürfte Melanchthon auf Augustinus, De spiritu et littera (CSEL 60, 153-229) zurückgreifen, wo das Verhältnis der Testamente ebenfalls als Verhältnis Gesetz-Geist (z.B.Kap.XVIf), Gesetz-Gnade (Kap.XIX), altes Gesetz-neues Gesetz(Kap.XX) u.ä. beschrieben ist. Nichts anderes bedeutet das Gesetz-Evangelium-Verhältnis bei Melanchthon in diesem Zusammenhang. Zum entsprechenden Sachverhalt bei Ambrosius vgl. V.Hahn 1969, 470-486.

315) Comm.Rom.1,2, 1532: "Quod autem Paulus inquit evangelium 'promissum' esse 'per prophetas', admonet, quid in illo genere doctrinae afferatur, videlicet quod non tantum historiam quandam de Christo afferat, sed afferat ingentia illa beneficia, quae propter Christum humano generi promissa sunt, q.d.: Evangelium est sermo, in quo docemus homines propter illum filium Dei gratis liberari a peccatis, ab ira Dei et a morte aeterna"(SA V, 58,15ff); "Also sindt Adam, Eva, Abel, Nohe, Abraham, Moises, David selig worden, das sie gegleubt haben, das yhn GOT ihre sündt vergeben habe und sie selig mache umb des verheissen Heilands willen, und haben dise gnade und den Heilandt gepredigt und erkleret und jn diesem glauben GOT angeruffen und sich gebessert"(Unterscheid 1543, in: R.Stupperich 1961, 195); vgl. auch Disp.De Lege et Promissionibus ? (CR XII, 445); zum promissio-Begriff siehe auch S. 204f.

316) Siehe auch S. 228ff.

317) "Christus fuit promissus patribus, ideo ut Deus esset verax, impleta est promissio, datusque Iudaeis Christus.."(Ann.Rom. 15,8, 1521, Bl.Ma); die Gegenüberstellung ist hier also Christus promissus - Christus datus. Ähnlich (Christus promissus - Christus exhibitus) Ann.Rom.3,3, 1521 (Bl.Cb); Loci 1521 (SA II/1, 68,32f; 70,14ff); Comm.Rom.3,21 und 13,11,1532 (SA V, 105f; 329,7ff); vgl. auch Ann.Io.4,38, 1522/23: das Neue Testament ist "executio promissionum factarum in veteri testamento"(CR XIV, 1090); oder zu Joh 8,23: "Haec libertas est incomprehensibilis carni, quam promisit Deus a principio, et praestitit in Christo"(CR XIV, 1123); ähnlich Apol.IV, 1531 (BS 159,34ff); Loci 1535 (CR XXI, 358); Unterscheid 1543 (in: R.Stupperich 1961, 194f).

318) "Eadem autem fides est qua deo creditur, sive per signum circumcisionis, sive per ipsum Christum seu baptismum credatur. Nam Christus in lege obscure adumbratur, in Evangelio vero manifestatur. Legem patres implebant fide in deum, cuius fidei signum habebant, Circumcisionem et alia significantia, venturum Christum. Post revelatum Christum lex item impletur fide in deum, cuius signum baptismum habemus.."(Ann.Rom.10,6, 1521, Bl.I 2ab). Die Gegenüberstellung ist hier Christus venturus - Christus revelatus; ähnlich Ann.Io.Praef.1522/23: "Scripturae veteris testamenti venturum Christum indicant. Novi testamenti literae iam apparuisse testantur"(CR XIV,1047); vgl. Capita 1520 (Bizer-Texte 123); Loci 1521 (SA II/1, 68,28ff) ferner ebd. 67,27f; 70,17ff; Comm.Rom.3,21, 1532 (SA V, 106, 10ff). Zusammen mit dem vorhergehenden Schema in Comm.Rom.3,21

1532: "Nam eodem modo et eadem fide salvati sunt patres ante
natum Christum, qua nunc quoque iustificantur et salvantur
homines. Sed ideo nunc propior est Christus et propius est
evangelium, quia Christus iam exhibitus est et mandatum
remittendi peccata revelatum est et spargitur in omnes gentes.
Nam ante praedicationem Christi non fuit datum mandatum remittendi peccata, sed in promissionibus obscure significaba-
tur remissio peccatorum, quod aliquando promulganda esset."
"Nos scimus iam Christum exhibitum esse et audiamus evangelium
clara voce praedicari, sed effectum evangelii fide exspecta-
mus. Patres exspectabant utrumque, Christum, evangelium et
evangelii effectum"(SA V, 328,23ff/329,1ff; 329,7ff).

319) Wv.zur griech.Textausg.des Römerbriefes 1521: "Nam cum illa
(sc.lex) mortuas quasdam virtutum umbras tantum obscure
delineet, hoc (sc.Evangelium) vivacissimum nobis exemplar
vitae, Christum exhibet.."(CR I, 521); Loci 1535: "At facta
quidem omnia et signa omnia, typi erant venturi Christi. Nobis
igitur iam hic ipse Christus natus, passus, crucifixus, mortu-
us, resuscitatus proponitur"(CR XXI, 351). In besonderer Weise
gilt dies vom alttestamentlichen Kult: "In quibus (sc.legibus
ceremonialibus) non dubium est, quin sint adumbrata mysteria
evangelii, ut docet epistola ad Hebraeos. Item loci aliquot ad
Corinthios et testantur idem prophetarum literae alicubi, qui
fere typos legis ἀλληγορικῶς ad evangelica mysteria accomo-
darunt. Qualia sunt in Psalmis pleraque. Proinde in hoc genere
requirendae sunt allegoriae, sed prudenter"(Loci 1521, SA II/1
54,34ff/55,1ff). Nicht übernimmt Melanchthon jedoch den traditionellen Rahmen: "Ceremonias esse abrogatas fere ideo iudicant, quod umbrae evangelii fuerint, quibus, cum corpus, hoc
est, ipsum evangelium nunc exstet, nihil opus sit"(ebd. 133,
31ff). Nach der Erhebung des Schriftbefundes fährt er fort:
"Vides unam hanc abrogatae legis causam in scripturis premi
ac urgeri, legem ideo antiquari, quod non iustificarit seu
quod exprimi non potuerit. Scholae ceremonias tollunt solas,
quod evangelii typi fuerint. Decalogus manet, quod τυπικὸς
non videatur. Sed quid hoc ad gratiae commendationem?"(ebd.
134,11ff). Zum Zeichen- und Schattencharakter der alttestamentlichen Zeremonien auch: Schol.Col.2,17, 1527 (SA IV, 252,8ff;
253,24ff); Apol.XXIV, 1531 (BS 361,1ff.18ff); bes. mit Berufung auf den Hebräerbrief ebd. 365,34ff; Apol.VII, 1531(ebd.
237,6ff); Comm.Rom.15,16, 1532 (SA V, 365,1ff); Loci 1535
(CR XXI, 454f); Loci 1543 (SA II/2, 444,15ff; 456,27ff);
Ex.ord.dt.1552 (SA VI, 233,2ff); Comm.Ps.114, 1553/55 (CR XIII,
1372); vgl. auch H.Sick 1959, 113-124. Diese verschiedenen
Formulierungen der Verheißung-Erfüllung-Schematik sind ganz
traditionell. Zum patristischen und mittelalterlichen Befund
vgl. etwa H.de Lubac 1970, 150ff; V.Hahn 1969, 486-497;
V.Marcolino 1970, 266-275. Deshalb ist es m.E. auch sehr
wahrscheinlich, daß Melanchthon das Verheißung-Erfüllung-
Schema der Tradition entnommen hat. Etwas unklar ist hier
W.Maurer, der (1969, 358) zunächst auch auf die Tradition
("vor allem der altkirchlichen Väter") hinweist, am Schluß
dann aber zusammenfaßt (ebd. 360): "Es ist klar: Melanchthon
hat das Schema von Verheißung und Erfüllung Anfang 1520 von
Luther übernommen und selbständig weiter ausgebaut."

320) "Moses legum lator est et iudex, Christus salvator.."(Loci 1521, SA II/1, 73,15f).

321) Loci 1521 (SA II/1, 79,13ff); vgl. auch ebd. 69,20ff; 73,8ff. 21ff; Ann.Rom.10,19, 1521 (Bl.I 3b). Dieses Verständnis des Moses als evangelista bezieht sich streng auf den reformatorischen promissio-Begriff: Moses verkündigt die gegenwärtige Barmherzigkeit Gottes(mit Hinweis auf Ex 20,20 und 34,6f) und nicht auf den traditionellen promissio-Begriff (Weissagung des Messias), obwohl auch dieser in Verbindung mit Moses vorkommt (vgl. Ann.Io.5,46, 1522/23, CR XIV, 1099). In der teilweisen Neufassung des Abschnittes "De legis abrogatione" in den Loci 1522 wird diese Differenzierung im Moses-Christus-Verhältnis jedoch wieder aufgehoben (CR XXI, 202). Wieder ein Jahr später findet sich die Differenzierung aber wieder, da die betreffenden Abschnitte der Loci 1521 (De Evangelio, Quid Evangelium, De vi Legis, De vi Evangelii)unter dem Titel "Discrimen Legis et Evangelii" als Anhang zum Genesiskommentar vom 1523 fast unverändert im Druck erschienen sind (siehe CR XXI, 139 Anm.52; die wenigen Änderungen sind angeführt bei H.Engelland 1931, S.XII).

322) Loci 1521 (SA II/1, 73,13ff); vgl. Comm.Rom.12, 1532 (SA V, 282,1ff; vgl. 282,23ff).

323) So im Anschluß an H.-G.Geyer (1965, 138), der mit dieser Unterscheidung den Unterschied von Gesetz und Evangelium im Zusammenhang mit der Unterscheidung von Buchstabe und Geist charakterisiert: das Gesetz sei 'substantiell' Buchstabe, nur 'akzidentiell' Geist, während das Evangelium umgekehrt 'substantiell' Geist und nur 'akzidentiell' Buchstabe sei.

324) Das wird ja auch an einer anderen Stelle der Loci 1521 ausdrücklich hervorgehoben (siehe S. 225).

325) Etwa im Sinne der Bultmannschen These, daß die Verheißung, die das Alte Testament darstellt, gerade in seinem Scheitern bestünde; vgl. R.Bultmann, Weissagung und Erfüllung (1949), in: ders. Glauben und Verstehen. Gesammelte Aufsätze Bd.II, Tübingen 4.Aufl.1965, 162-186. Ähnlich wie Bultmann auch E.Hirsch, F.Baumgärtel und F.Hesse. Dazu und zu anderen Positionen in der gegenwärtigen protestantischen Theologie vgl. K.Schwarzwäller, Das Verhältnis Altes Testament - Neues Testament im Lichte der gegenwärtigen Bestimmungen, in: EvTh 29 (1969) 281-307; N.H.Ridderbos, De verhouding van het Oude Testament en het Nieuwe Testament, in: GThT 68 (1968) 97-100. An sich hätte etwa die theologische Einsicht, die Melanchthon an 2 Kor 3,15f knüpft, daß nämlich das Gesetz Gottes vom Sünder mißbraucht wird und daß es seine eigentliche Funktion, nämlich die Unreinheit des Herzens offenbar zu machen, erst vom Evangelium her wahrnehmen kann (vgl. Apol.IV, 1531, BS 186,39ff) durchaus auch zu hermeneutischen Konsequenzen für das Verhältnis führen können. Dies ist aber offensichtlich erst im Verheißung-Erfüllung-Schema geschehen.

326) Dies wird mehrfach betont; etwa in bezug auf die Zeit: "Nec, ut vulgo putant, discriminata sunt legis et evangelii tempora, quamquam alias lex, alias evangelium subinde aliter revelata sunt. Omne tempus, quod ad mentes nostras attinet, est legis atque evangelii tempus, sicut omnibus temporibus eodem modo homines iustificati sunt, peccatum per legem ostensum est, gratia per promissionem seu evangelium. Revelationis tempora variant, nam alias lex, alias evangelium, et subinde aliter revelata sunt, id quod e scripturis constat"(Loci 1521, SA II/1, 66,28ff); oder in bezug auf die Heilige Schrift: es sei nicht so, daß die Schrift des Alten Testamentes nur Gesetz, die Schrift des Neuen Testamentes nur Evangelium enthielte, sondern beide Schriften enthielten beides (ebd. 66,21ff; 69,13ff); vgl. Apol.IV, 1531 (BS 159,30ff; 181,22ff); Loci 1543 (SA II/2, 441,1ff). Abwegig ist m.E. die Deutung, die W.Maurer im Blick auf die Loci 1521 dieser Verbindung des Gesetz-Evangelium-Schemas mit dem heilsgeschichtlichen Schema gibt: "Nun aber überträgt Melanchthon diese Begriffe, durch den Hinzutritt des locus de evangelio ergänzt und leicht abgewandelt, auf die *Geschichte*; sie machen ihren Ablauf verständlich. Diese Anwendung des dialektisch-rhetorischen Locus-Begriffes auf die Geschichte ist wohl die eigentliche Großtat Melanchthons auf dem Gebiete der Hermeneutik. An der *Heils*-geschichte wird hier veranschaulicht, was für *alle* Geschichte gilt: Sie vollzieht sich in einem dialektischen Vorgang, dessen Kontinuität in der Auflösung gleichartiger Spannungen besteht"(W.Maurer 1960, 17; vgl. ebd. 36f). Siehe dazu auch S. 396-404.

327) So auch H.-H.Wolf 1948, 73: "Im AT oder besser im Bereich des alten Bundes, von dem das AT als Schrift verstanden Zeugnis ablegt, gibt es volle Rechtfertigung propter Christum venturum genau so wie im Bereich des neuen Bundes 'um des gekommenen Christus willen'. Auf der Bezeugung und Zueignung des einen Christus gründet die Einheit der Testamente." Ähnlich auch in der Zusammenfassung ebd. 83.

328) Vgl. dazu u.a. J.Beumer 1952, 209-212; Y.Congar 1952; J.Finkenzeller 1961, 110-120; L.Hödl 1963, bes.358-366; und zur christologisch fundierten Einheit der Testamente H.de Lubac 1959, bes. 318-328. Außerdem K.J.Becker 1973, 540-547.

329) Ann.Gen.5, 1522: "Sicut supra diximus ortum mundi, lapsum et restitutionem hominum describi, ut sciamus et nos esse, ad quos verbum cei pertinuerit, et idem esse verbum, quod a principio mundi praedicatum est, et quod nos accipimus"(CR XIII, 788); ausführlich im Anschluß an Röm 1,2 und 3,21 (Comm.Rom. 1532, SA V, 58,25ff; 105f); Comm.Rom.1,2, 1540 (CR XV, 549); vgl. Decl.Pauli doctr.1520 (SA I, 32,23ff); Loci 1535 (CR XXI, 416f). Inst.1519 (Bizer-Texte 95); Apol.IV, 1531 (BS 171,27ff. 47ff); Vgl. auch K.Haendler 1968, 145f (hier auch noch weitere Belege).

330) Der Abschnitt "De discrimine veteris et novi testamenti" in den Loci 1543 beginnt mit dem Satz: "Una est perpetua Ecclesia Dei inde usque a creatione hominis et edita promissione post

lapsum Adae, sed doctrinae propagatio alia in aliis politiis fuit"(SA II/2, 440,3ff); vgl. Fragment einer Zusammenfassung der christlichen Lehre, Juli 1548 (CR VII, 49); Disp.de vera et perpetua doctrina Ecclesiae ? (CR XII, 524); Chron.Car.I, 1558: "Tertio, Ecclesiae initium est ipsa creatio hominis, cum illis donis, quae erant data, ut Deum celebrarent"(CR XII, 723). "Sunt autem initio creati duo, quia Deus voluit genus humanum esse Ecclesiam"(ebd. 723f). "Ita agnoscamus res praecipuas statim initio ordinatas esse: Ecclesiam, Oeconomiam et Politiam." "Sexto recitatur lapsus primorum parentum, et mox restitutio et inchoatio universae Ecclesiae, quae sequuta est post lapsum." "Haec concio (sc.Gen 3,15) fuit initium novae Ecclesiae, et vox una et eadem est, qua colligitur Ecclesia usque ad postremum tempus generationis mundi"(ebd. 724). Siehe auch S.296.

331) Bizer-Texte 95(1519); SA I, 32,23ff(1520); SA II/1, 67,4ff; 68,28ff; 70,17ff (1521); SA V, 282,12ff(1532); CR XXI,349 (1535); CR XV,500 (1540); SA II/1, 348,22ff; 349,36ff; 357, 19ff; SA II/2, 441,35f(1543); CR XIV, 258f(1549); SA VI, 97,38/ 98,1ff(1551); CR XV, 1233(1559); CR XII, 445(?). Am ausführlichsten spricht Melanchthon über diese Überlieferungsgeschichte in den Loci: Loci 1521 (SA II/1, 67ff); Loci 1535 (CR XXI, 416-420); dieser Abschnitt ist dann fast wörtlich in die Loci 1543 übernommen (SA II/1, 347-352); ferner noch Loci 1535 (CR XXI, 347-349). Diese Steigerung gilt auch in bezug auf die Glaubensartikel über Trinität und Inkarnation; vgl. Ann.Matth. 16,20, 1519/20: "Mysterium incarnationis verbi est alio tempore et aliis clarius revelatum, sicuti videmus in Mose et aliis prophetis"(SA IV, 187,9ff); Ann.Io.1, 1522/23: "Trinitatis mysterium et incarnationem filii Dei scriptura veteris Testamenti passim indicavit, sed exposuit clarius novi Testamenti scriptura"(CR XIV, 1049); Loci 1559: "Personae vero tres, etsi in eodem capite (sc.Gen.1) obscurius monstrantur, tamen paulatim clarius revelatae sunt." "Tandem in novo Testamento clarissime patefactae sunt tres personae, ut in baptismo Christi.."(SA II/1, 178,8f.21f). Zur Vorstellung vom Glaubensfortschritt zwischen ante und post Christum natum im 12.Jahrhundert vgl.etwa L.Hödl 1963, 361f.

332) SA V, 282,7f(1532); CR XXI, 349(1535); CR XV,500(1540); SA II/ 2, 596,9ff(1543); CR XIV, 258(1549). Der jeweilige Öffentlichkeitscharakter ("publice") kann geradezu zum Wesensmerkmal der Testamente aufsteigen: Das Alte Testament sei vom Gesetz geprägt, weil hier das Gesetz offentlich verkündigt werde; umgekehrt sei das Neue Testament vom Evangelium geprägt, weil hier das Evangelium öffentlich der ganzen Welt verkündigt werde (vgl. Disp.de discrimine veteris et novi Testamenti, deque legis abrogatione ?, CR XII, 469f; Disp.de abrogatione legis ?, ebd.473). Die Vorstellung einer (intensiv und extensiv) fortschreitenden Offenbarungsgeschichte im Alten Testament und bes. zwischen Altem und Neuem Testament ist in der Tradition weit verbreitet; vgl. dazu etwa H.de Lubac 1961, 339-359 (Histoire de la révélation). Nebenbei wäre noch eine weitere Vorstellung zu erwähnen, die sich allerdings nur auf die Offenbarungsgeschichte des Alten Testaments zu beziehen

scheint, nämlich die Vorstellung von einer ständigen Erneuerung und Repetition der Verheißung (renovare, instaurare,
repetere); vgl. z.B. SA II/1, 348,25f; 349,18; SA II/2, 596,
9ff(1543); CR XV, 797f(1556); CR XV, 1233 (1559); SA V, 105,
20f.34f; 106,7f; SA VI, 98,2ff(1551); CR XIII, 793(?); CR XII,
738(1558); Alle diese Vorstellungen zusammen in BS 261,50ff
(1531): "..et haec promissio subinde repetitur in tota scriptura, primum tradita Adae, postes patriarchis, deinde a
prophetis illustrata, postremo praedicata et exhibita a Christo inter Iudaeos et ab apostolis sparsa in totum mundum."
Diese Repetitionsvorstellung dominiert vor allem in bezug
auf das Gesetz, weil es durch die Identität von Naturgesetz
und geschichtlich offenbartem Gesetz keinen eigentlichen Fortschritt in der geschichtlichen Gesetzesoffenbarung mehr geben
kann. Das geschichtlich ergangene Gesetz erhellt und erneuert
das durch die Sünde verdunkelte Naturgesetz lediglich und
bestätigt es als göttliches Gesetz; vgl. z.B. SA II/1, 67,4ff;
68,23f(1521); CR XXI, 349, 401 (1535); CR V, 260 (1543);
CR XXIII, 291(1550); SA VI, 186,18ff(1552); CR IX, 745(1559).

333) Vgl. z.B. De sacramento et missa, Mai 1541? (CR IV, 310); weitere Belege bei P.Fraenkel 1961, 67ff; K.Haendler 1968, 153
Anm.12.

334) Besonders gut kann man dies bei den Propheten verfolgen; vgl.
z.B. Arg.in Esaiam Prophetam ?: "Estque haec praecipua causa,
cur Prophetae vocati et missi sint, ut per viros antecellentes
testimonia ostenderentur patefactionis divinae, et per eos
renovaretur doctrina de Deo, et promissio de Mediatore repete-
retur et illustraretur." "Sed nos sciamus praecipuum munus
esse omnium Prophetarum, inde usque ab Adam, ut per eos testimonia patefactionis divinae ostendantur, et renovetur promissio
Evangelii, et tota doctrina de Deo repurgetur, et Ecclesia
instauretur"(CR XIII,793). Hier hat man die verschiedenen
Momente der Überlieferungstätigkeit schön beisammen: Revelation, Repetition, Illustration, Renovation, Repurgation,
Instauration. Bei P.Fraenkel 1961, 64-69 (=The Church under
the Old Covenant) wird nur auf das "Wellenmodell" Bezug genommen.

335) "Hic vides scripturas sanctas in Christum tendere et prophetias esse revelationes de Christo. Aperit ergo prophetias
evangelium"(Ann.Rom.1,2, 1521, Bl.A 4b). Besonders in seiner
Auseinandersetzung mit den Wiedertäufern greift Melanchthon
immer wieder darauf zurück; z.B. Loci 1535: "Evangelium est
interpretatio Prophetarum; cum igitur Evangelium clare doceat,
regnum Christi esse spirituale.., debemus et Prophetas intelligere iuxta Evangelium"(CR XXI, 522f); wörtlich auch Loci 1543
(SA II/2, 608,1ff); Or.de studio linguae Ebraeae 1550: "Vetus
est fons novi... Novum est lumen veteris: et collatio utrius-
que ad utrumque intelligendum necessaria est"(CR XI, 873; zur
Dat. N.Müller 1896, 136).

336) Vgl. auch H.-H.Wolf 1948, 69: "Geht man an Hand einzelner
Artikel dem Schriftgebrauch der Bekenntnisschriften nach, so

wird man feststellen, daß alt- und neutestamentliche Schriftzitate offenbar in gleicher Dignität nebeneinander stehen und
nebeneinander gebraucht werden." Ebd. 84f ist auch auf die
zweifache hermeneutische Konsequenz hingewiesen.

337) "Sunt enim aliae rerum corporalium ut veteris testamenti omnes,
aliae spirituales, quae proprie ad novum testamentum pertinent"
(Loci 1521, SA II/1, 97,20ff); vgl. ebd. 97,29ff; 61,1ff;
107,6ff; Ann.I.Cor.10,1, 1521 (SA IV, 42,14ff); Loci 1535
(CR XXI,455). Auch diese Unterscheidung ist ganz traditionell;
vgl. etwa V.Marcolino 1970, 287f. Vgl. auch De discrimine
legis et Evangelii prop., 19.Sept.1550, wo die Verhältnisse
Lex-Evangelium, res corporales-res aeternae, umbra-res paralle-
lisiert erscheinen (CR XII, 576f).

338) Es gibt daneben eine Reihe von Texten, in denen beide Linien
einfach ineinander zu laufen scheinen, ohne daß eine systematische Klärung versucht würde. Sehr gut sichtbar wird dies
in den Ann.Matth.1519/20, wo einerseits mit Selbstverständlichkeit von der promissio de Christo im Alten Testament
die Rede ist (z.B. zu Mt 1,1, SA IV, 138,19ff), andererseits
aber auch die Differenz (Gesetz-Gnade) hervorgehoben wird,
was dann zu folgender Verbindung führt: "Quod dicit: 'Emanuel,
id est: nobiscum Deus', ostendit Christum incarnatum novi
testamenti tesseram esse. An non et olim ante christum nobiscum Deus erat? Erat quidem, sed alia ratione: ante Christum
incarnatum nondum palam cognoscebatur. Lex erat, auxilium
legis implendae proditum non erat. Peccatum erat, metus legis
erat, nondum erat peccatorum manifestata remissio. Verum
Christo incarnato palam factus est auxilium legis faciendae,
palam facta condonatio peccatorum. Iam ergo propior et spec-
tatior nobis Dei benignitas est. Ante Christum incarnatum
maiestas Dei et severum iudicium cognoscebatur, sed incarnato
verbo iam bonitas Dei ineffabilis spectatur, qui se in sinus
mulierculae effudit, carnem nostram induit, peccata nostra
sustulit"(zu Mt 1,21, SA IV, 141,22ff/142,1); vgl. auch
Did.Fav.or.1521 (SA I, 104,20ff); Ann.Io.Praef.1522/23 (CR XIV
1047); ebd. zu Joh 4,38 und 14,26 (ebd. 1090, 1180f); Comm.Rom.
10,15, 1532 (SA V, 274,8ff).

339) Abschnitt "De discrimine veteris ac novi testamenti. Item de
abrogatione legis"(SA II/1, 125-139).

340) SA II/1, 125,11ff. Kritisiert wird dabei die Scholastik, die
das Alte Testament ein Gesetz nenne, das nur äußere Werke
fordere, das Neue Testament dagegen ein Gesetz, das auch
Affekte verlange; dadurch werde die maiestas et amplitudo
gratiae verdunkelt. Gerade diese aber gelte es aufzuzeigen
und zu verkünden (ebd. 125,13ff).

341) "Qui vetus testamentum simpliciter id quod legem vocant,
consuetudinem loquendi, ut mihi videtur, magis quam rationem
sequuntur et nomine testamenti communiter pro constitutione
seu instituto utuntur"(ebd. 125,24ff).

192

342) Ebd. 125,28ff; 126,1ff. Als Belege für die Verschiedenheit der beiden Testamente werden Deut 29,9ff und Jer 31,31ff angeführt.

343) Ebd. 126,7ff; vgl. 131,6ff.

344) Ebd. 126,14-137,12.

345) Ebd. 126,16ff/127. Diese Stelle Jer 31,31ff spielt im ganzen Abschnitt eine wichtige Rolle (vgl. ebd. 128,37/129,1ff; 132, 28ff).

346) Ebd. 128,1f.21ff.

347) Ebd. 128,10ff.23ff; vgl. 129,14ff; 130,25ff; 132,33ff/133,1ff; 136,32ff. Ähnlich Did.Fav.or.1521 (SA I, 105ff).

348) "..una eadem causa est, cur universa lex abrogata sit, non ceremoniae tantum et iudiciorum formae, sed et decalogus, quod praestari non potuerit. Hanc abrogandae legis causam prodidit et Petrus in Actis et Hieremias, cum ideo novum pactum iniri docet, quod vetus illud irritum fecerimus"(ebd. 132,25ff); vgl. 129,14ff. "Vides unam hanc abrogatae legis causam in scripturis premi ac urgeri, legem ideo antiquari, quod non iustificarit seu quod exprimi non potuerit. Scholae ceremonias tollunt solas, quod evangelii typi fuerint. Decalogus manet, quod τυπικός non videatur. Sed quid hoc ad gratiae commendationem? Scriptura sic de abrogatione legis disserit, ut ubique nobis in ea gratiae amplitudinem commendet" (ebd. 134,11ff).

349) Ebd. 134,30ff.

350) Ebd. 129,35ff/130,1ff; 136,8ff.

351) Siehe S. 189 Anm.308.

352) Loci 1535 (CR XXI, 453-456). Hierzu gehören auch die folgenden Abschnitte "De spiritu et litera" und"De libertate christiana" (ebd. 456-458 und 458-466), die jedoch nichts Neues bringen. Ähnlich auch der Abschnitt "De discrimine veteris et novi testamenti" in den Loci 1543, der noch ausführlicher ausgefallen ist (SA II/2, 440-461)und Unterscheid 1543 (in: R.Stupperich 1961, 192-209); ferner Ann.Ev.Matth.11,13, 1549 (CR XIV, 172f).

353) "Supra diximus de lege et Evangelio. Etsiamsi Lex Moysi ad certum populum ac tempus certum pertinuit, tamen legem naturae omnium esse gentium communem, et ad omnes aetates pertinere; ideoque in natura scripta est. Rursus Evangelium, hoc est, promissio reconciliationis propter Christum, etiam ad omnes aetates pertinet; etsi haec quidem non est naturalis notitia, sed ab initio revelata est promissio patribus"(CR XXI, 453); noch deutlicher Loci 1543 (SA II/2, 442,1ff).

354) Loci 1535 (CR XXI, 455). Vgl. auch die andere Vorstellung:
"Qua in re etiam hoc singulare Dei beneficium considerandum
est, quod Deus et contextui voluit integram seriem omnium
temporum, et sua cura hos libros servavit; imo ad horum
librorum conservationem politia mosaica constituta est, quae
quid fuit nisi schola et bibliotheca horum librorum?" (Wv.
zum 1.Teil von Luthers Genesiskommentar, 25.Dez.1543, CR V,
261). Speziell, was Judizial- und Zeremonialgesetz betrifft,
so ist diese Deutung des Alten Testamentes traditionell. Vgl.
etwa Thomas von Aquin, S.th. I/II q.104 a.3c.: "..praecepta
caeremonialia sunt figuralia primo et per se, tanquam instituta principaliter ad figurandum Christi mysteria ut futura.
Et ideo ipsa observatio eorum praeiudicat fidei veritati,
secundum quam confitemur illa mysteria iam esse completa. -
Praecepta autem iudicialia non sunt instituta ad figurandum,
sed ad disponendum statum illius populi, qui ordinabatur ad
Christum. Et ideo, mutato statu illius populi, Christo iam
veniente, iudicialia praecepta obligationem amiserunt." Zur
Frage des Gesetzes des Alten Bundes bei Thomas vgl.U.Kühn
1965, 163-191. Wichtig ist hier auch Unterscheid 1543, wo
Melanchthon seine eigene Definition des Alten Testamentes mit
einer anderen vergleicht. Seine eigene besagt: "Das das alte
Testament sey eigentlich die offenbarung des gesetzes oder
der Bund, da durch Israel zum Gesetz und zu diser bestimpten
politia verbunden ist zu diesem end und nutz, das darinn
erhalten würde die Verheissung vom kunfftigen Heiland. Darumb
auch dises gesetz Ceremonien hait, die desselbigen kunfftigen
Heilands bedeutungen gewesen sindt. Andre machen dise definition: Das alt Testament ist der Bund oder annemung des volcks
Israel wegen der Verheissung vom Heiland, doch also, das dises
volk jn eine besunder politia sollte gefasst werden, jn welcher das gesetz geoffenbart ist, damit GOTTES urteill wider
die sundt erkandt würde. Und dweil das volck von wegen der
Verheissung angenommen, hat das Gesetz viel zeichen gehabt
diser Verheissung, damit sie jre anruffung und gelawben haben
erwecken und uben sollen. Dise definition laß ich mir auch nit
mißfallen in rechtem verstand. Und was unterscheid sey zwischen beiden definition und welche bequemer oder rychtiger sey,
dem bitt ich, wolten die verstendigen mit vleiß nach trachten"
(in: R.Stupperich 1961, 208f).

355) Loci 1535 (CR XXI, 455). Melanchthon beruft sich ebd. 456 bes.
auf 2 Kor 3; Röm 8,15 und Jer 31,31. Zur Unterscheidung irdi-
scher und geistlicher Verheißungen siehe S.192 Anm.337.

356) Disp.Rom.3, 1530 (CR XV,451f); Comm.Rom.Arg.1532 (SA V,30,29ff;
34,26ff; 35,11ff); zu Röm 3,21 und 4,14 (ebd. 103-105 und
143,26ff) und bes. in der Disp.de discrimine legis et evangelii im Anschluß an Röm 4,13-16(ebd. 147-150); ferner Loci 1533
(CR XXI, 303f); Loci 1535 (ebd. 398, 413-416); Loci 1543
(SA II/1 343-346); Comm.Ps.113, 1553/55(CR XIII, 1361f); weitere Belege bei H.Engelland 1931, 294f.

357) "Atque hic obsevabis totam legem, et literam veteris testamenti, editam esse potissimum propter revelandas promissiones de

christo"(Ann.Rom.3,1, 1521, Bl.Cb); vgl. Ann.Io.4,22, 1522/23
(CR XIV, 1088); dann Ann.Io.7,2, wo das Gesetz einmal in Zusammenhang steht mit den irdischen Verheißungen und zum anderen
sich im Gegensatz zum Evangelium befindet (CR XIV, 1107).Noch
deutlicher in Schol.Col.2,17, 1527: "Propterea sic accipio
hanc Pauli sententiam. Lex est 'umbra futurorum', id est:
Lex tota data est, non ut iustificet, sed ut significet iustificationem, quae per Christum promissa erat. Et caeremoniae
cum fierent, non iustificabant, sed admonebant promissae
iustificationis. Sic iustificabantur David, Samuel, et similes.
Non quia caeremonias faciebant, sed quia cum facerent caeremonias, credebant promissam esse iustificationem per Christum"
(SA IV, 252,8ff); vgl. ebd. 252,20ff.25ff; 253,2ff.9ff.24ff;
vgl. auch zu Kol 2,20 und 3,11 (ebd. 256,3ff; 288,31ff/289,1ff;
290,12ff); ähnlich Comm.Rom.3,1f, 1532: "Primum ait (sc.Paulus)
Iudaeos praestare gentibus et hanc habere praerogativam, quod
habent promissiones"(SA V, 90,35f). "Data est igitur lex,
instituti sunt cultus et ritus, non ut iustificarent coram Deo,
sed propter hunc politicum finem, ut discerneret hanc nationem
ab aliis gentibus. Praestant igitur Iudaei gentibus, non
quod per cultus et alia opera legis meriti sint iustificationem, sed quod inter ipsos fuerunt revelatae promissiones"
(ebd. 91,6ff); zu Röm 3,9: "Itaque nihil excellunt Iudaei,
quod attinet ad iustificationem.."(ebd. 93,35/94,1); so
auch schon Ann.Rom.3,1, 1521 (Bl.Cb).

358) "Ita utrunque Testamentum, vetus et novum, hoc est: Lex et
Evangelium semper in mundo extiterunt et existent"(Disp.de
discrimine veteris et novi Testamenti, deque legis abrogatione
? (CR XII, 470). Es ist also nicht so, daß der usus theologi-
cus des Gesetzes vom usus politicus abgelöst worden wäre. Im
Gegenteil: Ersterer bleibt die Hauptfunktion des Gesetzes
auch im Alten Testament; vgl. z.B. Loci 1543: "Non enim tantum
promulgata est (sc.lex), ut politica disciplina hic populus re-
geretur, sed ut extaret vox Dei certo et illustri testimonio
tradita, qua patefactum esset iudicium Dei aeternum et immuta-
bile adversus peccatum, ut ira Dei agnita quaereretur promissio Messiae"(SA II/2, 442,21ff). Und auch der Glaubende steht
noch z.T. im Alten Bund: "Vetus, sic dicitur et propter tempus
et propter subiectum, quia Legis promulgatio tempore antecedit
instaurationem naturae inchoatam resurgente Christo et com-
plendam, cum tota Ecclesia resuscitata ornabitur sua gloria.
Deinde propter subiectum dicitur vetus, quia haec vetus natura
premitur iudicio Legis et coercenda est disciplina Legis. Ac
ut vetustas naturae manet in hac vita, sic manet Lex et hoc
ingens opus, quod Lex in maledictionibus denuntiat, id est,
manet ira Dei aeterna, nisi ex Evangelio fuerit accepta remissio"(Loci 1543, SA II/2, 446,8ff). "Interim vero etsi est
inchoatum novum Testamentum in renatis, tamen, quia vetustas
carnis manet, caro..horribiliter premitur maledictionibus
Legis, hoc est, calamitatibus omnis generis, ut agnoscatur ira
Dei adversus peccatum et quaeratur Mediator, item ut peccatum
coerceatur et puniatur"(ebd. 448,20ff).

359) Vgl. auch die Zusammenfassung bei H.Sick (1959, 59): "Die
Unterschiedenheit des AT vom NT wird verstanden vom Evangelium
her, das im Alten Bund unter der Hülle des Gesetzes verkündigt wird. Die Einheit des AT mit dem NT wird in seinem
Gesetz erkannt, das seinen Sinn und seine Erfüllung allein
im neutestamentlichen Heilsereignis findet. So stehen sich
AT und NT gegenüber als Evangelium verborgen unter dem Gesetz
und als im Evangelium erfülltes Gesetz und finden gerade in
ihrem gemeinsamen Zeugnis von Gesetz und Evangelium auch
ihre Einheit." Ähnlich, wenn auch etwas weniger klar H.-H.
Wolf (1948, 83): "Vom Unterschied der Testamente zu reden ist
erst sinnvoll im Hinblick auf die Art und Weise, wie Gott dieses sein Heil dort im Bund mit *einem* Volk, hier als Bundesan-
gebot an alle Völker hat wirksam werden lassen. In jenem
einen erwählten Volk führte das in der Verheißung zugesproche-
ne Heil in eine verpflichtende gesetzliche Ordnung hinein, die
als ganze das Volk in jenem Heil bewahren sollte, ihrerseits
aber auch jenes Heil bezeugte, das in den Verheißungen des
alten Bundes wirklich und wirksam war."

360) Dies war keine Selbstverständlichkeit, wie der Anfang von
Unterscheid 1543 zeigt: "ETLJCH unvleissige gedencken, es sey
ja nit von nöten, die ganze schrifft des newen und alten
Testaments zu wissen, es sei gnug, das sie etwas jm Evangelio
lesen, und betrachten nit, warumb GOT diß ganz buch seiner
kirchen von anfang her angefangen, gemehret und erhalten hat.
Davon ist ein kurtze erinnerung zu thun"(in: R.Stupperich
1961, 192).

361) So deutet Melanchthon etwa Zach 9 (Comm.Zach.9, 1553, CR XIII,
996-998); zu Zach 9,9: "Affirmat venturum esse Messiam iustum
et salvatorem, et quomodo sit salvaturus, mox inquit: Non
constituet imperium politicum. Erit enim pauper, et non erant
quadrigae in Hierusalem, id est, Ecclesia non erit politica
potentia, et salvabuntur homines novo et admirando modo, scilicet sanguine Testamenti, hoc est morte promissi Messiae.."
(ebd. 996f); zu 9,11: "Fuit enim vetus Testamentum promissio
certae sedis et regni politici cum conditione legis et ceremoniarum, ad hunc finem ordinata, ut in hoc certo populo nascere-
tur Messias, et conservaretur ibi memoria promissionis gratiae,
et aliqua esset Ecclesiae schola, usque ad adventum Messiae."
"Hoc politicum testamentum non dedit iusticiam et vitam aeternam. Imo abolitum est, cum gentes vocatae sunt. Loquitur autem
hic Propheta de eo Testamento, id est, de ea promissione, quae
donat iusticiam et vitam aeternam.."(ebd. 997); zu 9,15ff:
"Sequens concio loquitur de collectione Ecclesiae ex Iudaeis
et gentibus. Lapides sancti accumulabuntur super terram, id
est, speculae sanctae constituentur, id est, Ecclesiae, in quibus docebunt Apostoli et alii Sancti. Et Evangelii ac donorum
descriptio est, cum inquit: Bona Ecclesiae esse frumentum
adolescentum, et vinum germinans virgines, id est, Ecclesia
propagabitur: et multi gignentur adolescentes et virgines, id
est, animosi et fidem incorruptam retinentes. Gignentur autem
non propagatione carnali, sed quia per vocem Evangelii Filius
Dei erit efficax in eis, et confirmabit eos Spiritu suo sancto"
(ebd. 998).

362) Siehe S.280.

363) Siehe S. 122ff, 128ff. Vgl. auch K.Haendler 1968, 59f. M.E.
fast etwas zu stark betont Haendler die Differenz, wenn er
(ebd. 150) sagt: "Dieses ist also das Neue und Grundlegende
des Schriftverständnisses Melanchthons seit den 1530er Jahren,
daß er die Schrift nicht eigentlich, wie es in der Frühzeit
praktisch der Fall ist, unter die Kategorie der Offenbarung
subsumiert, sondern unter die der Tradition."

364) Bei Melanchthon ist Offenbarung nicht als "Buchoffenbarung"
verstanden; so mit Recht K.Haendler (1968, 62) gegen
G.A.Herrlinger (1879, 358). Literaturhinweise zum Schriftverständnis Melanchthons finden sich bei K.Haendler 1968, 57
Anm.9 und 157 Anm.35. Siehe auch S.453-467.

365) Monumenta prophetarum et apostolorum, "quae testimonia patefactionis divinae recitant"(Test., 10.April 1547, CR VI,495);
"..wie sich Gott durch diese Reden geoffenbart hat, die in
der Propheten und Aposteln Schrifften und in den Symbolis
gefasset sind.."(Wv. zur dt.Ausg.der Loci, 24.Febr.1553,
CR VIII, 33). "..sicut se in Ecclesia sua inde usque ab initio
generis humani Deus in ea doctrina, quae in Propheticis et
Apostolicis libris comprehensa est, et in Symbolis repetita,
patefecit.."(Wv. zu En.Rom., April 1556, CR VIII, 737); oder
aber auch abgekürzt:"Tecum invoco verum Deum, sicut se patefecit in scriptis propheticis, et apostolicis, et in Symbolis"
(B. an A.Hardenberg, 26.Jan. 1559, CR IX, 733); vgl. auch die
Belege bei K.Haendler 1968, 150 Anm.6.

366) K.Haendler(1968, 150): "Die Schrift als Tradition (actus tra-
dendi) der geschichtlichen Offenbarung Gottes: das ist die
neue und vertiefte Sicht der Schrift, die die letzten drei
Jahrzehnte des melanchthonischen Wortbegriffes charakterisiert!"

367) Vgl. K.Haendler 1968, 158; zur Frühzeit ebd. 58f Anm.20. Die
humanistische Theologie hatte deswegen einen eigenen Inspira-
tionsbegriff nicht nötig, weil sie Werk und Autor nicht tren-
nen konnte und wollte, sondern das literarische Werk als unmittelbaren Ausdruck der Schöpferpersönlichkeit betrachtete.

368) So K.Haendler 1968, 158f, und vorher schon O.Ritschl 1908,114.

369) Man kann hier also K.Haendler(1968, 160) zustimmen, wenn er
zusammenfassend von der prophetisch-apostolischen Offenbarungs-
überlieferung sagt: "Diese authentische Überlieferung, die
eben darum auch normativ ist, nimmt in der Schrift Gestalt
an. So bekommt die Schrift durch die Überlieferung Anschluß
an die Offenbarung des göttlichen Heilswillens. Oder denn:
Die Überlieferung schafft und garantiert die Offenbarungsge-
mäßheit der Schrift. Die Richtigkeit der Überlieferung garantiert die Richtigkeit der Schrift und eben damit ihre Autorität." Auf der anderen Seite ist es für Melanchthon eine un-
gefragte Selbstverständlichkeit, daß die Schrift selbst authen-
tisches Medium der Offenbarung Gottes ist, daß Gott auch heute
noch in ihr zu uns spricht; vgl. z.B. Or.de necessaria con-

iunctione Scholarum cum Ministerio Evangelii 1543: "Ut coram
manifesto in lumine vidit Moyses Deum, stans in rupe: sic
tecum certo eum colloqui scias, quoties hos ipsos libellos
legis Prophetarum et Apostolorum, quos Deus Ecclesiae trad-
dit, ut perpetuo eius vocem audiret"(CR XI, 608f).

370) Siehe S. 358-368 (Wissenschaft), 430-450 (Sprache), 472-483
(Geschichte).

371) Siehe S.362ff.Aber auch der atheistische Humanismus greift
auf schriftliche Texte zurück; siehe S.329.

372) Vgl. An Bürgermeister und Rat der Stadt Halle in Sachsen,
6.Mai 1545: "Denn christliche religion ist nicht wie andere
heidnische religion, die menschliche vernuft selb gedichtet
hatt, und bedörfen kheiner bucher und lahr, sonder gott hatt
sein heimlichen willen von Christo und vergebung der sunden
durch sein wort geoffenbart und diese offenbarung in ein buch
gefasset, das soll man lesen, hören und lernen. Darumb sind
studia in christlicher religion viel höher von nötten denn
bey den allen andern völkhern"(K.Hartfelder, Nachtrag zum
Corpus Reformatorum, in: ZKG 7, 1885, 455); Vorr.zu Lauter-
becks Kurtze und gründliche anweisung, wie man die Jugent
zur Zucht und Schulen halten und christlich unterweisen sol,
1550: "All andere Religion sind allein Gesetzlere gewesen,
und noch, dieweil denn solche Gesetzlere allen menschen natürlich eingepflantzt, und bekant ist on schrifft, on buchstaben, und on lesen, so bedürffen dieselbigen Relligion und
Secten keiner bücher und schrifften, sondern natürlicher
verstand bringet selbs so viel weisheit mit sich, das sie solche lere von eusserlichen sitten wissen. Wie auch viel hoffer-
tiger unchristlicher Centauri itzung sind, die sprechen, Was
bedarff man der bücher und des predigens, sie wissen selb
wol, was man thun soll. Solche rede ist heidnische Blindheit
und gotteslesterung. Und sollen dagegen alle..wissen... das
christliche Relligion nicht allein eine Gesetzlere ist, sondern ist darüber ein besonderer göttlicher rat, von erlösung
der menschen, durch den son Jhesum Christum, welchen rat kein
Engel und kein Mensch aus natürlichem liecht hette sehen oder
mercken können, sondern der almechtige ewige Gott, hat diesen
wunderbarlichen rat selbs aus grosser barmhertzigkeit,dem
menschlichen Geschlecht, durch seine eigene Stimme geoffenbaret... Diese offenbarung ist weit und hoch uber aller Crea-
turn weisheit, und ist mit gewissen zeugnissen, als aufferwek-
kung der todten und andern grossen wunderwerken, erstlich den
Vetern und Propheten befolhen worden, die diesen rat Gottes
geprediget, verkündiget, und in öffentliche bücher mit vielen
zeugen verzeichnet und geschrieben haben. Und ist hernach
durch den Son Gottes Jhesum Christum gnediglich erfüllet,
erkleret, bezeuget, und hernach weiter durch die Aposteln aus-
gebreitet, und abermals in öffentliche bücher deutlich gefasset, Und sind nicht blinde zweivelhafftige reden, sondern klare eigentliche unterricht, von Gottes wesen und willen, von
gnaden, glauben und seligkeit"(R.Stölzle, Eine unbekannte
Vorrede Melanchthons, in: ARG 12, 1915, 134f); vgl. auch
Loci 1543 (SA II/2, 440,15ff).

373) "..und hat diese seine Offenbarung und Wort in gewisse Schrift
fassen lassen. Dadurch will er erkannt werden, und nicht durch
andere Lehre von Menschen erdichtet. Er hat auch zugesagt,
daß allein diese sein Volk seyn sollen, welche sein Wort,
in dieser Schrift und Zeugniß Christi verfasset, annehmen und
glauben.."(Bibelinschrift 1542, CR IV, 936); vgl. Bibelinschrift 1543 (CR V, 278); An den Stadtrat zu Soest, 20.Juni
1543 (ebd. 127, 134); "Quare cogitemus ingens Dei beneficium
esse, quod certum librum Ecclesiae tradidit et servat et ad
hunc alligat Ecclesiam. Tantum hic populus est Ecclesia, qui
hunc librum amplectitur, audit, discit et retinet propriam
eius sententiam.."(Loci 1543, SA II/2, 440,20ff).

374) "Ad haec beneficia accessit hoc, quod Deus statim ab initio
historiam generis humani ac testimonia, quibus se patefecit,
literis mandari et duraturis monumentis propagari voluit.
Nec vult agnosci nisi per haec testimonia, nec ullum coetum
ignarum horum librorum ducit Ecclesiam suam esse"(Wv.zum
1.Teil von Luthers Genesiskommentar, 25.Dez.1543, CR V,260);
"Cumque se patefeceret, sententiam suam de nostra salute proposuit, et mandari literis voluit inde usque ab initio generis
humani, quando, ubi, quibus testimoniis se patefecerit, quae
dicta, quas leges, quas promissiones tradiderit. Harum maximarum rerum ut duraret memoria, voluit deus extare monumenta,
certe auctoritate tradita: haec legi, cognosci, audiri praecipit"(Lv., 27.Sept.1544, CR V, 485). "Huic (sc.Ecclesiae)
mandarit ut historiam scriberet harum patefactionum, et
traditam doctrinam certis et perpetuis monumentis asservaret"
(Lv. zur griech.Ausg.der Heiligen Schrift, 25.Nov.1544, ebd.
536); vgl. Or.de dicto Pauli 1 Tim 4,13, 1546 (CR XI,753);
Vorr.zur lat.Grammatik, 18.Aug.1544 (CR XX, 227f); Loci 1543
(SA II/2, 440); Auslegung von 1 Tim 4,13, 1547 (CR VI, 693f).

375) Siehe S.302f.Von der humanistischen Vorstellung, daß Gott
bzw. Christus im Text der Schrift selbst gegenwärtig ist und
unmittelbar daraus spricht, gibt es anscheinend nur noch ver-
streute Hinweise. Vgl. z.B. Loci 1543: "Non aliter audias
verba huius Coenae, quam si ipsum Christum coram tecum loquentem audires.."(SA II/2, 521,15ff). Bibelinschrift 1545:
"Necesse est autem hoc ipsum verbum retineri, in quo Deus se
patefecit, et in quo filius Dei nobis concionatur.."(CR V,920).
Zum veränderten sprachtheoretischen Hintergrund der Spätzeit
siehe S.451f.

376) Siehe S.289-299.

377) Für den Inspirationsgedanken wurde dies bereits von P.Fraenkel
(1959, 108) und K.Haendler (1968, 58 Anm.20) beobachtet.

378) Siehe S.259-313.

379) Es geht hier auch nicht um die gesamte Vergegenwärtigungs-
problematik, sondern nur insofern sie unmittelbar die Offenbarung betrifft.

380) Oder auch: Wie man zwischen den Extremen, nämlich einer histo-
risierenden heilsgeschichtlichen Theologie und einer existen-
tialen Kerygmatheologie hindurchsteuern könne, ohne deren
wesentliche Anliegen, nämlich einmalige Fleischwerdung des Wortes, aber ständige Offenbarungsgegenwart, zu verfehlen. Vgl.
dazu etwa die Kontroverse zwischen J.Jeremias und E.Käsemann,
wo diese Extreme in überspitzten Formulierungen sehr schön
sichtbar werden: J.Jeremias, Der gegenwärtige Stand der Debatte um das Problem des historischen Jesus, in: Der historische
Jesus und der kerygmatische Christus. Beiträge zum Christus-
verständnis in Forschung und Verkündigung, hrsg. von H.Ristow
und K.Matthiae, Berlin 3.Aufl.1964, 12-25, bes.25; und dazu
E.Käsemann, Sackgassen im Streit um den historischen Jesus,
in: ders. Exegetische Versuche und Besinnungen Bd.II, Göttingen 2.Aufl.1965, 31-68, bes. 38f.

381) Daß bis zum Konzil von Trient herauf Wörter wie revelare,
inspirare, illuminare usw. einerseits auf ein Handeln Gottes
andererseits auf die Väter, Konzilien, Päpste, Theologen usw.
bezogen wurden, ist seit langem bekannt. Eine erste größere
Zusammenstellung der Texte bot J.de Ghellinck 1916. Er ist
der Auffassung, daß es sich nicht um Offenbarung im
eigentlichen Sinn handle, sondern daß die Illuminationslehre
Augustins dahinterstehe (bes. ebd. 156). Im Zusammenhang mit
der Frage des Glaubensfortschrittes nach der Frühscholastik
kam auch J.Beumer 1952 kurz auf unsere Frage zu sprechen:
bes. 216-219 (=Die Stellung der Frühscholastik zu der Möglichkeit einer neuen Offenbarung). Es handle sich hier nach Beumer eigentlich nicht um Privatoffenbarungen, vielmehr würden
Begriffe wie aspiratio, inspiratio, revelatio in einem weiten
Sinn verwendet. Immerhin: "Wenn die Frühscholastik die Möglichkeit einer neuen 'Offenbarung' nicht ganz von der Hand weist,
dann wird, wie auch immer diese Offenbarung erklärt werden
mag, eine gewisse Aufgeschlossenheit für theologische Erkenntnisse sichtbar, die über die alte Tradition hinausgehen"(ebd.
219). Im Grunde sei die Sache noch unausgeglichen: "Die beiden
Pole werden dargestellt auf der einen Seite durch das lebendige Bewußtsein der Frühscholastik, der Offenbarung und der Vä-
terlehre verpflichtet zu sein, und auf der anderen Seite durch
ein tiefes Gespür für die beständige Wirksamkeit des Heiligen
Geistes in der Kirche und in ihrer Verkündigung. Die gegen-
sätzlichen Aussagen laufen für gewöhnlich noch unverbunden und
unvermittelt nebeneinander, und eine systematische Eingliede-
rung befindet sich erst in den Anfängen"(ebd. 225). Ausführlicher beschäftigte sich J.Ratzinger 1958 mit der Frage,
bes. 20-27 (=II. Der geschichtliche Zusammenhang von Bonaventuras Theorie der revelatio). Nach Ratzinger hätten neben
Augustin die beiden Paulustexte und die Stelle aus der Bene-
diktregel bestimmend mitgewirkt, wodurch der einfache Zusammenhang der augustinischen Illuminationslehre weit überschritten
worden sei (ebd. 21) und die Entwicklung schließlich zu einem
(vorthomanischen) Offenbarungsbegriff geführt habe, der sich
"aus einem äußeren, objektiven und einem inneren aktualen
Moment" zusammensetze (ebd. 26). "'Offenbarung' im Sinn innerer
Zuwendung Gottes zum Menschen muß auf jeden Fall je neu er-

folgen auch in einer Zeit, in der die objektive Seite der
göttlichen Selbsterschließung längst abgeschlossen ist. So
kann die Vorstellung aufkommen, daß an dieser und jener Stelle der Geschichte die 'Offenbarung' wieder besondere Mächtig-
keit erlangt: Die Kirche in ihrer gesamten geschichtlichen
Erstreckung wird als pneumatische Gemeinde im paulinischen
Sinn, als geistdurchwirkte Mönchsgemeinde im benediktinischen
Sinn verstanden, in der bald hier, bald dort der Geist zu
reden beginnt, in den jüngeren Generationen ebensogut wie in
den älteren"(ebd.26). Daß diese Linie prinzipiell auch noch
auf dem Tridentinum wirksam war, hat J.Ratzinger (1965, 50 bis
69) in seiner Auslegung des Trienter Traditionsdekrets zu
zeigen versucht. Eine Übersicht (vor allem im Anschluß an
J.Ratzinger 1958) mit einigen Texten aus der Spätscholastik
bringt auch J.Finkenzeller 1961, 67-71. Die umfangreichste
Textsammlung mit einer Reihe neuer Texte bietet dann Y.M.-J.
Congar 1965, 152-169 (=Exkurs B: Fortdauer der "revelatio"
und der "inspiratio" in der Kirche; ebd. 152 auch weitere
Literatur). Nach Congar betrachteten die Väter und das Mittelalter"alles, was in der Kirche geschieht...unter dem Vorzeichen des..Aktualismus' Gottes"(ebd. 163). "Die Manifestation
oder die Enthüllung seines Wesens und seines Heilsplanes, die
Gott in den Propheten begonnen und in Jesus Christus...vollen-
det hat, setzt sich durch das Handeln des Heiligen Geistes
in der Kirche fort"(ebd. 164). P.-R.Cren machte schließlich
im Exkurs: Der Offenbarungsbegriff im Denken von Wilhelm von
Ockham und Gabriel Biel, in: Offenbarung 1971, 144-152, darauf aufmerksam, daß in der via moderna die Dialektik der
potentia absoluta und potentia ordinata sich auch im Offenbarungsbegriff niedergeschlagen und dadurch sowohl zur Betonung der Positivität und Geschichtlichkeit der Offenbarung
als auch zur Möglichkeit einer nachapostolischen Offenbarung
geführt habe (vgl.bes. 151f). Nichts wesentlich Neues bringt
der Aufsatz von G.Söll, Dogmenfortschritt durch neue Offenbarung? Ein Beitrag zur Geschichte der Theorie der Dogmenent-
wicklung, in: FZPhTh 18 (1971) 72-87. Söll, der weder Ratzinger noch Congar erwähnt, betont, "daß geistgewirkte Erleuch-
tungen für die Gesamtkirche oder einzelne Theologen trotz des
Terminus revelatio nicht als eine Erweiterung der ursprünglichen Christusoffenbarung angesehen wurden"(ebd. 83). "An den
zitierten Zeugnissen ist abzulesen, daß es sich selten um
eigentliche dogmatische Lehrpunkte handelte und daß in den
meisten Fällen eine im Sinn der augustinischen Illuminationstheorie dem frommen affectus fidei von Gott zuteilgewordene
Erleuchtung gemeint war"(ebd. 84). Damit dürfte der Befund
wohl etwas zu einseitig interpretiert sein.

382) "Si recentioribus quaedam patefacta sunt dono Spiritus, quae
     tam multis seculis fugerant tot Ecclesiae lumina, hoc est
     si Gerson aut Occam vidit quod nec Chrysostomus nec Augustinus
     nec Hieronymus vidit, quid obstat, quo minus et hodie Spiritus
     idem suggerat huic aut illi? quod hactenus fefellit? Quur non
     hic servatur illa Pauli lex, ut si quid cuipiam alteri revela-
     tum fuerit, prior taceat et auscultet?"(B.an Natalis Beda,
     15.Juni 1525, Allen IV, Nr. 1581,557ff).

383) So z.B. Th.Hoppe (1928/29, 605) in der bezeichnenden Alternative: "Nur wer eine unbedingte Position hat, ist ihrer (sc.
der Tradition) Macht entnommen, und diese unbedingte Position
gibt nur das bedingungslose Sich-Gründen auf die im Gewissen
erlebte Autorität Gottes. Das hat Luther die innere Freiheit
gegenüber der Tradition gegeben. Melanchthon konnte dazu nicht
kommen, weil er einen Einschlag von Rationalismus besaß.
Dieser Einschlag bricht seine innere Position und verursacht
eine letzte innere Unsicherheit, die ihn der Tradition in
die Arme treiben mußte." Vom reformatorischen Verständnis der
Heilsvergegenwärtigung ein neues Geschichtsverständnis abzu-
leiten, wird für Melanchthon m.E.immer problematisch bleiben.
Vgl. W.Maurer (1960, 34): "Und dieser Fortschritt hängt eng
mit Melanchthons reformatorischer Theologie zusammen. Sie
schenkt ihm jenes lebendige Gegenwartsbewußtsein und damit
das Gefühl der Überlegenheit über jede Tradition, auch die
klassisch-antike. Sie läßt ihn in Christus die Mitte, den
Höhepunkt der Geschichte erkennen und lehrt ihn damit, das
Gefälle ihres Ablaufes zu begreifen." Ebd. 37: "Ein neues
Verständnis der Geschichte bricht erst da auf, wo das reformatorische Evangelium verstanden ist." Ebd. 49: "Von dem
Augenblicke an, da er die theologischen Grundbegriffe des
Apostels Paulus auf sich persönlich gerichtet sein lassen
wird, auf sein Versagen vor dem Gesetz, auf die ihm geltende
Gnadenzusage des Evangeliums, von da an wird er auch imstande
sein, sie auf den Gang der biblischen Heilsgeschichte im
Ganzen zu beziehen." Beide Dinge jedoch: Christozentrik in
der Geschichte und Tropologie, dürften zum Kernbestand jeder
christlichen Theologie gehören.

384) Siehe S.472-490.

385) 1 Kor 14,30 deutet er z.B. anders: Dieses Wort bezieht sich
bei ihm nicht auf die Dogmengeschichte, sondern auf die kirchliche Verfassung. Es enthält gewissermaßen ein Notrecht:
Wenn die Amtsträger Irrtümer lehren, kommt die Gesamtverant-
wortung der ganzen Kirche zum Tragen und jeder muß Einspruch
gegen diese Irrtümer erheben. Vgl. Ann.I.Cor.14,28, 1521:
"Octavo, Paulus non voluit in ecclesia omnes loqui, propterea
eorum functio, qui vocati sunt ad docendum in ecclesia, non
est interpellanda a non vocatis, nisi falsa docerent, tum enim
sunt interpellandi ab omnibus. Nam haec tum vocatio est omnium,
iuxta illud: 'Si fuerit sedenti revelatum, taceat prior'"
(SA IV, 71,29ff/72,1f); vgl. Ann.I.Cor.14,29ff, 1521 (SA IV,
77,20ff); De primatu Pontificis 1530? (CR II, 318). Qu.1537:
Cognitio de doctrina pertinet "ad Ecclesiam, hoc est , non
tantum ad presbyteros, sed etiam ad laicos idoneos ad iudicandum, sicut Paulus inquit: Si fuerit sedenti revelatum
taceat prior.."(CR IV, 468). Am ausführlichsten aber in
Comm.I.Cor.14,29ff, 1551 (CR XV, 1174ff); ebd. 1176 auch Hinweis auf die "aristokratische " Verfassung der Kirche (vgl.
dazu S.282-286.

386) So berichtet er über eine Frau aus Kitzingen, die den Ausbruch
des Krieges prophezeit haben soll: "Accepimus,piam et honestam

202

mulierem esse, quae de his rebus habet revelationes"(B.an
K.Cordatus, Ende März 1531, CR II, 491); oder er zitiert
in den Loci 1543 eine Geschichte, die Eusebius berichtet hat,
in der auch von einer divina revelatio die Rede ist (SA II/2,
760,6ff). Auch kritische Äußerungen fehlen nicht: Die angeblich an Cyprian erfolgte Offenbarung des Zölibates wird abgelehnt, weil sie in Widerspruch stehe zur Heiligen Schrift
(Apol.XXIII, 1531, BS 346,18ff). Vgl. auch noch den Bericht
über einen Greis, der sich (allerdings vergeblich auf Offenbarungen berief (B.an F.Myconius, 6.Jan.1529, CR I, 1021).
Der Ausdruck "privata revelatio" findet sich m.W. in solchen
Zusammenhängen nicht. Er kommt aber vor in der Auslegung von
Joh 1,31 ("Et ego nesciebam eum"), die ihm Schwierigkeiten
zu bereiten scheint: "Mea sic est ratio, Joannem hoc signum
allegare, quo pater testimonium Christo filio perhibuit. Ut
maxime ipse ex priori revelatione Christum agnoverit, tamen
non allegat Joannes privatam revelationem; hoc signum allegat,
quod Prophetae Christi signum esse praedixerunt. Esaiae LXI.:
Spiritus domini super me. Ut sit haec sententia: Ego, Joannes,
non noram Christum, sed revelante Deo didici, et revelationis
suae pater hoc testimonium perhibuit"(Ann.Io.1,31, 1522/23,
CR XIV, 1073f).

387) So in einigen Äußerungen über die Eucharistie aus dem Jahr
1525, und zwar über die Deutung des Wortes "est" in den Ein-
setzungsberichten: "Nec detorqueri mihi in figuras haec posse
videntur. Itaque nisi ἀποκαλύψει certiore coactus non discedam a verbis"(B.an J.Ökolampad, 12.Jan.1525, SA VII/1, 226,
13ff); ähnlich im B.an Th.Blarer, 23.Jan.1525: "Neque profecto
velim unquam νεωτερίζειν de re tali sine certa ἀποκαλύψει,
si sit a verbo discedendum.' "περὶ εὐχαριστίας, non video, cur
a verbis scripturae discedam nulla coactus ἀποκαλύψει certa"
(SM VI/1, 277). Vgl. auch die entsprechende Äußerung Luthers
in der Leipziger Disputation, aus der auch die spezifische
Herkunft dieses Doppels scriptura-revelatio erhellen dürfte
(via moderna!): "Nec potest fidelis Christianus cogi ultra
sacram scripturam, quae est proprie ius divinum, nisi accesserit nova et probata revelatio. Imo ex iure divino prohibemur
credere, nisi quod sit probatum, vel per scripturam divinam
vel per manifestam revelationem, ut Gerson etiam 'etsi recentior' in multis locis asserit.."(Der authentische Text der
Leipziger Disputation, hrsg. von O.Seitz, Berlin 1903, 87).

388) B.an Hardenberg, 26.Jan.1559: "Tecum invoco verum Deum, sicut
se patefecit in scriptis propheticis, et apostolicis, et in
Symbolis"(CR IX, 733). Diese Form ist m.W. ziemlich selten.
Häufiger findet sich eine andere Fassung, die zugleich die
Verständnisrichtung anzeigt: "Wie sol man Gott erkennen? Antwort. Wie er sich selb gnediglich geoffenbaret und seine
offenbarung in der Propheten und Aposteln schrifft und in die
Symbola gefasset hat"(Ex.ord.dt.1552, SA VI, 177,27ff); ähnlich ebd. 175,1ff; Wv.zur dt.Ausg.der Loci, 24.Febr.1553
(CR VIII, 33). Zweifellos sind Heilige Schrift und Symbola
hier sehr nahe zusammengerückt; das kommt auch noch in etwas
anderen Zusammenhängen zum Ausdruck: vgl. das Dictum, März
1553 (CR VIII, 61)und Expl.Prov.1551 (CR XIV, 41); auch
O.Ritschl 1912, 301f. Wenn K.Haendler, der sich (1968, 220f

Anm.30) mit Recht gegen bisherige Fehlinterpretationen der
Bedeutung der Symbola (und der altkirchlichen Tradition) wendet, u.a. sagt: "Zum anderen übersieht Ritschl, daß die
Symbole wie jede menschliche Verkündigung, die die Schrift
verkündigt, media salutis, Ort der Offenbarung des göttlichen
Heils und somit in bestimmter Hinsicht selbst Offenbarung
sind"(ebd. 220 Anm.30), so ist das eigentlich noch nicht ganz
exakt, weil es eben bei Melanchthon nie heißt: Gott offenbare
sich in der Schrift und in der Verkündigung. Die Symbola
sind schon eine unter der besonderen Aktivität Gottes stehen-
de Form der Überlieferung. Vielleicht ist hier doch die
patristisch-mittelalterliche Sehweise aufgenommen (vgl. dazu
z.B. Y.M.-J.Congar 1965, 153ff, 158ff).

389) Lv.zur dt.Ausg.der Articuli inquisitionis Bavaricae, 3.Okt.
1558 (CR IX, 639, 640).

390) De eccl.1539 (SA I, 360,20ff); Lv.zum 1.Bd.der lat.Werke
Luthers, 5.März 1545 (CR V, 693); "..luce Evangelii per
Lutherum rursus accensa"(Or.de M.Luthero 1548, CR XI, 786).

391) "Nunc tandem dei misericordia respexit nos revelavitque Evangelium populo suo et errexit conscientias eorum, quos vocavit"
(Apol.pro Luthero 1521, SA I, 160,33ff). "In welchen dingen
die recht büßfertigkait stande, das sein die ding, so zu diser
zeit götlich durch D.Martin luther angezaigt werden"(Ain war-
hafftiges urtayl 1524, SA I, 177,14ff). "Cum enim viderem
res magnas et necessarias divinitus patefactas esse in nostris
Ecclesiis per viros pios et doctos.."(Vorr.zu Loci 1535,
CR XXI, 341). "Zum Dritten ist ganz offentlich und unleugbar,
daß viel heilsamer Lehr in unser Kirchen durch Gottes Gnad
offenbart dafür man Gott Dankbarkeit schuldig ist"(B.an Kurfürst Joachim von Brandenburg, 5.Dez.1539, CR III, 845).
"Nec meum consilium fuit, ullam novam opinionem serere, sed
perspicue et proprie exponere doctrinam Catholicam, quae
traditur in nostris Ecclesiis, quam quidem iudicio singulari
Dei beneficio patefactam esse his postremis temporibus per
D.D.Martinum Lutherum, ut Ecclesia repurgaretur et instauraretur, quae alioqui funditus periisset"(Testamentum Melanthonis
Mai 1540? CR III, 827). "Necesse est enim fateri, per eum
(sc.Lutherum) patefactam esse doctrinam, quae supra humani
ingenii conspectum posita est"(B.an J.Jonas, 19.Febr.1546,
CR VI, 47). "..doctrina de filio Dei, quam Deus singulari
beneficio hoc tempore nobis per...Doctorem Martinum Lutherum
patefecit"(Ad auditorium Scholae Witebergensi de obitu
Lutheri, 19.Febr.1546, CR VI, 58; vgl. ebd.59). Ähnlich auch
im Zusammenhang mit der Lichtmetaphorik: "Agnoscunt tuo
ministerio lucem Evangelii rursus patefactam esse.."(B.an
Luther, 3.März 1537, CR III, 300). Deus, "qui, ne funditus
periret Ecclesia, pro sua immensa clementia rursus accendit
doctrinam salutarem, quam constat paene extinctam fuisse"
(Lv.zu den Acta Ratisbonensia, Okt.1541?, CR IV, 667). "Res
testatur ipsa, hoc genus doctrinae, quod profitemur, non
humana sagacitate patefactum esse, sed divinitus iterum
Ecclesiae illuxisse"(ebd. 668). "..die einige, wahrhaftige,

Christliche Lehre des heiligen Evangelii, die in unseren
Kirchen durch Gottes Gnade leuchtet.."(Lv.zur dt.Übersetzung
der Loci, Juli 1542?, CR IV, 835). "Agamus igitur gratias
Deo.., quod et antea saepe, et nunc in hac tristi senecta
mundi, Evangelii lucem Ecclesiae, ministerio D.Lutheri, reddi-
dit, et hoc tanto beneficio grati fruamur.."(Lv.zum 1.Bd.
der lat.Werke Luthers, 5.März 1545, CR V, 693). "..leere des
Evangelii, so zu disen zeiten auß sonderlicher gnade wider-
umb reine ans liecht bracht.."(Ursach 1546, SA I, 414,1f).

392) "Christianus autem debet scire, quid affirmet, hoc est:
habere certum verbum de his, quae docet." "Habere autem
revelationes praeter scripturam, id nihil facit ad iustitiam"
(Schol.Col.2,18, 1527, SA IV, 255,19ff; vgl. 255,11ff)."Cre-
dant igitur omnes et hanc revelatam voluntatem amplectantur
et amittant quaerere arcana, quae non sunt revelata, quia
Deus non potest cognosci, nisi quatenus revelat se per verbum
suum"(Schol.Prov.16,4, 1529, SA IV, 408,15ff; vgl. zu 12,23,
ebd. 378f). "..non alias revelationes, non alias illuminationes quaerendas aut exspectandas esse de caelo, sed,cum angi-
mur, ad hoc verbum, quod audimus aut legimus praescriptum
in sacris libris, respiciendum esse.."(Comm.Rom.15,3f, 1532,
SA V, 358,23ff); vgl. auch zu Röm 1,16 (ebd. 64,3ff) und
10,15 (ebd. 275,10ff). Zu 1 Tim 4,13 schreibt Melanchthon
Ende der dreißiger Jahre: "Hic locus primum refutat fanaticos
spiritus, qui imaginantur studia doctrinae inutilia esse et
tantum a spiritu sancto illuminationes quaerendas esse. Hic
manifeste praecipit de lectione"(De modo conc. 1537/39, SM V/2
33,4ff); vgl. Comm.Rom.4,23, 1540 (CR XV, 606); Loci 1543
(SA II/2, 506,13ff.21ff; 599,12ff; 621,5ff); Ex.ord.lat.1554
(CR XXIII, 27); weitere Belege bei K.Haendler 1968, 176ff.
Zur anfangs etwas zwiespältigen Haltung Melanchthons zur
Täuferbewegung vgl. vor allem seine Briefe an Kurfürst Friedrich den Weisen und Spalatin vom Anfang Jan.1522 (in:
N.Müller 1911, 129, 130, 139f).

393) Deutlich z.B. bei Bonaventura (vgl. J.Ratzinger 1958, 15ff),
aber auch bei J.Driedo (Y.M.-J.Congar 1965, 154 Anm.1) und
anderen katholischen Zeitgenossen Melanchthons (P.Fraenkel
1961, 176f); zum Ganzen auch J.Spörl 1935, 28ff.

394) Vgl. die Belege oben Anm. 391. Siehe auch S.480, 489.

395) Siehe S.207-218.

396) Siehe S.361ff.

397) Siehe S.320, 323f.

398) Siehe S.31f, 39ff, 91, 132ff, 158f, 186ff, 197ff, 392ff.

399) Siehe S.124, 167, 179.

400) Siehe unten Anm. 404 und 405.

401) Wv. zum 7.Bd. der lat.Werke Luthers, 1.Okt.1556: "Impossibile
est esse populum Dei illos, qui fatentur, se non recipere
libros Propheticos et Apostolicos. Hanc arcem teneamus adversus omnes Ethnicos et manifestos Ecclesiae hostes." "Sed
Pharisaei aliter fallebant populum. Retinere se Propheticos
libros simulabant, et interea fingebant alias opiniones, quas
tanquam fuco pingebant astute illitis Prophetarum verbis."
"Papistae impudenter dicunt, non esse certam doctrinam librorum Propheticorum et Apostolicorum, sed hanc ex interpretationibus usitatis apud ipsos sumendam esse"(CR VIII, 862).
So auch die Reihenfolge in Ursach 1546: "Erstlich seind vil
Epicurei, die von Got nichts halten und achten alle Religion
für lauter fabeln, die schreiben und sagen, das man der
Christlichen kirchen leer nach der zeit und der Potentaten
und Regenten willen und meinung richten und lencken solle"
(SA I, 414.20ff). "Zum andern seind weiter etliche falsch-
glaubige, die sich stellen, als sey inen ernst, nennen sich
Christen und rümen, sy wollen Christlicher Kirchen anhangen
und dabey bleiben. Dise geben für, die kirchen künde nicht
yrren in nötigen stucken zur seligkeit. Darumb sey yetzund bey
dem Bäpstlichen theil kein Abgötterey und kein schedlicher
irrthumb wider die Artickel des Glaubens"(ebd. 416,35ff);
vgl. auch Wv.zu En.Rom, April 1556 (CR VIII, 737); ferner
CR XII, 110(1555); ebd. 400 (?).

402) Loci 1521: "De peccato, lege, gratia, evangelio adeoque et
iustificatione hactenus, quae quaestio omnium hominum semper
communis fuit eritque: Quinam iustificari homo possit? Philosophi et pharisaeo docuerunt hominem suis virtutibus et conati-
bus iustificari. Nos docuimus iustificari sola fide, hoc est,
Christi iustitiam nostram iustitiam esse per fidem.."(SA II/1,
157,34ff/158,1f); dazu vgl. auch K.Haendler 1968, 31f;
H.-G.Geyer 1965, 63ff.

403) Ann.Gen.Praef.1522: "Ut a conditione rerum ordiretur, non
historiae tantum ordo postulabat, sed et ipsa docendae pietatis ratio, quia hoc caput omnium quaestionum est: Sitne Deus:
Sintne a divina aliqua vi haec condita: Reganturne aliquo
divino numine. Et hoc caput est ignorantiae et impietatis
humanae, quae comprehendere non potest rerum vel conditionem
vel administrationem, sentitque res temere ferri, nasci,
interire, redire etc."(CR XIII, 761). Dazu die(letztlich
irrtümliche) Überraschung von H.Engelland (1931, 4): "Es ist
äußerst überraschend, daß der junge Reformator in der Praefa-
tio zu seinem Genesiskommentar 1523 eine Frage stellt, die
erst in unserer Zeit durch die Bewegung des Relativismus
immer stärker in den Vordergrund tritt, und sie als Frage
aller Fragen klar erkennt: Steht hinter der Welt wirklich Gott
oder etwa der Zufall?" Bereits in den Loci 1521 findet die
gleiche Wendung sich gegen die atheistische Philosophie:
"Quaero te, ad eum modum mysterium creationis tractare potest
caro? aut illud carnalium somniorum chaos, philosophia, quae
cum contingenter evenire res arbitretur, plane negat opus
creationis"(SA II/1, 100,20ff). "Nunc philosophica impietate,
impiis poetarum ac oratorum sententiis naturae impietas excita-
tur, quae modis omnibus verbo dei premenda et revellanda

erat"(ebd. 119,34ff).

404) Die beiden falschen Grundhaltungen Gott gegenüber sind
Atheismus bzw. Skeptizismus und heidnischer Götzendienst (so
in der Auslegung von Röm 1,18ff): "Contionatur adversus
duo genera, quorum primi sunt ἄθεοι, videlicet philosophi et
alii impii, qui tollunt providentiam; alterum genus est ido-
latrarum"(Comm.Rom.1,23, 1532, SA V, 75,26ff). "Considerandum
est igitur idolatriam praecipue esse impiam opinionem de Deo,
quae Deum fingit alium, quam re ipsa sit. Epicurei fingunt
Deum non curare humana: ita sculpit animus idolum otiosi ac
surdi Dei. Idolatrae fingunt Deum pro tali cultu ad hanc
statuam dare remissionem peccatorum: ita fingunt apud animum
imaginem de Deo falsam"(ebd. 76,16ff); vgl. ebd. 75,3ff;
Comm.Rom.1,21, 1540 (CR XV, 569).

405) B.an M.Hummelberg, 15.Mai 1525: "Video enim in tanta varietate
opinionum de religione te ea sequi, amplecti ac diligere, quae
primum certissima sunt, deinde alunt pietatem; cum bona pars
literatorum aut contemnant religionem, aut otiosis disputationibus profanent"(CR I, 740). B.an J.Herzheimer, 5.Jan.1533:
"Sed tristi quodam ac saevo temporum fato accidit, ut criticos
habeamus non ipsos episcopos, sed alios quosdam ex vulgo
homines indoctos, stultos, crudeles, qui religiones omnes
suaviter irrident, eamque ob causam magna vi obsistunt, ne
perferantur atque cognoscantur ea, quae divinitus tradita
sunt de religione"(CR II, 626f). Or.de Aristotele 1544:
"Quanta scelerum omnis generis confusio est in mundo? Plurimi
homines sunt athei; multi fanaticis opinionibus fascinati, a
Deo aberrant: multi polluti sunt libidinibus, multi caedes
et excidia urbium ac gentium moliuntur. Ita magna pars generis
humani, alii aliis furoribus agitati, cum Deo belligerantur"
(SA III, 123,10ff). Lv. zum 1.Bd. der lat.Werke Luthers,
18.Jan.1545: "Magna multitudo est Epicuraeorum ubique, qui
rident omnes religiones et quidem in aulis Pontificum et Re-
gum. Hic ducitur esse gradus sapientiae praecipuus ridere
religiones, et tamen gnaviter simulare studium servandae consuetudinis"(CR V, 695). Wv.zum 4.Bd. der dt.Werke Luthers,
20.Dez.1550: Unordnung und Zerstörung in der Welt erwecken den
Zweifel an Gottes Wirken (CR VII, 698f). "So sollen wir doch
wider diesen bösen Zweifel und gegen die unordentlichen Exempel die klaren Offenbarungen Gottes und Mirakel..halten und
stellen.."(ebd. 699); ähnlich auch die Wv.vom 1.Jan.1551 (CR
VII, 717) und 1.Jan.1553 (CR VIII, 8). En.Eccl.1550: "Talis
cum sit confusio, quomodo videri potest regi vita a Deo. Extat
haec querela in plurimorum scriptis, ut notum est. Et nemo est
hominum, qui non hac disputatione excrucietur"(CR XIV, 96);
vgl. ebd.95: "Est igitur praecipuum opus huius libri δογματι-
κόν, videlicet, Asseveratio de providentia contra Epicureas,
Pyrrhonias, Stoicas et alias cogitationes, quae labefactant
assensionem de providentia." Hierher gehört auch, daß die
zentrale theologische Frage der Physik nicht auf Aristoteles
Bezug nimmt und die Schöpfung der Ewigkeit der Welt gegenüberstellt, sondern an der stoisch-epikureischen Diskussion um
schicksalhafteZwangsläufigkeit und planlosen Zufall orientiert

ist und diesen Vorstellungen den christlichen Glauben an die
Schöpfung, Vorsehung und Gegenwart Gottes entgegenhält (vgl.
dazu H.-G.Geyer 1959, 67ff). Vgl. ferner auch noch CR XV,
596(1540); SA I, 414,20ff(1546); SM II/1, 70,10ff(1553). Wie
andere Humanisten, so sieht auch Melanchthon in den Epikuräern
(und in den Akademikern) die Atheisten par excellence, eine
Vorstellung, die wahrscheinlich in erster Linie durch Cicero
vermittelt ist (vgl. R.Schäfer, in: SA V, 71f Anm.; J.Bohatec,
Budé und Calvin. Studien zur Gedankenwelt des französischen
Frühhumanismus, Graz 1950, 74ff). Wie die anderen Humanisten
so umschreibt auch Melanchthon die zeitgenössischen Atheisten
und Skeptiker häufig mit dem Namen "Epikuräer" oder "Akademi-
ker"; vgl. z.B. Ann.Ev.1549: "Nec ulla est illustrior confirmatio adversus epicureos et academicos furores, quam haec
ipsa cogitatio de patefactione et miraculis, quae omnia
fuerunt principaliter testimonia patefactionis"(CR XIV, 418);
Lv.zur dt.Übersetzung der Loci, Juli 1542?: "Wer nu nicht ein
Epicureus ist, sondern so viel Lichts hat, daß er hält, daß
ein ewiger Gott sey, der seinen Willen in der Propheten, Christi und der Apostel Lehre geoffenbart habe.."(CR IV, 837);
vgl. SA V, 71,18ff; 75,3ff; 238,28ff(1532); Komp.71(1542);
CR V, 560(1544); CR XII, 539f(1546). Zur imaginatio Academi-
ca seu Pyrrhonia vgl. Ex.ord.lat.1554 (CR XXIII, 24f); einige
weitere Belege bei P.Fraenkel 1961, 216f Anm.30-34; P.Petersen
1921, 44 Anm.2. Melanchthon fügt sich mit diesem Kampf gegen
den Atheismus genau in das Gesamtbild des 16.Jahrhunderts
ein. Zum Atheismus und seiner Bekämpfung im 16.und 17.Jahr-
hundert vgl. F.von Bezold, Jean Bodins Colloquium Heptaplome-
res und der Atheismus des 16.Jahrhunderts, in: HZ 113 (1914)
260-315; 114 (1915) 237-301; darin bes. 1914, 295-315; von
Bezold stellt ebd. 295 fest: "Im Zeitalter der Reformation und
Gegenreformation erheben sich die Klagen über fortgesetztes
Wachstum des Atheismus zu einer vorher unerhörten Stärke und
Heftigkeit." E.H.Leube, Die Bekämpfung des Atheismus in der
deutschen lutherischen Kirche des 17.Jahrhunderts, in:
ZKG 43 (1924) 227-244, bes. 230ff; H.-M.Barth, Atheismus und
Orthodoxie. Analysen und Modelle christlicher Apologetik im
17.Jahrhundert (FSÖTh, 26), Göttingen 1971 (ebd. 14 Anm.2
weitere Literatur). Die Frage allerdings, ob diesen Klagen
auch in dem Sinn eine Wirklichkeit entspricht, daß es im
16.Jahrhundert (und überhaupt im Zeitalter der Renaissance
und des Humanismus) einen derart ausgeprägten, ausdrücklichen
und verbreiteten Atheismus gegeben habe, ist immer noch ziemlich ungeklärt. Man muß sicher auch in Rechnung stellen, daß
der Atheismus-Begriff zu jener Zeit nicht die gleiche Schärfe
besessen hat wie heute und daß der Atheismus-Vorwurf geradezu inflationär verwendet werden konnte. Zu dieser Frage vgl.
einstweilen J.Bohatec, Die Religion des Antonius Goveanus
(Govéan), in: BHR 12 (1950) 20-28; G.T.Buckley, Atheism in the
English Renaissance, New York 1965 (1932) (ebd. 1-19 auch zu
den klassischen Quellen des Renaissance-Atheismus); P.O.Kri-
steller, The myth of Renaissance atheism and the French
tradition of free thought, in: JHPh 6 (1968) 233-243 (ein
ursprünglich 1953 auf Spanisch veröffentlichter Aufsatz);
ders., Paganism and Christianity (1955), in: ders. 1961,

70-91; ferner auch L.Febvre, Le problème de l'incroyance au XVIe siècle. La religion de Rabelais (L'évolution de l'humanité, 53), Paris 1968 (1942).

406) Daß sich Melanchthon gegen diese Paduenser Front wendet (und sich gleichzeitig der platonisch-neuplatonischen Kritik am Materialismus anschließt), hebt W.Maurer (1962, 48) hervor.

407) F.Hübner (1936, 90) betrachtet z.B. den Sachverhalt kritisch: Apologetik dürfe vom ersten Glaubensartikel aus nicht getrieben werden. In der Auseinandersetzung mit Demokrit und Epikur tauche wirklich die Gefahr einer unerlaubten statischen Ausweitung des reformatorischen Offenbarungsbegriffes auf. P.Fraenkel spricht (1961, 215-217) vom Kampf Melanchthons gegen den zeitgenössischen Agnostizismus und Sekularismus nur im Zusammenhang mit der Frage der certitudo des Glaubens. Unverständlich ist schließlich die Bemerkung K.Haendlers (1968, 13of Anm.38): "Schließlich darf nicht übersehen werden, daß es für Melanchthon zu seiner Zeit einen programmatischen und dezidierten, ernstzunehmenden Atheismus kaum gibt und daß auch jene radikalen Humanisten..in Wirklichkeit nur 'dumme Lügner sind.." Am stärksten auf die Frage eingegangen sind noch G.A.Herrlinger (1879, 404, 408ff) und W.Maurer (1967, 93ff), der besonders die Auseinandersetzung der Florentiner Akademie mit dem Averoismus im Hintergrund zu sehen versucht.

408) Siehe S. 188ff.

409) Dazu vorläufig A.Sand 1971.

410) Zur Offenbarungsfunktion Christi sind wichtig: Joh 1,1ff (mit Gen 1,3) und Kol 1,15 (mit Hebr 1,3) (siehe S. 168); zur Offenbarung allgemein: Mt 11,27; 17,5parr; Joh 1,18; 14,6ff; 1 Kor 1,21 (siehe S.272 Anm.39).

II. Der Überlieferungsbegriff

1) Die Literatur ist größtenteils aufgeführt bei K.Haendler 1968, 73f Anm.6, sowie P.Fraenkel 1961, 24-28, und P.Fraenkel-M.Greschat 1967, 35ff, 50f, 123f, 160, wo sie zugleich auch kurz referiert ist.

2) Interessant ist, daß diese Sicht von einer Reihe von katholischen Darstellungen mehr oder weniger undifferenziert übernommen werden konnte, wodurch der Begriff "Traditionalismus", nun in einem völlig neuen Kontext stehend, eine noch undurchsichtigere und unklarere Färbung erhalten hat; so bei E.de Moreau, Luther et le Luthéranisme (Histoire de l'Église depuis les origines jusqu'à nos jours. Fondée par A.Fliche et V.Martin, XVI/1) Saint-Dizier 1950, 113; P.Polman 1932, 33. An A.Sperl 1959, der die Traditionalismus-These in noch schärferer Form vertreten hat, schließen sich dann P.Lengsfeld, Überlieferung. Tradition und Schrift in der evangelischen und katholischen Theologie der Gegenwart (KKSt, 3), Paderborn 1960, 150ff; J.Beumer, Die mündliche Überlieferung als Glaubensquelle (HDG, I/4), Freiburg-Basel-Wien 1962, 75, an. Auf W.Maurer beruft sich A.Brüls 1975, 30f, vgl. 152.

3) Vgl. bes. P.Fraenkel 1959, 118-125 (=4. Tradition and Traditions); ders. 1961, passim; K.Haendler 1968, 74-81 (=Exkurs: Tradition und Traditionen) und passim.

4) Siehe S. 163-180.

5) Die hier aufgeführten Wörter werden im Zusammenhang mit den anderen Satzgliedern immer wieder auftauchen. Belege werden hier deshalb nur dann gegeben, wenn die betreffenden Wörter später nicht mehr oder nur selten vorkommen. Die Aufzählung ist im übrigen nicht vollständig; sie sollte jedoch genügen, um daraus Aussagen über die "Überlieferungs-Wortfelder" ableiten zu können.

6) Das zeigt sich m.E. darin, daß der Überlieferungsbegriff selbst eigentlich keine direkte wörtliche Entsprechung findet (traditio, Tradition, Überlieferung u.ä.). Wo z.B. traditio vorkommt, meint es m.W. ausschließlich eine einzelne (kirchliche) Gewohnheit, Einrichtung, Zeremonie usw. Für die Bekenntnisschriften etwa ist dies schon wiederholt festgestellt worden; vgl. z.B. K.E.Skydsgaard, Schrift und Tradition, Bemerkungen zum Traditionsproblem in der neueren Theologie, in: KuD 1 (1955) 169. Am ehesten dürfte dem Überlieferungsbegriff noch das Wort "Lehre" entsprechen. Dieses Wort hat dann sowohl eine aktiv-subjektive wie auch eine passiv-objektive Bedeutung, bisweilen bezieht es sich auf das "Lehren", bisweilen auf das "Gelehrte" (siehe dazu S. 345). Auf die aktive und funktionale Bedeutung von "ministerium" und "doctrina" hat bes.P.Fraenkel 1959, 113-118 (Verbal Nouns) hingewiesen, nachdem man früher fast ausschließlich auf die objektiv-passive Bedeutung geblickt hatte. Für Fraenkel sind die beiden genannten Begriffe Beispiele für Melanchthons

"process-thinking" (ebd. 118). Siehe auch S.209f.

7) Z.B. "..sed sit custos vocis a Deo traditae.."(CR VII, 393: 1549); "..et quasi custodes essent perpetuae in Ecclesia sententiae.."(CR V, 561: 1544); "..et Prophetam esse concionatorem vel gubernatorem..et testem verae interpretationis legis et promissionum divinarum de mediatore Christo" (CR XIII, 1017:1553/55); "..necesse est...nos discipulos esse doctrinae ipsorum (sc.Apostolorum).."(SA II/2, 494,14ff:1543); "..sed velut Grammatica est sermonis divini"(CR VII, 576:1550); weitere Belege siehe S.289-294.

8) Vgl. die Belege in den folgenden Anmerkungen.

9) Z.B. "Neque enim negari potest, quin multi loci doctrinae Christianae, quos maxime prodest extare in Ecclesia, a nostris patefacti et illustratis sint.."(CR II, 497:1531); vgl. CR II, 553(1531); ebd. 875, 914 (1535); SA VI, 64,20ff(1540). "Primum igitur a nostris repurgata est doctrina de poenitentia... Patefecimus et discrimen legis et promissionum... Deinde emendata est Liturgia.."(CR III, 747:1539). Häufig natürlich mit Luther als Subjekt (z.B. SA I, 63,33ff:1521; CR III, 291:1537; CR V, 764:1545; CR VII, 398:1549).

10) Siehe S. 251.

11) Zu den"Offenbarungssätzen"siehe S. 166. Einige Beispiele nun zu den "Überlieferungssätzen": "..ideo bona fide retineamus ea, quae tradidit Deus per Prophetas et Apostolos, eaque dextre et proprie explicemus"(SA II/2, 381,11ff:1543); vgl. SA II/1, 225,21ff(1559). "Sed haec (sc.interpretatio) discipula sit sermonis divini, non gignat novas sententias, non novum doctrinae genus excogitet, sed tanquam fidelis grammatica nativam sententiam divini sermonis inquirat.."(CR VII, 395: 1549). "Nec vero gignat Evangelii minister novum doctrinae genus.., sed sit custos vocis a Deo traditae fidus, vigilans, sapiens.."(CR VII, 393:1549). Die Aufforderung kann natürlich auch anders als im Konjunktiv ausgedrückt werden; etwa durch das Gerundiv: "..necessaria doctrina divinitus tradita pure et fideliter exponenda est.."(SA II/2, 734,17f:1543); "..quia doctrinam habet..traditam voce Dei certis et illustribus testimoniis, quae discenda, audienda et amplectenda est, et quam nulli creaturae mutare licet"(CR XI, 754:1546); oder durch andere Mittel: z.B. "Derhalben yederman sich befleissigen soll, das die Götliche leer rein und unverfelscht bleibe, und soll sich kein mensch auf erden noch kein Engel im hymel des understeen, das sy die leer, so Gott dem menschen gegeben, wolten verendernoder felschen"(SA I, 415,28ff:1546); "..welche Leere Gott der Herr will, das sy allen Menschen fürgetragen und in der gantzen welt erschallen und offenbar werden soll.."(SA I, 413,3ff:1546); "..necesse est retinere doctrinam per Apostolos traditam.."(SA II/2, 494,14ff:1543).

12) Zu den "Offenbarungssätzen" siehe S. 166. Beispiele aus den "Überlieferungssätzen": "..et hanc suam vocem vult integram

sine corruptelis, sine additione, et sine mutilatione proponi"(CR VIII, 641:1555). "Necesse est autem hoc ipsum verbum
retineri, in quo Deus se patefecit.."(CR V, 920:1545). "Et
haec promissio saepe repetita est et a prophetis diligenter
illustrata.."(SA V, 105,20f:1532); doctrina Catholica, "quae
traditur in nostris Ecclesiis"(CR III, 827:1540?). "Ex lectione sumatur doctrina redacta in corpus, et testimonia in
libris monstrentur; ostendatur legis et Evangelii discrimen,
et ordine tradantur articuli fidei, et erudite illustrentur.."
(CR XI, 779:1547). "Dei beneficio haec pars doctrinae in
primis magna perspicuitate in nostris Ecclesiis illustrata
est.."(SA VI, 135,34f:1551) usw.

13) Lutherus: SA I, 63,33ff(1521); CR III, 291(1537); CR V, 764
(1545); CR XI, 727, 728(1546); CR VII, 398(1549);
nos: SA I, 360,25; 375,35(1539); CR III, 897(1540); SA II/2,
381,11ff; 494,14ff(1543); CR V, 267(1543); CR VI, 693(1547);
CR XIII,656(1547); SA II/1, 225,21ff(1559); wir: SA I, 412,
22(1546);
nostri: BS 98,17ff(1530); CR II, 497, 553(1531); ebd. 875
(1535); CR III, 667, 747(1539);
nostri concionatores: BS 157,20(1531);
Ich Melanchthons: SA IV, 307,25ff(1529); CR II, 617(1532);
SA III, 112,38/113,1(1540);
boni et docti viri: SA VI, 64,20ff(1540); vgl. CR II,914
(1535); SA IV, 307,31(1529).

14) "Nam Ecclesia non condit articulos fidei, tantum docet ac
admonet"(SA I, 336,33f:1539). "Retinet (sc.Ecclesia) enim
fundamentum.."(CR IV, 350:1541). "Ecclesia Christi profitetur
doctrinam traditam.."(CR V, 11:1543). "..Ecclesiam..circum-
ferentem doctrinam.."(CR V, 536:1544). Ecclesia = coetus,
"qui sonat Evangelii vocem de Filio Dei"(CR V, 560:1544);
Ecclesia ostendit (CR VII, 348:1549); "..cum Ecclesiam gigni
et colligi necesse sit, quae in monumentis Propheticis et
Apostolicis nobis tradita est.."(CR VII, 393:1549). Ecclesia
docet..distribuit..numerat..adiungit..reiicit (CR VII, 576:
1550); weitere Belege siehe S. 289.

15) Ministri: CR XXI, 501(1535); minister Evangelii: CR VII, 393
(1549); pastores et doctores: CR VII, 347(1549); doctor in
Ecclesia: CR VII, 393(1549); vox docentium: CR X, 895(1560);
vox ministerii: CR VII, 395(1549); Episcopi: CR II, 274,
433(1530) usw.

16) Z.B. doctores (für Patriarchen, Richter, Könige, Propheten
usw): CR XIII, 1017(1553/55); ebd. 989(1553); CR V, 561(1544);
prophetae: SA V, 105,20ff(1532); vgl. SA VI, 160,22ff(1551);
pii sancti doctores atque interpretes (auf die griech.Kirchen-
väter bezogen): SA III, 140,10f(1549) usw.

17) Ein gewisser Übergang ist hier trotzdem vorhanden: Zwar wäre
etwa der folgende Satz immer noch unter "Offenbarung" einzu-
reihen, weil darauf die ganze Offenbarungsgeschichte folgt:
"Sed omnibus aetatibus inde usque a primis patribus sparsae

212

sunt praestigiae a diabolis contra veram doctrinam de filio Dei.., quas tamen subinde refutavit Deus excitatis rursus bonis doctoribus, ne funditus interiret Ecclesia"(SA VI, 94, 11ff:1551). Aber gegen Schluß heißt es: "Adversus hoc errores immensa misericordia Deus subinde vocem Evangelii restituit. Ac ut in populo Israel subinde prophetas excitavit, qui doctrinam repurgarent ita in Ecclesia post Apostolos, cum scripta Origenica et Pelagiana et populi superstitio puritatem Evangelii corrupissent, tamen velut in caligine rursus accensa est lux ab Augstino.."(ebd. 95,11ff). Die ganze Überlieferung steht so unter der Sorge Gottes. D.h., daß letztlich Gott selbst auch hinter der Überlieferung steht (vgl. auch S. 257f). Oder anders: In einem aktualistischen Offenbarungsverständnis (das die Einmaligkeit der Heilsoffenbarung in Christus nicht aufhebt) gibt es Offenbarung die ganze Geschichte hindurch (siehe auch S. 237ff).

18) J.N.Bakhuizen van den Brink hatte 1959, z.T. auch schon 1956, die These vertreten, daß die theologischen Grundbedeutung von tradere und traditio im Frühchristentum (bes. bei Cyprian und Tertullian) die von "offenbaren" und "Offenbarung" sei (d.h. genauer, daß überall dort, wo Gott oder Offenbarungsträger als Subjekt fungierten, tradere "offenbaren" bedeute) und daß sich diese Verwendung von tradere auch bei den Reformatoren (bes. bei Melanchthon: so 1959, 83f; aber auch bei Bucer: so 1956, 280) wiederfände. Dagegen hat dann P.Fraenkel (1959, 119; vgl. auch P.Fraenkel-M.Greschat 1967, 35) eingewandt, daß Melanchthon die Wörter tradere, traditio und traditiones je nach Kontext verschieden gebrauche, daß tradere also nicht immer "offenbaren" bedeutet (aber hatte dies Bakhuizen van den Brink überhaupt behauptet?), sondern auch "lehren" meinen könne. Beiden gegenüber hat dann noch K.Haendler (1968, 154f Anm.18) darauf hingewiesen, daß die Bedeutung von tradere im theologischen Kontext noch einmal vielschichtiger sei, insofern es nicht nur den unmittelbaren Akt der Offenbarung = Gottes Offenbarung, sondern auch Gottes Überlieferung dieser Offenbarung mittels menschlichen Tradenten bezeichne. Nebenbei hatte auch schon A.Deneffe (1931, 115f) an Hand mehrerer Belege gezeigt, daß tradere mit Gott als Subjekt "offenbaren" bedeute.

19) z.B. "..quae dicta, quas leges, quas promissiones tradiderit" (CR V, 485:1544); "..doctrinam, quam tradidit (sc.Deus)" (ebd. 561:1544; CR VII, 918:1552). Auch der Ausdruck "..ac vere tradidisse Propheticam et Apostolicam doctrinam"(CR V, 695:1545) ist, wie der Kontext zeigt, nicht so zu verstehen, daß Gott die prophetische und apostolische Lehre selbst weiterüberliefert (=bewahrt) habe, sondern so, daß das, was prophetische und apostolische Lehre ist, von ihm stammt, von ihm gegeben (=geoffenbart) ist. Ähnlich folgender Satz: "Cumque nos in Ecclesia non simus Epicurei, sed affirmemus vere Deum tradidisse doctrinam de sua voluntate, de ira et misericordia.."(CR XII, 540:1546). "hanc non tradiderat Deus" (BS 357,26:1531) ist (ebd. 357,31f) übersetzt: "von welchen kein Gottes Befehl war".

20) Doctrina, "quam Deus proprie tradidit Ecclesiae suae"(CR IX, 79:1557); ähnlich CR XIV, 9(1551); CR V, 809(1545). Filius Dei, "qui ex sinu aeterni patris Evangelium proferens certam doctrinam Ecclesiae suae tradidit"(SA VI, 421,33ff:1543); vgl. ebd. 119,26ff(1551); "quod certum librum Ecclesiae tradidit.."(SA II/2, 440,21:1543). "..tradidit nobis..Deus..immensum thesaurum doctrinae sacrae" (SA III, 137,26ff:1549); vgl. SA II/1, 211,10f(1559); "..quod tradidit (sc.Deus) nobis suum verbum.."(SA IV, 312,27:1529). "Ideo tradidit Deus humano generi artem politicam.."(SA III, 118,24f:1543) oder "Magistratui Deus gladium tradidit ita, ut in officio legitimo eo utatur"(SA II/1, 331,23f:1559). Decretum, "quod patefactum Deus tradidit Patribus et Prophetis.."(CR XI, 778:1547); vgl. CR VI, 694(1547); "Tradidit (sc.Deus) igitur promissionem statim primis parentibus.." (SA II/2, 596,9f:1543); "..necesse fuit Christo allegare auctoritatem Patris, a quo affirmat se missum esse et traditam sibi doctrinam et mandatum docendi.."(SA II/1, 200,30ff: 1559). Die Beispiele ließen sich natürlich beliebig vermehren.

21) "..retineamus ea, quae tradidit Deus per Prophetas et Apostolos.."(SA II/2, 381,12f:1543); "..gratiae Deo agantur, quod per hos (sc.per Mariam, Prophetas et Apostolos) se patefecit, quod per eos doctrinam suam tradidit.."(SA II/2, 683,7ff: 1543); "..tradidit nobis Deus certam doctrinam per Patres, Prophetas, Christum et Apostolos.."(SA II/1, 211,10f:1559); vgl. SA III, 113,24f(1540); CR V, 809(1545); CR XI, 761(1546).

22) Doctrina a Deo patefacta = doctrina a Deo tradita: CR VI, 693(1547); doctrina a Deo tradita: CR XIV, 81(1551); CR XIII, 656(1547); SA VI, 122,28f(1551); CR XII, 560(1549); verbum traditum a Deo: SA II/1, 291,24(1559); signa a Deo tradita: SA I, 164,11(1521); SA II/2, 518,2(1543); regnum traditum a Deo: SA II/1, 328,33(1559); vox a Deo tradita: CR VII, 393 (1549), u.ä.

23) "..Ecclesiam..circumferentem doctrinam certa voce Dei traditam.."(CR V, 536:1544); "..quia doctrinam habet (sc.Ecclesia) de Dei essentia et voluntate, traditam voce Dei certis et illustribus testimoniis.."(CR XI, 754:1546); "Quaedam voce Dei tradita sunt, quae etiam natura nota sunt.."(SA III, 342, 18f:1553); "..quod tradidit sua voce legem et promissionem reconciliationis.."(SA II/1, 174,7f:1543), usw.

24) "..quae divinitus traditae sunt.."(CR II, 627:1533); vgl. SA V, 26,14f(1532); "qui scimus divinitus traditam esse doctrinam Evangelii.."(CR III, 897:1540); doctrina tradita divinitus: SA II/1, 302,12(1559); SA VI, 316,6(1558); SA II/2, 734,17(1543); "Sunt autem aliae quaedam sententiae divinitus traditae, quae antea prorsus ignotae fuerant omnibus creaturis.."(CR XIII, 651:1547; SA III, 342,28f:1553); "Prima sit autoritas verbi divinitus traditi"(SA I, 335,39:1539); vgl. CR XI, 646(1544); "..ut sciremus divinitus haec tradita esse" (SA IV, 312,2f:1529); testimonia divinitus tradita: SA II/1, 225,23(1559); SA II/2, 682,32(1543); "..nec sint instrumenta (sc.traditiones humanae), per quae Deus movet corda ad credendum, sicut verbum et sacramenta divinitus tradita.." (BS 243,45ff:1531). Auch mit der Heiligen Schrift als Objekt
214

bezieht sich der Ausdruck nicht auf die Weiterüberlieferung
die Geschichte hindurch, sondern auf die einmalige göttliche
Übergabe: "..ut legamus monumenta tradita divinitus"(CR VI,
693:1547)

25) Siehe S. 179f. Ungenau und mißverständlich ist deswegen, wenn
K.Haendler (1968, 155 Anm.18) mit Bezug auf die Bedeutung des
Wortes tradere sagt: "Das neu offenbarende göttliche Handeln,
deren Empfänger die Propheten (und Apostel) sind, geschieht
nicht nur, ja nicht einmal vorwiegend in der "Vertikalen",
sondern ebenso, ja vor allem in der "Horizontalen": Gott überliefert seine Offenbarung in der successio menschlicher
Tradenten." Falsch ist dies deswegen, weil Melanchthon auch
mit "tradere" nur das Daß des Offenbartwordenseins betont,
in diesem Zusammenhang aber dem Vorgang des Weiterüberliefert-
seins keine Beachtung schenkt.

26) "Bono consilio tradidi definitionem visibilis Ecclesiae, et
recte tradidi"(SA VI, 9,21f:1560); als Paraphrase von Spr 1,
1ff: "Ego tradam praecepta pietatis et bonorum morum.."
(SA IV, 311,31f:1529); vgl. ebd. 311,32/312,1f; 312,14f.
"Nos autem summam doctrinae Christianae saepe alias tradidi-
mus.."(SA I, 274,19f:1528); "Nos, qui..in Ecclesiis et Scholis
doctrinam puriorem tradimus.."(SA VI, 386,15ff:1543); "..et
nihil novi tradiderunt (sc.nostri concionatores).."(BS 157,
21:1531).

27) "Proinde reprehendimus adversarios, quod tantum tradunt iustitiam legis, non tradunt iustitiam evangelii.."(BS 169,16ff:
1531); "Si qui concionatores (sc.adverariorum) volunt per-
hiberi doctiores, tradunt quaestiones philosophicas.."(BS
362,36ff:1531) (in der dt.Übersetzung heißt es: "Und die
gelehrtesten Prediger unter ihnen predigen verworrene philosophische Quästion..", ebd. 362,45f); doctrina de poenitentia,
"quam adversarii tradiderunt"(BS 363,12:1531). "Alter modus
iustificationis traditur a theologis scholasticis, cum docent.."(BS 217,46:1531); vgl. ebd. 151,25f(1531). "Fateor
autem postea plerosque scriptores, ut Origenem et alios, tradidisse aliud genus doctrinae et insincerum.."(SA II/2, 367,34ff:
1543); "..quam fuerunt illa, quae paulo ante monachi tradiderunt"(SA III, 68,9f:1526).

28) "..cum parentes artem liberis ordine quasi per manus tradere-
rent"(SA III, 98,25f:1537). Es gehört zur Aufgabe des Lehrers,
"ut..veram de Deo doctrinam deque vera pietate iunioribus
recte tradant et inculcent"(SM II/1, 10,29ff:1553). "Profani
scriptores tradunt tantum praecepta morum civilium.."(SA IV,
311,20f:1529); "..philosophi et alii scriptores qui honesta
vitae praecepta tradunt.."(SA III, 86,23f:1543).

29) "Neque vero hoc loco tradit Paulus modum iustificationis.."
(BS 201,55/202,1:1531); "His erroribus reclamat Paulus et
tradit sententiam alienam a iudiciis humanis"(SA II/1, 324,
31f:1559); vgl. SA V, 66,7f(1532); BS 208,17f(1531); SA V,
33,20f(1532); ebd. 35,19f; SA II/2, 413,7(1543).

30) "Neque haec distributio a nobis inventa est, sed scriptura clarissime tradit eam"(BS 312,49ff:1531) (im dt.Text heißt es hier: "sondern die heilige Schrift setzet solches klar", ebd. 312,51f). "Evangelium tria tradit: doctrinam fidei, doctrinam operum et signa promissionum seu verbi fidei" (SA I, 163,1f:1521); "..qui finxerunt in Evangelio tria consilia tradi.."(SA II/1, 326,16f:1559).

31) "..haec in philosophia traduntur.."(SA III, 85,39:1534); lingua, "qua ea doctrina traditur.."(SA III, 143,3:1549); "Haec praecepta tradita sunt.."(SA IV, 307,11:1529); "Neque videmus, quomodo natura poenitentiae clarius et simplicius tradi possit"(BS 261,25ff:1531); "..fabulosae historiae de sanctis, quae magna auctoritate publice tradebantur"(BS 324, 17ff:1531); "Haec summa est doctrinae, quae in Ecclesiis nostris traditur"(SA VI, 36,17f:1540); "..nunc repurgata doctrina ita traditur populo.."(SA VI, 51,20ff:1540); vgl. SA II/1, 209,21ff(1559); ebd. 298,3ff(1543); ebd.324,22ff (1559) usw.

32) A.Deneffe 1931, 116. Was den Melanchthonischen Gebrauch von "tradere" betrifft, so ist dieser im großen und ganzen mit dem Sprachgebrauch der vorauslaufenden theologischen Tradition identisch (vgl. dazu A.Deneffe 1931, 3-105). Ein Unterschied besteht höchstens darin, daß dort traditio auch häufig im generellen und abstrakten Sinn (subjektiv und objektiv) vorkommt, während dies bei Melanchthon nicht der Fall zu sein scheint (vgl. S. 210 Anm.6).

33) Nobis: CR V, 267(1543); ebd. 764(1545);"allen menschen": SA I, 413,4(1546); "die leüt": SA I, 412,25(1546); "populo": SA VI, 51,21(1540); CR VII, 393(1549); "auditoribus": CR VII, 395 (1549); posteris: CR V, 267(1543); CR VII, 696(1550); ad posteros: CR II, 274, 433(1530); posteritas: SA IV, 307,29.31f (1529); "iunioribus": CR VII, 348(1549); "teneram aetatem": ebd. 576(1550); rudibus: CR VII, 347(1549).

34) Vgl. dazu auch A.Deneffe 1931, 133f; J.R.Geiselmann 1962, 36.

35) Zum Gegenstand der Offenbarung siehe S. 171-175.

36) "..ea, quae tradidit Deus per Prophetas et Apostolos"(SA II/, 734,17:1543); "..sed rudibus ostendunt (sc.pastores et doctores), de quibus rebus Deus concionetur in suo sermone.." (CR VII, 347:1549); "..sed tanquam fidelis grammatica nativam sententiam divini sermonis inquirat (sc.interpretatio).." (CR VII, 395:1549); "Sed in Ecclesia scimus patefactiones divinas.."(CR XIV, 80:1551); "..tamen nos..veram sententiam (sc.de causa peccati)..toto pectore amplectamur et teneamus testimonia de ea tradita divinitus.."(SA II/1, 225,21ff:1559).

37) "Vult nos Deus doctrinam a se patefactam fideliter et pure tradere posteris.."(CR V, 267:1543); "..quare sciamus cogi nos mandato divino, ut discamus doctrinam a Deo patefactam." "..discere doctrinam a Deo traditam.."(CR VI, 693:1547); vgl.

CR VIII, 197(1553). "Ideo et in hoc textu deducimur ad doctrinam a Deo traditam, et praecipitur, ut eam audiamus et amplectamur.."(CR XIV, 81:1551). "Sed de hoc articulo sequamur doctrinam a Deo..traditam"(CR XIII, 656:1547); doctrina divinitus tradita: SA II/2, 734,17(1543). "Nec licet eis (sc.ministris) comminisci novam doctrinam, sed habent certam doctrinam a Christo traditam, quam debent pure proponere" (CR XXI, 501:1535). "Quanto magis nos in Ecclesia Christi, qui scimus divinitus traditam esse doctrinam Evangelii oportet omni studio eam tueri, illustrare et propugnare.."(CR III, 897:1540). "Ac semper in illustri loco Ecclesiam collocavit ac conspici voluit, ut reliquae gentes audirent, esse coetum quendam hominum, circumferentem doctrinam certa voce Dei traditam.."(CR V, 536:1544); vgl. CR XI, 754(1546). "Ideoque vult Deus..proponi et explicari doctrinam, quam tradidit. Et semper excitavit doctores, qui eam propagarent.."(CR V, 561:1544).

38) "Necesse est autem hoc ipsum verbum retineri, in quo Deus se patefecit, et in quo filius Dei nobis concionatur.."(CR V, 920:1545). "Haec est vere λογικὴ λατρεία: verbum Dei cognoscere, amare, amplecti, illustrare, sequi, adhibere.."(SA V, 26, 18f:1532). "Et hunc sermonem vult (sc.Deus) ab Ecclesia bona fide custodiri incorruptum et sonare omnibus temporibus in genere humano"(CR VII, 576:1550).

39) Evangelium (=vox filii Dei): CR VIII, 641(1555). "Episcopos praestare convenit, ut propagetur ad posteros pura Evangelii doctrina.."(CR II, 433:1530); "..tamen certum est in eo coetu, qui sonat Evangelii vocem de Filio Dei, et adesse Deum et heredes esse vitae aeternae multos.."(CR V, 560:1544).

40) "..et voluit (sc.Deus) eos (sc.doctores) legem et promissiones interpretari contra hypocritarum iudicia.."(CR XIII, 1017: 1553/55). Zur Überlieferung von Gesetz und Verheißung während der Offenbarungsgeschichte siehe S.164 Anm.189.

41) "..necesse est retinere doctrinam per Apostolos traditam.." (SA II/2, 494,14ff:1543); "Ecclesia Christi profitetur doctrinam traditam per primos patres, prophetas, filium Dei et apostolos"(CR V, 11:1543); Lutherus "Prophetarum ac Apostolorum conciones nobis patefecit"(CR V, 764:1545). "Ideo in Ecclesia vult Deus esse vocem docentium, quae non gignat nova dogmata, sed sermonem Propheticum et Apostolicum dextre reddat.."(CR X, 895:1560). "Ille coetus est Ecclesia, qui sonat Evangelium traditum Prophetis et Apostolis.."(SA II/1, 243,3ff:1559).

42) "Cum igitur velit Deus voce ministerii et praelegi auditoribus prophetica et apostolica scripta, et ordine monstrari capita doctrinae et refutari corruptelas.."(CR VII, 395:1549); vgl. ebd. 393; CR VIII, 33(1553). "Itaque extare Luteri commentarios utile est, quia et illustrant propheticos et apostolicos libros.."(CR VII, 398:1549). "Ut igitur unica et vera doctrina de Deo extet in genere humano, necesse est custodiri,

retineri, legi, disci hos ipsos libros propheticos et apostolicos.." (CR XI, 754:1546); "..necesse est nos Ecclesiae libros
legere, discere et amplecti.." (CR XI, 754:1546); "..constat
nos doctrinam Catholicae Ecclesiae Christi, traditam in
scripturis Propheticis et Apostolicis et in Symbolis fideliter retinere ac tueri.." (SA I, 375,35ff:1539); vgl. CR VII,
393(1549); BS 292,6f(1531); SA I, 412,22ff(1546). "Ideo de
his rebus nostri concionatores diligenter docuerunt, et nihil
novi tradiderunt, sed sanctam scripturam et sanctorum patrum
sententias proposuerunt" (BS 157,19ff:1531).

43) "Nec meum consilium fuit, ullam novam opinionem serere, sed
perspicue et proprie exponere doctrinam Catholicam, quae
traditur in nostris Ecclesiis.." (CR III, 827:1540?); "..et
precamur Deum, ut has actiones ita gubernet, ut veritas
et doctrina salutaris Ecclesiae Christi magis illustretur"
(CR IV, 477:1541); doctrina Ecclesiae: CR XI, 779(1547);
Christiana doctrina: SA I, 63,33ff(1521); "..ipse (sc.Luthe-
rus) accensus divinitus doctrinam emendavit et revocavit
Ecclesiam ad fontes.." (CR VII, 398:1549); vgl.CR XI, 727,
728(1546); articuli fidei: CR XI, 779(1547); CR V, 764(1545);
SA I, 336,33f(1539); SA II/2, 483,27f(1559) usw.

44) Siehe S. 289-294.

45) Z.B. "..vult (sc.Deus) nos ipsos eam (sc.doctrinam a se patefactam) dicendo, disserendo, commentando, scribendo nobis
inculcare.." (CR V, 267:1543); doctores atque interpretes
(hier die griech.Kirchenväter) "eruditis interpretationibus
eandem doctrinam sacram utiliter illustrarunt" (SA III, 140,
10ff:1549); "custodiri autem pura doctrinae sententia sine
lectione, meditatione et collatione eruditorum non potest.."
(CR XI, 762:1546).

46) Zwar findet sich Ähnliches auch beim Offenbarungsbegriff,
doch ist der Unterschied auffallend: Während dort das terminologisch leitende Offenbarungswort (se) patefacere außerordent-
lich häufig instrumentale Umstandsbestimmungen nach sich
zieht, ist dies beim entsprechenden Überlieferungswort tradere
kaum der Fall. Ist dies vielleicht auch ein Hinweis darauf,
daß der Vorgang der Überlieferung begrifflich noch nicht so
festgelegt ist?

47) Siehe S. 249. Natürlich kann das dort Gesagte auch durch
Umstandsbestimmungen ausgedrückt werden. Z.B. "Ita, cum antea
disputationes de poenitentia fuerint inextricabiles et plenae
absurdarum opinionum, nunc repurgata doctrina ita traditur
populo, ut intelligi possit et prosit ad pietatem" (SA VI, 51,
19ff:1540).

48) "Et hunc sermonem vult (sc.Deus)..sonare omnibus temporibus
in genere humano" (CR VII, 576:1550); semper: CR XV, 798(1556).

49) "In Ecclesia": CR XIV, 80(1551); CR XV, 798(1556); CR X, 895
(1560); "in Ecclesia Christi": CR III, 897(1540); "in nostris

Ecclesiis": SA VI, 36,17(1540); CR III, 827(1540?); SA VI, 135,35(1551); SA VI, 352,33f(1558); "et in Ecclesia et in scholis": CR V, 561(1544) u.ä.

50) "In der gantzen welt": SA I, 413,4(1546); "in genere humano": CR VII, 576(1550) usw.

51) Wieder nur einige Beispiele: "..ut fiat familiarissima nota (sc.doctrina ad Deo patefacta)"(CR V, 267:1543); "Deinde, qui volunt esse discipuli Evangelii nec audiunt, ut calumniose depravent, sed ut Deum agnoscant, celebrent et ei obediant.."(SA II/2, 494,20ff:1543); "Primum igitur a nostris repurgata est doctrina de poenitentia.., ut beneficium Christi clarius conspici posset, ac extaret doctrina de ea fide, qua remissio peccatorum accipienda est"(CR III, 747:1539); "das sy (sc.die Leere)..in der gantzen welt erschallen und offenbar werden soll, auf das er ime durch solche Predigt deß Evangelii allher allzeit auß allen völkern auff erden eine Ewige kirche versamle.."(SA I, 413,3ff:1546).

52) Fideliter et pure: CR V, 267(1543); SA II/2, 734,17f(1543); pure: CR XXI, 501(1535); fideliter: SA I, 375,37(1539); sine corruptelis, sine additione et sine mutilatione: CR VIII, 641(1555); sine corruptelis: SA II/2, 483,28(1559).

53) Dextre et proprie: SA II/2, 381,13(1543); recte: BS 292,6 (1531); SA VI, 352,34(1558); magna perspicuitate: SA VI, 135,34f(1551); perspicue et proprie: CR III, 827(1540?); dextre: CR X, 895(1560); ordine, erudite, prudenter: CR XI, 779(1547); vere, recte, proprie, distincte, perspicue: CR XI, 779(1547).

54) Pie et utiliter: SA VI, 64,21(1540); pie: CR II, 875(1535); utiliter: SA III, 140,13f(1549).

55) Diligenter: SA I, 360,25(1539); SA V, 105,21(1532); diligentissime: BS 98,18(1530); omni studio: CR III, 897(1540); toto pectore: SA II/1, 225,22(1559); bona fide: SA II/2, 381,11(1543); CR VII, 576(1550); CR II, 617(1532).

56) Siehe auch S. 249f.

57) Vgl. dazu z.B. J.Ranft, Der Ursprung des katholischen Traditionsprinzips, Würzburg 1931; J.R.Geiselmann 1962, 33-83; J.Ratzinger, Tradition III. Systematisch, in: LThK X (2.Aufl. 1965) 293. Zu Tradition als "Strukturmoment des Christlichen" bei Melanchthon vgl. auch K.Haendler 1968, 88f.

58) Siehe S. 135-146.

59) Siehe S. 187f.

60) Siehe S. 300f.

61) So etwa die Unterscheidung von A.Deneffe 1931, 107f, 132f. Vgl. ebd. 115: "Gott ist es, der offenbart; Menschen oder

menschliche Erzeugnisse sind es, die die Erinnerung an die
geschehene Glaubensverkündigung festhalten." Ähnlich auch
J.R.Geiselmann (1962, 16): "Die Übergabe der Paradosis an
die Kirche durch die Apostel erfolgt Spiritu sancto dictan-
te.." "Demgegenüber ist das Zeugnis der kirchlichen Überlieferung ein menschlicher Akt."

62) Lv.zur griech.Ausg.der Heiligen Schrift, 25.Nov.1544: "Etsi
autem magna pars generis humani vel non attendit, vel sper-
nit haec ingentia facta: tamen Deus Ecclesiam sibi inde usque ab initio collegit, ac mirandis modis servavit, et semper servaturus est: quam vult testem esse et horum factorum
et doctrinae. Huic mandavit, ut historiam scriberet harum
patefactionum, et traditam doctrinam certis et perpetuis
monumentis asseraret. Ac semper in illustri loco Ecclesiam
collocavit ac conspici voluit, ut reliquae gentes audirent,
esse coetum quendam hominum, circumferentem doctrinam certa
voce Dei traditam, a quo Deus velit peti doctrinam de hominum
salute et de vera invocatione"(CR V, 536); ähnlich Or.de
Aristotele 1544 (SA III, 122,6ff; 123,11ff.15ff); Vorr.zu
En.Symb.Nic., 25.April 1550 (CR VII, 576); Or.de 1 Tim 4,13,
1546 (CR XI, 753f).

63) Vorr.zu En.Symb.Nic., 25.April 1550: "Servat enim Deus in
Ecclesia ministerium Evangelicum quod et recitat scripta
Prophetica et Apostolica, et sermonem, ut dixi, interpretatur." "Ideoque et ministerium Evangelicum et studia literarum servat Deus in Ecclesia, ut Prophetarum et Apostolorum
scripta et alia monumenta legantur, et sonet vox doctrinae
inter homines, qua colligatur Ecclesia.."(CR VII, 576, 577).
Vgl. auch S. 299f.

64) Wv.zu Ann.Ev. 1544: "Ideoque vult Deus et in Ecclesia et in
scholis proponi et explicari doctrinam, quam tradidit. Et semper excitavit doctores, qui eam propagarent, et quasi custodes essent perpetuae in Ecclesiae sententiae, alias plures
et maiori luce donatos, alias pauciores et imbecilliores"
(CR V, 561); ähnlich Conf.Sax.1551(SA VI, 94,11-95,30);
Lv.zum 1.Bd. der lat.Werke Luthers, 5.März 1545 (CR V, 691f).

65) B.an P.Palladius, 1.Febr.1557: doctrina, "quam Deus proprie
tradidit Ecclesiae suae, et in ea conservat.."(CR IX, 79);
Loci 1543: "Quare cogitemus ingens Dei beneficium esse, quod
certum librum Ecclesiae tradidit er servat et ad hunc alligat
Ecclesiam"(SA II/2, 440,20ff); vgl. Or.de studiis linguae
Graecae 1549(SA III, 148,7ff); Ursach 1546 (SA I, 448,2ff);
weitere zahlreiche Belege zur Überlieferung als Werk Gottes
bei K.Haendler 1968, 394f Anm.8.

66) A.Deneffe 1931, 115; vgl. G.Söhngen 1957, 70ff.

67) In der Melanchthonischen Form findet sich diese Unterscheidung z.B. sowohl in der Form der Differenz zwischen docere
ac monere auf der einen und condere articulos fidei auf der
anderen Seite als auch in der Differenz zwischen propter
Ecclesiae autoritatem und propter verbum Dei: De eccl.1539:
"Audiamus igitur docentem et admonentem Ecclesiam, sed non

propter Ecclesiae autoritatem credendum est; Nam Ecclesia
non condit articulos fidei, tantum docet ac admonet. Verum
propter verbum Dei credendum est, cum videlicet admoniti
ab Ecclesia, intelligimus hanc sententiam vere et sine
Sophistica in verbo Dei traditam esse"(SA I, 336,31ff). Hier
zeigt sich freilich, daß die Melanchthonische Differenz
die Frage des Glaubensmotivs überschreitet und aus der Entscheidung über das Glaubensmotiv zugleich eine Entscheidung
über die Glaubensregel macht.

68) "Sed semper tenenda est regula, maiorem esse autoritatem
verbi divini nobis propositi in scripturis Propheticis et
Apostolicis, quam ullius hominis, ullorum Episcoporum,
ullarum Synodorum, aut totius Ecclesiae"(Artic.Prot.1541,
CR IV, 349).

69) Vgl. z.B. A.Deneffe (1931, 1): "Tradition im Hauptbegriff ist
die lebendige, unfehlbare kirchliche Glaubensverkündigung,
die mit den Aposteln begann (traditio constitutiva) und von
ihren Nachfolgern mit derselben Autorität fortgesetzt wird
(traditio continuativa). Diese Tradition ist nächste Glaubensregel." Der Unterschied zu Melanchthon bezieht sich also
speziell auf das kirchliche Lehramt, nicht auf die Traditions-
denkmäler schlechthin; hier könnte durchaus Einigkeit bestehen, denn bei A.Deneffe heißt es (ebd. 154) auch: "die
Hl.Schrift ist einfachhin irrtumslos, jene Traditionsdenk-
mäler sind nicht einfach irrtumslos. Es besteht bei ihnen
die Möglichkeit und vielfach auch die Wirklichkeit eines
Irrtums. Erst das übereinstimmende Zeugnis der hl.Väter und
die einhellige Lehre der Theologen in Glaubenssachen bieten
sichere Gewähr der Wahrheit."

70) So jedenfalls K.Haendler 1966, 122f. Die leitenden Gesichts-
punkte, die in den Melanchthonarbeiten immer wiederkehren
seien nach Haendler (ebd. 150) zuerst die Frage nach Sicht-
barkeit und Unsichtbarkeit der Kirche, dann die Frage nach
der Glaubens- (bzw.Evangeliums) und Lehrkirche und schließlich (wenn auch weniger häufig) die societas-Vorstellung als
Charakteristikum des Melanchthonischen Kirchendenkens. Seine
eigene Dissertation "Wort und Glaube bei Melanchthon" (1963,
veröffentlicht 1968) hat K.Haendler mit dem Untertitel
"Eine Untersuchung über die Voraussetzungen und Grundlagen
des melanchthonischen Kirchenbegriffes" versehen und in diesem
Sinn nicht so sehr als Darstellung des Melanchthonischen
Kirchenbegriffes selbst als vielmehr als Untersuchung seiner
Voraussetzungen verstanden (vgl. auch K.Haendler 1968, 19ff).
Die Literatur zum Kirchenbegriff Melanchthons ist größtenteils verzeichnet bei K.Haendler 1966, die zum Kirchenbegriff
in den Bekenntnisschriften bei E.Kinder 1958, 57f Anm.1.
Positiv hervorgehoben seien hier vor allem P.Fraenkel 1961,
der innerhalb seiner Untersuchung über die Funktion des
patristischen Argumentes bei Melanchthon (der Titel ist m.E.
nicht ganz zutreffend) auch wichtige Beobachtungen zum Kirchenbegriff gemacht hat (bes. in den Kap.III: Ut coetus scholasticus, ebd. 110-161, und Kap.V: Confirmatio piorum, 208-252)
und K.Haendler, von dem ebenfalls wichtige Beiträge stammen

(K.Haendler 1962 und 1968).

71) Vgl. dazu H.de Lubac 1954, 71-77; ders. 1970, 57ff; Y.Congar 1971, 94, 98ff, 134, 139.

72) Z.B. Y.Congar 1972, 463ff; siehe auch S. 264.

73) Vgl. dazu etwa W.Maurer 1955a, 347f; K.Haendler 1962, 175, 177; V.Pfnür 1970, 6, 14-27, 89-96. Ein Echo auf die ekklesiologischen Vorwürfe, denen die CA eine Antwort zu erteilen sucht, ist auch in Apol.VII/VIII 1531 zu spüren, wenn es dort heißt: "Neque vero somniamus nos Platonicam civitatem, ut quidam impie cavillantur.."(BS 238,17ff).

74) Vgl. dazu z.B.K.Haendler (1968, 16): "Doch erst Melanchthon unternimmt den systematisch-theologischen Versuch, vom evangelischen Ansatz her eine Theologie der Kirche als Ganzes zu entwerfen und auszuarbeiten.."

75) Dazu Y.Congar 1972, 375f; und die Belege bei H.de Lubac 1954, 72f, 309f Anm.73-81; ders. 1970, 58 Anm.47; ders. 1970a, 201ff; Y.Congar 1971, 7, 19, 25, 94, 98, 131, 134, 139, 151ff, 178, 188, 190f; F.Merzbacher 1953, bes. 283-291, 353 und passim.

76) Für H.de Lubac (1970a, 203) zeigt diese Durchgängigkeit des Begriffes congregatio fidelium, "que tout n'est pas opposition pure et simple entre les ecclésiologies du protestantisme et celle du catholicisme post-tridentin".

77) Dazu Y.Congar 1971, 4ff, 7f, 25f, 140f, 142f, 149f, 151f.

78) Wegen der Kritik der Confutatio an CA VII ("Septimus confessionis articulus, quo affirmatur, ecclesiam congregationem esse sanctorum non potest citra fidei praeiudicium admitti, si per hoc segregentur ab ecclesia mali et peccatores": CR XXVII, 102f), die Melanchthon allerdings für unverständlich hält, weil der Sachverhalt der "ecclesia mixta" ohnedies extra in CA VIII hervorgehoben sei (Apol.VII/VIII, 1531, BS 233,42ff/234,1ff), begründet er seine Unterscheidung und die Hervorhebung der congregatio sanctorum in der Apol.VII/VIII, 1531, ausführlich an Hand der Tradition: "Neque novi quidquam diximus"(BS 235,13). Er nennt hier Eph 5,25ff (sancta ecclesia) (BS 235,14ff), dann das Apostolische Glaubensbekenntnis (sancta catholica ecclesia, sanctorum communio) (BS 235, 25ff.54ff/236,1ff) und schließlich die patres (BS 236,10ff) und das Kirchenrecht: "Et in decretis inquit glossa, ecclesiam large dictam complecti bonos et malos; item malos nomine tantum in ecclesia esse, non re, bonos vero re et nomine" (BS 236,6ff; vgl. 236,28ff) und endlich noch Nikolaus von Lyra: "Sicut et Lyra testatur, cum ait: Ecclesia non consistit in hominibus ratione potestatis vel dignitatis ecclesiasticae vel saecularis, quia multi principes et summi pontifices et alii inferiores inventi sunt apostatasse a fide. Propter quod ecclesia consistit in illis personis, in quibus est

notitia vera et confessio fidei et veritatis"(BS 238,57f/ 239,1ff).

79) Loci 1535 (CR XXI, 505f); vgl. ebd. 506: "Verum est enim malos non excommunicatos membra Ecclesiae esse secundum externam conversationem et signa exteriora."

80) Ebd. 506; vgl. CA VIII 1530: "Quamquam ecclesia proprie sit congregatio sanctorum et vere credentium.."(BS 62,2f); Apol.VII/VIII 1531: "Quare nos iuxta scripturas sentimus ecclesiam proprie dictam esse, congregationem sanctorum, qui vere credunt evangelio Christi et haben spiritum sanctum" (BS 240,30ff); CAvar VII 1540: "Est autem Ecclesia Christi proprie congregatio membrorum Christi, hoc est, sanctorum, qui vere credunt et obediunt Christo, etsi in hac vita huic congregationi multi mali et hypocritae admixti sunt, usque ad novissimum iudicium"(SA VI, 18,26ff); Phil.mor.1546: "..ecclesia Christi, hoc est, piorum coetus.."(SA III, 238,4); Verlegung etlicher unchristlicher Artikel 1536: "Nu leret Sanct Paulus, das Christlich Kirch sey die versammlung, so durch den heiligen geist und tauff gereinigt ist"(SA I, 316, 9ff).

81) Es ist m.E.falsch, wenn K.Haendler (1962, 178 Anm.22) das "principaliter" in Apol.VII/VIII 1531 (BS 234,28f) unbedingt auf die personale Dimension der Kirche hin interpretieren will: "In erster Linie bringt es zum Ausdruck, daß die Kirche, sofern sie als societas betrachtet wird, vornehmlich personale und nicht sachhafte, apersonale 'objektive' societas ist. Es meint den Vorrang des personalen, nicht aber des 'internen' Charakters der Kirche." Vgl. ebd. 176. Das "principaliter" meint wie auch das "proprie" (CA VIII, BS 62,2) vielmehr - ganz auf der Linie der mittelalterlichen Tradition, der sich Melanchthon hier anschließt - die eigentliche Dimension der Kirche. Daß dies zugleich die "personalere" Dimension ist, versteht sich von selbst.

82) "Et haec ecclesia sola dicitur corpus Christi, quod Christus spiritu suo renovat, sanctificat et gubernat, ut testatur Paulus Eph.1..."(BS 234,34/235,1ff); vgl. ebd. 236,32(vivum corpus Christi), ebd. 241,14(corpus Christi). "At sic discernit Paulus ecclesiam a populo legis, quod ecclesia sit populus spiritualis, hoc est, non civilibus ritibus distinctus a gentibus, sed verus populus Dei, renatus per spiritum sanctum"(ebd. 236,45ff); vgl. ebd. 237,22(populus), 238,4f (verus et spiritualis populus). "Ad haec ecclesia est regnum Christi, distinctum contra regnum diaboli"(ebd. 237,24f). "Itaque ecclesia, quae vere est regnum Christi, est proprie congregatio sanctorum"(ebd. 237,34ff); vgl. ebd. 237,50; 238,16. Vgl. auch S. 297f.

83) Vgl. Apol.VII/VIII 1531: "Quamquam igitur hypocritae et mali sint socii huius verae ecclesiae secundum externos ritus tamen cum definitur ecclesia, necesse est, eam definiri, quae est vivum corpus Christi, item, quae est nomine et re ecclesia.

Et multae sunt causae. Necesse est enim intelligi, quae res
principaliter efficiat nos membra et viva membra ecclesiae.
Si ecclesiam tantum definiemus externam politiam esse bonorum et malorum, non intelligent homines regnum Christi esse
iustitiam cordis et donationem spiritus sancti, sed iudica-
bunt tantum externam observationem esse certorum cultuum ac
rituum. Item quid intererit inter populum legis et ecclesiam,
si ecclesia est externa politia?"(BS 236,28ff). Das Wort
"definire" kommt mit Bezug zu CA VII hier öfter vor (ebd.
235,14f.25f; 239,33f.56; 235,10; 240,9f.18ff; 235,21ff). Von
daher muß man sich etwas über die Überschriften von CA VII,
das die eigentliche Definition der Kirche bringt ("De ecclesia") und CA VIII, das die Idee der ecclesia mixta nachträgt
("Quid sit ecclesia?") wundern. Wenn man schon zwei Artikel
machen muß (was ziemlich willkürlich erscheint), dann würde
man sich die Überschriften doch eher vertauscht vorstellen;
so auch H.Asmussen, Die Konstitution über die Kirche, in:
Una Sancta 20 (1965) 69-82, 71f. Was den dt.Text betrifft,
so haben die meisten Handschriften keine Artikelzahlen, und
die Überschriften von Artikel 1-19 und 21 stammen aus den
Drucken seit 1533 (vgl. BS 50, zu Zeile 2).

84) BS 61,3ff. Hier eindeutige historische Abhängigkeiten auszu-
machen, ist m.E. kaum möglich. H.Fagerberg interpretiert z.B.
(1965, 264-273) die Formel ganz von Luther her; ähnlich
E.Kinder 1958, 78ff; vgl. auch W.Maurer 1955a, 344ff. Nach
diesem (ebd. 346 Anm.13) entnimmt Melanchthon den Begriff
congregatio selbst jedoch der Tradition. Das gleiche gelte
auch für den societas-Begriff (ebd. 349 Anm.17). Melanchthon
selbst führt seine Definition sachlich auf Eph 5,25ff zurück:
"Paulus omnino eodem modo definivit ecclesiam Eph.5., quod
purificetur, ut sit sancta. Et addit externas notas, verbum
et sacramenta. Sic enim ait: Christus dilexit ecclesiam et
se tradidit pro ea, ut eam sanctificet, purificans lavacro
aquae per verbum, ut exhibeat eam sibi gloriosam ecclesiam
non habentem maculam neque rugam aut aliquid tale, sed ut
sit sancta et inculpata. Hanc sententiam paene totidem verbis
nos in confessione possuimus"(Apol.VII/VIII 1531, BS 235,14ff);
vgl. auch den ersten Entwurf der Apol. ebd. 234,45ff.

85) Das wird m.W. heute auch nirgends bestritten. Als Beispiel
E.Kinder (1958, 81): "Mit ihrer Betonung des wesentlichen
Congregatio-Seins der Kirche gegen ekklesiologischen Hierar-
chismus und Institutionalismus will die lutherische Kirchenauffassung nicht einem prinzipiellen ekklesiologischen 'Con-
gregationalismus' das Wort reden, welcher das Congregatio-Sein
der Kirche in sich verdichtet, die Kirche durch den freien
Zusammenschluß der Gläubigen *konstituiert* und von ihrer Gläubigkeit *getragen* sieht." Zu Wort und Sakrament als Konstitutiva der Kirche in der reformatorisch-lutherischen Auffassung
allgemein ebd. 90ff.

86) Diese Beobachtung ist wichtig. Berücksichtigt man nämlich diesen allgemeinen Trend der humanistischen und reformatorischen
Theologie auf die Unterscheidung des Christlichen hin, dann

ist es nicht mehr möglich, den Kirchenbegriff Melanchthons
und den katholischen Kirchenbegriff seiner Zeitgenossen auf
der völlig gleichen Ebene zu vergleichen. So macht es aber
z.B. J.Hamer (1958, bes. 202ff), der in der Frage der Stellung
des Sünders in der Kirche entsprechende Aussagen von Cajetan
und Melanchthon vergleicht, um daraufhin festzustellen, daß
Melanchthon im Unterschied zu Cajetan und der katholischen
Tradition keinerlei positive Zuordnung des Sünders zur Kirche
mehr anerkennen und dem Glauben des Sünders keinerlei Tragweite zuerkennen könne. Dies ist m.E. deswegen eine Vereinfachung, weil die Frage für Melanchthon sekundär ist ("sekundär" gehört der Sünder auch zur Kirche); worauf es ihm ankommt, ist aber, was die Kirche in ihrem Innersten sei und
wodurch sie sich von anderen Gemeinschaften unterscheide
(ohne damit den donatistischen Kirchenbegriff oder den präde-
stinatianischen Kirchenbegriff Zwinglis, Wiclifs oder Hus'
zu übernehmen). Mit dieser Beobachtung ist natürlich nicht
jeder Unterschied aufgehoben, aber es ist damit zumindest
vor einer vorschnellen Systematisierung der Gegensätze ge-
warnt. Zur analogen Lage bei Erasmus: W.Hentze 1974, 58-74.

87) Zu dieser Verbindung der beiden Dimensionen vgl. auch
K.Haendler 1962, 179f; P.Fraenkel 1961, 115ff (ebd. 115 Anm.
18 auch eine Skizze der Forschungsgeschichte); F.Hübner 1936,
80ff; allgemein auch E.Kinder 1958, 93-103. Zu stark trennt
J.Hamer (1953, 206), wenn er schreibt: "La parole et les
sacrements ne sont pas suffisamment incorporé à l'Eglise. Le
rôle de *signes* et de *notes* que Mélanchton leur reconnaît ne
les insère pas dans une définition de l'Eglise. Ils font
reconnaître l'Eglise, mais ils n'en sont pas à proprement
parler. La théologie luthérienne disposait de la notion de
moyens de grâce. Mais celle-ci n'a pas été incorporée par
Mélanchton à son ecclésiologie. De plus les deux aspects
de l'Eglise ne se correspondent pas."

88) CAvar VII 1540 (SA VI, 18,30ff); vgl. Loci 1535: "Atque haec
Ecclesia habet externas notas, purum verbum Dei et legitimum
usum Sacramentorum"(CR XXI, 506); vgl. aber auch Loci 1543
(SA II/2, 492,35ff). Apol.VII/VIII 1531: "Concedimus enim,
quod hypocritae et mali in hac vita sint admixti ecclesiae
et sint membra ecclesiae secundum externam societatem signo-
rum ecclesiae, hoc est, verbi, professionis et Sacramentorum,
praesertim si non sint excommunicati." "At Ecclesia non est
tantum societas externarum rerum ac rituum sicut aliae poli-
tiae, sed principaliter est societas fidei et spiritus sancti
in cordibus, quae tamen habet externas notas, ut agnosci
possit, videlicet puram evangelii doctrinam et administrationem sacramentorum consentaneam evangelio Christi"(BS 234,13ff.
26ff); vgl. auch Or.de discrimine Ecclesiae Dei et imperii
mundi 1546 (CR XI, 761); Wv., 1.Jan.1551 (CR VIII, 718). Die
certae notae der Kirche im Neuen Testament seien: verbum Dei
certum, cultus veri, testimonia Spiritus sancti (B.an G.Brück,
Nov.1543, CR V, 235). Zur Überschätzung des societas-Begriffes
in der Melanchthonforschung und zu der sich üblicherweise
daran anknüpfenden Kritik vgl. K.Haendler 1966, 150; ders.
1962, 177ff, 196ff.

89) "Et ad veram unitatem ecclesiae satis est consentire de doctrina evangelii et de administratione sacramentorum"(CA VII
1530, BS 61,6ff; CAvar VII 1540, SA VI, 18,33ff).

90) Vgl. dazu Y.Congar 1972, bes. 357ff. Andererseits gibt es
natürlich in der Melanchthonischen Wesensbeschreibung der
Kirche vielfache Bezugnahmen auf diese "Wesenseigenschaften".
So ist z.B. in seiner Definition bes. die "sancta ecclesia"
hervorgehoben (siehe S. 222f Anm.78). Die congregatio sanctorum ist dabei nicht nur Gemeinschaft der Heiligen unter-
einander; sie ist es, weil sie Gemeinschaft an den gleichen
Heilsgütern ist. Insofern ist, zumindest sachlich gesehen,
der doppelte Sinn von communio sanctorum (Gemeinschaft der
sancti und Teilhabe an den Heilsgütern; vgl. dazu etwa
A.Piolanti, Gemeinschaft der Heiligen, in: LThK IV, 2.Aufl.
1960, 651-653) durchaus vorhanden (so auch E.Wolf 1942, 294).
Vgl. z.B. Apol.VII/VIII 1531: "Et videtur additum, quod sequitur, sanctorum communio, ut exponeretur, quid significet
ecclesia, nempe congregationem sanctorum, qui habent inter
se societatem eiusdem evangelii seu doctrinae et eiusdem
spiritus sancti, qui corda eorum renovat, sanctificat et
gubernat"(BS 235,29ff); Resp.art.inquis. 1558: "Et haec
Ecclesia dicitur sancta in hac vita κατὰ συνεκδοχήν, quia
vere filius Dei in ea regnat et multa sunt membra sanctificata
Spiritu sancto et electa"(SA VI, 285,21ff). Dem widerspricht
nicht, daß die subjektive Bedeutung bei Melanchthon häufig
im Vordergrund steht; vgl. auch De Ecclesia disp.(?): "Cum
Ecclesia in symbolo sancta appellatur, necesse est Ecclesiam
definire Sanctorum congregationem. 2. Sed ut a nobis etiam
agnosci possit Ecclesia, necesse est eam certas notas externas
habere. 3. Est itaque Ecclesia congregatio sanctorum, in qua
Evangelium docetur, et Sacramenta administrantur"(CR XII,
481f). Wenn W.Maurer (1955a, 343f) und (wohl ihm folgend)
K.Haendler (1962, 176 Anm.14) die Möglichkeit eines solchen
"sakramentalen" Aspektes im congregatio-Begriff leugnen,
so hängt dies in erster Linie wohl mit ihrer systematischen
Entgegensetzung von "sakramental" und "personal" zusammen,
womit sie den Unterschied zwischen "katholisch" und "reformatorisch" anzugeben versuchen (vgl. auch S. 265).

91) Dazu Y.Congar 1972, 372-395; zur allgemein reformatorisch-
lutherischen Auffassung E.Kinder 1958, 103-115; E.Wolf 1938,
155ff.

92) Bellarmin, Controv.lib.III: De Ecclesia militante c.2
(Opera ed.J.Fèvre, II, 317).

93) Dazu J.Ratzinger 1963, 105f.

94) So Johannes von Ragusa, einer der Theologen des Basler Konzils
(J.Ratzinger 1963, 105). Vgl. auch das Regensburger Buch 1541:
"Et ne quis vacillaret, addidit Christus certissima signa,
quibus haec magna domus, quae est Ecclesia Dei, nobis cognos-
cibilis fit, quae sunt sana doctrina, rectus sacramentorum
usus, et vinculum unionis et pacis." "Duae priores notae
separant ab Ecclesia tum Ethnicos seu paganos, tum haereticos."
"Tertia nota separat schismaticos, et rite excommunicatos.."

"Ad haec quarta Ecclesiae nota est, quod catholica sit et universalis, hoc est, per omnia loca et tempora diffusa et propagata usque in fines terrae"(CR IV, 203; Bucer und Eck haben statt vinculum unionis vinculum charitatis: ebd. 203 Anm.21); vgl. auch Y.Congar 1972, 372-395. Um welche Probleme es bei der Frage der *puritas* doctrinae in der protestantischen Forschung geht, zeigt K.Haendler 1968, 243-252.

95) J.Ratzinger 1963, 106.

96) Nach K.Brinker (1970, 179ff) wird die passivische Konstruktion dieses Typs bevorzugt, 1. wenn der Agens dem Kontext entnommen werden kann, 2. wenn der Agens allgemein bekannt ist, 3. wenn der Agens aus bestimmten Gründen nicht besonders hervortreten soll. Am ehesten scheint unser Text noch unter Punkt 2 zu fallen; denn jeder weiß, daß das ministerium das Subjekt des docere und administrare ist. Davon war ja kurz zuvor in CA V die Rede: "Ut hanc fidem consequamur, institutum est ministerium docendi evangelii et porrigendi sacramenta. Nam per verbum et sacramenta tamquam per instrumenta donatur spiritus sanctus.."(BS 58,2ff). Eventuell wäre auch noch eine Verbindung mit Punkt 3 denkbar, mit der Bedeutung, daß das Amt in anderer Weise in die Definition der Kirche hineingehört als Wort und Sakrament. In diesem Sinn scheint CA VII auch von den katholischen Konfutatoren verstanden worden zu sein, weil sie hier nicht die Nichterwähnung des geistlichen Amtes monierten, sondern nur je eine Differenzierung bei congregatio sanctorum und den traditiones humanae anbrachten. Vgl. Confutatio ad VII: "Septimus confessionis articulus, quo affirmatur, ecclesiam congregationem esse sanctorum , non potest citra fidei praeiudicium admitti, si per hoc segregentur ab ecclesia mali et peccatores"(CR XXVII, 102f). "Quod sie hanc confessionis partem ad universales ecclesiae ritus extenderent: et hoc prorsus reiiceretur... Ab omnibus enim fidelibus universales ritus observandos esse.."(ebd. 104).

97) Zu Melanchthons Ekklesiologie der vierziger und fünfziger Jahre vgl. die Übersicht bei K.Haendler 1962, 181-201. Ihm ist auch recht zu geben, wenn er im Gegensatz zum häufig behaupteten Dissens zwischen dieser Ekklesiologie und jener von CA und Apol. (vgl. ebd. 173ff; ders. 1966, passim) für eine wesentliche Einheitlichkeit des Melanchthonischen Kirchenbegriffes nach 1530 eintritt.

98) Loci 1559 (SA II/2, 476,12ff); wörtlich bzw. fast wörtlich Conf.Sax.1551 (SA VI, 121,16ff); Ex.ord.dt.1552 (ebd. 212,7ff); Def.1552/53 (SA II/2, 795,14ff); Ex.ord.lat.1554 (CR XXIII, 37); Resp.art.inquis.1558 (SA VI, 285,12ff); ferner auch Or.de discrimine Ecclesiae Dei et imperii mundi 1546 (CR XI, 761); Or.de Ecclesia Christi 1560 (CR XII, 368); Postilla (CR XXV, 685) usw. Es kann hier ausdrücklich gesagt werden, daß unter Evangelium die Symbola mitinbegriffen seien; vgl. Or.de Ecclesia Christi 1560: "Nec cavillatione turbemur de vocabulo Evangelii: Complector hoc nomine doctrinam poenitentiae et aeternae promissionis, imo et capita in symbolis

collecta, sicut Apostoli appellatione Evangelii utuntur, de
tota ministerii sui doctrina"(CR XII, 367); Postilla:
"Quando vis iudicare de te et aliis: An sis membrum Ecclesiae.
.. Quomodo hoc ostendis? Quaero iam de signis. Quia credo
symbolum, et utor sacramentis, sum baptizatus et obedio
ministerio"(CR XXIV, 402).

99) Resp.art.inquis.1558 (SA VI, 286,30ff); ähnlich Ex.ord.dt.
1552 (ebd. 212,30ff); Ex.ord.lat.1554 (CR XXIII, 37); Propos.
LXXX. (CR XII, 433). Interessant ist auch die Formulierung
in Or.de discrimine ecclesiae Dei et imperii mundi 1546:
"Quare semper ibi sciamus vere esse Dei Ecclesiam, ubi ministerium est Evangelii, id est:ubi vox sonat doctrinae filii
Dei, ritus ab ipso traditi servantur, quos voluit esse et
testimonia suarum promissionum, et confessionis nostrae
signa"(CR XI, 761). Postilla: "Sed communiter loquendo,
Ecclesia habet haec signa universalia: veram doctrinam, cuius
summa comprehensa est in Symbolis: Deinde legitimum usum
Sacramentorum. Ego soleo addere tertium: Reverentiam ministerii, seu obedientiam debitam ministerio, videlicet in his,
quae sunt propria ministerii Evangelii. Qui non consentiunt
in professione de doctrina: non sunt membra Ecclesiae: ne
quidem mortua"(CR XXIV, 367); vgl. ebd. 401f, 502; CR XXV,
685. Weitere Belege bei F.Hübner 1936, 81; H.Lieberg 1962,
257. Wie in der katholischen Tradition confessio, doctrina
u.ä. abwechselnd im ersten Glied stehen können, so auch bei
Melanchthon Evangelium, doctrina, confessio, professio, invocatio u.ä. (vgl. auch F.Hübner 1936, 80 Anm.2). Die professio ist also bei Melanchthon nicht ein neues, zusätzliches
Merkmal der Kirche, wie J.Heckel (1950, 312) mit Bezugnahme
auf Apol.VII/VIII 1531 (BS 234,16ff) meint. Siehe dazu auch
S.235f Anm.125.

100) Ex.ord.lat.1554 (CR XXIII, 38); vgl. Artic.Prot. 1541: "Consistit igitur unitas Ecclesiae in hac consociatione sub uno
capite per idem Evangelium et idem ministerium, cui debetur
obedientia, iuxta illud: Qui vos audit, me audit, ut retine-
antur unitas fidei, similis usus Sacramentorum, et disciplina
mandata in Evangelio"(CR IV, 368).

101) Weniger signifikant sind m.E. die Zusätze und näheren Bestimmungen. Denn diese dürften eher allgemeine Indikatoren
der Kontroverse sein. Als solche finden sie sich auch in
katholischen Kirchendefinitionen, wie z.B. im Regensburger
Buch 1541, wo als signa der Kirche angegeben werden: "sana
doctrina, rectus sacramentorum usus, et vinculum unionis et
pacis"(CR IV, 203). Mit ähnlicher Bedeutung spricht wohl auch
das Tridentinum von der puritas Evangelii (DS 1501), von der
vera sanaque doctrina (DS 1520), der sana et sincera doctrina
(DS 1635) u.ä. Vgl. auch M.Wallach 1943, 8-38 (=I. Das äussere
öffentliche Anliegen zur Forderung der pura doctrina in der
Reformationszeit), 39-141 (=II. Die Bedeutung der "pura
doctrina").

102) Die gleiche Interpretation wie bei J.Ratzinger 1963, 105f
(siehe S. 262f) findet sich auch bei W.Maurer 1961, bes. 14f
(siehe S. 265f Anm.301), nur eben mit der umgekehrten konfessionalistischen Wertung. Ähnlich sagt auch E.Schlink
(1946, 276) in seiner Auslegung von CA VII: "Indem hier das
Amt also nur implicit, aber nicht explizit enthalten ist,
ruht der Blick auf Gottes Tat durch das Evangelium und wird
deutlich, daß das Amt keine selbständig bestehende Institution, sondern allein Dienst am Evangelium ist." Ähnlich betont E.Wolf (1938, 156), daß das "Christi vice" in Apol.VII/
VIII 1531 ("Cum verbum Christi, cum sacramenta porrigunt,
Christi vice et loco porrigunt" BS 240,46f) rein instrumental
zu verstehen sei und keinen eigenständigen Vikariat zulassen.
Ähnlich auch H.Bornkamm (1936,141): "Nur darin, daß Gott in
ihr handelt, besteht die Wirklichkeit der Kirche. Durch
Predigtamt und Sakrament als durch Mittel gibt Gott den heiligen Geist... Gebäude, Synoden und Behörden sind zwar wirkliche Dinge, aber nicht die Wirklichkeit der Kirche. Sie sind
nicht wie im Katholizismus durch eine göttliche Einsetzung
für den Glauben gesichert."

103) So z.B. J.Hamer (1958, 205ff): "La doctrine de l'Eglise nous
ramène aux options foncières du luthéranisme. La congregatio
sanctorum n'est que le retentissement ecclésiologique de la
doctrine de la justification"(ebd. 205). "En infléchissant
cette idée de sainteté dans un sens individualiste, Mélanchton s'écarte d'une tradition dont il se réclame. La sainteté de l'Eglise n'est plus que la somme de saintetés indivi-
duelles. Le pécheur n'y a plus aucune place." "Cette orienta-
tion est favorisée par la dissociation de l'extérieur et de
l'intérieur. La parole et les sacrements ne sont pas
suffisamment incorporés à l'Eglise"(ebd. 206).

104) "Quamquam ecclesia proprie sit congregatio sanctorum et vere
credentium, tamen, cum in hac vita multi hypocritae et mali
admixti sint, licet uti sacramentis, quae per malos administrantur... Et sacramenta et verbum propter ordinationem et
mandatum Christi sunt efficacia, etsiamsi per malos exhibe-
antur"(BS 62,2ff).

105) So Apol.VII/VIII 1531: "Nos ob hanc ipsam causam adiecimus
octavum articulum, ne quis existimaret nos segregare malos
et hypocritas ab externa societate ecclesiae, aut adimere
sacramentis efficaciam, quae per hypocritas aut malos administrantur"(BS 234,5ff). Zum societas-Begriff vgl. W.Elert 1928.

106) So auch H.Asmussen, Die Konstitution über die Kirche, in:
Una Sancta 20 (1965) 69-82, 72. Ähnliches stellte auch
W.Maurer (1955a, 351) - aus seiner Sicht freilich kritisch -
zum societas-Begriff fest: "Wir müssen also feststellen, daß
bei der ursprünglichen Verwendung des Sozietätsbegriffes bei
Melanchthon das mittelalterliche Verständnis, wie es dem
sakramentalen Kirchenrecht zugrundelag, ganz unorganisch mit
dem reformatorischen von congregatio sanctorum verbunden ist."
Siehe auch S. 312.

107) K.Haendler 1962, 176. Er folgt dabei W.Maurer 1955a, 343ff.
Für die Bestimmung dieses angeblich traditionell katholischen
Kirchenverständnisses verweist K.Haendler daneben (ebd.
176 Anm.16) auf R.Sohm, das altkatholische Kirchenrecht und
das Dekret Gratians, in: Festschrift für Adolf Wach 1918, bes.
536-614; sowie auf dessen summarische Gegenüberstellung
"Griechischer und römischer Katholizismus" in R.Sohm,
Kirchenrecht, Bd.II: Katholisches Kirchenrecht (Systematisches
Handbuch der Deutschen Rechtswissenschaft, 8,2), Berlin 1970
(Nachdruck der 1.Aufl.1923), 182-185; ferner auch auf W.Mau-
rer, Bekenntnis und Sakrament. Ein Beitrag zur Entstehung der
christlichen Konfessionen, Teil I: Über die treibenden Kräfte
in der Bekenntnisentwicklung der abendländischen Kirche bis
zum Ausgang des Mittelalters, Berlin 1939, bes. 60ff; und
F.Merzbacher 1953. Auch E.Wolf vertritt (1942, 294ff) in
seiner Auslegung von CA VII und Apol.VII eine ähnliche
Meinung: Communio sei hier "kein soziologischer Strukturbe-
griff"(ebd. 294; vgl. 296). Von einer 'organischen Struktur'
des corpus Christi sei hier nicht die Rede, vielmehr ruhe
dieses dynamische Kirchenverständnis ganz auf der Lehre von
der Rechtfertigung und Heiligung auf (ebd. 295). Vgl. auch
F.Lau 1961, 103. Zur Kirche als wesentlich "personaler Glau-
bensgemeinschaft" im bewußten Gegenüber zu einer hierarchi-
stischen und institutionalistischen Kirchenauffassung vgl.
auch E.Kinder 1958, 78ff; dort (79 Anm.2) auch Hinweis auf
K.Holl, F.Kattenbusch, O.Schilling, P.Althaus, H.Preuß und
H.Nitschke.

108) K.Haendler 1962, 179. Außerdem bestünden nach K.Haendler
(ebd. 177f Anm.18) "keine Gemeinsamkeiten" zwischen dem Verständnis der Verbandsbegriffe societas, congregatio usw. bei
den mittelalterlichen Kanonisten und dem Melanchthonischen
Verständnis dieser Begriffe. Weil K.Haendler Wort und Glaube
als die Konstitutiva des Melanchthonischen Kirchenbegriffes
versteht, untersucht er in seiner umfangreichen Dissertation
1968 unter dem Titel "Wort und Glaube" die Voraussetzungen
des Melanchthonischen Kirchenbegriffes (vgl. Haendler 1968,
bes. 19ff). Ähnlich betont auch E.Wolf (1938, 155ff), daß
es gegenüber den vier notae in der katholischen Dogmatik bei
den Reformatoren letztlich nur eine nota gebe, nämlich das
verbum.

109) Dieser Gefahr ist m.E. die ansonsten sehr verdienstvolle
Arbeit von K.Haendler 1968 nicht immer ganz entgangen. Die
Begründung dieser fast ausschließlich "systematischen" Fragestellung (die die Voraussetzungen nur in der Theologie Melanchthons selbst sucht) (ebd. 15-23) ist arbeitstechnisch gesehen zwar verständlich, sachlich aber nicht ganz überzeugend. Vgl. aber auch die Bemerkung K.Haendlers (1968, 144)
selbst über den antithetisch-polemischen Charakter der Ausführungen Melanchthons: "Wenn seine ganze frühe Theologie
in allen ihren Themen durch den Gegensatz zur katholischen
Kirche und Theologie bedingt und bestimmt ist, so gilt das
in besonderer Weise für die Erörterung des Glaubens." Diese
Erkenntnis wird aber hermeneutisch nicht recht wirksam. Na-

türlich soll nun nicht umgekehrt behauptet werden, daß der
reformatorische Kirchenbegriff einfach nur ein negativer
Abklatsch des katholischen Kirchenbegriffes sei; darin ist
etwa E.Kinder (1958, 58f) durchaus recht zu geben, aber wenn
dieser dann (ebd. 59) sagt: "Die Wurzel des lutherisch-refor-
matorischen Kirchenverständnisses liegt vielmehr bei der Erkenntnis der heilschaffenden Alleinwirksamkeit Gottes durch
das Christusevangelium. Alles in ihm ergibt sich zutiefst
hieraus", so scheint mir das in bezug auf Melanchthon doch
wieder etwas zu vereinfacht. Es scheint nämlich mehr als fraglich zu sein, daß bei Melanchthon die Antithetik nur "Konsequenz und geschichtliche Applikation"(ebd.) sei. Ideologiekritisch könnte man sagen, diese Aussage Kinders liege auf
der Linie evangelisch-konfessionalistischer Dogmatik, während
die vorausgegangene auf der Linie katholisch-konfessionali-
stischer Dogmatik liege. Wie stark die "konfessionelle"
Dogmatik auf die Beurteilung des Melanchthonischen Befundes
einwirkt, hat sich schon in der obigen Skizze gezeigt. Nicht
nur,weil Melanchthon noch viel stärker als Luther in der
öffentlichen theologischen Diskussion stand, sondern auch,
weil bei der offensichtlichen Disparität der Forschungsergeb-
nisse über den theologischen Ansatz Melanchthons die strikte
Ableitung des Kirchenbegriffes aus dem reformatorischen Ansatz nichts weiter als eine Illusion oder dann eben eine
Reproduktion der konfessionalistischen Dogmatik wäre, scheint
es mir unbedingt notwendig zu sein, auf die ursprüngliche
Form der ekklesiologischen Kontroverse selbst zurückzugreifen.
Im übrigen hat z.B. gerade die Arbeit von V.Pfnür 1970 gezeigt, daß auch der reformatorische Ansatz (insofern er mit
der Rechtfertigungslehre zu tun hat) selbst ganz wesentlich
Produkt der Kontroverse ist und ohne diese gar nicht richtig
verstanden werden kann. In diesem Sinn sei als Ergebnis dieser hermeneutischen Vorüberlegungen festgehalten, daß der
Melanchthonische Kirchenbegriff mindestens ebenso von seinem
Gegenüber wie von seinem "systematischen" Ansatz her zu untersuchen ist.

110) B.an die Franziskaner in Weimar, Ende Aug.1521: "Utinam ita
nos spiritu suo dominus noster Iesus Christus illuminet, ut
nihil unquam optavimus ardentius, quam ut paci tranquillita-
tique ecclesiae et evangelii gloriae optime consultum esset.
Idque sedulo per Dei gratiam egimus, ne quid usquam, quod
ad gloriam Christi faceret, ecclesiis nostris deesset. Tantum
abest, ut ullis unquam factionibus aut schismatis faverimus,
aut facere velimus"(CR I, 450); Lv.zu den Loci 1535: "Cum
autem duae virtutes maxime salutares sint Ecclesiae, amor
Veritatis, et cura retinendae concordiae inter eos, qui verae
doctrinae societate coniuncti sunt, has diligenter colamus"
(CR XXI, 346; vgl. auch die Erläuterung dieses Programms ebd.)
De officio ministrorum Evangelii 1545: "Hic duas res petit
(sc.Christus) in Ecclesia servari, Veritatem et Concordiam.
De veritate inquit: Pater, sanctifica eos in veritate. Et
quam iudicet esse veritatem, ostendit, inquiens: Sermo tuus
est veritas. De concordia: Pater sancte, serva eos in nomine
tuo, quos dedisti mihi, ut sint unum, sicut nos, id est, sincera benevolentia inter se devincti sint, nec excitent dissidia"(CR XI, 706); vgl. auch den B.an Bucer, 3.Febr.1535

(CR II, 842). Siehe auch S. 303.

111) B.an Spalatin, 10.Mai 1522: "Nam et hic et in priore editione
diligenter cavi, ne quid scriberem, quod non aedificaret, ut
scripturae verbo utar"(CR I, 572); oder imHinblick auf den
Abendmahlstreit im B.an Camerarius, 3.Jan.1525: "..sed quoties
illius controversiae in mentem venit, mirabiliter excrucior
et pene exanimor. Utinam urgerentur, omissis μωρολογίαις,
ut vocat Paulus (sc.Eph 5,4), ea quae aedificant conscientias.
Video, video Ioachime, in publica caussa privatis affectibus
nimium indulgeri"(CR I, 648; zur Dat. SM VI/1, 274f); oder
zur Auseinandersetzung zwischen Erasmus und Luther im B.an
Spalatin, 3.Juli 1527: "Utinam Deus det nobis suam gratiam,
ut potius ea doceamus in ecclesia, quae aedificant, quam
quae odia et dissensiones excitant"(CR I, 880), oder in Zusammenhang mit den Visitationen im B.an Bugenhagen, 15.Aug.
1527 (CR I, 883; zur Dat. SM VI/1, 376). Vgl. ferner auch
Wv.zu den Schol.Prov. 1529 (CR I, 1090f).

112) Auf einen interessanten Sachverhalt hat K.Brinker (1970, 180f)
aufmerksam gemacht. Er hat nämlich gezeigt, wie überlegt
Melanchthon von der Grundmöglichkeit des Passivs zur täter-
abgewandten Aussageform Gebrauch gemacht hat: Im ersten Teil
der CA, der die Glaubensartikel behandelt, werden die einzelnen Artikel meist mit der stereotypen Formulierung: erstlich
wird gelehrt, weiter wird gelehrt, es wird gelehrt usw. eingeleitet (hierher gehört auch die durchgehend passivische
Verwendung der Verben"verwerfen"und"verdammen"). Denn im
Bereich der Glaubenslehre kommt es besonders auf die Betonung
des Gemeinsamen an. Die aktivische Konstruktion ("wir lehren")
würde den Agens zu sehr hervortreten lassen, als handle es
sich um von den Protestanten neu entwickelte Lehren. Im
zweiten Teil, der die Mißbräuche betrifft, ist die Situation
eine völlig andere: Hier kann man es sich eher leisten, die
Gegensätze zu betonen (Reformbemühung!). Deshalb wird hier
die aktivische Konstruktion häufiger verwendet. Die Artikel
sind vielfach so aufgebaut, daß einer Schilderung der kritisierten kirchlichen Situation (zumeist dargestellt in einer
Reihe von man-Sätzen) die Darstellung der eigenen Lehre scharf
gegenübergestellt wird (wir aber lehren). Allerdings scheint
dann K.Brinker (ebd.) die Interpretation dieses Befundes
(mit Berufung auf R.Seeberg 1920, 398ff) doch wieder zu sehr
auf eine kirchenpolitische Abzweckung (Zurücktretenlassen des
Trennenden) einzuschränken. Gewiß dürfte diese auch eine Rolle gespielt haben, aber mindestens ebensosehr steht eine
wirkliche Sorge um die Einheit der Kirche und des Glaubens
dahinter (gleichzeitige dezidierte Abgrenzung gegenüber
Zwingli, den Täufern und den Schwärmern!); vgl. dazu bes.
V.Pfnür 1970, 10-14, 89-96. Nicht den Kern treffen auch
diejenigen Deutungen, die Melanchthons Einigkeitsbestrebungen
auf sein humanistisches Erbe (Mäßigung und Ausgleich) zurückführen wollen (so z.B. R.Stupperich 1936, 30-37). Im lat.Text
der CA steht an Stelle des von K.Brinker hervorgehobenen
Passivs meist das Aktiv mit Ecclesiae als Subjekt (siehe S.251
Anm.211). Das dürfte eine ähnliche Funktion erfüllen: Nicht
einzelne Handlungsträger, sondern die Kirchen selbst sind

Träger der Lehre, die Kirchen allerdings in ihrer katholischen Verbundenheit und Einheit mit der alten Kirche.
Zur Sorge um die Einheit der Kirche vgl. den B.an Landgraf Philipp von Hessen, 11.Juni1530 (CR II, 93f), das Schreiben an Kard.Campeggio und den B.an dessen Sekretär, 4.Aug.1530 (CR II, 246-248, 248f), das Consilium de concordia facienda, Aug.1530 (CR II, 268-270), das Fragmentum vom 13.Aug.1530 (CR II, 272f), den B.an Bischof Christoph von Stadion, 13.Aug. 1530 (CR II, 273f) und den B.an M.Aalberus, 23.Aug.1530 (CR II, 303). Zu den Einigkeitsbestrebungen Melanchthons bis 1530 vgl. P.Schwarzenau 1956, 60-72; überhaupt P.Fraenkel, Einigungsbestrebungen in der Reformationszeit (Institut für europäische Geschichte Mainz, Vorträge 41), Wiesbaden 1965.

113) B.an M.Aalberus 1534: "Ego nihil omnium rerum magis opto, quam ecclesiarum concordiam, nec unquam volui dissidia excitari propter dissimilitudinem rituum. Spero, Deum effecturum esse ut de dogmatibus etiam aliquando liberius loqui possimus et constituere aliquam concordiam"(CR II, 805); vgl. auch den B.an Bucer, 3.Febr.1535 (ebd. 842). Conf.Sax.1551, Schluß: "Non voluimus nova dissidia serere, sed maxime oramus Filium Dei Dominum nostrum Iesum Christum, crucifixum pro nobis et resuscitatum, qui precatus est in agone suo, ut unum simus in Deo, ut faciat, ut nos quoque in plurimis Ecclesiis unum simus in ipso"(SA VI, 167,4ff); ähnlich Resp.Stanc.1553 (SA VI, 261,1ff). Zur Einheit der Kirche im Anschluß an Joh 14 vgl. auch die Bucheintragung von 1551 (P.Jürges, Ein Autographon Melanchthons über den Begriff der Kirche, in: ZKG 18, 1898, 104f). Auch in diesem Punkt kommt sich Melanchthon mit Erasmus sehr nahe. Zur zentralen Bedeutung der Einheit der Kirche bei Erasmus vgl. J.-P.Massau 1968, 116, und vor allem J.K.McConica 1969.

114) B.an Joh.Silberborner, Okt.1530: "Neque enim hoc negari potest, nos in discrimen vocari hanc unam ob causam, quod sentimus Deum placari, non nostris observationibus, sed propter Christum"(CR II, 433); De causa Lutheri 1536: "Excusat etiam schisma necessitas, quia oportet Deo magis obedire quam hominibus"(CR III, 231); B.an M.Aalberus, 23.Aug.1530: "Duximus igitur prodesse, ut aliquo modo coniungamus nos cum Episcopis, ne schismatis infamia perpetuo laboremus"(CR II, 303); Bericht über die Einigungsverhandlungen 1530: "Nimirum omnes non possunt et schismatici accusari, cum haec omnia fecerunt mandato verbi divini. Imo haec omnia auctoritate verbi coacti sunt sic facere, docere, abrogare"(CR II, 353); Tract.pot. papae 1537: "Dissidere a consensu tot gentium et dici schismaticos grave est. Sed autoritas divina mandat omnibus, ne sint socii et propugnatores impietatis et injustae saevitiae. Ideo satis excusatae sunt conscientiae nostrae. Sunt enim manifesti errores regni papae"(BS 485,39ff); vgl. auch Ursach 1546 (SA I, 432,30ff).

115) Vgl. z.B. auch das Abwägen beider Seiten in De causa Lutheri 1536 (CR III, 230-232).

116) Colloquium Wormatiae, Jan.1541: "Cum consensum Catholicae
Ecclesiae Christi vere amplectamur ac tantum quosdam abusus
alterius partis reprehendamus, quemadmodum cogit coeleste
mandatum...non discessimus ab Ecclesia catholica Christi,
sed relinquimus taxatos abusus. Ac ab ipsis verius ex ipsorum
coetibus expulsi sumus, violentis Edictis excommunicationibus,
et nova acerbitate, quae in Ecclesia non fuit usitate"
(CR IV, 38). B.an einen Hauptmann, Juli 1535: "So man nun
fragt, warum sondert ihr euch denn von der vorigen Kirchen?
Antwort: wir sondern uns nicht von der vorigen rechten Kirchen. Ich halte eben das, was Ambrosius und Augustinus geleh-
ret haben, und die vorige Kirche, das ist alle Gottfürchtige
unter dem Papst... Also ist und bleibt eine rechte einige
Kirche, obgleich dieselbe eine Zeit reiner ist denn die andere"(CR II, 884); vgl. auch B.an Bischof Petrus Paulus Vergeri-
us, Jan.1541 (CR IV, 22); B.an G.Brück, Nov.1543? (CR V,235);
Lv.zur griech.Ausg.der Heiligen Schrift, 25.Nov.1544 (ebd.
536); Disp.de Ecclesia (CR XII, 482). Zu dieser Frage vgl.
vor allem E.Wolf 1938, der zeigt, wie tief der Einheits- und
Katholizitätsgedanke im reformatorischen Denken des 16.Jahr-
hunderts verwurzelt ist. So sträubt man sich z.B. noch im
ganzen 16.Jahrhundert, sich 'lutherische Kirche' zu nennen.
Der eigentliche Name ist ecclesia apostolica catholica. Daneben taucht dann freilich schon die Selbstbezeichnung 'lutherische Kirche' auf, bezeichnenderweise aber innerhalb der Auseinandersetzung mit dem Kalvinismus (ebd. 151f, 154). Ebenso
wird z.B. auch die Mission der römischen Kirche noch nicht
als Gegenmission einer Partikularkirche verstanden, weshalb
auch der römische Vorwurf, selbst keine Mission zu treiben,
mit dem Argument der Katholizität zurückgewiesen wird: Wo in
aller Welt Gottes Wort verkündigt wird, weiß man sich als
katholische und missionarische Kirche selbst am Werk (ebd.
168ff). Ein interessantes konkretes Beispiel dieses Bekenntnisses zur kirchlichen Einheit stellt z.B. Georg III von
Anhalt dar, mit dem im übrigen auch Melanchthon mehrfach zu
tun hatte (dazu F.Lau 1953/54, bes. 149ff). Zur consensus-Idee
außerdem L.C.Green 1974, 200 (Verbindung zu Erasmus).

117) "Darum sind alle rechtgläubige und Gottfürchtige in der rechten Kirchen, sie seyen unter dem Papst oder bei den Unsern.
Es ist Kirche unter dem Papst gewesen, aber viel Stück sind
schwach und verdunkelt gewesen. Dieselbigen Artikel sind
nun durch Gottes Gnade etwas lichter. Da gehören nun zu der
Kirchen alle, so solche Gotteswort und Gabe zu Besserung brauchen, sie sind unter dem Papst oder bei andern"(B.an einen
Hauptmann, Juli 1535, CR II, 883).

118) Dazu vgl. vor allem P.Fraenkel 1961, passim; auch V.Pfnür
1970, 15-19.

119) Siehe dazu S. 305f. Vgl. auch H.Asmussen, Das Amt der Bischöfe nach Augustana 28, in: Reformation, Schicksal und
Auftrag. Festgabe Joseph Lortz Bd.I, Baden-Baden 1958, 209 bis
231; W.Maurer, Die Entstehung und erste Auswirkung von Artikel
28 der Confessio Augustana, in: Volk Gottes 1967, 361-394.

120) Apol.VII/VIII 1531: "Sed fortassis adversarii sic postulant
definiri ecclesiam, quod sit monarchia externa suprema totius
orbis terrarum, in qua oporteat romanum pontificem habere
potestatem ἀνυπεύθυνον, de qua nemini liceat disputare aut
iudicare, condendi articulos fidei, abolendi scripturas, quas
velit, instituendi cultus et sacrificia, item condendi leges,
quas velit, dispensandi et solvendi, quibuscunque legibus
velit, divinis, canonicis et civilibus, a quo imperator
et reges omnes accipiant potestatem et ius tenendi regna de
mandato Christi, cui cum pater omnia subiecerit, intelligi
oporteat hoc ius in papam translatum esse. Quare necesse sit
papam esse dominum totius orbis terrarum, omnium regnorum
mundi, omnium rerum privatarum et publicarum, habere plenitudi-
nem potestatis in temporalibus et spiritualibus, habere
utrumque gladium, spiritualem et temporalem. Atque haec definitio, non ecclesiae Christi, sed regni pontificii.."(BS
239,33ff).

121) Resp.art.inquis.1558 (SA VI, 287,7ff); Loci 1543 (SA II/2,
493,11ff); Propos.LXXX (CR XII, 433).

122) Deutlich zeigt sich dies in der Stellungnahme der Protestanten
zum Regensburger Buch (Forma amplior), 12.Juli 1541, wo Bezug genommen wird auf die Einheitsmerkmale (siehe S. 226f
Anm.94): "Damnat etiam liber eos, qui rumpunt vinculum
caritatis, quod nos intelligimus obedientiam in ministerio
rectae doctrinae Evangelii, et administrationis Sacramentorum,
et iurisdictionis in Evangelio mandatae, ac sentimus ipsi,
vero ministerio deberi obedientiam. Sed postea liber, in titulo der Hierarchico ordine, hoc vinculum de traditionibus
humanis interpretari videtur, ubi nostri opposuerunt alium
articulum"(CR IV, 488).

123) "Dixi supra Ecclesiam non esse alligatam ad successionem
ordinariam, ut vocant, Episcoporum, sed ad Evangelium. Cum
episcopi non recte docent, nihil ad ecclesiam pertinet ordinaria successio, sed necessario relinquendi sunt"(Loci 1543,
SA II/2, 493,27ff). Der politischen Gestalt der kirchlichen
autoritas stehen die Regulae 1 Kor 10,14 und Gal 1,9 entgegen (Resp.art.inquis.1558, SA VI, 287,14ff).

124) "Cum igitur manifestum sit, Romanum episcopum et agmen Episcoporum ipsi adiunctum defendere idola, et iniustam crudelitatem
exercere ad delendam veram doctrinam, necesse est ab eis
dissentire"(Resp.art.inquis.1558, SA VI, 287,17ff); De eccl.
1539 (SA I, 328,8ff). In dieser Perspektive treten Wort und
Sakrament an die Stelle des Kennzeichens der Abgötterei
(Bucheintragung 1551, P.Jürges, Ein Autographon Melanchthons
über den Begriff der Kirche, in: ZKG 18, 1898, 104-106, 105).

125) Was die theologische Theorie betrifft, so hat J.Heckel sicher
unrecht, wenn er in seinem Aufsatz 1950, in dem er in Melanchthon den "geistigen Ahnherrn des deutschen Staatskirchen-
rechts"(ebd. 314, vgl. 327) zu entdecken glaubt, die These
vertritt, die scholastische Ekklesiologie (angeführt wird
Johannes de Turrecremata) habe die Kirche als "Sakramentsge-
meinschaft" und "Kultgemeinschaft" verstanden (ebd. 310f),

während durch die Verlesung der Augsburgischen Konfession vor
Kaiser und Reichstag am 25.Juni 1530 und durch die Melanchthonische Ekklesiologie der Begriff des Bekenntnisses in den
Vordergrund getreten, Kirche also als Bekenntnisgemeinschaft
verstanden worden sei (ebd. 311ff). In der ekklesiologischen
Theorie - das dürfte bereits klar geworden sein - gibt es
diesen fundamentalen Umschwung zwischen Scholastik und Melanchthon wohl nicht. Recht könnte Heckel jedoch haben, was
die politische und juristische Praxis betrifft. Hier scheint
in der Tat durch die Übergabe der CA eine neue Situation entstanden zu sein, die sich dann z.B. im Augsburger Religions-
frieden, in dem die zwei reichsrechtlich hinfort allen zuge-
lassenen Bekenntnisse unter dem Namen 'die beiden Religionen'
zusammengefaßt wurden, und im Westfälischen Frieden mit seinen Vorschriften über die 'utraque religio' fortsetzt (ebd.
313).

126) Loci 1559, Abschnitt "De Ecclesia" (SA II/2, 485f). Für
"Staat" gebraucht Melanchthon die Wörter: respublica, politia,
civitas, patria, imperium, magistratus, status publicus
(civilis, politicus) (vgl. W.Elert 1932).

127) Loci 1559 (SA II/2, 485,5f); vgl. Or.de dono interpretationis
in Ecclesia 1545: "Valet in animis hominum similitudo imperiorum, in quibus gubernatores tribus rebus armati sunt, lege,
potestate interpretationis, et armis"(CR XI, 644; zur Dat.
N.Müller 1896, 123f).

128) SA II/2, 485,7ff.

129) Ebd. 485,10ff.

130) Ebd. 485,16ff.

131) Ebd. 485,20ff.

132) Ebd. 485,33ff.

133) Ebd. 486,24ff.

134) In einem ähnlichen Vergleich von Kirche und Staat in den
Comm.Ps.118,19ff, 1553/55 (CR XIII, 1447-1457) nennt Melanchthon folgende drei Momente: caput, ordo personarum, gloria
(ebd. 1447). Hier ist der letzte Punkt (praesidia) weggelassen
und der erste (ordo) offensichtlich in zwei Momente aufge-
spalten worden. Vgl. auch De eccl.1539 (SA I, 330,16ff.21ff).

135) Artic.Prot. 1541, Abschnitt "De Ecclesia" (CR IV, 349-352).

136) Ebd. 349; vgl. Or.de dono interpretationis in Ecclesia 1545:
"Ecclesia coetus est, qui verbo Dei regitur et Spiritu sancto,
et habet pastores seu Doctores, quorum munus est verbum Dei
proponere.." "Et haec Ecclesia exercet iudicia, cognoscit
controversias dogmatum, et reiicit opiniones pugnantes cum
verbo Dei. Cumque existunt controversiae de scripto et de
sententia, videt Ecclesia nativam sententiam. Semper enim

aliqui donum interpretationis habent"(CR XI, 645; zur Dat. N.Müller 1896, 123f).

137) "Sed semper tenenda est regula, maiorem esse autoritatem verbi divini nobis propositi in scripturis Propheticis et Apostolicis, quam ullius hominis, ullorum Episcoporum, ullarum Synodorum, aut totius Ecclesiae"(CR IV, 349); vgl. auch Ann.Ev.1549 (in einer Auslegung von Lk 2) (CR XIV, 202f).

138) "Agnoscimus autem hanc triplicem autoritatem competere verae Ecclesiae, primum testificandi de scripturis Apostolicis seu discernendi Apostolorum scripta a suppositiciis. Cum enim circumferrentur titulo Apostolorum dissimiles libelli, retenti sunt hi, quos meminerant Ecclesiae certo traditos esse ab Apostolis, seu fide dignis autoribus; postea universalis consensus his retentis repudiavit alia dissentientia"(CR IV, 349). Hier (ebd. 350) auch ein Hinweis auf das bekannte Augustinuswort 'Evangelio non crederem, nisi me Ecclesiae Catholicae commoveret autoritas' (dazu siehe S. 292f).

139) "Secundo tribuenda est autoritas verae Ecclesiae, quod penes eam est verus intellectus seu interpretatio scripturae. Retinet enim fundamentum, et habet donum interpretationis, ut Paulus inquit." "Ita est quidem donum interpretationis penes veram Ecclesiam, sed non est certis personis aut locis alligatum"(CR IV, 350). "Cum igitur in Ecclesia sit donum interpretationis, audiri Ecclesiam docentem necesse est, et qui habeant donum, haec duo ostendent: scripturae testimonia vere consentientia, et catholicus consensus." "Cumque hae sententiae cum scripturis apte congruant, multum valent ad confirmandas mentes piorum. Sed fides nititur verbo Dei tradito per Prophetas et Apostolos"(ebd. 351).

140) "Tertio tribuenda est Ecclesiae autoritas constituendi iudicia de doctrina. Imo mandatum divinum est, ut Ecclesiae exorientes controversias cognoscant et pronuncient iuxta verbum Dei recte intellectum.." "..sed semper sit praecipua autoritas verbi Dei. Cum igitur pronunciatur iuxta verbum Dei recte intellectum, necesse est omnes parere.."(ebd. 352).

141) CA XXVIII (De potestate ecclesiastica) 1530 (BS 120ff); Loci 1535 (De potestate ecclesiastica seu de clavibus) (CR XXI, 501ff); Qu.1537 (CR III, 470f); CAvar (De potestate Ecclesiastica) 1540 (SA VI, 71ff). Die Unterscheidung beider Gewalten wird ausdrücklich übernommen in den Loci 1535 (CR XXI, 501), sachlich jedoch schon CA XXVIII 1530. Vgl. auch die Auseinandersetzung mit der Zwei-Schwerter-Theorie in Tract.pot.papae 1537 (BS 471,7ff; 480ff).

142) "At cum aliquid contra evangelium docent aut constituunt, tunc habent ecclesiae mandatum Dei, quod prohibet oboedire" (CA XXVIII 1530, BS 124,13ff). Belegt wird dies(ebd. 124,16ff) durch Mt 7,15; Gal 1,8; 2 Kor 13,8.10; Decretum Gratiani c.8.13, C.2, q.7 (Friedberg I, 484, 485); Augustinus, Epist. ad catholicos 11,28: "quia nec catholicis episcopis consentiendum est, sicubi forte falluntur aut contra canonicos dei

scripturas aliquid sentiant"(CSEL 52, 264,13f); vgl. CAvar
1540 (SA VI, 73,33ff/74).

143) "De potestate vero interpretationis sciendum est magnum discrimen esse inter potestatem et donum. In Ecclesia donum est
interpretationis non alligatum certo ordini, sicut propter
locum vel titulum non datur Spiritus sanctus. Id donum non
est potestas alligata ordini seu titulo, cui propter ordinem
parere necesse sit, sicut regiae vel praetoriae interpreta-
tioni propter ordinem parere necesse est"(Loci 1543, SA II/2,
493,32ff/494,1ff); vgl. Urteil über das Regensburger Buch,
ca.24.Juni 1541 (CR IV, 421).

144) Comm.Polit.Arist.1535 (CR XVI, 436).

145) "Politia est legitima ordinatio civitatis, secundum quam alii
praesunt, alii parent"(ebd. 436). Die politische Philosophie
Melanchthons behandelt nach G.Weber (1962, 14f) fast nur diesen vertikalen Aspekt des Staates, d.h. das Verhältnis Obrig-
keit-Untertan. Praktisch interessiere die Frage der politischen Ordnung nur die Obrigkeit als den Gesetzgeber. Der Un-
tertan habe sich im Rahmen der von der Obrigkeit festgesetz-
ten Ordnungen zu bewegen. Seine einzige persönliche politische Entscheidung bestehe im Durchbrechen dieser Ordnung
(Widerstandsrecht). W.Elert dagegen betont (1932, bes. 526ff)
vom Wortmaterial her, daß Melanchthon den Staat nicht so
sehr in der Perspektive des Obrigkeitsbegriffes als vielmehr
des Verbandsbegriffes gesehen habe. Wie etwa die (im Anschluß an Aristoteles) aus der Natur des Menschen abgelei-
teten Prinzipien der Politikwissenschaft zeigen, sind für
Melanchthon beide Momente durchaus vereinbar: "Homo est ad
societatem natura conditus. Prima societas est legitima
coniunctio maris et foeminae." "Ex prima societate domus
oritur, in qua sunt parentes, liberi, servi. In societate
multorum necesse est alios praeesse, alios parere"(Comm.Polit.
Arist. 1535, CR XVI, 423). Was in unserem Zusammenhang interessiert, ist das letztere: Politische Ordnung hat es wesentlich mit Herrschaft zu tun; vgl. auch ebd. 424, 435. In der
Tat herrschten in Melanchthons Vorstellung vom ordo politicus
die Obrigkeit-Untertan-Polarität und das Gehorsamsmoment vor
(vgl. die Belege bei R.B.Huschke 1968, 106-152). Nicht einsehbar war Speros Thomas Thomaidis, The political theory of
Philip Melancthon 1966 (Xerox), Phil.Diss.Columbia University
1965. Trotz der immer wieder beteuerten Notwendigkeit der
Gebundenheit der Obrigkeit an das Naturrecht scheint Melanchthon gerade mit der Aufnahme der Aristotelischen"Politik"
die gesetzespositivistische Umwälzung zu akzeptieren, die sich
seit dem 13.Jahrhundert ebenfalls u.a. auch unter den Anstößen
dieser Aristotelischen "Politik" in der politischen Praxis
(aber auch in der Rechtstheorie) der europäischen Königreiche
immer stärker durchgesetzt hat. Vgl. dazu St.Gagnér, Studien
zur Ideengeschichte der Gesetzgebung (Acta Universitatis
Upsaliensis. Studia Iuridica Upsaliensia,1), Stockholm-Uppsa-
la-Göteborg 1960, bes. 288-366 (vgl. auch ebd. 115f die Bemerkung zu Melanchthon).

146) Vgl. Comm.Polit.Arist.1535 (CR XVI, 443ff); Phil.mor.1546
(SA III, 216ff); Or.de dignitate doctrinae legum et Iuris-
consultorum 1553 (CR XII, 24).

147) "Vult Deus legem suam rectricem esse generis humani... Ut igitur lex noħ sit inanis sonitus, addit custodem et executorem,
scilicet Magistratum, seu iudicem, Regem, seu praetorem, qui
habet legitimam potestatem vocandi cives, cognoscendi controversias, et diiudicandi iuxta leges divinas, et has, quae
probabili ratione regia autoritate additae sunt, et vel
corrigendi humanas leges probabili ratione, vel dubiis adden-
di interpretationes, quae valent propter ordinis autoritatem:
habet item potestatem vi corporali cogendi, coercendi, et
interficiendi sonte. Haec definitio est iudicis politici in
genere, seu Regis seu praetoris"(De iudiciis in Ecclesia
necessariis 1555, CR VIII, 639-643, 640, vgl. 641); "Secunda,
potestas politica habet autoritatem suas quasdam leges condendi, ut dictum est. Minister Ecclesiae non habet similem potestatem leges condendi.."(Eth.doctr.el.1550, CR XVI, 244);
vgl. ebd. 247; Or.de iudiciis Ecclesiae 1556 (CR XII, 138-146);
Wv. zum 8.Bd.der dt.Werke Luthers, März 1556 (CR VIII, 684 bis
689); Qu.academica 1560 (CR X, 893-896); De norma iudicii in
Ecclesia, März 1560 (CR IX, 1081-1083).

148) "Est igitur dissimilitudo aliqua iudiciorum Ecclesiae et iudiciorum politicorum. Nam in politicis aut Monarcha solus
auctoritate sua pronuntiat aut in senatu valet sententia maio-
ris partis. Sed in Ecclesia valet sententia congruens cum
verbo Dei et confessio piorum, sive sint plures sive pauciores
impii"(Loci 1559, SA II/2, 481,37f/482,1ff).

149) "At Synodus sic alligata est Evangelio, ut non possit addere
nova dogmata, nec valeat interpretatio propter ordinis
autoritatem, nec vi corporali sententiam tuetur"(De iudiciis
in Ecclesia necessariis 1555, CR VIII, 641). "Porro ministerium Novi Testamenti non est alligatum locis et personis sicut
ministerium Leviticum, sed est dispersum per totum orbem
terrarum et ibi est, ubi Deus dat dona sua, apostolos, prophetas, pastores, doctores. Nec valet illud ministerium propter
illius personae autoritatem, sed propter verbum a Christo
traditum"(Tract.pot.papae 1537, BS 479,21ff). Auf der anderen
Seite kann Melanchthon hier auch mit Hilfe eines rhetorischen
Vergleiches argumentieren, der eine etwas andere Verhältnisbestimmung impliziert: "Multae extant commonefactiones Oratorum, quae iubent congruere vocem Legis, et vocem Iudicis in
gubernatione politica.." "Sed infinitum est, quanto maius et
perniciosius scelus est, decreta divina mutare.."(Wv. zum
3.Bd. der lat.Werke Luthers, 1.Mai 1549, CR VII, 397).

150) "Sed hic Pontifices clamitant, incidi nervum iudiciorum, et
autoritatem deleri, si non valeat interpretatio, tanquam regia
vel praetoria autoritate. Quid igitur est, inquiunt, sententia
in Synodo?"(De iudiciis in Ecclesia necessariis 1555, CR VIII,
641).

151) "Haec Synodus,non ut politicus iudex, definit ambiguitatem
regia seu praetoria autoritate, sed singuli suae fidei confessionem ostendunt, et ex scriptis Propheticis et Apostolicis
testimonia ostendunt suae fidei. Ita sententia Synodi ac decretum est tantum confessio singulorum, qua pii commonefiunt et
confirmantur. Sed credunt de re tanta non propter Synodi decretum, sed propter testimonia Prophetica et Apostolica."
"Nititur fides non Synodorum congressibus (nam aliae Synodi,
ut Ariminensis et Syrmiensis diversum tradiderunt), sed voce
divina"(CR VIII, 642). Loci 1559: "Tertio, iidem illi iuvantur
etiam verae Ecclesiae testimonio. Ut, cum Samosatenus noluit
Verbum interpretari personam in his dictis: 'In principio
erat Verbum' etc., pii iuvabantur Irenaei testimonio, qui
Polycarpum Ioannis discipulum audierat. Iuvabantur et Gregorii
Neocaesariensis et Alexandrinae Ecclesiae testimoniis, quae
affirmabant hanc sententiam inde usque ab Apostolis retentam
esse, cum qua videbant pii cetera testimonia in Ioanne et
Paulo congruere"(SA II/2 494,28ff/495,1f). Ähnlich ist es auch
an anderen Stellen: Wv. 1.März 1549 (CR VII, 348); Resp.Staph.
1558 (SA VI, 479,2ff); Urteil über das Interimbuch, 1.April
1548 (CR VI, 840); Vorr. zur En.Symb.Nic., 25.April 1550
(CR VII, 578).

152) "Talia sunt multa exempla in scriptoribus, qua tanquam historiae primae Ecclesiae ostendunt, quid illa senserit. Cumque
hae sententiae cum scripturis apte congruant, multum valent
ad confirmandas mentes piorum. Sed fides nititur verbo Dei tradito per Prophetas et Apostolos. Fortassis ethnicus legens
illa: et Deus erat verbum, non cogitaret verbum personam
intelligi. Ideo audienda est Ecclesia, in qua catholicus
consensus interpretatur personam. Admoniti ergo pii et adiuti
aliis dictis assentiuntur et credunt articulum propter verbum
Dei, atque ita vere invocant filium Dei, quem non possent
invocare, si fides ex humana autoritate penderet"(Artic.Prot.
1541, CR IV, 351); ähnlich Loci 1559 (SA II/2, 482,31ff/483,1f)

153) "Ita nos pronuntiamus de Baptismo infantium. Habemus testimonia in scripturis manifesta, quae affirmant extra Ecclesiam
non esse salutem. Ergo inserimus Ecclesiae infantes. Deinde
et primae Ecclesiae testimoniis iuvamur. Ita iudex est verbum
Dei, et accedit purae antiquitatis confessio"(Loci 1559, SA
II/2, 482,24ff). Dazu ausführlicher P.Fraenkel 1961, bes.
184-187.

154) So schon Loci 1521: "De divinitate filii credo Nicaeno conci-
lio, quia scripturae credo, quae Christi divinitatem tam clare
nobis probat, ut ne Iudaei quidem tergiversari possint, quan-
tumvis caeci, quo minus Messiae divinitatem tribuant. Locus
est apertus praeter alios in capite XXIII., apud Hieremiam:
'Et hoc est nomen quod vocabunt eum, deus, iustus noster'.
Sic iudicandum puto per scripturam et de reliquis synodis"
(SA II/1, 61,3ff).

155) Siehe S. 376-410, 456-471.

240

156) Siehe auch S. 307ff. Aber auch politologisch könnte das Verhältnis heute (wenn auch in einem unterschiedlichen denkerischen Rahmen) ähnlich bestimmt werden: Wie das Evangelium und die Grundgestalt der Kirche unwandelbar sind, so sorgt auf staatlichem Gebiet die Rechtsfigur des 'unabänderlichen Verfassungsrechts' für die fundamentale Identität des Staates. Im Unterschied zur Kirche kennt jedoch der Staat zum einen einen pouvoir constituant und zum anderen eine viel weitergehende Verfügungsgewalt über die gesamte politische Ordnung; vgl. etwa H.Maier, Vom Ghetto der Emanzipation. Kritik der "demokratisierten" Kirche, in: J.Ratzinger-H.Maier, Demokratie in der Kirche. Möglichkeiten, Grenzen, Gefahren (Werdende Welt, 16), Limburg 1970, 47-77, 71ff.

157) "Sicut quidam indocti scripserunt, Romanum pontificem iure divino esse dominum regnorum mundi"(Loci 1535, CR XXI, 502). Auf andere Weise gilt diese Politisierung auch für die Wiedertäufer: "Et Anabaptistae et similes, qui vi et armis conantur propagare doctrinam suam, transformant potestatem Ecclesiasticam in mundanam"(ebd.); vgl. Comm.Polit.Arist.1535 (CR XVI, 436f). Zu Melanchthons Bekämpfung der kurialen Translationstheorie vgl. bes. W.Goez (1958, 287ff), der darauf hinweist, daß Melanchthon einmal auf die Erweckung nationalistischer Haßgefühle völlig verzichte und zum anderen eigentlich nicht historisch argumentiere, sondern systematisch: Er stelle die politische Gestalt der Obrigkeit und die Evangeliumsgestalt der Kirche gegenüber.

158) "Etsi enim regulam tenemus, ut verbum Dei amplectamur, tamen cum videantur in Apostolicis scriptis occurrere loci ambigui, disputant aliqui potius esse sententias Ecclesiae sequendas, quam scripta Apostolorum. Deinde affingunt autoritatem Ecclesiae anteferendam esse verbo Dei ac posse Ecclesiam mutare tradita in verbo Dei"(De eccl.1539, SA I, 326,26ff). "Valet in animis hominum similitudo imperiorum, in quibus gubernatores armati sunt, lege, potestate interpretationis et armis." "Hanc ideam, ut ita nominem, transferunt politici viri ad Ecclesiam, quam volunt humanis vinculis et septis,ut imperia, circumdare, cum tamen in hac gubernatione alia sint potiora ducenda humanis legibus"(Or.de dono interpretationis in Ecclesia 1545, CR XI, 644; zur Dat. N.Müller 1896, 123f); diese Richtung würde auch die Hierarchia Ecclesiastica des Pighius einschlagen (ebd.). Ähnlich auch schon Loci 1521 (SA II/1, 57,37/58,1ff); vgl. auch De discrimine potestatis politicae et ministerii Evangelii 1560 (CR XVI, 479).

159) "Pericula igitur in utraque parte adparet, sive detrahas gubernatoribus Ecclesiae potestatem interpretationis, sive attribuas. Cum autem ἀναρχία videatur maius malum esse, et petulantiae vulgi magis obsistendum videatur, politici viri ut in imperiis, ita in Ecclesia armare gubernatores: et munire rerum iudicatarum autoritatem student." Besonders Sadolet versuche diesen Weg einzuschlagen (Or.de dono interpretationis in Ecclesia 1545, CR XI, 644); vgl. De eccl.1539 (SA I, 325, 16ff). Besonders schön ist der Vergleich in den Loci 1559 (SA II/2, 480,1-23); vgl. auch Propos.de discrimine verae Ecclesiae Dei et aliorum hominum, 18.Mai 1556 (CR XII, 628).

160) Siehe S. 239 Anm.150. Melanchthons Polemik gegen die Kirchenauffassung seiner Gegner bedürfte einer ähnlichen Untersuchung, wie sie V.Pfnür hinsichtlich der Rechtfertigungslehre
unternommen hat (V.Pfnür 1970). Und wenn der erste Anblick
nicht täuscht, wäre auch hier ein ähnliches Ergebnis zu erwarten: große Annäherung in der Zeit der erhofften Einigung,
kritischer und zugleich polemischer Rückgriff auf kurialisti-
sche, papalistische, theokratische und hierokratische Aussagen
(spät-) mittelalterlicher Theologie und Kanonistik in der
Zeit der Polemik und Beziehung einer Gegenposition, wobei
gleichzeitig sozusagen ideologiekritisch die ganze kirchliche
Entwicklung mehr oder minder global darauf fixiert wird. Diese
Untersuchung kann hier nicht durchgeführt werden. Es muß an
dieser Stelle genügen, den Gegner, den Melanchthon selbst
ins Auge gefaßt hat, präzise und der systematischen Bedeutung
nach herauszustellen. Zum mittelalterlichen Hintergrund wäre
einstweilen zu vergleichen: Y.Congar 1971, bes. §§ 31, 40, 42,
43, 53, 55; ferner F.Merzbacher 1953; H.Jedin, Zur Entwicklung des Kirchenbegriffs im 16.Jahrhundert, in: Relazioni
del X Congresso Internazionale di Scienze Storiche, Bd.IV,
Florenz 1955, 59-73; H.Laemmer 1858, 73-98 (=1.Capitel: Von
der Kirche). Auch P.Fraenkel hat (1961, bes. 118-125, 134-138)
zum "politischen" Kirchenverständnis der zeitgenössischen
katholischen Kontroverstheologen Belege angeführt. Vgl. auch
J.N.Bakhuizen van den Brink 1969.

161) Z.B. vom Papsttum: "Ita duplicem tyrannidem exercet papa:
defendit errores suos vi et homicidiis et vetat cognitionem.
Hoc posterius etiam plus nocet quam ulla supplicia. Quia
sublato vero judicio ecclesiae non possunt tolli impia
dogmata et impii cultus et multis saeculis infinitas animas
perdunt"(Tract.pot.papae 1537, BS 487,12ff). Melanchthon
beruft sich hier auf das Decretum Gratiani c.13, C.9, q.3:
'Nemo judicabit primam sedem. Neque enim ab augusto neque
ab omniclero neque a regibus neque a populo judex judicatur'
(BS 487,8ff; vgl. Friedberg I, 610). Ähnlich auch von den
Bischöfen: "Cum igitur hanc jurisdictionem episcopi tyrannice
ad se transtulerint eaque turpiter abusi sint, nihil opus est
propter hanc jurisdictionem obedire episcopis"(BS 494,1ff);
vgl. B.an Spalatin, März 1519 (SA VII/1, 65,14ff). Auch
Erasmus versteht und kritisiert die Machtfülle des Papstes
als Tyrannei (siehe S. 44).

162) Vgl. Comm.Polit.Arist.1535: "Regnum est monarchia, seu unius
principatus administrantis rempublicam ad utilitatem communem,
haec quum degenerat, vocatur tyrannis, in qua monarcha gerit
imperium ad propriam utilitatem"(CR XVI, 436). Nach der Aufzählung der restlichen zwei Formen der Herrschaft schließt
sich dann die Diskussion um die Papstmonarchie an: "Recentiores
interpretes in hoc loco disputant, utrum oporteat unum aliquem
hominem totius mundi monarcham esse: et quidam pronuntiant
Romanum pontificem monarcham esse..."(ebd. 436f). Vgl. ebd.
439: "Proprie enim vocant tyrannum, qui unus rerum potitur,
et sine scriptis legibus imperat, et vi continet invitos, et
ad suam utilitatem confert imperium, postulat non aeque tantum,
sed multa etiam contra subditorum utilitates."

163) "Semper enim fuerunt, sunt et erunt indocti et mali, qui in Ecclesia aut licentiam infinitam, et ἀναρχίαν esse volunt, aut tyrannidem constituunt, quanquam et ἀναρχία tyrannis infinita est. Ideo enim iudicia abolent, ne refutari possint errores, quos amant ipsi, et factionibus stabiliunt"(De iudiciis in Ecclesia necessariis 1555, CR VIII, 641).

164) Ebd. Vgl. auch Ann.Ev.1549 (in einer Auslegung von Mt 7: Warnung vor den falschen Propheten) (CR XIV, 341f); Qu.academica, 15.Sept.1541 (CR X, 732-736); Loci 1535 (CR XXI,501).

165) "Sicut verbo Dei, ita ministris docentibus verbum Dei, quod ad ministerium attinet, debetur obedientia"(Loci 1535, CR XXI, 503).

166) De eccl.1539 (SA I, 327,5ff.11ff; 328,1f; vgl. 336,8ff). Zu dieser Schrift vgl. J.N.Bakhuizen van den Brink 1969.
167) Auch hier ist derselbe Effekt zu beobachten, wie hinsichtlich der formalen Fragestellung (Tragweite kirchlicher Gewalt). Wie sich dort Zeiten der irenischen Reformversuche verbunden mit der Hoffnung auf Erhaltung der kirchlichen Einheit und Zeiten polemischer Kontrastierung der Unterschiede darin unterscheiden, daß im ersten Fall eine Akzeptierung der römischen Jurisdiktion möglich erscheint (siehe S. 305f), während im zweiten Fall das römische Amt gerade als Tyrannei bezeichnet wird, so wird auch hier in der Hoffnung auf Beibehaltung der kirchlichen Einheit und auf Reform der Kirche zeitweise einfach die Einheit mit der Ecclesia Catholica (ja sogar der ecclesia Romana) hinsichtlich der Glaubensartikel betont und nur die Reformierung der kirchlichen Mißstände in den Vordergrund gestellt: vgl. CA, Beschluß des ersten Teiles (BS 83c,7ff.14f); B.an Kard.Campeggio, 6.Juli 1530 (CR II, 170); B.an König Franz von Frankreich, 16.Febr. 1531 (ebd. 476); B.an Wilh.Bellaius Languaeus, 1.Aug.1534 (ebd. 740); Colloquium Wormatiae, Jan.1541 (CR IV, 37f). In der Situation der Polemik wird jedoch gerade der Unterschied in der Lehre gesucht und gefunden; ein polemischer Effekt ist dabei gerade die Totalisierung und Universalisierung der errores (vgl. auch W.Maurer 1931, 35ff).

168) "Quantum fuerit tenebrarum, adhuc ostendunt frivolae quaestiones in sententiariis: An Deus possit praecipere ut odio habeatur? Quid comedat mus rodens consecratum panem? Sed hae, inquiunt, paucorum et ociosorum ineptiae erant, nec propterea Ecclesia, hoc est coetus Episcoporum et omnium prudentum gubernatorum accusari debet. Imo nervos reprehendimus idolomaniarum, quos summi praecipue tuentur, qui non sunt levia errata, nec fucosis excusationibus mitigari possunt"(Comm.Dan. 1543, CR XIII, 946); vgl. Ursach 1546 (SA I, 419,35ff/420,1ff).

169) "So wissen wir Inn der warheit, das aller streyt ob disem eynigen artikel ist, das wir leren, das wir durch glawben an Christum, nit durch unser eygne werk und verdienst, vergebung der sunden erlangen, und das man sich gewißlich des trosten soll, und daruff verlassen, das wir umb Christus willen, nit durch unser verdienst, gnad erlangen, denn Christus Ist alleyn

243

gesetzt als der versöner, des gerechtigkeyt uns geschenckt wirt durch den glawben"(Bedenken 1530, Bindseil 79); vgl. ebd. 75f, 78; B.an J.Silberborner, Okt.1530 (CR II, 433).

170) Ex.ord.dt.1552 (SA VI, 193,35ff/194,1ff; vgl. 186,3ff; 195, 20ff); ähnlich Ex.ord.lat.1554 (CR XXIII, 36). Eine andere Reihung in Bedenken 1530 (Bindseil 76). Vgl. auch Testamentum Melanthonis, Mai 1540 (CR III, 826); Tract.pot.papae 1537 (BS 485,44ff/486: eine ausführliche Aufzählung der errores regni papae); Ursach 1546 (SA I, 417,35ff; vgl. überhaupt 417ff); Or.in funere D.Martini Lutheri 1546 (CR XI, 728); De officio principum 1539 (SA I, 398,5ff); Loci 1535 (CR XXI, 389f); Disp.De tollenda idolatria et erroribus manifestis per magistratum, 16.Dez.1542 (Komp. 71f).

171) Comm.Dan.1543 (CR XIII, 947; vgl. 966).

172) "Die Bepstlichen sagen, der Priester verdiene vergebung der sünden mit seinem opffern jm selb und andern." "Item, Sie sagen weiter, sie verdienen damit den todten erledigung des feyefewrs, Item den lebendigen gesundheit, glück in aller fehrlichkeit etc. Und machen mancherley Jarmarck daraus, wie die Phariseer und Heiden aus jren opffern gemacht haben." "Aus diesem ist klar, das viel jrthum und abgötterey in der Bepstlichen Meß ist"(Ex.ord.dt.1552, SA VI, 204,20ff.25ff; 205,5f); vgl. auch Qu.1536 (Bindseil 109); De sacramento et Missa, Mai 1541? (CR IV, 310). Dieser Abfall fordert das Anathem heraus: "Anathema sint Thomas et Scotus, qui huius abusus missae auctores sunt. Anathema sint Episcopi et Scholae, qui impietati missarum non adversantur"(Prop.de missa 1521, SA I, 167,6ff); vgl. auch die Belege bei P.Fraenkel 1961,315f.

173) "Non hoc agimus, ut labefactetur autoritas Ecclesiasticae potestatis, non detrahimus de dignitate Episcoporum, non dissipamus εὐταξίαν Ecclesiae, recte intellectae traditiones magis amantur, sed illae Iudaicae opiniones tantum reprehenduntur"(CAvar 1540, SA VI, 54,12ff).

174) Schol.Col.2, 1527 (SA IV, 274,14ff); Antwort des Kurfürsten Joh.von Sachsen an Karl V, 18.Juli 1530 (Bindseil 68); CAvar 1540 (SA VI, 54,20ff; 56,23ff; 78,27ff); Loci 1535 (CR XXI, 465); Loci 1543 (SA II/2, 776,14ff); Conf.Sax.1551 (SA VI, 148,20ff); Resp.art.inquis.1558 (SA VI, 346,20f).

175) Die evangelischen Prediger könnten gerechterweise nicht schismatici gescholten werden, "dweyl sie durch gottes gepott gedrungen sind, die mißbreuch zu straffen.."(Bedenken 1530, Bindseil 79).

176) Ein Notrecht kannte auch das Mittelalter, insofern es immer an der Möglichkeit eines häretischen Papstes festgehalten hat. Vgl. dazu etwa L.Buisson, Potestas und Caritas. Die päpstliche Gewalt im Spätmittelalter (Forschungen zur kirchlichen Rechtsgeschichte und zum Kirchenrecht, 2), Köln-Graz 1958, 166-215 (=4.Kap.: Der häretische Papst); Y.Congar 1971, 121,

159f, 170. Diese Linie hat Melanchthon natürlich gekannt (siehe S.264 Anm.283).

177) V.Pfnür 1970, 29-88, bes. 35, 86; vgl. auch H.J.McSorley, der (1967, bes. 177-206) von einem Neosemipelagianismus in der Spätscholastik spricht.

178) Siehe S. 132ff, 136f,459ff und passim.

179) Z.B. Lv.zu Loci 1535 (CR XXI, 342ff). Dieser Zusammenhang kommt bereits auch in den oben zitierten Texten zum Ausdruck. Die Sophistik der Scholastik und die Tyrannei des kirchlichen Amtes gehören für Melanchthon zusammen; vgl. auch den Schlußsatz von De eccl.1539 (SA I, 386,23ff).

180) Das braucht hier deswegen nicht ausführlicher zu erfolgen, weil dies bereits bei K.Haendler 1962 und 1968 deutlich herausgearbeitet ist. Andererseits kann dieser Zusammenhang hier nichtganz außer acht gelassen werden, soll die Perspektive, wie gesagt, nun nicht auf die andere Seite hin schief werden. Zum Folgenden vgl. bes. K.Haendler 1962, 182ff.

181) "Nam mirando consilio Deus ex hac misera massa generis humani aeternam sibi Ecclesiam omnibus temporibus colligit.."(Or.de discrimine Ecclesiae Dei et imperii mundi 1546, CR XI, 758); vgl. Or.de discrimine legum politicarum et traditionum humanarum in Ecclesia 1556 (CR XII, 146). Ähnliche Belege gibt es unzählige (vgl. auch K.Haendler 1962, 182f).

182) Or.de discrimine Ecclesiae Dei et imperii mundi 1546: "Gratias igitur agamus Deo, quod patefecit se, quod promissiones tradidit, quod earum voce semper aeternam Ecclesiam sibi colligit. Deinde quod ostendi ubi sit illa Ecclesia, quam vere diligit, et aeterna gloria ornaturus est, et nos ipsos ad huius Ecclesiae societatem vocavit. Postremo, quod adfirmat semper talem coetum doctrinae custodem in hoc mundo mansurum esse" (CR XI, 761); vgl. Comm.Ps.8, 1553/55 (CR XIII, 1032). Diese Idee der Konstituierung der Kirche durch das Wort Gottes geht auf die früheste Zeit zurück, wo sie freilich noch unsystematisch, ja fast schwärmerisch (und wohl auch in direkter Abhängigkeit von Luther) erscheint: "Nos Ecclesiam vocamus eam, quae verbo dei condita, verbo dei pascitur, alitur, fovetur, regitur, breviter quae omnia ex Evangelio comparat, de omnibus iuxta Evangelium iudicat"(Apol.pro Luthero 1521, SA I, 155,10ff) - auch hier als Gegenbestimmung zur "politischen" Ekklesiologie der Sorbonne gedacht! Vgl. auch noch Ann.Matth.16,18, 1519/20 (SA IV, 185,31f).

183) Dazu wieder die Belege bei K.Haendler 1962, 183f.

184) K.Haendler 1962, 184f. Siehe auch S. 299ff.

185) Siehe S. 198.

186) Eine erste größere Zusammenfassung der frühen Entwicklung bringt hier eine Thesenreihe über die am 25.Juli 1522 dis-

putiert wurde: Themata ad sextam feriam discutienda (SA I,
168-170). Vgl. bes. die Thesen 21."Spiritualiter regitur,
solo verbo dei, non humana potentia", 22. "Ecclesiasticae
traditiones civiles leges sunt et paedagogia quaedam, nihil
ad regimen spirituale pertinens", 23. "Loquor autem de iis
traditionibus, in quibus nihil contra scripturam decretum est",
24. "Verbum dei alios vivificat, alios occidit, quia mundum
iudicat"(SA I, 169,29ff), 25. "Ministerium Evangelii plane
spirituale regimen ist", 26. "Quod quia praedicat iustitiam
spiritus, nihil constituit de externo rerum usu", 27. "Nam
iustitia spiritus est vitae aeterna, verbum enim vita est.
Iohan.1.", 28. "Quid autem vitae aeternae cum iustitiis carnis, quae circa res usu pereuntes versatur?"(ebd. 170,1ff);
vgl. dazu (wenn auch mit Vorsicht) A.Sperl 1959, 148-154.

187) Siehe S. 232f.

188) So z.B. in den verschiedenen Aussagen, die sich unter dem
Titel der ecclesia congregata zusammenfassen lassen (siehe
S. 259), oder in der verbreiteten Idee (die auf Joh 19,34
zurückgeht), daß die Kirche durch die Sakramente erbaut
werde. Vgl. etwa Augustinus, De civitate Dei XXII, 17:
"..mors erat Christi, cuius exanimis in cruce pendentis latus
lancea perforatum est, adque inde sanguis et aqua profluxit;
quae sacramenta esse novimus, quibus aedificatur ecclesia"
(CSEL 40/2, 625,23ff); Thomas von Aquin, S.th.III q.64 a.2
ad 3: "Ad tertium dicendum quod Apostoli, et eorum successores,
sunt vicarii Dei quantum ad regimen Ecclesiae institutae per
fidem et fidei sacramenta. Unde, sicut non licet eis constituere aliam ecclesiam, ita non licet eis tradere aliam fidem,
neque instituere alia sacramenta: sed per sacramenta quae de
latere Christi pendentis in cruce fluxerunt, dicitur
esse fabricata Ecclesia Christi." Weitere Belege bei H.de
Lubac 1970, 76 Anm.7.

189) Siehe S. 268-282.

190) Disp.de Synodis (CR XII, 495f); vgl. Qu.academica 1541
(CR X, 763); De Iudiciis in Ecclesia necessariis 1555
(CR VIII, 641).

191) Dazu vgl. R.Nürnberger, Einleitung,in SA III, 151f. Die erste,
ungedruckte Fassung der Ethik Melanchthons(Epit.eth.) aus
dem Jahr 1532 wurde veröffentlicht von H.Heineck (Heineck).
Die Fassung von 1546 (Phil.mor.) ist u.a. abgedruckt in
SA III, 149-301; die Eth.doctr.el. findet sich in CR XVI,
165-276; ebd. 263-416 auch die En.eth. Arist.1560.

192) Die wichtigsten Texte dazu sind folgende: Epit.eth.1532, Kap.
31-35 (Heineck 151-155) und die im Manuskript beigefügte Abhandlung "De proportione geometrica et arithmetica", eine
historische Erläuterung zur Aristotelischen Lehre von der
iustitia distributiva, sachlich zu Kap. 31-35 gehörig, aber
ohne direkten Zusammenhang mit diesen (Heineck 174-177); dann
ein B.an L.Eck, vom 18.Okt.1535 (CR II, 957); eine Wv.vom
Aug.1536 (CR III, 112f); und schließlich die entsprechenden

246

Kapitel ("Quid est iustitia particularis?" und "Quid est distributiva iustitia?") aus den Phil.mor.1546 (SA III, 202 bis 206). Die gleichen Kapitel der Eth.doctr.el.1550 (CR XVI, 223-226) bringen, wie gesagt, demgegenüber nichts Neues. Das gleiche gilt von der En.eth.Arist.1560, wiewohl die Interpretation selbst hier am ausführlichsten ist (CR XVI, 372-383). Wichtig auch noch Disp.de Synodis (CR XII, 495-497).

193) Vgl. etwa F.Ueberweg 1926, 390f. Auf die diesbezügliche Verbindung Plato-Aristoteles weist auch Melanchthon hin, und zwar schon in der bereits erwähnten Abhandlung "De propositione geometrica et arithmetica" von 1532. Er zitiert hier einen längeren Text aus dem 6.Buch der "Gesetze" (Heineck 174f) und fährt dann fort: "Ex hoc loco Platonis sumpsit Aristoteles eruditissimam partitionem de proportione arithmetica et geometrica. Est autem haec sententia Platonis. Optimum statum in republica neque tyrannidem neque democratiam esse debere sed ordines et gradus esse oportere distinctos proportione geometrica, hoc est ut praestantiores praesint ac neque unius neque vulgi immoderata potentia sit"(Heineck 175); ähnlich Phil.mor.1546 (SA III, 205,29ff); Disp.de Synodis (CR XII, 495, 496).

194) Epit.eth.1532 (Heineck 175f); vgl. ebd. 177: "Ita ordo constabit proportione geometrica, valebit bonorum autoritas, singuli suum facient officium, prohibentur et tyrannis et vulgi licentia." Vgl. CR II, 957; CR III, 112f; SA III, 202-206.

195) Im weitaus größten Teil seiner politologischen und politischen Äußerungen ist das politische Gefüge durch das Obrigkeit-Untertan-(bzw. Befehl-Gehorsam-) Verhältnis qualifiziert (vgl. die Belege bei R.B.Huschke 1968, 101, 111, 114, 116,119, 121f, 132f), also sehr konservativ gedacht; es scheint nämlich, daß sich darin in erster Linie die politischen Verhältnisse seiner Zeit wiederspiegeln (so vermutet R.B.Huschke 1968, 121, 133). Auf jeden Fall ist interessant, daß Melanchthon in seiner eigenen politischen Philosophie streng genommen weder vom eben genannten Aristotelischen Gerechtigkeitsbegriff noch auch von der klassisch-römischen Tradition, die ihm ebenfalls geläufig war, ausgeht (R.B.Huschke ebd. 121ff, 133); vgl. auch S. 238 Anm.145.

196) "Ecclesia nunc aut tyrannis est aut democratia, ideo non potest esse tranquilla. Nam neque servis potest esse amicitia cum tyrannis iniusta imperantibus, neque boni viri aequo animo ferre possunt cum vident infimos et indoctissimos homines sibi sumere licentiam omnia mutandi in ecclesia. Erat igitur adhibenda geometrica proportio videlicet ut valeret autoritas optimorum et doctissimorum. Quod sit fieret restitui et conservari pia doctrina et coerceri licentia multitudinis posset. Hoc medium est inter tyrannidem et democratiam" (Heineck 175). Disp.de Synodis: "10. Ideo tyrannica illa vox explodenda est, quae tollit hanc proportionem in Ecclesia, et tribuit Pontifici infinitam tyrannidem, videlicet quae asseverat maiorem esse autoritatem Papae, quam reliqui totius

concilii"(CR XII, 496). Hier wird auch eine Schriftbegründung versucht: "8. Hanc Aristocratiam et Paulus requirit: Quod si alteri revelatum fuerit, prior taceat. Et Paulus reprehendit Petrum. 9. Et gravissime scriptum est ad Romanos, ut unusquisque norit modum suae fidei"(ebd.). Phil.mor.1546: "..ut summus gradus in Ecclesia est explicatio, et diiudicatio doctrinae. Secundus administratio iudiciorum. Tertius administratio ceremoniarum. Infimus procuratio redituum, aedificationum, eleemosynarum"(SA III, 204,36/205,1ff).

197) "Quaerendae sunt igitur personae aptae singulis generibus, ad diiudicationem dogmatum deligendus est vir ceteris doctrina, pietate et prudentia antecellens, in reliquis non requiritur tanta doctrina." "Cum haec proportio abservatur, iusta est ordinatio et harmonia salutaris Ecclesiae: sed cum summa auctoritas diiudicandi dogmata tribuitur indocto et impio pontifici, qui contemnit iudicium Dei, et ut tyrannidem suam stabiliat, defendit impias opiniones, et detruditur vir doctus et pius, dignus priore loco ad infinum, ad quem fortasse non est idoneus, confunditur tota harmonia Ecclesiae" (Phil.mor.1546, SA III, 205,4ff.9ff); vgl. ebd. 206,19ff: "..qui vere antecellunt alios doctrina et pietate,non titulis.." Vgl. auch das rhetorische Briefschema mit dem Titel "Gratulatoria de episcopatu"(Disp.rhet.XLV 1553, SM II/1, 38f), wo die beiden Eigenschaften unter folgenden Begriffen auftauchen: "doctrina et virtus"(ebd. 38,30; 39,4), "bonus et eruditus episcopus"(ebd. 39,7), eruditi et boni viri (ebd. 39,11). Zu boni et docti viri vgl. z.B. auch: SA VI, 64,21f (1540); SA I, 326,18(1539); SA III, 97,15; 100,5(1537); 107,35(1540); SA VI, 36,22(1540); 82,6f(1551); 386,19(1543); sacerdotes pii et eruditi: SA VI, 59,34f(1540); pii et eruditi: SA VI, 83,3; 133,12(1551); pii et docti(viri): SA VI, 9,15f(1560); 37,6(1540); pii et periti: SA III, 106,30(1540); usw.

198) Siehe S. 78f; vgl. auch S. 156.

199) Diese objektive Bedeutung ist von Anfang an vorhanden. Vgl. Decl.Pauli doctr.1520: "..recipere hoc impietas erat.." (SA I, 45,11); Did.Fav.or.1521: "Audistis in causa pietatis non debere maiorem instituta valere, nisi quatenus regula Evangelica permittit"(SA I, 71,17ff); "Ergo impie errant, qui soli Romano Pontifici de causis pietatis iudicandi auctoritatem tribuunt"(ebd. 137,8ff); De eccl.1539: "..non hoc vere agunt, ut tollant errores ex Ecclesia, sed ut qualicunque praetextu defendant suam autoritatem et arte stabiliant impietatem"(ebd. 381,11ff); vgl. ebd. 324,30ff; 325,9ff; Apol.pro Luthero 1521: "At non dissentit a scriptura Lutherus, etiam vestro iudicio, cur igitur impietatis accusatur?"(SA I, 146, 12ff) - impietas ist hier offensichtlich identisch mit haeresis (vgl. 145,30). Ähnlich auch in Verbindungen wie: pia doctrina (SA I, 325,11:1539; SA VI, 64,29:1540); pia dogmata (SA I, 339,9:1539); impia doctrina (SA III, 227,26f:1546; SA I, 326,38:1539); impium dogma (SA III, 227,20f:1546); impia dogmata seu haereses (SA IV, 372,26; 375,25ff; 383,29:1529)u.ä.

200) Es ist deshalb nicht ganz richtig, wenn K.Haendler (1968, 320 Anm.194) mit Bezug auf den Text aus der Postille (CR XXV, 48)sagt: "Die Ähnlichkeit zwischen Kirche und weltlicher politia bezieht sich nur auf soziologisch herausgehobene Stellung der ministri, meint aber nicht Struktur, Funktionen und Charakter ihres Amtes." A.Sperl sieht (1959, 196ff) das Lehramt bei den"Sachverständigen" (pii et docti) liegen (ebd. 196); er erkennt richtig, daß damit ein "rein formales Legitimitätsprinzip" abgelehnt werden soll und daß ein "inhaltliches Kriterium"(ebd. 197) entscheidend ist (nämlich die Heilige Schrift und in etwas anderer Weise die altkirchliche Lehre), aber er verfehlt die Melanchthonische Intention insofern, als er unter den Sachverständigen praktisch nur die Gebildeten versteht.

201) B.an L.Eck, 18.Okt.1535: "Hanc mediocritatem utinam Synodus etiam in Ecclesia efficere posset, ut videlicet sapientum et bonorum consilio et vulgi temeritas et aliorum crudelitas cohercetur"(CR II, 957); ähnlich CR III, 113.

202) "Neque enim in Ecclesia haec tyrannis constituenda est, quod oporteat laicos assentiri, et applaudere omnibus sine delectu, quae decreverint Episcopi. Nec debet esse δημοκρατία, qua promiscue concedatur omnibus licentia vociferandi, et movendi dogmata, sed ἀριστοκρατία sit, in qua, ordine hi, qui praesunt, Episcopi et Reges communicent consilia, et eligant homines ad iudicandum idoneos. Ex his satis intelligi potest, cognitionem de doctrina pertinere ad Ecclesiam, id est, ad presbyteros et Principes"(Qu.1537, CR III, 469); vgl. Ann.Ev. 1549 (CR XIV, 341f); De iudiciis in Ecclesia necessariis 1555 (CR VIII, 641). Vgl. ferner Disp.de politia Ecclesiae seu ministerio et ordinationibus: "Pugnat cum iure divino, et cum veteri Ecclesia δημοκρατία, in qua populus ad se rapit electionem, sine iudicio et approbatione Pastorum"(CR XII, 490); in Zusammenhang mit 1 Kor 14,30 in Comm.I.Cor.14,29ff, 1551 (CR XV, 1176); siehe dazu S. 202 Anm.385. Die folgenden Zitate zeigen zugleich die Verbindung mit dem zweiten Modell kirchlicher Institution ("Schule"): "Est autem Ecclesia monarchia, quod ad caput Christum attinet, et Aristocratia, quod ad ministros attinet et auditores, ut honesta schola" (Resp.art.inquis.1558, SA VI, 289,8ff). "Tamen conspicitur Ecclesia, ut honesta aristocratia, seu, pius coetus docentium et discentium Christianam κατήχησιν.."(Or.de Ecclesia Christi 1560, CR XII, 367). "Sint Academiae Aristocratiae, ut alveoli apum, suum quisque officium recte faciat, doceamus utilia, conferamus operas candide, iuvemus inter nos, tueamur communem concordiam quadam philosophica moderatione"(Or.de necessaria coniunctione Scholarum cum Ministerio Evangelii 1543, CR XI, 615).

203) Zum ganzen Fragenkomplex vgl. bes. P.Fraenkel 1961, 110-161 (=Kap.III: Ut coetus scholasticus). Besonders in den beiden Anfangsabschnitten (Dualism, the Cross and Visibility: 110 bis 118; Against "Political" Unity: 118-125), aber auch in dem Abschnitt über die successio episcoporum (134-142) ist auch

die Gegnerschaft zum politischen Kirchenverständnis angedeutet. Im gesamten Kapitel ist als Hintergrund auch die zeit-
genössische katholische Kontroverstheologie mitberücksichtigt.

204) Z.B. Loci 1559 (SA II/2, 480).

205) Loci 1559: "Concedendum est Ecclesiam esse coetum visibilem
neque tamen esse regnum Pontificum, sed coetum similem
Scholastico coetui"(SA II/2, 480,29ff); vgl. Loci 1543 (ebd.
Anm.zu Zeile 31); Or. de Ecclesia Christi 1560 (CR XII, 367;
vgl.auch ebd. 368 den ausführlichen Hinweis auf die Sichtbar-
keit des Martyriums).

206) Loci 1559: "Mansura est igitur vox Evangelii et ministerii,
et erit aliquis visibilis coetus Ecclesia Dei, sed ut coetus
Scholasticus. Est ordo, est discrimen inter docentes et auditores, et sunt gradus. Alii sunt Apostoli, alii sunt pastores,
alii doctores, et recte intelligitur de visibili coetu,
quod scriptum est: 'Dic Ecclesiae'"(SA II/2, 481,5ff); einige
Belege auch bei K.Haendler 1968, 336f.

207) Loci 1559: "Quis igitur erit iudex, quando de scripturae sententia dissensio oritur, cum tunc opus sit voce dirimentis
controversiam? Respondeo: Ipsum verbum Dei est iudex, et
accedit confessio verae Ecclesiae. Semper enim sequuntur
verbum tanquam iudicem aliqui pii, et confessione firmiorum
adiuvantur infirmi.."(SA II/2, 481,21ff).

208) Diese geschichtliche Dimension des Schulmodells ist bei
P.Fraenkel (1961, 110-161) ausführlich dargestellt worden.
Zur faktischen Berufung Melanchthons auf die Theologie- und
Dogmengeschichte vgl. ebd. 283-306 (=Kap.VII: Percipere
integrum cupimus). Wenn man unter "kirchlichem System" die
Vorherrschaft einer sich verselbständigenden Institution über
die Funktion mitversteht, kann man P.Fraenkel zustimmen, wenn
er (ebd. 41) sagt: "What Melanchthon is interested in is the
consensus with the ancient Church's teaching, non with its
individual or ecclesiastical discipline or system. There can
be little doubt that this is very typical of the Lutheran
Reformation as a whole, and of its consciousness of setting
forth a doctrine or message, not an ecclesiastical system."
Zur entsprechenden patristisch-mittelalterlichen Überlieferung
vgl. Y.Congar 1972, 554-563; ders., Apostolicité de ministère
et apostolicité de doctrine. Réaction protestante et Tradition
catholique, in: Volk Gottes 1967, 84-111.

209) Postilla (CR XXV, 48f). Aufmerksam darauf gemacht hat
K.Haendler 1968, 319f; ebd. 320 Anm.192 weitere Belege.

210) Dies ist insofern nicht verwunderlich als die ekklesiologische
Reflexion in einer gewissen Weise ja auch ein Spiegelbild
der kirchlichen Situation und des kirchlichen Selbstverständnisses ist (vgl. K.Haendler 1968, 17f) und beide durch die
Auseinandersetzung mit den Vertretern der katholischen Kirche
auf der einen und den Schwärmern und Zwinglianern auf der an-

deren Seite und durch die daraus hervorgehende CA (vgl. dazu auch G.A.Herrlinger 1879, 407) eine tiefe Veränderung erfahren haben. Man wird den politisch-soziologischen Aspekt hier nicht unterschätzen dürfen. Vgl. z.B. dazu auch R.Seeberg (1897, 153f): "Die konkrete Ausbreitung ihres Kirchentums, sowie die Selbstbehauptung gegen Kaiser und Papst hat in den Protestanten das kirchliche Selbstbewußtsein erzeugt, das seinen Ausdruck in dem Urteil empfing, daß sie die *wahre Kirche* seien, weil sie die wahre Lehre vertreten im Gegensatz zu der römischen Kirche, welche die Wahrheit verloren habe." Vgl. auch A.Ritschl, Fides implicita. Eine Untersuchung über Köhlerglauben, Wissen und Glauben, Glauben und Kirche, Bonn 1890, 89ff; W.Maurer 1931, 18; M.Wallach 1943, 8-38. Zum Ganzen unserer Frage ist vor allem P.Fraenkel 1961, bes. 208-252 (=Kap.V: Confirmatio piorum) zu vergleichen. Weil hier bereits der größte Teil des Materials zusammengestellt ist, kann der folgende Teil kurz gefaßt werden.

211) CA I: "Ecclesiae magno consensu apud nos docent, decretum Nicaenae synodi de unitate essentiae divinae et de tribus personis verum et sine ulla dubitatione credendum esse.." (BS 50,3ff); vgl. CA II (BS 53,2ff); CA III (BS 54,2ff); CA IV (BS 56,2ff) usw. So auch in CAvar 1540 (vgl. SA VI, 12ff). Anders verhält es sich im dt.Text der CA (siehe dazu S. 232f Anm.112). Ganz fehlt dieser Sachverhalt auch in der vorausgehenden Zeit nicht; vgl. Apol.pro Luthero 1521: ecclesia, "quae omnia ex Evangelio comparat, de omnibus iuxta Evangelium iudicat." "Audit (sc.Lutherus) Ecclesiam, sed eam, quae verbum dei profitetur, illius se iudicio subiicit, quae nihil non exigit ad verbum dei, quae iudicium sacrarum literarum non Sorbonicorum somniorum sequitur"(SA I, 155,10ff. 19ff). Aber hier hat es eher den Anschein, als würde Melanchthon einen "spiritualistischen Kirchenbegriff" (so E.Bizer 1964, 93, mit Blick auf den Matthäuskommentar von 1519/20) vertreten, obwohl ein endgültiges Urteil schwierig ist, weil die Frage der Kirche selbst nicht im Blickfeld des Interesses stand und daher das notwendige Textmaterial fehlt.

212) CA I: "Damnant omnes haereses, contra hunc articulum exortas.." (BS 51,1ff); vgl. CA II (BS 53,14ff); CA V (BS 58,14ff); CA VIII (BS 62,13ff) usw. Dazu ausführlich H.-W.Gensichen 1955, 65ff.

213) CA I: "Et nomine personae utuntur (sc.Ecclesiae) ea significatione, qua usi sunt in hac causa scriptores ecclesiastici.." (BS 50,15ff). Einleitung zum zweiten Teil der CA: "Cum Ecclesiae apud nos de nullo articulo fidei dissentiant ab ecclesia catholica.."(BS 84,4ff); CA XXIV: "Falso accusantur ecclesiae nostrae, quod missam aboleant"(BS 91,19f).

214) Loci 1533 (Kindertaufe): "Et huius interpretationis habet ecclesia optimas et gravissimas rationes. Primum enim scit ecclesia promissionem Evangelii etiam ad pueros pertinere. Item. Scit salutem ad pueros qui sunt in ecclesia pertinere... Ergo iudicat pueros inserendos esse ecclesiae. Item Ecclesia scit se habere mandatum remittendi peccata, et scit deum ita remittere peccata si remittat ecclesia, quare et pueris

impertit remissionem peccatorum. Ad haec habet ecclesia exemplum circumcisionis"(CR XXI, 299f).

215) "Tantum igitur tres personas divinitatis praedicat Ecclesia... Et hos officiis proponit nobis discernendos. Magis officia nos intueri vult, quam disputare de natura"(Loci 1535, CR XXI, 367).

216) Loci 1559 (SA II/1, 253,5ff.15f.17f.22f).

217) "Tota ecclesia confitetur, quod vita aeterna per misericordiam contingat"(Apol.IV 1531, BS 222,10; vgl. 226,37).

218) Siehe S. 212 Anm.14.

219) Z.B. De eccl.1539: "Sicut Evangelium praecipit audire Ecclesiam, ita semper dico, eum coetum, penes quem fuit verbum Dei, et qui dicitur Ecclesia audiendum esse, sicut iubemus quoque audiri nostros pastores. Audiamus igitur docentem et admonentem Ecclesiam, sed non propter Ecclesiae autoritatem credendum est, cum videlicet admoniti ab Ecclesia, intelligimus hanc sententiam vere et sine Sophistica in verbo Dei traditam esse. Fortassis Demosthenes non cogitaret de persona, si legeret: In principio erat Verbum. Sed auditor admonitus ab Ecclesia, quod verbum significet personam, scilicet Filium Dei, adiuvatur iam ab Ecclesia docente et admonente et articulum credit non propter Ecclesiae autoritatem, sed quia videt hanc sententiam habere firma testimonia in ipsa Scriptura.." (SA I, 336,27-337,7).

220) En.Symb.Nic.1550 (CR XXIII, 203). Ausführlich ist die Auslegung dieser Schriftstelle wieder bei P.Fraenkel 1961, 234bis 238 (=Ploughing with God's Heifer) behandelt. Hier auch die weiteren Belege.

221) Resp.art.inquis.1558: "Fides autem, qua amplectimur Symbola, nititur non autoritate aut mandatis Ecclesiae, sed perspicuo verbo Dei, tametsi Ecclesiam Catholicam docentem pie audimus, et sincerae vetustatis testimoniis confirmamur, sicut Paulus vult infirmos a firmioribus confirmari"(SA VI, 291,1ff; mit P.Fraenkel 1961, 240;Anm.105 ist hier wohl "testimoniis" statt "testimonia", so SA VI, zu lesen). Ebenso Prop.1559 (CR XII, 647); Wv. zum 3.Bd.der lat.Werke Luthers, Mai 1549: "Vult enim filius Dei infirmiores ab eruditionibus et firmioribus adiuvari, ut scriptus est: et tu conversus confirma fratres tuos"(CR VII, 391).

222) Auf diesen Zusammenhang mit der Rhetorik hat bereits P.Fraenkel (1961, bes. 238f) hingewiesen. Ebd. 238-243 ("Strengthen Thy Brethren") auch weitere Belege zur Sache; vgl. auch (wenn auch mit Vorsicht) Q.Breen 1959, 4ff.

223) Die Belege dazu siehe S.459.

224) Siehe S.405, 411ff.

252

225) Kirchliche Streitfragen und rechtliche Streitfragen weisen
ja bereits phänomenologisch eine gewisse Ähnlichkeit auf:
"Nam disputationes ecclesiasticae, magna es parte similitudinem quandam habent forensium certaminum. Interpretantur enim
leges, dissolvunt ἀντινομίας, videlicet sententias, quae in
speciem pugnare videntur, explicant ambigua, interdum de iure,
interdum de facto disputant, quaerunt factorum consilia"
(El.rhet.1531, CR XIII, 429).

226) Contra epistulam fundamenti 5 (CSEL 25, 197,22f).

227) Disp.de autoritate Ecclesiae, et de dicto Augustini..1531:
"Augustini verba: Evangelio non crederem, nisi me catholicae
Ecclesiae commoveret autoritas, non hoc volunt, quod Ecclesiae
autoritas maior sit, quam Evangelii, aut quod Ecclesia possit
Evangelium abolere. 2. Sicut iudex non credit narrationi,
nisi propter testes, nec tamen sequitur quod testes possint
mutare narrationem. Item, nuncio credimus, sec sequitur, quod
nuncius possit mandata mutare. 3.Ita Ecclesiae credimus tanquam nuncio aut testi Evangelii, aut certe sicut Doctori
credimus"(CR XII, 482); ähnlich Disp.de vera et ficta Ecclesia
et de eodem dicto Augustino (ebd. 486); hier auch der Hinweis
auf den Glauben: "20. Fides igitur, quae affirmat de voluntate Dei, pendet ex ipso verbo Dei, etsiamsi ad cognitionem
verbi invitatur Ecclesiae testimonio"(ebd.). Vgl. die weiteren
Belege bei P.Fraenkel 1961, 228-234 ("Evangelio non crederem.")
und die Bemerkungen K.Haendlers (1968, 209f) zur testifika-
torischen Funktion der Tradition.

228) De iudiciis in Ecclesia necessariis 1555: "Hac voce ipse
(sc.filius Dei) est efficax, servat, et iudicat homines, sed
tamen, ut in coetu visibili, vult etiam externorum delictorum
iudicem visibilem esse, scilicet Ecclesiam, sicut ipse inquit, Dic Ecclesiae." "Sed Ecclesiam iudicem alligat ad normam
certam, scilicet ad Evangelium, quod patefecit"(CR VIII, 641);
vgl. Wv.zum 8.Bd. von Luthers dt.Werken, März 1556 (CR VIII,
686).

229) De norma iudicii in Ecclesia, März 1560: "Ac primum argumentum hoc perspicuum est: Normam iudiciorum oportere esse
scripta Prophetica et Apostolica, et Symbola, quia expresse
scriptum est: Si quis aliud Evangelium praedicaverit, anathema
sit. Item, si quis non manet in doctrina Christi, Deum non
habet"(CR IX, 1082). "Quod pontificii obiiciunt, scripta incerta esse: Falsum est, et contumeliosum contra Deum. Vult
Deus et audiri, et intelligi suam vocem. Quae est enim insania
dicere, Decalogum, promissionem gratiae et aeternae salutis,
articulos Symbolorum esse incertos sonos, et similes foliis
Sibyllae?"(ebd. 1083). Siehe auch S. 457f.

230) Vorr.zur En.Symb.Nic., 25.April 1550: "Et hunc sermonem vult
(sc.Deus) ab Ecclesia bona fide custodiri incorruptum et sonare omnibus temporibus in genere humano"(CR VII, 576). "Nec
tamen extingui Deus lucem verae notitiae prorsus sinit, sed
servat aliquam Ecclesiam custodem verae doctrinae"(ebd.); vgl.

Wv.zu En.Rom.April 1556 (CR VIII, 738). Auch das Gleichnis
vom Sauerteig (Mt 13,33par), das Melanchthon ebenfalls als
Bild der Kirche verwendet, könnte hier genannt werden: Or.de
fermento mixto tribus farinae satis, 1.Aug.1555 (CR XII,
108f; zur Dat. N.Müller 1896, 147).

231) "Quare et de hoc scripto, et de ceteris, quae edidi, libenter
permitto iudicium Ecclesiis nostris, ac praecipue Ecclesiae
Wittebergensi. Nam has sentio esse Christi Ecclesias, quarum
iudicium defugere nemo debet"(Wv.zu Comm.Rom., 1.Jan.1540,
CR III, 898f); ähnlich Colloquium Wormatiae, Jan.1541 (CR IV,
38); Loci 1543 (SA II/2, 386,14ff); Lv.zur dt.Übersetzung der
Loci, Juli 1542? (CR IV, 838); Wv.zu Ann.Ev. 1544 (CR V,
562); Resp.clerum Col. 1543 (SA VI, 420,16ff); Resp.Stanc.
1553 (ebd. 276,3ff); Resp.Staph.1558 (ebd. 479,34ff/480,1ff).

232) De sacramento et missa, Mai 1541? (CR IV, 310); vgl. Lv.zur
dt.Übersetzung der Loci, Juli 1542? (CR IV, 835f).

233) CR IV, 310.

234) Or.de discrimine Ecclesiae Dei et imperii mundi, 1546:
"..tum vero praecipue in hac consolatione acquiesco, quod toties adfirmat Deus utrunque, et impiorum tumultus duriter,
Ecclesiam in hac vita quassaturos esse, et tamen semper usque
ad resuscitationem mortuorum, et deinde in omni aeternitate
mansurum eam esse, nec Evangelii ministerium interiturum esse,
etsiamsi ruinae imperiorum magnae futurae sunt"(CR XI, 758).

235) B.an G.Brück, Nov.1543? (CR V, 234). Melanchthon berichtet
hier, daß Vitus Amerbach am meisten durch dieses Argument
bewegt werde; vgl. auch Ursach 1546 (SA I, 416,38ff).

236) B.an G.Brück, Nov. 1543?: "Praeterea fatendum est, tenebras
aliquas fuisse, quod probatur ex manifestis rebus. Omnes
recentes probaverunt invocationem sanctorum, missas pro
mortuis. Omnes scripserunt, quod missa ex opere operato
prosit. Haec sunt manifesta falsa.""Deinde si movetur temporis
longitudine, ut probet ea quae defendunt Papistae, eadem ratio
allegati poterit ad excusanda manifestissima vitia"(CR V,
234); noch ausführlicher in Ursach 1546 (SA I, 417ff); vgl.
auch De eccl.1539: "Cum igitur obiicitur autoritas Ecclesiae,
ut de Missarum applicatione, Ecclesia non errat, Ecclesia
tot seculis applicavit Missas, Igitur mos est sevandus.
Respondendum est ad maiorem: Ecclesia universa, quae est
multitudo dominantium in Ecclesia, potest errare, sicut erra-
bant pontifices et sacerdotes Ieremiae aut Christi tempore.
Et quanquam praeter illam multitudinem sunt aliqui pii, qui
retinent articulos fidei, tamen hi quoque moti exemplis assentiuntur quibusdam erroribus"(SA I, 335,22ff).

237) B.an G.Brück, Nov.1543? (CR V, 235); vgl. ferner Ann.Ev.(Mt
24) 1549 (CR XIV, 411-413).

238) Vgl. dazu Y.Congar 1952; ders. 1971, 2, 16, 25, 27, 87, 98,

254

139, 152; ders. 1972, 485f (ebd. 485 Anm.37 weitere Literatur);
H.de Lubac 1954, 45ff. Siehe auch S.189f Anm.329 und 330.
Ein Beispiel aus dem 16.Jahrhundert bietet Berthold von
Chiemsee, Tewtsche Theologey 91: "Anfang jrdischer kirch ist
vom Abel bis auf herren jhesum, dazwischen hat man gelawbt
christus werde künftiklich koemen. Do er nun koemen und gestorben, ist die kirch genent cristenlich von christo bis auf
lesten gerechten menschen. Dazwischen wirt gelawbt cristus
sei komen"(zit.nach H.Laemmer 1858, 73f).

239) "Praeterea omnes fideles, qui ab Adam in hunc usque diem
fuerunt, quive futuri sunt, quamdiu mundus exstabit, veram
fidem profitentes, ad eamdem Ecclesiam pertinent.."(Catechis-
mus Romanus p.I, c.10, q.13, Der Römische Katechismus nach
dem Beschlusse des Konzils von Trient, lateinisch/deutsch,
Bd.I, Regensburg 4.Aufl.1905, 83). Die Belege für Melanchthon
siehe S.189f Anm.330 . Vgl. auch H.Sick 1959, 82-144 (Kirche
im Alten Testament); P.Fraenkel 1961, 61-69(Kirche im Alten
Testament); G.A.Herrlinger 1879, 446ff. Zu Erasmus vgl.
W.Hentze 1974, 33f.

240) Zur Kirche aus dem Kreuz vgl.bes. H.U.von Balthasar, Mysterium
Paschale, in: Mysterium Salutis. Grundriß heilsgeschichtlicher
Dogmatik, hrsg. von J.Feiner und M.Löhrer, Bd.III/2, Einsiedeln-Zürich-Köln 1969, 133-326, 219ff (weitere Literatur
ebd.219 Anm.13); ferner H.de Lubac 1970, 76 Anm.7; ders.
1954, 141; Y.Congar 1971, 102; ders. 1972, 382; J.Ratzinger,
Kirche III.Systematisch, in: LThK VI (2.Aufl.1961) 176f;
zum Beginn der Kirche mit der Geburt Christi vgl. H.Zimmer-
mann, Über das Anfangsdatum der Kirchengeschichte, in: AKG
41 (1959) 1-34, bes. 4-13. Die Idee der Begründung der Kirche
zu Pfingsten ist nach Zimmermann (ebd. 30ff) erst seit dem
19.Jahrhundert allgemein stärker in den Vordergrund getreten.

241) Chron.Car.I, 1558 (CR XII, 723f; Text siehe S. 190 Anm.330).
Vgl. auch K.Haendler(1961, 22): "Das *initium* der Kirche, ihr
Anfang, das Woher ihrer Existenz ist für Melanchthon, wie
für die allgemeinreformatorische Anschauung von der Kirche,
Gottes Handeln in Christus, oder genauer, da dieses Handeln
nur worthaft, nur in der Verkündigung ergeht und ständig Gegenwart und darum gültig und wirklich ist: *Gottes Wort* von
Christus als dem einzigen und universalen Heil und die Aufnahme und Weitergabe (traditio) dieses Wortes in der *Verkündigung*!"
Daß bei Melanchthon die Kirche bei Adam und Eva beginnt ("Semper igitur postquam recepti sunt Adam et Heva fuit, est, et
erit aliqua visibilis Ecclesia.." Disp.de Ecclesia, 19.Juni
1550, CR XII, 566), im Hauptstrom der katholischen Überlieferung aber bei Abel weist höchstens auf eine unterschiedliche
Akzentuierung (kaum aber auf eine wirkliche Sachdifferenz) in
der Rechtfertigungslehre hin. Diese unterschiedliche Akzentuierung ist etwa angedeutet, wenn man folgende zwei Texte
einander gegenüberhält. Benedikt von Alignan (gestorben 1268),
De summa Trinitate et fide catholica in decretalibus: 'Quando
incepit Dei ecclesia, responde quod incepit a primo justo,
Abel scilicet;" "Dicitur autem incepisse potius ab Abel quam
ab Adam, quia Abel fuit primus justus justitia continuata
non interrupta per lapsum peccati, ut ostendatur quod ecclesia
Dei continue futura foret et nunquam desitura. Abel dicitur

principium ecclesiae triplici de causa: quia virgo, quia
justus, quia martyr'(zit.nach Y.Congar 1952, 106 Anm.104). Im
Unterschied dazu sagt Melanchthon von Adam und Eva: "Caro
et sanguis non revelarunt eis promissionem de mediatore. Imo
caro et sanguis ignorabant eam, et erant in media morte. Sed
filius protulit vocem, et simul fuit efficax in cordibus
eorum, vivificavit eos, et extraxit eos ex inferno, et sic
inchoata est Ecclesia, et eodem modo filius Dei semper fuit,
est et erit efficax in Ecclesia sua"(Ann.Ev. Mt.16,17ff, 1549,
CR XII, 891)

242) Erot.dial.1547: "Augustinus cuiusdam Tychonii regulas recitat,
quarum cognitionem existimat magnum esse lumen propheticorum
et apostolicorum monumentorum, cum tantum sint regulae de
figuris grammaticis et rhetoricis, quod si quis considerabit,
rectius eas intelliget"(CR XIII, 669). Melanchthon bezieht
sich hier offensichtlich auf Augustinus, De doctrina Christiana III, 92ff (CSEL 80,104ff); vgl. dazu H.Sick 1959, 124-144
(=Die Kirche im AT als Leib Christi), wo auch Beispiele aus
den Comm.Ps.1553/55 (CR XIII, 1017-1472) zitiert werden.
Z.B. Comm.Ps.8: "Et quanquam Psalmum in genere de tota
Ecclesia intelligo, tamen non displicet mihi interpretatio
eorum, qui ad caput Christum accommodant eum. Nam et Christus
paulisper caret gloria, factus pro nobis maledictum"(CR XIII,
1032). Zu Ps 18: "Etsi autem haec est prima sententia Psalmi,
quam recensui, tamen ut aerumnae et victoriae Davidis sunt
typus passionis et victoriae Christi, ita Psalmus ipse non de
solo Davide loquitur, sed simul significat et Christi aerum-
nas et victoriam (ebd. 1044); ähnlich zu Ps 22(ebd. 1049f).
Zu Ps 117f: "Praeterea loquitur Christus non tantum de sua
persona, sed etiam de tota Ecclesia, quam ubique omnes gentes
et diaboli inde usque ab initio persequuti sunt.."(ebd.1184).

243) Siehe S. 223 Anm.82. Disp.de vera et ficta Ecclesia...: "4.Plu-
rimum igitur refert hoc tenere, semper in mundo duos esse
populos qui inter se de Ecclesiae titulo dimicant. 5.Alter
populus vere est Ecclesia. Alter nomen Ecclesiae sibi arrogat,
cum reipsa non sit corpus Christi"(CR XII, 485).

244) Vgl. dazu vor allem H.de Lubac, Corpus mysticum. Kirche und
Eucharistie im Mittelalter. Eine historische Studie, Einsiedeln 1969 (1949).

245) Comm.Ps.16, 1553/55: "Praecipue hic Psalmus est διδασκαλικός,
seu prophetia, videlicet narratio de resurrectione Messiae,
ac principaliter intelligatur loqui ipse Christus, etsi propterea, quod et Ecclesiam pati, et propter Christum ac per
Christum resucitari oportet, postea ad membra accommodari potest, quae accommodatio tamen prudenter fiat, ut Filio Dei
suus honos proprius tribuatur, de quo et hic Psalmus loquitur,
videlicet de merito passionis"(CR XIII, 1040f). Vgl. Disp.
de Ecclesia, et antithesi verae doctrinae et Pontificiae
(CR XII, 527). Zum lutherischen Befund in bezug auf das
corpus Christi mysticum vgl.E.Wolf 1938, 172ff. Bei den katholischen Kontroverstheologen fehlt diese Vorstellung zwar keineswegs, nahm aber auch keinen zentralen Platz ein; dazu J.Willen,

Zur Idee des Corpus Christi mysticum in der Theologie des 16.Jahrhunderts, in: Cath 4 (1935) 75-86. Die antithetisch-polemische Linie darf bei Melanchthon nicht isoliert gesehen werden. Sie hängt sowohl mit der Systematik zusammen (Entstehung der Kirche aus dem Wort Gottes) wie auch mit Grundelementen humanistischen Denkens (die m.E. nicht mit denen nominalistischen Denkens verwechselt werden dürfen), die mehr Interesse an der Geschichte als am Sein, mehr Interesse am Einzelnen als am Ganzen zeigt. Es scheint kein Zufall zu sein, wenn auch innerhalb der Leib-Christi-Vorstellung eigentlich mehr das Verhältnis caput-membrum als das Verhältnis caput-corpus im Vordergrund steht (das ist in den Comm.Ps.1553/55 deutlich zu verfolgen). Erst in der gegenseitigen Bedingtheit dieser drei Faktoren wird die Zurückdrängung des Leib-Christi-Gedankens richtig verstanden sein. Dadurch ergibt sich natürlich auch ein Unterschied in der Vorstellung von der Subjekthaftigkeit und Personhaftigkeit der Kirche im Verhältnis zur katholischen Tradition: Während in dieser die Personhaftigkeit der Kirche christologisch begründet wird (Kirche als corpus Christi, als totus Christus u.ä.), kommt dieser Zusammenhang bei Melanchthon aus den erwähnten Gründen nicht richtig zum tragen. Was die Personhaftigkeit der Kirche bei ihm begründet, bleibt so letztlich unklar. Zur katholischen Tradition vgl. Y.M.-J.Congar, La personne "Eglise", in: RThom 71 (1971) 613-640.

246) Z.B. Vorr.zu G.Maiors De Missa 1551: "Duae omnium hominum praecipue curae esse debent, prior, ut verum deum invocemus et omnia commenticia numina vitemus et execremur, sicut ipse inquit: Dominum deum tuum adorabis et ei soli servies. Altera, ut circumspiciamus, quae et ubi sit vera dei Ecclesia, retinens fundamentum, nec pertinaciter defendens impia dogmata.." (CR VII, 877); vgl. Wv. 1.Jan.1553 (CR VIII, 7); Wv.zur Expl. Prov.1550 (CR VII, 706); Wv.zum 4.Bd.der lat.Werke Luthers, 29.Sept.1552 (CR VII, 1080). Zur Frage selbst vgl. J.Ratzinger, Kirche III. Systematisch, in: LThK VI (2.Aufl.1961) 174-176.

247) Siehe S. 183f, auch S. 223 Anm.82.

248) Siehe S. 184; ferner auch K.Haendler 1961, 23.

249) De eccl.1539: "Etsi autem necesse est, hanc veram Ecclesiam semper durare, quia regnum Christi est perpetuum...Tamen sciendum est, hanc veram Ecclesiam non semper pariter florere, sed saepe admodum exiguam esse, ac subinde restitui divinitus, missis veris doctoribus, ut Noae tempore fuit angusta Ecclesia et paucorum coetus"(SA I, 328,16ff; vgl. auch die weitere Geschichte ebd. 328f); zum pusillus grex: Resp.clerum Col. 1543 (SA VI, 412,30ff); B.an G.Brück, Nov.1543? (CR V, 235).

250) Dazu ausführlich P.Fraenkel 1961, 52-109 (=Kap.II: Historica series).

251) Vgl. die Belege bei H.Sick 1959, 124-127.

252) Loci 1535: "Cum filium aeternus Pater maxime amet, et propter ipsum elegerit Ecclesiam, ac propter Ecclesiam cetera omnia condiderit.."(CR XXI, 345); Chron.Car.I, 1558: "Vult sciri certo, ideo conditum esse genus humanum, ut inde aeterna Ecclesia colligatur"(CR XII, 722); Wv.zu En.Rom., April 1556: "Et scimus velle Deum aliquam esse partem generis humani, quae de ipso inter homines testimonium dicat, cui sese in tota aeternitate communicaturus est. In ea parte, videlicet, in vera Ecclesia Dei, nos esse adseveramus, qui sine corruptelis doctrinam in Propheticis et Apostolicis scriptis et in Symbolis traditam, pie amplectimur, ut ostendit confessio Ecclesiarum nostrarum, quae extat"(CR VIII, 737). Weitere Belege bei R.Seeberg 1920, 453 Anm.1; zum Ganzen auch K.Haendler 1961, der folgendermaßen zusammenfaßt: "Man muß also *beides* sagen: die Heilsgeschichte ist Sinn, Ziel, Telos der Kirche, *und*: die Kirche, d.h. die ecclesia aeterna, wie sie ansatzweise schon in der empirischen Kirche verwirklicht ist, ist Sinn, Ziel, Telos der Heilsgeschte"(ebd.25).

253) "Docentem Ecclesiam amare, vereri et venerari discamus.." (Loci 1559, SA II/2, 483,12f); "Praecipua reverentia post Deum et verbum Dei debetur Ecclesiae, quam Deus adeo dilexit ut filium unigenitum pro ea victimam esse voluerit, quam donat Spiritu suo, in qua celebrari vult in vita aeterna" (Artic.Prot. 1541, CR IV, 349).

254) Vgl. H.Denifle (Luther und Luthertum in der ersten Entwicklung quellenmäßig dargestellt, Bd.II, bearbeitet von A.M.Weiß, Mainz 1909, 275 Anm.4): "Bis zu welchem Grad der Umschwung (sc.im Kirchenbegriff) fortgeschritten ist, das zeigt eine Stelle in Melanchthons Postille, wo die Kirche leibhaftig als moralische Person dargestellt wird. Debetis amare et omni studio ornare Ecclesiam, debetis matri honorem et multa officia. Cogitate quanti sint labores matris in educatione (CR. XXV, 129). Damit kann jeder Katholik einverstanden sein." Vgl. auch Postille: "Psal.68.ipse Ecclesia nominatur materfamilias: cum dicitur: Decus domus dividet spolia"(CR XXV, 48). Vgl. auch H.de Lubac 1954, 163-191 (=Kap.7: Ecclesia Mater).

255) Es ist vielleicht etwas daran (wenn die Alternative auch nicht ganz streng zutreffen dürfte), wenn z.B. K.Sell (1897, 75) sagt: "Für Luther ist das *Evangelium Religion*, für Melanchthon ist das *Evangelium Kirche*." Vgl. auch K.Haendler 1968, 15f. Test.für U.Sitzinger, 10.April 1547: "..quia scit homines ad agnoscendum et celebrandum Dei conditos esse, et veram de Deo doctrinam non alibi nisi in Ecclesia, quae prophetarum et apostolorum monumenta retinet, quaerendum esse, quae testimonia patefactionis divinae recitant, pie didicit illam doctrinam Ecclesiae catholicae et orthodoxae.."(CR VI, 495).

256) Vorr.zum 3.Bd. von Luthers Genesisauslegung, 25.Jan.1552: "De his tantis rebus necessaria doctrina in sola Ecclesia Dei proponitur"(CR VII, 919). Ann.Ev. (Auslegung von Lk 2,46) 1549: "Christus invenitur in templo, id est, in ministerio: quo significatum est, quaerendum esse Christum apud Ecclesiam, Ecclesiam audiendam esse.."(CR XIV, 202).

257) Prop.IV: "Non ludo praestigiis interpretationum, nec misceo
religiones in unum chaos, sed in hac sola Ecclesia Domini
nostri Iesu Christi adfirmo donari hominibus remissionem
peccatorum, iusticiam, et salutem aeternam.."(CR XII, 400);
Ex.ord.dt.1552: "Denn außer der Kirche ist nicht Selikeit"
(SA VI, 202,3); Verlegung 1536: "Nu ist ausser der Christlichen
kirchen, das ist, wo nicht Sacrament und Gotteswort ist, kein
seligkeit"(SA I, 315,33f); vgl. ebd. 318,26f.

258) Auch hier geht es wieder nicht um eine vollständige Beschreibung des Amtsbegriffes, sondern lediglich um eine Hervorhebung jener Komponenten, die für unseren Zusammenhang unmittelbar relevant sind. Aus diesem Grund kann hier auch eine ausdrücklich Behandlung der einzelnen Formen des Amtes (bes. des
Pfarramtes und des Bischofamtes) sowie eine Darstellung des
Verhältnisses Melanchthons zu Papsttum und Konzilien unter-
bleiben. Zu Melanchthons Amtsbegriff vgl. bes. K.Haendler
1968, 92-100 (Frühwerk); 279-391 (Hauptwerk). Ebd. 280 Anm.6
weitere Literatur, zu der ergänzend noch vermerkt seien:
P.Fraenkel 1961, 151-161; A.Sperl 1965; H.Sick 1959, 101-113
(=Die Kirche im AT und ihr Amt). Wenn K.Haendler (1968, 280
und bes. ebd. Anm.5; auch 348f, 358f, 387 Anm.460, 391)
betont, daß der systematische Ort des Amtes die Lehre vom
Wort und erst sekundär die Lehre von der Kirche sei, so ist
das m.E. eine etwas künstliche Unterscheidung, bes., wenn man
die gesamte Überlieferungsproblematik vor Augen hat.

259) "Manifestum est autem, divinitus institutum esse ministerium
docendi Evangelii statim initio, cum primi parentes post
lapsum recepti sunt edita promissione, et hoc tantum munus,
per quod Ecclesia Deo aeterna colligitur, divinitus in genere
humano conservari, sicut et ad Ephesios (sc.Eph 4,8).."
(Wv.zum 3.Bd. der lat.Werke Luthers, 1.Mai 1549, CR VII, 393);
vgl. De sacramento et missa, Mai 1541? (CR IV, 310);Comm.Ps.
Proleg.1553/55(CR XIII, 1017). Viele weitere Belege bei
H.Lieberg 1962, 270-285; K.Haendler 1968, 281-285; zur Frühzeit ebd. 93.

260) "Nostra vox non tantum sonat praecepta de moribus, ut Socratica, aut Platonica, quae non inchoat vitam aeternam, sed est
organum, quo Deus vere et sine ulla dubitatione in mentibus
credentium est efficax propter filium, et largitur bona aeterna.." "Ut igitur bona aeterna praecipue expetenda sunt, ita
sciamus ministerium Evangelii summum gradum esse omnium
functionum"(De officio ministrorum Evangelii 1545, CR XI,705).
"Sedet, ut Paulus inquit, filius Dei ad dextram aeterni patris,
et largitur bona hominibus, id est, vocem Evangelii et Spiritum sanctum: quae ut impertiat, excitavit Prophetas, Apostolos,
Doctores et Pastores.."(Or.in funere D.Martini Lutheri 1546,
CR XI, 727); dazu auch H.Lieberg 1962, 285-291. Zur Bezeichnung des ordo als Sakrament vgl. die Belege bei K.Haendler
1968, 381ff; H.Lieberg 1962, 348-352.

261) "Et institutum est ministerium docendi et propagandae promissiones.."(Conf.Sax.1551, SA VI, 98,4f); vgl. Ex.ord.dt.1552
(SA VI, 170,10ff); Loci 1559 (SA II/1, 245,13ff)

262) Wv.zum 4.Bd.der dt.Werke Luthers, 20.Dez.1550 (CR VII, 700f);
vgl. SA VI, 172,19ff(1552) und die Belege bei K.Haendler
1968, 285f, 288-292.

263) Ann.Ev.1549 (Concio de ministerio Apostolorum als Auslegung
von Mt 16): "Tu quatenus sonas hanc vocem, et profiteris hunc
natum ex Maria esse Messiam, et Filium Dei, eatenus es Petrus,
id est, rupes, quae non evertetur, eris minister huius vocis
et propagator. Hoc tibi mandatum do, ut hanc confessionem
praedices. Et super hanc petram, id est, super hoc ministerium
praedicandae huius vocis, aedificabo Ecclesiam meam." "Sed
cur non potius dicitur, super me aedificabo Ecclesiam? An
alligatur Ecclesia ad Petri aut Apostolorum personam? Respondeo. Magno consilio dictum est, super hanc petram. Alligatur
enim Ecclesia ad ministerium Apostolorum, id est, vult nos
Christus huic ipsi voci, cum praedicabunt eam postea Apostoli,
credere, sicut suae voci, et sicut voci de coelo sonanti.
Ideo ad Ephesios scriptum est, Ecclesiam extructam esse super
fundamentum Prophetarum et Apostolorum, videlicet, quo attinet
ad propagationem et ministerium et testimonium doctrinae.
Sed est extructa super Christum, quod attinet ad meritum,
doctrinae fontem, et efficaciam.."(CR XIV, 427); vgl. auch
Praef.in Alcoranum, Jan.1543, CR V,11).

264) "Sicut in omnibus epistulis scribit (sc.Paulus) se vocatum
apostolum, ut ecclesia certo sciat verbum Dei esse, quod
a se praedicatur, quia in vocatis requiritur, ut sint certe se
dei verbum nuntiare"(Ann.I.Cor.9,1, 1521, SA IV, 48,15ff);
vgl. Ann.II.Cor.10,7, 1521/22, SA IV, 127,26f); Schol.Col.1,1,
1527 (SA IV, 213); Comm.Rom.1,1, 1540 (CR XV, 546f).

265) Comm.Rom.1,1, 1540 (CR XV, 547); ähnlich En.Col.1,1, 1559
(CR XV, 1233); vgl. auch die ausführliche Unterscheidung der
vocationes in Ann.I.Cor.12,28, 1521 (SA IV, 70-72) und weitere
Belege bei H.Lieberg 1962, 321f.

266) "Has distinctiones vocationum necesse est considerare propter
homines politicos, qui interrogant, cur magis credendum sit
Paulo quam Episcopis, qui habent ordinariam potestatem"(En.Col.
1,1, 1559, CR XV, 1233). Vgl. auch P.Fraenkel 1961, 159f.

267) Cognitio de doctrina pertinet "ad Ecclesiam, hoc est, non
tantum ad presbyteros, sed etiam ad laicos idoneos ad iudicandum, sicut Paulus inquit: Si fuerit sedenti revelatum taceat
prior, et Christus vult summum esse iudicium Ecclesiae, cum
ait, Dic Ecclesiae"(Qu.1537, CR IV, 468) (vgl. auch S. 202
Anm.385 und S. 249 Anm.202). Neben Beispielen aus der Konzili-
engeschichte wird hier auch ein Wort des Papstes Nikolaus
aus dem Decretum Gratiani c.4, D.96 angeführt: "Fidei causas
communes esse, et non tantum ad clericos, sed etiam ad laicos
pertinere"(CR IV, 469; vgl. Friedberg I, 338). Diese Verantwortung gilt in besonderem Maße für die hervorragenden Glieder
der Kirche: principes und magistratus; vgl. dazu die ausführliche Behandlung der Frage "An principes debeant mutare impios
cultus cessantibus aut prohibentibus Episcopis aut superiori-
bus dominis?" (De officio principum 1539, SA I, 388-410), wo
Melanchthon auch auf den Einwand eingeht, "..curam constituen-

di Ecclesias nihil pertinere ad laicos, sed tantum ad episcopos, quia nemo debeat se alienae vocationi admiscere"(ebd.
388,9ff). Für diesen Gedanken zieht er auch verschiedene
Schriftstellen heran, wie z.B. 1 Kor 14,29; 1 Thess 5,19ff;
1 Petr 3,15; Mt 7,15; Num 11,29(Ann.I.Cor.14,29, 1521, SA IV,
77f; siehe dazu auch S. 202 Anm.385); vgl. auch Loci 1521
(SA II/1, 157,5ff). Zum Verhältnis der christlichen Obrigkeit
zur Kirche vgl. bes.J.Heckel, Cura religionis, ius in sacra,
ius circa sacra, in: Kirchenrechtliche Abhandlungen 117/118.
Festschrift Ulrich Stutz, Stuttgart 1938, 229ff, 247ff. Zum
Ganzen auch K.Haendler 1968, 365ff (mit weiteren Belegen). Zum
Gedanken des allgemeinen Priestertums, das bei der Amtsbe-
gründung eigentlich keine Rolle spielt, ebd. 362ff, und
H.Lieberg 1962, 259-267.

268) "Duplex est vocatio, Alia ordinaria, ut cum Ecclesia eligit
ministros, ita in lege erat ordinaria vocatio sacerdotum, quia
Deus certae tribui mandaverat hoc officium. Et quanquam multi
hac ordinaria vocatione abutuntur, tamen vocationis autoritas
non est universaliter reiicienda. Quia vero saepe doctores
in vocatione ordinaria non recte docent, ideo Deus addit
extraordinariam vocationem: excitavit magnos viros ad publico
errores emendandos, et ad colligendam Ecclesiam, ut Eliam,
Elisaeum, sic Ioannem singulari modo vocavit.."(Ann.Ev.1549,
CR XIV, 472); ähnlich in einer Auslegung von Joh 1 zum 4.Ad-
ventsonntag (ebd. 173f). Vgl. auch Lv.zum 1.Bd. der lat.Werke
Luthers, 5.März 1545 (CR V, 692); Or.in funere D.Martini
Lutheri 1546 (CR XI, 727f); Ursach 1546 (SA I, 418ff, 434);
Ann.Ev.1549 (Auslegung von Lk 1) (CR XIV, 480); Lv.zur
dt.Ausg. der Articuli inquisitionis Bavaricae, 3.Okt.1558
(CR IX, 640); Resp.art.inquis.1558 (SA VI, 302,5ff); Resp.
Staph.1558 (SA VI, 469,26ff).

269) "Et nos, quantum Deus concedit, bona ingenia ad Evangelii ministerium provehamus, ut sint ad posteritatem aliqui doctrinae
custodes"(Brieffragment, Dez.1547?, CR VI, 752); vgl.B.an
Ch.von Carlowitz, 28.April 1548 (CR VI, 883); Wv.zum 3.Bd.
der lat.Werke Luthers, 1.Mai 1549 (CR VII, 393); Ann.Ev.1549
(CR XIV, 256); vgl. auch K.Haendler 1968, 322ff.

270) "Hi omnes (sc.Patriarchen, Richter, Könige, Propheten usw.)
fuerunt doctores, per quos Deus et testimonia edidit suae
patefactionis, et doctrinam illustravit, et voluit eos legem
et promissiones interpretari contra hypocritarum iudicia; ac
testes esse verae interpretationis"(Comm.Ps.Prol.1553/55,
CR XIII, 1017). 'Episcopos praestare convenit, ut propagetur
ad posteros pura Evangelii doctrina, hoc praecipue postulatur
ab isto ordine"(B.an J.Silberborner, Okt.1530, CR II, 433).

271) Im Folgenden sind nicht alle Funktionen des kirchlichen Amtes
zu nennen (vgl. dazu etwa Conf.Sax.1551, SA VI, 124,29ff),
sondern nur die formaltheologisch relevanten. Vgl. im übrigen
auch H.Lieberg 1962, 291-303; K.Haendler 1968, bes-304ff.

272) "Instituit autem Deus ministerium docendi, non ut novum genus
doctrinae quisquam gignat, sed ut lectores populo ad verbum
recitent hos ipsos libros Propheticos et Apostolicos.."(Vorr.
zum 3.Bd. von Luthers Genesisauslegung, 25.Jan.1552, CR VII,
919). "Servat enim Deus in Ecclesia ministerium Evangelicum,
quod et recitat scripta Prophetica et Apostolica, et sermonem,
ut dixi, interpretatur"(Vorr. zur En.Symb.Nic., 25.April
1550, CR VII, 576).

273) Libri prophetici et apostolici, "qui ne deleantur, Deus
ministerium Evangelicum et instituit et servat, ut semper
vox horum librorum inter homines sonet"(Or.de dicto Pauli
1 Timoth.4,13, 1546, CR XI, 754).

274) "Hos (sc.pastores et doctores) vult (sc.Deus) audiri: qui
quidem non novum doctrinae genus gignunt, sed rudibus ostendunt, de quibus rebus Deus concionetur in suo sermone, phrasin
enarrant, conferunt ad divinas leges et promissiones humanam
sapientiam: monent, quid conveniat, quid non conveniat. Denique Ecclesia est velut grammatica sermonis divini. Non enim
res novas excogitat, sed iunioribus ostendit rerum ordinem
et sermonis proprietatem"(Wv. 1.März 1549, CR VII, 347f)
(siehe dazu auch S.370 Anm.701). Vgl. auch Wv.zu En.Rom.,
April 1556 (CR VIII, 738); Wv.zum 5.Bd. der dt.Werke Luthers,
1.Jan.1553, CR VIII,1f); Wv. zur dt.Ausg.der Loci, 24.Febr.
1553 (CR VIII, 33). Zur propugnatio doctrinae siehe Or.de
necessaria coniunctione Scholarum cum Ministerio Evangelii
1543 (CR XI, 614).

275) "..et res duae in enarratione praecipue quaerantur, illustret
lectionem Autoris, et explicatio sit confessio verae sententiae, et testimonium profuturum posteris"(Wv.zum 3.Bd. der
lat.Werke Luthers, 1.Mai 1549, CR VII, 392).

276) SA I, 228,24ff(1528); 336,27ff(1539); CR VII, 348(1549); CR
XIV, 316(1549); und bes. SM V/1, 214,31ff/215,1ff(1543). Dazu
K.Haendler 1968, 338ff; H.Lieberg 1962, 303ff.

277) Siehe S. 266. Zur Ordnungsfunktion des Amtes in der Frühzeit
vgl. K.Haendler 1968, 98 Anm.30.

278) Das wurde in der bisherigen Forschung m.E. nicht genügend gesehen, weil der Melanchthonische Befund einfach in die allgemeine Problematik Institution-Funktion eingetragen wurde, wobei man dann bei Melanchthon meist das funktionale Amtsverständnis vorherrschen sah (vgl. K.Haendler 1968, 347 Anm.296).
Zuletzt bes. P.Fraenkel (1959, 114f): "But most frequently of
all 'ministerium' is quite clearly an activity, function or
process." Ders. 1961, bes. 110-161, wo zwar die Gegnerschaft
zum politischen Modell deutlich gesehen wird, dies dann aber
doch nicht immer ganz präzise im Auge behalten wird: "For
him (sc.Melanchthon) the image of the Church as a School stood
for a doctrinal continuity that is real, historical and
observable, like the visible aspect of the Church, yet visible

not by institutions but by the process of teaching the Word" (ebd. 133). "Whereas his Roman adversaries naturally thought that the institution of the ministry and its function are indistinguishable, Melanchthon hinself makes the functioning or nonfunctioning of the ministerium the absolute standard for measuring the legitimacy of the ministers and their succession"(ebd. 156); und K.Haendler (1968, 347): "Auf jeden Fall meint 'ministerium' konstitutiv und primär nicht die Institution, auch nicht die Menschen, die in ihm stehen, sondern den Vorgang, das Geschehen, den Vollzug der media salutis in Verkündigung und Sakramentsverwaltung. Hier erreicht das funktionale Amtsverständnis seinen Höhepunkt." Den konkreten Gegner übersieht K.Haendler (ebd. 347 Anm.296) auch mit seiner Unterscheidung von phänomenologisch und theologisch in einer Auseinandersetzung mit H.Lieberg 1962: "Es geht hier nicht um die Phänomenologie des Amtes, sondern um seine Theologie. Und hier läßt es sich, wie die Texte deutlich zeigen, nicht leugnen, daß Melanchthon theologice und per definitionem am Amt nur hinsichtlich seiner Funktionen interessiert ist. Ein 'Sowohl-als auch' muß hier das Eigentümliche des melanchtho nischen Amtsdenkens gerade verwischen. Dieses Eigentümliche aber ist nicht, wie Lieberg meint, die 'Verknüpfung' beider Momente, sondern die theologische Destruktion und Depotenzierung des Amtes qua Institution"(K.Haendler 1968, 347 Anm.296; vgl. 450ff).

279) Protestantes ad Caesarem de libro Ratisbon.Forma amplior, 1541 (CR IV, 490); vgl. De eccl.1539 (SA I, 386,11ff); B.an J.Matthesius, 21.Mai 1550 (CR VII, 599); widder die artickel der Bawrschaft 1525 (SA I, 203,27ff); Conf.Sax.1551 (SA VI, 88,10ff); Resp.clerum Col.1543 (SA VI, 415,18ff).

280) Schol.Prov.18,9, 1529 (SA IV, 417,19ff).

281) "Nunc iactitant successionem ordinariam, cum tot seculis non curaverint quid antiquitas docuerit. Veteres vero laudarunt successionem ordinariam, non tam ut potestatem munirent, quam quod successores doctrinam Apostolicam initio diligenter conservaverunt. Hanc totam formam veteris Ecclesiae mutaverunt opes et regia dominatio Episcoporum, quae causa fuit magnae caliginis et ingentium bellorum"(Protestantes ad Caesarem de libro Ratisbon.Forma amplior, 1541, CR IV, 490); vgl. das Urteil über das Regensburger Buch, Juni 1541 (CR IV, 415). Siehe auch S. 250 Anm.208.

282) Vgl. Schol.Prov.11,29, 1529 (SA IV, 364,24ff); auch CR VII, 599(1550).

283) "Daß wir aber den Bischöffen nicht gehorsam sind hat viel Entschuldigung. Erstlich verfolgen sie die rechte Lehre, nicht allein in einem, sondern in vielen Artikeln, wie öffentlich ist, und ermorden die Christen derhalben. Zum anderen hat der äußerliche Gehorsam sein Maaß, und machen Menschensatzung nicht Kirchen"(B.an einen Hauptmann 1535, CR II, 884). "Nam Pontificibus et Episcopis, qui adversantur piae doctrinae, tribuere autoritatem non possumus, ut ad Galat.scriptum est" (Artic.Prot. 1541, CR IV, 369). "Wenn der Papst rechte Lehre

hat, soll man ihm gehorsam seyn; hat er nicht rechte Lehre,
so muß der Gehorsam aufhören"(Urteil über das Interim-Buch,
1.April 1548, CR VI, 840). "Etsiamsi Romanus episcopus divino
iure primatum et superioritatem haberet, tamen non debetur
obedientia his pontificibus, qui defendunt impios cultus,
idolatriam et doctrinam pugnantem cum evangelio. Imo tales
pontifices et tale regnum haberi debent tanquam anathema."
"Idem et canones clare docent haeretico papae non esse obe-
diendum"(Tract.pot.papae 1537, BS 483,34ff.46f); vgl. 488,42ff.
Siehe auch S. 244f Anm.176.

284) Cat.Puer.1543 (SM V/1, 213,21ff.25ff): Gal 1,9; 1 Joh 5,21;
Qu.1537 (CR III, 469): Mt 7,15; Gal 1,9; Wv.zum 3.Bd. der lat.
Werke Luthers, 1.Mai 1549 (CR VII, 392f): Gal 1,9; Röm 12,6;
1 Petr 4,11; Loci 1521 (SA II/1, 160,4f; 161,36f): Apg 5,29.

285) Dies ist der Tenor aller Einigkeitsbestrebungen der dreißiger
und vierziger Jahre. Vgl.z.B. B.an J.Silberborner, Okt.1530
(CR II, 431, 433); B.an König Franz von Frankreich, 16.Febr.
1531 (CR II, 476); B.an Erasmus, 21.Okt.1532 (CR II, 617);
B.an Wilh.Bellaius Langaeus, 1.Aug. 1543 (CR II, 740). Vgl.
auch V.Pfnür 1970, 20-27. Siehe auch S. 266f.

286) Consilium Gallis scriptum, 1.Aug.1534 (CR II, 744f); vgl.
Artic.Prot. 1541 (CR IV, 368); Index abusuum in Ecclesia,
Juli 1541 (CR IV, 532); Urteil über das Interim-Buch, 1.April
1548 (CR IV, 840); B.an einen Hauptmann 1535 (CR II, 884);
B.an J.Agricola, 10.April 1546 (CR IV, 103); Unterschrift unter
die Schmalkaldischen Artikel 1537 (BS 463,10/464,1ff); dazu
auch H.Lieberg 1962, 307-313.

287) K.Haendler 1968, 16; zur Bedeutung der Ekklesiologie bei
Melanchthon ebd. 15f.

288) G.Söhngen 1957, 68; vgl. ders., Überlieferung und apostolische
Verkündigung. Eine fundamentaltheologische Studie zum Begriff
des Apostolischen, in: ders., Die Einheit in der Theologie.
Gesammelte Abhandlungen, Aufsätze, Vorträge, München 1952,
305-323.

289) G.Söhngen 1957, 64.

290) Ebd. 70ff (mit Hinweis auf J.Brinktrine und R.Garrigou-
Lagrange).

291) Ebd. 73.

292) Damit sollen inhaltliche und formale Elemente einander nicht
total gegenübergestellt werden. Denn selbstverständlich stellt
auch die Rechtfertigungslehre selbst ein wichtiges formal-
theologisches Strukturelement dar (siehe S. 195-218, wo dies
im Verhältnis Gesetz-Evangelium und dahinter im Offenbarungsbegriff sichtbar wird; S. 278ff, wo es um den systematischen
Konstruktionspunkt des Kirchenbegriffes geht).

293) Y.Congar 1971, 110.

294) Ebd. 96. Zum Spätmittelalter kurz auch A.Lang 1925, 41-45
(=Die durch die Häresien veranlaßten methodologischen Erörterungen in der Theologie).

295) Siehe S. 488f.

296) Y.Congar 1971, 97. Zu der Entwicklung, die den Papst zum
Verfüger über das Recht machen wird, auf dem Hintergrund der
allgemeinen Rechtstheorie betrachtet, vgl. H.M.Klinkenberg
1969, bes. 166ff, 170-174, 182.

297) J.Ratzinger, Zum Einfluß des Bettelordenstreites auf die
Entwicklung der Primatslehre (1957), in: ders., Das neue
Volk Gottes. Entwürfe zur Ekklesiologie, Düsseldorf 2.Aufl.
1970, 49-71, bes. 61f (Zitat 61); Y.Congar 1971, 162ff (ebd.
162 auch weitere Literatur).

298) Siehe S. 307ff.

299) Mit dieser groben Schematik einer ideengeschichtlichen Be-
trachtungsweise ist natürlich noch nichts über die konkrete
ekklesiologische Kontroverse des 16.Jahrhunderts ausgesagt.
Diese bedarf noch eindringlicher Untersuchungen (siehe auch
S. 242 Anm. 160). Immerhin dürfte man bereits angesichts des
ideengeschichtlichen Rahmens vom Standort der Gegenwart aus
sagen, daß die konfessionalistischen Kombattanten des 16.Jahr-
hunderts in ihren Attacken gegenseitig nur die jeweiligen
Extrempositionen bzw. nur Teilaspekte oder Teiltraditionen
getroffen haben und daß unter Berücksichtigung dieser Polemik
die betreffenden Ekklesiologien systematisch gesehen keineswegs einander direkt ausschließen.

300) Diese Alternative durchzieht als solche (anscheinend von
Heinrich von Gent angefangen) bereits das ganze späte Mittelalter; vgl. Y.M.-J.Congar 1965, 130ff.

301) Um zu diesem Urteil zu kommen, bedarf es m.E. nicht einmal
einer bestimmten theologischen Systematik, es genügt bereits
der historische Befund selbst, in dem deutlich die divergieren-
den Intentionen sichtbar geworden sind, die schließlich auf
einer gemeinsamen Basis zum Gegeneinander formaltheologischer
Konzeptionen führen mußten. Aus diesem Grund ist es m.E. auch
nicht möglich, dieses historische "Gegeneinander" nachträglich unbesehen als systematisches "Gegeneinander" zu interpretieren, um auf diese Weise den Unterschied zwischen den
Konfessionen zu fixieren. Ein gutes Beispiel dafür bietet u.a.
W.Maurer 1961, der in der "pura doctrina" eine spezifisch
reformatorische Gegebenheit erkennen will, die als solche in
der katholischen Überlieferung nicht möglich sei; von ihr
gelte (ebd. 14f): "Die rechte Lehre ist garantiert durch den
Anschluß an die institutionelle Kirche und ihr Amt. Die apostolischen Bischöfe, die den Kanon garantieren, sichern auch
seine richtige Auslegung und deren geschichtliche Kontinuität.
Dabei ist die Traditionsgebundenheit der christlichen Lehre

stärker als ihre Schriftbezogenheit." "Dabei ergibt sich eine
Entsprechung zwischen kirchlicher Lehre und Heiliger Schrift.
Weil die vorlutherische Theologie die perspicuitas und die
Heilsgenugsamkeit der Heiligen Schrift noch nicht erkannt
hat, konnte es für sie auch keine Möglichkeit reiner Lehre
geben."

302) Auf die schwierige Frage nach dem Verhältnis von Wort und
Sakrament kann hier nicht eingegangen werden. Zu Melanchthons
Auffassung von den Sakramenten im Zusammenhang mit dem Wort-
begriff vgl. bes. K.Haendler 1968, 161-186 (ebd. 167 Anm.34
auch weitere Literatur). Daß das kirchliche Amt gegenüber
dem Wort zurücktritt, hat nicht nur konfessionalistisch-pole-
mische Gründe, sondern hängt auch mit der fundamentalen Frage
der Unterscheidung des Christlichen zusammen: Was die Kirche
von den heidnischen Völkern unterscheidet ist die Offenbarung,
bzw. das Wort Gottes, das sie besitzt.

303) Das bedeutet nicht, daß die Frage des Glaubensverständnisses
überhaupt keine Rolle gespielt hätte. Bezeichnend für die
Spätzeit sind einige Sätze, die Melanchthon kurz vor seinem
Tod niedergeschrieben hat, und in denen er Gründe zusammengestellt hat, weshalb man vor dem Tod weniger Angst haben
solle. Hier heißt es u.a.:
"Venies in lucem/ Videbis Deum/ Intueberis filium Dei/ Disces
illa mira arcana, quae in hac vita intelligere non potuisti./
Cur sic simus conditi/ Qualis sit copulatio duarum naturarum
in Christo" (Caussae cur minus abhorreas a morte, April 1560,
CR IX, 1098). Das Hauptgewicht liegt auch in der Spätzeit
noch auf der Praxis des christlichen Lebens, nur ist die
Situation jetzt eine andere: Zu Beginn wurde in diesem Zusammen
hang gegen den Formalismus der Spätscholastik polemisiert;
dieses Gegenüber ist jetzt angesichts der eigenen kirchlichen
und theologischen Tradition weitgehend weggefallen. In dieser
veränderten Lage kann auch die Frage nach dem Verständnis des
Glaubensinhaltes langsam wieder Gestalt gewinnen.

304) Dieser Zusammenhang ist bereits bei der Frage der Gotteserkenntnis deutlich geworden(siehe S. 183f); vgl. auch
S. 325, 333f, 340.

305) "Porro cum ad pietatem sine litteris pervenire non possit, et
ita visum sit deo, his tanquam fidelibus testibus doctrinam
pietatis mandare, Summa cura et vigilantia litterae discendae
sunt"(Enchiridion elementorum puerilium 1523?, SM V/1, 20,12ff)

306) Siehe S. 284f, 404-407.

307) Vgl. Etliche Sprüche, darin das ganze christliche Leben gefasst
ist, 1527 (SM V/1, 61-73), wo es um Buße, Glauben, Kreuz, Gebet, zeitlichen Sorgen, guten Werken und Ehe geht. Eine kurze
Auslegung 1528: "Das Christlich leben stehet in Glauben und
guten wercken, wie Paulus spricht 1.Timothei 1 (sc.1,5): Die
summa unser lere ist lieb von reinem hertzen und gutem gewissen und warhafftigem glauben. Dieweil nun glauben das heubt-
stück ist, müssen wir vorhin ein wenig davon sagen"(SM V/1,

266

78,25/79,1ff); vgl. Apol.IV, 1531 (BS 208,17ff). De rat.conc. 1552: "Vita christiana in quatuor partibus consistit: 1.agnitione peccati, 2. fide in Christum, 3. charitate seu bonis operibus, 4. cruce toleranda seu ferenda"(SM V/2, 74,20ff); vgl. ebd. 76,24ff: "In omni quoque textu de Christo sive de remissione peccatorum attingenda tota vita Christiana, de agnitione peccati, fides in Christum, bona opera vel charitas, crux et patientia". Unterr.Visit.1528: die "fürnemeste stücke des Christlichen Lebens" = "Busse, Glauben, Gute werck"(SA I, 236,10ff). Vgl. auch Conc.Matth.5,20, 1558, wo unter den Hauptmomenten der christlichen Gerechtigkeit: Poenitentia, Fides, Invocatio und Consolatio angeführt werden (CR XIV, 588f). "Nam haec summa est Christianae vitae: fides et mores, qui sunt fructus fidei"(Ann.II.Cor.10,1, 1521/22, SA IV, 125, 22f); vgl.Loci 1521 (SA II/1, 114,6f). Zur Identifikation von Buße und christlichem Leben vgl. Loci 1521 (SA II/1, 149,31ff; vgl. 156,30f); Adversus anabaptistas iudicium 1528 (SA I, 278,13ff; 289,30ff); christiana iustitia = vera pietas (SA I, 180,36:1524); pietas neben virtus und doctrina (SA III, 136, 23f:1549); neben doctrina und mores (SA I, 331,31:1539); vgl. SA III, 58,20ff(1523); neben mores (SA III, 353,21:1553); religio: SA III, 58,15(1523); ebd. 77,14.16(etwa 1533); ebd. 110,4(1540); ebd. 215,9; 226,9; 240,22; 245,30.31.35; 246,2 (1546) usw.

III. Der Theologiebegriff

1) Eine umfassende Darstellung des Melanchthonischen Theologiebegriffes fehlt noch immer (so auch K.Haendler 1968, 215
   Anm.14). K.Haendler hat ebd. 211-278 unter dem Titel "Doctrina" einige Elemente des Theologiebegriffes analysiert, ohne
   allerdings näher auf ihre Hintergründe einzugehen. Hinzuweisen wäre auch noch auf die ältere Darstellung von G.A.Herr-
   linger 1879, 345-462 (=Allgemeine Charakteristik Melanchthons
   als Theologen). Die zu den einzelnen Aspekten des Theologiebegriffes vorhandene Literatur wird an den betreffenden
   Stellen genannt werden.

2) E.Troeltsch (1891, 75) in bezug auf die Loci 1543: "Die Prin-
   zipientheorie ist demgemäß jetzt in grundsätzlicher Weise an
   die Spitze der Loci gestellt, eine gedrängte Wiederholung der
   in den philosophischen Schriften entwickelten Grundsätze bildet die Einleitung des Lehrbuches, die ersten Prolegomena
   lutherischer Dogmatik." Ihm folgt J.Wallmann 1961, 9; vgl.6.
   So R.D.Preus 1970, 81, mit Bezug auf die Loci 1559.

3) Eine Ausnahme bildet m.W. lediglich die Auslegung von 1 Tim
   4,13, von der einige Texte im Zusammenhang mit dem doctrina-
   Begriff und mit der homiletischen Theorie bereits besprochen
   worden sind; siehe S. 274 Anm.73.

4) Zum Begriff "systematisch" und "Systematik" siehe S. 384-404.

5) Siehe S. 313 Anm.341.

6) Zur Druck- und Entstehungsgeschichte der ersten Fassung
   (Dez.1521 bis 1525) vgl. E.Bindseil, in: CR XXI, 59-82;
   O.Clemen, in: SM I/1, XVIIff; Plitt-Kolde, 47ff, 51ff; W.Mau-
   rer 1958; ders. 1960, 2-24; ders. 1969, 139ff. Zur Druck und
   Entstehungsgeschichte der zweiten und dritten Fassung (1535
   bis 1541 bzw. 1543-1559ff) vgl. wieder E.Bindseil, in: CR XXI,
   230-251 und 562-602. Die Texte der Loci: Loci 1521 (SA II/1,
   3-163; auch Plitt-Kolde 56-249; CR XXI, 82-228); von der
   Locivorlesung 1533 ist ein Fragment abgedruckt in CR XXI, 254
   bis 332; Loci 1535 (CR XXI, 333-558); Loci 1543/1559 (SA II/1,
   165-SA II/2, 816; CR XXI, 602-1050).

7) Die Wv.an den stellvertretenden Rektor der Universität Wittenberg, Tilemann Plettener: SA II/1, 3,5-5,18; die Einleitung
   ebd. 5,20-8,7.

8) Ebd. 4,8ff. Daß die systematische Darstellung der wichtigsten
   Glaubensinhalte gerade im Zusammenhang mit der Schule und d.h.
   im Hinblick auf den Schüler und Studenten der Theologie geschieht, verbindet Melanchthon sowohl mit Erasmus (siehe z.B.
   S. 15) wie auch mit der Tradition der mittelalterlichen Systematik. Selbst die S.th.des Thomas von Aquin ist ihrem ursprünglichen Plan nach der Unterrichtung der Anfänger in
   der Theologie gewidmet (während etwa die Quaestiones disputatae von vorneherein für die Magistri bestimmt waren): "Quia
   catholicae veritatis doctor non solum provectos debet instru-
   ere, sed ad eum pertinet etiam incipientes erudire...proposi-

tum nostrae intentionis in hoc opere est, ea quae ad Christianam religionem pertinent, eo modo tradere, secundum quod congruit ad eruditionem incipientium"(S.th.prol.); vgl. M.-D.Chenu 1960, 336.

9) SA II/1, 4,28ff.32ff; 5,1ff; vgl. auch 5,8ff.

10) Ebd. 4,19ff; das wäre von allen Christen zu wünschen (ebd. 4,25ff). Zu Erasmus siehe S. 27. Es ist falsch, wenn W.Maurer (1960, 23 Anm.47) mit Bezug auf die genannten Melanchthon- und Erasmusstellen behauptet: "Melanchthon spricht diese Ablehnung aus in direktem Gegensatz zu Erasmus, der 1519 in der Ratio seu Methodus für die Verwendung der Loci die Hinzufügung der altkirchlichen Kommentare als unerläßliche Notwendigkeit eingetreten war."

11) SA II/1, 4,14ff. Diese Position ist eigentlich noch 1533 vorhanden: "Sed quia prodest fortasse quasi titulis et notas addere ipsis scripturae locis ad admonendos lectores nos statuemus methodum, In qua propemodum sequentes hanc ipsam seriem scripturae praecipuos locos ostendemus, ut agnosci in scriptura citius possint. Postea ubi in scriptura fuerit agnita series horum locorum, nihil opus erit hac nostra epitome"(Einleitung Loci 1533, CR XXI, 254). Eine Einführung in die Heilige Schrift zu geben, ist auch das Programm der frühscholastischen Systematik. Man vgl. etwa die Intention Melanchthons: "Parce vero ac breviter omnia tractamus, quod indicis magis quam commentarii vice fungimur, dum nomenclaturam tantum facimus locorum, ad quos veluti divertendum est erranti per divina volumina, dum paucis tantum verbis monemus, e quibus summa christianae doctrinae pendeat"(SA II/1, 4,14ff) mit der verblüffend ähnlichen des Hugo von St.Viktor in De sacramentis I, prol.: "Hanc enim quasi brevem quamdam summam omnium in unam seriem compegi, ut animus aliquid certum haberet, cui intentionem affigere et confirmare valeret, ne per varia Scripturarum volumina et lectionum divortia sine ordine et directione raperetur"(PL 176, 183). Ähnlich Abaelard in der sogenannten Introductio ad theologiam, prol.:"Scholarium nostrorum petitioni...satisfacientes, aliquam sacrae eruditionis summam, quasi divinae Scripturae introductionem conscripsimus"(PL 178, 979A); vgl. auch S. 312 Anm.337.

12) Zu Erasmus siehe S. 22-26. Vgl. S. 494f.

13) Die Wv. entspricht damit genau der ersten theologischen Äußerung Melanchthons, der Wittenberger Antrittsrede 1518 (dazu siehe S. 116-122) und durch sie hindurch der Erasmischen Theologie (siehe S. 30, 31-85). Es ist daher offensichtlich falsch, wenn gesagt wird: "Und so ist es denn auch ganz ersichtlich, daß die ganze Widmungsepistel..nichts ist als eine große Polemik gegen die Gedankenrichtung des Erasmus oder, sagen wir besser, ein Akt der Selbstbefreiung Melanchthons von dieser Gedankenrichtung"(P.Joachimsen 1926, 75); ähnlich wie Joachimsen auch W.Maurer 1958a, 151ff; ders. 1969, 87f.

14) Dieser Versuch wird hier nicht zum ersten Mal unternommen; er beginnt vielmehr mit der theologischen Entwicklung Melanchthons selbst (siehe dazu bes. S. 131f).

15) Die Einleitung ist in SA II/1, 5-8 überschrieben "Introductio: christiana cognitio", bei Plitt-Kolde 63 aber "De vera theologia".

16) Dieser Begriff"methodus" findet sich zwar in dieser Einleitung noch nicht, er ist aber sachlich zweifellos vorausgesetzt, wie ein Vergleich mit den späteren Fassungen zeigt (siehe S. 319, 322).

17) "Requiri solent in singulis artibus loci quidam, quibus artis cuiusque summa comprehenditur, qui scopi vice, ad quem omnia studia dirigamus, habentur"(SA II/1, 5,23ff; vgl. 5,31ff).

18) Ebd. 5,25ff. Vgl. auch S.337 . Was Johannes von Damaskus betrifft, so kann man tatsächlich "von einer gewissen Vorliebe für philosophische Fragen und dialektische Methoden" sprechen (B.Studer 1956, 102). "Weitaus den wichtigsten Platz bei der Erklärung des einfachen Wortsinnes nimmt die Benützung von dialektischen Methoden und philosophischem Gedankengut ein" (ebd. 83).

19) SA II/1, 6,1ff.

20) Siehe S. 397f.

21) "Quaeso te, quid assecuti sunt iam tot seculis scholastici theologistae, cum in his locis solis versarentur? Nonne in disceptationibus suis, ut ille ait, vani facti sunt, dum tota vita nugantur de universalibus, formalitatibus, connotis et nescio quibus aliis inanibus vocabulis? Et dissimulari eorum stultitia posset, nisi evangelium interim et beneficia Christi obscurassent nobis illae stultae disputationes"(SA II/1, 6,29ff/7,1f).

22) Ebd. 6,16f. Zu Erasmus siehe S. 63f. Zur Tradition vgl. u.a. M.Schmaus 1969, 22f; H.de Lubac 1969, 292ff; ders. 1970a, 126ff; A.Grillmeier 1960, 132.

23) SA II/1, 6,19ff. Ganz ähnlich in der Praef. der Ann.Io.1522/23 (CR XIV, 1048f); Did.Fav.or.1521 (SA I, 75,24ff).

24) SA II/1, 6,26ff. Tatsächlich läßt sie Melanchthon in der Ausführung ganz weg und beginnt gleich mit der Frage des liberum arbitrium (ebd. 8,9ff). Das hat zu ganz seltsamen Urteilen geführt; siehe S. 329 Anm.439.

25) SA II/1, 7,7ff. Vgl. auch Ann.Rom.Arg.1521 (Bl. A 3a). Gerade diese Stelle des "Christum cognoscere" ist häufig mißverstanden worden, so als ob hier Person und Werk Christi getrennt würden; richtig dagegen H.de Lubac 1970a, 115. Der Sinn der Melanchthonischen Formel ist durch den Zusammenhang auch

völlig klar: Sie ist gegen die spätscholastische Schultheologie gerichtet, in der die Christologie vor allem philosophisch-dialektisch erörtert wurde. Nicht bei diesen Fragen ist anzusetzen, sagt hier nun Melanchthon, sondern beim Heilswerk, ohne daß damit auch schon einer Exklusivität der Soteriologie das Wort geredet würde.

26) Zwar tauchen in der humanistischen Reformtheologie wiederholt polemische Alternativformeln auf, wie etwa Gotteserkenntnis sei nicht Erkenntnis des geheimnisvollen Wesens Gottes,sondern Erkenntnis des Heilswillens Gottes, oder Gotteserkenntnis sei kein theoretischer, sondern ein praktischer Vorgang usw., aber daß damit weder theoretische noch praktische Gegensätzlichkeit und Ausschließlichkeit gemeint ist, zeigen die in diesem Zusammenhang häufig vorkommenden Adverbien proprie, demum, magis, praecipue usw. oder ähnliche Ausdrücke, durch die die Reformabsicht kundgetan wird. Insofern sind hier die Sachverhalte meist noch differenzierter, als es in der Darstellung moderner Interpreten erscheint. So heißt es z.B. bei W.H.Neuser (1957, 61), daß die Christuserkenntnis den Ansatzpunkt der Theologie Melanchthons bilde: "Melanchthon befindet sich damit im Mittelpunkt der reformatorischen Erkenntnis: An die Stelle der rationalen Erkenntnis der humanistischen Sitten- und Naturgesetze sowie der metaphysischen Erkenntnis Gottes in der Scholastik tritt die Erkenntnis des göttlichen Offenbarungsgeschehens, des deus pro nobis."Vgl.K.Schwarzwäller, Theologie nach reformatorischem Verständnis,in:EvTh 35(1975) 322-350.

27) SA II/1, 7,19ff.

28) Ebd. 7,24ff.

29) Ebd. 7,32ff. Diese salutares loci sind die, "qui Christum tibi commendent, qui conscientiam confirment, qui animum adversus Satanam erigant"(ebd. 8,1ff).

30) CR XXI, 333-350. Wv.an Heinrich VIII (ebd. 333-340); Lv. (ebd. 341-348); Einleitung (ebd. 347-350). Die Einleitung der Locivorlesung 1533 (CR XXI, 253-255) behandelt die gleiche Thematik. Die Problematik Offenbarung und Gotteserkenntnis ist auch im jeweils ersten locus ("De Deo") leitend (Loci 1533: CR XXI, 255-257; Loci 1535: ebd. 351f).

31) Einleitung 1533 (CR XXI, 253).

32) Einleitung 1535 (ebd. 347).

33) Siehe oben Anm.31 und Einleitung 1535 (ebd.347).

34) Wv.1535 (ebd. 333).

35) Einleitung 1533 (ebd. 253); Wv.1535 (ebd. 333f).

36) Einleitung 1533 (ebd. 254); Lv.1535 (ebd. 341); Einleitung 1535 (ebd. 347ff).

37) Einleitung 1533 (ebd. 255).

38) Einleitung 1533 (ebd. 255); vgl. Einleitung 1535 (ebd. 349).

39) Locus "De Deo" 1533 (ebd. 255f); vgl. locus "De Deo" 1535
(ebd. 351). Diese offenbarungstheologische Konzeption stützt
sich auf bestimmte Schriftstellen. Als Einführung dient sowohl 1533 als auch 1535 Joh 14,9: "Philippe, qui videt me,
videt et Patrem"(CR XXI, 255, 351). Das gleiche Zitat findet
sich an entsprechender Stelle auch in den Loci 1559, locus
"De Deo" (SA II/1, 174,33ff) und auch sonst in offenbarungstheologischen Zusammenhängen (z.B. Ann.Ev.1549, CR XIV, 418).
Begründet ist damit für Melanchthon, daß Gott in Christus
offenbar werden will; in ihm wolle er daher auch erkannt
werden, nicht durch menschliche Spekulationen. In die gleiche
Richtung weisen Joh 14,6: "nemo venit ad Patrem, nisi per me"
(CR XXI, 256, 352) und Mt 11,27: "Et nemo novit Filium, nisi
Pater: neque Patrem quis novit, nisi Filius, et cui voluerit
filius revelare"(ebd. 352). In ähnlicher Weise wird Mt 11,27
oft angeführt: z.B. Ann.Ev.1549 (CR XIV, 415); En.Rom.1556
(CR XV, 1039); En.Col.1559 (CR XV, 1238); vgl. auch Ref.err.
Serv.1559 (SA VI, 372,37/373,1: hier in einem Zitat aus Gre-
gor von Nazianz). Allen drei Fassungen gemeinsam ist die
Berufung auf 1 Kor 1,21: Loci 1521 (SA II/1, 6,22ff);Loci
1533 (CR XXI, 256); Loci 1535 (ebd. 351f); Loci 1559 (SA II/1,
174,20ff). Begründet ist für Melanchthon damit, daß Gott nicht
durch Vernunft-Spekulation zu erkennen ist, sondern durch
das geoffenbarte Wort Gottes. Der zweiten und dritten
Fassung gemeinsam ist die Stelle Ex 20,2: "Ego sum Dominus
Deus tuus, qui eduxi te de terra Aegypti"(CR XXI, 256, 351;
SA II/1, 175,10ff), die auf die Offenbarung im Wort und in
den Geschichtstaten Gottes hinweisen soll. Siehe dazu S.176,
195f.

40) Locus "De Deo" 1533 (CR XXI, 256); ähnlich 1535 (ebd. 351f).

41) Lv.1535 (ebd. 341f).

42) Ebd. 342.

43) Ebd. 342ff.

44) Ebd. 346; vgl. auch Wv.1535 (ebd. 336).

45) Wv. 1535 (ebd. 333).

46) Ebd. 335; Lv.1535 (ebd. 341).

47) Lv. (SA II/1, 165,1-167,16; =CR XXI, 601-604); Praef.(SA II/1
167,17-172,15; =CR XXI, 603-607); locus "De Deo" (SA II/1,
172,20-180,20; =CR XXI, 607-612). Die Praef. und der locus
"De Deo" stammen nur zum Teil aus der Ausgabe von 1543.

48) Praef.1543 (SA II/1, 167,21f/168,1ff).

49) Ebd. 168,5ff.

5o) Lv. 1543 (ebd. 165,2ff).

51) Praef. 1543 (ebd. 17o,6ff).

52) Praef. 1559 (ebd. 168,15ff).

53) Ebd. 169,7ff.16ff.

54) Locus "De Deo" 1543/59 (ebd. 172-18o).

55) Lv. 1543 (ebd. 165,23ff).

56) Praef. 1559 (ebd. 17o, 28ff/171,1f).

57) Ebd. 171,3ff.

58) Ebd. 171,31ff/172,1ff; vgl. Lv. 1543 (ebd. 167,4ff).

59) Lv. 1543 (ebd. 166,1ff.12ff).

6o) Dieser Gegensatz zu einer als rationalistische und intellektua-
listische Spekulation betrachteteten spätscholastischen
Theologie ist von der ersten bis zur letzten Fassung leitend:
Loci 1521, Einleitung (SA II/1, 6,29ff; 7,16ff; 8,4ff);
Loci 1533, "De Deo" (CR XXI, 257); Loci 1535, "De Deo" (ebd.
352); Loci 1559, "De Deo" (SA II/1, 176,15ff).

61) Dies ist lediglich der Befund der Loci-Vorreden und -einlei-
tungen. Siehe dazu S. 344.

62) 1 Tim 4,13: "Dum venio, attende lectioni, exhortationi, et
doctrinae."

63) Dieser Text ist abgedruckt in SM V/2, 33-55 (daraus bes. 33 bis
35, 51 = F = Fassung I); vgl. dazu die Einleitung von F.Cohrs
ebd. LXXXIV-CIV, bes. zur Dat. ebd. XCIII-CIV. Das Stück ist
hier abgedruckt unter dem Titel "De modo et arte concionandi".
Dieser Titel stammt aus einem späten Abdruck in Georg Majors
Tertius tomus Operum 157o (ebd. 33 Anm.1). er taucht allerdings
auch im Text selbst auf (ebd. 33,9). Der Text selbst ist etwas
unklar, insofern die Ausführung nicht ganz dem entspricht,
was in der Einleitung angekündigt wird, weshalb nicht überall
der vom Verfasser beabsichtigte Text vorliegen dürfte (so
Cohrs ebd. XV). Das, was in der Einleitung gesagt wird, entspricht in den Grundzügen dem Inhalt der übrigen Fassungen
dieser Timotheusauslegung. Eine ausführlichere Analyse dieses
Stückes findet sich bei U.Schnell 1968, 83-1oo.

64) CR V, 125-137; daraus CR V, 134 (=F II).

65) CR XI, 75o-758 (=F III); zur Dat. N.Müller 1896, 129. Zu
Georg von Anhalt vgl. F.Lau, Georg III der Gottselige, in:
RGG II (3. Aufl. 1958) 1394f; ders. 1953/54.

66) CR VI, 693-696; F IVA = 693f; F IVB = 694f; F IVC = 695f.

67) Bretschneider ordnet diese Auslegungen mit Hinweis auf einen
B. Melanchthons an Georg von Anhalt, vom 6.Okt. 1547 (CR VI,
692f) wohl fälschlich unter dem 6.Okt.1547 ein. In dem B. wird
nämlich ausdrücklich von einer Rede für eine Pfarrersynode
gesprochen, die Melanchthon etwas spät schicken würde:
"Nec oblivione accidit, nec propter itinera mea, ut tradius
mittam concionem.." "Et quanquam magis idonea materia scholae videtur, quam templo, tamen in sacerdotum coetu decet
non ineruditas orationes haberi. Atque utinam diu sonent in
Synodis eruditae conciones." "Brevior est et minus splendida
enarratio dicti Paulini: Sed nec domi, nec animo tranquillo
scripsi; ac Cels.T.permitto iudicium de scripto" (CR VI,692).
Damit kann sich dieser B. nicht gut auf eine der drei kurzen
Auslegungen beziehen; der letzte Satz ist wohl der Bescheidenheitstopik zuzuzählen. Besser passen könnte die Angabe,
die Manlius unserer F IVA in seiner Ausgabe anfügte: "Philippus Melanthon in exilio, 1547" (CR VI, 694) und Bretschneider
könnte dann der sein, der irrt, wenn er in der Anm. (ebd.)
hinzufügt: "Sunt haec a Manlio adscripta. Sed erravit." Denn
wenn die Angabe von Manlius stimmt, dann würden die kurzen
Stücke (bzw. mindestens eines von ihnen) im ersten Halbjahr
1547 verfaßt sein. Am 9.Nov.1546 hatte die Flucht der Wittenberger (Furcht vor dem kaiserlichen Heer!) begonnen, am
25.Juli 1547 kehrte Melanchthon mit anderen nach Wittenberg
zurück (siehe Bretschneider, Annales vitae Mel.1546/47, in:
CR VI, S. IX, XV). Das würde insofern nicht schlecht passen,
als man dann in diesen drei Stücken (bzw. mindestens in einem
von ihnen) Vorarbeiten für den fünften Text zu sehen hätte.
In der ersten für Georg von Anhalt verfaßten Rede (F III) war
ja praktisch nur von der lectio die Rede gewesen. Von nun
an werden aber alle drei Glieder behandelt.

68) CR XI, 775-783 (=F V); zur Dat. N.Müller 1896, 132. Könnte
nicht der oben erwähnte B. vom 6.Okt. auf diese Rede hier
Bezug nehmen? Melanchthon müßte dann allerdings die Rede selbst
einige Tage früher abgesandt haben. Oder Georg von Anhalt hat
in Wirklichkeit eine andere Rede gehalten. Oder aber eine der
Angaben ist ungenau.

69) CR VII, 39o-399; daraus 393ff (=FVI).

7o) CR VII, 577f (=F VII).

71) CR XIV, 94 (=F VIII). Eine ausführliche Analyse findet sich
bei U.Schnell 1968, 1o1-115.

72) CR XV, 1365-1369 (=F IX).

73) CR XV, 1158-116o (=F X).Von diesen zehn Fassungen werden
F I, IX und X von U.Schnell im Rahmen seiner Untersuchung
der homiletischen Theorie Melanchthons besprochen (U.Schnell
1968, 83-115) und die F II, V, VIII, IX und X von K.Haendler
im Zusammenhang mit dem doctrina-Begriff kurz analysiert
(K.Haendler 1968, 239-242). Beide Besprechungen haben jedoch
(nicht nur hinsichtlich des Materials) fragmentarischen Charakter.
Nicht erreichbar war: J.G.Møller, Melanchthon som fortolker af
1.Tim.4,13, in: Kirkehistoriske Samlinger 7.Raekke, Bd. VI,
København 1968, 52o-524.

74) F V (CR XI, 776).

75) F III (CR XI, 751f).

76) F III (ebd. 752, 753); F IVA (CR VI, 693); F IX (CR XV, 1365, 1366).

77) F V (CR XI, 78o); F VI (CR VII, 392f, 395); F VII (CR VII, 577); F IX (CR XV, 1357).

78) F VI (CR VII, 392, 394).

79) F III (CR XI, 756); F VI (CR VII, 393).

8o) F III (CR XI, 751) ; consacerdotes: F V (CR XI, 776).

81) F II (CR V, 134); F VIII (CR XIV, 94); F IX (CR XV, 1368f).

82) F IVA (CR VI, 693); oder einfach die "tria genera doctrinae" (F I, SM V/2, 33,6); vgl. F VIII (CR XIV, 94), wo von den zwei partes in scriptis Ecclesiae die Rede ist, nämlich doctrina und consolatio, und F I (SM V/2, 33,8ff) und F X (CR XV, 1158), wo doctrina und adhortatio als die beiden genera concionum verstanden werden.

83) F III (CR XI, 751); F VI (CR VII, 392ff).

84) F IX (CR XV, 1368f); F X (CR XV, 1158f).F II: "Denn alles Predigen ist in diese drei Stück getheilet" (CR V, 134); F VIII: "Ita sciat concionator membra suae orationis distribuenda esse.." (CR XIV, 94).

85) F III (CR XI, 757); als Beispiel vgl. die Aufteilung des Buches Pred in doctrina (=asseveratio de providentia) und consolatio (=comminationes et promissiones) (CR XIV, 94f, vgl. 152). Eine etwas verschiedene Einteilung findet sich in der Wv. zur Expl.Prov.155o: Man müsse hier darauf achten, wie Salomon spricht, d.h. "ubi docere ac monere lectorem, ubi consolari velit. Nam alia dicta sunt διδασκαλικά alia παραινετικά, alia παρηγορικά" (CR VII, 7o7). Vgl. En.Eccl. 155o: "In sacris libris alia dicta sunt Legalia, alia Evangelica, alia Dogmatica, alia Consolatoria, alia simpliciter Narrationes de eventibus, seu bonis seu malis" (CR XIV, 147f).

86) F IVA (CR VI, 694); vgl. F IVC (CR VI, 696).

87) F I (SM V/2, 33,12ff); F X (CR XV, 1158).

88) F III (CR XI, 752); vgl. F V (CR XI, 777); F IX (CR XV,1366).

89) F III (CR XI, 751); F IVA (CR VI, 693); F V (CR XI, 776ff,783).

9o) F III (CR XI, 754).

91) F IX (CR XV, 1366). "Haec (sc.studia) cum sint necessaria,

literis et doctrina opus est, utendum est et artium adminicu-
lis, definitionibus...et aliis artium nervis, qui sunt velut
metae, quibus inclusa veritas conservanda est" (F VII, CR VII,
577); intellectus sermonis, grammatica, dialectica (F VI,
CR VII, 395); "..et Ecclesiae opus est literis, et studiis
literarum" (F IVA, CR VI, 694); vgl. F IVB (ebd. 695); F III
(CR XI, 757).

92) "Prudenter autem tria genera doctrinae nominat" (F I, SM V/2,
33,5); "Distribuit autem Paulus eruditissime genera doctrinarum in Ecclesia" (F IVA, CR VI, 693); "Eruditissima haec
partitio est" (F IVB, ebd. 694f); "continet enim (sc.hoc Pauli
dictum) eruditissimam partitionem" (F V, CR XI, 778); "brevis
distributio generum" (F IX, CR XV, 1367).

93) F IVC (CR VI, 696).

94) F III (CR XI, 751); bzw. "Sis intentus lectioni, consolationi,
et doctrinae" (F V, CR XI, 776), bzw. "Sis diligens et assiduus
in legendo, consolando et docendo" (F VI, CR VII, 393), bzw.
"Sis assiduus et intentus in lectione, consolatione et doctrina" (F VII, CR VII, 577), bzw. "Sis assiduus in lectione,
consolatione et doctrina" (F IX, 1365).

95) Nur in F IVA ist die Reihenfolge des Schriftwortes: lectio-
consolatio-doctrina beibehalten (CR VI, 693f).

96) F V (CR XI, 776f).

97) F III (CR XI, 752).

98) F V (CR XI, 777); vgl. F III (CR XI, 752f).

99) F III (CR XI, 753f).

1oo) F I (SM V/2, 33,3ff).

1o1) F III (CR XI, 754ff). Zur andersgearteten Bedeutung von
"bibliotheca" in der Erasmischen Reformtheologie siehe S. 51f
Anm. 4o9.

1o2) Z.B. F III: "Hac de lectione breviter dicta sunt, quam nominat
Paulus, ut significet Ecclesiam ad certos libros et unicum
quoddam doctrinae genus alligatam esse" (CR XI, 757; vgl. 754).

1o3) F I (SM V/2, 33,6f); F III (CR XI, 756f); F V (CR XI, 777f,
781f); F IX (CR XV, 1366); F X (CR XV, 1158).

1o4) F IVA (CR VI, 693f); vgl. F IVB (ebd. 695); F V (CR XI, 778);
F VI (CR VII, 393); F IX (CR XV, 1367); F X (CR XV, 1158).

1o5) "..ac voluit Deus non libros tantum extare, sed simul vocem
ministerii sonare, ut rudiores commonefieri possint" (F VI,
CR VII, 394). "Talis Lector sciet, quid sit interpretari seu
docere, et quomodo rudioribus ordine membra doctrinae propo-

nenda sint.." (ebd.); ähnlich F IX (CR XV, 1368). Oder allgemeiner, wie z.B. "Sed post lectionem primum doctrina mentes instituantur " (F IVC, CR VI, 695).

1o6) Dieser Gedanke ist in unseren Texten am schwächsten ausgeprägt. Er findet sich direkt nur im Zusammenhang mit der lectio: Einmalige Lektüre genüge nicht, weil man dabei noch nicht alles verstehe. "Ecclesiae doctrina de multis magnis rebus concionatur, quae non subito penitus comprehendi possunt.." (F V, CR XI, 782). Indirekt darf man diesen Gedanken mit Vorsicht wohl auch auf die doctrina beziehen. Siehe auch S. 489f.

1o7) "..deinde et instrui mentes oportet, ad refutanda falsa dogmata" (F V, CR XI, 782).

1o8) F V Ə CR XI, 78o).

1o9) Diese hier etwas systematisierte Bestimmung von doctrina ist in verschiedenen Abwandlungen und in verschiedener Deutlichkeit in den wichtigsten Fassungen enthalten.

11o) Diese in allen Fassungen mehr oder minder deutlich hervortretende Unterscheidung ist bereits in F I programmatisch ausgesprochen: "Doctrina est duplex, Catechesis et Interpretatio scripturae. Catechesis est methodica enarratio articulorum fidei.., quia oportet pios tenere summam doctrinae Christianae et quasi quoddam corpus informatum habere" (SM V/2, 34,1ff). Das wird dann ebd. 34f näher ausgeführt. Ebd. 35,1o-51,6 wird dann das alterum genus doctrinae, die interpretatio scripturae (mit den verschiedenen Regeln, die bei der Schriftauslegung zu beachten sind) besprochen: "Hactenus de duobus generibus concionum dictum est, de methodo et de interpretatione" (ebd. 51,7f).

111) Vgl. F I (SM V/2, 34,9ff); F IVA (CR VI, 694); F VIII (CR XIV, 94).

112) Am deutlichsten zeigt sich dies in F VI (CR VII, 394f) und F IX (CR XV, 1368).

113) F IVC (CR VI, 696); vgl. F V (CR XI, 781); F VI (CR VII, 395).

114) F V   (CR XI, 78o).

115) F IVB (CR VI, 695).

116) F V (CR XI, 78o).

117) Ebd.

118) F IVA (CR VI, 694); vgl. F IVC (CR VI, 696); F V (CR XI, 78of); F VI (CR VII, 395); F VIII (CR XIV, 94); F IX (CR XV, 1368f); F X (CR XV, 1159).

119) "Tertio, non satis est doctrinam nosse, sed ad usum transferri eam necesse est, et summus gradus est consolatio oppressi

peccato et morte. Sed in vera poenitentia erecti consolatione
per fidem recipiamur, fiamus iusti et haeredes vitae aeternae
efficiamur"(F IVB, CR VI, 695).

120) F I: "Nam cuius libet concionis finis est proprie, ut vel
doceat auditores de dogmatibus, vel ut traducat animos ad
aliquem affectum, ad fiduciam in Christum aut timorem, hoc
est, ut consoletur iuxta evangelium de Christo, aut ut hor-
tetur ad bene operandum, et proponat promissiones et comminationes"(SM V/2, 33,12ff). Der entsprechende Übergang in
der Ausführung enthält aller Wahrscheinlichkeit nach einen
verderbten Text; hier heißt es nämlich seltsamerweise:
"Hactenus de duobus generibus concionum dictum est, de methodo
et de interpretatione. Addendum est autem praeceptum commune
omnibus. In omni concione cuiuscunque generis dirigenda est
oratio ad aliquem affectum, videlicet patientiam aut dilectionem etc." "Non igitur sit ociosa doctrina, sed studeat concionator dimittere auditores in aliquo affectu, ut dixi.
Reliquum est tertium genus concionum, Adhortatio: hoc totum
complectitur doctrinam de bonis operibus, hoc est, de exercitiis seu fructibus fidei, de oratione seu invocatione, de
spe, de castitate, de eleemosynis.."(SM V/2, 51,7ff.15ff).
Dieser Übergang widerspricht nicht nur der Einleitung, in
der sich docere und traducere ad affectum (=consolari et
hortari) gegenüberstehen, sondern auch allen übrigen Auslegungen von 1 Tim 4,13. Daß hier im zweiten Glied consolatio
und adhortatio zusammengenommen werden, dürfte an der Verbindung mit 1 Kor 14,3 liegen (siehe Anm.121). Das alles wird
bei U.Schnell (1968, 95ff, 99f, 102ff) nicht beachtet, der
außerdem auch nur die F I, IX und X heranzieht. Dadurch ergibt sich ein etwas fragwürdiges Bild der Entwicklung.

121) Diese Verbindung mit 1 Kor 14,3 ("nam qui prophetat, hominibus
loquitur ad aedificationem, et exhortationem, et consolationem") ist nur in F I(SM V/2, 55,12ff.19ff) und F X (CR XV,
1158f) vorhanden. Aedificatio wird mit doctrina und exhor-
tatio mit consolatio identifiziert (vgl. bes. CR XV, 1158).

122) "Nach der Lehre soll folgen affectus, daß man das Herz mit
Anzeigung der Strafen und Gnaden zu Furcht und Vertrauen erwecke und treibe.."(F II, CR V, 134); "..partim vero conciones
divinae sunt adhortationes, traducentes animos ad adfectum
aliquem, ad timorem, fidem, spem, dilectionem, laeticiam,
et ad bona opera." "..ad quos fines dirigenda sint studia,
videlicet ad agnitionem veram Dei, deinde ad accendendos pios
adfectus"(F III, CR XI, 757); vgl. F IX (CR XV, 1368f); F I
(SM V/2, 33,12ff: siehe oben Anm.120). Als mittelalterliche
Parallele vgl. etwa die Summa Halensis, Tractatus introducto-
rius q.1, c.II Contra f.: "Item omnes aliae scientiae traduntur secundum ordinem ratiocinationis a principiis ad conclu-
siones, quibus doceatur intellectus, non moveatur affectus;
sed Scriptura sacra traditur secundum ordinem informationis
practicae principiorum ad operationes, ut moveatur affectus
secundum timorem et amorem ex fide iustitiae et misericordiae
Dei"(ed.Quaracchi I, 5).

123) "Hanc consolationem in exercitiis poenitentiae, in omnibus periculis et in quotidiana invocatione experiamur, ut crescat in nobis fides et agnitio praesentiae et misercordiae Dei erga nos, et inchoetur in nobis vita aeterna.."(F IVC, CR VI, 696); vgl. F IX (CR XV, 1368f).

124) "Etsi autem sermonis intellectus, grammatica, et dialectica, sunt adminicula enarranti, tamen in veris exercitiis poenitentiae, fidei, invocationis, spei, haec sapientia multo fit illustrior." "In talibus exercitiis et intelligere promissiones discimus, et experimur, nequaquam irritam esse invocationem"(F VI, CR VII, 395). Zu dieser experientia vgl. auch B.an V.Strigelius, 31.Aug.1552 (CR VII, 1057); B.an Aurifaber und Chytraeus, 10.Sept.1552 (ebd. 1068); B.an J.Praetorius, 20.Jan.1556 (CR VIII, 667).

125) Zur Auslegung von 1 Tim 4,13 vgl. etwa kurz N.Brox, Die Pastoralbriefe (Regensburger Neues Testament, 7,2), Regensburg 1969, 180.

126) C.G.Bretschneider, in: CR VIII, 59f; H.E.Bindseil, in: Bindseil 368. Den ersten griech.Druck der Epiphaniuswerke vermittelte Melanchthon selbst. Am 14.Nov.1529 berichtet er an Camerarius, daß er von J.Lang in Erfurt eine Handschrift von Epiphanius' Zurückweisung aller Häresien erhalten und nun nach Wittenberg mitgebracht habe und daß er Auszüge daraus herstellen wolle wegen der Wichtigkeit dieses Werkes für die Kenntnis der alten Kirche (CR I, 1110). Er scheint sich aber sofort selbst an die Lektüre gemacht zu haben, denn am 1.Dez. 1529 gibt er Camerarius schon genauere Auskünfte: historisch sei das Werk zwar wichtig, aber dogmatisch gesehen sei es doch schwächer als gedacht (CR I, 1112). Melanchthon wird von nun an dieses Werk sehr häufig heranziehen. Bereits in der Apol. 1531 wird es häufig zitiert (BS 245,9ff.24ff; 342,21ff.53/ 343,1ff; 351,17ff; 376,8ff). Um die Epiphanius-Werke drucken zu lassen, nahm er Anfang der vierziger Jahre mit dem befreundeten Basler Drucker Oporinus Verbindung auf. Dieser wollte aber zuerst noch den Koran drucken. Dessen Verkauf wurde jedoch vom Basler Senat verboten und Oporinus selbst in den Kerker geworfen. Aus diesem Grund konnten die Epiphanius-Werke erst 1544 erscheinen; vgl. dazu die Briefe Melanchthons an J.Lang vom 3.Aug.1542 (CR IV, 852), 6.Dez.1542 (ebd. 910), 21.Febr.1543 (CR V, 45), 23.Okt.1544 (ebd. 517), 24.Okt.1544 (ebd. 518).

127) Zwei Fassungen dieser Buchinschriften (aus dem Jahr 1553) sind abgedruckt in CR VIII, 60f (F I = 60; F II = 60f). Eine weitere, die jedoch fast ganz der F I gleicht, bringt Bindseil 368f (unter dem Jahr 1554). Auch in der Vorr.zum 7.Bd. der lat.Werke Luthers vom 1.Okt.1556 (CR VIII, 861-865), in der es um das Problem der Schriftauslegung geht, bringt Melanchthon das Epiphaniuswort zusammen mit einer Interpretation (ebd. 863f = F III); ebenso in der Or.de cura recte loquendi 1557 (CR XII, 213-221) (F IV = ebd. 219f); in der Resp.Staph. 1558 (SA VI, 462-481) (F V = ebd. 466f); in einer Praef. vom

1.Jan.1560 (CR IX, 1024f = F VI); in einem kurzen Stück De
norma iudicii in Ecclesia vom März 1560 (CR IX, 1081-1083)
(F VII = ebd. 1083); in einer Qu.academica 1560 (CR X, 895 =
F VIII); und unter den Prop.de iudiciis Ecclesiae, über die
am 15.März 1560 disputiert worden ist (CR XII, 659f = F IX).
Das m.W. erste Zeugnis bildet jedoch die Or.de dicto Pauli:
Sermo Christi habitet in vobis abunde in omni sapientia etc.
1550 (CR XI, 899f = F X).

128) Panarion (zit.Haereses) 61,6,4 (GCS 31, 386,13ff; PG 41,1048B).

129) F I (CR VIII, 60); vgl. F III (ebd. 863). Diese Melanchthonische Fassung entspricht ziemlich genau der von PG 41,1048B,
während GCS 31 eine leicht veränderte Lesart bietet.

130) Haereses 61, 1-8 (GCS 31, 380-389).

131) Ebd. 61,6 (ebd. 386,5ff).

132) Ebd. 61,6,4f (ebd. 386,16ff).

133) Vgl. dazu H. Kihn, Über θεωρία und ἀλληγορία nach den verlo-
renen hermeneutischen Schriften der Antiochener, in: ThQ 62
(1880) 531-582; H.de Lubac, "Typologie" et "Allégorime", in:
RSR 34 (1947) 180-226; ders., Geist aus der Geschichte. Das
Schriftverständnis des Origenes, Einsiedeln 1968 (1950),
149ff; J.Guillet, Les Exégèses d'Alexandrie et d'Antiochie.
Conflit ou malentendu?, in: RSR 34 (1947) 257-302; und bes.
P.Ternant, La θεωρία d'Antioche dans le cadre du sens de
l'Ecriture, in: Biblica 34 (1953) 135-158, 354-383, 456-486.

134) F III (CR VIII, 863). Etwas anders in F V (SA VI, 466,11ff)
und F IV (CR XII, 219).

135) F I (CR VIII, 60). Diese Aufzählung steht am Schluß. In der
kurzen vorausgehenden Erläuterung steht die speculatio gemäß
dem Zitat noch in der Mitte. in den Fassungen II, III, VI, VII
ist jedoch ebenfalls umgestellt, was vielleicht auf das Konto
des Systematisierungswillens Melanchthons gehen dürfte. Unsystematisch wieder in F V, weil hier der Schwerpunkt auf der
nativa sententia liegt (SA VI, 466), F IV und F X, wo die
Reihenfolge des Zitats eingehalten wird. F X stellt ja auch
die älteste Fassung dar.

136) F III (CR VIII, 863).

137) F II (CR VIII, 60f); ähnlich F IV (CR XII, 219); F VIII (CR X,
895); F IX (CR XII, 659f); F V (SA VI, 466,14ff).

138) F VI (CR IX, 1024); F VII (CR IX, 1083).

139) Die Begriffe "sensus", "experientia" und "exercitia" scheinen
mehr oder minder identisch zu sein. Vgl. F III (CR VIII, 863);
F V (SA VI, 466,27ff); F IV (CR XII, 220); F IX (CR XII, 660);
F II (CR VIII, 61); F VI (CR IX, 1024).

140) F II (CR VIII, 61); ähnlich F I (ebd. 60); F VI (CR IX, 1024f);
dann F III (CR VIII, 863f); F V (SA VI, 466,22ff; vgl. 467,8f);
vgl. F VIII (CR X, 895); dann F IV (CR XII, 219); F X (CR XI,
900. Begriffsgeschichtlich ist hier zwischen Epiphanius und
Melanchthon eine doppelte Transformation eingetreten: Die
antiochenische Verwendung des Begriffes θεωρία weist mehr
auf den Platonismus zurück (vgl. H.de Lubac, Geist aus der
Geschichte, a.a.O. 151; siehe Anm.133). In der aristotelischen
Tradition haben dann die lateinischen Schriftsteller bis ins
späte Mittelalter den bei Aristoteles häufig wiederkehrenden
Begriff θεωρεῖν mit speculari übersetzt (vgl. H.Kihn, a.a.O.
541; siehe Anm.133). Melanchthon knüpft offensichtlich hieran
an, wenn er "Theorie" durch "Spekulation" wiedergibt. Inhaltlich ist damit noch ein zweiter Schritt verbunden, weil
sich das Melanchthonische Verständnis von Dialektik als
metaphysikfreie Methodik sich vom scholastisch-aristotelischen
wesentlich unterscheidet; siehe dazu S.358-361, 368-376.
Der Melanchthon-Schüler Martin Chemnitz, der die hier be-
sprochene Schematik in der Einleitung zu seinen Loci theologici 1591 verwendet, spricht wieder von θεωρία, aber in der
Melanchthonischen Bedeutung (Methodik, die faktisch mit der
Dialektik identisch ist); siehe den Text bei C.H.Ratschow
1964, 23f.

141) "Hae viae non mutant scripta, sed illustrant eorum lectionem"
(F II, CR VIII, 61); vgl. F VIII (CR X, 895); F IX (CR XII,
660).

142) Zwar ist der Faden der antiochenischen Exegese im westlichen
Mittelalter nie ganz abgerissen. Nach einer bestimmten Auffassung sollen selbst Thomas von Aquin und Nikolaus von Lyra
eine große sachliche Nähe zur antiochenischen Auffassung von
Exegese aufweisen (so P.Ternant, a.a.O. 456-484; siehe Anm.
133). Auf jeden Fall läßt sich der antiochenische Einfluß
literarisch belegen: Der Psalmenkommentar und der Kommentar
zu den Paulusbriefen des Theodor von Mopsuestia waren im
Westen bekannt; noch wichtiger aber ist das Werk des Iunilius
"Instituta regularia divinae legis", das als Lehrbuch im
Mittelalter weit verbreitet war und 1545 zum ersten Mal gedruckt wurde; vgl. M.L.W.Laistner, Antiochene exegesis in
Western Europe during the Middle Ages, in: HThR 40 (1947),
19-31. Aber es gibt keine Anzeichen dafür, daß Melanchthon
von dieser Tradition den ersten Impuls erhalten hat. Seine
Grundentscheidung dürfte zunächst einmal durch seine Verbindung von Sprachhumanismus und Aristotelismus bedingt sein
(siehe dazu S.410ff). Wohl aber scheint er in dieser antiochenischen Auffassung von Exegese eine gewisse Bestätigung
seiner eigenen Vorstellungen gefunden zu haben.

143) Eine erste Fassung stellt das Stück "De passione Domini nostri
Iesu Christi" dar, das Melanchthon den Zöglingen seiner Haus-
schule zum Karfreitag vorgetragen hat; es steht in den Ann.Ev.
1549 (CR XIV, 241-244 = F I); eine zweite Fassung findet sich
in der Beispielsammlung rhetorischer Behandlung einzelner
Themen: Disp.rhet.LXV, 1553: "De triplici meditatione passio-

nis Iesu Christi, domini et servatoris nostri" (SM II/1, 59f =
F II); eine dritte Fassung steht im Anschluß an Ps 110,7
("De torrente in via bibet, propterea exaltabit caput"),
welcher Vers (wohl ganz traditionell) als Prophetie des Leidens und der Verherrlichung Christi verstanden wird (Comm.Ps.
110,7, 1553/55, CR XIII, 1286ff). Melanchthon fährt hier
(ebd. 1288) fort: "Enarratio versiculo admonendus est lector,
quomodo passio Christi consideranda sit." Weil anderswo darüber ausführlicher gehandelt würde, sei hier nur kurz darüber
gesprochen. "Nam omnino praeterire nolui, quia utile est
ubique inculcare principalem locum de passione Christi." Darauf folgt dann die triplex meditatio passionis (ebd. 1288 bis
1293 = F III). Es läßt sich vermuten, daß sich die Verfahrens-
weise, der dieses zentrale Stück des Glaubens unterzogen wird,
prinzipiell auch auf die anderen Inhalte des Glaubens anwenden
läßt. Die Ausführung dieser Methodenskizze scheint dies zu
bestätigen.

144) F I (CR XIV, 241); so auch in F II (SM II/1, 59,9f) und F III
(CR XIII, 1288, 1289, 1290); hier auch einleitend eine leichte
Abwandlung: "Prima est Paedagogica, secunda Fidei, tertia
Exemplaris"(ebd. 1288).

145) F I (CR XIV, 241); ähnlich F III (CR XIII, 1288f). Am ausführlichsten ist diese erste Regel in F II beschrieben
(SM II/1, 59,11ff; 59,17-60,9).

146) F III (CR XIII, 1289); das ist dann breiter ausgeführt ebd.
1289f. Ähnlich auch F I (CR XIV, 241f); die breite Ausführung
ebd. 242f. Der Unterschied zwischen erstem und zweitem Schritt,
zwischen Inhalt und Vollzug, Wissen und Leben u.ä. ist besonders gut sichtbar in F II, wo am Schluß des ersten Schrittes
der Inhalt der applicatio beschrieben wird, den man kennen
muß (SM II/1, 60,6ff) und sofort darauf der zweite Schritt mit
ähnlichen Worten als Vollzug geschildert ist (ebd. 60,10ff:
entspricht den F I und III).

147) F I (CR XIV, 243). Der Gedanke des Leidens und der Anfechtun-
gen wird dann noch weiter ausgeführt (ebd. 243f). Ganz ähnlich F II (SM II/1, 60,14ff) und F III (CR XIII, 1290f; ebd.
1291-1293 eine breitere Ausführung der doctrina de cruce).

148) Damit schließt F II: "Fructus seu usus harum meditationum passionis Christi est, ut hac cogitatione accendantur in cordibus motus spirituales, iuxta illud: Fides ex auditu, auditus
per verbum"(SM II/1 60,18ff).

149) Die längste Skizze ist die Ratio theol., die wahrscheinlich
aus dem Jahr 1530 stammt (CR II, 455-461;= FI). Dann gibt es
zwei weitere Stücke aus den Jahren 1540 und 1542: De ratione
studiorum (CR III, 1110-1113 = F II) und Modus et ratio
studiorum (CR IV, 934-936 = F III); ferner ein kurzes undatier-
tes Stück Ratio studiorum (CR X, 99f = F IV). Hierherzählen
kann man auch noch die Institutio für Johann Friedrich, Herzog
von Pommern, von 1554 (CR VIII, 382-387 = F V), in der es

auch um den ordo studii geht (wenn auch zunächst einmal für
einen Fürsten; siehe den Begleitbrief CR VIII, 381) und die
1538 für Iustus Ionas verfaßte Rede De studiis theologicis
(CR XI, 41-50; zur Dat. siehe O.Clemen 1913, 33f. Das in
CR XI, 41 angegebene Datum 1521 ist falsch) (= F VI) und
ferner auch die Ratio discendi von 1521 (CR XX, 701-704; zur
Dat. K.Hartfelder 1891) (= F VII). Eine inhaltliche Wiedergabe von einigen dieser Stücke findet sich bei K.Hartfelder
1889, 468-476. Die von Ernst Kroker aus der Mathesischen
Sammlung von Tischreden Luthers mitgeteilte Ratio studendi
feliciter in theologia Melanchthons (WATR 2, 399,24-400,30),
die Konrad Cordatus in seiner Tischreden-Sammlung in verkürzter Form bietet (ebd. 399,8-23) ist nach K.Haendler
(1968, 132 Anm40) fast völlig identisch mit dem ersten Teil
der Ratio theol.1530 (CR II, 456f).

150) Dies ist breit ausgeführt in F VI (CR XI, 42ff).

151) "..legas tanquam orandi causa unum atque alterum caput"(F I,
CR II, 456); "..legendum aliquid in Bibliis, quod ad precandum
excitet.."(F II, CR III, 1111); "..loco precum textus..legen-
dus.."(F III, CR IV, 934); vgl. F VI (CR XI, 43).

152) F I (CR II, 456); F II (CR III, 1110f); vgl. F III (CR IV,
935); F IV (CR X,100); daneben auch Luthers Galaterkommentar
(F I, CR I, 456); der Kolosserbrief (F II, CR III, 1111);
bzw. Melanchthons Loci communes (F II, CR III, 1111; vgl.
F IV, CR X, 100).

153) "Est enim ad usum et ad tentationem comparanda cognitio"(F I,
CR II, 458). Der finis studiorum im allgemeinen besteht ja in
utilitas und fructus für das Leben (F II, CR III, 1110). Der
Text der Heiligen Schrift ist deshalb zu lesen "cum quadam
cura et intelligendi et excitandae mentis ad pietatem" (F III,
CR IV, 934f); vgl. auch F VI (CR XI, 42ff). Auf diese Weise
sind Theologie und pietas eng miteinander verknüpft: "Theologia, pietas simul cecidere"(F VII, CR XX, 704). Diese Unterscheidung zwischen der Erlangung des Wissens und der persönlichen Aneignung ist auch der mittelalterlichen Theologie geläufig; vgl. dazu etwa die Unterscheidung von lectio und meditatio bei Hugo von St.Viktor (dazu G.Paré-A.Brunet-P.Tremblay
1933, 218ff) oder überhaupt die Schriftauslegung der monastischen Theologie (dazu J.Leclercq 1963, 83-102).

154) "Haec tum demum intelligi poterunt, cum aliquis in vita usus
accedit, cum tentatio exercebit animum, et orare coget. Neque
unquam tamen desunt orandi occasiones"(F I, CR II, 458).

155) Das gilt vor allem in bezug auf die Väter, bes. Augustinus,
aber auch Hieronymus; auch Nikolaus von Lyra könne in manchem
hilfreich sein (F I, CR II, 459, 458). "Legendi et veteres
canones, ut sciamus quid decreverit Ecclesia. Eligendi sunt,
qui cum Evangelio consentiunt"(ebd. 459).

156) "Proderit etiam conferre alios interpretes, ut videas quam

inepti sint ille, qui non norunt rem ad locos de fide etc. revocare"(F I, CR II, 458).

157) Das wird in allen Stücken hervorgehoben.

158) Vgl. C.H.Ratschow 1964, 21-57; auch J.Wallmann 1961, 30ff.

159) K.Haendler betont (1968, 216 Anm.19) gegen J.Wallmann (1961, 9f), daß die Ausdrücke doctrina christiana und doctrina ecclesiastica dasselbe meinten (also in der späteren Bevorzugung von doctrina ecclesiastica o.ä. kein Zug zur Verkirchlichung sichtbar werde) und daß doctrina ecclesiastica nicht erst 1539, sondern schon in den Fakultätsstatuten 1533 verwendet werde. Haendler hat wohl darin recht, daß Melanchthon zu keiner Zeit eine doctrina kennt, die nicht kirchliche doctrina wäre (und man müßte hinzufügen: zu keiner Zeit eine doctrina kennt, die nicht christliche Lehre wäre, weil die Unterscheidung des Christlichen eine Grundfrage Melanchthons bleibt), aber es ist auf der anderen Seite doch nicht zu bestreiten (darin hat J.Wallmann im Prinzip richtig gesehen), daß die Kirchlichkeit der Lehre seit den dreißiger Jahren und vollends seit den vierziger Jahren immer stärker ins Blickfeld tritt und daß sich dies auch terminologisch niederschlägt (siehe auch S. 322f). Im übrigen wird der Ausdruck doctrina ecclesiastica z.B. bereits in der Ratio theol. 153o verwendet (CR II, 460), und zwar neben doctrina christiana, das hier noch überwiegt (ebd. 456f, 461) und doctrina Evangelii (ebd. 460).

160) J.Wallmann 1961, 8ff, 19ff; kurz auch G.Ebeling, Theologie, Begriffsgeschichtlich, in: RGG VI (3.Aufl.1962) 764f. Wallmann folgen K.Haendler 1968, 217 Anm.22; G.P.Hartvelt 1962, 118.

161) So verwendet etwa der bekannte Thomist Herveus Natalis (gestorben 1323) in den Quästionen zum Prolog seines Sentenzenkommentars beständig das Wort "theologia", niemals aber die in der Hochscholastik gebräuchlichen Synonyma "scriptura" oder "sacra scriptura" o.ä. (J.Beumer 1966, 238); ders., Schriftlose Theologie? Zu den Prinzipien im Sentenzenkommentar des Herveus Natalis O.P., in: Scholastik 40 (1965) 398-404; vgl. auch die folgende Anm. 162.

162) Dazu J.Wallmann 1961, 6ff; C.H.Ratschow 1964, 21-57. Zur Begriffsgeschichte von"Theologie" vgl.bes. M.-J.Congar, Théologie, in: DThC XV/1 (1946) 341-346; G.Ebeling, Theologie, Begriffsgeschichtlich, in: RGG VI (3.Aufl.1962) 754-769, und die dort angegebene Literatur; U.Köpf 1974,11-26(Scholastik).

163) Vor allem gilt dies für das Adjektiv. Es wird sehr häufig verwendet, u.a. auch z.B. in den Titeln der Loci und ihrer Vorarbeiten: "Theologica Institutio in Epistolam Pauli ad Romanos", "Rerum theologicarum capita seu loci", "Loci communes seu Hypotyposes theologicae", "Loci communes theologici", "Loci praecipui theologici". "Studia theologica" kann ohne

weiteres mit "studia doctrinae christianae" wechseln. Beide
Formeln sind offensichtlich austauschbar (vgl. die Briefe
an P.Eberus und J.Jonas vom 16.März 1541 (CR IV, 132, 133).
Ähnliches gilt auch für das Nomen "theologus", das keineswegs fast nur für scholastische Theologen verwendet wird
(gegen J.Wallmann 1961, 21): z.B. "Essemus magni profecto
theologi, si proprium scripturarum sermonem intelligeremus"
(Raps.Rom.1521, Bizer-Texte 51); vgl. SA I, 28,2f; SA III,
92,1.5; 93,3; 153,19; 162, 5.9.18; 182,18; 337,9; CR I,
695. Seltener findet sich das Verb "theologicari"; hier
bieten sich andere Begriffe wie docere, tradere usw. an. Aber
auch theologicari wird ohne weiteres auch positiv verwendet
(vgl. SA III, 58,1.3.; CR I, 722).

164) Theologia neben iurisprudentia und medicina: SA III, 38,9ff;
61,11ff; CR I, 393; CR III, 378, 674f; SM II/1 29ff; 56ff.

165) Studium theologiae (SA I, 22,19; Bizer-Texte 123); Theologia
als genus studiorum neben ius CR XX, 695, vgl. 697); Theologia als studium neben Grammatica und Dialectica (CR IV,812)
Theologia neben anderen artes wie Arithmetica, Geometria,
Physica, Ethica (CR IX, 693); vgl. auch die Titel der
Stücke "Brevis discendae theologiae ratio" (CR II, 455-461)
und "De studiis theologicis"(CR XI, 41-50).

166) Doctrina Sophistarum - sincera Theologia; ista Sophistarum
θεολογία - nostra Theologia (CR XX, 703, 704); vetus et
Christi theologia - novicia et Aristotelica theologia (SA I,
5,5f); Pauli Theologia - perniciosae Theologorum aetatis
nostrae scholae (SA I, 27,24ff); Sophistica Theologia - sincera theologia et christiana doctrina (SA I, 57,14.16f); vestra
theologia - non Lutheri theologia (SA I, 150,13f); Scholastica Theologia - Theologia Christi (Bizer-Texte 81). Nach
1525 scheinen aber derartige Gegenüberstellungen zu fehlen.

167) Sowohl in der Frühzeit (CR I, 63; CR XI, 38; CR XX, 702, 704;
CR I, 122, 388; SA II/1 5,26; SA IV, 206,11; SA III, 40,11ff;
Bizer-Texte 24 Anm.18; ebd.123), wie auch später (CR II, 94;
CR XI, 444; SA III, 59,26; 61,32f; 93,1f.14f; CR IX, 701;
SM II/1, 71,3. Seine deutsche Ausgabe der Loci nennt Melan-
chthon sogar "Theologia germanica" (CR VIII, 54). In der 1538
für Justus Jonas verfaßten Rede De studiis theologicis
(CR XI, 41-50) wird theologia im üblichen absoluten Sinn
mindestens 15mal verwendet.

168) J.Wallmann hat (1961, 9f) bereits darauf hingewiesen, daß in
den Einleitungen und Vorreden zu den Loci, wo Melanchthon
am ausführlichsten über Wesen und Aufgabe der Theologie re-
flektiere, immer von der doctrina Christiana bzw. doctrina
Ecclesiae gesprochen wird. Dieser Sachverhalt läßt sich leich
noch weiter belegen: Während z.B. im Titel des Stückes
Brevis discendae theologiae ratio der Begriff "theologia" vor
kommt, verwendet Melanchthon im Inneren selbst den Terminus
"doctrina" (CR II, 455-461), während Theologie einerseits
ausdrücklich als Fakultätsbezeichnung gebraucht wird, steht
auf der anderen Seite doctrina (coelestis, ecclesiae u.ä.) ge
wissermaßen als Bezeichnung der Theologie selbst (SM II/1,
29ff; 56ff).

169) J.Wallmann 1961, 22; referiert wird diese Vermutung auch bei K.Haendler 1968, 217 Anm.22.

170) G.Ebeling, Theologie, Begriffsgeschichtlich, in: RGG VI (3.Aufl.1962) 764f. Wenn dies zuträfe, würde Melanchthon ähnlich verfahren, wie Thomas von Aquin, der nicht nur gegenüber Vorgängern und Zeitgenossen das Wort "Sacra Doctrina" bevorzugt - seit Abaelard zwischen Sacra Pagina und Theologia unterschieden hatte, wird ja meist "Theologia" für Theologie im engeren Sinn bevorzugt -, sondern der in der wichtigen ersten Quaestio der S.th. offensichtlich gerade deswegen sacra doctrina zu verwenden scheint, um einer Verwechslung mit der theologia der aristotelischen Metyphysik zu entgehen. Vgl. Y.M.-J.Congar 1960, 181f; O.H.Pesch 1966, 173 Anm.26. Dagegen U.Köpf 1974, 24f.

171) Siehe S.136 Anm.72, S. 319, 323, 331ff, 335, 338, 342ff.

172) Der prozeßhafte Charakter von doctrina ist hervorgehoben bei P.Fraenkel 1959, 116ff; ders. 1961, 142, 285; der inhaltliche Charakter bei K.Haendler 1968, 213f, 230f, 236ff, der zugleich auch die bisher umfassendste und auch brauchbarste Darstellung des Melanchthonischen doctrina-Begriffes geliefert hat (ebd. 72f, 211-278). Zur älteren protestantischen Kritik an Melanchthons doctrina-Begriff vgl. ebd. 212 Anm.4.

173) Dies ist auch bei K.Haendler 1968, 211ff, 236ff betont.

174) Siehe bes. S. 158ff.

175) Im Zusammenhang mit dem doctrina-Begriff vgl. dazu vor allem H.-I.Marrou, "Doctrina" et "disciplina" dans la langue des Pèresde l'Eglise, in: Bulletin du Cange. Archivum Latinitatis Medii Aevi 9 (1934) 5-25; Y.M.-J. Congar 1960; J.Beumer 1941, 25-31; M.-D.Chenu 1957, 329-337; H.de Lubac 1959, 43-56 (disciplina), auch 56-74 (Schriftauslegung = kirchlicher Glaube bzw. kirchliche Verkündigung und umgekehrt); allgemein auch noch A.Hamman, Dogmatik und Verkündigung in der Väterzeit, in: ThGl 61 (1971) 202-231.

176) Dies zeigt sich bes. in den beiden Paulusreden von 1520: Decl.Pauli doctr. (SA I, 28-53, bes. 29f) und Adh.Paul.stud. (CR XI, 34-41); z.B. ebd. 35: "Primum enim ratione quadam et doctrina opus esse ad instituendam vitam.." Einige Andeutungen in dieser Richtung auch bei J.Wallmann 1961, 19f, und H.-G.Geyer 1965, 28ff.

177) Vgl. bereits Rhet.1519: "..conciones sacrae omnes aut sunt demonstrativae, aut suasoriae. Nam aut docent mysteria scripturarum, aut historiam tractant, aut suadent, vel dissuadent"(Bl.Ha). De off.conc.1529: "Nemo potest rite docere, nisi dialecticae peritus sit. Ea enim ars est perspicue docendi, neque ob aliam causam inventa est ullam, nisi ut viam et rationem res obscuras explicandi teneremus" (SM V/2, 7,11ff). El.rhet.1531: "Est autem διδασκαλικὸν genus, methodus illa docendi, quae traditur in dialectica.."(CR XIII,

421); vgl. dazu S.369ff, und W.Risse 1964, 87f. Gerade in
diesem pädagogischen und methodologischen Verständnis von
"doctrina" dürfte es (sieht man von den Unterschieden in der
Logik einmal ab) eine tiefe Kontinuität zum Mittelalter geben;
vgl. dazu W.J.Ong 1958, 149-167 (=Kap.VII: The pedagogical
Juggernaut).

178) Hingewiesen auf diesen speziellen doctrina-Begriff hat schon
K.Haendler 1968, 239-242. Ihm zufolge habe Melanchthon diesen
Begriff im Anschluß an 1 Tim 4,13 entwickelt und dann in seiner Rhetorik wiederholt (ebd. 239). Als Ergebnis stellt
Haendler fest, daß dieser Begriff das grundlegende Verständnis von doctrina als Schriftauslegung nicht aufheben würde
(ebd. 242). Das ist zweifellos richtig. Haendler unterschätzt
m.E. jedoch die methodologische Bedeutung dieses Begriffes.
Siehe auch S. 408

179) Ein weiterer Schritt ist bei Johannes Gerhard erkennbar, der
zwar (sieht man von der Verwendung des Wortes "theologia"
statt "doctrina" ab) den gleichen Befund wie Melanchthon aufweist, darin aber bereits systematisch jene Glieder benennt,
die sich in der Folgezeit voneinander lösen werden. Das Wort
"theologia" hat nach Gerhard nämlich eine dreifache Bedeutung.
Theologie könne verstanden werden:
"1. pro fide et religione Christiana, quae omnibus fidelibus,
doctis aeque indoctis communis est, ut sic theologi dicantur,
quicunque norunt fidei articulos, iisque assentiuntur...
2. pro functione ministerii Ecclesiastici, quo sensu omnes
ministri verbi dicuntur theologi.
3. pro accuratiore divinorum mysteriorum cognitione, qua ratione theologi dicuntur, qui possunt veritatem divinam solide
stabilire, eique oppositam falsitatem potenter destruere...
quae tamen non sunt diversae theologiae species; sed diversae
unius vocabuli significationes"(Loci theologici, Prooemium 4,
Ioannis Gerhardi Loci theologici, hrsg. von E.Preuss Bd.I,
Berlin 1863, 1f); dazu vgl. auch J.Wallmann 1961, 33-45, wo
allerdings einige Einzelheiten mißdeutet sein dürften. So
wird die Bezeichnung des ungelehrten Christen als Theologen
(ebd. 34) einfach auf Luther zurückgeführt, während die humanistische Theologie mindestens ebensosehr zu berücksichtigen
wäre (siehe S. 66ff, 78ff, 108ff, 130, 150), so wird (ebd.39)
der spezielle doctrina-Begriff nicht erkannt und (ebd. 42)
der Ausdruck "ecclesiae apud nos docent" in der CA im Sinne
der wissenschaftlichen Lehre verstanden (siehe aber dazu
S. 289). Der doppelte Theologiebegriff Melanchthons taucht
bei Johann Gerhard bereits in der Präzisierung der Definition
auf: "Theologia (systematice et abstractive considerata) est
doctrina e verbo dei exstructa, qua homines in fide vera et
vita pia erudiuntur ad vitam aeternam. Theologia (habitualiter
et concretive considerata) est habitus θεόσδοτος per verbum
a Spiritu sancto homini collatus, quo non solum in divinorum
mysteriorum cognitione per mentis illuminationem instruitur,
ut quae intelligit in affectum cordis et exsecutionem operis
salutariter traducat, sed etiam aptus et expeditus redditur
de divinis illis mysteriis ac via salutis alios informandi,

ac coelestem veritatem a corruptelis contradicentium vindican-
di, ut homines fide vera et bonis operibus rutilantes ad
regnum coelorum perducantur" (Loci theologici, Prooemium 31,
a.a.O. 8); dazu C.H.Ratschow 1964, 21-57, und J.Wallmann
1961, 85-161 (wo der Theologiebegriff Georg Calixts besprochen wird). Allgemein auch R.D.Preus 1970.

180) Dazu vgl.etwa G.Paré-A.Brunet-P.Tremblay 1933; A.Clerval, Les
écoles de Chartres au Moyen-Âge (Du Ve au XVIe siècle),
Paris 1895, bes. 143-320; M.-D.Chenu 1960, bes. 18-33 (weitere
Literatur ebd. 71-75).

181) Zur Philosophie Melanchthons, insbesondere zu seinem Aristotelismus siehe S. 410-429.

182) Zu dieser Entwicklung vgl. u.a. E.Troeltsch 1891; P.Althaus
1914; P.Petersen 1921, 219-338 (der Kampf um die Metaphysik);
H.E.Weber, Reformation,   Orthodoxie und Rationalismus
(Beiträge zur Förderung christlicher Theologie, II, 35, 45,
51), Gütersloh Bd.I/1 1937, Bd.I/2 1940, Bd.II 1951; J.Wall-
mann 1961; G.P.Hartfelt 1962; C.H.Ratschow 1964; ders. 1966.
R.D.Preus 1970.

183) Aus der Rede De artibus liberalibus 1517 (SA III, 17-28).

184) Zu den artes liberales im Mittelalter vgl. die verschiedenen
Beiträge in Artes liberales 1959, und Arts liberaux et philosophie au Moyen-Âge 1969; ferner auch E.Norden 1909, II,670 bis
687; L.J.P.Paetow 1910; J.Leclercq 1963, 128-168; E.R.Curtius
1965, bes. 46-88; J.Dolch 1965, 99-175.

185) Vgl. etwa die Lehrpläne der Artistenfakultäten von Heidelberg, Tübingen (siehe S. 98f) und Wien; dazu ausführlich
A.Lhotsky 1965, bes. 39-117. Zum Ganzen auch J.H.Overfield
1969, 13-32. Von ca.1450 bis ca.1520 waren die humanistischen
Versuche einer Lehrplanerneuerung aufs Ganze gesehen ziemlich
wirkungslos geblieben. Bis ca.1520 blieb nämlich der herkömm-
liche scholastische Lehrbetrieb im großen und ganzen bestehen,
wenn es auch an einigen Universitäten nebenher auch Unterricht
in Poetik, Rhetorik und Klassikerlektüre gab (dazu bes. J.H.
Overfield 1969, 45-174, 265-311, 364-400).

186) Artes: SA III, 20,27-26,8; philosophia: ebd. 26,9ff. Vgl. bes.
20,27f. Von seiner Grundthese her (durch Reuchlin vermittelter
Einfluß des Neuplatonismus) sieht W.Maurer (1967, 53) die
Sache gerade umgekehrt: "Wo ist Melanchthons wirkliche Leidenschaft in dieser Rede zu entdecken? Natürlich nicht in der
Aufzählung und Beschreibung der sieben freien Künste des
Triviums und Quadriviums;" "Sie versteckt sich hinter dem
kunstvollen Aufbau der Rede, die im Eingang eine Frage auf-
wirft, sie während des Hauptteils scheinbar außer acht läßt,
sie aber am Schluß eindeutig beantwortet." Abgesehen davon,
daß die Interpretation selbst einen etwas gekünstelten Eindruck hinterläßt, ist auch die Grundthese fragwürdig (siehe
dazu S. 414ff.

187) SA III, 18,31 (administrae); ebd. 26,9f (organa, praeludia).

188) So in dem Callimachus-Zitat: "Ipsa (sc.Philosophia) est quae
in medio artium choro communis omnibus desidit.."(ebd. 26,14f);
dies wird noch illustriert durch das der Antike geläufige
Bild von Apoll, der inmitten der Musen sitzt omnem cithara
temperans (ebd. 26,16ff). Ähnlich verschwommen war das Verhältnis im Frühmittelalter: Einerseits hielt man an der aus
der Antike überkommenen Deutung der artes als Propädeutik
der Philosophie fest, andererseits wurde seit der Spätantike
immer mehr der Philosophiebegriff und der sich mit den artes
deckende allgemeine Kulturbegriff identifiziert (vgl. E.R.
Curtius 1943, bes. 304-309). Im Philosophiebegriff dürften
hier bei Melanchthon die platonischen Motive noch am ehesten
greifbar sein, aber ob man ihnen eine solche systematische
Bedeutung zusprechen kann, wie W.Maurer (1967, 53ff) meint,
scheint gerade vom Kontext her mehr als fraglich.

189) Vox daemonii (SA III, 18,32ff). Die Philosophie ist die "magna
diis genita sapientia", das dei numen caelis demissum (ebd.
26,10ff). "Mihi vero iam de naturae scientiae non daemonii
voce res est, putoque nostris ingeniis propria, rationis usu
contingit"(ebd. 20,27ff). Das "daemonium" dürfte sich wohl
auf das Sokratische δαιμόνιον beziehen; dazu F.P.Hager,
Daimonion, in: HWPh II (1972) 1.

190) Die "Sprachwissenschaft" betreffe vor allem auch die Anfänge
des Unterrichts (SA III, 20,29ff). Diese Art der Einteilung
der artes entspricht z.B. wiederum der im frühen Mittelalter
üblichen: Unter dem Trivium wurden die artes sermocinales,
logicae oder verbales verstanden, unter dem Quadrivium die
artes reales; vgl. H.Wolter 1959, 70; J.Dolch 1965, 136.

191) SA III, 20,37-22,23.

192) Ebd. 22,24ff. Die Differenz wird bes. in der Interpretation
des jeweiligen Patronats der einzelnen Musen deutlich: "Polym-
neia, cui nomen est a memoria, litteras habet. Euterpe dialec-
ticam, quod mira sciendi cupidine rapiantur, qui in contempla-
tione degunt. Melpomene forum demulcens, rhetoricam"(ebd.
22,29ff). Zum Hintergrund vgl. E.Barmeyer, Die Musen. Ein
Beitrag zur Inspirationstheorie (HumBib I,2), München 1968.

193) SA III, 20,32ff. Zu dieser auch dem frühen Mittelalter noch
geläufigen Verbindung von Grammatik und Geschichte (Augustinus: die Grammatik ist die Hüterin der Geschichte) vgl.
H.Wolter 1959, 70ff.

194) SA III, 22,33-24,10. In bezug auf das Quadrivium verweist
Melanchthon auf den Tübinger Mathematiker Johannes Stöffler,
der diese Fächer unterrichten würde; zu Stöffler vgl. W.Maurer
1967, 129-170 (=Kap.5: Johann Stöffler und die Naturanschauung
Melanchthons).

195) SA III, 24,11-33.

196) Zu diesem Vorgang vgl. vor allem H.M.Klinkenberg, Der Verfall des Quadriviums im frühen Mittelalter, in: Artes liberales 1959, 1-32; ferner K.G.Fellerer, Die Musica in den Artes
liberales, ebd. 33-49. Zur Geschichte des Harmoniebegriffes
vgl. auch Heft 9 von StudGen 19 (1966); bes. die Beiträge
von M.Vogel, Harmonia und Mousike im griechischen Altertum,
ebd. 533-538; O.Gigon, Zum antiken Begriff der Harmonie, ebd.
539-547; H.Hüschen, Der Harmoniebegriff im Mittelalter, ebd.
548-554.

197) In letzterem Sinn K.Hartfelder 1889, 188; vgl. auch J.Haller
1927, 278. Die gegenteilige Auffassung vertritt mit Nachdruck
W.Maurer 1967,53ff: Mit Leidenschaft habe Melanchthon hier
die "platonische Vernunftlehre" (ebd. 54) angenommen, mit
der orphisch-pythagoreischen Tradition vereint (ebd. 55) und
das Ganze mit seiner nominalistischen Herkunft verbunden.
Mit der Hochschätzung der Mathematik sei eine tatsächliche
Verbindung zur platonischen Metaphysik gegeben; damit stehe
auch nicht in Widerspruch, daß Melanchthon auf der anderen
Seite den praktischen Nutzen der Mathematik für Wirtschaft,
Verwaltung und Technik hervorheben könne (ebd. 146ff, hier
auch die Belege dafür). Man könnte hier auch auf die Resp.
Picum 1542? hinweisen, wo es heißt: "Miror autem, cur Theologis tuis tantam Philosophiae scientiam tribuas, cum a Mathema-
ticis, quae est haud dubie praecipua Philosophiae pars, valde
nudi atque inopes sunt.."(CR IX, 701); dazu bemerkt Q.Breen
(1952, 50) wohl zu Recht: "We are inclined, however, to
write off as largely rhetorical his praise of mathematics as
the chief part of philosophy."

198) SA III, 26,1ff.

199) Vgl. bes. H.Wolter 1959.

200) M.-D.Chenu 1957, 64f; H.Wolter 1959, 80ff; K.Heitmann 1970
(vgl. bes. 272).

201) Aus De corr.stud. vom 29.Aug.1518 (SA III, 30-42; bes. 33,32
bis 39,37).

202) Zur Gliederung der Antrittsrede siehe S. 116.

203) Dazu vgl. vor allem J.Dolch(1965, 176-265), der diesen Abschnitt über den Humanismus mit "Ordo docendi" überschreibt.

204) SA III, 38,35-39,37. Zur allgemeinen Bildungstheorie des
Humanismus (Bildungsziel, Unterrichtsprogramm, Fächerkanon
usw) vgl. bes. A.Buck 1959; G.Müller, Bildung und Erziehung
im Humanismus der italienischen Renaissance. Grundlagen,
Motive, Quellen, Wiesbaden 1969; R.Landfester 1972, 39-78
(hier 54-62 auch speziell zum Geschichtsstudium im Rahmen
der studia humanitatis). Die Vorstellung von der Geschichte
als Bindeglied zwischen den artes ist übrigens auch den
Humanisten des 12.Jahrhunderts geläufig (vgl. H.Wolter 1959,
83).

205) Siehe S. 371.

206) Erot.dial.1547 (CR XIII, 656). Cicero, Augustinus und das
   Frühmittelalter führten diese Dreiteilung auf Platon zurück;
   sie ist jedoch erst in der platonischen Schule entstanden
   (Xenokrates) und dann bes. von den Stoikern benutzt worden.
   Bei Aristoteles gibt es nur eine Stelle, in der eine ähnliche
   Einteilung (wenn auch nur skizzenhaft und mehr nebenbei) vor-
   liegt. Ansonsten teilt Aristoteles die Philosophie immer in
   theoretische, praktische und poietische Philosophie ein
   (vgl. F.Ueberweg 1926, 332, 375f). Im Frühmittelalter versuchte man die angeblich platonische und diese aristotelische
   Einteilung (und natürlich auch die Einteilung der artes liberales) auf verschiedene Weise miteinander zu vereinen; vgl.
   dazu die instruktive Übersicht von J.A.Weisheipl 1965; ferner
   auch M.Grabmann 1911, 28-54; J.Dolch 1965, 135-146.

207) Vorausgesetzt ist dabei, daß die entsprechenden philosophischen Hinweise im ersten Schema mehr waren als bloße Illustration. Auf jeden Fall zeigt dieser schnelle Wechsel, daß
   die neuplatonischen Elemente nicht als Grundlage des Melanchthonischen Denkens bezeichnet werden können (siehe auch
   S. 414f). W.Maurer will (1967, 193f) hier nur einen Wechsel
   von der Scholastik (mit ihrem Dialektik- und Rhetorikverständnis) zum humanistisch interpretierten Aristoteles (und
   dessen Dialektik- und Rhetorikverständnis) sehen.

208) Capita 1520 (Bizer-Texte 111); Loci 1521 (SA II/1, 41,34ff/
   42,1ff); Loci 1535 (CR XXI, 398f); En.eth.I.Arist. 1546 (CR
   XVI, 286f); Erot.dial.1547 (CR XIII, 649f); En.Symb.Nic.1550
   (CR XXIII, 294-297); De anima 1553 (SA III, 359,19ff); Loci
   1559 (SA II/1 314,1ff); vgl. auch W.Dilthey 1957, 177ff.

209) Vgl. J.A.Weisheipl 1965, bes. 58-68.

210) Siehe S. 193.

211) Aus Schol.Col.1527, Exkurs zu Kol 2,8 (SA IV, 230-243; bes.
   230ff); vgl. auch Disp.De discrimine evangelii et philosophiae
   zwischen 1531-1533: "Philosophia continet artes dicendi,
   physiologiam et praecepta de civilibus moribus"(Komp. 110).

212) Auch im Humanismus des 11. und 12. Jahrhunderts wurde die
   Gruppe des Triviums mitunter statt mit "logica" mit "eloquentia" bezeichnet, wie z.B. bei Honorius Augustodunenses
   (PL 172, 100CD) und in einer Bamberger Handschrift (Grabmann
   1911, 37); vgl. dazu G.Paré-A.Brunet-P.Tremblay 1933, 105.
   Auf der anderen Seite kann freilich auch, wie z.B. bei Johannes von Salisbury logica einen weiteren Sinn besitzen und
   alle sermozinalen artes unter sich begreifen (vgl. J.E.Seigel
   1968, 185ff).

213) Siehe S. 371ff.

214) Aus der Praef.in officia Ciceronis 1534 (SA III, 82-87).

215) Vgl. K.Bullemer 1902, 8; siehe auch S. 430f.

216) Siehe dazu ausführlicher S. 411ff.

217) Siehe dazu näher S. 450-471.

218) Erot.dial. 1547 (CR XIII, 534ff); vgl. auch den Abschnitt De accidentibus mentis et voluntatis in De anima 1553 (SA III, 358ff).

219) "Quot sunt species qualitatis? Quatuor: Habitus, Potentiae naturales, Affectus, Figurae, Quid est Habitus? Habitus, Graece ἕξις, est qualitas comparata ex crebris actionibus in hominibus, qua recte et facile homines efficere illas actiones possunt, quae a suo habitu gubernantur et iuvantur.." (CR XIII, 535).

220) Ebd. 536.

221) "Noticia principiorum est, agnoscere principia luce mentis nobiscum nata, et firmo assensu ea amplecti, naturali iudicia, sine confirmatione, ut bis 4 esse 8 sine confirmatione certo constituimus" (ebd.). "Scientia est noticia vera conclusionum, quibus propter demonstrationem firmiter assentimur, ut hanc propositionem: Coelum est finitum, firma assensione propter demonstrationem amplectimur" (ebd.). "Ars est noticia vera faciendorum seu fabricandorum, ut Architectonica" (ebd. 537). "Prudentia est noticia vera, quae secundum rectam rationem regit deliberationes in electione honestarum actionum, et rerum utilium" (eb.). "Fides est noticia propositionum certarum, quas firma assensione amplectimur, propter asseverationem testium veracium, ut iudex assentitur narrationi propter testes veraces. Credimus fuisse Alexandrum regem Macedonum, et bella gesisse cum Dario rege Persico, quia id consentientibus testimoniis multorum populorum et scriptorum, qui fallere non volebant, traditum est" (ebd. 538). Vgl. auch De anima 1553, wo Melanchthon folgende habitus aufzählt: "Scientia Ars. Prudentia.Fides.Opinio" (SA III, 358,23f).

222) "Scientia est noticia vera conclusionum, quibus propter demonstrationem firmiter assentimur.." "Ars est noticia vera faciendorum seu fabricandorum.. Sic Aristoteles discernit vocabula scientiae et artis.." "Ac prudentiam vocat Aristoteles habitum practicum.., τέχνην vero habitum ποιητικόν.., *Scientiam*, habitum regentem speculationes " (CR XIII, 536, 537).

223) Ebd. 537. Die gleiche Definition auch in der Praef. in officia Ciceronis 1534 (SA III, 83,16f; in der Anm. dazu ebd. verweist R.Nürnberger auf Galen). Auch hier hebt Melanchthon wieder besonders den Nutzen im Leben hervor: "Videntur mihi singulari consilio Graeci in definitione artis hoc posuisse, quod aliquam in vita utilitatem habere debeat. Nam omnes artes instrumenta sunt vel privatae vitae conservandae vel regendae reipublicae" (SA III, 83,2ff). Die Identifikation von ars und scientia ist besonders schön zu beobachten im Exkurs zu Kol

2,8 (Schol.Col.1527, SA IV, 230f). Das bei Melanchthon bereits
einige Male vorkommende Wort "System" spielt noch keine größere Rolle; erst im 17.Jahrhundert wird man die Systematik in
diesen Begriff zu fassen versuchen (vgl. O.Ritschl 1906, 9ff).
Diesem stoischen Verständnis von ars (das auf Zeno zurückgeht)
begegneten die Humanisten in ihren Lieblingswerken, nämlich
bei Cicero, Quintilian, Lukian, Hermogenes usw., weshalb es
bei ihnen auch weit verbreitet war (vgl. N.W.Gilbert 1960,69f).

224) CR XIII, 537. Zu den Begriffen φαντασία καταληπτική und κατα-
ληπτή in der stoischen Erkenntnislehre vgl. etwas F.Ueberweg
1926, 416ff.

225) CR XIII, 537. Vgl. etwa die Besprechung von certitudo und
utilitas der Moralphilosophie in der Wv.zu En.eth.Arist.
Febr.1545 (CR XVI, 7f); zu certitudo und utilitas der Physik
In.doctr.phys.1549 (CR XIII, 181, 185ff, 189ff). Vgl. auch
G.H.Geyer, der (1959, 14) in utilitas und certitudo ebenfalls
die beiden konstitutiven Momente des doctrina-Begriffes erkannt hat.

226) Vgl. G.Paré-A.Brunet-P.Tremblay 1933, 103ff; M.-D.Chenu 1957,
329; aber auch W.J.Ong 1958, 156.

227) Vgl. etwa F.Kaulbach, Einführung in die Metaphysik (Die Philosophie. Einführungen in Gegenstand, Methoden und Ergebnisse
ihrer Disziplinen), Darmstadt 1972, 64, und überhaupt 33-68
(=Der metaphysische Ansatz des Aristoteles).

228) Vgl. W.Dilthey 1957, 170ff, 174. Siehe auch S. 193, 353.

229) "In Philosophia et omnibus artibus, de quibus lux humani ingenii per sese iudicat, tres sunt normae certitudinis: Experientia universalis, Principia, id est, noticiae nobiscum nascentes, et ordinis Intellectus in iudicanda consequentia. Haec
tria Stoici erudite contexuerunt, et nominarunt κριτήρια
doctrinarum"(Erot.dial.1547, CR XIII, 647). Vgl. auch Disp.
De discrimine trium sententiarum de doctrina philosophica,
zwischen 1534-1536 (Komp. 127-130); Disp.De certis noticiis
et affectibus natura insitis, 1540 (ebd. 115f); In.doctr.phys.
1549 (CR XIII, 185-187); Expl.Prov.1551 (CR XIV, 41). Speziell
auf Plutarch führt Melanchthon seine Kriteriologie zurück im
B.an Ch.Stathmion, 8.Okt.1552 (CR VII, 1100f); vgl. auch noch
Schol.Col.1527 (SA IV, 235,23ff); zum Ganzen auch W.Dilthey
1957, 172-186; H.Maier 1909, 82ff; P.Petersen 1921, 71ff;
W.Risse 1964, 102f.

230) Erot.dial.1547 (CR XIII, 647f).

231) K.O.Apel 1963, 231; vgl. auch W.Kasper 1967, 66f. Diese Nütz-
lichkeitstopik dürfte zu einem wesentlichen Teil auf die
Rhetorik zurückgehen; denn "Die utilitas ist die Richtschnur
aller Lehren der Rhetorik"(H.Lausberg 1960,I, § 1060); vgl.
ebd. II, § 1244, s.v. utilis und utilitas.

232) Zur Physik vgl. In.doctr.phys.1549 (CR XIII, 190). Hier zeigt
sich jedoch auch, daß der Nützlichkeitsstandpunkt bei Melanchthon nicht ein starres Dogma darstellt, das eine zwecklose,
lediglich aus Freude und ursprünglicher Neigung erfolgende
Naturbetrachtung sinnlos machen würde: "Tota natura rerum
velut theatrum est humani ingenii, quod Deus vult aspici,
ideo indidit hominum mentibus cupiditatem considerandarum
rerum, et voluptatem, quae agnitionem comitatur. Hae causae
invitant sana ingenia ad considerationem naturae, etsiamsi
utilitas nulla sequeretur"(ebd. 189). "Proinde et propter
veras sententias et propter methodi exemplum Peripatetica sunt
utiliora. Aristoteles ipse inquit, repudiandas esse opiniones,
quarum nullus est usus in vita et moribus. Tales autem sunt
Stoicae multae, videlicet de apathia, de fata, et pleraeque
aliae"(Phil.mor.1546, SA III, 154,30ff).

233) Zur Frühzeit Melanchthons siehe S. 129, 133ff, 135f, 150, 152.

234) B.an M.Hummelberg, 15.Mai 1525: "Video enim in tanta varietate opinionum de religione te ea sequi, amplecti ac diligere,
quae primum certissima sunt, deinde alunt pietatem"(CR I,
740); Ratio theol. 1530: "Et qui sciet omnia ad locos communes referre, huic nihil opus est quaerere multos sensus. Hoc
potius agat, ut certam quandam sententiam constituat, quae
certo conscientiam docere possit de voluntate Dei. Est enim
ad usum et ad tentationes comparanda cognitio. Quare non est
contaminanda illis ridiculis allegoriis, qualibus delectatur
Origenes"(CR II, 458f).

235) Loci 1521: "Primum, quod ad divinam voluntatem attinet, fidem
non aliud esse nisi certam et constantem fiduciam benevolentiae divinae erga nos"(SA II/1, 117,18ff). "Christiana mens
facile experientia magistra discet nihil esse christianismum
nisi eiusmodi vitam, quae de misericordia dei certa sit"(ebd.
118,32ff). "Certissima sententia esto oportere nos certissimos
semper esse de remissione peccati, de benevolentia dei erga
nos, qui iustificati sumus. Et norunt quidem fide sancti
certissime se esse in gratia, sibi condonata esse peccata"
(ebd. 121,17ff.28f). Hier in den Loci 1521, im Zusammenhang
mit der christlichen Hoffnung, erfolgt die erste ausführliche
Stellungnahme zur Glaubens-, Gnaden- und Heilsgewißheit
(SA II/1, 116,37-122,8); dazu vgl. die minuziöse Interpretation von H.-G.Geyer 1965, 251-267. Diese Position wird im wesentlichen beibehalten, die Heilsgewißheit erfährt sogar
eine noch stärkere Betonung: vgl. bes. Comm.Rom.Arg.1532
(SA V, 36,17ff; 54,28ff); ebd. zu Röm 14,23(ebd. 351-354);
ferner auch K.Heim 1911, 260-268; H.Steubing 1927; P.Fraenkel
1961, 212-218. Auf die systematische Beurteilung dieser
Heilsgewißheitsidee kann hier nicht in extenso eingegangen
werden. Nur soviel sei gesagt, daß die Gewißheit bei Melanchthon offensichtlich nicht in der Reflexivität des Glaubens-
aktes gründet (wie P.Hacker, Das Ich im Glauben bei Martin
Luther, Graz 1966, 347-353 = Anhang 2: Die Doktrin des reflexi-
ven Glaubens in Melanchthons Apologie, meint), sondern sich
allein aus seinem Gegenstand ableitet (vgl. auch V.Pfnür 1970,

210) und daß die Heilsgewißheit keine Prädestinations- und
Perseveranzgewißheit einschließt (dazu H.-G.Geyer 1965, 260ff)
und daher die Gegensätzlichkeit zwischen der scholastischen
Theologie und dem Tridentinum (DS 1533f) auf der einen und
Melanchthon auf der anderen Seite letztlich wohl nur eine
scheinbare Gegensätzlichkeit ist, weil es gar nicht um den
gleichen Diskussionsgegenstand ging. Es handelt sich also
auch hier wieder um eines jener theologischen Mißverständnisse, die sich im Zuge divergierend sich entwickelnder Theologien und auf Grund des Polarisationseffektes der Polemik
immer mehr als Gegensätze etabliert haben. Zur ganzen Frage
vgl. etwa St.Pfürtner, Luther und Thomas im Gespräch. Unser
Heil zwischen Gewissheit und Gefährdung (Thomas im Gespräch,
5), Heidelberg 1961.

236) Siehe S. 320, S. 187.

237) Siehe S. 323f.

238) Zum Vorwurf der "opinio" (im Konstrast zur doctrina) vgl.
die Belege bei P.Fraenkel 1961, 316f Anm.41.

239) Zur theologischen Prinzipienlehre der Hochscholastik unter
dem Einfluß der aristotelischen Wissenschaftslehre vgl.
A.Lang 1964, bes. 106-166; ebd. 112-138 auch zum Prinzipiencharakter der articuli fidei; ferner J.Finkenzeller 1961,
162-221; Th.Tshibangu 1965, 35-96. Zu den Glaubensartikeln
in der protestantischen Orthodoxie C.H.Ratschow 1964, 141-152.

240) Vgl. G.Söhngen 1965, 971f. Neben der Subalternationstheorie
steht die scholastische Illuminationstheorie (vgl. A.Lang
1964, 156-166), die ebenfalls eine vertikale Strukturierung
aufweist, weil hier die gnadenhafte mystische Evidenz der
Glaubensartikel aus der Erleuchtung durch die prima veritas
stammt.

241) Vgl. P.Althaus 1914, 230-261, bes. 230f; C.H.Ratschow 1964,
27ff; R.D.Preus 1970, 112ff, 164f, 167f, 172f.

242) Dies sollte vielleicht noch einmal betont werden: Wenn hier
die Melanchthonische Theologie, in der der Sprachhumanismus
dominiert, als horizontal strukturiert,und die mittelalter-
lich-scholastische Theologie sowie die altprotestantisch-
orthodoxe Theologie, in denen der Aristotelismus vorherrscht,
als vertikal strukturiert bezeichnet werden, dann soll damit
keineswegs eine strikte Gegensätzlichkeit der beiden Modelle
behauptet sein; vielmehr gibt es in beiden Modellen beides:
die Vertikale und die Horizontale - darin erweisen sie sich
ja als christliche Theologien. Unterschiedlich ist allerdings
das konkrete Denkmuster; und dieser Unterschied sollte nicht
unterschätzt werden, weil er im Streit der Theologien des
16.Jahrhunderts für viele Kontroversen, aber auch Mißverständnisse und Polemiken mitverantwortlich sein dürfte.

243) Die Differenz Offenbarung-Vernunft ist hier mit der im Verhältnis zum scholastischen Denken deutlich erkennbaren Histori-
sierung des Denkens im Humanismus (siehe dazu S.478ff) und
der Melanchthonischen Sprachauffassung (siehe dazu S.430-471)
zusammenzusehen. Diese Linien zusammen dürften dem traditionellen Schriftprinzip eine gewisse Verschärfung verliehen
haben, die in der direkten Konfrontation mit der spätscholastischen Theologie noch einmal eine Steigerung erfahren hat -
wohl auch nicht zuletzt deswegen, weil diese neue Art der
Schriftzuwendung und -auslegung (zumindest anfänglich) auch
ein gewisses Erfolgs- und Evidenserlebnis zu verzeichnen
hatte. Vgl. aber auch S. 376-384.

244) Zur Scholastik vgl. die Literatur S. 53 Anm.418, und A.Lang
1964, 169-175; zur altprotestantischen Orthodoxie vgl.
J.Wallmann 1961, 62-84; H.E.Weber 1908, 37-65; P.Althaus
1914, 26-40; G.P.Hartvelt 1962, 119-139, 146; C.H.Ratschow
1964, 40-45; R.D.Preus 1970, 112ff, 162, 165, 195ff, 227.

245) So J.Wallmann 1961, 76; ihm stimmt zu K.Haendler 1968, 216
Anm.17; vgl. aber auch schon P.Althaus 1914, 248f.

246) Siehe dazu S. 334, 337f, 340, 342, und auch S.453ff, 456.

247) Siehe oben Anm. 244.

248) Vgl. oben Anm.239. Zur Spätscholastik A.Lang 1964, 177-183;
J.Wallmann 1961, 79-84 (Vergleich J.Gerhard - Melanchthon);
C.H.Ratschow 1964, 71-76; R.D.Preus 1970,116,239,258,296.

249) "Nam in aliis artibus ratione queruntur artium initia et causae, in sacris literis fieri id non debet. Tota enim doctrina
Christiana divinitus tradita est et mandata literis a prophetis et apostolis. Id scriptum sequendum est"(De off.conc.
1529, SM V/2, 7,23ff). Dies wurde von J.Wallmann (1961, 80f)
im Prinzip bereits richtig erkannt und von K.Haendler (1968,
211-278) in aller Breite dargestellt (wenn auch noch ohne Bezugnahme auf die Wissenschaftstheorie).

250) Dies entspricht ungefähr dem allgemein humanistischen Befund.
Denn dort, wo die Frage im Humanismus diskutiert wird, wird
meist auf die praktische Leistung der historischen Erkenntnis
hingewiesen und diese daher entweder der philosophischen Erkenntnis (die theoretischer Natur sei und bloß auf das Allgemeine ziele) übergeordnet oder doch wenigstens beigeordnet,
ohne daß im übrigen versucht würde, dieses Verhältnis theo-
retisch zu klären (vgl. dazu R.Landfester 1972, 142-151).
Wohl ist diese Frage dann wieder in der altprotestantischen
Orthodoxie aufgebrochen; vgl. P.Althaus 1914, 241-251 (hier
249 auch der Hinweis auf den Zusammenhang mit Melanchthons
Einfügung des Autoritätsglaubens in die Wissenschaftslehre).

251) Siehe dazu S. 416-421.

252) Vgl. S. 343f.

253) Vgl. dazu Q.Brenn 1952, 19. Zur Forderung nach dem utilitas-
Charakter der Theologie vgl. die reichen Belege bei K.Haendler
1968, 272ff, 268f.

254) Siehe dazu S. 49-55, 92f, 117ff, 141-146, 313.
Zur Anthropozentrik der Theologie Melanchthons auch K.Haendler
1968, 31-49, der sich (ebd. bes.33f Anm.23) auch kritisch
mit der meist negativen Wertung dieser Anthropozentrik (im
Verhältnis zu einer angeblichen Theozentrik der Lutherischen
Theologie) auseinandersetzt; vgl. auch W.Maurer 1969, 233f.
Zur Identität von philosophischer und theologischer Problemstellung auch H.-G.Geyer 1965, bes. 63ff; vgl. auch noch
H.-G.Geyer 1959, 33ff, 112ff; J.Wallmann 1961, 59ff (zur
humanistischen und reformatorischen Anthropologisierung);
A.Brüls 1971, der im anthropologisch-soteriologischen Interesse sozusagen die Grundstruktur der Melanchthonischen Theologie zu erkennen glaubt; vgl. etwa ebd. 36: "..il s'agit chez
Mélanchthon d'une pensée structurelle: deux pôles, Dieu, juge
et sauveur, et l'homme, déchu mais bénéficiaire de la grâce
divine, se rapportent l'un à l'autre, sans pourtant pouvoir
être confondus l'un avec l'autre ou même se fondre ensemble.
Entre ces deux pôles, il y a une corrélation, qui est essen-
tielle pour toute la théologie de Mélanchthon. L'essentiel
de la pensée de Mélanchthon ne se situe par conséquent pas
dans une doctrine particulière, mais bien dans sa structure
bipolaire de Dieu et de l'homme." Ausführlicher ders. 1975,
33f, 76,80,109f,142, 143-146, 150f,153,157ff,161,169.

255) Vgl. H.-G.Geyer 1965, 267-281; E.Bizer 1964, 238-252.

256) Dieser Schwierigkeit entspricht wohl auch, daß es bisher
weder eine zusammenfassende Analyse der allgemeinen Methodenlehre noch auch eine befriedigende - alle wichtigen Aspekte
berücksichtigende - Übersicht über die theologischen Methodenlehre im engeren Sinn gibt. Auch der folgende Versuch ist nur
vorläufiger Natur. Teilaspekte behandelten bisher (z.T. aber
auch noch korrekturbedürftig): G.A.Herrlinger 1879, 345-462
(Allgemeine Charakteristik Melanchthons als Theologen);
H.Maier 1909, 73-85 (Dialektik); P.Petersen 1921, 60-74 (For-
malwissenschaften und Erkenntnistheorie); P.Joachimsen 1926;
F.Hübner 1936, 52-56 (Melanchthons dogmatische Methode als
Ausdruck seiner Lehre von der Heiligen Schrift); Q.Breen 1947;
W.H.Neuser1957, 41-70 (=Das Methodenproblem in Melanchthons
Theologie); W.J.Ong 1958, 236-239 (Melanchthon on method);
H.Sick 1959, 41-81 (=Die Rhetorik und Dialektik im Dienst der
Auslegung des AT, dargestellt auf Grund der Rhetorik Melanchthons aus dem Jahr 1531); W.Maurer 1960; N.W.Gilbert 1960,
48, 60, 70, 107ff, 125ff (zu methodus); R.Schäfer 1963 (Melanchthons Hermeneutik im Römerbriefkommentar 1532); H.-G.Geyer
1965, bes. 28-63 (=Das Problem der effektiven Methode), aber
auch 125ff, 180ff, 227f; W.Maurer 1967, bes. 187-198 (Rheto-
rik-Dialektik), 199-209 (Loci-Methode); K.Haendler 1968, 35
bis 42 und passim; U.Schnell 1968.

257) Zur scholastischen Methode vgl. etwa M.Grabmann 1909 und 1911;
G.Paré-A.Brunet-P.Tremblay 1933; M.-J.Congar, Théologie, in:

DThC XV/1 (1946) 341-5o2; hier 346-41o; M.-D.Chenu 196o;
A.Lang 1964; F.Hoffmann 1972; J.Beumer 1972, 61-89. Zur mittelalterlichen Logik vgl. bes. J.Pinborg 1972 (und die hier
181-195 angeführte Literatur).

258) Zur Logik und Methodik des 16.Jahrhunderts vgl. bes.
W.Risse 1964 (zum Allgemeinen 1off); ders., Methodismus und
Formalismus in der Logik, erläutert am Beispiel der Renaissance
philosophie, in: StudGen 18 (1965) 518-52o; C.Vasoli 1968;
T.Heath 1971 (vor allem zum Übergang von der scholastischen
zur humanistischen Logik) ; Ferner auch noch W.J.Ong 1958, bes.
92-13o (=Agricola's place-logic); N.W.Gilbert 196o, 67-115
(=The influence of Humanism on methodology in the various
subjects of the university curriculum); 119-128 (=The methodology of the dialecticians of the Renaissance). Zur Geschichte
der Dialektik bis zur Neuzeit siehe die Übersicht von
W.Risse-A.Müller-L.Oeing-Hanhoff, Dialektik, in: HWPh II(1972)
164-184; zur Geschichte der Methodenlehre vgl. R.McKeon,
Philosophy and the Development of Scientific Methods, in:
JHI 27 (1966) 3-22; L.Laudan, Theories of Scientific Method
from Plato to Mach: A bibliographical review, in: History of
Science 7 (1958) 1-63; auch N.W.Gilbert 196o (bis zur Renaissance).

259) "Quantum autem conducat in omni doctrina methodum tenere, non
ignorant homines mediocriter literati "(Disp.Rom.153o, CR XV,
445). "Scis, me methodicam scribendi et disserendi rationem
elegisse, ut res bene, ordine et perspicue explicarentur ad
posteritatis utilitatem" (B. an H.Schreiber, 21.Juli 1543,
CR V, 147). Siehe auch S. 371ff.

260) CR XIII, 573. Diese Definition stammt ursprünglich aus der
Stoa (wörtlich ist sie bei Zeno vorhanden); sie wird dann von
griech. Aristoteleskommentatoren (z.B. von Johannes Philoponus)
übernommen und dürfte schließlich von da aus ihren Weg in den
Humanismus gefunden haben (vgl. dazu N.W.Gilbert 196o, 46ff,
125f).

261) Der Abschnitt "De Methodo" steht am Ende des ersten Buches der
Erot.dial.1547 (CR XIII, 573-578); definitio und divisio,
der erste Teil der Dialektik, ebd. 517-573; die 1o Fragen ebd.
573f. Die vier Hauptfragen davon würden übereinstimmen mit den
vier Fragen des Aristoteles in den Analytica posteriora: An
sit, Quid sit, Quod sit et Quare sit (ebd. 574). Die sechs
restlichen entnimmt er offensichtlich der topischen Tradition
(vgl. N.W.Gilbert 196o, 127). Paradigmatisch durchgespielt
wird diese Methode dann am Begriff "virtus" (CR XIII, 574-577).
Sachlich ist der Abschnitt (unter dem Titel "Usus eorum, quae
de vocibus simplicibus prodita sunt") bereits in der Comp.dial.
ratio 152o (CR XX, 724ff), dann auch in der Rhet.1519 (Bl.
A 4a-B 4b; C 4ab) und in den Schol.Cic.orat.III,28f, 1524
(CR XVI, 754ff) vorhanden.

262) "Supra autem breviter dictum est de methodo explicandi simplices quaestiones. Sed propositio confirmatur aut refutatur per
locos, quos in hac parte Dialectices recitabimus, qui tamen

affines sunt methodo, quam supra tradi. Ut enim explicanda est una vox per definitionem, divisionem, causas, effectus, ita postea ex iisdem fontibus argumenta nascuntur"(CR XIII, 643); vgl. ebd. 663. Die Topik (De locis argumentorum) macht das vierte Buch der Dialektik aus (CR XIII, 641-752); vgl. auch Comp.dial.ratio 1520 (CR XX, 748-764); eine Kurzfassung der dialektischen Methode und Topik auch in Rhet.1519 (Bl.A 4a-B 4b; C 4a-Db) und El.rhet.1531 (CR XIII, 423-429).

263) "Locus dialecticus est sedes argumenti, seu index, monstrans ex quo fonte sumendum sit argumentum, quo confirmanda est propositio, de qua dubitas.."(CR XIII, 659). Zu diesem Bild und ähnlichen Metaphern vgl. J.M.Lechner 1962, 131-152; zum Verständnis der dialektischen loci im 16.Jahrhundert ebd. 77-97.

264) Die Aufzählung der loci rerum (CR XIII, 663): Definitio et definitum. Genus. Species. Differentia, Proprium...Totum, Partes. Divisio. Causae. Effectus usw. Im ganzen entsprechen diese loci inhaltlich ungefähr den praedicabilia und praedicamenta (vgl. ebd. 518ff, 526ff). Es ist natürlich nicht notwendig, daß bei jeder Frage alle loci durchgegangen werden; es ist dies auch gar nicht immer möglich (vgl. El.rhet.1531, CR XIII, 428). Zur Klassifikation der dialektischen loci vgl. wieder J.M.Lechner 1962, 89ff.

265) "Saepe autem locis utimur non tam ad investigationem, quam ad electionem rerum, quarum cumulus propositus est, ut in Ecclesia docenti non sunt res inveniendae, non enim gignimus doctrinam: sed cum pars aliquae coelestium concionum proposita est, eligit res praecipuas prudens interpres, et loci monstrant, quo ordine sint explicandae, quaerenda definitio, faciendae partitiones, eruendae causae, indicandi effectus" (CR XIII, 641f).

266) Die Lehre vom Satz (De Propositione) bildet das zweite, die Lehre vom Schlußverfahren (De Argumentatione) das dritte Buch der Dialektik (CR XIII, 577-594, 593-642).

267) Bisweilen wird die Dialektik ausdrücklich als die methodus bezeichnet: De corr.stud.1518 (SA III, 35,4ff); El.rhet.1531 (CR XIII, 421), als allgemeine Untersuchungs- und Lehrmethode wird sie meist definiert: "Est enim Dialectica cuiusque thematis propositi exacta et artificiosa pervestigatio.."(Wv. zur Rhet., Jan.1519, CR I, 65). Die Dialektik als ars disserendi, als regula quaedam disputandi de communibus caussis (Wv. zur Comp.dial.ratio, März 1520, CR I, 154); ähnlich Comp.dial.ratio 1520 (CR XX, 711f); De off.conc.1529 (SM V/2, 7,11ff); El.rhet.1531 (CR XIII, 424). "Dialectica est ars seu via, recte, ordine, et perspicue docendi.."(Erot.dial.1547, CR XIII, 513); vgl. ebd. 573. Zu den Logikvorlesungen Melanchthons vgl. K.Hartfelder 1889, 555ff, zu den Logikausgaben C.G.Bretschneider, in: CR XIII, 507ff. Übersichten über die drei großen Ausgaben der Dialektik 1520, 1528 und 1547 und überhaupt über die Logik der Melanchthonschule finden sich

bei W.Risse 1964, 79-121. Ihm zufolge (ebd. 121) sei das
Programm der Melanchthonschule aristotelisch, die äußere Gestaltung aber weithin durch den aristotelisch-ciceronisieren-
den Synkretismus des Caesarius, nicht durch den rhetorisierenden Ciceronianismus Agricolas bedingt. Zur Logik Melanchthons
vgl. auch noch C.Vasoli 1968, 278-309; H.Maier 1909, 73-85;
P.Petersen 1921, 62-74.

268) Vor allem in den beiden Aristoteles-Reden De vita Aristotelis,
Jan 1537 (SA III, 96-104; zur Dat. vgl. O.Clemen 1913, 37)
und Or.de Aristotele 1544 (SA III, 122-134) wird der Nutzen
der Aristotelica ratio ac methodus herausgestrichen. Ohne
Kenntnis der Lehrmethode (via docendi) des Aristoteles werde
niemand ein artifex methodi (ebd. 98,9ff). Seine doctrina
sei deswegen "methodischer", weil er als Kind in der Philosophie des Hippokrates ausgebildet worden sei (ebd. 98,30ff).
Neben dem amor veritatis kennzeichne ihn vor allem die
diligentia in quaerenda methodo (ebd. 99,7ff). Mit Hilfe
zweier Dinge bringe er Licht in die Lehre, mit methodus und
proprietas sermonis (ebd. 103,25ff). Er allein sei artifex
methodi. Nur durch Übung in diesem genus der aristotelischen
Philosophie komme man zur Methode (ebd. 104,27ff). Aus
Aristoteles sei die vera methodi forma zu entnehmen (ebd.
128,35ff). Am nötigsten habe die Kirche die Aristotelische
Dialektik, weil diese die Methode ausbilde (ebd. 130,3ff).
Ähnliche Aussagen sind häufig: vgl. noch Disp.De vera philosophia et erroribus sectarum, März 1539 (Komp. 124); B.an
Camerarius, 14.Juli 1537 (CR III, 389); Phil.mor.1546 (SA III,
154,4f.26ff). Siehe auch S.82f Anm.47.

269) Noch in Tübingen lernt Melanchthon die neuplatonischen Aristoteleskommentare des Ammonios, Simplikios und Johannes Philoponus aus der alexandrinischen Schule des 5.und 6.Jahrhunderts
n.Chr.kennen (vgl. CR I,21 und dazu O.Clemen, in: SM VI/1,27f).
Diese alexandrinische Schule ist charakterisiert durch ihre
Abneigung gegenüber der metaphysischen Spekulation, durch
ihre Harmonisierungsversuche zwischen Plato und Aristoteles,
durch die gelehrte Interpretation der Texte, durch das Überwiegen der aristotelischen Studien und schließlich durch die
mannigfachen Verbindungen zum Christentum (alexandrinische
Katechetenschule)(vgl. F.Ueberweg 1926, 635ff) Hier glaubt
Melanchthon im Gegensatz zu den "Verfälschungen" der Scholastik
den wahren und ursprünglichen Aristoteles gefunden zu haben.
Mit Berufung auf Simplikios, Johannes Philoponus und den in
vielem ihnen ähnlichen Spätperipatetiker des 4.Jahrhunderts,
Themistios, erklärt Melanchthon, daß Aristoteles in den
Analytica posteriora nicht Metaphysik lehre (wie das Mittel-
alter geglaubt habe), sondern Rhetorik (De corr.stud.1518,
SA III, 35,21ff; 36,5ff; vgl. Rhet.1519, Bl.A 4b, B 4b) (zu
Themistios und seiner Verbindung von Philosophie und Rhetorik
vgl. wieder F.Ueberweg 1926, 656ff). Als weitere Gewährsleute
seiner Aristotelesinterpretation nennt Melanchthon später
noch den berühmten Peripatetiker des 3.Jahrhunderts, Alexander
von Aphrodisias, und den großen Vermittler der antiken
Philosophie, Boethius, der in vielem der alexandrinischen
Schule nahesteht (Wv.zu Erot.dial., 1.Sept.1547, CR VI, 655;
vgl. auch schon Rhet.1519, Bl.Bab) (zu den beiden Genannten

vgl. wieder F.Ueberweg 1926, 564f, 652ff). Gerade bei den
griechischen Aristoteleskommentatoren hat sich anstelle des
eigentlich aristotelischen allmählich das stoische Verständnis von τέχνη und μέθοδος durchgesetzt (vgl. N.W.Gilbert
1960, 46ff).

270) De artibus liberalibus 1517 (SA III, 22,25f); De corr.stud.
1518 (ebd. 34,13f); Wv.zur Rhet., Jan.1519 (CR I, 64f); B.an
Spalatin, 13.März 1519 (CR I, 75); Wv.zur Com.dial.ratio,
März 1520 (CR I, 153f); El.rhet.1531 (CR XIII, 419f);
Resp.Picum 1542? (CR IX, 691); Disp.rhet.XL 1553 (SM II/1,
33,22ff). Die beste Interpretation des Wechselverhältnisses
von Dialektik und Rhetorik bei Melanchthon findet sich bei
H.-G.Geyer 1965, 36-49.

271) Siehe S.430.

272) Zur Rhetorik allgemein-historisch vgl. H.Lausberg 1960 (und
die ebd. II,§ 1243 angegebene umfangreiche Literatur zur
Rhetorik und Poetik); G.Kennedy, The Art of Rhetoric in the
Roman World 300 B.C.-A.C. 300, Princeton, New Jersey 1971;
auch die ausgezeichnete systematisierende Übersicht von
H.Lausberg 1966, 47-66. Zum Humanismus und zum 16.Jahrhundert
vgl. bes. H.H.Gray 1963; C.Vasoli 1968; L.A.Sonnino 1968.
Zu den Rhetorikvorlesungen Melanchthons siehe K.Hartfelder
1889, 555ff, zu den Ausgaben C.G.Bretschneider, in: CR XIII,
413ff; zu beidem auch K.Bullemer 1902, 12ff. Eine Übersicht
über die Rhetorik Melanchthons (z.T. mit Vergleichen zwischen
den verschiedenen Ausgaben) bietet U.Schnell 1968, 36-53;
vgl. auch W.Maurer 1967, 187ff, 192ff.

273) El.rhet.1531: "Verum hoc interesse dicunt, quod dialectica res
nudas proponit. Rhetorica vera addit elocutionem quasi vesti-
tum. Hoc discrimen etsi nonnuli reprehendunt, ego tamen non
repudio, quia et ad captum adolescentium facit, et ostendit,
quod rhetorica maxime proprium habeat, videlicet elocutionem,
a qua ipsum rhetorices nomen factum est. Ac si quis subtiliter
existimabit, intelliget hoc discrimen recte defendi posse"
(CR XIII, 420). Zur elocutio vgl. S. 431-440.

274) Für Melanchthon war die Rednerausbildung schon in der Antike
nicht die einzige Funktion der Rhetorik; schon damals habe sie
auch als Hermeneutik gedient (El.rhet.1531, CR XIII, 417f);
dazu auch U.Schnell 1968, 18. "..ita sunt, qui Rhetoricam
arbitrantur modum epistolarum scribendarum, aut falsas principum laudes: ipsorum enim verbis utor"(Wv.zur Rhet., Jan.1519,
CR I, 64). Nach der Übernahme des ganzen Aristoteles und mit
dem darausfolgenden neuen Wissenschaftsideal verliert die
Rhetorik im 13.Jahrhundert ihre Vormachtstellung. Sie wird nun
zur ars dictaminis, zur Kunst des Verfassens von Briefen und
Dokumenten; aus ihr geht als Ableger die ars notaria hervor
(vgl. dazu L.J.Paetow 1910, 67-91; R.McKeon 1942). Auch der
zweite Vorwurf wurde von seiten der Scholastik erhoben. Als
die rhetorische Kultur des Humanismus in der ersten Hälfte
des 15.Jahrhunderts in die spätscholastischen Universitäten
einzudringen begann, sahen die scholastischen Vertreter der

Artisten in ihr nur Wortschwall, Lobhudelei und Schmeichelei
(vgl. A.Lhotsky 1965, 119-163, bes. 151f). Auch Pico della
Mirandola greift diese Kritik in seiner Verteidigung der
Scholastik und seinem Angriff gegen die Rhetorik im Jahr 1485
auf (CR IX, 680; auch von Melanchthon wieder zitiert ebd. 690).
Gegen diese bereits bei Sokrates und Platon vorhandene Kritik
wendet sich Melanchthon wiederholt mit dem Argument: damit
sei nicht die Rhetorik selbst, sondern ihr Mißbrauch (Schmeichelei und Geschwätz) getroffen (vgl. z.B. Disp.rhet.XL 1553,
SM II/1, 33,25ff; De Platone, 19.Sept. 1538, CR XII, 419f; zur
Dat. O.Clemen 1913, 38; El.rhet.1531, CR XIII, 460).

275) "Quare et nos ad hunc usum trademus Rhetoricen, ut adolescentes adiuvent in bonis autoribus legendis, qui quidem sine
hac via nullo modo intelligi possunt" (El.rhet.1531, CR XIII,
418); vgl. ebd. 417f, und K.Bullemer 1902, 23ff. Zur Rhetorik
in moderner Perspektive vgl. H.-G.Gadamer, Rhetorik, Hermeneutik und Ideologiekritik. Metakritische Erörterungen zu 'Wahrheit und Methode', in: Hermeneutik und Ideologiekritik. Mit
Beiträgen von K.O.Apel u.a. (Theorie Diskussion), Frankfurt am
Main 1971, 57-82 (ursprünglich in H.-G.Gadamer, Kleine Schriften Bd.I, Tübingen 1967, 113-130); O.Pöggeler 1970; E.Grassi
1970, passim; ders. 1973, passim; J.Kopperschmidt, Allgemeine
Rhetorik. Einführung in die Theorie der Persuasiven Kommunikatio
Stuttgart u.a. 1973 (Literatur). Zur Aktualität in literatur-
wissenschaftlicher Hinsicht: G.Storz, Unsere Begriffe von Rhetorik und vom Rhetorischen, in: DU 18 (1966) 5-14; H.Lausberg
1966, 48, 73-89; B.Stolt, Tradition und Ursprünglichkeit. Ein Üb
blick über das Schrifttum zur Rhetorik in den sechziger Jahren
im Bereich der Germanistik, in: Studia Neophilologica 41 (1969)
325-338; H.F.Plett, Einführung in die rhetorische Textanalyse,
2. Aufl., Hamburg 1973 (1971).

276) Siehe S. 431-440.

277) El.rhet. 1531 (CR XIII, 419f). Die rhetorischen loci siehe
ebd. 429-455; zu diesen allgemein auch J.M. Lechner 1962, 97 bis
130. Die Unterscheidung, daß es die Dialektik mit den Gegenständen zu tun habe, und zwar hinsichtlich ihrer Wahrheit und
Falschheit bzw. hinsichtlich ihrer Gewißheit, während die
Rhetorik sich nur auf Wahrscheinliches beziehe, dafür aber
die Gegenstände sprachlich einkleide, ist von Anfang an vorhanden. Vgl. De artibus liberalibus 1517: Dialektik als
"subtilis disserendi ratio" und als "scientia veri", die
Rhetorik als "pars dialecticae, quosdam argumentorum locos
populariter instruens" (SA III, 20,37; 21,18.25f); Comp.dial.
ratio 1520: "Dialectica est artificium apposite ac proprie de
quocunque themate disserendi," "A Rhetoricis discrepat, quod
haec splendidam magis, et ad captum popularem orationem in-
struunt, dialectica certam et exactam adornant, et plane indicem orationis Rhetoricae, seu amussim." Sie untersuche, was
wahr und was falsch sei (CR XX, 711); vgl. ebd. 726, 750.
Das gleiche gilt von der Unterscheidung von docere und movere;
auch sie ist von Anfang an vorhanden (Wv. zur Rhet.1519, Jan.
1519, CR I, 64f). Zu beiden Unterscheidungen und ihrer Vorgeschichte vgl. auch K.Bullemer 1902, 26-33.

278) Vgl. dazu P.A.Duhamel, The Function of Rhetoric as Effective
Expression, in: JHI 10 (1949) 344-356; in verschiedenen Auf-
sätzen auch von K.Dockhorn (1968, bes. 13ff, 49ff, 67f, 90f,
96ff, 126ff) immer wieder betont (vgl. auch ders.1966, 178ff,
205f). Zum allgemeinen Praxisbezug der Rhetorik vgl. Q.Breen
1959; N.S.Struever 1970, 101-115 (Rhetorik und Politik);
E.Grassi 1973. Auch Melanchthon will in seinem Rückblick auf
seinen frühen Bildungsgang und seine humanistischen Anfänge
vor allem an der Praxisferne und Leere des spätscholastischen
Schulbetriebes gelitten und deshalb für sich selbst angefangen haben, sich der auf das Leben einwirkenden antiken Bildung
(bes. auch der Rhetorik) zuzuwenden (Lv.zur ersten Ausgabe
seiner Schriften, Dez.1541, CR IV, 715f); vgl. dazu W.Maurer
1960, 25f.

279) Siehe S. 358ff, 411f.

280) "Neque enim rhetorica citra dialecticorum usus commode tracta-
ri absolvique possunt. Non iam, quod omnes inter se cognatae
sunt Cyclicae disciplinae, quam quod illis proprie cum ratione
dialectica sic convenit, ut nihil certi, nihil firmi rhetores
tradituri sint, si tollas e medio dialectica"(Wv. zur Comp.
dial.ratio 1520, März 1520, CR I, 153); vgl. Comp.dial.ratio
1520 (CR XX, 726); El.rhet.1531 (CR XIII, 428f). Vom Standpunkt der mittelalterlichen Logik handelt es sich in der humanistischen Logik gewiß um eine Rhetorisierung der Logik, vom
Standpunkt des rhetorisierenden Sprachhumanismus aus muß man
bei Melanchthon jedoch schon wieder von einer gewissen Logi-
sierung der Rhetorik sprechen; vgl. auch W.Risse 1964, der
die rhetorische Logik der Ciceronianer (ebd. 14-78) von
der Logik der Melanchthonschule (ebd. 79-121) unterscheidet.
H.-G.Geyer spricht (1965, 182) in ähnlicher Weise von der
"Priorität der Dialektik, die durch die folgende Rhetorik
ergänzt und komlettiert wird", vom *"Prinzip des Primates der
dialektischen und der Suprematie der rhetorischen Methode*,
sofern mit der Vorrangstellung der Dialektik zugleich deren In-
suffizienz und Ergänzungsbedürftigkeit durch die Rhetorik verbunden ist". Das hat Q.Breen vollständig übersehen, der den
Zusammenhang von Rhetorik und Dialektik nicht beachtet und
dann zu offensichtlich falschen Urteilen kommt: "The Reformation proposed a basis for religious life which threw the
entire theological und hierarchical system of the medieval
church into the arena of probabilities"(Q.Breen 1959, 11).

281) Eine schöne Illustration dazu bietet das Urteil über die rhetorische Kultur der Patristik in der Or.de vita Augustini vom
18.Sept.1539: "Quod autem in tam difficilibus disputationibus
interdum improprie aut incommode loquitur, venia ei danda est:
Temporum ista erant. Nam aetas illa magis ad declamatoriam
rationem dicendi, quam ad accuratas disputationes assuefacta
erant.."(CR XI, 454; zur Dat. siehe O.Clemen 1913, 38). Ferner
ist darauf hinzuweisen, daß gerade die politischen, ethischen
und juristischen Probleme aus dem Bereich des Wahrschein-
lichen herausgenommen und in den Bereich des wissenschaftlich
Gewissen überführt werden sollen; vgl. Phil.mor.1546 (SA III,
152ff); auch CR III, 447; CR VI, 655.

282) Dieses Ineinander von Dialektik und Rhetorik institutionali-
siert Melanchthon dadurch, daß er den drei traditionellen
Gattungen der Redegegenstünde, nämlich genus iudiciale (Ge-
richtsrede), genus deliberativum (politische Rede) und genus
demonstrativum (Lobrede), eine vierte anfügt, das genus
διδασκαλικόν (Lehrrede) und so also der Dialektik einen Platz
in der Rhetorik zuweist, wobei die Anwesenheit der Dialektik
hier gleichzeitig notwendigen Charakter erhält und dadurch
zur Voraussetzung und Basis der Rhetorik wird (El.rhet.1531,
CR XIII, 421f). Siehe auch S. 405. Ganz am Anfang hatte
Melanchthon versucht, das traditionelle genus demonstrativum
(das Lob und Tadel betrifft) um das methodische Lehrmoment
(docere) zu erweitern (Rhet.1519, Bl.A 3b, 4a; vgl. dazu
K.Bullemer 1902, 36-41) und so eine Verbindung von Dialektik
und Rhetorik zu schaffen.

283) Diese Aufteilung geht genau betrachtet allerdings nicht vollständig auf, weil einerseits auch die Rhetorik durch ihre
loci-Lehre für die Systematik bedeutsam ist und andererseits
auch die Dialektik für die Interpretation von Wichtigkeit ist.
Vgl. etwa folgende Kritik an der scholastischen Dialektik:
"Quam sunt inepti cum interpretantur Prophetas et Paulum? Qua
in re inprimis ridiculum est homines Dialecticos, quique in
una illa arte consenuissent, nusquam videre, id quod erat
Dialectici, quid proponat David aut Paulus, quae sunt initia
argumentorum, qui exitus" (Resp.Picum 1542?, CR IV, 701); mit
Beispielen auch Quomodo conc. zwischen 1531-1536 (SM V/2,
15-29); vgl. auch die Beispiele Melanchthonischer Exegese
bei W.Maurer 1960, 1off, und die Darstellung der einzelnen
dialektischen und rhetorischen Auslegungsmethoden bei H.Sick
1959, 41-81; sowie R.Schäfer 1963, 224, 226ff.

284) Ähnlich auch H.-G.Geyer (1965, 228), wenn er die Dialektik
im Sinne Melanchthons als die *"Methode des objektiven Sinnes"*
und die Rhetorik als *"Methode des subjektiven Nutzens"* bezeichnet.

285) Vgl. Toposforschung, hrg. von M.L.Baeumer (WdF, 395), Darmstadt
1973 (mit Literatur). Gerade auch wegen der Tendenz zu einem
äußeren Formalismus in der seit Melchior Cano in der katholischen Theologie Verwendung findenden Loci-Methode wird man heute
dem Urteil A.Langs, der freilich auch die Melanchthonische
Form verzeichnet hat, nicht mehr so leicht zustimmen können:
"Daß die loci Canos methodisch besser brauchbar waren, beweist
der Umstand, daß sie in der katholischen Dogmatik noch fortleben
während die melanchthonische Auffassung auch in der protestantischen Theologie der Geschichte angehört " (A.Lang 1925, 72).
Ein ähnliches Urteil über die Loci Melanchthons findet sich auch
auf protestantischer Seite: "Diese Nomenclatur ist jedoch ver-
dientermassen alsbald abhanden gekommen, seitdem das der
humanistischen Eloquenz wieder entledigte 17.Jahrhundert den
theologischen Sprachgebrauch mit den sehr viel treffenderen
und daher auch noch immer geläufigen Ausdrücken systema theologiae und theologia dogmatica beschenkt hat" (O.Ritschl 1906,8).

286) Die konzentrierteste Übersicht über Geschichte und Bedeutung
des Begriffes loci (communes) scheint immer noch die allgemein zu wenig beachtete (so O.Pöggeler 1970, 293) und in der
Melanchthonforschung anscheinend überhaupt unbekannte Arbeit
von E.Mertner 1956 zu bieten. Dazu sind jetzt jedoch noch zu
vergleichen: B.Emrich 1966; J.M.Lechner 1962; und H.Lausberg
1960, II, § 1244, s.v. locus. Nicht erreichbar waren J.R.
Brake, Classical Conceptions of "Places". A Study in Invention,
Michigan State University 1965 (vgl. Diss.Abstr. 26,2, 1965,
1212); D.J.Ochs, The Tradition of the Classical Doctrines of
Rhetorical Topoi, The University of Iowa 1966 (vgl. Diss.Abstr.
27,2, 1966, 548-A).

287) E.Mertner 1956, 178f, 216ff. Für die Zeit vorher gilt nach
Mertner: "Locus bezeichnet eine Methode, Technik oder Norm,
ein Instrument zur Auffindung einer Sache, niemals aber die
Sache selbst"(ebd. 191). Von daher wird dann der Gebrauch des
Wortes Topos für literarisches Klischee, stereotypes Thema
u.ä. in der neueren Literaturwissenschaft (wie er bes. durch
E.R.Curtius initiiert worden ist) als der gesamten rhetorischen Tradition bis ins 18.Jahrhundert widersprechend abgelehnt (ebd. 179ff). Im Unterschied dazu sieht B.Emrich
(1966, bes. 46) von einigen Verbindungslinien zwischen der
antiken Tradition und der historischen Topik von Curtius her
doch auch eine Berechtigung des Curtiusschen Unternehmens.

288) Zum Folgenden bes. E.Mertner 1956, 187-200 (bis zum 16.Jahr-
hundert; zu Melanchthon ebd. 198f). Diese Unterscheidung zwischen zwei Bedeutungen von loci communes auch bei H.-G.Geyer
(1965, 50ff, 57ff), der hier zwischen "formalen" und "generellen" Topoi unterscheidet. Der Begriff "loci communes" ist mit
speziellem Bezug auf Melanchthon mehrfach untersucht worden,
wobei sich in den einzelnen Interpretationen bes. in der Frage
der Abhängigkeit und der Bedeutung der Melanchthonischen
Loci-Auffassung bedeutende Unterschiede ergeben haben: vgl.
P.Joachimsen 1926; Q.Breen 1947; W.H.Neuser 1957, 45-60;
W.Maurer 1960; H.-G.Geyer 1965, 49-63; W.Maurer 1967, 199-209.
Eine kritische Diskussion dieser Unterschiede würde an dieser
Stelle jedoch zu weit führen.

289) Siehe S. 370f.

290) "De locis communibus" in El.rhet.1531 (CR XIII, 451-454);
ähnlich auch De locis communibus ratio 1531 (CR XX, 695-698):
dieses Stück stellt eine textlich etwas variierende Wiedergabe
des Abschnittes "De locis communibus" in der Rhet.1519 (Bl.E
3a-4a; vgl. auch schon C 4b) dar; dazu P.Joachimsen 1926,
30ff; H.-G.Geyer 1965, 49-63.

291) "Addemus autem ad inventionis praecepta unum quod maximam vim
habet in omnibus disputationibus, videlicet, ut hypothesin
transferamus ad thesin. Vocant autem hypothesin, negocium de
quo controversia est, circumscriptum circumstantiis, ut sitne
bellum movendum adversus Turcas. Thesin vocant generalem
quaestionem, ut, liceatne Christiano bella gerere. Facile

autem iudicare potest, cum de Turcico bello dicendum est,
omnia pleniora atque uberiora fore, si a specie ad genus
oratio transferatur.."(CR XIII, 451); vgl. De rat.conc.1552
(SM V/2, 59,8ff; 75,4f); vgl. auch H.Lausberg 1960,I, §§ 68
bis 78. In der zentralen Stellung dieses Transfers einer
Hypothese in die These wird noch einmal die enge Verbindung
zwischen Rhetorik und Dialektik bzw. Rhetorik und Philosophie
sichtbar; zu Cicero, auf dessen Lösung Melanchthon hier wohl
im wesentlichen zurückgreift, vgl. K.Barwick 1963, 34-71,
bes. 51-64.

292) "Sed sumamus exempla ab ecclesiasticis concionibus, quae prorsus ociosae erunt, nisi ad praecipuos locos doctrinae Christianae referantur. Si quis enarret historiam Davidis, quomodo
propter admissum adulterium a Propheta obiurgatus sit locus
communis erit de poenitentia. Etsi enim de adulterii turpitu-
dine multa dici possunt, tamen delectus adhibendus est locorum,
et excerpendus is, qui maxime proprius est doctrinae Christianae." "Ac voco locos communes, non tantum virtutes et vicia,
sed in omni doctrinae genere praecipua capita, quae fontes et
summam artis continent. Neque tamen omnibus ubique utimur.
Sed unusquisque sciat se debere suae artis, praecipuos locos
tenere, ut cum aliqua de re dicendum erit, statim offerant
se idonei loci." "Sciendum est igitur, ita locos communes
recte cognosci, si artes illae, in quibus versantur, perfecte
cognitae fuerint. Et ut locos communes apte in causis inter-
texere possimus, opus erit perfecta eorum cognitione"(CR XIII,
452). Als praktisches Beispiel vgl. z.B. die Frage nach dem
subiectum physices und nach den loci praecipui der Physik
(In.doctr.phys.1549, CR XIII, 193, 195ff).

293) So spricht er in der Inst.1519 von den loci theologici (Bizer-
Texte 90), in den Capita 1520 von den rerum theologicarum
capita seu loci (ebd. 102) und in den Loci 1521 von loci
communes seu hypotyposes theologicae (SA II/1, 5,20) bzw.
rerum theologicarum capita (ebd. 6,1), in den Loci 1535 von
loci communes theologici (CR XXI, 333) und in den Loci 1543/59
von den loci praecipui theologici (CR XXI, 601). Siehe auch
S. 397f. Diese Inhaltsbezogenheit ist auch schon für Erasmus
charakteristisch (siehe S. 22-26).

294) "Sic et in singulis studiorum generibus sunt quaedam capita,
in quae referri solent, quae tractantur illic, ut in Theologia,
fides ceremonia, peccatum; in iure aequitas, servitus, poena,
maleficium, iudex, advocatus, et his similia. Qui volet igitur
de rebus humanis recte iudicare, illum oportet, quicquid in-
ciderit forte fortuna, ad has ceu formas rerum exigere. Pariter, cui cordi est recte de studiis iudicare, illum oportet
tales locos in numerato habere. Nam praeter id, quod sunt
formae rerum et regulae, mire etiam memoriam adiuvant. Voco
igitur locos communes omnes omnium rerum agendarum, virtutum,
vitiorum, aliorumque communium thematum communes formas.."
(De locis communibus ratio 1531, CR XX, 695); vgl. auch Praef.
in officia Ciceronis 1534 (SA III, 86,31ff). P.Joachimsen
vertritt (1926, 27) die Meinung, daß man loci communes heute

mit 'Grundbegriffe' zu übersetzen habe; er verweist (ebd.)
auf die deutsche Übersetzung der Loci 1521 durch Spalatin
(SM I/1, 1-216), wo für loci communes 'hauptwörter', 'für-
nemste artikel', 'gemaine wörter', 'hauptpunkte' u.ä.stünde.

295) E.Mertner 1956, 198; vgl. auch A.Buck 1959, 284ff. Wenn man
in den loci nur ein methodisches Hilfsmittel sieht (so O.
Ritschl 1906, 8ff, 14f) oder nur eine exegetische Methode
(so W.Maurer 1960, 2, 3), verbaut man sich den Zugang zu
Melanchthons Systematik.

296) Als Ergänzung zu E.Mertner (siehe S.310 Anm.286), der in dieser Hinsicht zu korrigieren ist, vgl. zu Antike und Mittelalter J.M.Lechner 1962, 11-64; zur Antike bes. auch B.Emrich
1966, 18-46, der (ebd. 46) zusammenfassend in den antiken
Topoi "Hilfsmittel" erkennt, "die in logischen Operationen,
allgemein gültigen Sätzen, fertigen Beweisen, grundlegenden
Themen, wichtigen Gegenstandsbereichen, psychologischen Ein-
sichten und psychagogischen Praktiken, Methoden zum Auffinden
von Beweisen, schematisierte Fragen, altbewährte Erwägungen
und in Prinzipien für die Gestaltung bestimmter Teile der
Rede, für Schilderung und Beschreibung bestehen".

297) Siehe S. 379ff.

298) El.rhet.1531 (CR XIII, 453f); J.M.Lechner 1962, 156ff; E.Mert-
ner 1956, 196f, 207f; A.Buck 1959, 284.

299) Siehe bes. S. 233-237, 302f.

300) Das betont K.Haendler 1968, 242f (hier 232ff auch zur Notwendigkeit von Schriftauslegung). Siehe auch S. 345f.

301) Siehe S. 345.

302) Vgl. S. 266ff und überhaupt zum Kirchenbegriff S. 259-299.

303) Zur humanistischen Theologie Melanchthons siehe S. 120, 149,
zu Erasmus S. 58f. Eine umfassende und allseits befriedigende
Darstellung der theologisch-exegetischen Hermeneutik und
Methodik Melanchthons gibt es bisher noch nicht. Vgl. inzwischen G.A.Herrlinger 1879, 360-388; H.Sick 1959 (auch ders.
1960); W.Maurer 1960; P.Fraenkel 1961, bes. 208-252; K.Haend-
ler 1968, 67-71, 186-210; U.Schnell 1968, bes. 115-144.

304) Schön sichtbar ist dieser Vorgang etwa in der Einleitung zu
den Loci 1521 (siehe dazu S. 316ff).

305) Zur christologischen Hermeneutik siehe auch S. 218-233 (Verhältnis der Testamente).

306) Siehe dazu S. 331ff.

307) SM V/2, 34,1; catechesis ebd. 34,2-35,9; interpretatio scripturae ebd. 35,10-51,16. Dieser letztere Abschnitt ist vor allem
durch die Auslegungsbeispiele um so vieles länger. Eine ausführliche Wiedergabe dieses Abschnittes findet sich bei

U.Schnell 1968, 115-130 (hier auch Hinweise auf einige andere
einschlägige Texte).

308) Siehe dazu S.456ff. Die zweite Regel ist mit der ersten mehr
oder weniger identisch; zum Verhältnis der Testamente ist
zudem bereits S. 218-233 das Nötige gesagt worden.

309) "De hoc etiam sit primum praeceptum, ut referat interpres
singulas partes ad praecipuos locos seu articulos doctrinae
Christianae, ut interpretatio etiam intra certas metas coherceatur, nec evagetur extra doctrinam ecclesiae. Sicut Origenes
et alii luserunt allegoriis et alienissimis sententiis"
(SM V/2, 35,10ff).

310) "..certissimum est Ecclesiam oportere amplecti scripta prophetica et apostolica, et in his sententiam retinere, quam ex-
primunt Symbola Apostolicum et Nicenum"(Disp.de ecclesia,
et propria Ecclesiae doctrina, 19.Juni 1550, CR XII, 568);
"Diese Bücher nehmen wir an mit festem Glauben, und nehmen
sie an eben in dem Verstand, welcher in den Symbolis, Aposto-
lico, Nicaeno et Athanasiano, und in den bewährten Conciliis,
Nicaeno, Constantinopolitano, Ephesino et Calcedonensi, ausgedrückt ist, und zweifeln nicht, derselbige Verstand eben in
den Symbolis und gedachten Conciliis ausgedruckt, sey gegrün-
det in göttlicher Schrift, und sey der einige und wahrhaftige
Verstand göttlicher Schrift"(Fragment einer Zusammenfassung
der christlichen Lehre, ca.8.Juli 1548, CR VII, 49). Vgl.
auch die 2.Regel in De rat.conc.1552: "Omnis textus tractan-
dus referatur ad aliquam catechismi partem, vel ad symbolum
vel ad orationem dominicam aut sacramenta"(SM V/2, 60,12f).
Vgl. auch die zahlreichen weiteren Belege zur hermeneutischen
Bedeutung der articuli fidei, der Symbola und der altkirchlichen Konzilien,sowie überhaupt der alten Kirche bei
O.Ritschl 1912, 301f; R.Seeberg 1920, 433ff; A.Sperl 1959,
183-191; F.W.Kantzenbach 1959, 36f; P.Fraenkel 1961, 147-151,
349-352 u.ö.; K.Haendler 1968, 219 Anm.26 (und überhaupt
196-210, 218-235 u.ö.); E.Wolf 1938, 162ff; R.Stupperich 1969,
86-92.

311) Zu diesen drei Funktionen siehe K.Haendler 1968, 81-91,
204-210, 218ff. Siehe auch S. 282-294.

312) Die erste Regel in De rat.conc.1552 lautet: "Regula omnium
est utilissima, de quaetiam praecipiunt rhetores in suo genere, ut quolibet in textu transferatur thesis ad hypothesin
et econtra, vel causa adplicetur ad locum communem"(SM V/2,
59,8ff; wiederholt ebd. 75,4f). "Nemo potest interpretari
partes Evangelii, nisi integrum doctrinae corpus mediocriter
teneat: quod cum animo comprehensum est, prudenter videndum,
ad quam partem singulae historiae aut conciones in Evangelio
referendae sint"(Wv. zu Ann.Ev.1544, CR V, 562); ähnlich
auch De off.conc.1529 (SM V/2, 12,17ff). Siehe auch S.385f.

313) "Observandum est et hoc praeceptum in interpretatione, videlicet, ut deligantur loci utiles, qui de rebus necessariis doceant conscientias, ut de peccato, de gratia, de beneficiis

Christi, de fide, de poenitentia, de inchoata obedientia,
de bonis operibus, de discrimine spiritualis vitae et politicae, de vita aeterna etc. Hanc regulam tradit Paulus
(sc.1 Kor 14,26) ut proponantur utilia, quae ad aedificationem conducunt, ist est, quae alunt fidem, timorem, dilectionem etc."(De modo conc.1537/39, SM V/2, 37,16ff); vgl. Inst.
1519 (Bizer-Texte 90); Capita 1520 (ebd. 102); Loci 1521
(SA II/1, 6ff).

314) Siehe S. 389.

315) Vgl. Ratio theol.1530: "Instruendus est et libellus articulorum fidei, de trinitate, de creatione, de duabus Christi
naturis, de peccato originali, de libero arbitrio, de iustitia fidei, de ecclesia, de clavibus. Hic libellus paene
similis erit locibus communibus. Sed tantum breviter debet
tenere sententias, quae probent articulos seu dogmata, sicut
ego institui Enchiridion, cuius exemplum ab iis qui audiverunt,
petere potes"(CR II, 457). Siehe auch S. 375f.

316) Im großen und ganzen scheint man bei Melanchthon das Bild
wiederzufinden, das sich auch im frühchristlichen Zusammenhang von Glaubensbekenntnis und Theologie ergibt; vgl. dazu
etwa A.Grillmeier 1960, 146f; J.Beumer 1942, 327ff.

317) "Sunt autem duo et principales loci universae scripturae:
lex et evangelium. Nam omnes sententiae vel concionantur de
aliquo praecepto vel de promissione evangelii. Sic et historiae ac exempla vel ad legem pertinent vel ad evangelium.
Cognita autem et perspecta natura horum duorum locorum, legis
et evangelii, postea dextre accomodari possunt sententiae
et exempla scripturae"(De modo conc.1537/39, SM V/2, 35,15ff);
vgl. auch K.Haendler 1968, 189f.

318) Vom Römerbrief sagt Melanchthon in der Ratio theol.1530:
"Haec enim propemodum est methodus totius scripturae, quia
disputat de iustificatione, de usu legis, de discrimine legis
et evangelii, qui sunt praecipui loci doctrinae Christianae"
(CR II, 456). "Sed videre, qui loci maxime congruant, nemo
potest, nisi teneat summam doctrinae Christianae seu methodum,
quae ex epistola ad Romanos rectissime cognosci potest"
(De off.conc.1529, SM V/2, 926ff). Dies ist die Ansicht
Melanchthons von Anfang an; siehe die Belege S. 131f und
bei K.Haendler 1968, 68f Anm84, 190 Anm.18.

319) Siehe S. 392ff. Zu dieser als "Loci" oder "Summe" verstandenen
humanistischen und reformatorischen Schriftauslegung im 16.
Jahrhundert außerhalb Melanchthons vgl. bes. J.N.Bakhuizen
van den Brink 1961.

320) Es ist klar, daß in der Praxis der Auslegung die Voraussetzungen der Glaubensartikel und des theologischen Lehrsystems bei
einer solchen Auslegung allzuleicht zu einer Selbstverständlichkeit zu werden drohen, in die dann der Schriftinhalt
nachträglich hineingepreßt wird; zu dieser Gefahr bei späten
Melanchthon vgl. etwa H.Sick 1959, 59f.

321) Zu den Einzelheiten dieser rhetorischen Auslegungsmethode
vgl. W.Maurer 1960, 2-24, der eine ausführliche Analyse der
Inst.1519, der Capita 1520 und der Loci 1521 bietet; und
R.Schäfer 1963, 217ff. Interessant ist auch die Bemerkung
von B.Emrich(1966, 46), der davon spricht, daß E.R.Curtius
das rhetorische System, das der literarischen Produktion gedient hat, umgekehrt habe zu einem "Instrument des Textver-
ständnisses", und dann fortfährt: "Mit dieser Umwandlung
setzt er lediglich eine Tradition fort, deren Anfänge ich bei
Erasmus und in Melanchthons Kommentar zum Römerbrief vermute
und die man über die Barockzeit bis in die klassische Philologie hinein verfolgen könnte."

322) Dazu H.-G.Geyer 1965, 267-281; E.Bizer 1964, 238-252. Aufschlußreich sind hier auch die Wittenberger Universitäts-
statuten von 1533, in denen es heißt: "Necesse est autem in
discendo videre qui sint praecipui loci, quae initia, pro-
gressiones, metas eius doctrinae, quam percipere cupimus.
Hos locos et has metas magna ex parte monstrat Epistola ad
Romanos. Imo si addes doctrinam de Trinitate ex Ioannis Evangelio, integrum corpus habes doctrinae Ecclesiasticae"
(C.E.Foerstemann, Liber Decanorum Facultatis Theologicae
Academiae Vitebergensis, Lipsiae 1838, 154f; zit.nach K.Haend-
ler 1968, 226 Anm.47).

323) Siehe S. 399f. Schöne Beispiele der Schriftauslegung mit Hilfe
der Loci-Methode finden sich z.B. in den Ann.Ev.1549 (CR XIV,
163-528); dazu auch U.Schnell 1968, 145-153.

324) Auf die philologische Auslegung wird noch näher einzugehen
sein. Siehe S. 456-467.

325) Es ist eine ganz wesentliche Aufgabe der Theologie, die
Schriftbegründetheit der Glaubensartikel aufzuweisen (siehe
S. 332). Auch die Auslegung der Symbola ist in dieser Perspektive gesehen: "Sed tamen semper ad haec brevia Symbola
adiunxit Ecclesia longiorem explicationem, et collegit testimonia a Deo tradita, ut sciamus, unde sumta sit doctrina in
Symbolis proposita, et fides nitatur, non humanis sententiis,
sed perspicuo verbo Dei"(En.Symb.Nic.1550, CR XXIII, 197).

326) Auch in der Frage der Schriftauslegung muß die konkrete Situation der Polemik in Anschlag gebracht werden, will man die
Intention Melanchthons richtig verstehen (siehe dazu S. 268
bis 282). Nur wenn man diese konkrete Situation übersieht
und nachträglich aus bestimmten konfessionalistischen Voraussetzungen heraus ein formelles und abstraktes Axiom "Scriptura
sui ipsius interpres" erkennen will, das sozusagen zugleich
eine konkrete methodische Handlungsanweisung beinhalten würde,
muß man dann von dieser Grundlegung her die Praxis der Schriftauslegung (bes. was das christologische und trinitarische
Dogma betrifft) kritisch betrachten. Es ist durchaus richtig,
was A.Sperl(1959, 186) hierzu bemerkte: "Melanchthon braucht
die exegetische Begründung unbedingt und hält in diesem formalen Sinn am Schriftprinzip fest; was aber begründet werden

soll, sagt ihm die Lehre der alten Kirche und insofern setzt
er praktisch der Anwendung des Schriftprinzips Grenzen."
Aber in völlig falscher Richtung sucht Sperl den Widerspruch
aufzulösen, wenn er dann (ebd.) fortfährt: "Für ihn selbst
liegt darin aber kein Gegensatz, weil er von der Einheit der
christlichen Antike zutiefst überzeugt ist." ähnlich Zweifel
an der konsequenten praktischen Durchführung des Schriftprinzips auch bei K.Haendler 1968, 222f Anm.34.

327) Der Philippist Georg Sohn stellt z.B. in einer an Peucer gerichteten Vorr.zu einer Synopsis corporis doctrinae Philippi
Melanchthonis fest, daß Melanchthons Schriften von dreierlei
Art seien: 'alia dogmatica seu methodica, alia exegetica..,
alia polemica... Maxime in pretio habebantur dogmatica, quae
post mortem ejus in unum volumen congesta Corpus doctrinae
vocabantur'(zit.nach O.Ritschl 1920, 268).

328) Siehe S. 314-346.

329) Das zeigte sich ebenfalls in der Übersicht über die Ansätze
einer theologischen Prinzipienlehre (S. 314-346). Wie die
Rhetorik mit ihrer Vorstellung von den loci als Grundbegriffen
die Systematik mitbeieinflußt, wird später noch zu zeigen
sein (siehe S. 399ff).

330) Siehe S. 368-376.

331) Dazu bes. F.Hoffmann 1972, 16-79 (hier auch zahlreiche Beispiele). Bei Hoffmann wird auch darauf aufmerksam gemacht, daß
damit auch ein ganz bestimmtes Sprachverhältnis verbunden ist.
Wie das humanistische Sprachverständnis bei Melanchthon die
Gestalt der Theologie mitbestimmte, wird später ausführlicher
zu erörtern sein. Siehe S. 430-471.

332) Vgl. etwa K.Hartfelder 1889, 155-160, 177f.

333) Vgl. G-H.Gadamer 1965, 1-39; J.M.Bocheński, Formale Logik
(Orbis Academicus, III,2), Freiburg-München 2.Aufl.1962, 15ff,
293, 297f; und das Nachwort von H.Kohlenberger in J.Pinborg
1972, 209ff; J.Pinborg 1967, 10f.

334) G.Gloege hat im großen und ganzen speziell auch in bezug auf
Melanchthon recht, wenn er sagt: "daß die theologische Reflexion.. seit je, erneut seit der Reformationszeit in drei
Motiven wurzelt: im polemischen, im exegetisch-summarischen,
im katechetischen"(G.Gloege, Systematische Theologie, I.Be-
griff, in: RGG VI (3.Aufl.1962) 583-585, 584.

335) "Cum enim viderem res magnas et necessarias divinitus patefactas esse in nostris Ecclesiis per viros pios et doctos,
duxi materias illas in variis scriptis sparsas colligendas
esse, et quodam ordine explicandas, ut facilius percipi
a iuvenibus possent"(Lv.zu Loci 1535, CR XXI, 341). "Sicut
enim in aliis studiis summa quaedam seu methodus est informanda: ita in sacris literis praestandum est, ut totam doctrinam
animo complectamur, alioqui si carptim degustetur, fit ut
saepe in iudicando decipiaris"(De ratione studiorum 1540,

CR III, 1112). "Nulla controversia intelligi, nihil ordine explicari,dici aut percipi potest, nisi constituatur aliqua propositio, quae summam causae comprehendat"(El.rhet.1531, CR XIII, 429); vgl. auch Wv.zu Ann.Ev.1544, CR V, 562). Hierher gehören die Symbola: "Ideo Symbola condita sunt in Ecclesia Dei, ut doctrinae summa breviter comprehensa, semper in conspectu sit, et docti et indocti non mutilam doctrinam, sed quasi corpus integrae doctrinae secum in mente circumferant, et hac confessione se erudiant et confirment, et eam in omni invocatione intueantur"(En.Symb.Nic.1550, CR XXIII, 197). Vgl. auch Auslegung von 1 Tim 4,13, 1547 (CR VI, 695); De modo conc., um 1537/39, SM V/2, 34,4f); ähnlich CR VII, 479; CR V, 562. Zum Begriff corpus doctrinae, der ab 1533 vorzukommen scheint vgl. auch K.Haendler 1968, 226-230. Zur Neubearbeitung der Loci 1533-35 unter dem Aspekt der Bedeutung der Methode vgl. M.Greschat 1965, 150-165.

336) "..daß ich möglichen Fleiß gethan, die einige, wahrhaftige, Christliche Lehre des heiligen Evangelii, die in unsern Kirchen durch Gottes Gnade leuchtet, gepredigt und bekannt wird, zusammenzufassen, daß die Ungeübten bemeldte Lehre deste leichter einnehmen und in ziemlicher Ordnung merken, betrachten und behalten könnten"(Lv. zur dt.Übersetzung der Loci, Juli 1542?, CR IV, 835) - im Grunde gilt dies aber für alle Leute (vgl. Ex.ord.lat.1554, CR XXIII, S.XL). Zum Katechismus als compendium vgl. Cat.Puer.1543 (SM V/1, 90,16ff); zu den Loci 1521 als compendium (SA II/1, 17,15f; 48,10f); vgl. auch Decl.Paul.doctr.1520 (SA I, 42,1ff). Der Katechismus als Enchiridion dogmatum Christianorum (B.an Camerarius, 26.Juli 1529, CR I, 1084); vgl. Ratio theol.1530 (CR II, 457). Auch der Römerbrief ist bereits gleichsam ein Enchiridion (Wv. zur griech.Ausg.des Römerbriefes 1521, CR I, 522) oder ein doctrinae christianae compendium (Loci 1521, SA II/1, 7,25f).

337) "In seinem Enchiridion spricht Augustinus aus, was das Motiv der Abfassung wohl der meisten patristischen Abrisse der Glaubenslehre war: es war der praktische Nutzen eines kurzen 'Handbuches' für den Prediger, den Seelsorger, für alle, die sich in Kürze über die christliche Wahrheit orientieren wollten"(A.Grillmeier 1962, 396). Für die frühscholastischen Zusammenfassungen ist ebenfalls bereits die Terminologie bezeichnend: "aliqua sacrae eruditionis summa"(Abaelard), "brevis quaedam summa"(Hugo von St.Viktor), "compendium" (Sententiae divinitatis), "Summa Sententiarum" usw. (vgl.dazu H.Cloes 1958, bes. 281ff); siehe auch S. 269 Anm.11.

338) Vgl. oben Anm.335.

339) Als Beispiel vgl. die collatio der doctrina physica mit der doctrina divinitus revelata hinsichtliche des Gottesbegriffes in In.doctr.phys.1549 (CR XIII, 198ff).

340) "Daß ein ordentliche, reine, klare Summa Christlicher Lehre, die alle Menschen zu wissen und zu erhalten schuldig sind, von vielem fürnehmen, gottforchtigen, gelahrten, treuen, geübten Personen sämptlich bedacht gestellet würde, das, achte

ich, wäre sehr ein nützlich Werk, und zu Ausbreitung und Erhaltung göttlicher Lehre, auch zu Einigkeit und Frieden
vieler Kirchen dienlich, wie vor alten Zeiten dieser Meinung
die Symbola in rechten Concilien gemacht sind"(Lv.zur dt.
Übersetzung der Loci, Juli 1542?, CR IV, 835). Vgl.Cat.Puer.
1543, SM V/1, 91,16ff/92,1f); Wv.zu En.Symb.Nic., 25.April.
1550, CR VII, 578); B.an P.von Eitzen, 1.Febr.1558, CR IX,
439); B.an Camerarius, 26.Juli 1529, CR I, 1084); De modo
conc. 1537/39 (SM V/2, 34,14ff).

341) H.Engelland, Einleitung, in: SA II/1, 1; W.Elert 1960, 113;
K.Haendler 1960 113; "die älteste protestantische Dogmatik":
W.Pannenberg, Was ist eine dogmatische Aussage?(1962), in:
ders., Grundfragen systematischer Theologie. Gesammelte Aufsätze, Göttingen 1967, 159-180, 161; "die systematische Grund-
schrift der Reformation": E.Mühlenberg 1968, 431; "die erste
systematische Theologie der Reformation": H.Pfister 1968,37.
Nach E.Troeltsch seien die Loci 1521 zwar selbst noch keine
Dogmatik; mit ihnen erfolge jedoch die Begründung der dogmatischen Tradition (E.Troeltsch 1891, 59). Begründung (ebd.61):
"Er (sc.Melanchthon) will keine Dogmatik geben - denn die
Quelle der Wahrheit für jeden Christen ist nicht eine Dogmatik, sondern die heilige Schrift allein.., aber er gibt die
loci communes, welche den Leser bei dieser Lektüre leiten
und orientieren sollen.." Aus ähnlichen Gründen möchte auch
J.Wallmann (1961, 8) erst die zweite Fassung der Loci(1535)
als "erste lutherische Dogmatik" bezeichnen.

342) Vgl. die Analyse der Einleitung (SA II/1, 5,23ff) S. 316ff.
Der biographische Ort dieser Auseinandersetzung ist noch festzustellen: Am 20.Okt.1519 erlangt Melanchthon den ersten theologischen Grad, den baccalaureus biblicus (siehe S. 99f).
Als solcher hatte er biblische Vorlesungen zu halten. Dem
Biblicus stand in Wittenberg in der Regel nach einem Jahr der
Zugang zum nächsten theologischen Grad, dem Sententiarius
offen (W.Friedensburg 1917, 39). Bereits am 27.April 1520 berichtet Melanchthon in einem B.an J.Heß von seinem unmittelbaren Vorhaben, eine Art kritischen Sentenzenkommentar zu
verfassen. Es sind sicher nicht nur kritische Anmerkungen gemeint, sondern es handelt sich um eine prinzipielle Auseinandersetzung auf Grund eines neuen Ansatzes und einer neuen
Methode (Loci-Methode): "Ego in obeliscis sententiarum osten-
dam, quibus locis in natura hominis hallucinati sint magi-
sterculi illi τριόβολοι"(CR I, 157). "Iam ad obeliscos ac
Pauli Romanos accingor. Obeliscorum opus crescit mire. Nam
non ut coeperam annotationes sed locos communes scripturus
sum de Legibus, de Peccato, de Gratia, de Sacramentis, deque
aliis mysteriis. Secutus sum Rhetorum consilium, qui locis
communibus comprehendere artes iubent"(ebd. 158f; zur Dat.
SM VI/1, 98ff). Mit Maurer (1958, 149f Anm.6; ders. 1960,
9-15) und (vor ihm noch mit allerdings anderer Begründung)
O.Clemen (SM I/1, S.XVII) wird man annehmen dürfen, daß diese
obelisci mit den sogenannten Capita sachlich identisch sind,
bzw. mindestens in diese eingegangen sind (so W.Maurer 1969,
111ff). Ob Melanchthon Vorlesungen über die Sentenzenbücher
gehalten hat, ist offenbar nicht mehr zu eruieren. Dafür
plädiert z.B. O.Clemen, in: WAB 1, 381; dagegen L.C.Greeen

1957, 144 Anm.29. Dadurch, daß die systematische Arbeit aus
der bestehenden Unterrichtsordnung hervorgegangen ist, ist
auch bedingt, daß sie an die Sentenzenbücher anknüpft und
nicht an die hochscholastischen Summen. Zu dem diesbezüglichen
Unterschied vgl. M.-D.Chenu 1960, 339f; P.Glorieux, Sommes
théologiques, in: DThC XIV/2 (1941) 2352-2355.

343) Loci 1521 (SA II/1, 5,31ff; noch deutlicher ebd. 41,1ff).
Siehe dazu auch S. 388f.

344) Zusammenhängend in den Einführungen zu den Loci: Loci 1521
(SA II/1, 5,25ff); Loci 1533 (CR XXI, 253f); Loci 1535 (ebd.
333f) und in De modo conc., 1537/39 (SM V/2, 34,19ff/35,1ff).

345) CR XXI, 334; SM V/2, 34,21f. Zum Römerbrief als methodus und
summa siehe S. 391f.

346) Am ausführlichsten in De modo conc., 1537/39: "Catechesis
est methodica enarratio articulorum fidei, sicut apostoli
principio condiderunt σύμβολον, et multi sancti patres
scripserunt enarrationem symboli, quia oportet pios tenere
summam doctrinae Christianae et quasi quoddam corpus informatum habere"(SM V/2, 34,2ff). "Hoc consilio et synodi
composuerunt symbola et articulos, et Cyprianus ac Rufinus
ediderunt enarrationes symboli et Hieronymus expositionem
fidei, et extat apud Epiphanium summa dogmatum de fide, de
sacramentis, de caeremoniis"(ebd. 35,3ff). Vgl. auch Loci
1533 (CR XXI, 253); ähnlich Loci 1535 (ebd. 334). Interessant
ist, daß Melanchthon hier die apostolische Verfasserschaft
des Apostolikum anzunehmen scheint (vgl. auch Postille, CR XXV,
165; Resp.Staph.1558, SA VI, 478,18ff); zu dieser Tradition
vgl. H.de Lubac 1970, 23-59. Von den von Melanchthon aufge-
zählten Symbolauslegungen ist nur die des Rufin gesichert
(Expositio Symboli, CCSL 20, 133-182), die häufig Cyprian,
manchmal auch Hieronymus oder Leo dem Großen zugeschrieben
wurde (H.de Lubac 1970a, 50 Anm.1; M.Simonetti, in: CCSL 20,
130 Anm.29 und 30). Von Cyprian selbst stammt keine Symbolaus-
legung. Was mit der des Hieronymus gemeint ist, ist ebenfalls
unklar: vielleicht das dem Hieronymus (oder auch dem Augustinus) zugeschriebene Glaubensbekenntnis des Pelagius (Fides
ecclesiae catholicae) oder das ebenfalls dem Hieronymus beige-
legte, wahrscheinlich aus dem 7.Jahrhundert stammende Glaubensbekenntnis Libellus de trinitate (vgl. Bibliothek der Symbole
und Glaubensregeln der Alten Kirche, hrsg. von A.Hahn und
G.L.Hahn, Breslau 3.Aufl.1897, §§ 209 und 239) oder die Fides
Hieronymi (vgl. PL Suppl.II, 259f). Zu den expositiones symboli
allgemein vgl. F.Kattenbusch, Das apostolische Symbol. Seine
Entstehung, sein geschichtlicher Sinn, seine ursprüngliche
Stellung im Kultus und in der Theologie der Kirche. Ein Beitrag zur Symbolik und Dogmengeschichte, Bd.II, Leipzig 1900,
433-471. Mit der summa dogmatum des Epiphanius ist sicher nicht
dessen Ἀνακεφαλαίωσις gemeint, wie F.Cohrs vermutet (in: SM
V/2, 35 Anm.2), sind auch nicht die beiden Glaubensbekenntnis-
se am Schluß des Ancoratus (Ancoratus 118,9-119,14; GCS 25,
146ff) gemeint, sondern ist aller Wahrscheinlichkeit nach die
Expositio fidei am Schluß von Haereses (GCS 37, 496-526) ge-

meint. Gerade mit diesem Werk hat sich nämlich Melanchthon
ausführlich beschäftigt (siehe S.279 Anm.126).

347) Loci 1533: "Quid enim est ipsum Symbolum, nisi talis quaedam
methodus? Origenes Peri archon copiosius voluit idem argumentum tractare, sed id scriptum non probat ecclesia nec extat
integrum"(CR XXI, 253). Loci 1535: "Extat et vetus scriptum
Origenis περὶ ἀρχῶν, cui hunc titulum fecit, propterea quod
praecipuos locos Christianae doctrinae ibi serie quadam dis-
ponit et explicare conatur"(CR XXI, 334); vgl. De modo conc.,
um 1537/39 (SM V/2, 34,23).

348) SM V/2, 34,23.

349) Loci 1533: "Talis est etiam libellus de fide Christiana ad
Petrum, apud Augustinum"(CR XXI, 253). Loci 1535: "Et non-
nulli non inconcinne Augustini sententias collegerunt de singulis articulis, in libello, cui titulus est, de fide ad Petrum"(ebd. 334). Dieses Werk De fide ad Petrum des Fulgentius
von Ruspe stellt ein im Mittelalter als augustinisch angesehe-
nes und viel gebrauchtes Kompendium der Dogmatik dar (vgl.
M.Grabmann 1909, 143). Petrus Lombardus z.B., der De fide ad
Petrum in seinen Sentenzenbüchern häufig verwendet, zitiert es
als Werk Augustins (vgl. Sent., ed.Quaracchi II, 1052, Index
auctorum s.v. Fulgentius). Zur theologiegeschichtlichen Bedeutung von De fide ad Petrum als Bindeglied zwischen patristi-
scher und scholastischer Systematik vgl. J.Beumer 1942; A.Grill
meier 1959; ders. 1960, 164ff; ders. 1962, 398-408.

350) Loci 1521 (SA II/1, 5,27ff); Loci 1533: "Postea Damascenus apud
Graecos et Longobardus apud latinos quasi summam Ecclesiasticae
doctrinae complecti conati sunt"(CR XXI, 253). Loci 1535: "Nam
et apud graecos Damascenus et apud nostros Longobardus huiusmodi scripta (sc.methodi) reliquerunt, quibus gratiam et cele-
britatem summam hoc unum peperit, quod methodi magno studio
expetuntur. Itaque videmus eos vel primae classis scriptoribus
annumeratos esse"(ebd. 334). Vgl. auch SM V/2, 34,23/35,1.

351) Loci 1533 (CR XXI, 253f). Obwohl es grundsätzlich kaum möglich
sein dürfte, eine genau abgrenzte Liste derjenigen patristischen Texte aufzustellen, die in die Geschichte der theologischen Systembildung hineingehören, so wird man doch sagen dürfen, daß Melanchthon in seinem Abriß so ziemlich die wichtigsten Werke aufgezählt hat, die auch heute noch in dieser Sache
aufgeführt zu werden pflegen. Vgl. dazu A.Grillmeier 1960, 146
bis 169; ders. 1962; ferner M.Grabmann 1909, 76-147; B.Studer
1956, 94f Anm.128; J.Beumer 1942, 326ff.

352) "..postea in ecclesia multi scripserunt methodos, Origenes
περὶ ἀρχῶν, Nissenus, Damascenus, Longobardus et alii, in quibus omnibus, etsi quaedam iure repraehenduntur, tamen consilium
apparet, quod existimarint hanc viam docendi utilem esse ecclesiae"(SM V/2, 34,22f/35,1ff). Dieses Lob gilt selbst für die
besonders Kritisierten, für Origenes (siehe oben Anm.347) und
Petrus Lombardus (siehe oben Anm.350).

353) En.Symb.Nic.1550 (CR XXIII, 197-346). Diese Auslegung wurde
1545 (wohl auf Veranlassung Melanchthons) von Caspar Cruciger
begonnen und nach dessen frühem Tod 1548 von Melanchthon weitergeführt (vgl. H.E.Bindseil, in: CR XXIII, 193-196). Die
Auslegung ist unvollständig: Der erste Artikel ist sehr breit
behandelt, der zweite Artikel nur mehr ansatzhaft (ebd. 335 bis
346). Wegen neuer Kontroversen hat Melanchthon diese Auslegung
in den folgenden Jahren gänzlich überarbeitet. Sie ist 1557
abgeschlossen, wird jedoch erst 1561 von Joh.Sturio unter dem
Titel Expl.Symb.Nic. (ebd. 355-584) veröffentlicht; vgl. dazu
die Einleitung von H.E.Bindseil (ebd. 347f) und die Wv.von
Sturio (ebd. 349-354). Inhaltlich ist die Auslegung, die wiederum unvollständig ist, sehr stark durch die aktuelle Auseinandersetzung bestimmt. Von den kurzen katechetischen Auslegungen des Apostolikums scheint nur noch eine im Jahr 1549 zum
ersten Mal gedruckte vorhanden zu sein (SM V/1, 364-367). Als
Teilauslegung des Glaubensbekenntnisses versteht sich auch die
Conf.Sax.1551 (SA VI, 80-167), das Bekenntnis für das Konzil
von Trient: "Cum autem controversiae, quae exortae sunt, praecipue pertineant ad duos articulos Symboli, videlicet ad
articulum 'Credo remisssionem peccatorum', item 'Credo Ecclesiam sanctam catholicam', ostendemus fontes harum controversiarum, quibus consideratis intelligi poterit nostras declarationes ipsam Evangelii vocem esse, et ab adversariis corruptelas in Ecclesia sparsas esse"(ebd. 90,7ff).

354) Zu den katechetischen Werken vgl. die Einleitung von F.Cohrs
in: SM V/1, S.XXI-CXXII, und die Texte ebd. 3-485. Neben Auslegungen des Vaterunsers und der Zehn Gebote sind vor allem die
Cat.Puer. von 1543/40 (ebd. 89-336) und der ebenfalls unvoll-
ständige Cat.von 1548 (ebd. 342-361) zu nennen. Zur katechetischen Arbeit Melanchthons vgl. auch R.Stupperich 1961, 41-55;
ferner auch L.C.Green, The Bible in Sixteenth-Century Humanist
Education, in: StR 19(1972) 112-134, der eine Reihe weiterer
Humanisten in seine Untersuchung miteinbezieht.

355) Bes. CA 1530 (BS 44-137), Apol.1531 (ebd. 141-404); dazu die
im Corpus doctrinae christianae vereinigten Bekenntnisse und
Schriften (SA VI, 5-377).

356) Dazu sind die verschiedenen kleineren Lehr- und Streitschrif-
ten zu zählen (vgl. z.B. die Schriften in SA VI, 379-486); zu
der kontroverstheologischen und polemischen Tätigkeit Melanchthons vgl. einstweilen auch die Übersicht bei R.Stupperich
1961, 85-107.

357) Einige recht fragmentarische Bemerkungen dazu im Rahmen der
Frage nach der hierarchia veritatum bei U.Valeske 1968, 114 bis
116; diese Bemerkungen stehen zudem in einer schiefen Perspektive, weil Valeske die These von einem humanistischen Traditionalismus unbesehen übernimmt und dadurch dann bei Melanchthon auch eine doktrinalistische Umformung der Ansätze Luthers erkennen will.

358) SA II/1, 5,31ff.

359) Ebd. 41,1ff. Es ist insofern ganz richtig, wenn man sagt, daß
es Melancthon hier "gar nicht als seine erste Aufgabe" empfunden habe, "eine vollständige systematische Darstellung seiner
Theologie zu bieten" (R.Stupperich 1960, 154), daß ihm hier noch
gar nicht daran gelegen war, "die christliche Lehre auch extensiv vollständig darzustellen" (O.Ritschl 1906, 14). Natürlich
ist dies zuzugeben: Melanchthon hat hier an einer vollständi-
gen Systematik nichts gelegen; über Systematik wurde unter dem
Begriff des "Systems" in der Tat erst im 17.Jahrhundert reflektiert (O.Ritschl 1906, 9ff). Aber wie das Folgende zeigt,
wird man sich auch noch eine andere Art von Systematik vorstellen können. Man kann deswegen nicht einfach sagen, die
Loci 1521 seien "nicht einem systematischen Anliegen entsprun-
gen" (H.Engelland, in: SA II/1, 1).

360) So versteht auch Justus Jonas in unserem Zusammenhang den Begriff "summa", wenn er in seiner Übersetzung der Apol. 1531
schreibt: "..daß dies die Summa, der Kern des Evangelii ist,
daß wir Vergebung der Sünde erlangen nicht um unsers Verdiensts
willen, sondern durch den Glauben an Christum" (Apol.XXVII
dt., BS 381,32f). Im lat. Text heißt es: "..vere hanc esse
evangelii sententiam.." (ebd. 381,23ff).

361) Und summa doctrinae könnte man dann mit "Wesen der christlichen
Lehre" übersetzen. Wenn dies richtig ist - und es spricht
einiges dafür - , dann könnte man in der Tat bei Melanchthon
und z.T. schon bei Erasmus den Beginn der neuzeitlichen Fragestellung nach dem "Wesen des Christentums" ansetzen (vorausgesetzt natürlich, daß man christianismus und doctrina christiana
identifizieren kann). Die zentrale und spezifische Bedeutung
des Begriffes "summa" in der Melanchthonischen Systematik wäre
m.E. die hinreichende Begründung für eine solche Vermutung.
Zur Begriffs- und Sachgeschichte vgl. etwa die Übersicht von
R.Schäfer, Christentum, Wesen des, in:HWPh I (1971) 1008-1016,
der jedoch m.E. die Problemstellung in Humanismus und Reformation
unsachgemäß auf die Frage nach dem Begriff christianismus ein-
engt und das Ergebnis dann ebenfalls nicht sehr präzise zusammenfaßt (ebd. 1009f). Wie die Analyse des "summa"-Begriffes
gleich zeigen wird, ist die Polarität "außen-innen" keineswegs das leitende Moment der ganzen Fragestellung. Zum summa-
Begriff des Erasmus, der eine ähnliche Bedeutung hat, wie bei
Melanchthon, wenn er auch noch nicht die gleiche methodologische
Schärfe besitzt vgl. S. 22f.59, und ausführlich G.Chantraine 1971,
260-268; ferner H.Wagenhammer 1973, 39-47.

362) Zu Erasmus und Melanchthon vgl.S. 31f, 39ff, 91, 132ff, 158f,
186ff, 197ff, 392ff.

363) "Nulla pars artis (sc. rhetorices) magis necessaria est quam
praecepta de statibus, in quibus hoc primum ac praecipuum est,
ut in omni negotio seu controversia diligenter consideremus,
quis sit status, h.e. quae sit principalis quaestio seu propositio, quae continet summam negotii, ad quam omnia argumenta

referenda sunt, velut ad principalem conclusionem. Nulla controversia intelligi, nihil ordine explicari, dici aut percipi potest, nisi constituatur aliqua propositio, quae summam causae comprehendat.."(El.rhet.1531, CR XIII, 429). So auch schon in der Rhet.1519: "Est igitur status, ut paucis dicam, nihil aliud quam principale ac summum thema, in quo consistit controversia, et ad quod referri debent argumenta orationis omnia"(Bl.Fa). "Status veluti argumentum est και ελεγχος et summa compendiaria orationis, seu potius caussae, ideo concepto argumento, oratio componitur"(ebd. Bl.Fb). "In omni negotio contuendum est, id in quo potissimum vertitur negocii cardo, unde universa oratio nasci, quo omnia argumenta pertrahi debent. Id autem status est, hoc est id plane, quod ad summum intendit actor.."(ebd. Bl.G 2a). Zum status-Begriff bei Melanchthon und seiner Vorgeschichte vgl. K.Bullemer 1902, 41-46. So bestimmt Melanchthon z.B. den status causae des Römerbriefes (bzw. dessen ersten Teiles) mit dem Satz "iustificari nos fide" (Ann.Rom. Arg.1521, Bl. A 3a); ähnlich schon Inst.1519 (Bizer-Texte 97). Vgl. allgemein auch H.Lausberg 1960,I, §§ 79-138.

364) "Ac voco locos communes non tantum virtutes et vicia, sed in omni doctrinae genere praecipua capita, quae fontes et summam artis continent"(El.rhet.1531, CR XIII, 452); ähnlich Ratio theol.1530 (CR II, 456f).

365) "Sunt initio et symbola hoc consilio condita, ut extaret brevis quaedam summa doctrinae Christianae, in qua locos ad pietatem necessarios tanquam simul in una tabula propositos conspicere et complecti homines possent"(Wv.zu Loci 1535, CR XXI, 334); "Norma sit iudicii scripta prophetica et apostolica, et symbola, quae re ipsa sunt breves dogmatum recitationes, quae in scriptis propheticis et apostolicis sparsa sunt diversis locis, nec sunt aliaedoctrinae extra illos fontes"(Prop.1559, CR XII, 646). Ähnlich CR IV, 835; CR VI, 695; CR VII, 50, 578; SM V/2, 34,2ff; CR XXIII, 197. "Summa" ist hier gleichbedeutend mit brevis recitatio, brevis repetitio oder auch brevis collectio, wie die Symbola auch genannt werden können (Resp.Staph.1558, SA VI, 478,25.35, und zu collectio die Belege bei K.Haendler 1968, 205 Anm.71). Dieses Verständnis der Symbola ist in der Theologiegeschichte weitverbreitet; vgl. u.a. C.Eichenseer, Das Symbolum apostolicum beim hl.Augustinus. Mit Berücksichtigung des dogmengeschichtlichen Zusammenhangs (Kirchengeschichtliche Quellen und Studien, 4), St.Ottilien 1960, 34ff.

366) "Cum in prima inspectione Ecclesiarum comperissemus admodum dissonos clamores esse ineruditorum de multis rebus, Summam doctrinae, quam Lutherus in diversis et interpretationum et concionum voluminibus tradiderat, tanquam in unum corpus redactam edidi.."(Lv., 1.Okt.1549, SA VI, 424,29ff). Zu den Loci als "summa" vgl. auch CR III, 181f; CR IV, 835. Vgl. auch die Ankündigung seiner letzten Vorlesung über die Loci (knapp vier Wochen vor seinem Tod) am 25.März 1560: "Cum igitur ad praelectionem delectus sim, Deo iuvante cras, hora septima in auditorio veteris collegii inchoabo repetitionem locorum theologi-

corum, quae est velut κατήχησις, in qua prodest iunioribus quasi summam doctrinae proponi"(CR IX, 1073). So kann Calvin seine Übersetzung von 1546 mit Recht "La somme de theologie ou lieux communs, reveuz et augmentez pour la dernière foys par Philippe Melancthon" nennen (CR XXXVII, S. LXVIII). Auf die diesbezügliche Entwicklung der Loci zwischen der ersten Fassung 1521 und der zweiten Fassung 1535 wurde in der Forschung bereits wiederholt hingewiesen (vgl. z.B. P.Fraenkel 1961, 28f). Zu ähnlichen "Summmen" im 16.Jahrhundert vgl. J.N.Bakhuizen van den Brink 1961.

367) "Unde Catechesis adhuc dicitur quaedam prima institutio, in qua compendio traditur summa Evangelii"(Cat.Puer.1543, SM V/1, 90,16ff). Hier steht anstelle von "summa" "compendium".

368) Am Schluß des ersten Teiles der CA (der von der Lehre handelt) heißt es: "Haec fere summa est doctrinae apud nos.."(BS 83c,7f) vgl. ebd. 134,31ff. Apol.1531, Schluß des ersten Teils: certa quaedam summa dogmatum ecclesiasticorum (BS 327,15ff); Praef. zu CAvar 1540: summa doctrinae Ecclesiarum nostrarum (SA VI, 8,10f; vgl. 36,17f). Ursach 1546: "..in welcher Confesssion (sc. Confessio Augustana) die summa unser leer kürtzlich begriffen"(SA I, 431,33f). "Eius doctrinae summa cum comprehensa sit in ea confessione, quam Ecclesiae nostrae exhibuere Augustae, Anno 1530"(Disp.de Ecclesia, et propria Ecclesiae doctrina, 19.Juni 1550, CR XII, 568). Ähnlich auch Conf.Sax.1551 (SA VI, 81,2ff; 164,27f); Ex.ord.dt.1552 (ebd. 175,1ff; 177,6ff; 246, 12ff). "..extant scripta, quae universae doctrinae eccclesiasti·cae summas continent"(Resp.clerum Col.1543, SA VI, 389,4f); vgl. Resp.Staph.1558 (ebd. 464,27f); "Etsi enim nosse omnes pueros et senes summam coelestis doctrinae necesse est, et breviter comprehendi res potest.."(Or.de necessaria coniunctione Scholarum cum Ministerio Evangelii 1543 (CR XI, 613). Vgl. auch die von dem ehemaligen Famulus Melanchthons Johann Manlius überlieferte Studienregel: "Diem dominicam tribue lectioni doctrinae Christianae, legito vel locos theologicos vel similem summam"(zit.bei W.Maurer 1960a, 18 Anm.7 nach L.Koch, Ph. Melanchthons Schola Privata, 1859, 44 Anm.3). Systematisiert erscheint diese Aufstellung dann bei Melanchthons Schüler M.Chemnitz in der Einleitung (De usu et utilitate locorum theologicorum) zu seinen Loci theologici 1591: "Ordine ergo tituli considerentur, quibus insignita sunt scripta ea, quae summam doctrinae christianae complectuntur: 1.Symbolum. 2.Canon fidei, ut Irenäus, et Regula fidei, ut Tertullianus vocat. Nam et postea sententiae, quae opponebantur erroribus haereticorum, simplici brevitate et paucis verbis comprehensae, ut essent commonefactiones de veris fundamentis, vocatae sunt Canones. Et inde nomen illud et res ipsa, in tantum postea venit abusum. 3.εἰσαγωγή. 4.Elementa. 5.κατήχησις. 6. ὑποτύπωσις. 7.Institutiones. 8.Principia. 9.Dogmata Ecclesiastica. 10.Enchiridion, quod nos vocamus locos communes" (zit.nach C.H.Ratschow 1964, 64).

369) Dazu vgl. vor allem P.Glorieux, Sommes théologiques, in: DThC XIV/2 (1941) 2341-2364; M.-D.Chenu 1960, 336ff. Ferner noch H.Wagenhammer 1973, 25-33.

370) P.Glorieux,a.a.O. 2341. Zu den Einzelheiten dieser sommes-
compilations, die es nicht nur im theologischen Bereich
(sententiae, summa, summa sententiarum), sondern auch im homiletischen und exegetischen Bereich gibt, vgl. ebd. 2341-2343.

371) Ebd. 2341. Zu den Einzelheiten dieser sommes-abrégés wieder
ebd. 2343-2345. Entscheidend für diese Summen ist der Wunsch
nach Kürze und nach Hervorhebung der wichtigsten Elemente der
Lehre, der Hauptpunkte. Neben den moraltheologischen Beicht-
summen sind hier vor allem die Kompendien zu nennen, in denen
der Reihe nach die Artikel des Glaubensbekenntnisses, der
Dekalog, die Bitten des Vaterunsers, die Sakramente, die Tugenden, die Gaben des Hl.Geistes, die Seligkeiten und Laster
ausgelegt wurden.

372) Ebd. 2341. Zu den Einzelheiten dieser sommes-systématiques
wieder ebd. 2345-2364. Solche Summen gab es dann in fast allen
Bereichen der mittelalterlichen Wissenschaft.

373) M.-D.Chenu 1960, 336, 338. Zum Werden der theologischen Systematik in der Scholastik vgl. vor allem G.Paré-A.Brunet-P.Trem-
blay 1933, 240-274; R.Heinzmann 1974.

374) Denn summa und methodus sind für Melanchthon auswechselbare
Begriffe (siehe S.323 Anm.389). Deutlich sichtbar ist dieses
Ineinander etwa Resp.Staph.1558: "Praeterea constat singula
membra symboli Apostolorum, ut Graeca Ecclesia recitat, expresse in scriptis Propheticis et Apostolicis tradita esse,
ac nihil in symbolo Graeco addi, eamque brevem recitationem
traditam esse, ut res alibi narratae prolixius, hic ordine
distributae, et breviter comprehensae in conspectu sint.."
(SA VI, 478,21ff). Vgl. auch K.Haendler, der (1968, 205) von
den Symbola sagt: "Sie haben eine qualitativ-summarische, und
das heißt: eine konzentrative Funktion in bezug auf die Schrift
Damit tun sie nichts anderes, als was der Römerbrief seinerseits auch für die Schrift tut: Sie zentrieren und konzentrie-
ren die Gesamtheit der Schriftaussagen von der in der experientia verbi und der experientia fidei erfahrenen Mitte des göttlichen Heilshandelns her auf diese Mitte als ihre, der Schrift
eigene Mitte hin." Haendler nuanciert hier vielleicht doch
etwas zu wenig im summa-Begriff und verbindet Symbola und
reformatorische "Summation" des Glaubens hinsichtlich ihrer
Funktion doch etwas zu stark; vgl. auch die Aussage über die
Symbola (ebd. 205): "Ihr Kompendien- und Summariencharakter
ist nicht quantitativ,   sondern qualitativ zu verstehen."

375) M.E.darf man hier den Unterschied zum Mittelalter nicht allzu-
stark betonen; denn in beiden Fällen geht es nicht um alles,
sondern um das Nötige. Deshalb ist es auch etwas zu exklusiv,
wenn O.Ritschl (1906, 15) sagt: "Immerhin tritt bei dieser
Behandlungsweise der Gesichtspunkt, die zweckmässig vorzutra-
gende Lehre auch möglichst vollständig darzulegen, noch ganz
zurück. Eine summa theologiae im Sinne des Mittelalters und
der Neuscholastik waren Melanchthons Loci keineswegs, geschwei-
ge seinen anderen dogmatischen Werke." Ritschl kommt zu diesem
Urteil, weil er die loci communes nur als methodisches Instru-
mentarium betrachtet (ebd. 14f), nicht auch als systemati-

sierendes (siehe dazu S. 374ff, 396ff).

376) Hier ist allerdings noch eine Einschränkung anzubringen. Es
scheint nämlich, daß es auch im Mittelalter einen qualitativen
summa-Begriff gegeben hat. Abaelard beschreibt z.B. in seiner
Introductio ad theologiam I,1 seinen Konstruktionsplan folgendermaßen: "Tria sunt, ut arbitror, in quibus humanae salutis
summa consistit: fides videlicet, charitas et sacramentum"
(PL 178, 981C). Was bedeutet"summa"hier? Bei M.-D.Chenu ist
diese Stelle (1960, 337) eigentlich unter dem quantitativen
bzw. enzyklopädischen summa-Begriff eingeordnet (summa als
kurze Zusammenfassung) und der Übersetzer O.M.Pesch übersetzt
diese Stelle auch so, daß er 'Summe' im Sinne von 'Gesamtheit'
versteht (ebd. 337 Anm.3b). Dagegen heißt es im Text, daß
Abaelard seinen Gegenstand um die drei Grundsachverhalte orga-
nisiere, "die ihm *das Wesentliche* der Heilslehre darzustellen
scheinen"(ebd. 337; Hervorhebung von mir). Der summa-Begriff
scheint hier in der Tat zwischen einer quantitativen und einer
qualitativen Bedeutung zu schwanken. Aber selbst wenn dies
stimmt, ist der Unterschied zu Melanchthon noch sehr groß,
weil bei diesem der qualitative summa-Begriff eine wirklich
leitende Funktion in der Systematik einnimmt und dabei nicht
nur eine pädagogische, sondern eine hermeneutische Bedeutung
zu besitzen scheint. Damit ist in der Tat ein wesentlicher
Aspekt jeder theologischen Systematik getroffen. Vgl. etwa
für viele andere L.Scheffczyk, Dogmatik, in: Was ist Theologie?
hrsg.von E.Neuhäusler und L.Gössmann, München 1966, 190-210,
210 Anm.52: "Nach dem Vorausgehenden wird der systematische
Charakter der Dogmatik nicht allein durch die Summierung und
Ordnung aller Daten aus Schrift, Tradition und Lehrverkündi-
gung zu einem geschlossenen Ganzen erreicht, sondern durch den
Aufweis der Mitte dieses Ganzen und des tieferen Sinnzusammen-
hanges, d.h., durch die Auffindung eines alles umfassenden
Grundaspektes."

377) "Est autem διδασκαλικὸν genus, methodus illa docendi, quae
traditur in dialectica.."(El.rhet.1531, CR XIII, 421). Siehe
auch S. 299f Anm.267.

378) "Usitata admonitio est de duobus modis docendi, quorum alter
est integra Dialectica methodus, ordine procedens, et quasi
integrum aedificium extruens, ut universa doctrina in unum
corpus redigatur." "Alter modus est, cum breves sententiae
traduntur, tanquam aphorismi, idque saepe fit promiscue sine
magna cura ordinis: ut praecepta moralia scripserunt Phocylides
Theognis, et alii. Talis coacervatio sententiarum est hic
liber Salomonis.."(Expl.Prov. Praef.1551, CR XIV, 1f).

379) Diese Unterscheidung bes. in De off.conc.1529: "Altera pars
didactici generis est methodos. Voco autem methodum, cum
doctrinae summa iusto ordine contrahitur"(SM V/2, 12,17f; vgl.
7,22ff) und in De modo conc., um 1537/39 (ebd. 34,1ff); vgl.
auch Comm.Ps. 1553/55 (CR XIII, 1248).

380) Siehe S. 328-336.

381) Siehe oben Anm.379.

382) In ähnlicher Weise, wenn auch nicht im selben Maß kann dies
auch vom Galaterbrief gesagt werden: "Nam si hanc epistolam
recte cognoris, methodum tibi in universam scripturam para-
veris. Est enim hic diligentissime excussus locus de iustificatione, cuius rationem nisi e scripturis petis, non video
in quem usum sacras literas legas"(Wv.zur zweiten Bearbeitung
von Luthers Galaterkommentar, Aug.1523, CR I, 638). Ähnlich
Ratio theol.1530: Galaterbrief = "qui et ipse veluti methodus
est"(CR II, 456).

383) Adh.Paul.stud.1520 (CR XI, 37f). Fast noch deutlicher in
Comm.Rom.1532: "Et ut praeparemus lectorem ad intelligendam
causam, quam agit Paulus, negotii summam quasi in methodum
contrahemus, tametsi ipsa epistola Pauli iusto ordine rem
exponit planeque methodice et, quia principalem et proprium
locum doctrinae christianae tradit, quasi quaedam methodus in
universam scripturam existimanda est"(SA V, 33,9ff). Hier
kann man die einzelnen Bedeutungen von methodus gut verfolgen:
Der Römerbrief ist eine methodische Erklärung des zentralen
Punktes der christlichen Lehre und deswegen auch insgesamt
ein methodus für die gesamte Schrift. Auf der anderen Seite
ist auch die Zusammenfassung des Inhalts dieses Briefes im
Arg. (ebd. 33-56) selbst wieder eine methodus für den Brief.

384) "Nam cum in ea (sc.epistola ad Romanos) de legis et Evangelii
discrimine, de peccati vi, de christiana gratia adeoque de
usu Christi tractarit, ad universam scripturam methodi vice
haberi debet. Quid enim a scriptura omnino requiras praeter
exactam legis et Evangelii rationem? Quodsi universae scripturae, ut passim et vere quidem dicitur, σκοπός Christus est,
non adsequemur divinarum literarum sententiam, nisi praeeunte
Paulo, primum omnium Christum quam potest fieri proxime
cognoverimus"(Lv. zum Druck des lat.Textes des 1.Korinther-
briefes, Mai 1521, CR I, 388; vgl. SM VI/1, 140). "Cum autem
epistola ad Romanos praecipuum doctrinae christianae locum
tractet, ac veluti methodum universae scripturae contineat.."
(Wv. zur Disp.Rom., März 1529, CR I, 1044). "Haec (sc.epistola
ad Romanos) enim propemodum est methodos totius scripturae,
quia disputat de iustificatione, de usu legis, de discrimine
legis et evangelii, qui sunt praecipui loci doctrinae christianae"(Ratio theol.1530, CR II, 456). "Porro cum inter sacros
commentarios plane non alius Christum nobis expresserit aut
propius aut evidentius hac Epistola (sc.ad Romanos), ita
adornavi eam, ut Enchiridii vice, et graeca quidem, semper
posset in manibus haberi.."(Wv. zur griech.Textausg.des
Römerbriefes 1521, CR I, 522). Vgl. ferner SM V/2, 9,26ff;
34,2ff; CR III, 897; CR VIII, 738f; CR XV, 445; Bizer-Texte
90, 102, 110; CR XXI, 254, 334.

385) "Per aestatem hanc interpretati sumus Epistolam ad Romanos
Pauli, omnium longe gravissimam et ceu scopi vice fungentem
in universam scripturam sacram.."(B.an J.Schwebel, 11.Dez.
1519, SA VII/1, 78,7ff). "Paulus Apostolus διδακτικῶς evange-

lium cum lege, peccatum cum gratia contulit, potissimum in
epistola ad Romanos, quam ego puto universae scripturae velut
indicem quendam esse, καὶ κάνονα"(Loci 1521, SA II/1, 70,19ff).

386) "Ut in aliis disciplinis maxime prodest eos libros tenere, qui
artes tradunt ipsas et sunt τέχνικοι, quam ob causam ut in
scholis eius generis libelli subinde releguntur, ita in sacris
literis magnopere conducit, plurimum operae et studii ponere
in iis scriptis quae praecipuos doctrinae christianae locos
tradunt, et sunt tanquam methodi. Talis est Pauli epistola
ad Romanos; quare decrevi, eam iterum enarrare.."(Ankündigung
einer Römerbriefvorlesung, Sept.1535, CR II, 944). "Non hoc
dico, quod e sacris et canonicis libris non sint pari apud
me loco omnes: sed quia vulgo quidam frequentius leguntur, et
quorundam talis est conditio, ut in reliquos vel Elenchi,
vel Commentarii vice esse possint; ut in Paulinis epistolis
eius, quae ad Romanos scripta est, scopus, velut Atticus
Mercurius, ad reliquas iter indicat.."(Wv.zu Luthers Operationes in Psalmos, März 1519, CR I, 72).

387) Loci 1535: "Cum autem in qualibet arte prosit informare methodos, ut res late dispersas in capita certa contrahere possimus;
ideo omnia moralia praecepta in decalogum includimus, ut
quasi methodus aliquam teneamus; ac profecto ne potest quidem
methodus aptior ulla excogitari"(CR XXI, 391); zu Dekalog als
summa vgl. auch SA II/1, 294,26f; SM V/1, 80,10f.

388) Bis 1522 heißen die Loci fast ausschließlich "methodus" (CR I,
285, 366, 451, 487, 567; vgl. CR XX, 705f). Später heißen sie
im allgemeinen "loci" (so schon am 6.Mai 1522, im B.an Spalatin, CR I, 570; vgl. SM VI/1, 187), obgleich die Verbindung
mit "methodus" keineswegs ganz abbricht (vgl. CR II, 966;
CR III, 69, 181f; CR V, 375).

389) "Summa seu methodus" ist ein feststehender Ausdruck, der in
unseren Zusammenhängen häufig wiederkehrt: "Sicut enim in
aliis studiis summa quaedam seu methodus est informanda.."
(De ratione studiorum 1540, CR III, 1112); in bezug auf den
Dekalog (Loci 1535, CR XXI, 391); in bezug auf die Loci 1535
(B.an Erasmus, 12.Mai 1536, CR III, 69); ferner De off.conc.
1529 (SM V/2, 9,26ff); Comm.Ps.1553/55 (CR XIII, 1248). Wie
weit die Identität geht, zeigt der Satz: "Quamquam et Christus
tradit methodum his verbis, cum iubet praedicare poenitentiam
et remissionem peccatorum"(CR II, 456).

390) Ann.Matth.1,21, 1519/20 (SA IV, 141,7ff).

391) Ann.Matth.26, 1519/20 (ebd. 207,11ff).

392) Artif.Rom.1520 (Bizer-Texte 20). Vgl. auch Rhet.1519, wo als
status des Römerbriefes folgender Inhalt genannt wird:"legem
non iustificare, gratiam iustificare, literam occidere,
spiritum vivificare"(Bl.C 2a).

393) Raps.Rom.1521 (Bizer-Texte 45); ähnlich Inst.1519 (ebd.97).
Hier ist zwar nicht ausdrücklich von"summa"die Rede, wohl
aber von status epistolae, was nach der Rhetorik praktisch

dasselbe meint (vgl. ebd. 20 und El.rhet.1531, CR XIII, 429). Vgl. Epit.renov.eccl.doctr.1524: "Est haec summatim iustitia Evangelica seu Christiana, confusa conscientia sublevari nos per fidem in Christum, per quem agnoscimus vim misericordiae Dei"(SA I, 182,10ff).

394) Ann.Io.14,18, 1522/23 (CR XIV, 1179).

395) Ann.Io.1,12, 1522/23 (CR XIV, 1059f).

396) Schol.Prov.1529 (SA IV, 318,27f). Dies wird dann folgendermaßen ausgeführt: "Nec est nosse Deum subtiliter de natura divina disputare. Sed voluntatem eius intelligere, hoc est: timere Deum et credere misericordiae eius"(ebd. 318,32ff); vgl. auch ebd. 319,4ff.

397) Disp.Rom.1530 (CR XV, 445).

398) Apol.XII, 1531 (BS 257,16ff).

399) Apol.IV, 1531 (BS 208,17ff). Vgl. Eine kurze Auslegung 1528: "Das Christlich leben stehet in Glauben und guten wercken, wie Paulus spricht 1 Timothei 1 (sc. 1,5): Die summa unser lere ist lieb von reinem hertzen und gutem gewissen und warhafftigem glauben. Dieweil nu glauben das heuptstück ist.."(SM V/1, 78,25/79,1ff).

400) Comm.Rom.1,17, 1532 (SA V, 64,17ff). Zum status in Comm.Rom. 1532 vgl. auch R.Schäfer 1963, 229ff.

401) Loci 1533 (CR XXI, 284); so auch Loci 1535 (ebd. 378); ähnlich auch Cat.Puer.1543 (SM V/1, 292,30ff); Ratio theol.1530 (CR II, 456); CAvar XX, 1540 (SA VI, 27,4ff); De modo conc., um 1537/ 39 (SM V/2, 51,2f). Ähnlich heißt es von der doctrina de poenitentia: "..complectitur summam Evangelii et monstrat praecipuum beneficium Filii Dei.."(Doctrina de Poenitentia 1549, SA VI, 429,11ff); vgl. Comm.Rom.1,18, 1532: "Ita saepe alias dictum est hanc esse propriam evangelii doctrinam et summam evangelii, praedicare poenitentiam ac remissionem peccatorum, arguere peccata et offerre certam misericordiam"(SA V, 69,7ff). "Unser Herr Christus hat sein Euangelium gefasset in eine richtige und kurze Summa, nämlich, daß man lehren soll, Buß und Vergebung der Sund in seinem Namen"(Vorform von CA XX, 1530, BS 82,8f; vgl. Lk 24,47).

402) Loci 1543 (SA II/2, 509,9f; 508,12f; 509,12ff); vgl. SA II/1, 186,1ff.17ff.

403) Loci 1543 (SA II/2, 371,30ff); vgl. ebd. 361,31ff. Disp.de tota Evangelii doctrina 1546: "10. Error est, quod omnino omittunt in doctrina de poenitentia hunc articulum: Fide gratis donatur remissio peccatorum propter filium Dei per fidem. 11. Et hunc tetrum errorem, quo deletur praecipuus articulus Evangelii et symboli, videlicet, Credo remissionem peccatorum, impie defendunt autores decreti Theologorum Lovaniensium" (CR XII, 540).

404) Loci 1543 (SA II/2, 353,11ff); ähnlich Loci 1535 (CR XXI,421).

405) Loci 1543 (SA II/2, 594,37/595,1ff); vgl. Capita 1520: "Summa ewangelij est, ut gratiam doceat"(Bizer-Texte 121).

406) Ex.ord.dt.1552 (SA VI, 188,8ff). Es gibt noch eine Vielzahl von Texten, in denen als die Hauptlehre der Kirche die Lehre genannt wird, daß wir umsonst wegen Christus durch den Glauben die Sündenvergebung erlangen; vgl. die Belege bei K.Haendler 1968, 246 Anm.133.

407) Vgl. J.N.Bakhuizen van den Brink (1961, 350): "Here we acknowledge the method used by almost all theologians who have drawn up a 'summa' or what is like it in different periods of church history: they have one main doctrinal conception; guided by it, they try to elucidate all the Scriptures. Most likely the great work of the fourth century father Hilary of Poitiers, now known under the title *De trinitate*, was originally very simply entitled *De fide*: the problem of his days being Arianism, any orthodox book 'de fide' was necessarily a biblical treatise of the true divinity of Jesus Christ. So in Henry van Bommel's days 'de fide' had simply to be a treatise on the problem of law and grace. In such a way Luther taught and wrote, so did Melanchthon, and so the old medieval question 'de veritatibus catholicis' got its new, sixteenth-century aspect." Vgl. ders. 1962, 58. Dazu auch die kurze Skizze über das Problem einer dogmatischen Werthierarchie in der katholischen Theologiegeschichte bei U.Valeske 1968, 69 bis 105, und die Übersicht über den geistigen Anspruch der Probleme, vor die sich die frühchristliche Theologie gestellt sah bei A.Grillmeier 1960, 126-134, der hier als die beiden Hauptprobleme die Spannung zwischen Einheit und Dreiheit Gottes und Christus als Gott und Mensch bezeichnet.

408) Denn sie führt nicht zu einer axiologischen Umwertung der Glaubensartikel oder gar zu einem neuen inhaltlichen Kanon.

409) Siehe auch S. 461.

410) Vgl. die Belege bei P.Fraenkel 1961, 327.

411) Vgl. S. 185; auch K.Haendler 1968, 275ff.

412) Zum Begriff "fundamentum" bei Melanchthon vgl. bes. P.Fraenkel 1961, 338-361; K.Haendler 1968, 262-271.

413) Dazu vgl. etwa B.Hägglund, Die Bedeutung der "regula fidei" als Grundlage theologischer Aussagen, in: StTh 12 (1958) 1-44.

414) Die beiden Auslegungen des nizänischen Glaubensbekenntnisses 1550 und 1557 (CR XXIII, 197-346 und 355-584) sind material ziemlich unvollständig. Ähnliches gilt von den größeren katechetischen Arbeiten, dem Cat.1548 (SM V/1, 342-361) und erst recht der Cat.Puer.1543 bzw.1540 (ebd. 89-336), die, wie F.Cohrs (ebd. S. LXVII-XCIII) bewiesen haben dürfte, nichts

anderes darstellt als eine ausschnitthafte Nachschrift einer
Loci-Vorlesung. Enzyklopädisch unvollständig im Verhältnis zu
den Loci sind auch die Arbeiten im Zusammenhang mit der Be-
kenntnisbildung, wie die CA 1530 und die Conf.Sax.1551
(BS 50-137 bzw. SA VI, 80-167).

415) Vielleicht hängt dies damit zusammen, daß es sich hier speziell
um "Lehre" handelt, die ja methodisch und systematisch ausge-
arbeitet werden muß (siehe S.368-376), während ansonsten die
konkreten Kontroversen viel stärker auf die Gliederung selbst
einwirken. Eng an die Loci schließt sich noch das Ex.ord.dt.
1552 an (SA VI, 174-247) und zwar sowohl hinsichtlich des
Indexes (ebd. 175ff) wie auch hinsichtlich der Ausführung.
Auch hier geht es ja um die"ganze"Lehre.

416) Vgl. Petri Lombardi Libri IV Sententiarum studio et cura PP.
Collegii S.Bonaventurae, 2 Bde., Ad Claras Aquas 2.Aufl.1916;
ferner auch M.Grabmann 1911, 364ff.

417) Bizer-Texte 90.

418) Ebd. 102.

419) SA II/1, 6.

420) Catalogus locorum und Ausführung entsprechen sich hier fast
genau; vgl. auch CR XXI, 245f.

421) SA II/1 und II/2. Die Zahl der behandelten Loci ist in den
einzelnen Ausgaben der dritten Phase unterschiedlich; 24 Loci
wurden in allen Ausgaben behandelt (vgl. CR XXI, 595f).

422) Vgl. S. 374ff.

423) Siehe S. 313fAnm.342. Vgl. auch A.Lang, der (1925, 62-64) auf
das davon völlig verschiedene Verständnis von locus theologi-
cus bei Melchior Cano hinweist(dazu ebd. bes. 65-73): Bei
diesem gehe es nicht um den Inhalt, sondern um die dogmatische
Beweiskraft der theologischen Aussagen und d.h. um die äußere
Tatsache ihrer Bezeugung. Die loci theologici bezeichneten
dabei bei Cano die verschiedenen theologischen Erkenntnis-
quellen, die Schrift, die Kirche, die Tradition usw. Zwei
verschieden akzentuierte Konzeptionen von Theologie bedienen
sich also auch unterschiedlicher Methoden. Vgl. auch noch
A.Gardeil, Lieux théologique, in: DThC IX (1926) 712-747.

424) Vgl. das Schema S. 397.

425) Loci 1533, Einleitung (CR XXI, 254). Noch ausführlicher in der
Lv.zu den Loci 1535 (ebd. 341) und in der Einleitung (ebd.
347ff); ähnlich auch Loci 1559, Einleitung (SA II/1, 170,6ff).

426) "Haec exempla (sc.sacrorum librorum) imitabimur, et locos praecipuos doctrinae Christianae recensebimur, ac propemodum
sequemur ordinem in Symbolis fidei traditum"(Einleitung Loci
1535, CR XXI, 349).

427) Zu den Prinzipien theologischer Systematik im Mittelalter vgl.
bes. H.Cloes 1958. Cloes unterscheidet drei große Richtungen:
einmal die prinzipiell historisch-biblische Anordnung (z.B.bei
den Autoren von Laon, bei Hugo von St.Viktor, Robert Pullen,
Petrus Lombardus), dann die logische Anordnung (bes. in der
Abaelard-Schule) und schließlich die Verbindung von historischer und logischer Anordnung (sententiae divinitatis u.a.)
(vgl. bes. 287ff). Eigentümlich ist die Position des Lombarden: Obwohl im Aufriß seines Planes (Sent.I, d.1 c.1-3, ed.
Quaracchi I, 14-20) das historisch-biblische Element vollständig fehlt und hier als Ordnungsprinzip das augustinische
Schema res-signa bzw. frui-uti angegeben wird (vgl. auch Sent.
IV, prol., ebd. II, 745), ist der faktische synthetische
Entwurf - direkt von der Konstruktionsart Hugos von St.Viktor
abhängig - prinzipiell vom historisch-biblischen Aufriß bestimmt (vgl.Sent.III, prol., ebd. II, 550); dazu H.Cloes 1958,
286f, 291ff; ferner Z.Alszeghy, Einteilung des Textes in mittelalterlichen Summen, in: Gr 27 (1946) 25-62, bes. 51ff und
dessen Bemerkung (ebd. 59):"Es ist kein Zufall, daß die Vertreter des analytischen Systems vorwiegend zur *aristotelischen
Schule* gehören, und die Autoren der geschichtlich aufgefaßten
Summa meistens Theologen der *augustinischen Richtung* sind."
Vgl. auch M.-D.Chenu 1960, 340-351 (=Heilsgeschichte und "Ordo
disciplinae"); A.Grillmeier 1960, 162; ders.1962, 403f. Außerdem R.Heinzmann 1974; K.J.Becker 1973, 521-530.

428) Inst.1519 (Bizer-Texte 90);ähnlich auch in den Capita 1520
(ebd. 102) und in den Loci 1521 (SA II/1, 6f). Weitere Zeugnisse für den Dreiklang von Sünde, Gesetz und Gnade bei W.Maurer
1958, 150f Anm.7.

429) Klar ausgesprochen ist dieser Umbruch im locus "De Evangelio",
wo es gleich zu Beginn heißt: "Hactenus peccati formam et legum
rationem..tractavimus." "Nunc de evangelio et gratia disputa-
bimus.."(SA II/1, 66,3ff). Dazu vgl. W.Maurer 1958, 151ff;
ders. 1960, 16.

430) Vgl. dazu auch P.Fraenkel, der (1961, 354-358) die beiden
Klassifikationselemente als historisch-logische und als gnoseo-
logische Perspektive unterscheidet, und K.Haendler, der (1968,
131-139) im Prinzip ähnlich zu votieren scheint. Vgl. aber
auch schon P.Althaus, der (1914, 45f) vom Aufbau der Loci
Melanchthons und dem Aufbau ihrer Nachfolger sagt: "Eine lose
Folge von loci, die teils einen lediglich historisch-referie-
renden, teils (z.B. lex und evangelium) einen systematisch-
reflektierenden Charakter trugen, war die Regel." Weniger
überzeugend scheint die Deutung zu sein, die W.Maurer der
Übertragung der Gesetz-Evangelium-Schematik auf die Heilsgeschichte (1960, 17) gibt: "Diese Anwendung des dialektisch-
rhetorischen Locus-Begriffes auf die Geschichte ist wohl die
eigentliche Großtat Melanchthons auf dem Gebiete der Hermeneutik. An der *Heils*-geschichte wird hier veranschaulicht, was
für *alle* Geschichte gilt: Sie vollzieht sich in einem dialektischen Vorgang, dessen Kontinuität in der Auflösung gleichartiger Spannung besteht." W.Maurer fährt dann (ebd. 18) fort:
"Diese Anwendung einer aus Rhetorik und Dialektik stammenden
Begrifflichkeit auf die Geschichte ist innerhalb der schola-

stisch-humanistischen Tradition, von der Melanchthon herkommt, einzigartig und ohne Beispiel. Wenn man vom Durchbruch des Geschichtsverständnisses in der modernen Welt redet, muß man Melanchthons Entdeckung mit berücksichtigen."

431) Die wichtigsten Unterschiede bei W.Maurer 1958, 146ff. Die Veränderung in der Soteriologie kann man bereits erkennen, wenn man auf die schematische Darstellung (S. 397f) zurückblickt.

432) "Das Verhältnis von 'Theologia' und 'Oikonomia', in der Schrift nur angedeutet, in der Vätertheologie ausgebildet, liegt allen weiteren systematischen Versuchen zugrunde, wenn es auch nur selten in seiner Reinheit voll zur Darstellung kam"(A.Grillmeier 1962, 391); vgl. jedoch auch ders. 1960,147.

433) Vgl. etwa L.Hödl, Sentenzen, in: LThK IX (2.Aufl.1964) 670-674, bes. 673. Typisch ist z.B. der Sentenzenkommentar Peters von Candia, der dem ersten Buch sechs Quästionen, dem zweiten Buch drei, den beiden letzten jedoch nur je eine Quästion widmet (F.Ehrle 1925, 77). Es gibt aber auch schon gewisse Anhaltspunkte in der älteren Klassifikation. Wie die Abaelard-Schule ein doppeltes Objekt des Glaubens unterscheidet, die theologia (Einheit des Wesens und Dreiheit der Personen) und die beneficia Dei (vgl. H.Cloes 1958, 296ff), so nimmt auch der Lombarde einen gewissen Einschnitt vor, indem er Buch III und IV unter "redemptio" zusammenfaßt und so beide Buch I und II gegenüberstellt: "Sic enim rationis ordo postulat, ut qui in primo libro de inexplicabili mysterio summae Trinitatis irrefragabili Synctorum attestatione aliquid diximus, ac deinde in secundo libro conditionis rerum ordinem hominisque lapsum sub certis autoribus regulis insinuavimus, de eius reparatione, per gratiam Mediatoris Dei et hominum praestita, atque humanae redemptionis Sacramentis, quibus contritiones hominis alligantur, ac vulnera peccatorum curantur, consequenter in tertio et in quarto libro disseramus, ut Samaritanus ad vulneratum, medicus ad infirmum, gratia ad miserum accedat" (Sent.III, prol., ed.Quaracchi II, 550). Bereits der im 12. Jahrhundert äußerst einflußreiche systematische Entwurf De fide ad Petrum des Fulgentius von Ruspe nimmt fatalerweise die Inkarnationslehre aus dem Rahmen der "Heilsökonomie" heraus und zieht sie zur "Theologie". Die Lehre von Christus wird dadurch zur Christologie im engeren Sinn und die Soteriologie kommt fast kaum mehr zur Darstellung; vgl. dazu A.Grillmeier 1959, 532; ders. 1962, 400 (ebd. 398ff ist auch der Aufriß von De fide ad Petrum wiedergegeben).

434) Siehe S. 123ff, 182ff.

435) Siehe S. 63f, 155, 317f.

436) Siehe S. 318, 319, 321, 333f, 340, 367f.

437) Vgl. noch einmal S.378, 391ff; siehe auch S. 404-407.

438) Siehe S. 397f. Das altkirchliche Dogma wird genaugenommen ausdrücklich schon in der CA 1530 als Inhalt des reformatorischen Glaubens genannt (CA I: De Deo, BS 50f; CA III: De filio Dei, BS 54) und mit dem reformatorischen Dogma (CA II: De peccato originis, BS 53; CA IV: De iustificatione, BS 56) verbunden; vgl. dazu K.Haendler 1968, 245-252. Zur Begründung der Auslassung des altkirchlichen Dogmas in der ersten Fassung der Loci siehe S. 317f; vgl. auch S. 400. Zu Christologie und Trinitätslehre auch M.Rogness 1969, 70-87.

439) Die richtungsweisende Interpretation liefert hier P.Fraenkel 1959, 125-133 (=5.Res et usus); wichtig auch K.Haendler 1968, 245-262; zu den älteren Interpretationen siehe P.Fraenkel 1959, 126f, und K.Haendler 1968, 245-262. Hinzugefügt sei hier lediglich das Beispiel einer älteren katholischen Stellungnahme: H.Denifle, Luther und Luthertum in der ersten Entwicklung, Bd.I/1 2.Aufl.Mainz 1904, Bd.I/2 (ergänzt und hrsg. von An.M.Weiß) 2.Aufl. Mainz 1906, Bd.II (von H.Denifle und A.M.Weiß) Mainz 1909. Für H.Denifle ist Melanchthon "der erste Freigeist des Protestantismus"(Bd.I/1, 196; Bd.I/2, 730 Anm.1; 811 Anm.1), der sich schon in der Richtung auf Lessing hin befindet (Bd.II, 458 Anm.2). Durch das Weglassen der trinitarischen und christologischen Dogmen in den Loci 1521 hat er das Christentum fast bis auf den Nihilismus der heutigen echten Jünger Luthers vereinfacht und reduziert (Bd.II, 210 Anm.6)

440) P.Fraenkel 1959, 127-133; ähnlich auch K.Haendler 1968, 260f (vgl. auch 273ff); ferner auch E.Wolf 1962a, 332ff, der allerdings nur von einer *"Nebenordnung* von Schrift und Symbol als zweier 'methodi' für Soteriologie und Christologie" spricht (ebd. 334).

441) P.Fraenkel drückt dies (1959, 133) so aus: "Might it not be better to think that at least as far as the Praeceptor was concerned the theoretical subordination of dogma to Scripture went hand in hand with the uncritical presupposition of credal orthodoxie from the very start? This would mean that the theology thaught in Wittenberg since 1521 on the basis of the Commonplaces never did as a matter of historical record move *towards* credal orthodoxy but always set out from it, as a dogmatic fait accompli." Ähnlich A.Sperl (1959, 186): "Melanchthon braucht die exegetische Begründung unbedingt und hält in diesem formalen Sinn am Schriftprinzip fest; was aber begründet werden soll, sagt ihm die Lehre der alten Kirche und insofern setzt er praktisch der Anwendung des Schriftprinzips Grenzen." Zur allgemeinen Fragestellung vgl. etwa M.Löhrer, Überlegungen zur Interpretation lehramtlicher Aussagen als Frage des ökumenischen Gesprächs, in: Gott in Welt. Festgabe Karl Rahner, Bd.II, Freiburg-Basel-Wien 1964, 499-523; W.Kasper 1967, 38ff.

442) So G.Ebeling, Wort Gottes und kirchliche Lehre (1962), in: ders., Wort Gottes und Tradition. Studien zu einer Hermeneutik der Konfessionen (KK, 7), Göttingen 1964, 155-174, bes. 168ff.

443) K.Rahner-K.Lehmann, Kerygma und Dogma, in: Mysterium Salutis. Grundriß heilsgeschichtlicher Dogmatik, hrsg. von J.Feiner und M.Löhrer, Einsiedeln-Zürich-Köln, Bd.I 1965, 645. Zu Wortgeschichte und Bedeutungswandel von "Dogma" vgl. ebd. 639-661 (ebd. 653 auch ein kritischer Hinweis zu G.Ebeling: siehe oben Anm.442).

444) Als Hintergrund ist auch das über den Kirchenbegriff Gesagte (S. 259-313) mitzubedenken.

445) "Wie die Väter am Symbolum weitergebaut haben, so baut die Vor- und Frühscholastik an den Grundrissen der Väter weiter und inspiriert sich selber immer wieder an Schrift und Symbol" (A.Grillmeier 1962, 407).

446) Vgl. die Belege bei J.Wallmann 1961, 45ff. Dies aber als "Gegenbewegung gegen Melanchthon" zu interpretieren (ebd. 47f), ist jedoch ein offensichtlicher Irrtum.

447) Dazu vor allem R.McKeon 1942, 19-25; vgl. bes. ebd.19, 23, 25.

448) Siehe S. 75f, 66-75, 93f, 118f, 156f. Dieser Widerstreit zwischen Rhetorik und Dialektik geht dann in der Theologiegeschichte weiter. Mit Deutlichkeit zeichnet er sich z.B. wieder ab in dem Gegeneinander von Neuthomismus und Blondels Philosophie der Aktion. Von neuthomistischer Seite kann dieses Gegeneinander geradezu als Unterschied zwischen rhetorischer und dialektischer Methode (unter Voraussetzung natürlich der Priorität der scholastisch-dialektischen Methode) thematisiert werden: vgl. T.Richard, Procédés oratoire et scolastique, in: RThom 15 (1907) 175-196.

449) Siehe S. 371-373. Ganz exakt drückt dies H.-G.Geyer, der zur ganzen Frage der effektiven Methode sehr Erhellendes gesagt hat(1965, 28-63, 125ff, 180ff, 227f), so aus: Melanchthon habe die Einheit beider Disziplinen als *"Wechselverhältnis der Fundierung der Rhetorik in der Dialektik und der Integration der Dialektik in der Rhetorik"* konzipiert (ebd. 46), bzw. man müsse bei Melanchthon vom *"Prinzip des Primates der dialektischen und der Suprematie der rhetorischen Methode"* sprechen (ebd. 182). Zur soteriologischen Teleologie der doctrina und der Frage nach ihrem usus bei Melanchthon vgl. neben Geyer auch P.Fraenkel 1959, 127-133; K.Haendler 1968, 260f, 273ff.

450) Siehe S. 361, 367f.

451) Siehe S. 318, 319, 321, 333f, 340, 342.

452) Vgl. S. 197-206. Etwas ähnliches findet sich bereits bei Erasmus; vgl. F.De Maeseneer 1963, 119ff.

453) Siehe S. 372f.

454) Besonders gilt dies im Blick auf die Rechtfertigungslehre. Vgl. dazu H.-G.Geyer, der (1965, 163) von einer *"Isomorphie von Leben und Lehre"* spricht und diese dann ein "methodisches Postulat" der Theologie Melanchthons nennt.

455) Dazu U.Schnell 1968, passim. Wie intensiv und bewußt auch
Luther die Regeln der Rhetorik gerade in seinen Predigten
vor einfachen Leuten eingesetzt hat, zeigt die minutiöse Analyse von B.Stolt, Docere, delectare und movere bei Luther.
Analysiert anhand der 'Predigt, daß man Kinder zur Schulen
halten solle', in: DVjs 44 (1970) 433-474; ebd. 471 zur Frage
der Erregung der Affekte. Zu Luther und seiner prinzipiell
ähnlichen Haltung zur Rhetorik wie Melanchthon vgl. B.Stolt,
Studien zur Luthers Freiheitstraktat mit besonderer Rücksicht
auf das Verhältnis der lateinischen und der deutschen Fassung
zu einander und die Stilmittel der Rhetorik (Stockholmer
Germanistische Forschungen, 6), Stockholm 1969, 118-139 (=Lu-
ther und die Rhetorik).

456) Vgl. dazu C.L.Manschreck, Melanchthon and Prayer, in: ARG
51 (1960) 145-158, und das letzte Kapitel bei C.L.Manschreck,
Melanchthon - The Quiet Reformer, New York-Nahville 1958.
Am Schluß von De anima 1553 heißt es z.B.: "Sed philosophorum
dubitationes relinquamus, et caliginem animarum nostrarum,
quae peccatum secuta est, deploremus...et ipsum filium Dei
oremus, ut assensionem in mentibus nostris confirmet"(SA III,
371,24ff), dann folgt das Schlußgebet (ebd. 371,31-372,8).
C.L.Manschreck will allerdings in dem gerade genannten Aufsatz
von 1960 einen tiefgreifenden Unterschied zwischen Früh- und
Spätzeit sehen: "Despite the fact that pietism continued as an
aspect of Melanchthon's living, it is by no means the most
striking aspect of his prayer life. The most surprising fact
is that there is a relative lack of interest in prayer during
the early part of his evangelical career. This might well be
an index to the depth of humanism in his life, especially if
one considers humanism as a philosophy expressing a basic
reliance on man. Significantly, the 1521 edition of the Loci
Communes contained no separate section on prayer"(ebd. 146).
Daß in den Loci 1521 ein Abschnitt über das Gebet fehlt, läßt
sich leicht daraus erklären, daß die Loci auf die Auseinandersetzung mit der scholastischen Theologie fixiert sind und daher nur unmittelbar kontroverse Fragen berühren. Über das Mißverständnis des Humanismus im Rahmen der humanistischen Theologie braucht hier nichts mehr gesagt zu werden. Zur existentiellen Gläubigkeit Melanchthons in der Frühzeit siehe S.107f.

457) Vgl. dazu ausführlich R.Stupperich 1961, 22-40 (Der Prediger
und Ausleger), 41-55(In der katechetischen Arbeit).

458) Siehe S. 15, 450ff, 453ff.

459) Siehe S. 182ff; vgl. auch oben Anm. 451.

460) Vgl. W.Maurer 1967, 114; ders. 1967a, 172.

461) So J.Wallmann 1961, bes. 83f; K.Haendler 1968, 215ff, 231,238ff.

462) C.H.Ratschow 1964, 34; vgl. ebd. 21ff. Hier könnte man vielleicht auch noch Q.Breen nennen, demzufolge Melanchthons
Theologie rhetorischen Charakter trägt und direkt auf die
Predigt bezogen ist (Q.Breen 1947, 100, 103f; ders. 1952, 48;
ders. 1959, 5; zur Kritik siehe S. 303 Anm.280).

463) Vgl. auch E.Wolf 1962a, 332f, und R.Scharlemann, Thomas Aquinas and John Gerhard (Yale Publications in Religion, 7), New Haven-London 1964, 22-27, die beide (wenn auch nur andeutungsweise) innerhalb des Theologiebegriffes bei Melanchthon zwei strukturell und intentional unterschiedene Momente von Theologie (Theologie als Wissenschaft und Verkündigungstheologie) erkennen. Die Kritik K.Haendlers (1968, 215 Anm.12) an dieser Unterscheidung ist nicht überzeugend.

464) Es ist nicht ganz exakt, wenn K.Haendler eine solche Unterscheidung bei Melanchthon total ablehnt: "Weder terminologisch noch grundsätzlich-sachlich unterscheidet Melanchthon im allgemeinen zwischen dem, was nach modernem Sprachgebrauch eine biblisch-theologische Aussage, und dem, was eine systematisch-theologische Aussage ist. Ja, er kennt, genau genommen, nicht ein eigenständiges Genus systematischer (dogmatischer) Theologie, in dem etwas anderes gesagt werden könnte als in der biblischen Theologie oder doch zumindest, wenn dasselbe gesagt wird, dieses in einem anderen Modus, auf einer anderen Ebene und anders strukturiert gesagt wird"(K.Haendler 1968, 215f). Die doctrina könne bei Melanchthon nicht "als systematisch-spekulative Fortführung, Vervollständigung und Überhöhung der Schrift" verstanden werden. "Der inhaltlich-tautologische Charakter kirchlicher Lehre schließt ihr Verständnis als 'Theologie', 'systematische Theologie', 'Dogmatik' im modernen Sprachgebrauch aus"(ebd. 231); vgl. auch noch 239ff. Die Differenz zwischen dem modernen und dem Melanchthonischen Verständnis von Systematik ist hier sicher zu stark betont. Denn auch bei Melanchthon kann die Identität von Schriftinhalt und Theologie nicht einfach im Sinne einer"Tautologie" verstanden werden. Das wird sich im Rahmen der Behandlung seines Sprachverhältnisses zeigen (siehe S. 430-471). Und ist die moderne Systematik wirklich primär als spekulative Theologie beschreibbar? Vgl. dazu etwa G.Gloege, Systematische Theologie, in: RGG VI (3.Aufl.1962) 583-585.

465) Das Wort "dogmatisch", das erst im 17.Jahrhundert in der Verbindung theologia dogmatica auftritt, kommt im 16.Jahrhundert (und auch bei Melanchthon) noch selten vor (vgl. die Belege bei O.Ritschl 1920, 266ff, zu Melanchthon ebd. 267f; K.Haendler 1968, 242 Anm.107). Es scheinen aber bereits hier zwei Bedeutungen geläufig gewesen zu sein, eine inhaltliche, im Sinne von "den Inhalt der Offenbarung bzw. des Glaubens betreffend, unter der Voraussetzung seiner Gültigkeit und Angenommenheit" und eine mehr formale, im Sinne von "systematisch-methodisch", wobei die Verbindung von inhaltlichem und formalem Aspekt im doctrina-Begriff vielleicht Pate gestanden haben könnte (vgl. S. 345). Wieso von diesem Begriff "dogmaticus" "kein Weg" zum späteren Sprachgebrauch von 'Dogmatik' führen soll (so K.Haendler 1968, 242 Anm.107) ist nicht gut einzusehen.

466) Wenn U.Schnell seiner Arbeit (1968) den Titel "Die homiletische Theorie Philipp Melanchthons" gibt, ohne auf das Verhältnis dieser Homiletik zum Theologiebegriff einzugehen, dann ist das mindestens problematisch. Denn in einem bestimmten Sinn gilt das dort Gesagte von der Theologie überhaupt und Homiletik

würde dann nur die Frage betreffen, wie man den Zuhörer be-
lehrt und wie man seine Affekte erregt. Auf der anderen Seite
besteht der Titel insofern zu Recht, als die Theologie
Melanchthons in einem bestimmten Sinn auch als Homiletik
beschrieben werden könnte. Zur Predigtlehre Melanchthons vgl.
auch noch W.Maurer 1967, 209ff.

467) Von daher ist K.Haendler (1968, bes. 211ff) zu korrigieren,
der praedicatio und doctrina als ganz eng verbunden versteht,
weil er der Auffassung ist, Melanchthon betrachte "Verkündigung und Theologie im Ansatz nicht formal, sondern material"
(ebd. 213). In dieser zweiten Linie unterscheidet Melanchthon
beide sehr wohl auch formal. Darin hat E.Bizer (1964, 76)
recht, wenn er sagt: "..so sind die Loci als solche nicht,
oder höchstens indirekt, Verkündigung; sie sind wesentlich
Vorbereitung, Kritik und Erklärung dessen, was in der Kirche
geschieht." "Theologie ist als solche nicht Verkündigung,
sondern Reflexion auf die Grundlagen und den rechten Vollzug
der Verkündigung.." "Der Dogmatiker absolviert niemanden;
das ist nicht sein Auftrag."

468) Zur gegenwärtigen Bedeutung der Loci-Methode Melanchthons
auch einige Bemerkungen bei G.P.Hartvelt 1962, 139-149.

469) Siehe S. 208 und 286-288; vgl. auch M.Wallach 1943, 8-38.
Gängig sind hier Urteile wie etwa das von M.Greschat (1965,
248) über die dreißiger Jahre: "Das gewisse Vertrauen in die
übermächtige Realität des verbum Dei efficax als des einigenden
Bandes und des festen gemeinsamen Grundes aller reformatorischen Bemühungen ist auch in unserer Zeit nicht preisgegeben;
aber daneben gewinnt die Lehre, als die formulierte Summe des
Glaubens und als seine kanonische Norm immer stärkere theologische Bedeutung. Je mehr dabei die Bezeugung des Wortgesche-
hens zurücktritt, das Verständnis der Doctrina sich verhärtet,
um so dringender wird das Anliegen der einheitlichen Lehrgestalt." Ein solches Urteil dürfte an den Intentionen Melanchthons vorbeigehen, weil sein doctrina-Begriff von Anfang
an eine solche Aufspaltung zwischen göttlichem Wort und
menschlicher Lehrgestalt nicht zuläßt. Seine Kritik richtet
sich nur gegen eine "politische" Sicherung der Lehre. Vgl.
auch K.Haendlers Kritik an A.Ritschl (Haendler 1968, 234ff).

470) Siehe S. 276ff, 377f. Damit hängt auch zusammen, daß Theologie
nun nicht mehr einfach Schriftauslegung sein kann (wie in der
humanistischen Reformtheologie des Anfangs), sondern sich auch
eine systematische Gestalt sucht. Formal gesehen ist hier der
Vorgang ähnlich wie in der Frühscholastik, wo ebenfalls das
Problem voneinander abweichender Schriftauslegungen allmählich
zur Trennung zwischen Exegese und Lehre bzw. Systematik
führte; vgl. dazu G.Paré-A.Brunet-P.Tremblay 1933, 240-274
(=6.Kap.: Les "sommes des sentences").

471) Siehe S. 368ff, auch 344ff.

472) Siehe S. 450ff, 467ff. Es ist m.E. zu einfach, Melanchthons
theologische Hermeneutik nur in die eine Richtung zu interpretieren, wie dies bei R.Schäfer geschieht, der (1963, 235)
zusammenfaßt: "Bei Melanchthon werden die Dimensionen des
Lebens durch die Hermeneutik nicht erfaßt. Die Rhetorik engt
insbesondere durch die Lehre vom status das Evangelium auf
jene Art von Wahrheit ein, die in einem Satz (propositio) ange-
messen ausgedrückt werden kann. Die Dialektik legt in ihrem
Kategoriensystem die Form der Begriffe fest... Lediglich die
Inkonsequenzen bei der Anwendung der Methode zeigen, daß die
humanistisch-intellektuelle Überfremdung auch im Bereich der
Lehre den Reichtum der christlichen Lebenswahrheit nicht verdecken konnte."

473) Dies wurde bereits von E.Troeltsch (1891, 62) erkannt, der mit
Bezug auf die allmähliche Doktrinalisierung der Melanchthonischen Theologie sagte: "Der Abstand von den älteren Ideen
Luthers über Glaube und Kirche ist dabei unverkennbar, allein
der ähnliche Gang der Entwicklung bei Luther sowie die Analogie mit der Entstehung der katholischen Kirche...legen es doch
nahe, darin nicht blos die Folge der intellektualistischen
Eigenart Melanchthons, sondern auch der inneren Logik der
Dinge, die Wirkung eines allgemeinen religionsgeschichtlichen
Gesetzes zu erkennen. Die religiöse Doktrin ist ein Ding von
ausserordentlicher innerer Selbständigkeit. Sobald es sich um
Gründung einer neuen Kirche handelt, drängt sie sich unver-
meidlich als die entscheidende Macht in den Vordergrund.."

474) Eine allseits befriedigende Gesamtdarstellung der Melanchthonischen Philosophie gibt es noch nicht; einstweilen wären zu
nennen: W.Dilthey 1957, 162-203 (=Melanchthon und die Ausbildung des natürlichen Systems in Deutschland); G.A.Herrlinger
1879, 389-406 (Das philosophische Element der melanchthonischen Theologie); K.Hartfelder 1889, 177-183, 211-249 (Philosophie); H.Maier 1909, 1-139 (Ph.Melanchthon als Philosoph);
P.Petersen 1921, 19-108 (Die Grundlegung der aristotelischen
Philosophie im protestantischen Deutschland durch Ph.Melan-
chthon); B.S.von Waltershausen 1927 (Melanchthon und das spekulative Denken); H.-G.Geyer 1959 (Der Aristotelismus bei Melanchthon); A.Agnoletto 1964 (eine Einführung auf Grund der bisherigen Literatur); W.Maurer 1967 (Melanchthons philosophischer Ausgangspunkt); auch Q.Breen 1945 (über die Theorie der
zweifachen Wahrheit bei Melanchthon); ders. 1952 (Verhältnis
Philosophie und Rhetorik); W.H.Neuser 1957, 17-40 (Theologie
und Philosophie); W.Matthias 1963, bes. 120-125, 131-133 (zu
Melanchthons Metaphysik); R.B.Huschke 1968 (zum Begriff ordo
politicus und darin auch zur politischen Philosophie).

475) So E.Keßler 1968, 37f. Vgl. auch A.Buck, Die humanistische
Tradition in den romanischen Literaturen (1966/67), in: ders.
1968, 9-22, und die zusammenfassende Skizze bei P.O.Kristeller
1969. Vgl. auch die neueren Gesamtübersichten über die bisherigen Humanismusdeutungen bei E.Keßler 1968, 9-35, und
R.Landfester 1972, 17-31.

476) Dazu K.O.Apel 1963, bes. 131-158 (=Kap.V:Die Sprachideologie
des römischen Orators als Fundament des europäischen Sprachhumanismus); vgl. auch J.E.Seigel 1968, 3-30 (=Kap.I: Rhetoric
and Philosophy: The Ciceronian Model); N.S.Struever 1970,
5-39 (= I. The Quarrel of Philosophy and Rhetoric); R.Land-
fester 1972, 62-78 (Rhetorische Sprach- und philosophische
Verhaltensbildung im Zusammenhang mit dem Geschichtsverständnis); siehe auch S. 447ff.

477) Vgl. dazu vor allem J.E.Seigel 1968; ferner auch Q.Breen 1952;
H.H.Gray 1963, 209ff; zur praktischen Philosophie des Erasmus
D.Harth 1970, bes. 167-176.

478) Vgl. K.O.Apel 1963, 269-279; auch S. 444ff.

479) Wenn es in einem Staat keine literae, keine oratio und keine
eloquentia mehr gäbe, gäbe es in ihm auch kein vestigium
humanitatis mehr (Enc.eloqu.1523, SA III, 48,28f). Die veteres
Latini hätten die artes dicendi humanitas genannt. Sie hätten
nämlich geglaubt, daß durch das Studium dieser Disziplinen
nicht nur die Sprache gebildet, sondern auch die ferietas
barbariesque ingeniorum verbessert werde (ebd. 50,7ff); noch
ausführlicher Ratio discendi 1521 (CR XX, 701f; zur Dat.
K.Hartfelder 1891, 566). Vgl. ferner SA III, 57,29f; 61,37.
Der Begriff "humanitas" steht damit in engem Zusammenhang mit
den boni mores (vgl. Wv.1518, CR I, 25; In laudem novae scholae 1526, SA III, 65,4f.21.24ff; Or.de studiis linguae Graecae 1549, SA III, 141,11ff; 147,5ff), was notwendig die Verbindung mit der Moralphilosophie heraufbeschwört (Schol.Col.
1527, SA IV, 234,1ff; Praef.in officia Ciceronis 1534, SA III,
85,24ff).

480) Dies betont Melanchthon vor allem in seiner Frühzeit. Mit
Nachdruck etwa in der Wv. zu De corr.stud.1518: "Non parum
refert ad vitae tuendae rationes, quo genere literarum rudis
aetas initio formetur, cum ob alia multa, tum hoc maxime, quod
nihil efficacius est ad mutanda ingenia moresque hominum
literis. Nam fere semper talis est unusquisque, qualem studia
faciunt. Nec mihi bonae literae, nisi quae mentis bonae sunt,
videntur. Itaque praestat optimis iuventutem erudiri: mores
enim optimos optimae literae conserunt"(CR I, 53). Vgl. Wv.
zur Plutarchausg., März 1519 (CR I, 74); B.an Spalatin, 22.Ju-
li 1520 (CR I, 207); Decl.Pauli doctr.1520 (SA I, 29,35ff/30,
1ff).

481) "Equidem Philosophum voco eum virum, qui cum res bonas atque
utiles humano generi didicit ac tenet, doctrinam ex schola
atque umbra ad usum et Rempublicam transfert, docet homines
aut de natura rerum, aut de religionibus, aut de regendis civi-
tatibus"(Resp.Picum 1542? CR IX, 692; vgl. 700); ähnlich Wv.
7.Aug.1536 (CR III, 116f); vgl.ferner Wv.zu Nubes Aristophanis,
Ende 1520 (CR I, 273f); Wv.zur lat.Übersetzung der Proverbia
Salomonis 1525 (CR I, 776); Phil.mor.1546 (SA III, 154,31ff/
155,1ff); Disp.De vera philosophia et erroribus sectarum,
17.Juni 1542 (Komp. 119). Hierher gehört auch der häufig zitierte Satz "Studia abeunt in mores"(Phil.mor.1546, SA III, 160,
30ff/161,1ff; De philosophia or.1536, ebd. 94,22); Disp.rhet.L,

1553: "A parentibus accipimus vitam, a praeceptoribus vero formam et rationem pie et honeste vivendi"(SM II/1, 42,1f).

482) Disp.De discrimine evangelii et philosophiae, zwischen 1531 und 1533: "Itaque philosophiam vocamus non omnes omnium opiniones sed tantum hanc doctrinam, quae habet demonstrationes." "Verum autem unum est, ut dicunt philosophi, quare una tantum philosophia vera est, videlicet, quae minimum discedit a demonstrationibus." "Aristotelis philosophia diligentissime quaerit demonstrationes, ideo una longe omnibus sectis antecellit"(Komp. 111f); vgl. Disp.De vera philosophia et erroribus sectarum, 17.Juni 1542 (ebd. 119) und bes. auch die gleichlautende Disp. vom März 1539 (ebd. 121-124). Die Grundproblematik humanistischer Philosophie ist nicht erkennbar, wenn man im Humanismus nur die Wiederaufnahme der Antike sieht: "Daß der Humanist zu der Philosophie zurückkehrt, ist nur natürlich. Zwischen der philosophischen und der übrigen Literatur des Altertums scheiden hieß einen nicht vorhandenen Dualismus in dasselbe hineintragen. Es ist der gleiche Geist, der hier wie dort lebendig ist"(H.Maier 1909, 47). Diese Grundproblematik ist ebenfalls verkannt, wenn man nur von einer Unterordnung der Philosophie (und auch der Theologie) unter die Rhetorik spricht, wie dies Q.Breen (1952, 3,42f, 45, 48, 50) tut.

483) Vgl. dazu W.Dilthey 1957, bes. 170-186. Siehe auch S. 360,427.

484) Man vergleiche die eigentümliche Verbindung von Sprachhumanismus und Philosophie in Schema II (S. 351) und Schema IV (S. 355), während in Schema III (S. 353) der Sprachhumanismus nicht mehr sichtbar ist.

485) Siehe S. 436-440.

486) Siehe S. 430-450.

487) Vgl. dazu Schema IV und Schema V der Wissenschaftsklassifikationen (S. 355, 356).

488) Resp.Picum 1542? (CR IX, 690ff); siehe auch S. 440-443.

489) Gut ist dies bereits bei W.Maurer (1965, 180) gesehen: "Philosophie ist für Melanchthon Geschichte, die Geschichte stellt uns mit der göttlichen Gabe philosophischer Erkenntnis Gottes Gesetz immer wieder neu vor Augen." Ders. 1967, 103: "darum ist alle Philosophie eine geschichtliche Wissenschaft. Sie erfaßt die Erfahrung, die die Menschheit mit jener urtümlichen, allgeltenden Wahrheit auf den Höhepunkten ihrer Geschichte gemacht hat." Vgl. ebd. 105. Maurer versucht allerdings, diesen Sachverhalt auf das platonische Offenbarungsverständnis zurückzuführen, das Melanchthon bes. über den Florentiner Neuplatonismus eines Ficino und unmittelbar über seine Tübinger Lehrer Reuchlin und Stöffler vermittelt worden sei. Zu diesem problematischen Versuch siehe S. 414f. Sachlich ähnlich, wenn auch ohne Ableitung vom Neuplatonismus bereits H.Maier (1909, 62ff), der vom "mythologischen Hintergrund"(ebd. 62) einer Art "Uroffenbarung" spricht (ebd. 64), die in der Geschichte (bes. in der Antike) entfaltet und weitergegeben wird.

490) So häufig in den philosophischen Disputationen; z.B. De vera
philosophia et erroribus sectarum, 17.Juni 1542: "1.Deus indidit mentibus hominum lucem quandam, e qua exuscitata sunt
extructae artes vitae utiles, quas deus vult extare." "3.Cum
haec doctrina philosophia dicitur, vera est sententia philosophiam veritatem et dei donum esse, multarum utilitatum causa
datum generi humano." "6.Una est igitur philosophia, scilicet
vera doctrina, quae demonstrationibus constat"(Komp. 119);
vgl. auch die übrigen Disp.(ebd. 111f, 115f, 121ff, 127f).

491) In gewissem Maß sind diese Stadien auch in der Geschichte
des Wortes "Philosophie" greifbar; vgl. dazu E.R.Curtius 1943.
Es ist deshalb nicht verwunderlich, wenn die Zweideutigkeit
seiner philosophischen Konzeption auch in der Verwendung des
Wortes "Philosophie" zum Vorschein kommt; vgl. dazu die Übersicht über die Wissenschaftsklassifikationen (S. 348-356).

492) W.Dilthey 1957, 162; H.Maier 1909, 62; P.Petersen 1921, 21,70.

493) W.Dilthey 1957, 187; vgl. G.A.Herrlinger 1879, 400; H.Maier
1909, 58f.

494) W.Dilthey 1957, 171f; K.Hartfelder 1889, 179, 181, 249;
H.Maier 1909, 61, 67ff; P.Petersen 1921, 101ff; H.-G.Geyer
1959 (hier sind die grundlegenden Differenzen zu Aristoteles
hinsichtlich der Physik und der Ethik am besten herausgearbeitet); A.Agnoletto 1964, 1168; R.B.Huschke 1968 (der Begriff "ordo politicus" zeigt eine eigenständige Verarbeitung
verschiedener Traditionen).

495) P.Petersen 1921, S.X.

496) W.Maurer 1961a, 22ff, 25f (Mensch, Welt, Geschichte); ders.
1962, 41f, 46 (Naturfrömmigkeit); ders. 1965a, 167ff, 172, 178,
180 (Geschichte, Tradition); ders. 1967, 50, 56, 84-98 (philosophischer Ausgangspunkt), 99-128 (Geschichtsanschauung), 129
bis 170 (Naturanschauung). Ihm folgt C.S.Meyer 1972,312,315.

497) W.Maurer 1967, 88. "Gegenüber einer Überschätzung des aristotelischen Einflusses, wie sie im Blick auf den Umbruch nach
1522 von der Melanchthonforschung fast allgemein angenommen
wird, muß hier schon eine platonische Unterschicht im Denken
Melanchthons festgestellt werden, die sich als tragend erweist,
auch wenn sie durch neue Schichten theologischer und philosophischer Erkenntnis überlagert worden ist. Der Platonismus in
der eigentümlichen Prägung des Pythagoräismus, wie er ihn von
Reuchlin übernommen hatte, hat die Entwicklung Melanchthons
von Anfang an in ihrer Richtung bestimmt; und die Auseinandersetzung mit diesem Erbe hat ihn auf jedem Stadium seines Weges
begleitet"(ebd.); vgl. ebd. 90, 92, 98.

498) Bei W.Maurer 1967, 93ff (vgl. auch 87), 96.

499) Bei W.Maurer 1967, 87f.

500) Bei W.Maurer 1967, 93, 142ff. Auch B.S.von Waltershausen kommt
1927 zum Urteil, daß Melanchthon "die der Renaissance eigentümliche Neigung zum Platonismus nicht bekundet"(ebd.656) und
daß die vorhandenen platonischen Motive "keine Tragweite für
sein philosophisches System" besitzen (ebd. 657); zum
Renaissance-Platonismus vgl. etwa die Übersicht von P.O.Kri-
steller, Renaissance Platonism (1955), in: ders. 1961, 48-69.

501) W.Maurer 1967, 91f.

502) Ebd. 44.

503) Ebd. 86f, 88f, 94f. Für diesen Unterschied findet Maurer keine
rechte Erklärung: "Es läßt sich gut vorstellen, daß Reuchlin
den Inhalt jener jüdischen Geheimlehren dem jungen Großneffen
bewußt vorenthalten habe"(ebd. 86f). In etwas anderer Weise
gilt dieser Unterschied zum Florentiner Neuplatonismus auch
in der Frage der Naturfrömmigkeit; denn wie Maurer (ebd. 141)
selbst sagt, sind bei Melanchthon und Stöffler die "gewohnten
Formen der überlieferten Frömmigkeit" vorherrschend, während
bei Ficino der ganze Kosmos neuplatonischer Kategorien eingesetzt wird (ebd. 140f).

504) Dazu W.Maurer 1967, 99ff.

505) Siehe S. 31f, 32-41, 91ff. Damit erledigt sich auch die These
W.Maurers, daß Melanchthon erst unter dem Einfluß Luthers
erkannt habe, "daß...die Antike in sich keine geschlossene
Einheit darstellt"(Maurer 1961a, 32) und daß (nun gegen Eras-
mus gerichtet) zwischen christlicher und antik-heidnischer
Ethik ein "unüberbrückbarer Gegensatz" vorhanden ist. Maurer
fährt dann ausdrücklich fort: "Er hat damit den religiösen
Universalismus, wie ihn Lullus, Cusanus, Pico, Reuchlin und
Erasmus gelehrt und wie ihn später die Aufklärung übernommen
hat, an einem entscheidenden Punkte aufgegeben"(ebd. 33).

506) Dazu etwa E.von Ivánka 1964; daraus bes. 373-385 (Was heißt
eigentlich "christlicher Neuplatonismus"?); G.von Bredow,
Platonismus im Mittelalter. Eine Einführung (rombach hochschul
paperback, 47), Freiburg 1972.

507) Siehe S. 413.

508) Siehe S. 80 Anm.34.

509) Die wichtigsten Stellen finden sich in den verschiedenen Fassungen der Dialektik, und zwar in Zusammenhang mit der Frage
der Prädikabilien: Comp.dial.ratio 1520 (CR XX, 714f); Dial.
1528 (Opera Basil.V, 174); Erot.dial.1547 (CR XIII, 519f, 529,
750f) und in De anima 1553 (SA III, 331f, 334f, 358). Zur
Universalienlehre vgl. die philosophiegeschichtlichen Übersichten von C.Axelos-K.Flasch-H.Schepers-R.Kuhlen-R.Romberg-
R.Zimmermann, Allgemeines/Besonderes, in: HWPh I (1971)164-191;
C.von Bormann-W.Franzen-A.Krapiec-L.Oeing-Hanhoff, Form und
Materie (Stoff), in: HWPh II (1972) 977-1030; H.Heimsoeth 1965,

172-203 (=V. Das Individuum); R.Eisler, Wörterbuch der philo-
sophischen Begriffe, Bd. I, Berlin 4.Aufl.1927, 30-37. Zum
Nominalismus vgl. u.a. G.Ritter 1921; ders. 1922; F.Ehrle 1925;
E.Arnold 1952; J.Largeault 1971 (ebd. 441-447 Literatur) und
bes. R.Paqué 1970; W.J.Courtenay, Nominalism and Late Medieval
Thought: A Bibliographical Essay, in: ThSt 33 (1972) 716-734.

510) Comp.dial.ratio 1520: "De quinque vocum seu praedicabilium ratione. In artificio definitionum primum observari debet
(quandoquidem voces vocibus declarantur, et natura rerum vocabulis signatur) alias voces esse aliis communiores, aliis
vocibus cum aliis natura convenire, cum aliis non convenire.
Primum ergo apud dialectum vocum discrimen, est in Individuum,
Speciem, Genus, Differentiam et Accidens. Individuum est nomen
proprium, ut Virgilius, Plato, hic homo, hic bos. Sic enim
propria circumloquimur. Species est nomen commune, proximum
individuo atque adeo, quod in definiendo individuo primum
occurit, ut Homo, Bos. Nam si quaeratur, quid Virgilius sit,
respondetur, homo. Significat autem species unam quandam et
communem imaginem naturae, quae est in multis individuis, adumbratam et conceptam a mente humana. Sic sentiendum est de
aliis communibus vocibus. Quod dico, ne quis putet communia
vocabula, aequivoca esse, quae multas res significant, ut
Polypus, adeoque diversis imaginibus conceptas. (Randanmerkung:
Nihil reale est in universalibus.) Nam homo unam quandam
imaginem significat naturae, quae sparsim in multis individuis
est. Sic genus, sic differentia"(CR XX, 714f); vgl. Dial.1528
(Opera Basil.V, 174); Erot.dial.1547 (CR XIII, 518ff). "Haec
(sc.quinque voces) tum universalia appellant, id est communia
nomina, tum praedicabilia, id est voces, quae aliis vocibus
explicandis tribuuntur.."(Opera Basil.V, 174; ähnlich CR XIII,
519). "Eam imaginem Dialectici speciem appellant, nam in
sermone, ut res quae alioqui in infinitum patebant, in summam
contraherentur, hae formae nomina habent"(Opera Basil.V, 174;
ähnlich CR XIII, 519).

511) "Suntne res universales extra intellectionem, ut aliqui Ideas
esse res extra intellectionem universales imaginati sunt?"
"Tenenda est sententia vera et rectissime tradita a Boetio:
Omne quod est, eo ipso quod est, singulare est, id est: Quaecunque res in natura vere et positive est quiddam extra intellectionem, est singularis per se. Res sunt extra intellectionem, hic cervus, hic homo, hic equus. Sed communis illa imago
cervi, quae vocatur species, non est quiddam extra intellectionem, nec est, ut Graeci loquuntur ὑφιστάμενον, seu hypostasis.
Sed est revera actus intelligendi, pingens illam imaginem in
mente, quae ideo dicitur communis, quia applicari ad multa
individua potest, ut circumferens in mente imaginem cervi, agnoscit cervos ubicunque oblatos, figuram ad imaginem in mente
conferens"(Erot.dial.1547, CR XIII, 520). Vgl. auch die Margi-
nalanmerkung "Nihil reale est in universalibus" in Comp.dial.
ratio 1520 (CR XX, 715 Anm.).

512) Zum Zusammenhang mit dem Begriff der "Idee" siehe S. 420.

513) Siehe S. 97-114, bes. 102-106.

514) Dazu bes. E.Arnold 1952, bes. 38ff, 45ff, 61ff, 102ff, dessen
These aufgenommen ist bei K.O.Apel 1963, bes. 92f. Auch
J.Largeault 1971, 86-93 (Abélard: Les universaux et le langage)
R.Paqué 1970 (siehe Register s.v. suppositio). Vgl. auch
J.Pinborg, der (1972, 11) das Hauptgewicht und die spezifische
Leistung der mittelalterlichen Logik in der"Semantik im wei-
testen Sinne des Wortes" bzw. (mit E.A.Moody) "im Versuch der
mittelalterlichen Logiker die semantischen Voraussetzungen
der aristotelischen Logik zu analysieren" sieht; zur Ver-
schmelzung von Logik und Semantik auch ebd. 46f, 102ff, 111ff;
ders. 1967, 19-59; H.W.Enders 1975, 56-102.

515) Siehe dazu S. 440-443.

516) Siehe S. 419f.

517) Vgl. M.Grabmann, Die Entwicklung der mittelalterlichen Sprachlogik, in: ders., Mittelalterliches Geistesleben. Abhandlungen
zur Geschichte der Scholastik und Mystik, Bd.I, München 1926,
104-146, bes. 141-146 (ebd. 141f Belege im Anschluß an J.Mül-
ler für die Kritik von Alexander Hegius, Jakob Wimpfeling,
Heinrich Bebel, Erasmus von Rotterdam), und J.Pinborg 1967,
202-212 (bes. 210 Anm.27: Verweis auf das Material bei Ch.
Thurot und J.Müller); auch P.A.Verburg 1952, 51; G.Ritter
1922, 123f; N.S.Struever 1970, 43ff.

518) Zu den Traktaten De modis significandi vgl. bes. J.Pinborg
1967 (und die ebd. 346-352 aufgeführte Literatur); H.W.Enders
1975, 37-56.

519) Siehe S. 443-450. Auf jeden Fall wird man nicht von einer
Gleichwertigkeit des nominalistischen und des humanistischen
Elementes sprechen dürfen, wie dies H.-G.Geyer noch (1959,11)
zu tun scheint: "Melanchthon war nicht enthusiastisch, aber
früh und hinreichend genug Nominalist, um von Anfang an das
Organon antimetaphysisch zu verstehen, und er war zu sehr
Humanist, um es nicht in kritischem Widerspruch zum logischen
Formalismus der Spätscholastik auch rhetorisch zu verstehen."
Andeutungsweise richtig auch Q.Breen, der zur Feststellung,
Melanchthon sei auf jeden Fall kein strenger Ockhamist gewesen
(1945, 85 Anm.46) anmerkt: "If he was an Ockhamist at all.
As will be shown he cared almost nothing for philosophy pro-
perly so called. He preferred rhetoric to dialectics." Erst
recht nicht wird man die nominalistischen Elemente als Ausgangspunkt und Grundlage des Melanchthonischen Denkens verstehen dürfen, wie dies B.S.von Waltershausen (1927, 648ff, 654ff,
658f, 664) meint. Man darf auch nicht vergessen, daß sich
Melanchthon bei seiner antimetaphysischen bzw. rhetorischen
Interpretation der Analytica posteriora nicht auf den spätmittelalterlichen Nominalismus, sondern auf die spätantiken
Aristoteleskommentare beruft (siehe S. 371). Die Differenz
zwischen dem Sprachverhältnis der mittelalterlichen Logik
und der humanistischen Sprachauffassung macht auch H.-G.Geyer
(1965, 37) geltend jedoch ist hier nur eine (wenn auch eine
wichtige) Teildifferenz namhaft gemacht, nämlich der bloße

Sachbezug der Sprache in der mittelalterlichen Logik gegenüber
der Integration von Sach- und Personbezug der Sprache im
Humanismus bzw. die humanistische "Behauptung eines integra-
len Verständnisses von Sprache gegen deren Verkümmerung zu
einem Zeichensystem, die dort statthat, wo mit blinder Ein-
seitigkeit nur auf den *idealen Bedeutungsgehalt der Worte*
reflektiert und die *reale Gestaltungsmacht der Rede* sistiert
wird."

520) Neben den S. 338f Anm. 509 genannten geschichtlichen Über-
blicken vgl. dazu bes. E.Arnold 1952, 102ff, 118ff, 133f;
J.Largeault 1971, passim; R.Paqué 1970, passim; und ferner
J.Pinborg 1972, 179: "Wenn ich die Entwicklung der mittelalterlichen Logik und Semantik schlagwortartig zusammenfassen versuchen sollte, würde ich die Hauptentwicklung darin
sehen, daß sich ein konsequenter Aristotelismus gegenüber den
platonischen Interpretationen der Logica vetus immer mehr
durchsetzt. Dadurch wird der Ausgangspunkt der Wissenschaft
immer deutlicher in konkrete, individuelle Gegenstände ver-
legt, während Illuminationslehren und platonischen Wesen-
heiten immer mehr zurückgedrängt werden."

521) Siehe S. 478-483. Wenn man also nominalistischen Individualis-
mus und analytische Philologie in Verbindung bringen möchte
(so etwa D.R.Kelley 1966, bes. 198f), dann kann dies sachge-
recht eigentlich nur unter Berücksichtigung der gerade ange-
deuteten Gebrochenheit durch das humanistische Sprachverhältnis geschehen.

522) Zu Boethius, der einen Kompromiß zwischen Aristotelismus und
Platonismus versuchte, in dem praktisch alle mittelalterlichen
Varianten des Universalienproblems angelegt waren, der deshalb bisweilen auch nominalistisch gedeutet werden konnte
(wie z.B. auch von Melanchthon), der im ganzen jedoch die Tendenz zum Universalienrealismus gestärkt hat, vgl. H.J.Brosch,
Der Seinsbegriff bei Boethius. Mit besonderer Berücksichtigung
der Beziehung von Sosein und Dasein (Philosophie und Grenz-
wissenschaften, IV,1), Innsbruck 1931, bes. 74-94; K.Flasch,
Allgemeines/Besonderes, in: HWPh I (1971) 169f; auch K.O.Apel
1963, 92f.

523) Erot.dial.1547: "Tenenda est sententia vera et rectissime
tradita a Boetio: Omne quod est, eo ipso quod est, singulare
est, id est: Quaecunque res in natura vere et positive est
quiddam extra intellectionem, est singularis per sese."
"Nec aliud Plato vocat Ideas, quam quod Aristoteles nominat
species seu εἴδη. Et uterque tantum de illis imaginibus in
mente loquitur." "Platonis grandiloquentia, qui saepe de ideis
figurate loquitur, et prosopopoeias facit, praebuit occasionem
posterioribus, ut fingerent ideas esse communes naturas, nescio ubi volitantes. Has ineptias dum sequitur Scotus, et tamen
aliqua ex parte corrigere studet, prorsus ei accidit, quod
illi fatuo cribri foramina obstruenti. Nos dictum Boetii, quod
recensui, verum et perspicuum sequamur"(CR XIII, 520

524) Siehe Anm.525.

525) Die entsprechenden Aussagen in der Comp.dial.ratio 1520 scheinen vor allem von Boethius abgeleitet zu sein und könnten
(sieht man vor der Marginalbemerkung "Nihil reale est in universalibus" CR XX, 715 Anm. ab) eventuell auch realistisch gedeutet werden. Sie lauten: "Significat autem species unam
quandam et communem imaginem naturae, quae est in multis individuis, adumbratam et conceptam a mente humana"(CR XX, 714).
"Nam homo unam quandam imaginem significat naturae, quae
sparsim in multis individuis est"(ebd. 715). Realistisch könnte dies gedeutet werden, weil hier von einer communis imago
naturae die Rede ist, die in den Einzeldingen ist und vom
Verstand aufgenommen wird, nicht aber diese imago = diese
species = diese forma mit der Tätigkeit des Verstandes selbst
identifiziert wird, wie dies später geschehen wird. Vgl. dazu
Boethius, In isagogen Porphyrii commenta I,11: "Quacirca cum
genera et species cogitantur, tunc ex singulis in quibus
sunt eorum similitudo colligitur ut ex singulis hominibus
inter se dissimilibus humanitatis similitudo, quae similitudo
cogitata animo veraciterque perspecta fit species"(CSEL 48,
166,8ff). Diese imago-bzw. similitudo-Vorstellung findet sich
dann freilich auch bei Ockham (vgl. F.Ueberweg 1928, 578f).
Erst in der dritten Fassung der Dialektik (die zweite Fassung
1528 scheint eine gewisse Mittelposition darzustellen: vgl.
Opera Basil.V, 174) wird ausdrücklich ein metaphysischer Indi-
vidualismus vertreten (alles, was ist, ist aus sich selbst
ein einzelnes, bzw. alles, was wahrhaft und positiv ist, ist
etwas außerhalb des Verstandes und ist durch sich ein einzelnes), wird die imago bzw. die species mit der Tätigkeit des
Verstandes identifiziert und ihre Substanzialität strikt abgelehnt (siehe S. 339 Anm.511). Dies geht sicher auf den
Ockhamismus zurück (und nicht auf Boethius). Zu Ockham vgl.
u.a. F.Ueberweg 1928, 575ff; J.Largeault 1971, 93-168;
R.Paqué 1970, 129-149.

526) Erot.dial.1547: "Addita est Aristotelis Dialecticae, doctrina
verius Grammatica quam Dialectica, quam nominarunt Parvalogi-
calia, in qua dum praecepta immodice cumularunt, et labyrinthos
inextricabiles, sine aliqua utilitate finxerunt, ut: Nullus
et nemo mordent se in sacco, etiam illas admonitiones, quarum
aliquis est usus, tenebris involverunt. Recensebo igitur breviter ex his quasdam utiles admonitiones. Ut gestus dissimiles
in homine significant dissimiles animorum motus, alius est
irati, alius amantis, alius timentis: ita omnia vocabula di-
versos quasi gestus in compositione habent, qui vocantur modi
significandi. Idem vocabulum alias significat communem speciem,
alias individua, alias latius patet, alias angustius est. Cum
dico, Homo est species, intelligo ideam, cum dico, Homo currit,
intelligo individuum aliquod. Haec animadversio necessaria
est, ut cum dico: Dilectio est impletio legis, Id verum est de
idea, id est, de integra dilectione, et non contaminata. Nam
lex vere haec duo postulat, ardentem amorem Dei, et purum
amorem proximi, congruentem voluntati Dei, sed nos in hac
imbecilli natura non habemus integram dilectionem." "Haec fuit

doctrina suppositionum, ut vocarunt" Für die Klärung des Be-
deutungsumfanges habe man in der Grammatik die Figurenlehre
zur Verfügung (CR XIII, 750, ebd. 750ff weitere Beispiele);
ähnlich auch schon Wv. zu Thomae Linacri Brittani De structura
latini sermonis libri IV, Febr. 1531 (CR II, 483).

527) Der nützlichste Teil sei das vierte Buch mit den grammatischen
Erläuterungen von 32 Hauptbegriffen, ferner das dritte und das
zehnte Buch mit der Lehre von den Ursachen und den Kriterien
der Wahrheit und Gewißheit der Dinge. - So nach einem Bericht
des David Chytraeus, eines Lieblingsschülers Melanchthons
(David Chytraeus, Regulae studiorum..., Lipsiae 1596, Bl.75b;
zit.nach W.Risse 1964, 105 Anm.129).

528) Zu der hier in Frage kommenden Linie der Geschichte des Idee-
begriffes vgl. E.Panofsky, Idea. Ein Beitrag zur Begriffsgeschichte der älteren Kunsttheorie (Studien zur Bibliothek Warburg), Berlin 2.verbesserte Aufl.1960 (1924); zu Cicero ebd.
5-10; ebd. 4 auch ein Hinweis auf Melanchthon. G.Picht 1963.

529) Vgl. Comp.dial.ratio 1520 (CR XX, 714f); Erot.dial.1547 (CR
XIII, 519f).

530) Ideen als Gedanken Gottes: "Plato tria constituit principia,
Deum, Materiam, et Ideam"(In.doctr.phys.1549, CR XIII, 293).
"Addit autem Plato ideam, quod est affine Aristotelis sententiae, qui addit formam materiae. Sed Aristoteles tantum intelligit formam, quam induit materia. Plato vero ideam intelligit imaginem operis in mente divina, iuxta quam, ut ita dicam,
exculpitur forma, quae in corporibus conspicitur, ac sicut
architectus imaginem aedificii prius in mente pingit, ita Deum
cogitat imaginem totius opificii mundi, et ordinis corporum
et animantium in sua mente primum quasi delineasse, ad quod
exemplum deinde universam machinam et corpora, motusque stel-
larum et animantia fabricavit"(ebd. 294). Ideen bzw. Allgemein-
begriffe als gemeinsame Bilder ähnlicher Einzeldinge: "Nec
aliud Plato vocat Ideas, quam quod Aristoteles nominat species
seu εἴδη. Et uterque tantum de illis imaginibus in mente loquitur. Has dicunt esse perpetuas, quia rosae noticia seu
definitio manet in mente, etiam in hyeme, cum nullae usquam
florent rosae, et una est vera ac perpetua definitio. Sic
dicit in mente pictoris formam seu ideam pulcri corporis humani inclusam esse. Haec forma non est res extra intellectionem,
sed ipse actus intelligendi, pingens hanc imaginem"(Erot.dial.
1547, CR XIII, 520);ähnlich Comp.dial.ratio 1520 (CR XX, 714f);
De anima 1553 (SA III, 331,15ff; 334,31ff; 358,17ff); Or.de
Platone 1538 (CR XI, 422f). Idee als "Ideal": "Haec animadversio necessaria est, ut cum dico: Dilectio est impletio legis.
Id verum est de idea, id est, de integra dilectione, et non
contaminata." "Sed nos in hac imbecilli natura non habemus
integram dilectionem. Nondum igitur nostra dilectio legi satisfacit. Ita si dicam: Eloquentia est facultas de rebus omnibus
recte et ornate dicendi. Haec propositio vera est de idea. Sed
nullius oratoris eloquentia par est huic ideae"(Erot.dial.1547,
CR XIII, 750);"Ac si voluptas quaeritur, vos omnes experiri

hoc arbitror, nihil dulcius esse quam mente intueri viros antecellentes virtute, in quibus quasi ipsam virtutum effigiem
spectare nos sentimus. Sapientis, iusti, moderati, constantis,
benefici principis imaginem atque ideam cogitamus, cum Augu-
stum nobis proponimus.."(Or.de Aristotele 1544, SA III, 123,
35ff;124,1f). Idee als posteriorische Sammelvorstellung:
"Nam ut Zeusis, cum Helenam Crotoniatis pingeret, inclusam
habebat in animo pulcherrimam quandam mulieris speciem, seu,
ut Graeci dicunt, ἰδέαν, collectam ex optimis exemplis: ita
iudicaturos de moribus oportet animo tenere tanquam formas
quasdam, virtutum descriptiones, quas consulant, quas intueantur, in quas defigant oculos, quoties de honestate deliberant"
(Schol.off.Cic.Arg.1525, CR XVI, 628f). Idee als künsterische
Formvorstellung: "Quanquam enim statuarius multum ab arte
vicina ad suum usum transferre poterit, tamen ita erit intentus in artis suae exemplum atque ideam, ut observet, quae cum
illa idea consentiant, ne procul ab ea discedat"(El.rhet.1531.
CR XIII, 497). Am ausführlichsten äußert sich Melanchthon
zum Platonischen Begriff der "Idee" und zur Aristotelischen
Kritik in En.eth.I.Arist.1546 (CR XVI, 290-297) und zur Ciceronischen Herkunft seiner eigenen Deutung in Scholia in Ciceronis oratorem 1535 (CR XVI, 772f).

531) Einen solchen Realismus haben bereits P.Petersen 1921, 71, 73,
84; W.Risse 1964, 96; und K.Haendler 1968, 394f, 396, konstatiert. Vgl. auch B.S.von Waltershausen (1927, 658): "Die
Auflösung der Ontologie der Hochscholastik, bei Ockham er-
kenntnispsychologisch begründet, fand Melanchthon als gegeben
vor; er hat sich ihretwegen der Subjektseite des Erkenntnis-
problems nicht zugewandt. Sein Gegenstandbegriff war der naive,
vorwissenschaftliche. Es liegt etwas von humanistischer, gelehrt vermittelter und abgeschwächter Diesseitsfreudigkeit in
seinem Sichbegnügen mit dem anschaulich Gegebenen."

532) Zu den Bedeutungen von "res" in der Rhetorik vgl. H.Lausberg
1960,II, § 1244 s.v. "res"; ferner auch W.J.Ong 1958, 66;
L.Fischer 1968, 185. Das hindert natürlich nicht, daß sich in
der Melanchthonischen Erkenntnispsychologie die verschieden-
sten Traditionen miteinander vermischen; vgl. dazu etwa
H.Maier 1909, 100ff.

533) Vgl. auch H.-G.Geyer (1959,11), der in der humanistischen Verknüpfung von Rhetorik und Dialektik sich das Thema von Sprache
und Denken ankündigen sieht gegenüber dem klassischen Thema
von Sein und Denken in der Scholastik.

534) El.rhet.1531 (CR XIII, 419, 424, vgl. 451); siehe S. 430, 440.
Auch H.H.Gray führt (1963, 209) den philosophischen Eklektizismus der Humanisten auf die Rhetorik zurück; sie beruft sich
dabei auf die Ausführungen Quintilians (Institutio oratoria
XII, 2, 23ff) über den Rhetoriker als Eklektiker. Zu Erasmus
vgl. H.Gmelin 1932, 246f. Vgl. auch noch A.Michel, Éclectisme
philosophique et lieux communs: à propos de la "diatribe ro-
maine", in: Hommages à Jean Bayet, hrsg. von M.Renard und
R.Schilling (Collection Latomus, 70), Brüssel-Berchem 1964,

344

485-494. Es wäre daher zu überlegen, ob man in diesem Fall
anstelle von "eklektisch" bzw. "Eklektizismus", das ja die
pejorative Nebenbedeutung von "unschöpferisch", "nicht eigen-
ständig" hat, nicht besser von "elektiv" bzw. "Elektivismus",
das die positive Nebenbedeutung von "sorgfältige Auswahl"
hat, sprechen sollte.

535) Diese Gegenüberstellung von praktischer humanistischer und
abstrakt-theoretischer rationaler Philosophie ist besonders
von E.Grassi herausgearbeitet worden; vgl. E.Grassi 1970;
ders. 1973; der letzte Beitrag erschien in stark verkürzter
Form auch als Aufsatz: E.Grassi, Italienischer Humanismus und
Marxismus. Zum Problem Theorie und Praxis, in: ZphF 26 (1972)
3-20, 216-230. In diesem humanistischen Philosophiebegriff
sieht Grassi eine Vorwegnahme der marxistischen Kritik am
Idealismus und zugleich eine Lösung des Theorie-Praxis-Prob-
lems, die auch die marxistische noch positiv überschreitet,
weil sie die Engführung des Marxschen Arbeitsbegriffs ver-
meide und in der zentralen Rolle der Phantasie der konkreten
Freiheit in der Geschichte einen Raum schaffe (vgl. bes.
E.Grassi 1973, 113-178).

536) Siehe S. 187f. Am ausführlichsten und eindringlichsten hat
diese Übergeordnetheit des theologischen Denkens über die
Philosophie (bes. in Physik und Ethik) H.-G.Geyer 1959 dargestellt (29-91 = II. Physiko-theologischer Teil: De mundo;
92-139 = III. Ethiko-theologischer Teil: De homine). Vgl. auch
noch P.Petersen 1921, 70f; B.S.von Waltershausen 1927, 649ff,
659f; H.Maier 1909, 129ff; A.Brüls 1971, bes. 12f.

537) Vgl. H.Maier 1909, 68; B.S.von Waltershausen 1927, 649, 652f,
659; H.-G.Geyer 1959, 11. W.Maurer sieht hier (1967, 44)
hauptsächlich ein pädagogisches Motiv: Daß die Wirklichkeit
metaphysische Tiefen habe und daß man diese erforschen soll,
stehe ihm außer Frage. Seine eigene Vereinfachung des Aristoteles sei "nicht vorwissenschaftliche Naivität oder Primitivi-
tät, sondern die Selbstbescheidung des Pädagogen, der Respekt
hat vor der schöpferischen Leistung, ohne sich unmittelbar
zu ihr fähig zu wissen."

538) B.S.von Waltershausen 1927, 648ff, 654ff, 658f, 664; H.-G.Geyer
1959, 11.

539) Siehe S. 186. Vgl. auch H.-G.Geyer, der (1959, 23f) mit Bezug
auf Did.Fav.or.1521 bemerkt, "daß die Polemik in erster Linie
gegen die scholastische Synthese von Philosophie und Theologie
gerichtet ist, und Melanchthon des Problems der Metaphysik
nur im Rahmen dieser Verflechtung ansichtig wird." Etwas Ähnliches scheint bereits W.Dilthey (1957, 168) zu meinen, wenn
er sagt: "Melanchthon faßt die beiden großen Potenzen, Altertum und Christentum, historisch auf. Er strebt ihre unver-
fälschte Gestalt mit philologischer Gewissenhaftigkeit zu er-
fassen. Er verwirft alle künstlichen scholastischen Begriffe,
durch welche eine systematische Verbindung des Aristoteles
und des Christentums hergestellt worden war.."

540) Man könnte sich natürlich auch fragen, ob diese Vorherrschaft
des theologischen Denkens nicht überhaupt und unmittelbar auf
die nominalistische Trennung von Glauben und Wissen zurückzuführen ist, so daß hinter der Melanchthonischen Konzeption
im wesentlichen doch wieder der Nominalismus stehen würde. Dagegen spricht jedoch, daß die humanistische Reformtheologie
des Erasmus eher in Verbindung mit der Devotio moderna und
durch sie hindurch mit der monastischen Theologie steht und
daher in eine allgemeine durchgehende Linie der Kritik an
einer übersteigerten logischen und metaphysischen Spekulation
in der Theologie einzuordnen ist (vgl. S. 66). Dagegen spricht
auch ein Vergleich der nominalistischen und der humanistischen
Theologie, der gerade auch darin eine völlige Verschiedenheit
der Konzeptionen ergibt, daß die Theologen der spätmittelalterlichen via moderna trotz ihres Nominalismus praktisch auf dem
Boden der aristotelischen Metaphysik standen und auch im Studium der Metaphysik im universitären Lehrbetrieb kein wesentlicher Unterschied zur via antiqua zu erkennen ist (dazu vgl.
bes. G.Ritter 1921, 111-183: Metaphysik und Theologie bei Mar-
silius von Inghen, der den philosophischen Unterricht der
via moderna in Heidelberg bis ins 16.Jahrhundert hinein bestimmt hat; ders. 1922, 87ff: zum Metaphysikstudium), während
die humanistische Theologie zunächst von den sprachlichen
Fächern ausgeht.

541) Siehe S. 187f.

542) Siehe S. 188-194.

543) In seiner Ratio theol.1530 kritisiert er die erste Fassung
seiner Loci und verkündet den Entschluß, sie zu überarbeiten
(CR II, 457). Im Jahr 1532 gibt er seinen Römerbriefkommentar
(Comm.Rom.) heraus, um die Vorlesungsnachschriften von 1522
(Ann.Rom.) ungültig zu machen (SA V, 26,5ff). Von der zweiten
Fassung der Loci 1535 sagt er in einem B.an Cordatus, vom
5.Nov.1536, daß er darin einige Dinge weniger hitzig und unge-
schlacht behandelt habe (CR III, 182). Ca.ein halbes Jahr darauf nennt Melanchthon als Punkte, in denen er nicht mehr so
undifferenziert spreche: die Prädestination, die Zustimmung
des Willens, die Notwendigkeit unseres Gehorsams und die
Todsünde (B.an V.Dietrich, 22.Juni 1537, CR III, 383). Wollte
man eine geschichtliche Analogie bemühen, könnte man hier auf
die Entwicklung Karl Barths hinweisen, die ziemlich genau 400
Jahre später überraschend ähnliche Züge aufweist: Im Jahr
1919 erscheint die erste Auflage des Römerbriefkommentars,
die die Periode einer radikalen Dialektik eröffnet. Zwischen
1922 und 1932, dem Erscheinungsjahr des ersten Bandes er
"Dogmatik", erfolgt die Wandlung der Barthschen Theologie, ihre Wendung zur Analogie, die dann in den dreißiger, vierziger
und fünfziger Jahren die ganze Breite der "Kirchlichen Dogmatik" aus sich entläßt; vgl. dazu H.U.von Balthasar 1962, bes.
67-181. Der Vergleich ließe sich wahrscheinlich noch fort-
setzen: Die Antwort der Barthschen Dialektik auf den theologischen Liberalismus scheint z.B. eine eigentümliche Entsprechung
in der strengen Differenz von Offenbarung und Vernunft zu finden, die der junge Melanchthon der für ihn philosophisch über-
wucherten spätscholastischen Schultheologie und darin ihrer

346

"Liberalität" entgegengehalten hat. Erst als sich das theologische Denken aus der Fixierung auf diesen Gegner wieder gelöst hat, konnte auch bei Melanchthon das konjunktive Moment der Verhältnisbestimmung langsam wieder erstarken.

544) Es ist hier nicht der Ort, diese Punkte im einzelnen zu diskutieren. Ausführlich handelt von ihnen (mit Diskussion der Literatur) K.Haendler 1968, 494-562, im Abschnitt über "Das Ich des Glaubens"; wichtig auch V.Pfnür 1970, 110-221; zum Material auch H.Engelland 1931, passim, H.Gerhards 1955, bes. 51-77 und passim; H.-G.Geyer 1969 (zur frühen Prädestinationslehre); A.Brüls 1975,142-175(Gotteslehre); M.Rogness 1969, 54-64, 122-139 (innerprotestantische Auseinandersetzungen).

545) Schön herausgestellt hat dies V.Pfnür (1970, 118-139) an Hand der Entwicklung des Problems der Willensfreiheit. Zur Wendung überhaupt auch P.Schwarzenau 1956. Vgl. auch K.Haendler (1968, 521 Anm.155): "In der melanchthonischen Fassung des Prädestinationsproblems setzt sich also eine biblisch ausgerichtete Theologie über ein metabiblisches Systemdenken durch." Auf die Bedeutung der neuen Situation, nämlich der Notwendigkeit der Institutionalisierung der ursprünglichen religiösen Erfahrung (Kirchwerdung der Reformation) ist ebenfalls hinzuweisen (vgl. dazu C.Bauer 1951, 79, und S. 409f). Ausgesprochen monokausale Ableitungen dagegen sind von vorneherein zweifelhaft: "Der Unterschied zwischen Melanchthon und Luther in der Frage des menschlichen Willens ist im wesentlichen darauf zurückzuführen, daß Melanchthon unter dem Einfluß ganz anderer philosophischer Traditionen steht als Luther" (H.Gerhards 1955, 8f). In eine ähnliche Richtung zielt auch der Abschnitt "Aristotelisches in der Theologie Melanchthons" bei P.Petersen 1921, 93-101. Seltsam undifferenziert auch die These W.H.Neusers, der (1957, 17) von Melanchthon sagt: "Wenn immer eine Wendung in seiner Theologie eintrat, machte sie sich in seiner Hinwendung zur Philosophie oder in der Abwendung von ihr bemerkbar. Das liegt darin begründet, daß die Philosophie mit der christlichen Offenbarung unvereinbar und daher ihre Heranziehung ein untrüglicher Maßstab für die Entfernung vom reformatorischen Zeugnis ist." Zur Bedeutung des Atheismus siehe S. 243ff.

546) Darauf hat K.Haendler (1968, 560ff) m.E. mit Recht hingewiesen.

547) Zu den sogenannten Wittenberger Unruhen vgl. W.Maurer 1969, 152-229. Zur Psychologie in den Loci 1522 W.H.Neuser 1957, 116-120, der aber die Änderung gegenüber 1521 etwas überschätzt und H.Gerhards 1955, 47-51. Zur Psychologie Melanchthons überhaupt K.Haendler 1968, 107ff, 496ff (und die ebd. 107 Anm.27 und 496 Anm.5 angeführte Literatur, wobei bes. auf H.-G.Geyer 1959, 112-139, und W.Matthias 1963, 120-125, 131-133, hingewiesen werden soll). Parallel dazu verläuft die Entwicklung auf dem Gebiet der Ekklesiologie, wo die Idee einer vielleicht mehr charismatischen Gemeinde (obwohl auch diese nie deutlich entfaltet wird) immer mehr zurücktreten muß zugunsten einer institutionellen Ordnung des kirchlichen Amtes, die auf der Berufungsidee basiert; dazu A.Sperl 1965 und (kritisch dazu)

K.Haendler 1968, 97ff (bes. 98 Anm.30). Zur Auseinandersetzung mit den Schwärmern bes. H.Pfister 1968. Vgl. auch C.S.Meyer 1972.

548) W.Dilthey 1957, 193. Eine "ethische Grundtendenz im Denken Melanchthons" sieht H.Gerhards 1955, 80; vgl. auch den Hinweis auf Herrlinger, Trillhaas und Neuser bei P.Schwarzenau 1956, 51; ferner R.Nürnberger, in: SA III, 10f; A.Brüls 1975, 29f.

549) Siehe S. 109f.

550) Vgl. u.a. Th.Hoppe 1928/29, 605ff; F.Hübner 1936, 135ff; G.Hoffmann 1938, 121; L.Haikola 1961, 93, 102f; R.Nürnberger, in: SA III, 11; M.Greschat 1965, 144f (ebd. 144 Anm.164 auch Hinweis auf Ritschl, H.E.Weber und G.Hoffmann); A.Brüls 1975, 31. Siehe auch S. 208.

551) Siehe S. 188ff.

552) SA III, 165,24ff.

553) Vgl. auch die Texte S. 150 Anm. 125. Der gleiche Sachverhalt kommt ebenfalls sehr gut zum Ausdruck in der Disp.De doctrina philosophiae et de fine bonorum etc., vom 3.Juli 1540, wo einerseits das Verhältnis von Philosophie und Evangelium fast als Vervollkommung beschrieben ist, andererseits dies nur möglich ist, weil die Philosophie bereits als eine im Licht des Glaubens philosophierende Vernunft verstanden ist; Nr.11: "Sicut autem in talibus locis evangelium philosophiam adiuvat, illustrat et perficit, sic econtra philosophia sacrarum literarum tractationi inservit"(Komp. 117) und Nr.7: "Debebat etiam secundum rectam rationem seu philosophiam virtutis finis constitui ipse deus, agnitio dei, obedientia erga deum, gloriae dei illustratio atque propagatio, conservatio societatis humanae propter deum"(ebd.).

554) Vgl. O.H.Pesch 1966, bes. 179ff; H.U.von Balthasar 1962, 278ff. Hier ist jeweils auch weitere Literatur angeführt. Man kann daher nicht sagen, daß das Melanchthonische Denken im Grunde von der Theorie der doppelten Wahrheit impägniert sei (so Q.Breen 1945, bes. 89ff).

555) Vgl. auch C.Bauer 1951, 94, und die entsprechenden Andeutungen bei B.S.von Waltershausen 1927, 662; L.Haikola 1961a, 91; R.B.Huschke 1968, 141, 144, 147, 150. Es ist in dieser Schärfe sicher nicht zutreffend, wenn Q.Breen (1945, 88) schreibt: "Most regrettable of all is that Melanchthon did not arrive at metaphysical certainty of anything pertaining to the unum verum bonum. It seems evident that he did non even strive for it. He did not even consider it important." Korrekturbedürftig ist auch die Äußerung von L.Haikola (1961, 89): "Sowohl Luther als auch Melanchthon waren im nominalistischen Denken geschult und verwarfen deshalb die ontologische Begründung des Gesetzes durch den mittelalterlichen Realismus." Ähnlich ders. 1961a, 96.

556) Dazu G.Söhngen 1957, 103ff. Es gibt aber keine festen Anhaltspunkte für die Konstruktion W.Maurers (1961a, 25f), nach der
der Erasmische Humanismus nur sprachlich-ethischer Art sei
und Melanchthon daher diesen gerade durch seine Abhängigkeit
vom Neuplatonismus überwunden habe: "Seine Abhängigkeit von
dem Florentiner Neuplatonismus hat Melanchthon vor dieser Ein-
seitigkeit bewahrt. Er sah den Menschen nicht nur als ein
geistig-sittliches Wesen; er verstand ihn immer auch als Krone
der Schöpfung, als Mikrokosmos, durch den die sinnliche Welt
mit der geistigen verbunden wird, in dem damit der Kosmos zu
seiner Vollendung kommt. Durch diese naturphilosophische
Tradition, die auch in Italien stark auf Cusanus zurückgeht
und mit der Melanchthon durch Reuchlin verbunden ist, ist er
von vornherein von Erasmus geschieden"(ebd. 26). Vgl. dazu
S. 414f. Daß die Andeutung eines metaphysischen Rahmens bei
Melanchthon direkt auf den Neuplatonismus zurückzuführen ist,
erscheint mehr als unwahrscheinlich.

557) Vgl. bes. H.-G.Geyer 1959, 29-91. Höchstens für die Frühzeit
wird man einfach sagen können: "C'est ainsi que creatio ne
constitue pas pour le futur Praeceptor Germaniae un terme
métaphysique, mais exprime la relation entre Dieu et l'homme"
(A.Brüls 1971, 12 Anm.3).

558) Erot.dial.1547: "Substantia est Ens, quod revera proprium esse
habet, nec est in alio, ut habens esse a subiecto. Haec definitio communis est Deo, et creatis substantiis"(CR XIII, 528).
"Ens quam late patet, hoc est Deus et tota rerum universitas
est obiectum intellectus, ad cuius agnitionem conditi sumus"
(De anima 1553, SA III, 332,28ff). "Ideo condidit Deus crea-
turas rationales, ut essent aliae naturae, quibus suam sapientiam et bonitatem communicaret, quia bonum est κοινωνικόν"
(ebd. 345,23ff; vgl. ebd. 362,4ff). Zu Intellekt und Wille
als Teile der Seelensubstanz vgl. die Belege bei W.Matthias
1963, 120-125, 131ff, der allerdings in dieser metaphysischen
Bestimmung des Menschen (wahrscheinlich mit Recht) einen
tiefgreifenden Unterschied zu Luther sieht (bes. ebd. 131ff);
zu Luther vgl. etwa W.Joest, Ontologie der Person bei Luther,
Göttingen 1967, bes. 232-253. Eine positive Wertung findet
sich dagegen bei K.Haendler (1968, 562 Anm.440): "Das Reden
von der voluntas assentiens und dem sich in ihr vollziehenden
Tätigsein des Menschen gründet primär nicht in einem seelsor-
gerlich-paränetischen Interesse, sondern in der Theologie der
Schöpfung und in der theologischen Anthropologie, ist also im
strengen Sinn ein ontologischer ('metaphysischer') Satz."
"Des Menschen Geschöpflichkeit und seine Freiheit als Freiheit
auch und gerade vor Gott sind nicht zwei sich ausschließende,
sondern sich notwendig fordernde und bedingende Sachverhalte.
Wahres Geschöpf-Sein und wahre Freiheit (als Selb-Stand, nicht
als Autonomie) sind nicht umgekehrt, sondern direkt proportio-
nal."

559) Vgl. z.B. Loci 1559: "Persona, ut Ecclesia in hoc articulo
loquitur, est substantia individua, intelligens et incommunica-
bilis" (SA II/1, 181,24ff). "At Pater aeternus sese intuens
gignit cogitationem sui, quae est imago ipsius non evanescens,
sed subsistens communicata ipsi essentia"(ebd. 184,12ff).

Vgl. auch die S. 127 Anm.34 angegebenen Stellen. Es handelt sich hier also nicht um eine vereinzelte Erscheinung, wie B.S.von Waltershausen(1927, 672f) meint: "Denn während hinter seiner Christologie das praktische Interesse steht, ist allein der spekulative Gehalt des Trinitätsdogmas so mächtig, daß ihm Melanchthon um seiner selbst willen nachgab."

560) Vgl. dazu die komprimierte Darstellung von G.Ebeling, Theologie und Philosophie, in: RGG VI (3.Aufl.1962) 788f, 792-806; ferner H.U.von Balthasar (1962, 273): "Die gesamte Patristik bis ins Hochmittelalter - ja selbst Thomas noch zum größten Teil - denkt innerhalb der die analogia entis als eingeordnetes Moment in sich bergenden analogia fidei. Und nur zum Ausdruck dieser Ordnung haben die Väter und die Scholastik des Mittelalters griechische Kategorien beigezogen."

561) Zum Naturbegriff vgl. etwa H.U.von Balthasar 1962, 278ff; zum desiderium naturale: P.Engelhardt, Desiderium naturale, in: HWPh II (1972) 118-130.

562) Man vgl. etwa die Thomanische Lehre vom Naturgesetz in der S.th.I/II q.93 (De lege aeterna) und q.94 (De lege naturali), bes. q.94 a.2c. (dazu U.Kühn 1965, 152f) mit der Melanchthonischen Begründung der Moralphilosophie. Hier heißt es: "Philosophia moralis est pars illa legis divinae, quae de externis actionibus praecipit"(Phil.mor.1546, SA III, 157,7ff); "Est enim (sc.philosophia) ipsa lex naturae.."(ebd. 158,10); "Constat autem legem naturae vere esse legem Dei de his virtutibus, quas ratio intelligit. Nam lex divina hominum mentibus impressa est.."(ebd. 158,12ff); "Sed manet iudicium de honestis actionibus exterioribus, idque nobiscum nascitur.."(ebd.158,17f); "Et ut artes sunt naturae explicatio, ita demonstrationes in philosophia morali sunt explicatio naturae hominis.."(ebd. 158,39f). Noch deutlicher ist der unvermittelte Übergang von der Theologie zur Philosophie in der Frage nach dem Ziel des Menschen (finis hominis) (ebd. 163ff; bes. 166,6ff) oder nach dem Guten (bonum) (ebd. 173f).

563) Vgl. W.Dilthey 1957, bes. 170-186. "Die *Lehre vom lumen naturale* ist die *fundamentale philosophische Lehre* im Gedankenzusammenhang *Melanchthons*"(ebd. 171).

564) Siehe S. 193.

565) Dazu u.a. J.Ratzinger 1959, 121-161 (=Aristotelismus und Geschichtstheologie); W.Dettloff 1967.

566) Dazu gibt es bereits eine Reihe von Beobachtungen. W.Dilthey hat z.B. (1957, 179f) auf "den Gegensatz zwischen Melanchthons Lehre vom natürlichen Lichte und der metaphysischen natürlicher Erkenntnis des Thomas" bezüglich der Gottesbeweise hingewiesen (vgl.auch noch ebd. 186); sehr viele Beispiele aus dem philosophisch-theologischen Bereich geben B.S.von Waltershausen 1927, 654ff, 663ff, 666ff; und H.-G.Geyer 1959, 32ff, 42ff, 50f, 65, 67f, 89ff, 96ff, 104ff,110. C.H.Ratschow weist

(1966, 15f, 46ff) darauf hin, daß Melanchthon z.B. in der
Frage der Gotteserkenntnis unmittelbar an der Erkenntnisfrage
interessiert sei, während es später in der protestantischen
Orthodoxie zunächst um das Sein Gottes gehe.

567) Mit dem theologischen Protest gegen den theologischen Aristotelismus der Spätscholastik und dessen Optimismus in bezug
auf die "natürlichen" Kräfte des Menschen scheint in der Tat
fast automatisch die philosophische Basis selbst diskreditiert
zu sein (vgl. auch O.H.Pesch 1966, 196ff).

568) Vgl. C.H.Ratschow 1964, 34f; ders. 1966, 18ff; P.Althaus 1914,
274; P.Petersen 1921, 332ff. Die apologetische Auseinandersetzung mit den heidnischen Philosophien hat bei Melanchthon
selbst kaum philosophisches Niveau (vgl. etwa H.-G.Geyer
1959, 79).

569) Es ist deshalb doch etwas zu ungenau, wenn man sagt: "E' forse
eccessivo parlare di una teologia di Melantone, sia sotto il
profilo delle sue attitudini, sia nella formulazione del suo
pensiero. Melantone non poteva essere un vero teologo perchè,
con la negazione della metafisica, si era preclusa l'indagine
ai valori piú profondi della scienza teologica"(N.Caserta
1960, 173).

570) Hinzuweisen ist nur auf folgende Arbeiten: K.Hartfelder 1889,
163-173 (=Die Sprachen: Griechisch, Lateinisch, Hebräisch);
P.Fraenkel 1959 (wenig Sprachtheoretisches, aber einige sprachliche Beobachtungen zur Erhellung des Offenbarungs- und Tradi-
tionsbegriffes); ders. 1961, 321-336 (eine gute Darstellung
von Melanchthons Verständnis der theologischen Sprache im Zusammenhang mit Rechtgläubigkeit, Häresie und Irrtum); H.-G.
Geyer 1965, 36ff (eine kurze Übersicht über Melanchthons
rhetorisches Sprachverständnis: Bildungsmächtigkeit der Sprache und Einheit von Sach- und Personbezug); K.Haendler 1968,
207ff, 222ff, 266ff (über die theologische bzw. kirchliche
Aussage), 393-397 (eine Problemanzeige zu Melanchthons Sprachauffassung).

571) Die grundlegende Arbeit zum humanistischen Sprachverständnis
ist die von K.O.Apel 1963. Zu einigen ähnlichen Ergebnissen
kam auch die von Apel nicht erwähnte Arbeit von P.A.Verburg
1952 über das Verständnis der Sprachfunktion zwischen 1100 und
1800 in ihrem Kap.IV. (99-184), das dem Humanismus gewidmet
ist. Nur eine Spätphase des Humanismus, nämlich den deutschen
Frühhumanismus, und auch diese nur kurz, behandelt P.Hankamer
1927, 1-37 (=I,1: Der Humanismus); zum Ausklang auch noch
G.Fricke, Die Sprachauffassung in der grammatischen Theorie des
16. und 17.Jahrhunderts, in: Zeitschrift für Deutsche Bildung
9 (1933) 113-123. In allen diesen Werken wird Melanchthon nicht
untersucht (siehe auch S. 443). Lediglich A.Borst, Der Turmbau
von Babel. Geschichte der Meinungen über Ursprung und Vielfalt
der Sprachen und Völker, Bd. III/1, Stuttgart 1960, der hier
im 2.Kap. (1048-1150) die Frage in Humanismus und Reformation
abhandelt, geht in einigen, wenn auch ziemlich nichtssagenden
Bemerkungen (ebd. 1069-1071) auf Melanchthon ein. Eine kleine

Andeutung auch noch bei E.Benz, Die Sprachtheologie der Reformationszeit, in: StudGen 4 (1951) 204-213, 205f (Einleitung
zur griech.Übersetzung der CA: die humanistische Sprachbildung
als Fortsetzung und Bewahrung des Pfingstwunders; deshalb
Pflege der heiligen Sprachen).

572) Von großem Einfluß war hier die These P.O.Kristellers 1944/45,
der das bis dahin weithin gültige Verhältnis geradezu umkehrte:
"The humanists were not classical scholars who for personal
raesons hat a craving for eloquence, but, vice versa, they
were professional rhetoricians, heirs and successors of the
medieval rhetoricians, who developed the belief, then new and
modern, that the best way to achieve eloquence was to imitate
classical models, and who thus were driven to study the
classics and to found classical philology"(ebd. 353). Der
Aufsatz ist auch abgedruckt in P.O.Kristeller 1961, 92-119, und
ders., Studies in Renaissance Thougt and Letters (Storia e
Letteratura, 54), Rom 1969 (1956), 553-583. Die These Kristel-
lers wurde aufgenommen und unterstützt von E.R.Curtius, Neuere
Arbeiten über den italienischen Humanismus, in: BHR 10 (1948)
185-194, bes. 186f. Wenn sich auch die damit verbundene einseitig antiphilosophische Interpretation des Humanismus nicht
durchgesetzt hat, so ist doch das Verständnis des Humanismus
als Erneuerung der rhetorischen Bildungstradition der Antike
mittlerweile weitgehend rezipiert; vgl. bes. H.H.Gray 1963;
J.E.Seigel 1968, bes. die Zusammenfassung 255ff; E.Keßler
1968, bes. 20ff, 204ff; N.S.Struever 1970; R.Landfester 1972,
27f. Siehe auch S. 411. Auch in die philosophische Humanis-
deutung E.Grassis ist die Rhetorik als wesentliches Element
miteinbezogen; vgl. E.Grassi 1970, 147-223; ders. 1973, bes.
80ff, 105ff, 128ff.

573) Siehe S. 371ff.

574) Vgl. K.O.Apel 1963, 85ff. Auch P.A.Verburg weist (1952, 184)
mit einer Unterscheidung von A.J.B.N.Reichling darauf hin,
daß die vortheoretische Sprachauffassung des Humanismus nicht
nur aus denkerischer Unfähigkeit resultiert: "Geen wonder, want
het Humanisme is juist primair geen denk-beweging, doch een
taal-beweging. Humanisten zijn allereerst taal-'functores',
geen taalfunctie-theoretici en de nadruk valt bij hen op het
taal-gebruik, de usus, niet op de taal-beschouwing." Vgl. auch
ebd. 180ff.

575) Die grundlegenden Texte (= T) für Melanchthons Sprachauffassung
sind nämlich die Rhet.1519 (Bl. A 3a - I 4a) (= T I), die allerdings wegen der Kürze der eigentlichen rhetorischen Ausführungen auch nur relativ wenig Material für die Sprachauffassung
bietet; dann das Enc.eloqu.1523 (SA III, 44-62) (=T II); die
El.rhet.1531 (CR XIII, 417-506) (=T III); und die Resp.Picum
1542?, die Antwort auf Pico della Mirandolas Angriff auf die
Rhetorik in dessen Brief an Hermolao Barbaro 1485 (CR IX,
687-703) (=T IV); der Brief Picos ist hier, wenn auch etwas
fehlerhaft ebenfalls abgedruckt (ebd. 678-686) (siehe S.
Anm.642). Eine englische Übersetzung der Antwort Melanchthons
bietet Q.Breen 1952, 52-68, der ebd. 39-52 auch eine (ideenge-
schichtlich allerdings nicht sehr tief gehende) Diskussion des

Inhalts versucht.

576) T III: "Cum oratio omnis rebus ac verbis constet, rerum prior esse cura debet, posterior verborum. Quinque igitur numerantur officia oratoris: Inventio, Dispositio, Elocutio, Memoria, Pronunciatio. Primum enim dicturo, res seu inveniendae, seu eligendae sunt, et cum sint inquisitae, ordine explicandae. Versantur igitur inventio et dispositio circa res, elocutio vero circa verba. Nam ea, quae excogitavimus, et ordine apud animum disposuimus, postremo verbis significantibus exponenda sunt. Et in his tribus partibus fere tota ars consumitur" (CR XIII, 419; vgl. auch 492); dazu H.Lausberg 1960,I, §§ 255, 262, und überhaupt 255-1091 (=Partes artis); auch L.A.Sonnino 1968, 243ff.

577) Zur dispositio vgl. T III (CR XIII, 455-458); T I (Bl.H 2a - H 4a); H.Lausberg 1960,I, §§ 443-452.

578) Zur elocutio im ganzen vgl. T III (CR XIII, 459-506; hier bes. die Einleitung 459ff); T I (Bl.H 4a - I 4a); H.Lausberg 1960, I, §§ 453-1082.

579) T III (CR XIII, 461); vgl. H.Lausberg 1960,I, § 460. Vgl. auch die Definitionen der Rhetorik in T III: "Rhetorica vero est ars, quae docet viam ac rationem recte et ornate dicendi" (CR XIII, 419) und der Eloquenz in T IV (CR IX, 690; vgl. S. 359 Anm.614).

580) "Nam res sine lumine verborum intelligi nequeunt, quare initio huius operis error illorum reprehendus est, qui contemnunt elocutionis praecepta, et falso arbitrantur eloquendi rationem non necessitatis causa, sed ad inanem ostentationem excogitatam esse. Hic error in causa est, quare et olim dicendi studia intermissa sint, et nunc negligantur, qua ex re infinita extiterunt incommoda. Postquam enim dicendi ratio neglecta est, artes omnes confuse et obscure tradi ceperunt, quia percipi res nequeunt, nisi verbis exposita significantibus ac notis. Ad haec ita coniuncta haec sunt natura, ut qui in elocutione negligentes sunt, multo sint in dispositione negligentiores. Et quia rationem loquendi non attendunt, saepe in rebus iudicandis, quae non percipi possunt, nisi cognito genere orationis, hallucinantur"(T III, CR XIII, 459). "Quis enim dubitat verba notas esse rerum, quae ut semper intelligantur, debent esse certae?"(ebd.). Vgl. Vorr. zum 2.Bd. der lat.Werke Luthers, 1.Juni 1546 (CR VI, 166f); Praef.in officia Ciceronis 1534 (SA III, 84,1ff).

581) "Est itaque prima elocutionis pars sermo grammaticus, qui constat verbis usitatis, propriis et significantibus, quae iuxta grammaticae praecepta, certa ratione coniungi et construi debent. Cum igitur res eligimus, et deposuimus in animo, prima erit cura, ut eas grammatico sermone efferamus. Non enim potest intelligi oratio, si constet verbis ignotis et alienis a consuetudine bene loquentium, aut si constructio viciosa sit"(T III, CR XIII, 461). Noch breiter ausgeführt ist dies in T II: Die Voraussetzungen des dilucide ac perspicue dicere

sind hier folgende: Beachtung der traditionellen Bedeutung der
Wörter (vis pondusque verborum), Kenntnis des rednerischen
Ausdrucks (phrasis) und ordnungsgemäßer Einsatz von verba und
phrasis im Zusammenhang der Rede (structura orationis). Nur
so werde die obscuritas vermieden und intellektive Verständlichkeit erzielt (SA III, 45,13ff.25ff.33ff). Nur eine Andeutung gibt es in T I: "..verba sint propria, pura, non remota ab usu loquendi, non dura, non sordida, et reliqua quae de
his praecepit M.Cicero in Oratore"(Bl.H 4b). Der usus oder die
consuetudo als gegenwärtiger empirischer Sprachgebrauch ist
nach der römischen Rhetorik das entscheidende Kriterium der
Latinitas (vgl. H.Lausberg 1960,I, §§ 465, 469). Die proprietas ist Teil der perspicuitas und Latinitas; ihr Gipfel ist
der treffende Ausdruck; vgl. H.Lausberg 1960,I, §§ 533ff; vgl.
auch T III: "Itaque cum summam laudem in dicendo habeat perspicuitas, in primis adsit copia proprii sermonis, qui res
sine ambiguitate signate exprimat"(CR XIII, 462). Zu signifi-
catio vgl. H.Lausberg 1960,II,§ 1244, s.v. significare, signi-
ficatio; vgl. auch die Definition des einfachen Satzes (axioma,
pronuntiatum, proloquium, enuntiatio, propositio): "..est indicativa adeoque simplicissima oratio, qua certi quiddam
significatur, ut Cicero est orator.."(Comp.dial.ratio 1520,
CR XX, 726); "Propositio est oratio indicativa, unica et integra, verum aut falsum sine ambiguitate verborum significans.",
(Erot.dial.1547, CR XIII, 577).

582) Vgl. auch Schol.Cic.orat.1525: "Est autem omne in dicendo
studium eo referendum, ut oratio quam maxime clara perspicua-
que efficiatur"(CR XVI, 723).

583) T II (SA III, 44,37/45,1ff).

584) T III: "..neque enim exigua laus est, propriis verbis, etiam
sine alio ornatu, nudas res explicare posse"(CR XIII, 461).

585) Was durch die verba dargestellt und ausgedrückt wird, sind im
allgemeinen die "res", die Redegegenstände, genauerhin die
Redegegenstände als Gedankeninhalte, als sensa animorum (SA
III, 45,2), als das, "quae sentis"(ebd. 45,11), als sententia
animi (ebd. 47,12.15; 48,2), als "res a nobis excogitatae"
(CR XIII, 459), als "animorum cogitationes" (ebd.), als "animorum nostrorum cogitationes"(ebd. 693), als das, quid sentiunt
(ebd.)."Res" und "sensa animorum" u.ä. sind also identisch.

586) Zur Entsprechung von perspicuitas-proprietas und intellectus
in der antiken Rhetorik vgl. H.Lausberg 1960,II, § 1244, s.v.
intellectus, intellegere.

587) "Interim tamen tota orationis structura et phrasis non ab-
horreat a latina consuetudine, alioqui enim non poterit intelligi" (T III CR XIII, 462).

588) "Nam cum usu velut nummi vocabula probentur, receptis utendum
est, quae quia eloquentes homines quasi per manus posteris
tradidere, obscuritate vacant"(T II, SA III, 45,16ff).

589) Vgl. dazu bes. Wv. zu Thomae Linacri Brittani De structura latini sermonis libri IV, Febr.1531 (CR II, 481-484). Siehe auch S. 418f. Zum dt.Humanismus allgemein vgl. T.Heath 1971, bes. 18ff.

590) Vgl. T III (CR XIII, 424); Comp.dial.ratio 1520 (CR XX, 713f); Erot.dial.1547 (CR XIII, 563f).

591) "Quia vero tota nobis latina lingua, nunc non a populo, sed ex libris discenda est, certa aetas authorum eligenda est, cuius imitemur consuetudinem, ut certum sermonis genus, quod semper intelligi possit, quia habet exempla nota et probata, nobis comparemus. Cum autem optima et maxima perspicua sit oratio, qua Ciceronis aetas usa est, discemus linguam ab eius aetatis scriptoribus, aut qui non longe ante Ciceronem, aut postea extiterunt, ut a Terentio, Cicerone, Caesare, Livio"(T III, CR XIII, 463). Zur imitatio der Ciceronischen Sprache und ihrer Begründung ausführlich ebd. 492-504.

592) "Fugienda est in sermone peregrinitas, et illam licentiam gignendi novum sermonem, nullo modo permittamus nobis, qua in scholis immodice utuntur. Tametsi alicubi peregrinis vocabulis utendum est. Alia forma nunc est imperii, Religio alia est quam Ciceronis temporibus. Quare propter rerum novitatem interdum verbis novis ut convenit, quae tamen usus mollivit, quem penes arbitrium est, et vis et norma loquendi"(T III, CR XIII, 462); vgl. auch T II (SA III, 45,19ff). Zur peregrinitas vgl. H.Lausberg 1960,I, §§ 476ff. Seit Petrarca wird hier in der nicht-formalistischen Richtung des Humanismus gelegentlich auch das Horazwort: "Usus arbitrium est et ius et norma loquendi"(Ars poetica, 7off) zitiert oder paraphrasiert(N.S. Struever 1970, 180).

593) T III: "Ac ne verba quidem repudiabit imitator, quamvis ignota Ciceroni, quae causa postulat, ut in controversiis theologicis utendum est appellationibus Christi, Ecclesiae, fidei pro fiducia, et aliis similibus, Quia enim res illas a sacris literis mutuamur, sermonem illarum eo nos sequi oportet, ne res dissentientes a scripturis afferre videamur. Quare merito ridentur inepti quidam, qui pro fide persuasionem, pro Evangelio coelestem Philosophiam, et alia similia dicunt, in quibus saepe fit, ut Germanam significationem illarum vocum quas aspernantur non reddant. Id non est illustrare res difficiles dicendo, sed obscurare atque corrumpere. Quid quod isti somniant imitationem, non phrasi et collocatione, sed in singulis verbis esse? qua in re pueriliter errant". Dann folgt noch der Verweis auf Ciceros Übernahme griechischen Sprachguts (CR XIII, 497).

594) "Plerunque etiam isti, qui novum sermonis genus fingunt, res amittunt. Ut enim novum sermonem excogitant, ita novas res somniant, dum inepte affectant laudem subtilitatis. Et tamen res illae inspectae, nihil esse deprehenduntur nisi inania somnia. Quia notae res omnes verbis exponi notis et significantibus possunt." Die Kritik richtet sich - wie auch das Folgen-

de bestätigt - primär (wenn auch nicht nur) gegen den Sprachgebrauch der Scholastik. Als Beispiele solcher neuen Wörter
(denen keine Inhalte mehr unterliegen) werden aufgeführt:
realitas obiectiva und subiectiva bei den Skotisten, die
Ideen, die virtutes purgativae bei den Platonikern; in ähnlicher Weise werden auch die Kabbalisten und Wiedertäufer
kritisiert (T III, CR XIII, 462), ferner die universalia rea-
lia bei Scotus, die adfectus als opiniones bei den Stoikern,
die accidentia sine subiecto bei den "Mönchen" (Or.de cura
recte loquendi 1557, CR XII, 218). Im Vordergrund der Kritik
steht, wie gesagt, der scholastische Sprachgebrauch, insbesondere der des Scotus (T II, SA III, 45,19ff; 48,29ff/49,1ff;
T IV, CR IX, 692, 693, 700; Wv., 29.Sept.1549, CR VII, 475;
Or. 1557, CR XII, 218).

595) Vgl. dazu E.Auerbach 1958, 207ff.

596) "Die Ironie der Weltgeschichte zeigt sich...darin, daß diese
Erneuerung der Latinität als geschichtlicher Sprache gerade
zur aesthetisch-formelhaften Erstarrung der im Mittelalter
trotz aller Sprachlogik immer noch lebendigen Entwicklung
des Lateins führte"(K.O.Apel 1963, 93); vgl. auch E.Auerbach
1958, 177-259.

597) Or.de necessaria coniunctione Scholarum cum Ministerio Evangelii 1543: "Quid est suavius, quam audire ab homine docto,
quid de maximis rebus sentiat, qua verborum lege, quam significanter, quam prorie, denique etiam quam modeste eas exponat?
Fugienda est enim in sermone improprietas, vitanda obscuritas
et confusio. Denique fugienda est etiam scurrilitas. Nati
sumus ad mutuam sermonis communicationem. Quamobrem?... Imo
vero ut de Deo, deque virtutum officiis alii alios doceant.
Sit ergo bonis mentibus, ut est, dulcissima de his optimis
rebus disputatio"(CR XI, 613); vgl. T II (SA III, 45,25ff).
Auch die im italienischen Humanismus wiederaufgenommene Idee
von der Dichtung als Verhüllung der Wahrheit und von der göttlichen Inspiration der Dichter (vgl. dazu A.Buck 1952, 87-97:
Die Dichtungslehren des Platonismus; K.O.Apel 1963, 175ff)
findet sich m.W. bei Melanchthon nicht; vgl. dazu auch den
Einwand gegen Pico in F IV: "Pythagoram etiam allegas, qui
mysteria texerit involucris. Fortassis illi expediebat tegere
quasdam sententias, quas docebat contra publicas persuasiones.
Nos vero non loquimur de arcanis, quae pro tempore occultanda
sunt, sed de illis, quae efferri atque extare oportet, quae
pars multo maxima est in Doctrinis." "Quis autem est lector,
qui non optet ubique summam esse perspicuitatem"(CR IX, 697f).
Die Idee von der göttlichen Inspiration der Erfinder der artes
findet sich zwar bisweilen auch bei Melanchthon (siehe S. 162f
Anm.170), sie hat jedoch keine besondere systematische Bedeutung. Zur antiken Problemlage vgl. bes. M.Fuhrmann, Obscuritas.
Das Problem der Dunkelheit in der rhetorischen und literar-
ästhetischen Theorie der Antike, in: Immanente Ästhetik -ästhe-
tische Reflexion. Lyrik als Paradigma der Moderne. Kolloquium
Köln 1964. Vorlagen und Verhandlungen, hrsg. von W.Iser,
München 1966, 47-72.

598) Zu den Sprachfunktionen vgl. etwa die Übersicht bei G.Söhngen 1962, 23-130. Söhngen unterscheidet hier logische (23-42), ästhetische (43-90) und energetisch-ethische (91-130) Funktionen der Sprache.

599) Zur Dialektik als Basis der Rhetorik vgl. S. 373, 404f. Der eigentliche Eintrittsort der Dialektik in die Rhetorik ist natürlich nicht die elocutio, sondern die inventio, in der es um die Gedankeninhalte geht. Vgl. T III: "Ut enim praecepta de inventione multum a dialectica mutuantur, ita elocutio plurimum sumit a grammatica"(CR XIII, 461).

600) Vgl. H.Lausberg 1960,I,§§ 18, 32f.

601) T III: "Rhetorica vero est ars, quae docet viam ac rationem recte et ornate dicendi"(CR XIII, 419). Im "recte" sind Grammatik und Dialektik in die Rhetorik mitaufgenommen. Der gleiche Vorgang ebd. 420: "Iuxta hoc discrimen proprius dialecticae finis est docere, rhetoricae autem permovere atque impellere animos, et ad adfectum aliquem traducere.." Auch hier gilt diese Unterscheidung nicht in jeder Hinsicht, weil die Rhetorik immer der Dialektik als Basis bedarf: "Sed quia ratione docendi rhetores non poterant carere, praesertim in materiis forensibus, ideo dialecticen etiam admiscuerunt suo operi"(ebd.).

602) Zum "ornatus" vgl. T III (CR XIII, 463-506); H.Lausberg 1960, I, §§ 538-1054; und auch die kurze geschichtliche Übersicht bei B.Croce, Aesthetik als Wissenschaft vom Ausdruck und allgemeine Sprachwissenschaft. Theorie und Geschichte (Gesammelte philosophische Schriften in deutscher Übertragung, I,1), Tübingen 1930, 440-455 (=Die Rhetorik oder die Theorie der geschmückten Form).

603) Dieser Verteidigung sind bes. T II und T IV gewidmet. Schon die allgemeine Einleitung in T II zeigt programmatisch eine gewisse Interferenz von artes dicendi (SA III, 44,8f.18) und elegantior litteratura (ebd. 44,23.35). Auch der Hinweis auf Picos Kritik ist hier bereits vorhanden: "Picus in epistola, qua barbaris philosophiae scriptoribus patrocinatur, ludens, credo, in ἀδόξω argumento et elegantiam a recte dicendi ratione separat et explicari res qualicumque oratione posse censet" (ebd. 47,2ff). In T IV weist Melanchthon dann gerade das Verständnis der eloquentia als künstlichen Schmuck, künstliche Schminke (accersitus ornatus et fucus) und als herbeigezogener Aufputz (accersitus cultus) zurück (CR IX, 690); vgl. auch SA III, 46,32ff.

604) T II (SA III, 46,30ff).

605) T II: "Ipsa orationis puritas nativaque facies elegantia est; quam nisi tueare, non modo non venuste aut inquinate, sed improprie, obscure atque inepte dixeris"(SA III, 46,34ff). Vgl. auch T IV: "Nam ea oratio quae est optima, nativus sententiae color est"(CR IX, 693). Die Redeform ist primär nicht eine Frage der Ergötzlichkeit, sondern der Notwendigkeit, denn der praecipuus ornatus ist die propria rerum expositio (ebd. 697),

die "rerum propria explicatio"(ebd. 695); ähnlich T III
(CR XIII, 460f).

606) Vgl. etwa R.J.Clements, Picta Poesis. Literary and Humanistic
Theory in Renaissance Emblem Books (Temi e Testi, 6), Rom
1960, bes. 173ff; A.Buck, Über die Beziehungen zwischen Humanismus und bildenden Künsten in der Renaissance (1962), in:
ders.1968, 243-252; E.H.Haight, Horace on Art: ut pictura
poesis, in: The Classical Journal 47 (1951/52) 157-162.
J.R.Spencer, Ut Rhetorica Pictura. A Study in Quattrocento
Theory of Painting, in: Journal of the Warburg and Courtauld
Institutes 20 (1957) 26-44, behandelt eigentlich nur die
Abhängigkeit der Kunsttheorie von der Rhetorik, und dies auch
nur an Hand von Leon Battista Albertis "Della pittura". Nicht
so einschlägig ist auch R.W.Lee, Ut Pictura Poesis: The
Humanistic Theory of Painting, in: The Art Bulletin 22 (1940)
197-269, weil hier fast nur die kunsttheoretische Seite untersucht wird, und auch dies nur für den Zeitraum zwischen der
Mitte des 16. und der Mitte des 18.Jahrhunderts. Über die
Beziehung zur Rhetorik gibt es hier nur einige Bemerkungen
(ebd. 219, 264f). Auch E.Grassi geht 1970 trotz des Titels
auf die genannte Tradition nicht ein. Mit dem Bildvergleich
scheint im übrigen zugleich auch auf den affektivischen Gehalt
der Sprache verwiesen zu sein (vgl. K.Dockhorn 1964, 101ff).

607) T II (SA III, 46,37ff/47,1f).

608) T II (SA III, 47,9ff); vgl. T IV: "Itaque ut Pictoris finis
est, vere ac proprie imitari corpora, quod quam difficile sit
consequi, non est obscurum experienti, neque ars tantum, sed
etiam magna colorum varietas atque distinctio ad id requiritur:
Ita Rhetoris, sive ita vocari mavis, Eloquentiae finis est,
ipsas animi cogitationes, quasi pingere et repraesentare prop-
rio et perspicuo sermonis genere, qua in re cum elaboravit,
magna et varietate quasi colorum, verborum, sententiarum et
figurarum, denique etiam arte quadam opus erit, ut ego quidem
statuo, multo maiore, quam consummati et perfecti Pictoris
ars potest esse ulla"(CR IX, 690f).

609) T IV (CR IX, 689; vgl. 693). Eine solche copia sermonis kann
man besonders bei Cicero finden (Lv. zu Ciceros Topica,1524,
CR I, 700).

610) "Postremo, ut verba phrasinque satis noris, difficillimum tamen est suo quaeque loco distribuere, alia deprimere, alia
attolere, quaedam breviter astringere, alias evagari liberius,
quaedam dissimulare ac tegere, alia promere, ut tanquam inter
umbras lumina exstent atque emineant"(T II, SA III, 45,33ff);
ähnlich T III (CR XIII, 460); vgl. T IV: "magna copia, varietate ac luminibus orationis"(CR IX, 691). Vgl. ferner auch die
Vorstellung von den Wörtern als Bilder und Abbilder (imagines
und simulacra) der gedanklichen Gegenstände: "..ut enim verba
apud nos simulacra rerum sunt.."(Schol.Col.1527, SA IV, 221,21)
"..quia verba ac cogitationes sunt imagines earum rerum, de
quibus cogitamus"(Cat.1548, SM V/1, 349,1ff).

611) T II (SA III, 48,5ff). Gerade mit den redegewandten Theologen, wie etwa Paulus, Basilius, Hieronymus, könne Pico nichts Rechtes anfangen; müßten sie in der Tat nicht auch Sophisten sein, wenn Pico die Rhetorik als Sophistik betrachtet? (T IV, CR IX, 696f). Mit der barbarischen Sprache (oratio obscura) dagegen sei es wie mit einem Gemälde (pictura), "in qua formae confusae ac monstrosae nihil certi significant aut ostendunt spectatori"(T IV, CR IX, 692). "Aliena, confusa et perturbata oratio deformat et corrumpit sententias, ac ne effingit quidem, quod debeat esse orationis officium proprium"(ebd. 693f). Umgekehrt müsse auch der Philosoph die Tugenden der proprietas und der suavitas befolgen, wenn er verstanden werden wolle(ebd.695)

612) T III: "Ac si tantum voluptas captaretur ex hoc studio, tamen esset res liberalis, ac maxime digna homine bene dicendi cura. Nulla res enim, nullus cultus, magis ornat hominem, quam suavis oratio. Neque musica dulcior aut iucundior auribus, aut mente percipi ulla potest, quam aequabilis oratio, constans bonis verbis ac sententiis. Quare, si quem nulla voluptate talis oratio afficit, is longe a natura hominis degeneravit." "Nunc ut ceterae artes primum inventae sunt, propter necessarios usus, usum autem secuta est alicubi voluptas. Ita hanc artem coegit initio quaerere necessitas, erat enim certum sermonis genus eligendum quod intelligeretur. Erat interdum aliquid amplificandum et exaggerandum. Postea ut gratior usus esset, aliquid etiam voluptati aurium datum est"(CR XIII,460; ähnlich 501); vgl. T IV (CR IX, 696).

613) Vgl. T I: "Verborum figurae lumina orationis vocari solent, et ad delectandum certe nonnihil valent, ad permovendum autem efficaces sunt figurae sententiarum, suntque ceu spiritus et animus quidam orationis, quibus Demosthenem mire valuisse Cicero auctor est, et ipsi agnoscimus, adeoque in his universum decus oratoris situm est, ut ne dicere quidem sine ipsis quisquam posse videatur"(Bl.I 2a). Zu den loci rhetorici und ihrem Effekt siehe S. 372f.

614) Zum "aptum" vgl. H.Lausberg 1960,I, §§ 258, 1055-1062; zu den genera dicendi ebd. §§ 1078-1082; L.Fischer 1968, 106-132 (=Exkurs I: Die Stillehre bis zum Humanismus), 132-146 (Stiltheorien im Humanismus); ebd. 133ff auch zu Melanchthon (viele Traditionsströme fließen bei ihm zusammen). Bei Melanchthon T III (CR XIII, 504-506, ebd. 504 wieder ein Vergleich mit der Malerei); T I (Bl.H 4ab). Da sich der mittlere vom höheren Stil nicht sehr stark unterscheide, führt Melanchthon bisweilen nur niedrigen und höheren Stil an (vgl. T IV, CR IX, 694; Schol.Cic.orat.1525, CR XVI, 761f). Direkt in die Definition der Beredamkeit ist die Idee des"aptum" in T IV (CR IX, 690) aufgenommen.

615) T III (CR XIII, 505).

616) T III: "Ego vero ita statuo, artificium faciendae orationis non valde dissimile esse Poeticae"(CR XIII, 496). Zu dieser bes. in der rhetorischen Tradition seit der Antike weitverbreiteten Ansicht von der engen Verwandtschaft (ja teilweise

sogar Identifikation) von Rhetorik und Poetik, inder aber die
Rhetorik das übergeordnete Element darstellt vgl. u.a.
E.Norden 1909, II, 883-908; E.R.Curtius 1938; ders. 1943,
299-304; A.Buck 1952; F.Tateo, Retorica e Poetica fra Medioevo
e Rinascimento (Biblioteca di Filologia Romanza, 5), Bari o.J.;
H.Lausberg 1966, bes. 66-73; J.E.Seigel 1968, 36, 68, 159. Das
bleibt in Deutschland auch im 17.Jahrhundert noch so (vgl.
L.Fischer 1968). Eine systematische Identifikation von Sprache
und Dichtung, Sprachphilosophie und Kunstphilosophie findet
sich z.B. in der Ästhetik B.Croces (siehe S. 357 Anm.602).

617) Vgl. dazu E.Heintel 1972, 40-55 (=3.Der überzeichenmäßige
Charakter der Sprache).

618) Die Frage, ob der Unterschied zwischen Zeichen und Bild bei
Melanchthon auch ein ontologisches Fundament habe, d.h. ob
das Bild auch bei Melanchthon nicht in seiner Verweisungs-
funktion aufgehe, sondern in seinem eigenen Sinn an dem teilhabe, was es abbilde (vgl. dazu H.-G.Gadamer 1965, 144ff, 390ff)
ist kaum zu beantworten, da bei Melanchthon und in der Rhetorik diese Frage überhaupt nicht auftaucht. Geht man davon aus,
daß das Abbildverhältnis durch die aptum-Idee definiert ist,
so scheint der überzeichenmäßige Charakter der Sprache auch
bei Melanchthon zunächst als ästhetisches und dann vielleicht
auch als ethisches Phänomen zu verstehen sein. Bereits in der
antiken Stiltheorie hatte sich das ästhetische und irrationa-
le Empfinden vom rationalen Erkennen abgesetzt und Schönheit
zugleich nicht als intellektuelles, sondern eben als ästhetisches Phänomen verstanden; vgl. dazu M.Pohlenz, Τὸ πρέπον.
Ein Beitrag zur Geschichte des griechischen Geistes, in:
Nachrichten von der Gesellschaft der Wissenschaften zu Göttingen aus dem Jahre 1533. Philologisch-Historische Klasse,
Fachgruppe I,16, Berlin 1933, 53-92, bes. 65, 76ff, 80ff, 91;
L.Fischer 1968, 191-202 (=Exkurs II: Die Lehre vom "Angemes-
senen" bis zum Humanismus), 202-214 (Das "aptum" in der Lite-
raturtheorie des Humanismus).

619) Auf der Ebene der Sprache wird also der gleiche Sachverhalt
wie in der Methodenkombination von Dialektik und Rhetorik
sichtbar (vgl. S. 368-376).

620) Vgl. dazu etwa St.Ullmann, Grundzüge der Semantik. Die Bedeutung in sprachwissenschaftlicher Sicht, Berlin 1967, 90-99;
zur Sprache als Affektausdruck auch E.Cassirer, Philosophie
der symbolischen Formen, 1.Teil: Die Sprache, Darmstadt
4.Aufl.1964 (=2.Aufl.1953), 90-99.

621) "Bildhaftes Sprechen, Reden in Metaphern, bei Aristoteles
unter platonischem Einfluß noch eine Konzession an die niederer
Seelenkräfte der Menge, ist für die Rhetorik höchste Qualität
des Redens, das Leidenschaften zu erregen vermag"(K.Dockhorn
1964, 102); vgl. auch N.S.Struever 1970, 67ff; D.Harth 1970,
85ff(zu Erasmus); siehe ferner auch S. 372f.

622) Vgl. T III (CR XIII, 421-455); T I (Bl.A 3a - Hb); H.Lausberg
1960,I, §§ 260-442.

623) T III (CR XIII, 419). Stärker als das produktive Moment: das
Herausholen der in einem Redegegenstand verborgenen Gedanken-
entwicklungsmöglichkeiten (excogitare) betont Melanchthon das
elektive Moment: Auswahl aus dem vorliegenden "Kulturgut"
(ebd. 424, 451); siehe auch S. 421f.

624) Siehe S. 373-376.

625) T III: "Quare necesse est ad bene dicendum addere studium
omnium maximarum artium, philosophiae, doctrinae religionis,
iuris et historiarum"(CR XIII, 453).

626) T II: "Accedit huc non contemnendus studiorum eloquentiae fructus, quod earum artium usu, quibus eloquentia continetur, ex-
citantur erudiunturque ingenia, ut res humanas omnes prudenti-
us dispiciant, neque propius umbra corpus assectatur, quam
eloquentiam comitatur prudentia"(SA III, 49,17ff); zur Einheit
Sprachbildung und Sachbildung vgl. auch Schol.off.Cic.Arg.
1525 (CR XVI, 627); Praef.in Aeschinis et Demosthenis orationes 1525 (CR XI, 103); und auch K.Bullemer 1902, 6-12.

627) T II: "Videbant inter se maiores nostri haec duo, bene dicendi
scientiam et animi iudicium, natura cohaerere; quare et non
inepti quidam orationem esse dixerunt explicatam animi rationem. Et Homerus poeta iisdem eloquentiam ac prudentiam tribuit"
(SA III, 49,23ff). "Quid in consilio fuisse censetis veteribus
Latinis, cur dicendi artes humanitatem appellarint? Iudicabant
illi nimirum harum disciplinarum studio non linguam tantum
expoliri, sed et ferietatem barbariemque ingeniorum corrigi.
Nam cultu perinde ac plerique silvestrem indolem exuunt,
mansuescunt ingenia cicuranturque"(ebd. 50,7ff). Am zusammenhängendsten entwickelt wird der Gedanke der Einheit von eloquentia und prudentia im zweiten Teil von T II, der vom fructus der studia eloquentiae spricht (SA III, 49,14ff); ferner
auch im zweiten Teil von T IV, der von der scientia rerum
handelt (CR IX, 698ff). Vgl. auch Praef.in Aeschinis et Demosthenis orationes 1525: "Deinde ita inter se coniurarunt Eruditio et Eloquentia, ut divellere nullo modo possis. Nam et
orationem rerum scientia ex se veluti genuit, et oratio vicissim res ostendit. Iam caecutire in rebus iudicandis necesse
est eos, qui recte dicendi cura vacant.."(CR XI, 103). Praef.
in Hesiodum 1526?: "Ego semper operam dedi, ut eos autores
vobis proponerem, qui simul et rerum scientiam alerent, et
ad parandam sermonis copiam plurimum conducerent. Nam hae
duae partes cohaerent, et sicut Horatius inquit, amice coniurarunt, ut altera alterius ope stet ac nitatur"(CR XI, 112).

628) "Prior est, quod qui iis artibus operam dant, ad eiusmodi
scriptorum exempla se comparent necesse est, qui in maximis
rebus gerendis ac tractandis versati summam prudentiam usu
consecuti sunt; quorum commercio fit, ut nonnihil iudicii
contrahant lectores et, tamquam qui in sole ambulant, colorem-
tur"(T II, SA III, 50,16ff).

629) T II (SA III, 50,33ff/51,1ff). Dies wird hier im folgenden mit Hinweisen auf Homer, Vergil, Demosthenes, Thukydides, Xenophon, Herodot, Cicero im einzelnen ausgeführt. Ähnlich T IV (CR IX, 699); Praef. in officia Ciceronis 1534 (SA III, 84, 32ff/85); vgl. auch De corr.stud.1518(SA III, 38,31ff). Es ist hier gerade umgekehrt wie in der puren Spekulation, wo Schattendinge erdacht werden: "Nam qui recte loqui student, res intuentur, quibus nomina attributa sunt; e contra, cum sermo novus fingitur, plerunque et res mutuantur, ut in Scoti et similium scriptis non sermo tantum corruptus est, sed umbrae rerum seu somnia excogitatae sunt, quibus novae appellationes attributae sunt"(Wv. zu den In.doctr.phys., 29.Sept.1549, CR VII, 475); siehe auch S. 355f Anm.594.

630) "Tantum hos indicavi, ut studiosis adulescentibus fidem facerem bonorum scriptorum cognitione non os tantum ac linguam, sed pectus etiam formari"(T II, SA III, 52,22ff).

631) Ebd. 54,3. Vgl. auch die Übersicht über die Notwendigkeit der Sprachen bei K.Hartfelder 1889, 163-173.

632) T II (SA III, 54,5ff.11ff). Auch die Idee, daß die artes durch usus erworben würden, wird beschworen (ebd. 54,17ff/55); vgl. dazu H.Lausberg 1960,I, §§ 5f.

633) "Propterea ad comparandam tum loquendi tum iudicandi facultatem nihil perinde necessarium est atque stili exercitium" (T II, SA III, 54,15ff); vgl. den B.vom 23.Aug.1529 (CR I, 1089).

634) "Fit enim, ut ornatus splendorque verborum nullo in pretio sit, minore cura scribatur, oscitantius legantur omnia, rerum inquirendarum studium frigeat"(T II, SA III, 57,1ff).

635) Lv. zu Virgilius cum Ph.Mel.scholiis, März 1530: "Sunt inepti, qui in statuis iudicandis unum aliquod membrum, unam lineam intuentur: ita in poematis iudicandis aut orationibus sunt perridiculi, qui, quod vulgo fieri solet, tantum excerpunt γνώμας, aut unam atque alteram voculam rariorem.." "Sed universum opus considerandum est. Et sicut in picturis spectamus corporum lineamenta et colores: ita in oratione res et sermo considerari debent. Rerum cognitio prudentiam alit, sermones eloquentiam." Dies wird dann an Vergil exemplifiziert(CR II,23)

636) Or.de studiis linguae Graecae 1549 (SA III, 146,32ff); T III (CR XIII, 463); vgl. Wv. zu Phil.mor.1546 (SA III, 156). Zum Zusammenhang von literarischer Bildung, humanitas und Sittlichkeit siehe S. 411f.

637) Vgl. K.O.Apel 1963, 251-268 (=Die Ausprägung und Funktion der humanistischen Sprachidee in Deutschland), hier bes. 256. Bei P.Hankamer 1927 wird Melanchthon überhaupt nicht erwähnt. Charakteristisch auch die Äußerung von P.A.Verburg (1952, 146): "Hoe belangrijk ook als praeceptor Germaniae, voor ons onderzoek biedt hij niets origineels." Siehe auch S. 351f Anm.571.

638) Vgl. K.O.Apel 1963, bes. 224-243; zur Sprachauffassung des
Nominalismus vgl. E.Arnold 1952; P.A.Verburg 1952, 6o-98;
J.Pinborg 1967, 18off, 192, 2o2-21o; ders. 1972, 127-177.

639) Dazu vgl. R.Haller 1962, bes. 59-75; E.Arnold 1952, 8ff, 21-38;
G.Söhngen 1962, 24ff; J.Pinborg 1972, 29ff; zur Geschichte der
Semantik bes. N.Kretzmann, Semantics, History of, in: The
Encyclopedia of Philosophy VII (1967) 358-4o6.

64o) R.Haller 1962, 69.

641) Siehe S. 432-436 (sermo grammaticus).

642) Giovanni Pico della Mirandola, De genere dicendi philosophorum,
in: E.Garin, Prosatori Latini del Quattrocento, Mailand-Neapel
1952, 8o4-822, 818. Eine englische Übersetzung des Briefwechsels
zwischen Pico und Ermolae Barbaro findet sich bei Q.Breen
1952, 11-38. Zur vielerörterten Diskussion zwischen Barbaro
und Pico vgl. etwa G.Toffanin 1941, 3o8-314; E.Garin 1947,
119-123; Q.Breen 1952, 1-11; H.H.Gray 1963, 2o9ff; K.O.Apel
1963, 233ff. Eine dieser opinio communis entgegengesetzte
Interpretation vertritt E.Grassi 197o, 213-218: Picos Rhetorik-
kritik betreffe nur den äußerlichen mißbräuchlichen Einsatz
der Rhetorik; genau besehen stünde er jedoch auf der Ebene
einer (platonisch inspirierten) archaischen Philosophieauf-
fassung, in der die Macht der Worte und also auch der Form
noch keine Äußerlichkeit gegenüber dem Inhalt des Denkens
darstelle. Von da aus zeige er gerade die Grenze der rationalen Philosophie auf. Dieser These Grassis, die freilich einer
ausführlichen Diskussion bedürfte, haftet die Unwahrschein-
lichkeit an, daß Picos Ausführungen von damals angefangen bis
heute völlig mißverstanden worden seien.

643) K.O.Apel 1963, 234f; siehe auch S. 447ff.

644) T IV (CR IX, 698).

645) Siehe S. 44o-443.

646) Die Pointe liegt gerade darin, daß auch Melanchthon den Begriff "arbitrium" für semantische Intention verwenden kann
(siehe S. 355 Anm. 592); er hat jedoch gegenüber Pico und wohl
auch gegenüber einem Teil der arbitrio-Tradition einen anderen
Inhalt: er meint hier nicht "willkürlich", sondern "entsprechend der allgemeinen Sprachpraxis", d.h. "historisch-sozial
motiviert". Und in diesem Sinn kann die arbitrio-These nach
Melanchthon geradezu mit der natura-These interferieren: Die
Bedeutung der Wörter ist nicht willkürlich, sondern natur-
notwendig im Sinne von historisch und sozial notwendig.

647) Siehe S. 433f.

648) K.O.Apel 1963, 225f, 15off; vgl. P.A.Verburg 1952, 146. Siehe
auch S. 372.

649) Siehe S. 357 Anm.603.

650) Siehe S. 436ff. Zwar zitiert auch Melanchthon selbst diese
Aufgabenteilung (siehe S. 302 Anm.277), und zwar vor allem
wegen ihrer Verständlichkeit für die Schüler, aber sie ist
nur eine von mehreren unterschiedlichen Einteilungsmöglich-
keiten, die alle zusammen die gegenseitige Verschränktheit
von Dialektik und Rhetorik bezeugen sollen. Nicht eine bloße
Addition, sondern ein Ineinander und eine wechselseitige
Bedingung von Dialektik und Rhetorik ist Melanchthons Intention
(siehe S. 371ff, 404ff).

651) Zu Melanchthon siehe S. 372f; und H.-G.Geyer 1965, 36ff; zu
Erasmus vgl. D.Harth 1970, 62-70.

652) Siehe S. 440-443. Die sprachphilosophische Relevanz der rhetorischen Topik hat wiederum vor allem K.O.Apel im Anschluß
an die Arbeiten von J.Lohmann und E.Arnold herausgearbeitet.
Vgl. zum Folgenden also bes. K.O.Apel 1963, 89ff, 138-158;
ferner auch die verschiedenen Aufsätze von J.Lohmann in
Lexis I-IV/1 (1948ff); und E.Arnold 1952. Jetzt auch noch
J.Lohmann, Über die stoische Sprachphilosophie, in: StudGen
21 (1968) 250-257.

653) Dazu K.O.Apel 1963, 141, vgl. auch 90.

654) K.O.Apel 1963, 151f.

655) Ebd. 90f.

656) Siehe S. 353 Anm.576.

657) Praef.in officia Ciceronis 1534: "Omnis autem doctrina aut
rerum cognitionem continet, aut verborum et quia rerum
notae verba sunt, prior est verborum cognitio.."(SA III, 83,
22/84,1f).

658) J.Lohmann, Das Verhältnis des abendländischen Menschen zur
Sprache (Bewusstsein und unbewusste Form der Rede), in:
Lexis III/1 (1952) 5-49, 30; zitiert auch bei K.O.Apel 1963,
89f.

659) Vgl. etwa J.Pinborg 1967, 192.

660) Zur Erasmischen Sprachauffassung vgl. D.Harth 1970, bes. 39-93;
P.A.Verburg 1952, 124-146.

661) Siehe S. 420.

662) Siehe S. 58-66, 91f, 146-154, 257-259, und passim.

663) Siehe S. 120f, 135-141, und passim.

664) Siehe S. 122-132.

665) Vgl. z.B. Or.de necessaria coniunctione Scholarum cum Ministerio Evangelii 1543: "Sed alligat nos Paulus ad hunc Deum, qui
se in voce patefecit, quam referri in literas per Prophetas
et Apostolos voluit, ut testimonia semper extarent"(CR XI,614);
siehe auch S. 171-175. "Cum enim panes significent verbum Dei,
cophini significabunt linguas et artes, quibus inter homines
asservatur verbum Dei. Non igitur aspernandae erunt homini
Christiano disciplinae humaniores, cum sint vasa, in quibus
coelestis doctrina conservatur"(El.rhet.1531, CR XIII, 470).
"Constat autem doctrinam de Deo literis mandatam esse, ut
eadem et incorrupta maneret omnibus seculis. Necessaria est
igitur literarum cognitio, ut doctrinam Dei legere, cognoscere,
conferre et aliis tradere possimus"(Vorr. zur lat.Grammatik,
18.Aug.1544, CR XX, 227f/229f).

666) Deutlich zu sehen ist dies etwa in der zentralen ekklesiologischen Kontroverse um die höchste potestas (siehe S. 309ff).
Ähnliches gilt natürlich auch für den Offenbarungsbegriff
(siehe S. 242ff).

667) Vgl. die poetische und affektive Form der Theologie S. 116ff,
154ff; zu Erasmus S. 66-75, und passim.

668) Scholastischer und humanistischer Grammatikunterricht führen
auch zu verschiedenartigen philosophischen Einstellungen;
vgl. dazu T.Heath 1971, 40f.

669) Siehe S. 449f.

670) Siehe S. 15, 64, 118f, 406f, 482.

671) Zum entsprechenden Material siehe S. 128-132 (die Heilige
Schrift in der Frühzeit), 233-237 (die Heilige Schrift in der
Spätzeit). Einige Hinweise zur abendländischen Tradition von
der Dauerhaftigkeit literarischer Überlieferung auch bei
E.-W.Kohls 1966a, 228ff.

672) Zum Verhältnis von Schrift und Rede vgl. etwa E.Heintel 1972,
117ff; H.-G.Gadamer 1965, 367ff; G.Söhngen 1962, 17ff;
H.Karpp, Viva Vox, in: Mullus. Festschrift Th.Klauser (JbAC,
Erg.Bd.1), Münster 1964, 190-198; zur schwierigen Platon-
Interpretation bes. J.Derbolav, Platons Sprachphilosophie
im Kratylos und in den späteren Schriften (Impulse der For-
schung, 10), Darmstadt 1972, 195-220 (=X. Sprache und Schrift.
Die Ohnmacht der Logoi: esoterischer Ausklang der platonischen
Philosophie?).

673) Zum Folgenden vgl. E.Auerbach 1958, 25-53 (= I.Sermo humilis).

674) Augustinus, De doctrina Christiana, IV,18.

675) Die Belege dazu bei E.Auerbach 1958, bes. 40ff.

676) Das bedeutet jedoch nicht das Ende der Rhetorik. Durch diese
Umgestaltung konnte sie vielmehr innerhalb des Christentums

neues Leben gewinnen, nachdem sie auf Grund der veränderten
politischen Bedingungen ihren eigentlichen Inhalt längst verloren hatte und langsam am Erstarren war (vgl. E.Auerbach
1958, 43ff).

677) Siehe S. 13, 24, und passim.

678) B.an Heß, 27.April 1520 (CR I, 158; zur Dat. SM VI/1, 98ff).

679) "Atque haec omnia, quam gravi, quam dilucida, quam eleganti
oratione persequitur?"(Adh.Paul.stud.1520, CR XI, 39). "Ego
non video quid desiderem Elegantiae in paulo, At hieronimus
incusat eum in quibusdam particulis μεν scilicet et δε, Sed
immerito, quia non intellexit"(Raps.Rom.1521, Bizer-Texte
46). "Hic (sc.Paulus) quibus rhetorum figuris, quibus floribus,
quibus orationis ornamentis lectorem capiat, nullius prorsum
verbis consequi queam"(Decl.Pauli doctr.1520, SA I, 33,38/34,
1ff).

680) "Vis vocum animadvertenda in sacris literis. Apostoli non
fuerunt insulsi et barbari, ut quidam incusant eos. Deus enim
semper elegit sibi eiusmodi doctores, qui tante rei digni
essent." "Doctissimus est paulus et facundus"(Raps.Rom.1521,
Bizer-Texte 48).

681) "Ne Apelles quidem tam apte posset tabula exprimere Christum
Quam paulus hic qui artificiocissime formam et fatum Christi
dócet"(Raps.Rom.1521, Bizer-Texte 45f). "Est mirabilis quedam
Simplicitas in Paulo, coniuncta cum maiestate, Sicut etiam in
Homero. Paulus si ineruditus homo fuisset, non potuisset tam
ornatum contexere exordium, in quo magna verborum Emphasi
utitur"(ebd. 50, vgl. 73). Der Römerbrief sei im hohen, der
Galaterbrief im mittleren Stil verfaßt(Rhet.1519, Bl.H 4b).

682) "Cultus deest, inquis, in sacris literis. Verum longe dissimilis est oratio in tuis Barbaris, qui plane novum sermonis
genus condiderunt. Prophetae in sua lingua non loquuntur vitio-
se, et voluerunt intelligi, quidam etiam satis ornati sunt.
Davidis enim carmen ut in ista lingua vere Atticum est. Apostoli verbis bonis utuntur. Paulus vero etiam adhibet in dis-
putando artem, et quaedam ornamenta. Deinde cur divinitus
additum est Evangelio donum linguarum.. Quid enim aliud est
donum linguarum quam Eloquentia, hoc est, facultas plane et
copiose res obscuras explicandi?"(Resp.Picum 1542? CR IX, 697);
zur rhetorischen Bildung des Paulus in der Sicht Melanchthons
vgl. auch R.Schäfer 1963, 218ff.

683) Vgl. Schol.Col.1527 (SA IV, 215,1ff); Wv. zur Disp.Rom., März
1529 (CR I, 1044f). Schon Ann.Rom.1521 heißt es (Bl.A 3a) nur
mehr: "prior pars epistolae..Gratiam, Legem, peccatum tractat,
idque aptissimo ordine et plane Rhetorica methodo." Vgl. auch
Raps.Rom.3,21, 1521: "Apostoli (sc.Pauli) sermo Consistit in
quodam artifitio sicut omnium doctorum et Sapientium hominum"
(Bizer-Texte 67); Inst.1519: "Apparet autem voluisse hac
epistola (sc.ad Romanos) Paulus orbi Christum et gratiam Chri-

sti proponere, ut exacta quadam disputatione recte cognosceretur Christus esse auctor iustitiae nostrae"(Bizer-Texte 90);
siehe auch S. 131f.

684) Vgl. Or.de studiis linguae Graecae 1549: "Nam cum et filius
Dei..in hoc libro de rebus caelestibus, de regno patris sui
suoque, de aeterna salute nostra ita significanter, ita dilucide contionetur, ut nulla creatura, nullus vel angelus vel
homo ita loqui potuerit, et apostoli a Spiritu sancto afflati
eandem in dicendo lucem imitari studuerunt et orationem suam
ad Christi praeceptoris sui dicendi figuram quam proxime
effinxerunt. Multaeque hic sunt voces, multae figurae ac phrases, multae item sententiae, quibus mirabile pondus inest...
et tota denique oratio spirat reconditam quandam ac divinam
sapientiam. Non vulgariter certe eruditus grammaticus a me
censebitur, qui novum testamentum poterit, saltem grammatice,
dextre ac recte interpretari, et illam sermonis vim atque
energiam utcumque explicando assequi"(SA III, 139,30-140,8).

685) Or.de necessaria coniunctione Scholarum cum Ministerio Evangelii 1543: "Etsi enim nosse omnes pueros et senes summam coelestis doctrinae necesse est, et breviter comprehendi res potest:
tamen non de nihilo est, quod legimus apud Dionysium, ab Apostolo Bartholomeo dictum esse, Evangelium esse longum et breve.
Summa breviter tradi potest, sed paulatim meditatione et collatione propheticarum et apostolicarum concionum, in omnibus
piis sive norint literas, sive non norint, illustrior fieri
cognitio rerum divinarum debet. Id sine lectione et interpretatione fieri non potest"(CR XI, 613f). Zur Idee des"verbum
abbreviatum" vgl. H.de Lubac 1961, 181-197.

686) "Exhaurire magnitudinem rerum, de quibus Deus concionatur,
nostris enarrationibus non possumus"(B.an Vitus Theodorus,
18.Jan.1544, CR V, 290); "Etsi autem exhauriri amplitudo harum
rerum non potest, tamen praecipua capita attingam"(Or. de
scala Iacob, quae Ecclesiae imago est; Gen.28, CR XII, 196);
vgl. auch Wv. zu Ann.Ev.1544 (CR XIV, 562).

687) So z.B. in einer Rede über Kol 3,16: "Sed cur usus est Paulus
verbo habitandi? Primum totam Ecclesiam vult domicilium esse
horum librorum, hic custodiri vult hunc thesaurum promissionis
a Deo traditae, quae caeterae gentes negligunt, et his libris
reiectis desinunt esse pars populi Dei. Idem fit in singulis
hominibus. Donec tuum pectus est domicilium huius doctrinae,
tantisper es Ecclesiae civis et membrum populi Dei. Nequaquam
sunt cives Ecclesiae, qui nec legunt, nec audiunt hanc doctrinam. Et non solum perpetua conservatio in verbo praecipitur,
sed etiam dulcissima familiaritas significatur. Ita familiariter et saepe colloquaris cum Christo, cum Patribus, Prophetis
et Apostolis, ut colloqueris cum iis in familia tua, quos
praecipue amas, et cum quibus omnes tuas curas communicare so-
les. Ac revera Deus in illo pectore habitat, quod hanc doctrinam cogitat, amplectitur et amat. Quod est autem maius bonum,
quam haec Dei familiaritas? qui hoc domicilium ita custodit,
ut simul impertiat suam sapientiam, iustitiam et vitam aeter-

nam"(Or.de dicto Pauli: Sermo Christi habitet in vobis abunde
in omni sapientia etc., 1550, CR XI, 897).

688) Die ausführlichste Auseinandersetzung mit diesem Thema findet
sich im Abschnitt "De quatuor sensibus sacrarum literarum" in
den El.rhet.1531 (CR XIII, 466-474). Zur traditionellen Lehre
von den Schriftsinnen vgl. bes. H.de Lubac, 1959; ders. 1961;
ders. 1964.

689) Vgl. dazu H.de Lubac 1964, 369-391.

690) Siehe S. 336-339.

691) Siehe S. 461f. Zur Tradition vgl. H.de Lubac 1964, 277, 381ff.

692) El.rhet.1531: "Quidam enim inepte tradiderunt quatuor esse
scripturae sensus: Literalem, Tropologicum, Allegoricum et
Anagogicum. Et sine discrimine omnes versus totius scripturae
quadrifariam interpretati sunt. Id autem quam sit viciosum
facile iudicari potest. Fit enim incerta oratio, discerpta
in tot sententias"(CR XIII, 466). "Si omnia sine discrimine
velimus transformare in varios sensus, nihil habebit certi
scriptura, Itaque iure reprehenditur Origenes, qui omnia
quantumlibet simpliciter dicta, tamen in allegorias transformat. Haec interpretandi ratio maxime labefacit ratio autoritatem scripturae. Nam et Porphyrius hoc nomine irrisit Christianam doctrinam, et scripsit eam nihil habere certi, siquidem
non aliter atque fabulae poetarum, in alios quosdam sensus,
praeter grammaticam, omnia transformanda essent"(ebd. 469);
vgl. Wv.zu den Schol.Prov.1529(SA IV, 307,18ff = CR I, 1090f);
Wv. zu Comm.Rom.1532 (SA V, 26,26ff); zur Origeneskritik auch
Loci 1535 (CR XXI, 457); Loci 1543 (SA II/2, 619,21ff).

693) El.rhet.1531: "Itaque plerumque uno sensu grammatico contenti
esse debemus, ut in praeceptis et promissionibus Dei. Illud
vero maxime ridiculum est, quod in concionibus vel Prophetarum, vel Christi, item in disputationibus dogmatum ut in
Epistula Pauli quatuor sensus finxerunt"(CR XIII, 469). "Caeterum nos meminerimus unam quandam ac certam et simplicem
sententiam ubique quaerendam esse iuxta praecepta grammaticae,
dialecticae et rhetoricae. Nam oratio, quae non habet unam ac
simplicem sententiam, nihil certi docet." Das gilt auch für die
Figuren (ebd. 468). Siehe auch S. 337.

694) Loci 1535: "Sciendum est autem, quod de his, quae sacrae literae iubent nos sentire, et de articulis fidei, non satis est
habere ambiguas opiniones, sed oportet habere certam et firmam sententiam. Nam dubitatio parit impietatem et desperatio-
nem.." "Prorsus tollit religionem, si quis iubet de voluntate
Dei, quatenus in scripturis revelata est, hoc est, de commina-
tionibus et promissionibus dubitare. Sic iudicandum est de
ceteris articulis, quos scriptura proponit"(CR XXI, 349).

695) De off.conc.1529: "Una est et simplex scripturae sententia,
quam adfert grammatica enarratio.Haec una cum sit certa,
maxime docere et confirmare conscientias potest. Si quid prae-

ter hanc fingitur, quoniam incertum est, non potest satis
munire conscientias"(SM V/2, 10.21ff); Ratio theol.1530: "Et
qui sciet omnia ad locos communes referre, huic nihil opus est
quaerere multos sensus. Hoc potius agat, ut certam quandam
sententiam constituat, quae certo conscientiam docere possit
de voluntate Dei. Est enim ad usum et ad tentationes comparanda cognitio. Quare non est contaminanda illis ridiculis allegoriis, qualibus delectatur Origenes"(CR II, 458f).

696) Def.c.Eckium 1519: "Quandoquidem unus aliquis et simplex
scripturae sensus est, ut et coelestis veritas simplicissima
est, quem collatis scripturis e filo ductuque orationis licet
assequi. In hoc enim iubemur philosophari in scripturis divinis, ut hominum sententias decretaque ad ipsas ceu ad Lydium
lapidem exigamus"(SA I, 18,1ff; und den Zusammenhang ebd.17ff).

697) Apol.pro Luthero 1521: "Quod si negabitis, certam per sese
scripturae sententiam esse sine glossis, non video, cur opor-
tuerit, edi scripturam, si noluit Spiritus sanctus certo con-
stare, quid nos sentire vellet"(SA I, 146,20ff;vgl. überhaupt
146f); vgl. B.an Spalatin, Mitte Okt. 1521 (SA VII/1, 146,64ff)
Wv.vom 1.März 1549: "Nam hac cavillatione labefactant impii
coelestem sermonem: ambigue dicta relinquenda sunt, et quae-
rendi alii doctores, qui perspicuam et firmam doctrinam tradunt. At, magna ex parte, inquiunt, obscurus, ambiguus et
aenigmatum similis est, aut numerorum Platonis, sermo coelestis." "Non enim putemus, Deum ex illa sua arcana sede prodi-
isse, ut ambigua dicta spargeret, et generi humano tanquam
μῆλον ἔριδος obiiceret. Sed in lege, iudicium et iram vere
agnosci voluit, in promissionibus conspici immensam bonitatem
et misericordiam: quas hanc ipsam ob causam patefecit, ne
totum genus humanum periret: ac voluit notam esse suam voluntatem de mediatore filio.."(CR VII, 345, 346; vgl. überhaupt
345-349); Wv. zum 4.Bd. der dt.Werke Luthers, 20.Dez.1550
(CR VII, 700); ferner CR VII, 578; SA III, 139,30ff; CR IX,
454; SA VI, 421,29ff. Sehr breit ausgeführt sind diese Ideen,
und zwar unter Zuhilfenahme des Schemas "scriptum-sententia"
(siehe dazu S. 459) in der Resp.Staph. 1558 (SA VI, 462-481;
bes. 463, 465ff): "..ubi τὸ ῥητὸν nihil habet obscuritatis aut
ambiguitatis, ibi necessario anteferendum esse Synodorum et
omnium hominum sententiis.." - hier dann auch Beispiele dazu
(ebd. 466,1ff; vgl. 466,30ff). "Ubi τὸ ῥητὸν manifestum est
et sine obscuritate et ambiguitate, contrarium docere aut
sentire impietas est.."(ebd. 468,10ff). Vgl. damit etwa
J.Ratzinger (1965, 48): "Auf der anderen Seite gibt es aber
auch die Grenze der littera scripturae, des historisch faß-
baren Wortsinns der Schrift, die nach dem Gesagten zwar kein
absolutes, d.h. kein in sich und für sich bestehendes, aber
doch ein relativ selbständiges Kriterium innerhalb des doppelten Kontrapunkts von Glauben und Wissen darstellt. Das, was
wissenschaftliche oder auch durchschlichte Lektüre eindeutig
aus der Schrift zu erkennen ist, hat die Funktion eines wirk-
lichen Kriteriums, vor dem auch die lehramtliche Äußerung sich
bewähren muß."

698) Ursach 1546 (SA I, 427,28ff; vgl. überhaupt 427f, wo sehr
     ausführlich darüber gehandelt wird). Vgl. auch Vorr. zu
     En.Symb.Nic., 25.April 1550: "Nec illud vere dicitur, sermonem
     divinum similem esse foliis Sibyllae, ambiguum et incertum.
     Pleraque sunt manifestissima omnibus sanis ac mediocriter in-
     stitutis in Ecclesia. Et tamen ut ministerium Evangelicum Deus
     in Ecclesia esse voluit, ita vult et de doctrina iudicia esse,
     in quibus confessio piorum et doctorum refutat errores et
     ambigua explicat"(CR VII, 578).

699) Wie z.B. bei Paulus: Wv. zur Disp.Rom., März 1529 (CR I, 1045).

700) "Cum igitur velit Deus voce ministerii et praelegi auditoribus
     prophetica et apostolica scripta, et ordine monstrari capita
     doctrinae, et refutari corruptelas, manifestum est, aliquam
     interpretationem necessarium esse. Sed haec discipula sit
     sermonis divini, non gignat novas sententias, nec novum doctri-
     nae genus excogitet, sed tanquam fidelis grammatica nativam
     sententiam divini sermonis inquirat, et in hac doceat cognos-
     cendam esse voluntatem Dei, et hac vera cognitione voluntatis
     divinae mentes ad invocationem, fidem, spem exuscitandas esse"
     (Wv.zum 3.Bd. der lat.Werke Luthers, 1.Mai 1549, CR VII,395).

701) "Hos (sc.pastores et doctores) vult audiri: qui quidem non
     novum doctrinae genus gignunt, sed rudibus ostendunt, de qui-
     bus rebus Deus concionetur in suo sermone, phrasin enarrant,
     conferunt ad divinas leges et promissiones humanam sapientiam:
     monent, quid conveniat, quid non conveniat. Denique Ecclesia
     est velut grammatica sermonis divini. Non enim res novas ex-
     cogitat, sed iunioribus ostendit rerum ordinem et sermonis
     proprietatem"(Wv., 1.März 1549, CR VII, 347f); ähnlich Vorr.
     zu En.Symb.Nic., 25.April 1550, CR VII, 576); ähnlich vom
     Predigtamt in Wv.zur dt.Ausg.der Loci, 24.Febr.1553 (CR VIII,
     33).

702) Vgl. auch Wv. vom 1.Jan.1539: "Etsi enim iudicanti de doctrina
     Ecclesiastica etiam veris exercitiis pietatis opus est, tamen
     multum lucis adfert praesertim bonae menti cognitio sermonis
     ac phrasis, quam sine erudita grammatica consequi nemo potest.
     Plurimas haereses, plurima errata saepe in Ecclesia peperit
     inscitia grammatices"(Paedag. 55); vgl. auch die Belege bei
     K.Hartfelder 1889, 177 Anm.1.

703) Vgl. H.Lausberg 1960,I, §§ 198-223; ders. 1966, 59ff. Bei
     Melanchthon: El.rhet.1531, Abschnitt "De statibus legalibus"
     (CR XIII, 440-445). Auch Melanchthon weist (ebd. 440) darauf
     hin, daß diese status vor allem die Schulen und die Disputa-
     tionen betreffe. Diese semantische Verwendung der Rhetorik
     findet sich freilich auch schon in einer Linie der mittelalter-
     lichen Exegese; vgl. dazu R.McKeon 1942, 20.

704) Zu diesen vgl. wieder H.Lausberg 1960,I, §§ 214-223. Melan-
     chthon dagegen will hier hauptsächlich die Dialektik (Division,
     Definition usw.) zu Hilfe genommen wissen (ebd.CR XIII, 442).

705) El.rhet.1531: "Sed in sacris literis hoc observandum est, ut in dogmatibus et praeceptis retineatur τὸ ῥητόν, nisi impingat absurditas in aliquem articulum fidei, seu manifestum scripturae locum"(CR XIII, 442); siehe auch S. 369 Anm.697.

706) Vgl. die undatierten Disp.über die Rechtfertigungslehre (CR XII, 446-481), bes. Nr. XIII (ebd. 460-463): "Fides significat fiduciam misericordiae, iustificatio intelligitur relative, pro acceptatione, non pro infusione habitus. Iusticia hic non significat habitum in nobis, ut in Philosophia, sed significat relative acceptationem"(ebd. 460). In dieser eindeutigen Alternative ist natürlich recht gut zu erkennen, wie die Situation der Polemik und Kontroverse in den historischen Befund miteingeflossen ist (siehe auch S. 461). "Nosque τὸ ῥητόν defendimus, et sententiam ex ipsis Pauli verbis haurimus, quam saepe inculcat Paulus. Et cum adversarii non retinentes τὸ ῥητόν, gignant sententiam dissidentem a verbis Pauli, in qua multa insunt aperte falsa, rectius est sententiam retinere, quam propria verba Pauli pariunt"(ebd.462) "Nec nos interpretationem aliquam Paulo affingimus, sed retinemus proprietatem sermonis seu τὸ ῥητόν non calumniose aut superstitiose, sed collata perpetua disputatione, collatis omnibus Epistolis Pauli, collatis etiam dictis Propheticis, denique verae Ecclesiae iudicio collato, quae intelligit doctrinam de remissione peccatorum et de exercitiis fidei" (Loci 1543, SA II/2, 380,36ff/381,1ff). "Fatentur adversarii se a verbis discedere, quia dicunt fide, scilicet formata, hoc est, non fide, sed ceteris virtutibus et iactant se tueri διάνοιαν. Sed cum eorum interpretatio haud dubie pugnet cum ipso Paulo, necessario taxanda et repudianda est"(ebd. 381,5ff).

707) Dazu H.Lausberg 1960,II, § 1244, s.v. hyperbole, synecdoche.

708) "Haec praeconia de fide: Fide iustificamur, non sunt hyperbolae, aut synecdochae, sicut quidam scribunt, qui interpretantur, Paulum servientem tempori, rhetoricis aut potius sophisticis encomiis plus iusto voluisse fidem ornare, ut his laudibus plures ad Christum attraheret, aut certe, ut durius castigati Iudaei, superstitiosam persuasionem de ceremoniis, quas pertinacissime defendebant, abiicerent"(CR XII, 462).

709) "Non reddunt Pauli sententiam, qui hanc synecdochen comminiscuntur: Fide iustificamur incoative, quia fides regenerat et affert novas qualitates. Et iudicant renatos verius propter sequentes qualitates iustos esse, quam gratuita imputatione" (ebd.).

710) "Et prorsus corrumpit Pauli sententiam synecdoche Scholasticorum, qui interpretantur, fide iustificamur, scilicet formata charitate. Aperte enim transferunt iustificationem ad nostra opera, cum contrarium velit Paulus"(ebd.). Vgl. Wv.zur En.Rom., April 1556: "Scio multos disputare, in enarratione huius Epistolae esse quaestionem τοῦ ῥητοῦ καὶ διανοίας. Et discedunt Thomas, Scotus et similes, a sermonis proprietate, et quaerunt peregrinam sententiam, et mutilant et corrumpunt Paulum, di-

cunt: fide sumus iusti, scilicet formata. Sine operibus, scilicet ceremonialibus"(CR VIII, 739); ähnlich Loci 1543 (SA II/2,
380,12ff); Resp.Staph.1558 (SA VI, 466,33ff). Ähnlich auch in
der Auslegung von Röm 3,19f: "Scimus autem quoniam quaecumque
lex loquitur, iis, qui in lege sunt, loquitur: ut omne os ob-
struatur, et subditus fiat omnis mundus Deo: quia ex operibus
legis non iustificabitur omnis caro coram illo.Per legem enim
cognitio peccati"(so der Vulgata-Text). Dazu Melanchthon:
"Sed quidam, qui defendunt homines iustos esse coram Deo propter bona opera, astute eludunt hanc universalem propositionem
Pauli. Dicunt esse synecdochen. Quia videlicet omnium ordinum
homines et plurimi peccent, Paulum usum esse universali per
synecdochen et accusare omnes, etsi interim paucissimi quidam
boni sint, quos conveniat excipere ab hac generali sententia,
quia in aliis locis scripturae pronuntientur homines iusti
propter opera"(Comm.Rom.3,19, 1532, SA V, 96,10ff); "Monachi
contendunt in Paulo non esse retinendum τὸ ῥητὸν, cum dicitur:
Iustificamur fide, gratis sine operibus legis, sed adfingunt
peregrinam sententiam contrariam Paulo, dicunt esse synecdochen: praeparamur fide, ut dilectione iusti simus. Haec synecdoche refutatur perpetuo consensu propheticae et apostoli-
cae scripturae.."(Prop.de iudiciis Ecclesiae, 15.März 1560,
CR XII, 661).

711) "Adversarii neque τὸ ῥητὸν in Paulo retinent, quia sententiam
quandam gignunt ex humana ratione contra verba Scripturae,
neque tenent τὴν διάνοιαν, quia in ipsorum sententia multa
insunt manifeste falsa, et pugnantia inter se"(CR XII, 462).
Vgl. auch Expl.Prov.1551: "Ut Saducaei retinebant quidem
τὸ ῥητὸν in Mose, sed intelligebant promissiones tantum carnali modo de praesenti vita. Sic monachi intelligunt Legem de
externis operibus, fidem tantum de noticia historiae etc."
(CR XIV, 81f).

712) Vgl. bes. die ersten Abschnitte der Loci 1521 (SA II/1, 8-40)
und die entsprechenden Änderungen in den Loci 1522 (CR XXI,
93-96); auch Ann.Rom.8,6f, 1521 (Bl.Gb-G 2a); dazu bes.
H.-G.Geyer 1965, 77-99.

713) Loci 1521: "In capite octavo, postquam disputaverat (sc.Paulus)
non posse legem a nobis fieri, confert carnem et spiritum,
docens carnem esse prorsus obnoxiam peccato, spiritum autem
esse vitam et pacem. Hic sophistae vocant carnem appetitum
sensitivum, obliti phraseos ac tropi scripturae. Non enim
corpus, partem hominis, sed totum hominem, tam animam quam
corpus, scriptura voce carnis signat, et quoties cum spiritu
confertur, significat optimas naturae humanae ac praestantissi-
mas vires citra spiritum sanctum. Rursus spiritus significat
ipsum spiritum sanctum et eius motiones atque opera in nobis"
(SA II/1, 26,19ff).

714) Ebd. 26,31ff/27,1ff.

715) "Alioqui non consistent Pauli argumenta in tota epistola ad
Romanos. Sic enim solet argumentari: Caro non potuit legem implere, ergo spiritu est opus, qui impleat. Ibi si carnem pro

parte hominis tantum usurpemus, quomodo consistet Pauli
enthymema? Posset enim eludi ad hunc modum: Etsi caro legem
facere non potuerit, potuisse tamen meliorem aliquam hominis
partem atque ita spiritu non fuisse opus ad implendam legem"
(SA II/1, 27,3ff). Ebd. 27,23ff werden dann noch die bilischen
Synonyme für "caro" (nämlich vetus homo und exterior homo) besprochen.

716) "Verum dedicimus non modo scripturae sententiam, sed et sermonem, doctoribus philosophastris, et ut in Esdra legitur:
'Alienigenas uxores duximus et earum linguam pro nostra usur-
pavimus'"(ebd. 27,13ff).

717) In der Vorr.zum 2.Bd. der lat.Werke Luthers, 1.Juni 1546, ist
von den (vier) bedeutendsten mutationes doctrinae in der Kirchengeschichte die Rede. Den ersten großen Niedergang bringe
die aetas Origenica, die das Evangelium auf die Philosophie
hin zurechtbiege: "Haec aetas pene amisit totum discrimen
legis et Evangelii, et sermonem apostolicum dedidicit. Non
enim retinuit nativam significationem vocabulorum literae,
spiritus, iusticiae, fidei, Et amissa verborum proprietate,
quae rerum notae sunt, alias confingi res necesse est. Ex
his seminibus ortus Pelagii error, qui late vagatus est"
(CR VI, 166f).

718) Siehe S. 380ff.

719) Ein schönes Beispiel bietet eine Auslegung von Mt 6,33 ("Quaerite ergo primum regnum Dei, et iustitiam eius: et haec omnia
adiicientur vobis"). Dazu Melanchthon: "Aliud argumentum.
Textus dicit: Quaerite: Ergo voluntas humana potest per se adi-
pisci hoc bonum: vel, Ergo est in nostris viribus positum, ut
fruamur vita aeterna. Respondeo. Non sequitur: sed intelligendum est, Quaerite, scilicet trahente Deo per verbum"(Postille,
CR XXV, 478). Ähnlich in der Interpretation von Mt 11,30,einer
Stelle, die man anscheinend gewöhnlich als Beleg für die
Willensfreiheit anzuführen pflegte: "Sic intellige et alias
sententias, quibus probari vulgo solet posse legem fieri,
quales sunt: Iugum domini suave, onus domini leve et mandata
non esse gravia, id est, per gratiam, non autem per naturam.."
(Ann.Rom.8,2, 1521, Bl.Ga).

720) Schön sichtbar ist dies etwa an folgendem simplen Beispiel:
"Quod autem de ambiguitate Prophetici et Apostolici sermonis
vociferantur adversarii, primum hoc negare non possunt, ubi
τὸ ῥητὸν nihil habet obscuritatis aut ambiguitatis, ibi necessario anteferendum esse Synodorum et omnium hominum sententiis,
ut nihil est obscuritatis aut ambiguitatis in dicto: 'Dominum
Deum tuum adorabis et ipsi soli servies'. Ergo impietas est
dicere: 'Maria, tu nos in hora mortis suscipe'"(Resp.Staph.
1558, SA VI, 465,36f/466,1ff); ebd. 466ff weitere solcher
Beispiele.

721) Resp.Picum 1542? (CR IX, 701); vgl. auch S. 276ff.

722) "Caeterum, quaedam facta extant in sacris literis, et ceremoniae quaedam, quae ad id institutae fuerunt, ut aliud quiddam significarent. In hic est allegoriae locus. Quanquam ne
hic quidem anxie quaerendae sunt, quia ut maxime eruamus
aptas allegorias,tamen in controversiis non pariunt firmas
probationes, tantum velut picturae reddunt illustrius, id
quod ex aliis certis locis probatur. Sunt autem huius generis
pleraque facta, ut historiae Ionae, qui post triduum revixit.
Mactatio agni in Paschate, Adoratio ad propicitatorium, et
aliae ceremoniae"(El.rhet.1531, CR XIII, 469). Vgl. auch
S. 221. Neben CR XIII, 469-474 vgl. zur Frage der Allegorien
auch noch De off.conc.1529 (SM V/2, 10,21-12,15); Quomodo
conc., zwischen 1531-1536 (ebd. 23,9ff); De modo conc., ca.
1537/39 (ebd. 48,15-50,11); zur Allegorie in der patristisch-
mittelalterlichen Auslegungsgeschichte vgl. vor allem H.de
Lubac 1964, 125-262; 1959, 373-423.

723) "Porro hic non est abiiciendus literalis sensus, sunt enim
mandata Dei, quae non licuit mutare sine autoritate divina,
sed ipsa facta et mores conferuntur cum aliis rebus similibus,
quae alibi simpliciter et sine figuris propositae sunt." "Itaque allegoria sequitur literalem sententiam, ubi res similes
ad literalem sensum, velut ad exemplum, aut imaginem compara-
re possumus.."(El.rhet.1531, CR XIII, 469); zu "umbra" und
"figura" ebd. 471.

724) Ebd. 469f. Im Anschluß daran folgt als Bestätigung des Gesagten
eine Übersicht über die Anwendung der Allegorie im Neuen Testament und ein Hinweis auf die beispielhafte Allegorese in der
neutestamentlichen Auslegung alttestamentlicher Schriften
(ebd. 470).

725) El.rhet.1531 (CR XIII, 471f). Hier auch verschiedene Beispiele
einer solchen schlußfolgernden Auslegung. Weitere Beispiele
bei H.Sick 1959, 60-77.

726) Vgl. dazu H.de Lubac 1959, 119-128.

727) Vgl. dazu bes. M.-D.Chenu 1957, 159-190 (=Kap.VII: La mentalité
symbolique), 191-209(=Kap.VIII: La théologie symbolique);
H.de Lubac 1964, 7-123 (=Kap.VII: Une doctrine synthétique),
125-262(=Kap.VIII: Symbolisme). Bei Melanchthon finden sich
terminologische Restbestandteile am ehesten noch in der Beschreibung des Verhältnisses der Testamente (siehe S. 221).

728) Vgl. M.-D.Chenu 1957, 172ff.

729) Ebd. 172-187. Zur positiv verstandenen Dunkelheit und Geheim-
nishaftigkeit der Schrift vgl. ebd. 173; und H.de Lubac 1964,
169ff.

730) Vgl. etwa M.-D.Chenu 1957, 202ff; F.Ohly, Vom geistigen Sinn
des Wortes im Mittelalter (Libelli, 218), Darmstadt 1966 (ein
unveränderter Nachdruck eines 1958/59 erschienen Aufsatzes);
zu Hugo von St.Viktor (um des es hier vor allem geht) vgl. bes.

auch H.de Lubac 1961, 287-359.

731) Zu Thomas von Aquin vgl. bes. M.Arias Reyero, Thomas von Aquin
als Exeget. Die Prinzipien seiner Schriftdeutung und sein Lehre von den Schriftsinnen (Sammlung Horizonte, Neue Reihe 3),
Einsiedeln 1971; H.de Lubac 1964, 272ff; zur spätscholastischen Dekadenz ebd. 369-391.

732) Das ist m.E. ein weiterer wichtiger Hinweis dafür, daß es eine
platonische Denkgrundlage bei Melanchthon nicht gibt (siehe
dazu S. 414f). Der Unterschied zwischen Melanchthon und
Erasmus in der Frage der Schriftsinne - sofern ein solcher
überhaupt vorhanden ist(zu Erasmus vgl. bes. H.de Lubac 1964,
438-453; J.B.Payne 1969) - ist nicht so sehr der Unterschied
humanistisch - reformatorisch (so H.Sick 1959, 44; ders. 1960,
140f), als vielmehr der Unterschied der Denkgrundlagen: Bei
Erasmus spielten platonisch-neuplatonische Vorstellungen
(ganz sicher gilt dies für die Frühzeit) eine größere Rolle
(vgl. S. 43, 45f, 50, 56) als bei Melanchthon. So scheint im
übrigen die Sache auch von Erasmus selbst gesehen worden zu
sein; denn im Enchiridion 1503 führt er zwei Gründe dafür an,
daß er in der Sache der Allegorie die Väter den Scholastikern
vorziehe: Einmal hätten jene die Gabe der Beredsamkeit, ohne
die das Mysterium erkalte, besessen, diese aber nicht; zum
anderen wären jene vom Platonismus beeinflußt gewesen, der für
die Allegorie bessere Voraussetzungen mitbringe als der Aristotelismus, von dem die Scholastiker ausgegangen seien (Holborn
71,21-72,10); vgl. auch J.K.McConica 1969, 91ff; Ch.Béné 1969,
127-186.

733) Daß in der Frage der Schriftsinne bei Melanchthon in erster
Linie die geistigen Voraussetzungen zur Debatte stehen, wurde
in der Melanchthonforschung kaum beachtet. Als einer der ganz
wenigen sieht (wenn auch noch etwas verschwommen) B.S.von
Waltershausen (1927, 667f) diesen Zusammenhang: "Das Stufen-
reich substanzialer Formen und die Überordnung religiös-
metaphysischer Bedeutungszusammenhänge über den Schriftsinn
sind verwandte Erscheinungen; sie haben ihren Grund in dem von
Melanchthon bekämpften begriffsrealistischen Denken, in der
platonisch-aristotelischen Spekulation, wie diese von der
Patristik und Scholastik verstanden und weitergebildet wurde.
In dem Dringen auf die ursprünglichen Wortbedeutungen, den
sermo apostolicum kommt Melanchthons Verknüpfung von Worten
und Dingen wieder zur Geltung."

734) H.Sick führt (1959, 43-47) z.B. den einfachen Schriftsinn auf
das reformatorische Schriftprinzip zurück: "Mit der reformatorischen Forderung 'Sola Scriptura' ist notwendig auch die
Eindeutigkeit ihrer Aussagen, der einfache Schriftsinn postuliert und behauptet"(ebd. 45); bzw. auf das christologische
Wortverständnis zurück: "Am Wort, und d.h. letztlich an Christus, hängen Tod und Leben, Glauben und Trost. Sein (sc. Melanchthons) christologisches Verständnis des Wortes zwingt ihn
zur sauberen, wissenschaftlichen Auslegung, denn so, und nur
so wird Christus erkannt und ernstgenommen"(ders. 1960, 141).
Seltsam auch folgende Aussage: "Die entscheidende Überwindung
des allegorischen Schemas ist erst dadurch erfolgt, daß die

Reformatoren der Autorität der Schrift durch die Betonung ihres eindeutigen Sinnes absolute Geltung verschafften" (H.Sick 1959, 46). K.Haendler führt (1968, 69ff, 192f) den einfachen Schriftsinn auf die Auslegung nach Gesetz und Evangelium und (ebd. 69 Anm.89) auch auf das Verständnis der Schrift als "Überlieferung des Geschichtshandelns Gottes" zurück.

735) Zur Schriftauslegung durch Gesetz und Evangelium vgl. S. 378, 381f, 383.

736) Siehe S. 197-204.

737) Siehe S. 379ff.

738) Diese Frage ist insbesondere hinsichtlich des Verhältnisses zu den Vätern bereits bei P.Fraenkel 1961, 307-337 (=Kap.VIII: Quasi censoriae notae) ausführlich behandelt. Hier auch umfangreiche Belege.

739) Vgl. die Belege bei P.Fraenkel 1961, 307-321.

740) Vgl. wieder P.Fraenkel 1961, 321-324 (Inhalt), 336f(Konsequenzen).

741) Vgl. die Belege bei P.Fraenkel 1961, 324-329. Auch Fraenkel schließt aus dem Befund bei Melanchthon "..that he was to some extent conscious of the historical contingency of theological statements.."(ebd. 326).

742) Expl.**Symb**.Nic.1557: "..sed verecunde utamur receptis propositionibus et vitemus reiectas, quia docti in Ecclesia veteri plerumque eruditis causis moti sunt, quare alias phrases reiecerunt, alias receperint"(CR XXIII, 520). Siehe auch unten Anm. 753.

743) Siehe S. 355f Anm.594. Vgl. auch Q.Breen 1952, 18f.

744) So z.B. in bezug auf den Begriff "liberum arbitrium" (Loci 1535 und 1559, CR XXI, 373 und SA II/1, 237,26ff/238,1ff) oder in bezug auf Gewissen und Gottesfurcht (Apol.XII, 1531, BS 254,27ff).

745) Loci 1559 (SA II/1, 262,30ff).

746) So z.B. in bezug auf das Wort "peccatum" (Loci 1559, SA II/1, 270,9f). "..qua in re necesse est moneri iuniores de sermone Ecclesiastico, et retineri veras significationes vocum, et taxari corruptelas. Hanc diligentiam necessariam esse, manifestum est. Quoties enim haec vocabulae, verbum,Spiritus,persona, hypostasis, peccatum, lex, iustitia, gratia, fides, confessio, Ecclesia, sacrificium, ad alienas significationes detortae sunt?"(Wv. zur En.Symb.Nic., 25.April 1550, CR VII, 576f). Wie sich dies in der theologischen Praxis Melanchthons auswirkt zeigt etwa der Abschnitt "De peccato originis" in den Loci 1559 (SA II/1, 259,3ff.24ff; 260,19ff; 261,17ff).

747) So etwa "peccatum originis" (Loci 1559, SA II/1, 257,5ff;
vgl. auch ebd. 274,36ff).

748) Vgl. dazu auch K.Haendler 1968, 90f, 266f, 270f. P.Fraenkel
hat schön gezeigt, wie gerade das eschatologisch-apokalypti-
sche Bewußtsein, bereits am Ende der Tage zu stehen, erst
recht das Gefühl gesteigert hat, verantwortlich zu sein für
die reine Überlieferung des Evangeliums und für die Einheit
der Kirche. Diese eschatologische Verantwortung ließ Melanchthon auch den berühmten Versuch einer Einigung mit der Ost-
kirche unternehmen, indem er die CA ins Griechische über-
setzte und dem Patriarchen von Konstantinopel sandte. Das
Erstaunliche an dieser Übersetzung ist, daß Melanchthon die
Begriffe und Vorstellungen der lateinischen bzw. westlichen
theologischen Tradition, in denen sich auch die reformatorische Theologie bewegte, samt und sonders in die mystische
Sprache und Vorstellungswelt der griechischen bzw. östlichen
theologischen Tradition zu übertragen versuchte und dabei der
Meinung war, den Inhalt bewahrt zu haben; vgl. dazu im einzelnen P.Fraenkel 1961, 329-336. Auch dazu gibt es wieder eine
gewisse Parallele im Mittelalter: Auch hier hat das Gefühl,
am Ende der Zeiten zu stehen, nicht so sehr Pessimismus hervor-
gerufen, als vielmehr zu erhöhter Aktivität angespornt (vgl.
dazu J.Spörl 1930, 316f).

749) "Unde et quidam fastidiunt, me eandem cantilenam canere"
(Antwort an die sächsischen Pfarrer, 22.Jan.1557, CR IX, 39);
vgl. dazu bes. P.Fraenkel 1961, 145f; K.Haendler 1968, 224.

750) Vgl. etwa F.Lau-E.Bizer, Reformationsgeschichte Deutschlands
bis 1555 (Die Kirche in ihrer Geschichte, 3K), Göttingen 1964,
17-43.

751) Lv. zu einem Gedicht des Cordus, 2.Hälfte Juli 1525 (CR I,
770; zur Dat. SM VI/1, 298f).

752) Siehe S. 268-282.

753) "Sed nos omissis rixis vocabulorum Ecclesiae sententiam fideliter retineamus et verbis iam in Ecclesia usitatis et receptis
sine ambiguitate utamur"(Loci 1559, SA II/1, 182,12ff); vgl.
CA I, 1530 (BS 50,15ff); Loci 1535 (CR XXI, 353); Praef. zum
Corpus doctrinae, 16.Febr.1560 (SA VI, 9,15ff). "De priore
controversia (sc. de modo loquendi in communicatione Idioma-
tum), haec mihi videtur esse iusta et plana via concordiae,
ut nos omnes retineamus formas loquendi approbatas gravi
autoritate in Ecclesia, quia mutatio aut errores aut dissidia
parit"(Resp.Stanc.1553, SA VI, 261,21ff; vgl. 264,18ff; 266,
31ff); vgl. Loci 1559 (SA II/1,199,16ff); vgl. auch die Belege
bei K.Haendler 1968, 207f, 223ff; P.Fraenkel 1961, 147 Anm.128.

754) Ungenau bzw. unklar ist hier K.Haendler, wenn er (1968, 224)
sagt: "Bei dieser Konzeption geht es primär nicht, wie es
scheinen könnte, um pädagogisch-didaktische oder ekklesiologische Rücksichten - so sehr diese auch eine Rolle spielen -,
sondern um die grundsätzliche Notwendigkeit der Ständigkeit
von Überlieferung und Verkündigung der göttlichen Heilsoffenbarung..."

755) Zu Melanchthons Geschichtsverständnis seien genannt: E.Seeberg
1923, 446-454 (über Verfallsidee und Traditionalismus);
P.Polman 1932, bes. 31-44, 162ff, 207-211 (über das historische Element in der Polemik); W.Goez 1958, 257-280 (=Kap.13:
Translatio imperii in der Geschichtsschreibung der Reformation)
281-304(=Kap.14: Der protestantische Angriff auf die kuriale
Translationstheorie); A.Klempt 1960, 15-59 (=I.Teil: Das Ende
der theologisch-eschatologischen Deutung der Universalhistorie); P.Meinhold 1960, 90-93 (die humanistische Geschichtsanschauung); W.Maurer 1960, 16ff, 25ff, 45ff (die Bedeutung
der Geschichte beim frühen Melanchthon); P.Fraenkel 1961,
52-109 (=Kap.II: Historica series); R.Stupperich 1961, 72-84
(Geschichtliche Arbeit und Geschichtsbetrachtung); M.Müller
1963, 423-428 (Auffassung des Geschichtsunterrichts); H.-G.
Geyer 1965, 182ff (rhetorische Geschichtsauffassung); W.Maurer
1965a (die geschichtlichen Wurzeln von Melanchthons Traditionsverständnis); W.Maurer 1967, 99-128 (Geschichtsanschauung);
ders. 1967a (Geschichte und Tradition). Forschungsgeschicht-
liche Überblicke (auch über die hier nicht angeführte ältere
Literatur) bei A.Klempt 1960, 17ff; R.Stupperich 1961, 72-76;
A.Agnoletto 1964, 493-497.

756) Siehe S. 418f, 421f.

757) Wenn im folgenden von "Geschichtstheorie" oder "geschichtsthe-
oretisch" gesprochen wird, so ist damit wieder - ähnlich wie
in der Frage der Wissenschafts- und Sprachtheorie - eine vorwissenschaftliche und vortheoretische Form von Reflexion auf
die Geschichte gemeint, weil die Humanisten weder unmittelbar
eine theoretische Begründung der historischen Forschung noch
eine systematische Geschichtsphilosophie intendierten, sondern
ihre "geschichtstheoretischen" Reflexionen eigentlich nur als
Moment an allgemein bildungstheoretischen Fragen (Bildung,
Rhetorik, Moralphilosophie, Literatur usw.) (vgl. dazu die
zusammenfassende Kritik von R.Landfester 1972, 165f, 168ff)
vollzogen.

758) Vgl. dazu H.Weisinger, Ideas of History during the Renaissance
(1945), in: Renaissance Essays 1968, 74-94; A.Buck 1957;
W.von Leyden 1958, 476ff, 487ff; M.P.Gilmore 1963; und bisher
am umfassendsten N.S.Struever 1970, und R.Landfester 1972.
Zu Verfalls- und Traditionsidee (zwischen früher Kirche und
Reformation) auch E.Seeberg 1923, 257-534.

759) Am zusammenhängendsten äußert sich Melanchthon über seine Geschichtsauffassung in seinen Vorreden und Einleitungen zu verschiedenen Geschichtswerken: zur dt.Ausg. des Chronicon Cario-
nis 1532 (Scheible 14-18), zum ersten Teil von dessen lat.Ausg.
1558 (ebd. 26-33, 33-41), zu Hedios "Ein auserlesene Chronik"
1539 (ebd. 19-26), zu den "Turcicarum rerum comment.etc." des
Paulus Iovius 1537 (CR III, 440-446), und zu Cuspinians
Chronik 1541 (in: R.Stupperich 1961, 182-191. Vgl. auch noch
die Texte bei A.Agnoletto 1964, 498ff. Diese Melanchthonischen
Beiträge sind von R.Landfester in seiner ansonsten umfangreichen Quellenangabe zur geschichtstheoretischen Literatur des
Humanismus (R.Landfester 1972, 31-38) nicht aufgeführt.

760) Vgl. bes. N.S.Struever 1970; R.Landfester 1972, 80-94;
K.Keuck 1934, 16-24, 24f; B.Reynolds, Shifting Currents in
Historical Criticism (1953), in: Renaissance Essays 1968,
115-136; K.Heitmann 1970, bes. 250-259. Zum Mittelalter etwa
M.Schulz, Die Lehre von der historischen Methode bei den Ge-
schichtsschreibern des Mittelalters (VI.-XIII.Jahrhundert)
(Abhandlungen zur Mittleren und Neueren Geschichte, 13),
Berlin-Leipzig 1909, bes. 120-134 (=5.Kap. Der Einfluß literarischer Quellen, insbesondere der Rhetorik), aber auch 78f,
84-119 (=4.Kap. Die Form des Geschichtswerkes), 104ff; H.Wol-
ter 1959, 74-78.

761) Dazu vor allem K.Keuck 1934, 6-34.

762) Ebd. 47-104; J.Spörl 1935, 18; M.-D.Chenu 1957, 64ff. J.Hennig,
Die Geschichte des Wortes "Geschichte", in: DVjs 16 (1938)
511-521, hat (ebd. 512) darauf hingewiesen, daß die Zweideutigkeit des deutschen Begriffs "Geschichte" ihre begriffsgeschicht
liche Wurzel in der Angleichung von "Geschichte" und "historia"
habe.

763) Vgl. dazu H.Lausberg 1960,I, § 290; K.Keuck 1934, 15-25.

764) So, wenn "res gestae" die objektive Bedeutung vertritt (z.B.
SA III, 48,27.34) oder "historia" und "res gestae" einander
gegenübergestellt werden (CR I, 73; CR III, 440; SA II/1, 145,
25) - vgl. auch den Ausdruck "rerum a christo gestarum Historia" (Bizer-Texte 45) -, wenn der Zusammenhang dies klar
zeigt: "conscriptas esse historias"(SA III, 53,16f), "historiam suam Thucydides incepit"(SA IV, 311,29), "Cum veteres
historias lego" (ebd. 379,6) u.ä. (SA III, 140,11f; CR I, 362),
ferner in Verbindungen wie "historia evangelii" (SA III, 110,
13f; Bizer-Texte 45), "historia evangelica" (SA IV, 167,16),
"historia legis" (SA V, 105,34f), "historien" (der Heiligen
Schrift) (Scheible 14ff, vgl. 26-41); fabulosae historiae de
sanctis (SA VI, 86,34), historiae beatorum (ebd. 160,19),
exempla historiarum o.ä. (SA VI, 65,6ff; SA IV, 417,4f; SA VI,
36,10f; SA II/2, 627,30ff; CR IX, 794; Bizer-Texte 20, 45,
46; Scheible 23, 38; SA IV, 352,8; 377,28 usw.)

765) Vgl. K.Heitmann 1970, 262f, 271; zum Mittelalter J.Spörl 1935,
80; H.de Lubac 1959, 467ff; H.Wolter 1959, 59ff.

766) "Derhalben sagt Thucidides...das historia ein schatz sein sol,
den man bei der hand haben sol, damit man sich die gleiche fel-
le schicken könne, dieweil immer gleiche sachen widder fur-
fallen.." "Wie man in allen künsten exempel zu der regel fur-
stellet, also werden uns in historien exempel furgemahlet aller
lahr von tugenden. Nu sihet man am exempel und an der that, wie
schön tugent, wie schedlich und schendlich untugend ist, viel
klerer denn in der regel. Derhalben solche furgestellete bilder sehr deutlich leren, ia leren nicht allein, sondern ver-
manan, bewegen und entzünden wol gezogene leute, das sie lust
und lieb zu tugent und zu ehren gewinnen. Ja ich halt, es sei
kein mensch so wild, wenn ehr ein treffliche, löbliche that

oder ein schreckliche straf liset, das solche ihm nicht zu
hertzen gehe"(Scheible 15); vgl. ebd. 19, und in R.Stupperich
1961, 184. Melanchthon beruft sich hier auf das sogenannte
"Programm" des Thukydides, das sehr unterschiedlich gedeutet
worden ist. Mit Sicherheit wird man lediglich sagen können,
daß es bei Thukydides gewisse Anhaltspunkte für die Melanchthonische Deutung gibt. Zu Thukydides vgl. u.a. J.de Romilly,
L'utilité d'histoire selon Thucydide, in: Histoire et historiens dans l'antiquité (Entretiens sur l'Antiquité Classique,
4), Genf 1958, 41-66; 67-81 (aus der Diskussion). Zum praktisch
ethischen Nutzen der Geschichte bei Melanchthon vgl. auch die
Belege bei K.Hartfelder 1889, 198f; R.Stupperich 1961, 78f;
P.Meinhold 1960, 90f; M.Müller 1963, 423ff; zum Humanismus
allgemein E.Seeberg 1923, 280f; R.Landfester 1972, 111ff.
Zu der verbreiteten antiken und humanistischen Tradition, die
die Historie (und auch die Poesie) als lebendige Philosophie
in Beispielen begreift vgl. K.Heitmann 1970, 271f; R.Landfe-
ster 1972, 59ff.

767) Vgl. dazu die Belege bei W.Maurer 1967, 112f; ferner auch
G.A.Herrlinger 1879, 459f.

768) Dazu ausführlich R.Landfester 1972, 131-164; ferner E.Seeberg
1923, 280ff.

769) "Aber Polybius...gibt seer ein nützliche leer, das man nit
allein stuckweiß etlich exempel lernen soll, sondern das vil
nützlicher sei, der regiment ordentliche historien zu haben
an einander hangend, darin zu sehen, was für veränderungen und
auß welchen ursachen zu jeder zeit in monarchen, landen und
stetten fürgefallen. Und ist in warheit dises von Polybio,
als von einem erfarnen, ser weißlich bedacht, denn solche veränderungen mit iren ursachen und umstenden mercken und erwegen,
bringt vil hoher leer und underweisung"(Scheible 19f). In der
Tat scheint sich unter den antiken Historikern nur Polybius
der linearen christlichen Geschichtsauffassung zu nähern, weil
er alle Ereignisse so darstellt, als führten sie zu einem bestimmten Ziel, der Weltherrschaft Roms. Auf der anderen Seite
bewegt sich jedoch auch bei ihm die Geschichte im Kreislauf
von politischen Umläufen (vgl. K.Löwith 1967, 16ff); zur verbreiteten Vorstellung vom politischen Erkenntniswert der Geschichte wieder R.Landfester 1972, 156ff.

770) Zur patristisch-mittelalterlichen Konzeption von Universalge-
schichte als Heilsgeschichte vgl. z.B. J.Spörl 1935, bes. 18
bis 50; H.Wolter 1959, 68f; Geschichtsdenken und Geschichts-
bild im Mittelalter. Ausgewählte Aufsätze und Arbeiten aus
den Jahren 1933 bis 1959, hrsg. von W.Lammers (WdF, 21), Darmstadt 1965 (1961); ebd. 460-475 weitere Literatur. Zur ganzen
Frage auch K.Löwith 1967.

771) "Darumb, wie Polybius gesprochen, ist nützlich, gantze chroni-
ken von anfang zu ende zu haben, das wir der welt ordnung und
bei uns den anfang menschlicher natur, auch der religion und
künigreichen und derselbigen veränderung wol betrachten können. Dann welche blindheit wäre in menschen, so wir nichts zuruck von unserm anfang, von anfang und veränderung der religi-

on wißten und köndten nicht anders zuruck gedencken, dann das
viech"(Scheible 20); ähnlich in R.Stupperich 1961, 184f; vgl.
auch Or.de Aristotele 1544 (SA III, 131,38/132,1ff)). Dasselbe
in bezug auf die Heilige Schrift: "..und ist eine besondere
große Ehre und große Weisheit der Kirche Gottes, daß sie allein eine gewisse Historia hat vom Anfang der Welt, an einander hangend und für und für, daß wir den Ursprung und die
Ausbreitung unserer Religion eigentlich wissen mögen.."(An
den Stadtrat von Soest, 20.Juni 1543, CR V, 127); vgl. auch
R.Stupperich 1961, 80ff; ferner auch S. 296. Zum Zusammenhang
mit dem Mittelalter: P.Polman (1932, 211): "Concluons que les
historiens du XVIe siècle ne se distinguent guère des chroni-
queurs médiévaux.." Und P.G.Bietenholz sieht (1966, 11f)
speziell Melanchthon als Fortsetzer der mittelalterlichen
Weltchronik-Tradition.

772) Dies ist die These W.Maurers (1961a, 24f; 1962, 51f; 1965a;
1967, 49f, 58, 99-128; 1967a, bes. 174). W.Maurer, der (1967,
119f; 1967a, 191) Melanchthon auch den religiös begründeten
Universalismus der mittelalterlichen Weltchroniken aufnehmen
sieht, vertritt (1967, 105f, 108, 110) die Meinung, daß Melanchthon an der neuplatonischen Grundlage seines Geschichtsverständnisses immer festgehalten habe. Allerdings muß er zugleich
(ebd. 105) feststellen, daß es auch eine Reihe von Verschie-
bungen gegeben habe: so die ständige Betonung des praktischen
Nutzens der Geschichte, die Beschränkung der Uroffenbarung
auf Natur- und Sittengesetz (auf die natürliche Offenbarung),
das in den Vordergrundtreten der Biblischen Geschichte. Muß
man nicht von daher schon zur Ansicht kommen, daß die angebliche neuplatonische Grundlage auf jeden Fall nicht sehr tief
gereicht haben kann? Zur Gesamtthese Maurers siehe auch
S. 414f, S. 375 Anm.732.

773) Vgl. dazu bes. den auch heute im groben noch anerkannten Abriß der abendländischen Geistes- und Bildungsgeschichte in
De corr.stud.1518 (SA III, 31-33). Dazu bemerkt J.Dolch zu
Beginn seiner Darstellung der Lehrplanentwicklung im Mittelalter: "Richtig bleibt für immer in ihren Grundzügen die Darstellung, die ein großer Lehrplanreformer am Abschlusse des
Mittelalters gab"(J.Dolche 1965, 99). Ähnlich auch schon
E.Norden (1909, II, 660): "Den allgemeinen Entwicklungsgang
der klassischen Studien im Mittelalter hat schon Melanchthon
in großen Zügen treffend geschildert.."; zur Vorstellung von
den renascentia studia o.ä. vgl. etwa SA III, 30,7.16f; 31,1f.

774) Siehe S. 109f, 470.

775) Vgl. dazu A.Buck 1959, 139ff; und bes. H.Gmelin 1932.

776) Vgl. H.Gmelin 1932, 122ff; A.Buck 1959, 139.

777) In der rhetorischen Tradition ist bereits die Verbindung von
historia und memoria hergestellt: 'historia est gesta res ab
aetatis nostrae memoria remota'. Diese Ciceronische Definition
(De inventione I,27) geht dann durch die ganze Latinität bis
hinauf zu Isidor von Sevilla (vgl. K.Keuck 1934, 17). In diesem Ciceronischen memoria-Begriff sind bereits die von Plato

angebotene Wachstafelmetaphorik und die Vorstellung von einem
Gedächtnismagazin ineinandergeflossen; vgl. dazu H.Weinrich,
Typen der Gedächtnismetaphorik, in: ABG 9 (1964) 23-26, bes.
25. Eine spezielle Rückführung des Melanchthonischen memoria-
Begriffes auf den Florentiner Neuplatonismus muß also nicht,
wie W.Maurer meint, postuliert werden: "Solches Verständnis
der Geschichte - diese in ihrem Verlauf und als dessen Ab-
schattung im Bewußtsein der Nachkommen verstanden - hat Melanchthon aus den neuplatonischen Voraussetzungen seiner Anfangs-
philosophie entwickelt und bei seinen platonisierenden Lehrern
bestätigt gefunden"(W.Maurer 1967, 105); vgl. ders. 1965a,180.

778) Vgl. A.Buck 1959, 140ff; ebd. 143-149 auch über die Bedeutung
der humanistischen Loci-Methode für die Verarbeitung des
antiken Materials.

779) Zu "ingenium" und Phantasie vgl. die (etwas systematisierenden)
Beiträge von E.Grassi 1970, 147-227; ders. 1973, 156-178. Es
scheint, daß auch der memoria-Begriff eine gewisse affektivi-
sche Dimension besaß (so K.Dockhorn 1964).

780) Zu Erasmus bes. H.Gmelin 1932, 229-248; ferner auch D.Harth
1970, 70-84; W.Rüegg 1946, 117-125. Gmelin faßt als Ergebnis
zusammen: "Die antiken Vorbilder sind für Erasmus, formal und
inhaltlich zugleich genommen, nur geistige Nahrung, die nötige
Bildung zum Ausdruck seines eigenen Ingenium"(Gmelin 1932,247).
Auch Erasmus verwendet das Bienengleichnis, daneben das Gleichnis von den Ziegen, die nicht nur an einem Ort weiden, dann
das Gleichnis von den Malern, Bildhauern und Architekten, die
auch nicht mit einem einzigen Vorbild wetteifern, und schließlich das Bild von der Verdauung (ebd. 246).

781) Die wichtigsten Texte zum imitatio-Problem sind bei Melanchthon folgende: Schol.Cic.orat.II,12,53, 1524 (CR XVI, 722 bis
727: De imitatione); El.rhet.1531 (CR XIII, 492-504: De imitatione); Ann.Quint.Inst.X,2,16 (CR XVII, 670-675: Commonefactio
de Imitatione). Über den Inhalt dieser Texte informiert
K.Hartfelder 1889, 342-349.

782) Vgl. etwa CR XIII, 492f, 496f; CR XVI, 724f.

783) Schol.Cic.orat.1524 (CR XVI, 725).

784) Ebd. 722ff; siehe auch S. 441f.

785) "Sunt enim traditae (nämlich die sententiae als Weisheitssprü-
che) a sapientissimis hominibus et consuetudine comprobatae,
tacite praecipiunt, quomodo gubernari casus illi vitae debeant,
quorum mentionem faciunt"(Schol.Prov.1529, SA IV, 309,20ff).
Daneben verwendet Melanchthon "consuetudo" auch in einem weiteren Sinn; so lautet z.B. die Antwort auf die Frage, was die
Moralphilosophie sei in den Epit.eth.1532: "Est perfecta notitia praeceptorum de omnium virtutum officiis, quae ratio
intelligit naturae hominis convenire, quaeque ad hanc civilem
vitae consuetudinem necessaria sunt"(Heineck 131); vgl. ebd.
166; SA III, 157,3ff; 293,8ff; SA I, 378,6f.

786) In diesem Sinn legt Melanchthon Spr 13,20 ("Qui cum sapienti-
bus versatur, sapiens erit, at stultorum socius male habebit")
aus: "In utramque partem magna vis est in consuetudine et con-
versatione aliorum. Nam fere similes evadunt homines eorum,
quibuscum habent consuetudinem." "Nam ut in artificibus discipuli quandam magistrorum similitudinem habent, ita in vita ac
moribus eos imitamur, quorum consuetudine delectamur, et saepe
clam ac aliud agentibus adhaerescunt nobis illorum opiniones
ac mores"(Schol.Prov.1529, SA IV, 395,19ff.29ff); vgl. auch
De eccl.1539 (SA I, 351,31ff).

787) "Proinde non temere familiaritatem cum omnibus contrahere debemus, sed deligere optimos, quorum consuetudine meliores
reddamur"(Schol.Prov.1529, SA IV, 395,33ff); vgl. Ann.Quint.
Inst. (CR XVII, 670): "Ac de generali imitatione recte dicitur,
omnes bonos imitandos esse." Zur Auffassung Quintilians, dem
Melanchthon vor allem folgt, vgl. bes. G.Funke, Gewohnheit
(ABG, 3), Bonn 2.Aufl.1961, 99-118 (=Der Habitus des vir bonus:
Ausbildung von ars dicendi und scientia rect loquendi, in-
spectio und sapientia, imitatio und exercitatio: Quintilian);
aufschlußreich in diesem Zusammenhang auch ebd. 118-131
(=Dekadenz des 'rhetorisch çebildeten Menschen' und Verlust
der Gewohnheit der Freiheit: corruptio eloquentiae).

788) Das hängt mit der sprachgeschichtlichen Situation zusammen
(vgl. S. 432ff).

789) Vgl. z.B. das Dictum "Altera natura est consuetudo",das Melanchthon in der Lv. zu De spiritu et litera, Juli 1545 zustimmend zitiert (CR V, 805), oder die Klage: "Difficillimum est
enim docendo mutare ea quae consuetudine recepta robur
acceperunt"(Epit.eth.1532, Heineck 140).

790) Das gleiche Doppel findet sich nach M.P.Gilmore (1963, 108)
auch bei Erasmus.

791) Vgl. De corr.stud.1518 (SA III, 39,13ff) und De artibus liberalibus 1517 (ebd. 26,3ff) - dazu siehe S. 348, 350, 351, 352 -;
Enc.eloqu.1523 (SA III, 53,15ff); ferner Or.de studiis linguae
Graecae 1549: "..quod vita humana in universum sine cognitione
historiae aliud nihil est quam...perpetua quaedam pueritia, immo
verum perpetua caligo ac caecitas"(ebd. 144,6ff).

792) Das wird in den S. 378 Anm.759 genannten Texten immer wieder
betont; das kommt auch in den gängigen Formeln wie etwa
"historia scripturae docet"(SA II/1, 106,6ff), "docet historia
Saul"(SA IV, 397,20) usw. zum Ausdruck.

793) Siehe S. 379fAnm.766. Ferner Or.de Aristotele 1544: "Ut enim
libri eruditionem alunt, ita exempla excitare animum ad harum
virtutum imitationem solent"(SA III, 129,18f); ähnlich De
vita Aristotelis 1537 (ebd. 97,37f); Enc.eloqu.1523 (ebd. 53,
18ff).

794) "Non solum quia plus voluptatis ex historia percipitur, delectat enim animos varietas negotiorum et eventuum, sed etiam
quia multis de causis prodest nosse magnorum virorum consilia,
dicta, facta"(De vita Aristotelis 1537, SA III, 97,32ff); vgl.
ebd. 103,1ff. "Ac si voluptas quaeritur, vos omnes experiri
hoc arbitror, nihil dulcius esse quam mente intueri viros
antecellentes virtute, in quibus quasi ipsam virtutum effigiem
spectare nos sentimus"(Or.de Aristotele 1544, ebd. 123,35ff);
vgl. ebd. 124,5ff. Vgl. allgemein zu docere-movere-delectare
als Ziel der Geschichte R.Landfester 1972, 92ff.

795) "Verum nemo tam imprudens est, qui non hoc consilio animad-
verterit conscriptas esse historias, ut omnium humanorum
officiorum exempla tamquam in illustri posita loco cerneren-
tur"(Enc.eloqu.1523, SA III, 53,15ff). "Est omnino excellentis
sapientiae et eloquentiae opus historiam recte scribere"
(Scheible 28). "Res gestae illorum temporum (sc.aetatis superi-
oris) aeternis obrutae tenebris iacent; nemo enim erat, qui
eis litterarum lumen adhibere posset"(Enc.eloqu.1523, SA III,
48,34ff). Die griechische Sprache sei ein "rerum gestarum
et historiae mundi ταμεῖον"(Or.de studiis linguae Graecae 1549,
ebd. 141,15f). Dieser Zusammenhang zwischen Rhetorik, Sprache
und Geschichte ist gut gesehen bei H.-G.Geyer 1965, 185.

796) L.Valla, De rebus a Ferdinando Aragoniae rege gestis libri tres
(Opera II, Turin 1962, 5: "..conditores oratoriae artis,
quae historiae mater est"; zit.nach J.E.Seigel 1968, 139
Anm.5).

797) Zum Folgenden vgl. H.Heimsoeth 1965, 131-171 (=IV. Sein und
Lebendigkeit).

798) Zu der humanistischen Reaktion auf die Scholastik und zur Geschichtlichkeit des humanistischen Denkens vgl. bes. E.Grassi
1973, 74-134; hier bes. den Vergleich zwischen Dantes "De
monarchia" und Salutatis "De tyranno" (ebd. 113-117). Zur
Sprachauffassung siehe S. 450. Prägnant ist dieser Sachverhalt
von N.S.Struever (1970, 78) so ausgedrückt worden: "The Humanists consider the movement of culture no longer as the pro-
gress from pre-existent system of unlived doctrine, but as
recurrence of types of ethical problems and behavior. It is
the concrete reality of the force of justice, the strength of
truth, the value of modesty which history purveys."

799) Zur Lichtmetaphysik und -symbolik des Mittelalters vgl.
J.Ratzinger, Licht und Erleuchtung. Erwägungen zu Stellung und
Entwicklung des Themas in der abendländischen Geistesgeschichte, in: StudGen 13 (1960) 368-378; ders., Licht, in: HThG II
(1963) 44-54; J.Koch, Über die Lichtsymbolik im Bereich der
Philosophie und der Mystik des Mittelalters, in: StudGen 13
(1960) 653-670; zu den Nachwirkungen: K.Goldammer, Lichtsymbolik in philosophischer Weltanschauung, Mystik und Theo-
sophie vom 15. bis zum 17.Jahrhundert, ebd. 670-682; E.Garin
1947, 116ff, 246ff.

800) W.Rüegg 1959, 25; vgl. A.Buck 1957, 12; Th.E.Mommsen,
Petrarch's Conception of the 'Dark Ages', in: Speculum 17
(1942) 226-242. Analoges gilt auch vom auctoritas-Begriff;
zu seiner vornehmlich vertikalen Ausrichtung im Mittelalter
vgl. Y.M.J.Congar 1965, 119-124. Zur mehr horizontalen Anordnung im Humanismus Melanchthons siehe S. 483ff.

801) Vgl. z.B. Wv. zum 3.Bd. der lat.Werke Luthers, 1.Mai 1549:
"Itaque cum magnae in Ecclesia tenebrae essent, et lux Evangelii oppressa esset sophisticis labyrinthis Sententiariorum,
superstitione Canonistarum et Monachorum, et variis idolorum
cultibus, ipse (sc.Lutherus) accensu divinitus, doctrinam
emendavit, et revocavit Ecclesiam ad fontes.."(CR VII, 398);
hier ist zugleich auch die Vertikale anwesend (siehe dazu
S. 204f Anm.391). Dafür, daß Melanchthons Naturfrömmigkeit
gerade von der platonisch-neuplatonischen Tradition der
Lichtmetaphysik herkomme (so W.Maurer 1962, 41) gibt es keine
überzeugenden Anhaltspunkte.

802) Vgl. A.Buck 1957, 14ff.

803) A.Klempt 1960, 11. Vgl. auch die Wendung Melanchthons gegen
den Atheismus allgemein (siehe S. 243ff).

804) So die wohl richtige These von A.Klempt (1960, 11ff, 34, 124),
der das Intervall zwischen dem Auflösungsbeginn der geschichts-
theologischen und den Anfängen der geschichtsphilosophischen
Deutung der Universalhistorie untersucht.

805) Dazu u.a. K.Löwith 1967, 109-128.

806) Siehe zum Überlieferungsbegriff S. 247-313. Vgl. auch S. 287ff.

807) Vgl. dazu bes. C.Dauer, Die mittelalterlichen Grundlagen des
historischen Denkens, in: Hochland 55 (1962/63) 24-35, bes.
24ff; M.-D.Chenu 1957, 62-89 (=Kap.III: Conscience de l'Histoire et Théologie); ferner auch H.M.Klinkenberg, der (1969,
168ff, 176f) z.B. auf die Emanzipation der Gegenwart von der
Vergangenheit in der Rechtstheorie hinweist; auch W.von Leyden
1958, 476f.

808) Ausführlich nachgewiesen hat dies an Hand der mittelalterlichen Entwicklung der Theorie der Veränderbarkeit des Rechtes
H.M.Klinkenberg 1969.

809) Y.M.J.Congar 1965, 119.

810) A.Buck 1959, 133ff. Vgl. W.Rüegg (1959, 28): "Die Bücher sind
also geformte Stimme der Seele ihrer Autoren; sie pochen, wie
Guarino da Feltre sagt, an die Türe der eigenen Seele und
sprechen mit ihr. Indem man fremde Autoren liest, wieder liest,
auswendig lernt, mit ihnen zusammen lebt, begegnet die eigene
Seele durch das Wort hindurch der fremden Seele." Zu Erasmus
vgl. etwa seine Wv. zu den Tusculanae Quaestiones, 1523
(Allen V, Nr. 1390, S. 338-341), und D.Harth 1970, 85-93. Der
Sachverhalt findet sich auch noch bei Melanchthon, wenn auch
anscheinend nicht mehr mit der gleichen Emphase: "Oportet enim

habere certos autores, quibus cum quasi colloquentes linguam
discamus, praesertim cum tota nunc e libris sumenda est"
(Ann.Quint.Inst.X, 1534 (CR XVII, 670).

811) Vgl. W.Rüegg 1959, 25ff; dazu auch dessen schöne Interpretation eines Petrarca-Briefes, in dem diese neue Haltung gut
zum Ausdruck kommt (W.Rüegg 1946, 12-19); A.Buck 1957, 8f;
ders. 1959, 137ff; ders., Gab es einen mittelalterlichen Humanismus? (1963), in: ders. 1968, 36-56; M.P.Gilmore 1963, bes.
1-37, 99f.

812) W.Rüegg 1959, 27.

813) Vgl. dazu W.von Leyden 1958, 473ff, 480ff; und bes. auch die
Forschungsübersicht von P.Burke, The Sense of Historical
Perspective in Renaissance Italy, in: Cahiers d'Histoire Mon-
diale 11 (1968) 615-632; ferner N.S.Struever 1970, 66f.

814) Siehe S. 487.

815) H.-G.Geyer setzt vorschnell eine (wenn auch vorherrschende)
Linie für das Ganze, wenn er (1965, 185) von bestimmten Texten
aus behauptet: "Es ist aber keine Frage, daß *Melanchthon*
nicht *aus* dem historischen Geist denkt, sondern *aus rhetori-
schem Geist*, und das bedeutet im allgemeinen, daß er von der
Bildungsmacht und Formkraft der sprachlichen Tradition her
denkt.." "Aus dem Geist der Rhetorik wird an die Geschichte
gedacht, und nicht aus dem Geist der Historie an die Bildungs-
kraft der sprachlichen Überlieferung; der Weg führt *vom Geist
der Rhetorik zum Geist der Historie*, und *nicht umgekehrt*."
"Der 'historische Sinn' des Humanismus ist in Wahrheit seine
rhetorische Methode, die jenen erst gezeitigt hat." Vgl. auch
ebd. 183.

816) Siehe S. 366, 418f, 433, 448ff, 451f, 461, 470.

817) Nach Y.Congar kennt Thomas von Aquin z.B. den modernen Tradi-
tionsbeweis noch nicht: "Die *auctoritas* hat bei ihm vertikale
Bedeutung, insofern sie einen Akt Gottes darstellt, der die
Kirche erleuchtet, und keine horizontale nach Art einer historischen oder rein menschlichen Kontinuität"(M.-J.Congar 1960,
174); dies ist im Grunde die Position des ganzen Mittelalters
(vgl. Y.M.J.Congar 1965, 115-133).

818) "Haec mala confirmata temporibus nunc titulum habent consuetudinis Ecclesiasticae. Cum autem in tanta caligine humanarum
mentium facilime obrepant malae opiniones et mores ruant in
deterius, testimonium consuetudinis in Ecclesia longe infra
verbum Dei collocandum est, quod ideo Deus velut scintillam
in tenebris humanis lucere voluit, ne falsis persuasionibus
ac vitiosa consuetudine ab ipso abduceremur"(Protestanten ad
Caesarem de libro Ratisbon. Forma amplior, 12.Juli 1541, CR IV,
480); vgl. auch die zahlreichen Stellen in BS 1193, Sachregister s.v. Menschensatzungen.

819) Siehe S. 136ff, 152-155, 277. Vgl. auch Ursach 1546 (SA I,
428,33ff/429,1ff); Resp.clerum Col.1543 (SA VI, 421,13ff).
Beispiele falscher Gewohnheiten u.a. in: Conf.Sax.1551 (SA VI,
156,24ff); Resp.art.inquis.1558 (ebd. 359,32ff).

820) Hier kann sich Melanchthon auch auf einen alten Rechtssatz berufen: "Qui in foro versantur, negant exemplis iudicandum esse,
sed legibus.."(Did.Fav.or.1521, SA I, 65,36ff). Auf der anderen
Seite ist selbst in der Frühzeit eine Gewohnheit im kirchlichen Bereich nie eo ipso schon illegitim. Bewegt sie sich innerhalb der Grenzen, die das Wort Gottes zieht, so ist sie durchaus akzeptabel: "Nec de ritibus ac Ceremonijs habent (sc.ponti-
fices) ius statuendi, Nisi quod per consuetudinem sibi usur-
parunt. Quondam enim si quid in ritu novandum videbatur, fie-
bat hoc communi ecclesiae consensu." "Iam vero cum usurparint
ius et dominatum per consuetudinem, Non nego eis licere de
ritibus et Ceremonij statuere, Sed ita, ut ne onerent libertatem christianam"(Capita 1520, Bizer-Texte 119). Vgl. auch
S. 309ff.

821) Melanchthon zitiert diese Tradition ausführlich in einem Entwurf der Vorrede der CA (BS 35,34ff/36); hier auch die einzelnen Nachweise. Kürzer in CA XXII (BS 85,25/86,1ff). Hingewiesen wird darauf auch in der von Melanchthon verfaßten Antwort des Kurfürsten Joh.von Sachsen an Karl V, 18.Juli 1530
(Bindseil 68). Zur Sache auch H.M.Klinkenberg 1969, 163.

822) Vgl. dazu bes. die kurze Patrologie De eccl.1539 (SA I, 326 bis
386), die G.A.Herrlinger (1879, 457) die "erste Dogmengeschichte vom protestantischen Standpunkt" genannt hat. Das
Programm umschreibt Melanchthon hier so: "Aliquot Synodorum
et Patrum exempla colligam, ut appareat in illis contineri
dissimiles materias, ne sine discrimine omnia omnium dicta,
aut omnes Veterum ritus pro necessariis recipiantur"(SA I,
339,30ff). Von der "Kirchlichen Hierarchie" des Areopagiten
heißt es z.B.: "Ergo valeant eius testimonia, quod ad historiam attinet, ut sciamus, qui ritus tunc fuerint usitati, non
fiant dogmata aut leges ex eius descriptionibus"(ebd. 349,20ff);
ähnlich von Tertullian: "Ergo, ut de caeteris dictum est,testi-
monia historica in Tertulliano prosunt, ubi commemorat, quid
senserit prior Ecclesia: Sed eius enarrationes et disputationes non recipiantur tanquam dogmata, nisi quatenus consentiunt
cum Apostolica scriptura"(ebd. 350,28ff). Zum historischen
Argument in der theologischen Auseinandersetzung vgl. etwa
auch P.Polman 1932, 31-44.

823) Dies hebt Melanchthon in allen überlieferungsgeschichtlichen
Abrissen (z.B. Resp.clerum Col.1543, SA VI, 393ff; De eccl.
1539, SA I, 332ff; Vorr.zum 2.Bd. der lat.Werke Luthers,
1.Juni 1546, CR VI, 166ff) hervor. Als weitere Beispiele seien
genannt: B.an G.Brück, Nov.1543?: "De scriptoribus Ambrosio
et Augustino non dubium est eos nobiscum sentire, sed non semper satis commode loquuntur. Hae res ea aetate non sic disputatae sunt, et satis alioqui negligenter solent loqui scriptores illi"(CR V, 234). Apol.IV, 1531: "Antonius, Bernhardus,
Dominicus, Franciscus et alii sancti patres elegerunt certum

vitae genus, vel propter studium vel propter alia utilia exercitia. Interim sentiebant se fide propter Christum iustos
reputari et habere propitium Deum, non propter illa propria
exercitia. Sed multitudo deinceps imitata est non fidem patrum,
sed exempla sine fide, ut per illa opera mererentur remissionem peccatorum, gratiam et iustitiam"(BS 200,45ff/201,1f).
Speziell zu Augustinus siehe auch S. 213f.

824) "Ac recentissime temporis consuetudo in toto orbe Christiano
in omnibus templis et monasteriis consideretur. Omnia plena
fuerunt venalium missarum, hisce trecentis annis, postquam
monachi confirmarunt opiniones de sacrificio pro peccato, et
de applicatione"(De sacramento et missa, Mai 1541?, CR IV,310).

825) CAvar 1540 (SA VI, 78,18ff). Eine derartige Haltung gegenüber
der kirchlichen Vergangenheit will W.Maurer bereits für die
späteren Partien der Loci 1521 feststellen: "In Melanchthon
regt sich der gelehrte Humanist, der auch in den äußeren Formen
des öffentlichen Lebens in Kirche und Gesellschaft die Kontinuität mit der Vergangenheit festhalten will. Er durchforscht
die Geschichte jener Formen, und er gewinnt aus der geschichtlichen Erfahrung Gesetze, die auch für die Gegenwart Gültigkeit
beanspruchen"(W.Maurer 1958, 179).

826) Conf.Sax.1551 (SA VI, 143,29f).

827) Urteil 1524 (SA I, 177,28ff).

828) "Haec non eo scribo, quod non probem scriptum (sc.Osiandri),
sed plus lucis habuisset, si maluisset dicere κοινά quam
καινά, etsi erro fortassis. Nam hoc tempore novitas una, ut
cantilenas, ita disputationes commendat. Sed me delectat simplicitas et non libenter discedo a consuetudine Scholarum. Nec
profecto utile est discentibus, sine causa mutare veras et
receptas sententias ac methodum"(B.an Vitus Theodorus, 26.Okt.
1539, CR III, 801f); vgl. Wv. zu De anima, 1.Nov.1552 (CR VII,
1126).

829) Siehe S. 296.

830) Siehe S. 186-194.

831) "Nach dem nun zweierlei tugent eim ieden not sind, nemlich
eusserliche, weltliche tugent, darüber auch Gottes forcht und
glauben, tragen uns die historien beiderlei exempel fur"
(Scheible 14, vgl. 15). "Sed sapientia est etiam lectori necessaria considerare, quae commonefactiones ex historiis sumendae
sint, de quibus haec regula tenenda est: Sit vitae norma Decalogus id est lex Dei, sicut scriptum est: In praeceptis meis
ambulate. Postea historias sciamus legum exempla esse ac mon-
strare poenas atrocium scelerum et liberationes iustorum. Ac
in utrisque non tantum eventus intueamur, sed Dei praesentiam
cogitemus, qui sut ordinis custos est. Historiae ethnicae magis proponunt exempla secundae tabulae Decalogi.."(Scheible
28f).

832) "Uber das sol man fleissig in historien acht haben, das Gott
zweierlei reich, das weltlich und die kirch odder reich Christi, angerichtet hat. Und ist not zu mercken, wie die kirch
bald im anfang der welt angefangen, und wie sie fur und fur
erhalten ist. Darümb will ich zu sterkung des glaubens zu
ieder zeit anzeigen neben den weltlichen reichen, wo das reich
Christi gewesen und wie es darin gestanden ist"(Scheible 18);
vgl. Scheible 20, 14; Enc.eloqu.1523 (SA III, 53,8ff); in:
R.Stupperich 1961, 189ff.

833) Die These von einer einheitlichen theologischen Deutung der
Geschichte ist inzwischen allgemein verbreitet; vgl. z.B.
P.Fraenkel 1961, 59-61, der ebd. 61 zum Ergebnis kommt:
"that Melanchthon knew only one kind of history and that this
was essentially sacred history". Dies ist zwar nicht falsch,
aber vielleicht doch etwas zu undifferenziert, weil es das
Verhältnis von Offenbarung und Vernunft nicht präzise wiedergibt. Es gibt dort wie hier einen relativen Bereich der
Selbständigkeit. Zur einheitlichen theologischen Deutung der
Geschichte als Heilsgeschichte vgl. auch A.Agnoletto 1964,
498-525.

834) Siehe S. 195, 206f.

835) Dazu vor allem R.Stupperich 1961, 186ff.

836) Vgl. dazu ausführlich P.Fraenkel 1961, 70-109; ferner auch
P.Meinhold 1960, 92f.

837) P.Meinhold (1960, 92): "Melanchthon hat damit durch seinen an
der kirchlichen Lehre interessierten Traditionalismus der
protestantischen Kirchengeschichtsschreibung die Richtung auf
die Dogmengeschichte gegeben." Meinhold folgt damit E.Seeberg
1923, 446f. E.Seeberg sieht (1923, 446-454) die Deutung der
Kirchengeschichte bei Melanchthon als Verbindung von Verfallsidee (bes. in der Frühzeit) und Traditionalismus (der in der
späteren Zeit immer stärker hervortreten soll). Damit ist
trotz der etwas mißverständlichen Begriffe das Entscheidende
richtig gesehen. Es dürfte ebenfalls richtig sein, wenn Seeberg (ebd. 448) sagt: "Die Geschichte zeigt den Geist der
Schrift auf. Es ist das anders gewandte und gedeutete katholische Traditionsprinzip, die Überzeugung, daß Gottes Wort von
dem in seinen Zeugen wirksamen Geist...ausgelegt wird", und
dann meint, daß es deshalb nicht richtig sei, die Entstehung
der protestantischen Kirchengeschichtsschreibung allein aus
dem Bedürfnis konfessioneller Polemik zu erklären.

838) Der dem Titel nach einschlägige Aufsatz von E.Wolf 1962 ist
hier wenig ergiebig; er behandelt eigentlich nur ganz schema-
tisch den Prozeß der kritischen Rezeption der dogmatischen
Tradition bei Luther (ebd. 328-330), Melanchthon (330-336) und
in der protestantischen Orthodoxie (336f).

839) Reiche Belege bei J.Spörl 1930, bes. 297-315; M.-D.Chenu 1957,
386-398 (=Kap.XVIII: Tradition et Progrès); Antiqui und

moderni 1974.

840) Loci 1559: "Non gigno novas opiniones nec aliud maius scelus
esse in Ecclesia Dei sentio, quam ludere fingendis novis
opinionibus et discedere a Prophetica et Apostolica scriptura
et consensu vero Ecclesiae Dei"(SA II/1, 166,1ff); vgl.
B.an L.Spengler, April 1527? (CR I, 901; zur Dat. SM VI/1,358)
Wv. zu "Sententiae veterum..", März 1530 (CR II, 29, 31);
B.an Erasmus, 12.Mai 1536 (CR III, 69). "Nec iudico utile esse
Ecclesiae, singulos, contempto fratrum iudicio, νεωτερίζειν,
et adhuc omnibus votis opto, ut tandem aliquando amanter et
libere pii ac docti viri inter se colloqui possint"(B.an Bucer,
3.Febr.1535, CR II, 842); vgl. ferner auch B.an J.Mantelius,
Febr.1530 (CR II, 15); Apol.II, 1531 (BS 157,21ff); Testamentum, Mai 1540 (CR III, 827); weitere Belege bei K.Haendler
1968, 226 Anm.43.

841) "Neque enim negare potes, Hirce, multa defendi a te, quae igno-
rit vetustas, nam recens doctrinae genus est scholasticum
illud... Nuper leges editae sunt de indulgentiis, de formulis
poenitentiae,de Monarchia Romani Episcopi"(Did.Fav.or.1521,
SA I, 65,2ff). Vgl. das Material bei P.Fraenkel 1961, 162-170.
Zum traditionellen novitas-Vorwurf gegen Ketzer vgl. J.Spörl
1930, 301f.

842) "Wer nu nicht ein Epicureus ist, sondern so viel Lichts hat,
daß er hält, daß ein ewiger Gott sey, der seinen Willen in der
Propheten, Christi und der Apostel Lehre geoffenbart habe, als
welche die erste und älteste Lehre und Schrift ist, der muß
ja bedenken in diesem Streit, welches recht sey: bei der ersten Offenbarung zu bleiben.., oder des Mahomets, Papsts und
Mönch Fantaseyen zu folgen, welche neue sind.."(Lv. zur dt.
Übersetzung der Loci, Juli 1542?, CR IV, 837).

843) So deutet Melanchthon Joh 1,18: "Unigenitus filius, qui est in
sinu patris ipse enarravit nobis. Significat enim afferri
novum genus doctrinae ignotum mundo et quidem de voluntate
dei"(Loci 1533, CR XXI, 255).

844) Z.B. doctrinam renovare (BS 78,23f); doctrina repurgata (SA VI,
51,21), ut Ecclesia repurgaretur et instauraretur (CR III,827);
siehe auch S. 248.

845) Dazu J.Spörl 1930, bes. 315-341. J.Leclercq macht (1963, 227)
darauf aufmerksam, daß die monastische Theologie vielmehr der
Vergangenheit zugewandt gewesen sei.

846) So z.B. im Bereich der Grammatik: Eberhard von Bethune, dessen
"Graecismus" (erschienen 1212) neben dem "Doctrinale" des
Alexander von Villedieu (verfaßt 1199) zu den epochemachenden
Werken der neuen Grammatik gehört, wendet sich vom neuen Wissenschaftsideal aus gegen die alten auctoritates: "Cum Priscianus
non docuerit grammaticam per omnem modum sciendi possibilem,
in eo sua doctrina est valde diminuta. Unde constructiones
multas dicit, quarum tamen causas non assignat, sed solum eas
declarat per auctoritates antiquorum grammaticorum. Propter
quod non docet, quia illi tantum docent, qui causas suorum

dictorum assignant";Eberhardus Bethuniensis, Graecismus, hrsg. von J.Wrobel (Corpus grammaticorum medii aevi, I), Vratislaviae 1887, Praef. S.IX. Ganz ähnlich, wenn auch vielleicht noch etwas vorsichtiger, bereits Wilhelm von Conches (1080-1154), der am Schluß seines Werkes De philosophia mundi seinen Entschluß mitteilt, die Grammatik auf eine neue Weise zu behandeln; siehe den Text bei H.Roos, Die Modi significandi des Martinus de Dacia. Forschungen zur Geschichte der Sprachlogik im Mittelalter (BGPhMA, 37,2), Münster-Kopenhagen 1952, 93. Thomas von Aquin drückt dies in der Formel aus: "Studium philosophiae non est ad hoc quod sciatur quid homines senserint, sed qualiter se habeat veritas rerum" (In libros Aristotelis De caelo et mundo expositio 1,22).

847) Vgl. dazu H.M.Klinkenberg 1969 (bes. die Zusammenfassung 187f).

848) Siehe S. 241.

849) Zum verbreiteten Forschrittsbewußtsein in der Renaissancezeit vgl. W.von Leyden 1958, 473ff, 480ff; A.Buck, Aus der Vorgeschichte der"Querelle des anciens et des modernes" in Mittelalter und Renaissance (1958), in: ders. 1968, 75-101.

850) Siehe S. 241.

851) Siehe S. 248f, 257f, 366, und passim.

852) So gegenüber Eck in den Loci 1521: "Quod si idem nobis obiecerint istae lamiae versari hominem grammatistam in re theologica, quid responderimus, nisi ut ne ab auctore rem aestiment? Nunc enim non referre, quid profiteamur, sed utrum vera sint, quae docemus an contra"(SA II/1, 12,23ff).

853) "Alioqui si quorumvis scripta recipienda sunt, cur non ubique vos sine delectu omnia Hieronymi, Augustini, item Graecorum recipitis? Cur Luthero negatur, quod vobis in putidis scholis vestris et illis Herculanis λούτροις donare nos oportet, ubi nemo veterum est, in quo non multa damnetis? Augustinus vobis excessive, ut vestro verbo utar, locutus est; Hieronymus in plerisque est durior. Origenis omnia prudenter et caute legenda sunt. Christus etiam alias consulit, alias praecipit. Consulit enim, quoties non quadrat ad vestra dogmata Evangelium. Christus loquitur de meritorio, non de bono moraliter"(Did. Fav.or.1521, SA I, 109,27ff).

854) Siehe S. 372, 373, 382f.

855) Siehe S. 423.

856) Das ist z.B. der Fall, wenn E.Wolf (1961, 13) den Sachverhalt, daß Melanchthon mit Hilfe der Loci-Methode das Geschehen der Rechtfertigung als Geschichte des göttlichen Handelns mit dem Menschen beschreibt, so deutet: "Von da aus entsteht das auch wissenschaftsgeschichtlich Neue bei Melanchthon: nämlich, daß das menschliche Dasein als solches entdeckt wird als *Geschichte.*" Das ist auch der Fall, wenn W.Maurer (1967a, 168) von

Melanchthon sagt: "Er hat die Antike als Geschichte verstanden;
und indem er geistig in ihr lebte, hat er als einer der ersten
Europäer bewußt geschichtlich gelebt."

857) So sagt etwa J.Koopmans (1955, 29) mit Blick auf De eccl.1539:
Bemerkenswert ist zunächst, daß Luther *historisch* vorgeht,
während Melanchthon eigentlich keine Geschichte kennt. Er weiß
allein von der 'pura doctrina', überliefert in der Schrift und
den Symbolen, und danben von'errores'. Er sieht die Dinge
nicht geschehen, er konstatiert Tatsachen." Wegen seines
dogmatischen und systematischen Interesses bleibt nach
H.Sick (1959, 90) "Melanchthons Denken trotz seiner Geschichts-
kenntnisse und im Gegensatz zu Luther merkwürdig ungeschicht-
lich." Vgl. ebd. 60. Auch nach W.Goez 1958 (286-291) argumentiert Melanchthon in der Kritik an der kurialen Translationstheorie nicht eigentlich historisch, sondern dogmatisch (In-
kongruenz von Evangelium und Politik). A.Klempt wiederum
sieht (1960, 142 Anm. 68) einen Unterschied zu Luther:
"Melanchthon hat im Gegensatz zu Luther nicht das im eigentlichen Sinne geschichtliche Verständnis für die Einmaligkeit
der handelnden Personen, sondern ihm geht es wesentlich darum,
gewisse typische Vorgänge in der Universalhistorie herauszu-
finden und diese darzustellen als belehrende exempla.." Eine
ahistorische, ja antihistorische Grundeinstellung Melanchthons
will A.Agnoletto (1964, 525) wegen des theologischen Rahmens
der geschichtlichen Arbeit erkennen: "La sua 'teologia della
storia' non è frutto nè di una considerazione della storia
umana (in cui non vede progresso alcuno) nè di quella storia
della Chiesa, ma è il risultato del suo attaccamento alla
Bibbia e al suo mondo. Nel pensiero del 'teologo della storia'
la storia diventa solo instrumento di dimonstrazione teologica;
la 'forma mentis' di Melantone era astorica, anzi anti-stori-
ca." Vgl. ebd. 498. Richtig dagegen ist, wenn man mit Maurer
(1967a, 175) sagt: "Sofern die Geschichte also Zeugnis gibt
von jener allgemeinen, von Gott der Menschheit eingestifteten
sittlichen Wahrheit, wird sie von Melanchthon einigermaßen
unkritisch betrachtet." Ähnlich auch schon E.Seeberg 1923,
448ff. Einseitig wieder M.Müller 1963, 426ff.

858) Auf den Humanismus insgesamt bezogen ist dies z.B. im Bereich
der Biographie recht gut zu verfolgen: Einerseits können hier
biographische Elemente rhetorisch als exempla eingesetzt werden, andererseits versucht man aber auch historische Biographien zu verfassen; zu Erasmus vgl. P.G.Bietenholz 1966, 51 bis
98.

Zusammenfassung und Ergebnis

1) Siehe S. 1-7.

2) Siehe S. 10-160, bes. die Zusammenfassung S. 157-160.

3) Siehe bes. S. 182-184, 187f, 233-237, 257-259, 313, 377f.

4) So W.Maurer 1959, 90. In den Loci 1521 sei "der Bruch mit dem christlichen Humanismus" des Erasmus vollzogen (W.Maurer 1961a, 27). Ähnlich auch schon P.Joachimsen (1926, 71f): "Setzen wir insbesondere die bisherige Bewußtseinsstellung Melanchthons als erasmisch voraus, so ist sie in allen wesentlichen Punkten aus den Angeln gehoben." Vgl. auch ebd. 70ff, 79ff zur entsprechenden inhaltlichen Unterscheidung zwischen "humanistisch" und "reformatorisch".

5) P.Joachimsen 1926, 72. Bes.ausführlich hat diese These W.H.Neuser 1957, 17-40, vertreten. Ein Nachhall bei A.Brüls 1975, 28f, 33.

6) P.Joachimsen 1926, 81f. "Damit hat Melanchthon den für ihn wichtigsten Punkt erreicht. Indem er den Begriff des Glaubens ganz aus der intellektualistischen Sphäre löste, gewann er einen alles beherrschenden Gegensatz zwischen *Glaube und Menschenmeinung*, der für ihn ebenso wichtig wurde wie für Luther der zwischen Sünde und Gnade"(ebd. 82).

7) W.Maurer spricht (1960a, 14) von einem "inneren Umschwung", einer "Bekehrung" Melanchthons im Laufe des Jahres 1520, die unter dem Einfluß der Predigten Luthers vor sich gegangen sei: "Unter Luthers persönlichem Zuspruch hat Melanchthon begriffen - und zwar jetzt nicht nur mit dem Verstand, sondern mit dem Herzen -, was Sünde und Gnade bedeuten. In persönlicher Erfahrung ist er zum Kern der evangelischen Botschaft durchgestoßen. Diese Erfahrung steht seitdem beherrschend in seinem Leben; sie trennt ihn für alle Zeiten von dem ethischen Christentum des Erasmus, das die Botschaft Christi nur als das Gesetz menschlicher Liebe, aber nicht auch und zuerst als das Angebot göttlicher Gnade versteht." Die Gegenüberstellung von "evangelischer Gnadenreligion Luthers" und "ethischer Religion des Erasmus", von "Heilsglauben" und "Ethik" auch bei W.Maurer 1961a, 30 (zu den Einzelheiten dieser Gegenüberstellung ebd. 29ff).

8) P.Joachimsen (1926, 79): "Aber die Auffassung, die sich bei den Humanisten aus dem Gegensatz gegen diese juristische Theologie (sc.der Scholastik) entwickelt hatte, war nun eben die Moraltheologie. Die Bibel solle womöglich überhaupt keine 'Lehre', sondern ein großes Beispielbuch sein, wie wir das bei Erasmus gesehen haben. Die humanistische Verklärung des alten Gedankens der Nachfolge Christi zu einer religiösen Sittenlehre, das war der eigentliche Sinn des Evangeliums für die ganze Gruppe der Erasmianer." Vgl. H.Sick (1959, 45): "Das Zentrum der Schrift liegt für Erasmus nicht im rechtfertigenden Evangelium, sondern in einer Art christlicher Weltanschauung mit vorwiegend ethischer Abzweckung. Bezeichnend sind seine Begriffe dafür wie

dogmata, decreta oder vita Christi. Die Anwendung der Grammatik
und Rhetorik auf die Schriftauslegung bleibt für ihn ein philo-
logisches Problem. Er hängt nicht am Wort, noch weniger an der
Geschichte. Ja, vielleicht kommt es da auf einige Differenzen
gar nicht an bei der Schriftauslegung, entscheidend ist doch die
ethische Wirkung, die sittliche Besserung und Erneuerung des
Menschen." "Im Gegensatz dazu erzwingt das eingangs dargestellte
Wortverständnis der Reformatoren eine viel dringlichere Beschäftigung mit der litera der Schrift. Erwarten sie doch keines
wegs nur eine Belehrung und Weisung, sondern am Worte Gottes,
und das ist doch letztlich Christus selbst, hängen ja Glauben
und Trost, Tod und Leben." Ähnlich auch H.Sick 1960, 141.

9) Diese Gegenüberstellung bei W.Maurer 1960, 32-50, bes. 32, 49;
ähnlich auch W.H.Neuser 1957, 45-60.

10) P.Joachimsen sagt (1926, 71) von der "Bekehrung" Melanchthons
zu Luthers Rechtfertigungslehre: "er erlebt eine vollständige
Erschütterung seines bisherigen intellektualistischen Gleich-
gewichts und besonders seines philosophischen Optimismus durch
die Lehre von der absoluten Sündhaftigkeit der menschlichen Natur und der Unfreiheit des menschlichen Willens. Die eine ver-
nichtete die ganze humanistische Psychologie, die andere zer-
brach das Kernstück der humanistischen Ethik." Vgl. auch ebd.84.
Ähnlich auch A.Sperl 1959, 99-129, bes. 100ff. Vgl. auch
E.Mühlenberg (1968, 444): "erst der Gedanke, daß der Wille in
keinem Fall dem Guten, das die Vernunft erkennen kann, zustrebt,
weil seine Natur den Affekt der Gottesliebe nicht in sich hat,
erst dieser Gedanke sagt die reformatorische Erkenntnis Melanchthons aus." Auf der gleichen Linie M.Rogness 1969, 1-53.

11) H.Maier 1909, 40.

12) So u.a. R.Stupperich 1936, 2, 10, 21, 26ff, 31, 126.

13) Diese Idee findet sich bes. in der älteren Forschung; vgl.
z.B. E.Seeberg 1923, 281-286 (zu Erasmus).

14) A.Sperl 1959, 19-99; W.Maurer 1961a, 30f, 32f; ihm folgt auch
E.Wolf 1962a, 330ff; vgl. auch J.W.Aldridge 1966, 25.

15) So aber W.Maurer 1959, 90ff; ders. 1961a, 30f, 32f.

16) So aber K.Haendler 1968, 91 Anm.109.

17) Mit Recht hat bereits K.Haendler (1968, 57 Anm.9) gegenüber den
Versuchen von W.H.Neuser (1957, 25: "Im Zurückgehen auf die
Quellen waren Reformation und Humanismus sich einig. Das bedeutet jedoch keineswegs eine gemeinsame Grundlage. Dem Humanismus war das *sola* scriptura unverständlich, das *sola* fide völlig
fremd") und A.Sperl (1959, 77f, 89: das Neue sei die exklusive
Betonung der Schriftautorität und die scharfe Entgegensetzung
von irrtumsfreier Schrift und von Irrtümern gekennzeichneter
Überlieferung) hervorgehoben, daß eine "strenge Alternative"
hier nicht in Frage komme. Aber auch sein eigener Differenzie-
rungsversuch dürfte nicht viel weiterführen: "Der wirklich ent-

scheidende und wesentliche Unterschied dürfte in der Art der Auslegung der Schrift als der Methodisierung des Umganges mit ihr liegen: Die konstitutive Bedeutung der Schrift und ihre Exzeptionalität gründet darin, daß sie das den Menschen in Gesetz und Evangelium be-treffende (weil als dieses gehörte und erfahrene) wirkmächtige Wort Gottes zum Heil des Menschen ist. Die im Glauben erfahrene soteriologische Qualität und Dignität konstituiert also ihre einmalige Würde und Relevanz." Sieht man von Gesetz-Evangelium-Problematik einmal ab, könnte dies durchaus auch von der humanistischen Theologie ausgesagt werden.

18) W.Maurer (1958a, 156): "Erasmus bindet in seiner 'Ratio seu Methodus' die Studierenden an seine wissenschaftliche Methodik. Melanchthon verweist sie in seinen Loci von sich weg auf den in der Schrift waltenden Geist... Damit stellt er sich von vornherein in einen bewußten Gegensatz zu Erasmus." Noch deutlicher J.W.Aldridge 1966, 58, 96. Weitere Beispiele solcher Gegenüberstellung Erasmischer "Philosophie" und Lutherischer "Theologie" bei G.Chantraine 1971, 375; ebd. 375f die Kritik daran.

19) Am ausführlichsten in den Loci 1521 (SA II/1, 5-163), ausführlich aber auch in den beiden Verteidigungsschriften für Luther (Did.Fav.or.1521, SA I, 56-14o; Pro Luthero apol. 1521, ebd. 142-162. Eine genaue zeitliche Abgrenzung einer humanistischen von einer reformatorischen Phase ist m.E. bei Melanchthon unmöglich. Der Übergang von der humanistischen zur reformatorischen Theologie dürfte bei ihm eher als fließender Transformationsprozeß zu beschreiben sein, der zwischen 1519 und 1521 stattgefunden hat.

2o) Vgl. dazu auch das Urteil H.de Lubacs (1964, 442) über Erasmus: "Enfin, comme les spirituels de la devotio moderna qui l'ont d'abord formé, il s'intéresse moins aux circonstances de la révélation qu'à son contenu, et, dans ce contenu, moins à la réalisation collective du salut qu'à l'aliment de la piété individuelle. Son herméneutique demeure néanmoins proche encore de celle des Pères, dont la fréquentation le marquera de plus en plus." Vgl. auch F.De Maeseneer 1963, 143, 146 (der allerdings diesen Sachverhalt kritischer wertet).

21) Vgl.A.Dufour, Humanisme et réformation. Etat de la question, in: Comité International des Sciences Historiques. XIIe Congrès International des Sciences Historiques. Vienne, 29 aout - 5 septembre 1965, Rapports III. Commissions, Wien o.J., 57-74, der seine Übersicht über den Forschungsstand mit folgender These abschließt (ebd. 7o): "En conclusion, nous voici tentés de définir un âge de l'humanisme, qui inclurait les premières générations des réformateurs, comme un moment entre deux scolastiques." Die Modifikation dieser These ist m.E. von der Differenz zwischen humanistischer und reformatorischer Theologie her notwendig, vorausgesetzt, wie gesagt, daß mit dem "scholastischen" Charakter der reformatorischen Theologie nicht eine Methodenidentität oder -ähnlichkeit mit der scholastischen Theologie des Mittelalters mitgemeint ist. Das "Scholastische"

der reformatorischen Theologie bezieht sich hier zunächst
nur auf die Aufnahme der scholastischen Fragestellung und auf
den Versuch einer theologischen Alternative auf dieser Ebene.

22) Vgl. auch B.Stolt, Studien zu Luthers Freiheitstraktat mit
besonderer Rücksicht auf das Verhältnis der lateinischen
und der deutschen Fassung zu einander und die Stilmittel der
Rhetorik (Stockholmer Germanistische Forschungen, 6), Stockholm 1969, 138f: "Es handelt sich im Reformationszeitalter
stets um intensive Bemühungen, mit sprachlichen Mitteln in den
Gang der Welt einzugreifen, dabei Teilnahmslosigkeit und
offenen Widerstand bekämpfen zu müssen und sich gleichzeitig
gegen fremde Beeinflussung und heftige Angriffe zu behaupten -
in hohem Maße um Sprache als Energeia, oder, um einen modernen
Ausdruck zu gebrauchen: um engagierte Literatur." Eine ver-
hängnisvolle Rolle spielte sicher auch der sogenannte Grobianis-
mus der Reformationszeit, der leider die maßvollere Form der
Auseinandersetzung, die Erasmus immer wieder beschworen hatte,
verdrängte. Vgl. auch G.B.Winkler 1974, 69f. 238f.

23) J.Larsen, Melanchthons ökumenische Bedeutung, in: Philipp
Melanchthon 1961, 171-179, 172.

LITERATURVERZEICHNIS

Vorbemerkung:

Nicht in das Literaturverzeichnis aufgenommen wurden Lexikon-
artikel sowie Quellen und Arbeiten, die nur einmal herangezogen wurden und die das Thema (Erasmus, Pirckheimer, Melanchthon)
nicht unmittelbar betreffen. Diese Werke wurden an ihrem Ort
jeweils vollständig zitiert. Öfter als einmal zitierte Arbeiten
wurden in den Anmerkungen nur abgekürzt angeführt (Verfasser,
Erscheinungsjahr und Seite). Das Erscheinungsjahr, das bei
solchen Arbeiten im Literaturverzeichnis unmittelbar nach dem
Verfassernamen bzw. Haupttitel angegeben ist, ist in der Regel
(einige Ausnahmen wären nur mit großem Aufwand zu vermeiden
gewesen) das Jahr der erstmaligen Veröffentlichung. Das gilt
sowohl für Aufsätze, die später in Sammelwerken wieder erschienen sind - der leichteren Zugänglichkeit wegen wurde meist
die Veröffentlichung in den Sammelwerken benützt - als auch für
Monographien u.ä. mit mehreren Auflagen, sofern der Text unverändert geblieben ist. Bei der Literaturzitation erfolgten Seiten-
bzw. Spaltenangaben ohne Kennzeichnung durch "S." bzw. "Sp.".
Seitenangaben durch ein vorangestelltes "S." gekennzeichnet
beziehen sich auf den Textteil, Seitenangaben mit "S." und
"Anm." auf den Anmerkungsteil.

A. Quellen

Philipp Melanchthon

Philippi Melanchthonis de Rhetorica libri Tres, Wittenberg:
Johannes Grunenberg 1519.

Annotationes Philippi Melanchthonis in Epistolas Pauli Ad
Rhomanos Et Corinthios, Nürnberg: Johannes Stuchs 1522.

Philippi Melanthonis opera quae supersunt omnia vol. I-XXVIII,
edidit Carolus Gottlieb Bretschneider/Henricus Ernestus
Bindseil (CR I-XXVIII), Halis/Brunsvigae 1834-1860.

Philippi Melanchthonis epistolae, iudicia, consilia, testimonia
aliorumque ad eum epistolae quae in Corpore Reformatorum
desiderantur, edidit Henricus Ernestus Bindseil, Halis 1874.

Supplementa Melanchthoniana vol. I/1, II/1, V/1, V/2, VI/1.
Werke Philipp Melanchthons, die im Corpus Reformatorum
vermisst werden, hrsg. von der Melanchthon-Kommission des
Vereins für Reformationsgeschichte, Leipzig 1910-1929.

Melanchthons Werke in Auswahl, hrsg. von Robert Stupperich,
Bd. I-VII/1, Gütersloh 1951-1971.

Melanchthoniana Paedagogica. Eine Ergänzung zu den Werken Melanchthons im Corpus Reformatorum, gesammelt und erklärt von
Karl Hartfelder, Leipzig 1892.

Operum Philippi Melanthonis Tomi quinque, Basileae 1541.

Philippus Melanchthon, Declamationes, ausgewählt und hrsg.
von Karl Hartfelder, 2 Hefte (Lateinische Litteratur-
denkmäler des XV. und XVI. Jahrhunderts 4, 9), Berlin
1891, 1894.

Die Loci communes Philipp Melanchthons in ihrer Urgestalt,
nach G.L.Plitt von neuem hrsg. und erläutert von Theodor
Kolde, Leipzig-Erlangen 4. Aufl. 1925.

Die Bekenntnisschriften der evangelisch-lutherischen Kirche.
Hrsg. im Gedenkjahr der Augsburgischen Konfession 193o,
Göttingen 4. Aufl. 1959.

Haussleiter, Johannes: Melanchthon-Kompendium. Eine unbekannte
Sammlung ethischer, politischer und philosophischer
Lehrsätze Melanchthons in Luthers Werken, Greifswald
19o2.

Die älteste Fassung von Melanchthons Ethik. Zum ersten Mal
hrsg. von Hermann Heineck, in: Philosophische Monatshefte
29 (1893) 129-177.

Texte aus der Anfangszeit Melanchthons, hrsg. von Ernst Bizer
(Texte zur Geschichte der evangelischen Theologie, 2),
Neukirchen-Vluyn 1966.

Die Anfänge der reformatorischen Geschichtsschreibung. Melanchthon, Sleidan, Flacius und die Magdeburger Zenturien,
hrsg. von Heinz Scheible (Texte zur Kirchen- und Theologiegeschichte, 2), Gütersloh 1966.

Hartfelder, Karl: Nachtrag zum Corpus Reformatorum, in:
ZKG 7 (1885) 45o-469.

Jürges, Paul: Ein Autographon Melanchthons über den Begriff
der Kirche, in: ZKG 18 (1898) 1o4-1o6.

Stölzle, Remigius: Eine unbekannte Vorrede Melanchthons, in:
ARG 12 (1915) 132-136.

Møller, Jens Glebe: Melanchthon som fortolker af 1.Tim.4,13,
in: Kirkehistoriske Samlinger 7. Raekke, Bd. VI,
København 1968, 52o-524.

Erasmus von Rotterdam

Desiderii Erasmi Roterodami opera omnia, edidit Joannes Clericus,
1o vol., Lugduni Batavorum 17o3-17o6.

Opera omnia Desiderii Erasmi Roterodami. Recognita et adnotatio-
ne critica instructa notisque illustrata, vol. I/1, I/2,
Amsterdam 1969, 1971.

Opus epistolarum Des.Erasmi Roterodami, denuo recognitum et
auctum per P.S.Allen, H.M.Allen et H.W.Garrod, 11 vol.,
vol. 12: Indices ed. B.Flaver, E.Rosenbaum, Oxford
1906-1958.

Erasmus von Rotterdam. Ausgewählte Schriften. Ausgabe in acht
Bänden. Lateinisch und deutsch, hrsg. von Werner Welzig,
Darmstadt 1967ff.

Desiderius Erasmus Roterodamus. Ausgewählte Werke. In Gemeinschaft mit Annemarie Holborn hrsg. von Hajo Holborn
(VKGRG), München 1933.

Willibald Pirckheimer

Luciani Piscator seu reviviscentes. Bilibaldo Pirckheymero...
interprete, Eiusdem Epistola Apologetica, Nürnberg:
Friedrich Peypus 1517.

Bilibaldi Pirckheimeri...opera politica, historica, philologica
et epistolica. Omnia nunc primum edita..a Melchiore
Goldasto Haiminsfeldio, Francoforti 161o.

Willibald Pirckheimers Briefwechsel, Bd. I, II. In Verbindung
mit Arnold Reimann gesammelt, hrsg. und erläutert
von Emil Reicke (VKGRG, 1, IV, V), München 194o, 1956.

Sonstige

Die Amerbachkorrespondenz, hrsg. von Alfred Hartmann, 6 Bde.,
Basel 1942-1967.

Der authentische Text der Leipziger Disputation, hrsg. von
O.Seitz, Berlin 19o3.

Joachimi Camerarii De vita Philippi Melanthonis Narratio.
Recensuit, notas, documenta, bibliothecam librorum
Melanchthonis aliaque addidit Ge.Theodor. Strobelius,
Halae 1777.

De Philippi Melanthonis ortu, totius vitae curriculo et morte...
narratio diligens et accurata Ioachimi Camerarii, Leipzig: Ernst Voegelin 1566.

Corpus Iuris Canonici, hrsg. von Emil Ludwig Richter und Emil
Friedberg, 2 Bde., Leipzig 1879, 1881.

Documenta literaria varii argumenti in lucem prolata cura
Iohannis Heumanni, Altorfii 1758.

Enchiridion symbolorum, definitionum et declarationum de rebus
    fidei et morum ed. H.Denzinger et A.Schönmetzer, Barcinone
    etc. editio 32 1963.

Epistolae obscurorum virorum. Cum inlustrantibus adversariisque
    scriptis, 2 vol., ed. E.Böcking (Hutteni Opera, Suppl.
    1, 2,1), Leipzig 1863, 1869.

Epistolae obscurorum virorum, hrsg. von Aloys Bömer, 2 Bde.
    (Stachelschriften, Ältere Reihe I, 1, 2), Heidelberg
    1924.

Historia literaria reformationis in honorem jubilaei anno 1717,
    constans quinque partibus. Omnia rara, partim manuscripta,
    cum introductionibus Hermanni von der Hardt, Francofurti
    et Lipsiae 1717.

Ulrichi Hutteni Equitis Germani Opera quae reperiri potuerunt
    omnia, 5 vol., ed. Eduardus Böcking, Leipzig 1859-1861.

Petri Lombardi Libri IV Sententiarum studio et cura PP.Collegii
    S.Bonaventurae, 2 vol., Ad Claras Aquas ed. 2 1916.

Briefe und Akten zum Leben Oekolampads, bearbeitet von Ernst
    Staehelin, 2 Bde. (QFRG, 1o, 19). Leipzig 1927, 1934.

Johann Reuchlins Briefwechsel. Gesammelt und hrsg. von Ludwig
    Geiger (Bibliothek des Litterarischen Vereins in Stutt-
    gart, 126), Tübingen 1875.

Sancti Thomae Aquinatis Opera omnia jussu impensaque Leonis
    XIII P.M. edita, vol. IV-XII: Summa Theologiae cum
    commentariis Thomae de Vio, Card.Caietani, Rom 1888-19o6.

Urkunden zur Geschichte der Universität Tübingen aus den
    Jahren 1476 bis 155o, Tübingen 1877.

B. Literatur

Actes du Congrès Erasme (1971). Rotterdam 27-29 octobre 1969,
    Amsterdam-London 1971.

Agnoletto, Attilio (1964): La filosofia di Melantone, in:
    Grande Antologia Filosofica. Diretta da M.F.Sciacca,
    coordinata da A.M.Moschetti e M.Schiavone, vol. VIII,
    Mailand 1964, 1149-1234.

---   (1964a): Storia e non storia in Filippo Melantone.
    "Schulreden", omelie et "collectanea" melantoniani, in:
    Nuova Rivista Storica 48 (1964) 491-528.

Aldridge, John William (1966): The Hermeneutic of Erasmus
(Basel Studies of Theology, 2), Winterthur 1966.

Althaus, Paul (1914): Die Prinzipien der deutschen reformierten
Dogmatik im Zeitalter der aristotelischen Scholastik.
Eine Untersuchung zur altprotestantischen Theologie, Leip-
zig 1914.

Anderson, Marvin: Erasmus the Exeget, in: CThM 4o (1969)
722-733.

Apel, Karl Otto (1963): Die Idee der Sprache in der Tradition
des Humanismus von Dante bis Vico (ABG, 8), Bonn 1963.

Arbusow, Leonid (1963): Colores Rhetorici. Eine Auswahl
rhetorischer Figuren und Gemeinplätze als Hilfsmittel
für akademische Übungen an mittelalterlichen Texten,
2. Aufl. hrsg. von Helmut Peter, Göttingen 2. Aufl.1963
(1948).

Arnold, Erwin (1952): Zur Geschichte der Suppositionstheorie.
"Die Wurzeln des modernen europäischen Subjektivismus",
in: Symposion. Jahrbuch für Philosophie 3 (1952) 1-134.

Artes liberales (1959). Von der antiken Bildung zur Wissenschaft,
hrsg. von Josef Koch (StTGMA, 5). Leiden-Köln 1959.

Arts liberaux et philosophie au Moyen Age (1969). Actes du
quatrième congrès international de philosophie médiéval.
Université de Montréal 27 août - 2 septembre 1967,
Montréal-Paris 1969.

Asmussen, Hans: Das Amt der Bischöfe nach Augustana 28, in:
Reformation, Schicksal und Auftrag. Festgabe Joseph
Lortz, Bd. I, Baden-Baden 1958, 2o9-231.

Auer, Alfons (1954): Die vollkommene Frömmigkeit des Christen.
Nach dem Enchiridion militis Christiani des Erasmus
von Rotterdam, Düsseldorf 1954.

Auerbach, Erich (1958): Literatursprache und Publikum in der
lateinischen Spätantike und im Mittelalter, Bern 1958.

Augustijn, C.: The Ecclesiology of Erasmus, in: Scrinium
Erasmianum 1969, II, 135-155.

Bakhuizen van den Brink, Jan Nicolas (1956): La tradition dans
l'Eglise primitive et au XVIe siècle, in: RHPhR 36
(1956) 271-281.

---   (1959): Traditio im theologischen Sinne, in: VigChr 13
(1959) 65-86.

---   (1961 und 1962): Bible and Biblical Theology in the Early

Reformation, in: SJTh 14 (1961) 337-352; 15 (1962)5o-65.

———   (1969): Melanchthon: De ecclesia et de autoritate Verbi Dei (1539) und dessen Gegner, in: Reformation und Humanismus. Festschrift Robert Stupperich, Witten 1969, 91-1o6.

Balthasar, Hans Urs von (1962): Karl Barth. Darstellung und Deutung seiner Theologie, Köln 2. Aufl. 1962.

Barton, Peter F. (1963): Die exegetische Arbeit des jungen Melanchthon 1518/19 bis 1528/29. Probleme und Ansätze, in: ARG 54 (1963) 52-89.

Barwick, Karl (1963): Das rednerische Bildungsideal Ciceros (Abhandlungen der sächsischen Akademie der Wissen- schaften in Leipzig, Philol.-hist. Kl., Bd. 54,3), Berlin 1963.

Bauer, Clemens (195o): Die Naturrechtsvorstellungen des jungen Melanchthon, in: Festschrift für Gerhard Ritter, Tübingen 195o, 244-255.

———   (1951): Melanchthons Naturrechtslehre, in: ARG 42 (1951) 64-1oo.

———   (1951/52): Die Naturrechts-Lehre Melanchthons, in: Hochland 44 (1951/52) 313-323.

Bauer, Karl (1928): Die Wittenberger Universitätstheologie und die Anfänge der Deutschen Reformation, Tübingen 1928.

Becker, Karl J. (1973): Articulus fidei (115o-123o). Von der Einführung des Wortes bis zu den drei Definitionen Philipp des Kanzlers,in: Gr 54 (1973) 517-568.

Béné, Charles: Saint Augustin dans la controverse sur les Trois Langues à Louvain en 1518 et 1519, in: Colloquium Erasmianum 1968, 19-31.

———   (1969): Erasme et saint Augustin ou influence de saint Augustin sur l'humanisme d'Erasme (THR, 1o3), Genf 1969.

Beumer, Johannes (1941): Das katholische Schriftprinzip in der theologischen Literatur der Scholastik bis zur Reformation, in: Scholastik 16 (1941) 24-52.

———   (1942): Zwischen Patristik und Scholastik. Gedanken zum Wesen der Theologie an Hand des Liber de fide ad Petrum des hl. Fulgentius von Ruspe, in: Gr 23 (1942) 326-347.

———   (1952): Der theoretische Beitrag der Frühscholastik zu dem Problem des Dogmenfortschrittes, in: ZKTh 74 (1952) 2o5-226.

Beumer, Johannes (1966): Biblische Grundlage und dialektische
    Methode im Widerstreit innerhalb der mittelalterlichen
    Scholastik, in: FStud 48 (1966) 223-242.

---   (1972): Die theologische Methode. Unter Mitarbeit von
        L.Visschers (HDG, I,6), Freiburg-Basel-Wien 1972.

Bibliographie international de l'Humanisme et de la Renaissance,
    Genf 1966ff.

Bietenholz, Peter G. (1966): History and Biography in the Work
    of Erasmus of Rotterdam (THR, 87), Genf 1966.

Bizer, Ernst (1964): Theologie der Verheißung. Studien zur
    theologischen Entwicklung des jungen Melanchthon (1519-
    1524), Neukirchen-Vluyn 1964.

Bornkamm, Heinrich: Die Kirche in der Confessio Augustana
    (1936), in: ders. 1961, 133-141.

---   (1961): Das Jahrhundert der Reformation. Gestalten und
        Kräfte, Göttingen 2. Aufl. 1966 (1961).

Bornkamm, Heinrich (1961a): Humanismus und Reformation im
    Menschenbild Melanchthons (1961), in: ders. 1961, 69-88.

Bouyer, Louis (1955): Autour d'Erasme. Etudes sur le christia-
    nisme des humanistes catholiques, Paris 1955.

Breen, Quirinus (1945): The Two-fold Truth Theory in Melan-
    chthon (1945), in: ders. 1968, 69-92.

---   (1947): The Terms "Loci Communes" and "Loci" in
        Melanchthon (1947), in: ders. 1968, 93-1o5.

---   (1952): Three Renaissance Humanists on the Relation of
        Philosophy and Rhetoric (1952), in: ders. 1968, 1-68.

---   (1959): Some aspects of humanistic rhetoric and the
        Reformation, in: NAKG 43 (1959) 1-14.

---   (1968): Christianity and Humanism. Studies in the History
        of Ideas. Collected and published in his honor, ed by
        N.P.Ross, Grand Rapids, Michigan 1968.

Brinker, Klaus (197o): Das Passiv in der "Augsburgischen
    Konfession". Mit einem Ausblick auf den Passiv-Gebrauch
    in theologischen Texten der Gegenwart, in: Studien zur
    Syntax des heutigen Deutsch. Paul Grebe zum 6o.Geburts-
    tag (Sprache der Gegenwart, 6), Düsseldorf 197o, 162-188.

Bruch, Richard (1969): Gesetz und Evangelium in der katholischen
    Kontroverstheologie des 16.Jahrhunderts, in: Cath 23
    (1969) 16-37.

Brüls, Alphonse (1971): L'évolution de la doctrine sur Dieu chez le jeune Mélanchthon (1518-1535), in: RHE 66 (1971) 5-45.

---   (1975): Die Entwicklung der Gotteslehre beim jungen Melanchthon 1518-1535 (UKG, 1o), Bielefeld 1975.

Buck, August (1952): Italienische Dichtungslehren vom Mittelalter bis zum Ausgang der Renaissance (Beihefte zur ZRPh, 94), Tübingen 1952.

---   (1957): Das Geschichtsdenken der Renaissance (Schriften und Vorträge des Petrarca-Instituts Köln, 9), Krefeld 1957.

---   (1959): Die "studia humanitatis" und ihre Methode (1959), in: ders. 1968, 133-15o.

---   (1968): Die humanistische Tradition in der Romania, Bad Homburg v.d.H.-Berlin-Zürich 1968.

---   (1968a): Der Rückgriff des Renaissance-Humanismus auf die Patristik, in: Festschrift Walther von Wartburg zum 8o. Geburtstag, Bd. I, Tübingen 1968, 153-175.

Bullemer, Karl (19o2): Quellenkritische Untersuchungen zum I. Buche der Rhetorik Melanchthons, Würzburg 19o2 (Phil.Diss. Erlangen 19o2).

Buttler, Gottfried (196o): Das Melanchthonbild der neueren Forschung, in: MPTh 49 (196o) 129-137.

---   (1964): Neues Interesse an Melanchthon. Ein Literaturbericht, in: MPTh 53 (1964) 1o9-12o.

Caserta, Nello: Filippo Melantone. Dall' Umanesimo alla Riforma, Rom 196o.

Chantraine, Georges: Érasme théologien? A propos d'une discussion récente, in: RHE 64 (1969) 811-82o.

---   Théologie et vie spirituelle. Un aspect de la méthode théologique selon Erasme, in: NRTh 91 (1969) 8o9-833.

---   L'Apologia ad Latomum. Deux conceptions de la théologie, in: Scrinium Erasmianum 1969, I, 51-75.

---   Le mustèrion paulinien selon les Annotations d'Erasme, in: RSR 58 (197o) 351-382.

---   (1971): "Mystère" et "Philosophie du Christ" selon Erasme. Étude de la lettre à P.Volz et de la "Ratio verae theologiae" (1518). Préface de H. de Lubac, de l'Institut (Bibliothèque de la Faculté de Philosophie et Lettres de Namur, 49), Namur-Gembloux 1971.

Chenu, M.-D. (1957): La théologie au XIIe siècle (Etudes de Philosophie médiévale, 45), Paris 1957.

--- (1957a): La théologie comme science au XIIIe siècle (Bibliothèque thomiste, 33), Paris 3. Aufl. 1957.

--- (196o): Das Werk des hl. Thomas von Aquin (Die Deutsche Thomas-Ausgabe, 2. Erg. Bd.), Heidelberg u.a. 196o.

Clemen, Otto (1913): Studien zu Melanchthons Reden und Gedichten, Leipzig 1913.

Cloes, Henri (1958): La systématisation théologique pendant la première moitié du XIIe siècle, in: EThL 34 (1958) 277-329.

Colloquium Erasmianum (1968). Actes du Colloque International réuni à Mons du 26 au 29 octobre 1967 à l'occasion du cinquième centenaire de la naissance d'Erasme, Mons 1968.

Congar, Yves (1952): Ecclesia ab Abel, in: Abhandlungen über Theologie und Kirche. Festschrift Karl Adam, Düsseldorf 1952, 79-1o8.

--- (196o): "Traditio" und "Sacra Doctrina" bei Thomas von Aquin, in: Kirche und Überlieferung. Festschrift Josef Rupert Geiselmann, Freiburg-Basel-Wien 196o, 17o-21o.

--- (1965): Die Tradition und die Traditionen, Bd. I, Mainz 1965.

--- (1971): Die Lehre von der Kirche. Von Augustinus bis zum Abendländischen Schisma (HDG, III/3c), Freiburg-Basel-Wien 1971.

--- (1972): Die Wesenseigenschaften der Kirche, in: Mysterium Salutis. Grundriß heilsgeschichtlicher Dogmatik, hrsg. von J.Feiner und M.Löhrer, Bd. IV/1, Einsiedeln-Zürich-Köln 1972.

Coppens, Joseph (1961): Les idées réformistes d'Erasme dans les préfaces aux Paraphrases du Nouveau Testament, in: Scrinium Lovaniense. Mélanges historiques Étienne Van Cauwenbergh (Université de Louvain. Recueil de Travaux d'Histoire et de Philosophie, 4,24), Löwen 1961, 344-371.

--- (1968): Érasme exégète et théologien, in: EThL 44 (1968) 191-2o4.

--- Où en est le portrait d'Érasme théologien? in: Scrinium Erasmianum 1969, II, 569-598.

--- Scrinium Erasmianum. Une introduction nouvelle aux études érasmiennes, in: EThL 46 (197o) 136-145.

Courants religieux et humanisme (1959) à la fin du XVe et au début du XVIe siècle. Colloque de Strasbourg 9-11 mai 1957 (Bibliothèque des Centres d'Études supérieures spécialisés), Paris 1959.

Crofts, George Daniel: Philipp Melanchton's Views on Church Councils, Diss. University of Colorado 1971.

Curtius, Ernst Robert (1938): Dichtung und Rhetorik im Mittelalter, in: DVjs 16 (1938) 435-475.

---   (1943): Zur Geschichte des Wortes Philosophie im Mittelalter (Mittelalterstudien XXI), in: RF 57 (1943) 29o-3o9.

---   (1965): Europäische Literatur und lateinisches Mittelalter, Bern-München 5. Auf. 1965.

Decker, Bruno (194o): Die Entwicklung der Lehre von der prophetischen Offenbarung von Wilhelm von Auxerre bis zu Thomas von Aquin (Breslauer STudien zur historischen Theologie, N.F. 7), Breslau 194o.

Delhaye,Philippe (1967): Permanence du droit naturel (Analecta Mediaevalia Namurcensia, 1o), Löwen-Lille 2. Aufl. 1967 (196o).

De Maeseneer, F. (1963): De Methode van de Theologie volgens Erasmus (Pontificia Universitas Lateranensis. Academia Alfonsiana. Institutum Theologiae Moralis), Rom 1963.

Deneffe, August (1931): Der Traditionsbegriff. Studie zur Theologie (MBTh, 18), Münster 1931.

Dettloff, Werner (1967): Heilswahrheit und Weltweisheit. Zur Stellung der Philosophie bei den Franziskanertheologen der Hochscholastik, in: Wahrheit und Verkündigung. Festschrift Michael Schmaus, Bd. I, München-Paderborn-Wien 1967, 619-634.

Dilthey, Wilhelm (1957): Gesammelte Schriften, Bd. II: Weltanschauung und Analyse des Menschen seit Renaissance und Reformation, Stuttgart-Göttingen 5. Aufl. 1957.

Ditsche, Magnus (196o): Zur Herkunft und Bedeutung des Begriffes Devotio Moderna, in: HJ 79 (196o) 124-145.

Dockhorn, Klaus (1964): "Memoria" in der Rhetorik (1964), in: ders. 1968, 96-1o4.

---   (1966): Rez. von H.-G.Gadamer, Wahrheit und Methode, in: Göttingische Gelehrte Anzeigen 218 (1966) 169-2o6.

---   (1968): Macht und Wirkung der Rhetorik. Vier Aufsätze zur Ideengeschichte der Vormoderne (Respublica Literaria 2), Bad Homburg v.d.H.-Berlin-Zürich 1968.

Dörries, Hermann: Erasmus oder Luther. Eine kirchengeschicht-
    liche Einführung, in: Kerygma und Melos. Christhard
    Mahrenholz 7o Jahre, Kassel u.a. 197o, 533-57o.

Dolch, Josef (1965): Lehrplan des Abendlandes. Zweieinhalb
    Jahrtausende seiner Geschichte, Ratingen 2. Aufl. 1965.

Dolfen, Christian (1936): Die Stellung des Erasmus von Rotter-
    dam zur scholastischen Methode, Osnabrück 1936 (Kath.-
    theol. Diss. Münster 1933).

Domański, Juliusz (1974): "Nova" und "vetera" bei Erasmus
    von Rotterdam. Ein Beitrag zur Begriffs- und Bewertungs-
    analyse, in: Antiqui und moderni 1974, 515-528.

Drews, P. (1887): Wilibald Pirkheimers Stellung zur Reformation.
    Ein Beitrag zur Beurteilung des Verhältnisses zwischen
    Humanismus und Reformation, Leipzig 1887.

Dulles, Avery (197o): Was ist Offenbarung?, Freiburg-Basel-
    Wien 197o.

Eckert, Willehad Paul - Imhoff, Christoph von (1971):
    Willibald Pirckheimer. Dürers Freund im Spiegel seiner
    Werke und seiner Umwelt (Zeugnisse der Buchdruckkunst,
    5), Köln 1971.

Ehlers, Joachim (1974): Monastische Theologie, historischer
    Sinn und Dialektik. Tradition und Neuerung in der Wissen-
    schaft des 12. Jahrhunderts, in: Antiqui und moderni
    1974, 58-79.

Ehrle, Franz (1925): Der Sentenzenkommentar Peters von Candia,
    des Pisaner Papstes Alexanders V. Ein Beitrag zur
    Scheidung der Schulen in der Scholastik des vierzehnten
    Jahrhunderts und zur Geschichte des Wegestreites (FStud,
    Beiheft 9), Münster 1925.

Elert, Werner (1928): Societas bei Melanchthon, in: Das Erbe
    Martin Luthers und die gegenwärtige theologische Forschung.
    Festschrift Ludwig Ihmels, Leipzig 1928, 1o1-115.

---   (1932): Zur Terminologie der Staatslehre Melanchthons
    und seiner Schüler, in: ZSTh 9 (1932) 522-534.

---   (196o): Der christliche Glaube. Grundlinien der luthe-
    rischen Dogmatik. Bearbeitet und hrsg. von Ernst Kinder,
    Hamburg 5. Aufl. 196o.

Ellinger, Georg (19o2): Philipp Melanchthon. Ein Lebensbild,
    Berlin 19o2.

Emrich, Berthold (1966): Topik und Topoi, in: DU 18 (1966)
    15-46.

Enders, Heinz W. (1975): Sprachlogische Traktate des Mittelalters und der Semantikbegriff. Ein historisch-systema-
tischer Beitrag zur Frage der semantischen Grundlegung
formaler Systeme (Veröffentlichungen des Grabmann-
Instituts, 2o), München-Paderborn-Wien 1975.

Engelland, Hans (1931): Melanchthon. Glauben und Handeln
(FGLP, 4,1), München 1931.

---   (1961): Der Ansatz der Theologie Melanchthons, in:
Philipp Melanchthon 1961, 56-75.

Étienne, Jacques (1956): Spiritualisme érasmienne et théologiens
louvanistes. Un changement de problématique au début du
XVIe siècle (Universitas Catholica Lovaniensis. Disser-
tationes, III, 3), Löwen-Gembloux 1956.

---   La médiation des Écritures selon Érasme, in: Scrinium
Erasmianum 1969, II, 3-11.

Fagerberg, Holsten (1965): Die Theologie der lutherischen Bekenntnisschriften von 1529 bis 1537, Göttingen 1965.

Finkenzeller, Johannes (1961): Offenbarung und Theologie
nach der Lehre des Johannes Duns Scotus. Eine historische
und systematische Untersuchung (BGPhMA, 38,5), Münster
1961.

Fischer, Ludwig (1968): Gebundene Rede. Dichtung und Rhetorik
in der literarischen Theorie des Barock in Deutschland
(Studien zur deutschen Literatur, 1o), Tübingen 1968.

Forster, Anselm (1963): Gesetz und Evangelium bei Girolamo
Seripando (KKSt, 6), Paderborn 1963.

Fraenkel, Peter (1959): Revelation and Tradition. Notes on
some Aspects of Doctrinal Continuity in the Theology
of Philip Melanchthon, in: StTh 13 (1959) 97-133.

---   (1961): Testimonia Patrum. The Function of the Patristic
Argument in the Theology of Philip Melanchthon (THR,
46), Genf 1961.

---   -Greschat, Martin (1967): Zwanzig Jahre Melanchthonstudium.
Sechs Literaturberichte (1945-1965) (THR, 93), Genf 1967.

Friedensburg, Walter (1917): Geschichte der Universität Wittenberg, Halle a.S. 1917.

Fries, Heinrich (1965): Die Offenbarung, in: Mysterium Salutis.
Grundriß heilsgeschichtlicher Dogmatik, hrsg. von J.
Feiner und M.Löhrer, Bd. I, Einsiedeln-Zürich-Köln 1965.
159-238.

Gadamer, Hans-Georg (1965): Wahrheit und Methode. Grundzüge
einer philosophischen Hermeneutik, Tübingen 2. Aufl.
1965 (196o).

Gagnebet, M.R. (1938): La nature de la théologie spéculative, in: RThom 44 (1938) 1-39, 213-255, 645-674.

Garin, Eugenio (1947): Der italienische Humanismus (Sammlung Überlieferung und Auftrag, Reihe Schriften, 5), Bern 1947.

Gebhardt, Georg (1966): Die Stellung des Erasmus von Rotterdam zur römischen Kirche, Marburg an der Laan 1966.

Geiger, Ludwig (1871): Johann Reuchlin. Sein Leben und seine Werke, Leipzig 1871.

Geiselmann, Josef Rupert (1962): Die Heilige Schrift und die Tradition. Zu den neueren Kontroversen über das Verhältnis der Heiligen Schrift zu den nichtgeschriebenen Traditionen (QD, 18), Freiburg-Basel-Wien 1962.

Gensichen, Hans-Werner (1955): Damnamus. Die Verwerfung von Irrlehre bei Luther und im Luthertum des 16. Jahrhunderts (AGThL, 1), Berlin 1955.

Gerhards, Helmut (1955): Die Entwicklung des Problems der Willensfreiheit bei Philipp Melanchthon, Phil.Diss. Bonn 1955 (Masch.).

Gericke, Wolfgang (1962): der umstrittene Melanchthon. Zum Verhältnis von Glaube und Wissenschaft, in: ZdZ 16 (1962) 454-458.

Gesetz und Evangelium (1968). Beiträge zur gegenwärtigen theologischen Diskussion, hrsg. von E.Kinder und K.Haendler (WdF, 142), Darmstadt 1968.

Geyer, Hans-Georg (1959): Welt und Mensch. Zur Frage des Aristotelismus bei Melanchthon, Ev.-theol.Diss. Bonn 1959 (Masch.).

--- (1965): Von der Geburt des wahren Menschen. Probleme aus den Anfängen der Theologie Melanchthons, Neukirchen-Vluyn 1965.

--- (1969): Zur Rolle der Prädestinationslehre Augustins beim jungen Melanchthon, in: Studien zur Geschichte und Theologie der Reformation. Festschrift Ernst Bizer, Neukirchen-Vluyn 1969, 175-187.

Ghellinck, J. de (1916): Pour l'histoire du mot "revelare", in: RSR 6 (1916) 149-157.

Gilbert, Neal W. (1960): Renaissance Concepts of Method, New York 1960.

Gilmore, Myron P. (1963): Humanists and Jurists. Six Studies in the Renaissance, Cambridge, Massachusetts 1963.

Gloege, Gerhard (1954): Offenbarung und Überlieferung. Ein dog-
        matischer Entwurf (ThF, 6), Hamburg 1954.

Gmelin, Hermann (1932): Das Prinzip der Imitatio in den romani-
        schen Literaturen der Renaissance, in: RF 46 (1932) 83-
        360.

Goerung, Ch. (1913): La théologie d'après Erasme et Luther,
        Paris 1913.

Goez, Werner (1958): Translatio Imperii. Ein Beitrag zur Ge-
        schichte des Geschichtsdenkens und der politischen
        Theorien im Mittelalter und in der frühen Neuzeit, Tü-
        bingen 1958.

Gorce, Denys: La patristique dans la réforme d'Erasme, in:
        Reformation, Schicksal und Auftrag. Festgabe Joseph Lortz,
        Bd. I, Baden-Baden 1958, 233-276.

Grabmann, Martin (19o9 und 1911): Die Geschichte der scholasti-
        schen Methode. Nach den gedruckten und ungedruckten
        Quellen bearbeitet, 2 Bde., Freiburg i.Br. 19o9, 1911.

Grassi, Ernesto (197o): Macht des Bildes: Ohnmacht der rationa-
        len Sprache. Zur Rettung des Rhetorischen (Du Mont
        Dokumente), Köln 197o.

---   (1973): Humanismus und Marxismus. Zur Kritik der Verselb-
        ständigung von Wissenschaft. Mit Texten von F.Petrarca
        u.a., Reinbek bei Hamburg 1973.

Gray, Hanna H. (1963): Renaissance Humanisme: The Pursuit of
        Eloquence (1963), in: Renaissance Essays 1968, 199-216.

Green, Lowell Clark (1955): Die Entwicklung der evangelischen
        Rechtfertigungslehre bei Melanchthon bis 1521 im Ver-
        gleich mit der Luthers, Ev.-theol.Diss. Erlangen 1955
        (Masch.).

---   (1957): Die exegetischen Vorlesungen des jungen Melanchthon
        und ihre Chronologie, in: KuD 3 (1957) 14o-149.

---   (1973): Formgeschichtliche und inhaltliche Probleme in
        den Werken des jungen Melanchthon. Ein neuer Zugang zu
        seinen Bibelarbeiten und Disputationsthesen, in: ZKG 84
        (1973), 3o-48.

---   (1974): The Influence of Erasmus upon Melanchthon, Luther
        and the Formula of Concord in the Doctrine of Justifica-
        tion, in: ChH 43 (1974) 183-2oo.

Greschat, Martin (1965): Melanchthon neben Luther. Studien zur
        Gestalt der Rechtfertigungslehre zwischen 1528 und 1537,
        Witten 1965.

Greschat, Martin (1969): Renaissance und Reformation, in:
EvTh 29 (1969) 645-662.

Grillmeier, Aloys (1959): Fulgentius von Ruspe, De Fide ad
Petrum und die Summa Sententiarum. Eine Studie zum
Werden der frühscholastischen Systematik, in: Scholastik
34 (1959) 526-565.

---   (196o): Vom Symbolum zur Summa. Zum theologiegeschichtli-
chen Verhältnis von Patristik und Scholastik, in:
Kirche und Überlieferung. Festschrift Josef Rupert
Geiselmann, Freiburg-Basel-Wien 196o, 119-169.

---   (1962): Patristische Vorbilder frühscholastischer Systematik. Zugleich ein Beitrag zur Geschichte des Augustinis-
mus, in: Studia Patristica Bd. VI (TU, 81), Berlin 1962,
39o-4o8.

Grünwald, Michael (1969): Der "Ecclesiastes" des Erasmus von
Rotterdam. Reform der Predigt durch Erneuerung des
Predigers, Kath.-theol. Diss. Innsbruck 1969 (Masch.).

Grützmacher, Richard H. (19o2): Wort und Geist. Eine historische
und dogmatische Untersuchung zum Gnadenmittel des Wortes,
Leipzig 19o2.

Guelluy, Robert (1941): L'évolution des méthodes théologiques
à Louvain, d'Érasme à Jansenius, in: RHE 37 (1941)
31-144.

Hadot, Jean: Le Nouveau Testament d'Érasme, in: Colloquium
Erasmianum 1968, 59-65.

Haendler, Klaus (196o): Melanchthons frühe Theologie und ihre
Bedeutung für die Reformation, in: ELKZ 14 (196o) 113-
116.

---   (1961): Die Kirche und das Heilshandeln Gottes. Zur heilsgeschichtlichen Dimension des melanchthonischen Kirchenbegriffs, in: ELKZ 15 (1961) 21-26.

---   (1962): "Ecclesia consociata verbo Dei". Zur Struktur der
Kirche bei Melanchthon, in: KuD 8 (1962) 173-2o1.

---   (1965): Offenbarung-Geschichte-Glaube. Bemerkungen zum
Glaubensbegriff Melanchthons, in: Reformatio und Confessio.
Festschrift Wilhelm Maurer, Berlin-Hamburg 1965, 63-83.

---   (1966): Melanchthons Kirchenverständnis im Licht seiner
Auslegungsgeschichte, in: NZSTh 8 (1966) 122-151.

---   (1968): Wort und Glaube bei Melanchthon. Eine Untersuchung über die Voraussetzungen und Grundlagen des
melanchthonischen Kirchenbegriffes (QFRG, 37), Gütersloh 1968.

Hagen, Karl (1868): Deutschlands literarische und religiöse
    Verhältnisse im Reformationszeitalter. Mit besonderer
    Rücksicht auf Wilibald Pirkheimer, 3 Bde., 2. Ausg.
    hrsg. von Hermann Hagen, Frankfurt a.M. 1868.

Hagen, Rudolf (1882): Wilibald Pirkheimer in seinem Verhältnis
    zum Humanismus und zur Reformation, in: Mitteilungen
    des Vereins für Geschichte der Stadt Nürnberg 4 (1882)
    61-211.

Hahn, Victor (1969): Das wahre Gesetz. Eine Untersuchung der
    Auffassung des Ambrosius von Mailand vom Verhältnis
    der beiden Testamente (MBTh, 33), Münster 1969.

Haikola, Lauri (1961): Melanchthons und Luthers Lehre von der
    Rechtfertigung. Ein Vergleich, in: Luther und Melanchthon
    1961, 89-1o3.

---   (1961a): Melanchthons Lehre von der Kirche, in: Philipp
    Melanchthon 1961, 91-97.

Haller, Johannes (1927 und 1929): Die Anfänge der Universität
    Tübingen 1477-1537, 2 Bde., Stuttgart 1927, 1929.

Haller, Rudolf (1962): Untersuchungen zum Bedeutungsproblem
    in der antiken und mittelalterlichen Philosophie, in:
    ABG 7 (1962) 57-119.

Hamer, Jérôme (1958): Les pécheurs dans l'Église. Étude sur
    l'ecclésiologie de Mélanchton dans la Confession d'Augs-
    bourg et l'Apologie, in: Reformation, Schicksal und
    Auftrag. Festgabe Joseph Lortz, Bd. I, Baden-Baden 1958,
    2o9-231.

Hammer, Wilhelm: Die Melanchthonforschung im Wandel der Jahr-
    hunderte. Ein beschreibendes Verzeichnis, 2 Bde. (QFRG,
    35, 36), Gütersloh 1967, 1968.

Hankamer, Paul (1927): Die Sprache, ihr Begriff und ihre Deutung
    im sechzehnten und siebzehnten Jahrhundert. Ein Beitrag
    zur Frage der literar-historischen Gliederung des Zeit-
    raums, Bonn 1927.

Hartfelder, Karl (1889): Philipp Melanchthon als Praeceptor
    Germaniae (Monomenta Germaniae Paedagogica, 7), Berlin
    1889.

---   (1891): Über Melanchthon's Ratio discendi, in: ZKG 12
    (1891) 562-566.

Harth, Dietrich (197o): Philologie und praktische Philosophie.
    Untersuchungen zum Sprach- und Traditionsverständnis des
    Erasmus von Rotterdam (HumBib, I,11), München 197o.

Hartvelt, G.P. (1962): Over de methode der dogmatiek in de eeuw der Reformatie. Bijdrage tot de geschiedenis van de gereformeerde theologie, in: GThT 62 (1962) 97-149.

Heath, Terrence (1971): Logical Grammar, grammatical Logic, and Humanism in three German Universities, in: StR 18 (1971) 9-64.

Heckel, Johannes (195o): Melanchthon und das heutige deutsche Staatskirchenrecht (195o), in: ders. 1964, 3o7-327.

--- (1955): Das Decretum Gratiani und das deutsche evange-lische Kirchenrecht (1955), in: ders. 1964, 1-48.

--- (1964): Das blinde, undeutliche Wort 'Kirche'. Ge-sammelte Aufsätze, hrsg. von S.Grundmann, Köln-Graz 1964.

Heim, Karl (1911): Das Gewißheitsproblem in der systematischen Theologie bis zu Schleiermacher, Leipzig 1911.

Heimsoeth, Heinz (1965): Die sechs großen Themen der abend-ländischen Metaphysik und der Ausgang des Mittelalters, Darmstadt 5. Auf. 1965.

Heintel, Erich (1972): Einführung in die Sprachphilosophie (Die Philosophie. Einführungen in Gegenstand, Methoden und Ergebnisse ihrer Disziplinen), Darmstadt 1972.

Heinzmann, Richard (1974): Die Theologie auf dem Weg zur Wissen-schaft. Zur Entwicklung der theologischen Systematik in der Scholastik , in: MThZ 25 (1974) 1-17.

Heitmann, Klaus (197o): Das Verhältnis von Dichtung und Geschichtsschreibung in älterer Theorie, in: AKG 52 (197o) 244-279.

Hentze, Willi (1974): Kirche und kirchliche Einheit bei Desiderius Erasmus von Rotterdam (KKSt, 34), Paderborn 1974.

Hermelink, Heinrich (19o6): Die theologische Fakultät in Tübingen vor der Reformation. 1477-1534, Tübingen 19o6.

Herrlinger, (Gottfried Albert) (1879): Die Theologie Melanchthons in ihrer geschichtlichen Entwicklung und im Zusammenhange mit der Lehrgeschichte und Culturbewegung der Reformation, Gotha 1879.

Heyd, L.F. (1839): Melanchthon und Tübingen 1512-1518. Ein Bei-trag zu der Gelehrten- und Reformations-Geschichte des sechzehnten Jahrhunderts, Tübingen 1839.

Hödl, Ludwig (1963): Articulus fidei. Eine begriffsgeschichtli-che Arbeit, in: Einsicht und Glaube. Festschrift Gottlieb Söhngen, Freiburg 2. Auf. 1963 (1962) 358-376.

Hoffmann, Fritz (1972): Die theologische Methode des Oxforder Dominikanerlehrers Robert Holcot (BGPhMA, N.F.5), Münster 1972.

Hoffmann, Georg (1938): Luther und Melanchthon. Melanchthons Stellung in der Theologie des Luthertums, in: ZSTh 15 (1938) 81-135.

Hoffmann, Manfred (1972): Erkenntnis und Verwirklichung der wahren Theologie nach Erasmus von Rotterdam (BHTh, 44), Tübingen 1972.

Hoppe, Theodor (1928/29): Die Ansätze der späteren theologischen Entwicklung Melanchthons in den Loci von 1521, in: ZSTh 6 (1928/29) 599-615.

Hübner, Friedrich (1936): Natürliche Theologie und theokratische Schwärmerei bei Melanchthon, Gütersloh 1936.

Huizinga, Johan (1958): Europäischer Humanismus: Erasmus (rde. 78), Hamburg 1958.

Huschke, Rolf Bernhard (1968): Melanchthons Lehre vom Ordo politicus. Ein Beitrag zum Verhältnis von Glauben und politischem Handeln bei Melanchthon (StEE, 4), Gütersloh 1968.

Hyma, Albert: The Youth of Erasmus, New York 2. Aufl. 1968.

Ivánka, Endre von (1964): Plato Christianus. Übernahme und Umgestaltung des Platonismus durch die Väter, Einsiedeln 1964.

Jarrott, C.A.L.: Erasmus' Biblical Humanism, in: StR 17 (197o) 119-152.

Joachimsen, Paul (1926): Loci communes. Eine Untersuchung zur Geistesgeschichte des Humanismus und der Reformation, in: LuJ 8 (1926) 27-97.

Kasper, Walter (1967): Die Methoden der Dogmatik. Einheit und Vielheit (Kleine Schriften zur Theologie), München 1967.

Kelley, Donald R. (1966): Legal Humanism and the Sense of History, in: StR 13 (1966) 184-199.

Keßler, Eckhard (1968): Das Problem des frühen Humanismus. Seine philosophische Bedeutung bei Coluccio Salutati (HumBib I,1), München 1968.

Keuck, Karl (1934): Historia. Geschichte des Wortes und seiner Bedeutungen in der Antike und in den romanischen Sprachen, Emsdetten 1934 (Phil.Diss. Münster).

Kinder, Ernst (1958): Der evangelische Glaube und die Kirche. Grundzüge des evangelisch-lutherischen Kirchenverständnisses, Berlin 1958.

Kisch, Guido (1967): Melanchthons Rechts- und Soziallehre, Berlin 1967.

Klauck, Hans-Josef (197o): Der Bruch zwischen Theologie und Mystik, in: FStud 52 (197o) 53-69.

Kleinhans, Robert G. (197o): Luther and Erasmus. Another Perspective, in: ChH 39 (197o) 459-469.

Klempt, Adalbert (196o): Die Säkularisierung der universalhistorischen Auffassung. Zum Wandel des Geschichtsdenkens im 16. und 17. Jahrhundert (Göttinger Bausteine zur Geschichtswissenschaft, 31), Göttingen 196o.

Klinkenberg, Hans Martin (1969): Die Theorie der Veränderbarkeit des Rechtes im frühen und hohen Mittelalter, in: Lex et Sacramentum im Mittelalter, hrsg. von P.Wilpert (MiscMed, 6), Berlin 1969, 157-188.

--- (1974): Die Devotio moderna unter dem Thema "antiqui-moderni" betrachtet, in: Antiqui und moderni 1974, 394-419.

Köpf, Ulrich (1974): Die Anfänge der theologischen Wissenschaftstheorie im 13. Jahrhundert (BHTh, 49), Tübingen 1974.

Kohls, Ernst-Wilhelm (1966): Die Theologie des Erasmus, 2 Bde. (ThZ, Sonderbd. I,1,2), Basel 1966.

--- (1966a): Die Bedeutung literarischer Überlieferung bei Erasmus, in: AKG 48 (1966) 219-233.

--- La position théologique d'Érasme et la tradition dans le "De libero Arbitrio", in: Colloquium Erasmianum 1968, 69-86.

--- (1969): Erasmus und die werdende evangelische Bewegung des 16.Jahrhunderts, in: Scrinium Erasmianum 1969, I, 2o3-219.

--- (1969a): Die theologische Lebensaufgabe des Erasmus und die oberrheinischen Reformatoren. Zur Durchdringung von Humanismus und Reformation (Arbeiten zur Theolgoie, 1,39), Stuttgart 1969.

--- (197o): Die Einheit der Theologie des Erasmus. Zu den Erasmus-Jubiläen der letzten Jahre, in: ThLZ 95 (197o) 641-648.

Koopmans, Jan (1955): Das altkirchliche Dogma in der
       Reformation (BEvTh, 22), München 1955.

Kristeller, Paul Oskar (1944/45): Humanism and Scholasticism
       in the Italian Renaissance, in: Byzantion 17 (1944/45)
       346-374.

---   (1961): Renaissance Thought. The Classic, Scholastic,
       and Humanistic Strains. A revised and enlarged edition
       of "The Classics and Renaissance Thought", New York
       1961.

---   (1969): Der italienische Humanismus und seine Bedeutung
       (Vorträge der Aeneas-Silvius-Stiftung an der Universitä
       Basel, 1o), Basel-Stuttgart 1969.

Kühn, Ulrich (1965): Via caritatis. Theologie des Gesetzes
       bei Thomas von Aquin (KK, 9), Göttingen 1965.

Laemmer, Hugo (1858): Die vortridentinische-katholische
       Theologie des Reformations-Zeitalters aus den Quellen
       dargestellt, Berlin 1858.

Landfester, Rüdiger (1972): Historia magistra vitae. Unter-
       suchungen zur humanistischen Geschichtstheorie des
       14. bis 16. Jahrhunderts (THR, 123), Genf 1972.

Lang, Albert (1925): Die loci theologici des Melchior Cano
       und die Methode des dogmatischen Beweises. Ein Bei-
       trag zur theologischen Methodologie und ihrer Ge-
       schichte (MStHTh, 6), München 1925.

---   (1962): Die Entfaltung des apologetischen Problems
       in der Scholastik des Mittelalters, Freiburg-Basel-
       Wien 1962.

---   (1964): Die theologische Prinzipienlehre der mittel-
       alterlichen Scholastik, Freiburg-Basel-Wien 1964.

Largeault, Jean (1971): Enquête sur le Nominalisme (Publicatio
       de la Faculté des Lettres et Sciences Humaines de Paris
       Sorbonne, Série "Recherches", 65), Paris-Löwen 1971.

Larsen, Jørgen: Melanchthonsökumenische Bedeutung, in:
       Philipp Melanchthon 1961, 171-179.

Latourelle, René (1969): Théologie de la révélation (Studia.
       Travaux de recherche, 15), Brüssel-Paris-Montréal
       3. Aufl. 1969.

Lau, Franz (1953/54): Georg III. von Anhalt (15o7-1553), erste
       evangelischer "Bischof" von Merseburg. Seine Theologie
       und seine Bedeutung für die Geschichte der Reformation
       in Deutschland, in: Wissenschaftliche Zeitschrift der
       Karl-Marx-Universität Leipzig. Gesellschafts- und

sprachwissenschaftliche Reihe 3 (1953/54) 139-152.

--- (1961): Melanchthon und die Ordnung der Kirche, in:
Philipp Melanchthon 1961, 98-115.

Lausberg, Heinrich (196o): Handbuch der literarischen Rhetorik.
Eine Grundlegung der Literaturwissenschaft, 2 Bde.,
München 196o.

--- (1966): Rhetorik und Dichtung, in: DU 18 (1966) 47-93.

Lechner, Joan Marie (1962): Renaissance Concepts of the Common-
places. An Historical Investigation of the General and
Universal Ideas Used in All Argumentation and Persuasion
With Special Emphasis on the Educational and Literary
Tradition of the Sixteenth and Seventeenth Centuries,
New York 1962.

Leclercq, Jean (1963): Wissenschaft und Gottverlangen. Zur
Mönchstheologie des Mittelalters, Düsseldorf 1963.

Leyden, William von (1958): Antiquity and Authority: A Para-
dox in Renaissance Theory of History, in: JHI 19 (1958)
473-492.

Lhotsky, Alphons (1965): Die Wiener Artistenfakultät 1365-
1497. Festgabe der österreichischen Akademie der Wissenschaften zur 6oo-Jahrfeier der Universität Wien
(Österreichische Akademie der Wissenschaften, Philos.-
hist.Kl., Sitzungsberichte, 247,2), Wien 1965.

Lieberg, Helmut (1962): Amt und Ordination bei Luther und
Melanchthon (FKDG, 11),Göttingen 1962.

Löwith, Karl (1967): Weltgeschichte und Heilsgeschehen. Die
theologischen Voraussetzungen der Geschichtsphilosophie
(Urban-Bücher, 2), Stuttgart u.a. 5.Aufl. 1967.

Lubac, Henri de (1954): Betrachtung über die Kirche, Graz-
Wien-Köln 1954.

--- (1959, 1961, 1964): Exégèse médiévale. Les quatres sens
de l'Ecriture, 3 Bde. (Théologie, 41, 42,59), Paris
1959, 1961, 1964.

--- (1969): Corpus mysticum. Kirche und Eucharisti im
Mittelalter. Eine historische Studie, Einsiedeln 1969
(1949).

--- (197o): Glauben aus der Liebe. "Catholicisme", Einsiedeln 197o (1943).

--- (197oa): La foi chrétienne. Essai sur la structure du
Symbole des Apôtres, Paris 2. Aufl. 197o.

Lueker, Erwin L. (196o): Luther and Melanchthon, in: CThM 31 (196o) 476-478.

Luther und Melanchthon (1961). Referate und Berichte des zweiten internationalen Kongresses für Lutherforschung, hrsg. von V.Vajta, Göttingen 1961.

Lutz, Heinrich (1972): Humanismus und Reformation. Alte Antworten auf neue Fragen, in: WoWa 27 (1972) 65-77.

Maier, Heinrich (19o9) : An der Grenze der Philosophie. Melanchthon-Lavater-David Friedrich Strauss, Tübingen 19o9.

Marcolino,Venicio (197o): Das Alte Testament in der Heilsgeschichte. Untersuchung zum dogmatischen Verständnis des Alten Testaments als heilsgeschichtliche Periode nach Alexander von Hales (BGPhMA, N.F.2), Münster 197o.

Margolin, Jean-Claude: Douze années de bibliographie érasmienne (195o-1961) (De Pétrarque à Descartes, 6), Paris 1963.

---   Quatorze années de bibliographie érasmienne (1936-1949) (De Pétrarque à Descartes, 21), Paris 1969.

---   Interprétation d'un passage de l'Enchiridion Militis Christiani, Canon Quintus, in: Actes du Congrès Erasme 1971, 99-115.

Massaut, Jean-Pierre (1968): Érasme, la Sorbonne et la nature de l'Eglise, in: Colloquium Erasmianum 1968, 89-116.

Matheeussen, Constant: "Religion" und "Litterae" im Menschenideal des Erasmus,in: Scrinium Erasmianum 1969, I, 351-374.

Matthias, Walter (1963): Über die Lehre von der Willensfreiheit in der altlutherischen Theologie, in: ZKG 74 (1963) 1o9-133.

Maurer, Wilhelm (1931): Ökumenizität und Partikularismus in der protestantischen Bekenntnisentwicklung, in: Rudolf Otto-Festgruß (Marburger Theologische Studien, 2), Gotha 1931, 12-43.

---   (1955): Lex spiritualis bei Melanchthon bis 1521 (1955), in: ders. 1964, 1o3-136.

---   (1955a): Zur theologischen Problematik des kirchlichen Mitgliedschaftsrechtes, in: ZevKR 4 (1955) 337-36o.

---   (1958): Zur Komposition der Loci von 1521. Ein Beitrag zur Frage Melanchthon und Luther, in: LuJ 25 (1958) 146-18o.

Maurer, Wilhelm (1958a): Melanchthons Anteil am Streit
zwischen Luther und Erasmus (1958), in: ders. 1964,
137-162.

--- (1959): Der Einfluß Augustins auf Melanchthons theologische Entwicklung (1959), in: ders. 1964, 67-1o2.

-- - (196o): Melanchthons Loci communes von 1521 als wissenschaftliche Programmschrift. Ein Beitrag zur Hermeneutik
der Reformationszeit, in: LuJ 27 (196o) 1-5o.

--- (196oa): Melanchthon als Laienchrist (196o), in: ders.
1964, 9-19.

--- (196o/61): Melanchthon als Verfasser der Augustana,
in: LR 1o (196o/61) 164-179.

--- (1961): Pura doctrina in der vorlutherischen Theologie,
in: Lutherische Nachrichten 1o (1961) Heft 56, 1-15.

--- (1961a): Melanchthon als Humanist (1961), in: ders.
2o-38.

--- (1962): Melanchthon und die Naturwissenschaft seiner Zeit
(1962), in: ders. 1964, 39-66.

--- (1964): Melanchthon-Studien (SVRG, 181), Gütersloh 1964.

--- (1965): Reste des Kanonischen Rechtes im Frühprotestantis-
mus, in: ZSavRGkan 51 (1965) 19o-253.

--- (1965a): Die geschichtliche Wurzel von Melanchthons
Traditionsverständnis, in: Zur Auferbauung des Leibes
Christi. Festgabe Peter Brunner, Kassel 1965, 166-18o.

--- (1967): Der junge Melanchthon zwischen Humanismus und
Reformation, Bd. 1: Der Humanist, Göttingen 1967.

--- (1967a): Geschichte und Tradition bei Melanchthon, in:
Geschichtswirklichkeit und Glaubensbewährung. Festschrift F.Müller, Stuttgart 1967, 167-191.

--- Die Entstehung und erste Auswirkung von Artikel 28 der
Confessio Augustana, in: Volk Gottes 1967, 361-394.

--- (1969): Der junge Melanchthon zwischen Humanismus und
Reformation, Bd. 2: Der Theologe, Göttingen 1969.

McConica, James Kelsey (1969): Erasmus and the Grammar of
Consent, in: Scrinium Erasmianum 1969, I, 77-99.

McKeon, Richard (1942): Rhetoric in the Middle Ages, in:
Speculum 17 (1942) 1-32.

McNeill, John T.: Natural Law in the Teaching of the Re-
     formers, in: JR 26 (1946) 168-182.

McSorley, Harry J. (1967): Luthers Lehre vom unfreien Willen
     nach seiner Hauptschrift De Servo Arbitrio im Lichte
     der biblischen und kirchlichen Tradition (BÖTh, 1),
     München 1967.

Meinhold, Peter (196o): Philipp Melanchthon. Der Lehrer der
     Kirche, Berlin 196o.

Philipp Melanchthon (1961). Forschungsbeiträge zur vier-
     hundertsten Wiederkehr seines Todestages, dargeboten
     in Wittenberg 196o, hrsg. von Walter Elliger, Göttingen
     1961.

Mertner, Edgar (1956): Topos und Commonplace, in: Strena
     Anglica. Festschrift Otto Ritter, Halle (Saale) 1956,
     178-224.

Merzbacher, Friedrich (1953): Wandlungen des Kirchenbegriffs
     im Spätmittelalter. Grundzüge der Ekklesiologie des
     ausgehenden 13., des 14. und 15. Jahrhunderts, in: ZSavRG-
     kan 39 (1953) 274-361.

Mestwerdt, Paul (1917): Die Anfänge des Erasmus. Humanismus
     und "devotio moderna" (Studien zur Kultur und Ge-
     schichte der Reformation, 2), Leipzig 1917.

Die Metaphysik im Mittelalter (1963). Ihr Ursprung und ihre
     Bedeutung. Vorträge des II. internationalen Kongresses
     für mittelalterliche Philosophie, Köln 31.8.-6.9.1961,
     hrsg. von P.Wilpert (MiscMed, 2), Berlin 1963.

Meyer, Carl S.: Erasmus on the Study of Scriptures, in:
     CThM 4o (1969) 734-746.

---   (1972): Melanchthon's Visitation Articles of 1528
     in: Journal of Ecclesiastical History 23 (1972) 3o9-322.

Moeller, Bernd (1959): Die deutschen Humanisten und die An-
     fänge der Reformation, in: ZKG 7o (1959) 46-61.

Mühlenberg, Ekkehard (1968): Humanistisches Bildungsprogramm
     und reformatorische Lehre beim jungen Melanchthon, in:
     ZThK 65 (1968) 431-444.

Müller, Manfred (1963): Geschichte und allgemeine Bildungs-
     theorie. Eine Untersuchung über die Auffassung des
     Geschichtsunterrichts bei Johann Ludwig Vives und
     Philipp Melanchthon, in: GWU 14 (1963) 42o-428.

Müller, Nikolaus (1896): Zur Chronologie und Bibliographie
     der Reden Melanchthons (1545-156o), in: Beiträge zur
     Reformationsgeschichte. Festschrift Julius Köstlin,
     Gotha 1896, 116-157.

Müller, Nikolaus (1911): Die Wittenberger Bewegung 1521 und 1522.
Die Vorgänge in und um Wittenberg während Luthers
Wartburgaufenthalt. Briefe, Akten u.dgl. und Personalien,
Leipzig 2. Aufl. 1911.

Neuser, Wilhelm H. (1957): Der Ansatz der Theologie Philipp
Melanchthons (BGLRK, IX,1), Neukirchen 1957.

Norden, Eduard (19o9): Die antike Kunstprosa vom VI.Jahr-
hundert vor Chr. bis in die Zeit der Renaissance,
2 Bde., Leipzig-Berlin 2. Aufl. 19o9 (1898).

Noryśkiewicz, Johannes (19o3): Melanchthons ethische Prinzipienlehre und ihr Verhältnis zur Moral der Scholastik,
Münster 19o3 (Kath.theol.Diss. Münster).

Offenbacher, Emil: La bibliothéque de Wilibald Pirckheimer,
in: Bibliofilia 4o (1938) 241-263.

Offenbarung (1971). Von der Schrift bis zum Ausgang der Scholastik. Von M.Seybold u.a. (HDG, I,1a), Freiburg-Basel-
Wien 1971.

Ong, Walter J. (1958): Ramus, Method, and the Decay of
Dialogue. From the art of discourse to the art of
reason, Cambridge, Massachusetts 1958.

Overfield, James Harris (1969): Humanism and Scholasticism in
Germany, 145o-152o, Princeton University, Ph.D.1968,
University Microfilms, Inc. Ann Arbor, Michigan 1969.

Padberg, Rudolf (1956): Erasmus als Katechet. Der literarische
Beitrag des Erasmus von Rotterdam zur katholischen
Katechese des 16.Jahrhunderts. Eine Untersuchung zur
Geschichte der Katechese (UThS, 9), Freiburg 1956.

---   (1958): Glaubenstheologie und Glaubensverkündigung bei
Erasmus von Rotterdem. Dargestellt auf der Grundlage
der Paraphrase zum Römerbrief, in: Verkündigung und
Glaube. Festgabe Franz X.Arnold, Freiburg 1958, 58-75.

---   (1964): Personaler Humanismus. Das Bildungsverständnis
des Erasmus von Rotterdam und seine Bedeutung für die
Gegenwart. Ein Beitrag zur Revision des Humboldtschen
Bildungsideals (Schriften zur Pädagogik und Katechetik,
12), Paderborn 1964.

---   Reformatio Catholica - Die theologische Konzeption der
Erasmischen Erneuerung, in: Volk Gottes 1967, 293-3o5.

---   Erasmus als Symbol eines kirchenfreien Christentums?
Bemerkungen zur Erasmus-Interpretation des polnischen
Philosophen Leszek Kolakowski, in: Cath 26 (1972) 63-68.

Paetow, Louis John (191o): The Arts Cours at Medieval Universities with Special Reference to Grammar and Rhetoric
(University of Illinois Bulletin, VII, 19), Urbana 191o.

Paqué, Ruprecht (197o): Das Pariser Nominalistenstatut. Zur Entstehung des Realitätsbegriffs der neuzeitlichen Natur-
wissenschaft(Occam Buridan und Petrus Hispanus, Nikolaus
von Autrecourt und Gregor von Rimini) (Quellen und
Studien zur Geschichte der Philosophie, 14), Berlin 197o.

Paré G. - Brunet A. - Tremblay P. (1933): La Renaissance du
XIIᵉ siècle. Les écoles et l'enseignement (Publications
de l'Institut d'Études Médiévales d'Ottawa, 3), Paris-
Ottawa 1933.

Payne, J.B. (1969): Toward the Hermeneutic of Erasmus, in:
Scrinium Erasmianum 1969, II, 13-49.

---   Erasmus. His Theology of the Sacraments (Research in
Theology), o.O. 197o.

---   (1971) Erasmus: Interpreter of Romans, in: Sixteenth
Century Essays and Studies, hrsg. von Carl S.Meyer,
Bd. II, Saint Louis, Missouri 1971, 1-35.

Pesch, Otto H. (1966): Der hermeneutische Ort der Theologie
bei Thomas von Aquin und Martin Luther und die Frage
nach dem Verhältnis von Philosophie und Theologie, in:
ThQ 146 (1966) 159-212.

---   (1967): Theologie der Rechtfertigung bei Martin Luther
und Thomas von Aquin. Versuch eines systematisch-theologischen Dialogs (Walberberger Studien, Theolog. Reihe,4),
Mainz 1967.

Petersen, Peter (1921): Geschichte der aristotelischen Philosophie im protestantischen Deutschland, Leipzig 1921.

Pfeiffer. Rudolf (1936): Rez. von Desiderius Erasmus Roterodamus,
Ausgewählte Werke, hrsg. von Hajo Holborn, München 1933,
in: Gnomon 12 (1936) 625-634.

Pfister, Hermann (1968): Die Entwicklung der Theologie Melan-
chthons unter dem Einfluß der Auseinandersetzung mit
Schwarmgeister und Wiedertäufern, Freiburg i.Br. 1968,
(Phil.Diss. Freiburg 1967).

Pfnür, Vinzenz (197o): Einig in der Rechtfertigungslehre?
Die Rechtfertigungslehre der Confessio Augustana (153o)
und die Stellungnahme der katholischen Kontroverstheologie
zwischen 153o und 1535 (VEG, 6o), Wiesbaden 197o.

Picht, Georg (1963): Das Wesen des Ideals (1963), in: ders.,
Wahrheit, Vernunft, Verantwortung. Philosophische
Studien, Stuttgart 1969, 2o3-228.

Pinborg, Jan (1967): Die Entwicklung der Sprachtheorie im
     Mittelalter (BGPhMA, 42,2), Münster 1967.

---   (1972): Logik und Semantik im Mittelalter. Ein Über-
     blick (problemata, 1o), Stuttgart-Bad Cannstatt 1972.

Willibald-Pirkheimer-Bibliographie. Redaktion: Karl Borromäus
     Glock, o.O. o.J. (197o).

Pöggeler, Otto (197o): Dialektik und Topik, in: Hermeneutik
     und Dialektik. Festschrift Hans-Georg Gadamer, Bd. II,
     Tübingen 197o, 273-31o.

Polman, Pontien (1932): L'élément historique dans la controverse
     religieuse du XVIe siècle (Universitas Catholica Lovanien-
     sis, Dissertationes, II,23), Gembloux 1932.

---   (1936): Erasmus en de Theologie, in: StC 12 (1936) 273-
     293.

Preus, Robert D. (197o): The Theology of Post-Reformation
     Lutheranism. A Study of Theological Prolegomena, St.
     Louis-London 197o.

The Pursuit of Holiness in Late Medieval and Renaissance
     Religion (1974). Papers from the University of Michigan
     Conference, ed. by Charles Trinkaus with Heiko A. Oberman
     (SMRT, 1o), Leiden 1974.

Ratschow, Carl Heinz (1964 und 1966): Lutherische Dogmatik
     zwischen Reformation und Aufklärung, 2 Bde., Gütersloh
     1964, 1966.

Ratzinger, Joseph (1958): Offenbarung-Schrift-Überlieferung.
     Ein Text des heiligen Bonaventura und seine Bedeutung
     für die gegenwärtige Theologie, in: TThZ 67 (1958) 13-27.

---   (1959): Die Geschichtstheologie des heiligen Bonaventura,
     München-Zürich 1959.

---   (1963): Das geistliche Amt und die Einheit der Kirche
     (1963), in: ders., Das neue Volk Gottes. Entwürfe zur
     Ekklesiologie, Düsseldorf 2. Auf. 197o, 1o5-12o.

---   (1965): Ein Versuch zur Frage des Traditionsbegriffs,
     in: Rahner K. - Ratzinger J., Offenbarung und Über-
     lieferung (QD, 25), Freiburg-Basel-Wien 1965, 25-69.

Reedijk, C.: Erasmus in 197o, in: BHR 32 (197o) 449-466.

Renaissance Essays (1968). From the Journal of the History of
     Ideas, hrsg. von P.O.Kristeller und Ph.P.Wiener, New
     York-Evanston 1968.

Renaudet, A.: Études érasmiennes (1521-1529), Paris 1939.

Risse, Wilhelm (1964): Die Logik der Neuzeit, Bd. 1: 15oo-164o, Stuttgart-Bad Cannstatt 1964.

Ritschl, Otto (19o6): System und systematische Methode in der Geschichte des wissenschaftlichen Sprachgebrauchs und der philosophischen Methodologie (Programm zur Feier des Gedächtnisses des Stifters der Universität König Friedrich Wilhelm III), Bonn 19o6.

---   (19o8 und 1912): Dogmengeschichte des Protestantismus. Grundlagen und Grundzüge der theologischen Gedanken- und Lehrbildung in den protestantischen Kirchen, Bd. I und Bd. II, Leipzig 19o8, 1912.

---   (1912a): Die Entwicklung der Rechtfertigungslehre Melanchthons bis zum Jahre 1527, in: ThStK 85 (1912) 518-54o.

---   (192o): Das Wort dogmaticus in der Geschichte des Sprachgebrauchs bis zum Aufkommen des Ausdrucks theologia dogmatica, in: Festgabe für Julius Kaftan zu seinem 7o. Geburtstage, Tübingen 192o, 26o-272.

Ritter, Gerhard (1921 und 1922): Studien zur Spätscholastik, 2 Bde. (Sitzungsberichte der Heidelberger Akademie der Wissenschaften, Phil.-hist.Kl., Jg. 1921 4. Abh., Jg. 1922, 7. Abh.), Heidelberg 1921, 1922.

---   (1936): Die Heidelberger Universität. Ein Stück deutscher Geschichte, 1.Bd.: Das Mittelalter (1386-15o8), Heidelberg 1936.

Rogness, Michael (1969): Philip Melanchthon. Reformer Without Honor, Minneapolis, Minnesota 1969.

Roth, Friedrich: Wilibald Pirkheimer, ein Lebensbild aus dem Zeitalter des Humanismus und der Reformation (SVRG, 21), Halle 1887.

Rüegg, Walter (1946): Cicero und der Humanismus. Formale Untersuchungen über Petrarca und Erasmus, Zürich 1946.

---   (1959): Das antike Vorbild im Mittelalter und Humanismus, in: Studia Humanitatis. Beiträge und Texte zum italienischen Humanismus der Renaissance = Agora 5 (1959) 11-34.

Rupprich, Hans (1957): Willibald Pirckheimer. Beiträge zu einer Wesenserfassung, in: Schweizer Beiträge zur Allgemeinen Geschichte 15 (1957) 64-11o.

Sand, Alexander (1971): Die biblischen Aussagen über die Offenbarung, in: Offenbarung 1971, 1-26.

Scrinium Erasmianum (1969): Mélanges historiques publiés
         sous le patronage de l'Université de Louvain à
         l'occasion du cinquième centenaire de la naissance d'Eras-
         me, 2 Bde., hrsg. von J.Coppens, Leiden 1969.

Seeberg, Erich (1923): Gottfried Arnold. Die Wissenschaft und
         die Mystik seiner Zeit. Studien zur Historiographie und
         zur Mystik, Meerane 1923.

Seeberg, Reinhold (1897): Melanchthons Stellung in der Ge-
         schichte des Dogmas und der Dogmatik, in: NKZ 8 (1897)
         126-164.

---   (192o): Lehrbuch der Dogmengeschichte, Bd. IV/2: Die
         Fortbildung der reformatorischen Lehre und die gegen-
         reformatorische Lehre, Basel-Stuttgart 5. Aufl. 196o
         (= 3. Aufl. 192o).

Seidlmayer, Michael (1965): Wege und Wandlungen des Humanismus.
         Studien zu seinen politischen, ethischen, religiösen
         Problemen, hrsg. von Hans Barion, Göttingen 1965.

Seigel, Jerrold E. (1968): Rhetoric and Philosophy in Renaissance
         Humanism. The Union of Eloquence and Wisdom, Petrarch
         to Valla, Princeton, New Jersey 1968.

Selge, Kurt-Victor (1975): Die Leipziger Disputation zwischen
         Luther und Eck, in: ZKG 86 (1975) 26-4o.

Sell, Karl (1897): Philipp Melanchthon und die deutsche Reforma-
         tion bis 1531 (SVRG, 56), Halle 1897.

Sick, Hansjörg (1959): Melanchthon als Ausleger des Alten
         Testaments (BGBH, 2), Tübingen 1959.

---   (196o): Ohne rechte Christuserkenntnis - kein rechtes
         Schriftverständnis. Zum 4oo. Todestag Philipp Melanchthons
         am 19. April, in: ZdZ 14 (196o) 137-141.

Söhngen, Gottlieb (1957): Gesetz und Evangelium. Ihre analoge
         Einheit. Theologisch, philosophisch, staatsbürgerlich,
         Freiburg-Müncnen 1957.

---   (196o): Gesetz und Evangelium (196o), in: Gesetz und
         Evangelium 1968, 324-355.

---   (1962): Analogie und Metapher. Kleine Philosophie und
         Theologie der Sprache (Studium Universale), Freiburg-
         München 1962.

---   (1965): Die Weisheit der Theologie durch den Weg der
         Wissenschaft, in: Mysterium Salutis. Grundriß heilsge-
         schichtlicher Dogmatik, hrsg. von J.Feiner und M.Löhrer,
         Bd. I, Einsiedeln-Zürich-Köln 1965, 9o5-98o.

Sohm, Walter: Die Soziallehren Melanchthons, in: HZ 115 (1916)
64-76.

Sonnino, Lee A. (1968): A Handbook to Sixteenth-Century Rhetoric,
London 1968.

Sperl, Adolf: Nochmals zur Chronologie der frühen exegetischen
Vorlesungen Melanchthons, in: KuD 4 (1958) 59-6o.

--- (1959): Melanchthon zwischen Humanismus und Reformation.
Eine Untersuchung über den Wandel des Traditionsver-
ständnisses bei Melanchthon und die damit zusammen-
hängenden Grundfragen seiner Theologie (FGLP, X,15),
München 1959.

--- (1965): Zur Amtslehre des jüngeren Melanchthon, in:
Reformatio und Confessio. Festschrift Wilhelm Maurer,
Berlin-Hamburg 1965, 52-62.

Spitz, Lewis W. (1963): The Religious Renaissance of the German
Humanists, Cambridge, Massachusetts 1963.

Spörl, Johannes (193o): Das Alte und das Neue im Mittelalter.
Studien zum Problem des mittelalterlichen Fortschritts-
bewußtseins, in: HJ 5o (193o) 297-341, 498-524.

--- (1935): Grundformen hochmittelalterlicher Geschichtsanschauung. Studien zum Weltbild der Geschichtsschreiber
des 12.Jahrhunderts, München 1935.

Schäfer, Rolf (1961): Christologie und Sittlichkeit in Melanchthons frühen Loci (BHTh, 29), Tübingen 1961.

--- (1963): Melanchthons Hermeneutik im Römerbrief-Kommentar
von 1532, in: ZThK 6o (1963) 216-235.

Schenk, Wilhelm: Erasmus and Melanchthon, in: The Heythrop
Journal 8 (1967) 249-259.

Schirmer, Arno (1967): Das Paulusverständnis Melanchthons
1518-1522 (VEG, 44), Wiesbaden 1967.

Schlink, Edmund (1946): Theologie der lutherischen Bekenntnisschriften (Einführung in die evangelische Theologie, 8),
München 2. Aufl. 1946.

Schmaus, Michael (1969): Die psychologische Trinitätslehre des
heiligen Augustinus. 2., fotomechanischer Nachdruck der
1927 erschienenen Ausgabe mit einem Nachtrag und Litera-
turergänzungen des Verfassers (MBTh, 11), Münster 1969
(1927).

Schmidt, Carl: Philipp Melanchthon. Leben und ausgewählte
Schriften (Leben und ausgewählte Schriften der Väter und
Begründer der lutherischen Kirche, 3), Elberfeld 1861.

426

Schnell, Uwe (1968): Die homiletische Theorie Philipp Melan-
       chthons (AGThL, 2o),Berlin-Hamburg 1968.

Schottenloher, Otto: Lex naturae und Lex Christi bei Erasmus,
       in: Scrinium Erasmianum 1969, II, 253-299.

---   (197o): Erasmus und die Respublica Christiana, in: HZ
       21o (197o) 295-323.

---   Zur legum humanitas bei Erasmus, in: Festschrift für
       Hermann Heimpel zum 7o. Geburtstag, Bd. I (Veröffentlichun-
       gen des Max-Planck-Instituts für Geschichte, 36/I),
       Göttingen 1971, 667-683.

Schulze, Wilhelm August: Melanchthons Heidelberger Promotions-
       versuch, in: LuJ 41 (1974) 114-119.

Schwarzenau, Paul (1956): Der Wandel im theologischen Ansatz
       bei Melanchthon von 1525-1535, Gütersloh 1956.

Schwarzwäller, Klaus: Theologie nach reformatorischem Ver-
       ständnis, in: EvTh 35 (1975) 322-35o.

Steubing, H. (1927): Das reformatorische Verständnis der
       Heilsgewißheit. Untersucht im Anschluß an Melanchthons
       Loci, in: NKZ 38 (1927) 89o-919.

Struever, Nancy S. (197o): The Language of History in the
       Renaissance. Rhetorical and Historical Consciousness in
       Florentine Humanism, Princeton, New Jersey 197o.

Studer, Basilius (1956): Die theologische Arbeitsweise des
       Johannes von Damaskus (Studia Patristica et Byzantina,
       2), Ettal 1956.

Stupperich, Robert (1936): Der Humanismus und die Wiedervereini-
       gung der Konfessionen (SVRG, 16o), Gotha 1936.

---   (1952): Das Melanchthon-Verständnis in der Theologie
       der letzten hundert Jahre, in: ELKZ 14 (1952) 253-255.

---   (196o): Melanchthons Weg zu einer theologisch-philosophi-
       schen Gesamtanschauung, in: LR 1o (196o) 15o-163.

---   (196oa): Melanchthon (Sammlung Göschen, 119o), Berlin
       196o.

---   (1961): Der unbekannte Melanchthon, Wirken und Denken
       des Praeceptor Germaniae in neuer Sicht, Stuttgart 1961.

---   (1961a): Die REchtfertigungslehre bei Luther und Melan-
       chthon 153o-1536, in: Luther und Melanchthon 1961, 73-88.

---   (1962): Das Melanchthon-Gedenkjahr 196o und sein wissen-
       schaftlicher Ertrag, in: ThLZ 87 (1962) 241-254.

Stupperich, Robert (1969): Erasmus und Melanchthon in ihrem
    Verhältnis zu den Kirchenvätern, in: VoxTh 39 (1969)
    8o-92.

---   (1971): Die theologische Neuorientierung des Erasmus in
    der Ratio seu Methodus 1516/18, in: Actes du Congrès
    Erasme 1971, 148-158.

Telle, Emile V.: "Essai" chez Erasme, Essay chez Montaigne,
    in: BHR 32 (197o) 333-35o.

Toffanin, Giuseppe (1941): Geschichte des Humanismus, o.O.
    (Amsterdam) 1941.

Troeltsch, Ernst (1891): Vernunft und Offenbarung bei Johann
    Gerhard und Melanchthon. Untersuchung zur Geschichte
    der altprotestantischen Theologie, Göttingen 1891.

Tshibangu, Tharcisse (1965): Théologie positive et théologie
    spéculative. Position traditionelle et nouvelle probléma-
    tique (Universitas Catholica Lovaniensis, Dissertationes,
    III,1o), Löwen-Léopoldville 1965.

Ueberweg, Friedrich (1926): Friedrich Ueberwegs Grundriß der
    Geschichte der Philosophie, Bd. I: Die Philosophie des
    Altertums, hrsg. von K.Praechter, Darmstadt 1967 (= 12.
    Aufl. 1926).

---   (1928): Friedrich Ueberwegs Grundriß der Geschichte
    der Philosophie, Bd. II: Die patristische und scholasti-
    sche Philosophie, hrsg. von B.Geyer, Darmstadt 1967
    (= 11.Aufl. 1928).

Valeske, Ulrich (1968): Hierarchia Veritatum. Theologiege-
    schichtliche Hintergründe und mögliche Konsequenzen
    eines Hinweises im Ökumenismusdekret des II.Vatikani-
    schen Konzils zum zwischenkirchlichen Gespräch,
    München 1968.

Vasoli, Cesare (1968): La dialettica e la retorica dell'Umane-
    simo. "Invenzione" e "Metodo" nella cultura del XV e
    XVI secolo (I fatti e le idee. Saggi e Biografie, 174),
    Mailand 1968.

Verburg, P.A. (1952): Taal en Functionaliteit. Een historisch-
    critische studie over de opvattingen aangaande de functies
    der taal vanaf de prae-humanistische philologie van
    Orleans tot de rationalistische linguistiek van Bopp,
    Wageningen 1952.

Vogel,C.J.de: Erasmus and his Attitude toward Church Dogma,
    in: Scrinium Erasmianum 1969, II, 1o1-132.

Volk Gottes (1957). Kirchenverständnis der katholischen, evan-
      gelischen und anglikanischen Theologie. Festgabe Josef
      Höfer, Freiburg-Basel-Wien 1967.

Wallach, Manfred (1943): Pura doctrina. Ihre historische
      und gegenwärtige Bedeutung in der protestantischen
      Theologie, Ev.-theol.Diss. Breslau 1943 (Masch.).

Wallmann, Johannes (1961): Der Theologiebegriff bei Johann
      Gerhard und Georg Calixt (BHTh, 3o), Tübingen 1961.

Waltershausen, Bodo Sartorius von (1927): Melanchthon und das
      spekulative Denken, in: DVjs 5 (1927) 644-678.

Weber, Gottfried (1962): Grundlagen und Normen politischer
      Ethik bei Melanchthon (ThEx, N.F. 96), München 1962.

Weber, Hans Emil (19o8): Der Einfluß der protestantischen
      Schulphilosophie auf die orthodox-lutherische Dogmatik,
      Leipzig 19o8.

Weier, Reinhold: Die Rede des Petrus Mosellanus "Über die
      rechte Weise, theologisch zu disputieren", in: TThZ 83
      (1974) 232-245.

Weisheipl, James A. (1965): Classification of the Sciences
      in Medieval Thought, in: MS 27 (1965) 54-9o.

Winkler, Gerhard B. (1974): Erasmus von Rotterdam und die Ein-
      leitungsschriften zum Neuen Testament. Formale Strukturen
      und theologischer Sinn (RGST,1o8), Münster 1974.

Wolf,Ernst (1938): Die Einheit der Kirche im Zeugnis der
      Reformation (1938), in: ders. 1962, 146-182.

---   (1942): Sanctorum Communio. Erwägungen zum Problem
      der Romantisierung des Kirchenbegriffs (1942), in:
      ders. 1962, 279-3o1.

---   (1959): Christum habere omnia Mosis. Bemerkungen zum
      Problem Gesetz und Evangelium (1959), in: Gesetz und
      Evangelium 1968, 166-186.

---   (1961): Philipp Melanchthon. Evangelischer Humanismus
      (Göttinger Universitätsreden, N.F. 3o), Göttingen 1961.

---   (1962): Peregrinatio, Bd. I: Studien zur reformatorischen
      Theologie und zum Kirchenproblem, München 2. Auf. 1962.

---   (1962a): Tradition und Rezeption. Zur Frage nach "alt"
      und "neu" in der Theologiegeschichte, in: EvTh 22 (1962)
      326-337.

---   (1965): Peregrinatio,Bd. II: Studien zur reformatorischen
      Theologie, zum Kirchenrecht und zur Sozialethik, München
      1965.

Wolf, Ernst (1969): Reformatorische Botschaft und Humanismus,
in: Studien zur Geschichte und Theologie der Reformation.
Festschrift Ernst Bizer, Neukirchen-Vluyn 1969, 97-119.

Wolf, Hans-Heinrich (1948): Das Verhältnis von Altem und
Neuem Testament nach den lutherischen Bekenntnisschriften,
in: Wort und Dienst. Jahrbuch der Theologischen Schule
Bethel N.F.1 (1948) 67-86.

Wolter, Hans (1959): Geschichtliche Bildung im Rahmen der
Artes liberales, in: Artes liberales 1959, 5o-83.

Vorbemerkung: Die Jahreszahl bedeutet normalerweise das Erscheinungsjahr, bisweilen das Entstehungsjahr. Das Erscheinungsjahr ist auf der rechten Seite jeweils ohne Klammer, das Entstehungsjahr jeweils (wenn angegeben) mit Klammer aufgeführt.
Die Jahreszahlen dienen hier nur der historischen Einordnung
der Werke, sie haben keinen streng literarkritischen Charakter.

Schriften Melanchthons

Adh.Paul.stud. 1520	Ad Paulinae doctrinae studium adhortatio 1520 (CR XI, 34-41).
Ann.I.Cor.1521	Annotationes in priorem Epistulam ad Corinthios 1522 (1521) (SA IV, 16-84).
Ann.II.Cor.1521/22	Annotationes in posteriorem Epistulam ad Corinthios 1522 (1521/22) (SA IV, 85-132).
Ann.Ev.1549	Annotationes in Evangelia 1549 (CR XIV, 163-528.
Ann.Gen.1522	In obscuriora aliquot capita Geneseos annotationes 1523 (1522) (CR XIII, 761-792.
Ann.Io.1522/23	In Evangelium Ioannis Annotationes 1523 (1522/23) (CR XIV, 1047-1220).
Ann.Matth.1519/20	Annotationes in Evangelium Matthaei 1523 (1519/20) (SA IV, 134-208).
Ann.Quint.Inst.X.1534	Annotationes in M.Fabii Quintiliani Institutionum Librum Decimum 1570 (1534) (CR XVII, 651ff).
Ann.Rom.1521	Annotationes in Epistulam Pauli ad Rhomanos, Nürnberg 1522 (1521).
Apol.1531	Apologia Confessionis Augustanae 1531 (BS 141-404).
Apol.pro Luthero 1521	Adversus furiosum Parrisiensium Theo-logastrorum decretum pro Luthero apologia 1521 (SA I, 142-162).
Artic.Prot.1541	Articuli Protestantium Caesari traditi, 31.Mai 1541 (CR IV, 348-376).
Artif.Rom.1520	Artifitium Epistolae Pauli ad Romanos (1520) (Bizer-Texte 20-30).
CA 1530	Confessio Augustana 1530 (BS 44-137).
Capita 1520	Rerum theologicarum capita seu loci 1521 (1520) (Bizer-Texte 102-131).
Cat.1548	Catechismus 1548 (SM V/1, 342-361).
Cat.Puer.1543	Catechismus Puerilis 1543 (SM V/1, 89-336).
CAvar.1540	Confessio Augustana (Variata) 1540 (SA VI, 12-79).
Chron.Car.1558, 1560	Chronicon Carionis, 1.Teil 1558, 2.Teil 1560 (CR XII, 711-1094).

Comm.I.(II.).Cor.1551	Brevis et utilis Commentarius in priorem epistolam Pauli ad Corinthio et in aliquot capita secundae 1561 (1551) (CR XV, 1o53-122o).
Comm.Dan.1543	In Danielem prophetam commentarius 1543 (CR XIII, 823-98o).
Comm.Polit.Arist.1535	Commentarii in aliquot politices lib Aristotelis 1535 (CR XVI, 417-452).
Comm.Ps.1553/55	Commentarii in Psalmos 1553/55 (CR XIII, 1o17-1472).
Comm.Rom.1532	Commentarii in Epistolam Pauli ad Romanos 1532 (SA V).
Comm.Rom.154o	Commentarii in Epistolam Pauli ad Romanos 154o (CR XV, 495-796).
Comm.Zach.1553	Commentarius in Prophetam Zachariam (1553) (CR XIII, 989-1oo4).
Comp.dial.ratio 152o	Compendiaria dialectices ratio 152o (CR XX, 711-764).
Conc.Matth.1558	Conciones explicantes integrum Evangelium Matthaei 1558 (CR XIV, 535-1o42).
Conf.Sax.1551	Confessio Doctrinae Saxonicarum Eccl siarum scripta, ut Synodo Tridentina exhiberetur 1551 (SA VI, 81-167).
De anima 1553	Liber de anima 1553 (CR XIII, 5-178; teilweise auch SA III, 3o7-372).
Decl.Pauli doctr.152o	Declamatiuncula in Divi Pauli doctri 152o (SA I, 28-43).
De corr.stud.1518	De corrigendis adolescentiae studiis 1518 (SA III, 3o-42).
De eccl.1539	De ecclesia et de autoritate verbi I 1539 (SA I, 326-386).
Def.1552/53	Definitiones multarum appellationum quarum in Ecclesia usus est 1552/53 (SA II/2 781-816).
Def.c.Eckium 1519	Defensio contra Joh.Eckium 1519 (SA 13-22).
De modo conc.1537/39	De modo et arte concionandi ca.1537/ (SM V/2, 31-55).
De off.conc.1529	De officiis concionatoris 1529 (SM V/2, 3-14).
De poen.1551	Doctrina de poenitentia..1549 (SA VI 423-451).
De rat.conc.1552	De ratione concionandi 1552 (SM V/2, 79).
Dial.1528	Dialectices libri IV 1528 (Opera Basil.V, 172-236).
Did.Fav.or.1521	Didymi Faventini adversus Thomam Placentinum pro Martino Luthero theologo oratio 1521 (SA I, 57-14o).
Disp.rhet.1553	Dispositiones rhetoricae 1553 (SM II/1, 1-172).
Disp.Rom.1529	Dispositio orationis in epistola Pauli ad Romanos 1529 (CR XV, 443-49

Resp.art.inquis.1558	Responsiones ad impios articulos Bavaricae inquisitionis 1558 (SA VI, 279-364).
Resp.clerum Col.1543	Responsio ad Scriptum quorundam delectorum a Clero Secundario Coloniae Agrippinae 1543 (SA VI, 382-421).
Resp.Picum 1542?	Responsio ad Picum Mirandolam (1542?) (CR IX, 687-7o3).
Resp.Stanc.1553	Responsio de controversiis Stancari 1553 (SA VI, 26o-277).
Resp.Staph.1558	Responsio ad criminationes Staphyli et Avii 1558 (SA VI, 463-481).
Rhet.1519	De Rhetorica libri Tres, Wittenberg 1519.
Schol.Cic.orat.1524	Scholia in Ciceronis de oratore dialogos tres 1524 (CR XVI, 689-7b6).
Schol.Col.1527	Scholia in Epistulam Pauli ad Colossenses 1527 (SA IV, 211-3o3).
Schol.Ex.2o, 1523	In caput Exodi XX Scholia 1523 (SM V/1, 3-19).
Schol.off.Cic.1525	Scholia in officia Ciceronis 1525 (CR XVI, 627-68o).
Schol.Prov.1529	Nova Scholia in Proverbia Salomonis ad iusti paene commentarii modum conscripta 1529 (SA IV, 3o6-464).
Tract.pot.papae 1537	De potestate et primatu papae tractatus 1537 (BS 469-498).
Unterr.Visit.1528	Unterricht der Visitatorn an die Pfarhern ym Kurfurstenthum zu Sachsen 1528 (SA I, 216-271).
Unterscheid 1543	Unterscheid des Alten und Newen Testaments 1543 (in: R.Stupperich 1961, 192-2o9).
Ursach 1546	Ursach, Warumb die Stende...1546 (SA I, 412-448).

Schriften des Erasmus

Enchiridion 15o3	Enchiridion militis Christiani 15o3 (Holborn 22-136).
Paraclesis 1516	Paraclesis ad lectorem pium 1516 (Holborn 139-149).
Methodus 1516	Methodus 1516 (Holborn 15o-162).
Apologia 1516	Apologia 1516 (Holborn 163-174).
Wv. an P.Volz 1518	Wv. an P.Volz zum Enchiridion, Juli 1518 (Holborn 3-21).
Ratio 1518/23	Ratio seu methodus compendio perveniendi ad veram theologiam 1518-1523 (Holborn 177-3o5).
Ecclesiastes 1535	Ecclesiastes sive de ratione concionandi 1535 (LB V, 849-952).

Sonstige Schriften

CorpIC	Corpus Iuris Canonici (Friedberg).
Sent.	Petri Lombardi Libri IV Sententiarum (ed.Quaracchi).
S.th.	Thomae Aquinatis Summa theologiae (ed. Leonina).

Editionen

(Die vollen Titel siehe im Literaturverzeichnis)

A	Opera omnia Erasmi, Amsterdam
Allen	Opus epistolarum Erasmi
Bindseil	Philippi Melanchthonis epistolae, iudicia, consilia, testimonia
Bizer-Texte	Texte aus der Anfangszeit Melanchthons
Böcking	Ulrichi Hutteni Opera
Böcking Suppl.	Epistolae obscurorum virorum.Cum inlustrantibus adversariisque scriptis, ed.Böcking
Bömer	Epistolae obscurorum virorum, ed. Bömer
BS	Die Bekenntnisschriften der evangelisch-lutherischen Kirche
CSEL	Corpus scriptorum ecclesiasticorum latinorum, Wien 1866ff.
CR	Corpus Reformatorum (Philippi Melanthonis opera quae supersunt omnia)
Declam.	Philippus Melanchthon, Declamationes, ed. K.Hartfelder
DS	Enchiridion symbolorum, definitionum et declarationum ed.A.Schönmetzer
Friedberg	Corpus Iuris Canonici, ed.E.Friedberg
GCS	Die griechischen christlichen Schriftsteller der ersten drei Jahrhunderte, Leipzig 1897ff
Geiger	Johann Reuchlins Briefwechsel
Goldast	Bilibaldi Pirckheimeri..opera politica, historica..., ed.Goldast
Hardt	Historia literaria reformationis, ed. H.von der Hardt
Hartmann	Die Amerbachkorrespondenz
Heineck	Die älteste Fassung von Melanchthons Ethik
Heumann	Documenta literaria varii argumenti, ed.Heumann
Holborn	D.Erasmus Roterodamus. Ausgewählte Werke, ed.Holborn
Komp.	Haussleiter, Joh., Melanchthon-Kompendium

LB	D.Erasmi Roterodami opera omnia, Lugduni Batavorum
Opera Basil.	Operum Ph.Melanthonis Tomi quinque, Basel
Paedag.	Melanchthoniana Paedagogica, ed. Hartfelder
PG	Patrologia Graeca, hrsg. von J.P.Migne, Paris 1857ff
PL	Patrologia Latina, hrsg. von J.P.Migne, Paris 1878ff
Plitt-Kolde	Die Loci communes Ph.Melanchthons, ed. Kolde
Reicke	Willibald Pirckheimers Briefwechsel
SA	Studienausgabe (Melanchthons Werke in Auswahl, ed.Stupperich)
Scheible	Die Anfänge der reformatorischen Geschichtsschreibung
SM	Supplementa Melanchthoniana
Staehelin	Briefe und Akten zum Leben Oekolampads
Strobel	Joachimi Camerarii De vita Ph.Melanthonis Narratio, ed.Strobel
Urkunden	Urkunden zur Geschichte der Universität Tübingen
WA	M.Luther, Werke. Kritische Gesamtausgabe, 1883ff
WAB	M.Luther, Werke, Briefwechsel
WATR	M.Luther, Werke, Tischreden
Welzig	Erasmus von Rotterdam, Ausgewählte Schriften

Zeitschriften, Serien usw.

ABG	Archiv für Begriffsgeschichte
AGThL	Arbeiten zur Geschichte und Theologie des Luthertums
AKG	Archiv für Kulturgeschichte
ALMA	Archivum Latinitatis medii aevi
AnGr	Analecta Gregoriana
ARG	Archiv für Reformationsgeschichte
BEvTh	Beiträge zur evangelischen Theologie
BGBH	Beiträge zur Geschichte der biblischen Hermeneutik
BGLRK	Beiträge zur Geschichte und Lehre der Reformierten Kirche
BGPhMA	Beiträge zur Geschichte der Philosophie (und Theologie) des Mittelalters
BHR	Bibliothèque d' Humanisme et Renaissance
BHTh	Beiträge zur historischen Theologie
BÖTh	Beiträge zur ökumenischen Theologie
Cath	Catholica
ChH	Church History
Conc	Concilium
CThM	Concordia Theological Monthly
Diss.Abstr.	Dissertation Abstracts International
DSAM	Dictionnaire de Spiritualité ascétique et mystique
DThC	Dictionnaire de théologie catholique
DU	Der Deutschunterricht
DVjs	Deutsche Vierteljahresschrift für Literaturwissenschaft und Geistesgeschichte
ELKZ	Evangelisch-Lutherische Kirchenzeitung
EThL	Ephemerides Theologicae Lovanienses
EvTh	Evangelische Theologie
FGLP	Forschungen zur Geschichte und Lehre des Protestantismus
FKDG	Forschungen zur Kirchen- und Dogmengeschichte
FSÖTh	Forschungen zur systematischen und ökumenischen Theologie
FStud	Franziskanische Studien
FZThPh	Freiburger Zeitschrift für Theologie und Philosophie
Gr	Gregorianum
GThT	Gereformeerd Theologisch Tijschrift
GuL	Geist und Leben
GWU	Geschichte in Wissenschaft und Unterricht
HDG	Handbuch der Dogmengeschichte
HJ	Historisches Jahrbuch der Görres-Gesellschaft
HThG	Handbuch theologischer Grundbegriffe
HThR	The Harvard Theological Review
HumBib	Humanistische Bibliothek
HWPh	Historisches Wörterbuch der Philosophie
HZ	Historische Zeitschrift

JbAC	Jahrbuch für Antike und Christentum
JESt	Journal of Ecumenical Studies
JHI	Journal of the History of Ideas
JHPh	Journal of the History of Philosophy
JR	The Journal of Religion
KK	Kirche und Konfession
KKSt	Konfessionskundliche und kontroverstheologische Studien
KuD	Kerygma und Dogma
LR	Lutherische Rundschau
LThK	Lexikon für Theologie und Kirche
LuJ	Luther Jahrbuch
MBTh	Münsterische Beiträge zur Theologie
MiscMed	Miscellanea Mediaevalia
MPTh	Monatsschrift für Pastoraltheologie
MS	Mediaeval Studies
MStHTh	Münchener Studien zur historischen Theologie
NAKG	Nederlans archief voor kerkgeschiedenis
NKZ	Neue kirchliche Zeitschrift
NRTh	Nouvelle Revue Theologique
NZSTh	Neue Zeitschrift für Systematische Theologie (und Religionsphilosophie)
PhJ	Philosophisches Jahrbuch der Görres-Gesellschaft
QD	Quaestiones disputatae
QFRG	Quellen und Forschungen zur Reformationsgeschichte
RAC	Reallexikon für Antike und Christentum
RAM	Revue d'ascétique et de mystique
RBén	Revue bénédictine
rde	rowohlts deutsche enzyklopädie
RF	Romanische Forschungen
RGG	Religion in Geschichte und Gegenwart
RHE	Revue d'histoire ecclésiastique
RHPhR	Revue d'histoire et de philosophie religieuse
RSPhTh	Revue des sciences philosophiques et théologiques
RSR	Recherches de science religieuse
RStT	Reformationsgeschichtliche Studien und Texte
RThom	Revue Thomiste
SJTh	Scottish Journal of Theology
SMRT	Studies in Medieval and Reformation Thought
Speculum	Speculum. A Journal of medieval studies
StAns	Studia Anselmiana
StC	Studia Catholica
StEE	Studien zur evangelischen Ethik
StR	Studies in the Renaissance
StTGMA	Studien und Texte zur Geistesgeschichte des Mittelalters
StTh	Studia Theologica
StudGen	Studium Generale
SVRG	Schriften des Vereins für Reformationsgeschichte

ThEx	Theologische Existenz heute
ThF	Theologische Forschung
ThGl	Theologie und Glaube
ThLZ	Theologische Literaturzeitung
ThQ	Theologische Quartalschrift
THR	Travaux d'Humanisme et Renaissance
ThRv	Theologische Revue
ThStB	Theologische Studien (Barth)
ThSt	Theological Studies
ThStK	Theologische Studien und Kritiken
ThZ	Theologische Zeitschrift
TThZ	Trierer Theologische Zeitschrift
TU	Texte und Untersuchungen
UThS	Untersuchungen zur Theologie der Seelsorge
VEG	Veröffentlichungen des Instituts für Europäische Geschichte Mainz
VigChr	Vigiliae Christianae
VKGRG	Veröffentlichungen der Kommission zur Erforschung der Geschichte der Reformation und Gegenreformation
WdF	Wege der Forschung
WiWei	Wissenschaft und Weisheit
WoWa	Wort und Wahrheit
ZAM	Zeitschrift für Aszese und Mystik
ZdZ	Zeichen der Zeit
ZevKR	Zeitschrift für evangelisches Kirchen- recht
ZKG	Zeitschrift für Kirchengeschichte
ZKTh	Zeitschrift für katholische Theologie
ZphF	Zeitschrift für philosophische Forschung
ZRPh	Zeitschrift für romanische Philologie
ZSavRGkan	Zeitschrift der Savigny-Stiftung für Rechtsgeschichte, kanonistische Abteilung
ZSTh	Zeitschrift für systematische Theologie
ZThK	Zeitschrift für Theologie und Kirche

Allgemeine Abkürzungen

a.a.O.	am angegebenen Ort
Anm.	Anmerkung
Apol.	Apologia
Arg.	Argumentum (epistolae)
Ausg.	Ausgabe
B.	Brief
Bd.	Band
Dat.	Datierung
Disp.	Disputatio (nes)
ed.	edidit u.ä.
ebd.	ebenda
epist.	epistola (ae)
Ex.	Exemplar
Jg.	Jahrgang
Kap.	Kapitel

Lv.	Leservorrede
Masch.	Maschinenschrift
N.F.	Neue Folge
Or.	Oratio
Praef.	Praefatio
Prop.	Propositio
Qu.	Quaestio
Resp.	Responsio
Rez.	Rezension
S.	Seite
sc.	scilicet
s.v.	sub voce
Test.	Testimonium
Vorr.	Vorrede
Wv.	Widmungsvorrede
zit.	zitiert